N.R.F. *Biographies*

ANTOINE DE BAECQUE
SERGE TOUBIANA

FRANÇOIS
TRUFFAUT

GALLIMARD

« ... *portant concentré en lui-même le fardeau de sa perpétuelle inquiétude.* »

Henry James,
La Bête dans la jungle

AVANT-PROPOS

François Truffaut s'était construit une image assez lisse : celle d'un cinéaste farouchement indépendant, ne vivant que pour ses films, respectueux du public et soucieux de sa fidélité, d'une grande courtoisie envers la presse. Truffaut a cultivé ce personnage assagi, même si l'on savait qu'il était souvent amoureux de ses actrices, et que chacun de ses films racontait une histoire qu'on devinait presque toujours autobiographique. Il incarnait la cinéphilie paisible, à travers l'amour des grands maîtres. L'ancien pourfendeur du cinéma français des années cinquante, le critique virulent de l'académisme des films de Claude Autant-Lara, Jean Delannoy ou René Clément, le turbulent porte-parole de la Nouvelle Vague, n'était-il pas devenu lui-même un cinéaste officiel, faisant l'unanimité et reconnu dans le monde entier ?

La face cachée de François Truffaut est bien plus passionnante, et sans doute moins respectable. De son enfance meurtrie, puis de son adolescence aux limites de la délinquance, l'homme a gardé au fond de lui certaines blessures secrètes et une part de violence qu'il n'a eu de cesse de contenir. Suite d'affrontements avec le monde et de tentatives de s'y adapter en recherchant des « familles d'accueil », son roman d'apprentissage a quelque chose d'exemplaire. Il y a dans la trajectoire de Truffaut un parfum romanesque qui le rattache au xixᵉ siècle, ce qu'on pourrait appeler la marque d'une destinée. Ce n'est pas pour rien que Balzac fut l'un de ses auteurs de chevet. Dans sa jeunesse, Truffaut a entretenu avec la culture une relation presque physique, sauvage. Comme pour le jeune héros du

Roman d'un tricheur, le film de Sacha Guitry qu'à l'âge de treize ans il connaissait par cœur, c'est en marge de l'école, aux limites de la délinquance, que commence pour le jeune autodidacte la vraie vie, entre les petits métiers, les amitiés et les ciné-clubs.

Le jeune Truffaut a aimé les livres et les films, parce qu'ils lui ont servi de refuge : il s'est enfermé dans la lecture comme il s'est enfermé dans le noir des salles de son quartier, pour survivre et s'évader. Il s'est identifié aux personnages, il a adoré les actrices au point de vouloir plus tard les connaître, les filmer, et tomber amoureux d'elles. Et il a constitué très vite des dossiers. Toutes ces fiches, tous ces noms, tous ces titres, toutes ces dates, étaient pour lui un monde peuplé de figures, d'écrivains, de cinéastes, de héros et d'héroïnes, dont la compagnie l'aidait à supporter la solitude et à fuir la vie réelle. Par la suite, François Truffaut n'a cessé d'augmenter et d'enrichir ses dossiers — journaux intimes, correspondances amoureuses, amicales ou professionnelles, articles découpés, faits divers, factures, ordonnances médicales... Il gardait tout. Et toutes ces archives sont aujourd'hui encore soigneusement rangées dans les bureaux des Films du Carrosse, sa société de production, son château de Barbe-Bleue.

La vie de François Truffaut a toujours constitué pour son cinéma une source féconde, un matériau originel, une sorte de trésor fictionnel, le fil rouge qui permettait de relier entre eux les moments forts de son existence. Dès *Les Quatre Cents Coups*, le cinéaste est indéniablement l'enfant de son œuvre, inventant le récit de son origine à travers le personnage d'Antoine Doinel, qui est à la fois lui-même et déjà un autre, puisque cet enfant de cinéma appartint d'emblée à tout le monde. Et son œuvre fut aussi le produit de son enfance, pour ne pas dire l'enfant de son enfance. À ce propos, Claude Chabrol énonce une vérité toute simple : « La jeunesse de François était plus intéressante que celle des autres. Moi, si j'avais raconté ma jeunesse, je n'aurais pas fait plus de deux films ! »

Mais cette trace biographique excède largement les films Doinel. Pour Truffaut, devenir cinéaste consistait d'abord à ne pas trahir son enfance, mais plutôt à la recomposer à travers ces divers scénarios, de *Tirez sur le pianiste* à *Jules et Jim*, ou *L'Homme qui aimait les femmes*. « Qu'importe ma vie ! Je veux seulement qu'elle reste jusqu'au bout fidèle à l'enfant que je fus (...), et qui est à présent pour moi comme un aïeul », écrivait Bernanos au début des *Grands Cimetières sous la lune.*

Animé par une passion de séduire, de conquérir, François Truffaut est allé à la rencontre des maîtres qu'il admirait, et dont il devenait presque immanquablement l'ami : André Bazin, Jean Genet, Henri Langlois, Cocteau, Rossellini, Henri-Pierre Roché, Audiberti, Ophuls, Hitchcock, Sartre, Jean Renoir... Tous ont été autant de pères, de repères possibles. Le cinéaste de *La Chambre verte,* qui faisait dire au personnage de Julien Davenne sur le point de mourir : « Ils disent qu'il y a un vide. Ils disent que la figure n'est pas achevée... », a toujours laissé place aux vivants comme aux morts, ainsi de ces grandes figures tutélaires, Balzac, Proust, James, Irish, Léautaud, Queneau, Henry Miller, Lubitsch ou Chaplin... Pourtant, dans cette famille d'élection, une place est restée vide, celle du seul homme de qui François Truffaut n'eut pas le courage de se faire connaître : son vrai père...

Quelques mois avant sa mort, Truffaut, déjà malade, dans l'intention d'écrire une biographie, fit un dernier détour par l'enfance : « C'est sous ce signe-là, en vérité, confiait-il à son ami Claude de Givray, que je ferai passer le début de mon livre, *Le Scénario de ma vie,* cette citation de Mark Twain qui résume le mystère de la naissance : "Il est bien chanceux le Français qui peut dire qui est son vrai père." »

I

UNE ENFANCE CLANDESTINE

1932-1946

Le samedi 6 février 1932, à six heures du matin, Janine de Monferrand donne naissance à un fils prénommé François, Roland. La jeune mère, qui n'a pas vingt ans, a accouché avec discrétion, suffisamment loin de l'appartement familial de la rue Henri-Monnier où elle habite encore. Ses parents, Jean et Geneviève de Monferrand, ne sont au courant de sa grossesse que depuis un trimestre. Dans une famille catholique, il n'est pas très décent de compter une fille mère, surtout aux yeux des voisins et des relations de ce quartier du IXe arrondissement, petit îlot calme, presque provincial, dans le nord de Paris. Le secret est une manière de conserver une réputation au sein d'une société à la morale sévère et guindée. Janine de Monferrand a trouvé refuge chez une sage-femme de la rue Léon-Cogniet, près du parc Monceau, à plus d'une demi-heure de marche. C'est là qu'elle accouche, seule. À la mairie du XVIIe arrondissement, deux jours plus tard, Marie-Louise Perrin, la sage-femme, déclare la naissance de l'enfant [1].

L'enfant secret

Immédiatement placé en nourrice, à Montmorency puis à Boissy-Saint-Léger, l'enfant ne verra pas souvent sa mère jusqu'à l'âge de trois ans. Au moins trouve-t-il, après vingt mois d'incertitude, un père adoptif. Le 24 octobre 1933, Roland Truffaut, deux semaines avant d'épouser Janine de Monferrand, reconnaît le garçon « né de père inconnu [2] ». Célébré dans l'église Notre-Dame-de-Lorette le 9 novembre suivant, le mariage entre ces deux jeunes gens ne met pourtant pas un terme à la quasi-clandestinité de l'existence du bébé, même si, comme l'écrit Bernard de Monferrand à sa sœur cadette Janine, il « doit faire oublier les mauvais jours ». En effet, « la grande injustice a été réparée par un homme de cœur » : le couple est admis à la table familiale, mais le jeune François demeure en nourrice à Boissy-Saint-Léger. Au printemps 1934, la naissance de René, l'enfant de Roland et de Janine, vient établir la légitimité du jeune couple. Malheureusement l'enfant ne survit pas plus de deux mois. Quelle aurait été la destinée de François Truffaut si ce frère avait vécu ? Une enfance partagée, un imaginaire différent, et le chemin d'une vie aurait pu se dessiner autrement, mais François Truffaut demeura fils unique et fils non désiré.

Très affecté par la mort du petit René, le jeune couple décide de quitter le giron familial pour s'installer dans un modeste deux-pièces, rue du Marché-Popincourt, dans le quartier de la Folie-Méricourt. Il n'est pas question d'y accueillir François. L'enfant a le tort de rappeler à sa jeune mère une période sombre : « La mort de René a été un drame. Car elle a brutalement fait sauter aux yeux ce que jusque-là tout le monde se cachait dans la famille : que François existait, qu'il allait être une gêne, la victime d'une société guindée et un enfant mal aimé », se souvient Monique, la jeune sœur de Janine [3]. François continue donc à ne pas exister, exilé au loin. De visite en visite, de plus en plus espacées, le garçon dépérit. Il mange peu, il est chétif, malingre, le teint parfois jaunâtre. Sentant qu'il peut mourir, Geneviève de Monferrand, la grand-mère, décide de le prendre avec elle, rue Henri-Monnier. François va bientôt avoir trois ans. Légitimé aux yeux de la loi, pardonné au nom de la charité chrétienne, adopté par sa grand-mère, il trouve une place dans le petit appartement des Monferrand. Jean et Geneviève en occupent la chambre, Bernard, le fils de quatorze ans, dort dans le vestibule, Monique, la cadette âgée de dix ans, et François couchent dans le salon. C'est donc Geneviève de Monferrand, « Damère Viève », qui prend en charge François, sous les yeux souvent sévères de son époux, qui, « très collet monté », n'oubliera jamais les « folies de Janine avec des ouvriers du voisinage ou des gens sans nom, parfois même des étrangers [4] », folies dont est né le jeune garçon.

Du Proust en petit, du Proust en bretelle

Les Monferrand forment une famille de petite noblesse originaire du Berry. Après une stricte éducation chez les jésuites, Jean de Monferrand a suivi ses parents qui se sont installés à Paris en 1902, rue de Clichy. C'est grâce aux petites annonces qu'il a rencontré sa femme, Geneviève Saint-Martin. Elle vient du pays d'Oc, entre Auch et Brugnac, dans le Lot-et-Garonne, où une partie de la lignée, elle aussi de petite noblesse, résidait encore. Après le lycée d'Agen, elle est venue finir ses études littéraires à Paris. Les deux jeunes gens se marient en 1907 et s'installent à Aubervilliers. Deux premiers enfants naissent, Suzanne et Janine. Puis Jean est mobilisé. Comme tous les hommes de sa génération, il restera profondément meurtri par la Grande Guerre. Cette expérience adoucit quelque peu la morale conservatrice du jeune homme, introduisant un certain humanisme au sein d'une culture marquée essentiellement par le nationalisme, le catholicisme et le légitimisme. Deux autres enfants suivent, Bernard en 1921 et Monique en 1925. Très attaché à sa bonne éducation, intègre et rigoureux, le couple élève sévèrement mais généreusement ses quatre enfants. À la fin de sa vie, François Truffaut tenta de décrire l'ambiance de sa petite enfance : « On ne peut pas dire tout à fait que c'était du Proust en petit, du Proust en bretelle, mais dans ma famille il y avait un côté Guermantes adapté à la façon des Monferrand. Il y a eu des titres dans la famille. Mon grand-père, pète-sec, toujours tiré à quatre épingles, nous faisait peur, surtout au moment des repas. C'était vraiment un enquiquineur. Par exemple, ma tante Monique, qui était très malicieuse, prenait à table une poignée de sel et la jetait derrière elle, comme ça, et je hurlais de rire. Il me chopait aussitôt par le col en me disant : "Emmène ton assiette à la cuisine ! " Je finissais presque tous mes repas à la cuisine. Ça, c'est vraiment l'atmosphère Monferrand [5]. »
Installé après la guerre au 21, rue Henri-Monnier, dans le

IXe arrondissement, Jean de Monferrand est responsable du courrier des lecteurs au journal *L'Illustration,* l'un des plus importants périodiques du moment, et dont les bureaux sont tout proches, rue Saint-Georges. C'est un poste modeste, mais il y est très attaché, fier d'être un « chef de rubrique ». Cette fonction n'est pas très rémunératrice et la famille Monferrand vivra toujours assez chichement. Néanmoins, une ambiance littéraire et musicale baigne le cadre familial. Geneviève de Monferrand, qui a été institutrice, est une mélomane et une grande lectrice. Écrivain à ses heures, elle laissera un roman manuscrit au titre inspiré, *Apôtres* [6], traversé par une fièvre mystique, et d'une écriture très recherchée. Geneviève fait partager cette passion à François, et l'entraîne dès l'âge de cinq ou six ans dans de longues promenades à travers le quartier Drouot, de librairie en librairie, ou à la bibliothèque municipale du IXe arrondissement. Les quatre enfants Monferrand ont hérité de cet intérêt pour les belles-lettres et la musique. Chacun suit sa propre voie : Bernard, le troisième, veut faire carrière dans l'armée, choisit un temps Navale, puis fait une préparation spécifique pour Saint-Cyr qu'il intègre à la fin des années trente ; Monique, la cadette, se consacre au violon, suit les cours du Conservatoire de Paris dont elle sera lauréate durant l'Occupation.

Janine, la seconde, est plus dissipée, plus volage, voit ses études contrariées par ses aventures sentimentales et, surtout, son statut de fille mère. Elle n'en suit pas moins l'actualité du théâtre et des sorties littéraires d'avant-guerre, se constituant elle aussi une solide culture. Mais elle doit travailler. À partir de 1934, son père lui trouve une place à *L'Illustration,* comme secrétaire sténodactylo à 1 100 francs par mois. Chez les Monferrand, la tradition veut que la culture physique tienne une place aussi importante que les activités de l'esprit, surtout l'alpinisme. Toute la famille fréquente le Club Alpin français, dont Jean est vice-président de la section parisienne au début des années trente. Les membres actifs se retrouvent les jeudis après-midi dans les locaux de la rue de La Boétie, pour préparer leurs itinéraires, dans la forêt de Fontainebleau, ou le Morvan les week-ends, dans les Alpes lors des périodes de vacances. C'est au club que Janine, auréolée de son statut de fille du vice-président, a rencontré Roland Truffaut, passionné de montagne. Il est à peine plus âgé qu'elle, pas bien grand, plutôt maigrichon, la tête, sur laquelle est vissé un béret, souvent penchée en avant. Mais il est drôle, attentif, adroit, et surtout très au fait en matière de mousquetons, de cordes et de piolets.

Depuis plusieurs générations, les différentes branches de la famille Truffaut sont installées dans l'ouest et le sud de la région parisienne, entre le Vexin normand et la région de l'Orge, poussant même aux confins du centre de la France, comme l'Allier, à Valigny, où Roland est né en mai 1911. Des pays encore attachés à l'agriculture où vivent des familles de gros fermiers, d'artisans ruraux. Un tout autre milieu que le monde plus fermé, plus cultivé mais moins riche des Monferrand. M. et Mme Ferdinand Truffaut, les parents de Roland, se sont installés durant les années vingt dans un gros bourg encore rural, mais aux terres déjà rongées par l'industrialisation et le passage des voies de communication : Juvisy-sur-Orge, dans l'Essonne, à une trentaine de kilomètres au sud de Paris. Là, le couple vit dans une maison modeste mais agréable, avec sa cour, son jardin et un atelier à l'arrière, vers la campagne. Ferdinand Truffaut est tailleur de pierre, et travaille surtout le marbre. Il est réputé pour la sûreté de ses coups et ses prix modiques qui ne semblent pas avoir augmenté depuis le début des années vingt. Il travaille à la commande : pieds de marbre pour des tables en pierre, compotiers, cendriers, et surtout des pierres tombales pour le cimetière voisin. La vie est calme à Juvisy au début des années trente, au moment où les trois enfants, Roland, Robert et Mathilde achèvent leurs études.

En 1929, Roland Truffaut monte à Paris pour obtenir son diplôme d'architecture. Il travaille sur le tas, à dix-huit ans, comme « dessinateur architecte », c'est-à-dire le dernier arrivé dans un cabinet d'architecture, et chargé de dessiner les fonds de cartes et les plans des projets en cours. Il gagne juste assez pour louer une chambre dans le quartier des Lorettes, et poursuivre sa passion pour l'alpinisme. Il peut même se procurer l'équipement le plus moderne et profiter des sorties de la section parisienne du Club Alpin français vers la Savoie, la Suisse, le Vercors ou, mieux encore, les Calanques marseillaises et les Dolomites italiennes. À la fin des années trente, son métier et sa passion se rejoindront lorsqu'il travaillera comme architecte-décorateur pour les Éclaireurs de France, rue de la Chaussée-d'Antin.

Entre-temps, il a rencontré Janine de Monferrand au siège
du Club Alpin français, dont elle est l'une des animatrices. Un
petit bout de femme d'un mètre cinquante-huit, vive et brune,
plutôt ronde, et assez séductrice. Les fiançailles sont brèves,
le mariage intervient rapidement. Les jeunes mariés gagnent
modestement leur vie (4 000 francs [7] à eux deux en 1938), et
poursuivent leurs activités d'alpinistes du dimanche. Roland
Truffaut devient membre du Comité de direction du Club Alpin
à la veille de la guerre, puis vice-président de la section Paris-
Chamonix, s'occupe activement de l'intendance des refuges et
de la revue *La Montagne*. Janine de Monferrand ne suit pas toujours ce premier de cordée. Indépendante et cultivée, elle préfère souvent les soirées théâtrales ou les séances du Gaumont-
Palace (des comédies avec Annie Ducaux, comme *Florence est
folle*, de Georges Lacombe, *L'Inévitable M. Dubois*, de Pierre Bil-
lon) aux réunions de la rue de La Boétie. Elle lit énormément,
surtout les auteurs à la mode du temps, comme Maxence Van
der Meersch, Charles Morgan, ou des « modernes » tels André
Gide, Jean Giraudoux ou Paul Valéry. Coquette, elle consacre à
son élégance l'argent qu'elle peut subtiliser à la passion de son
mari pour la montagne. Enfin, elle a quelques aventures sentimentales, sans prendre vraiment la peine de s'en cacher, tant
Roland Truffaut est accaparé par son club et ses expéditions.
Ainsi ce « Monsieur Robert », Robert Vincendon, l'amant quasi
officiel, a ses habitudes à la table familiale tous les jeudis soir,
et ne manque jamais d'apporter un cadeau, une bouteille de vin
au mari, ou un livre à sa maîtresse. Au milieu de toutes ces
activités, le couple vit comme s'il n'avait pas d'enfant, et François
n'est qu'une ombre.

Geneviève de Monferrand consacre beaucoup de son temps
à élever « ses trois derniers », Bernard, qui ne rêve que de
l'armée, Monique, qui vit pour la musique, et François, son
petit-fils récupéré aux portes de la mort. C'est elle qui, à deux
reprises, a « voulu » François, l'a soutiré au néant, parvenant à
dissuader sa fille Janine d'avorter clandestinement en 1931, puis
allant le chercher à Boissy-Saint-Léger alors qu'il dépérissait à
vue d'œil. Les témoignages concordent pour décrire l'enfant,
surnommé Papillon ou Farfadet, blond aux cheveux très fins
coupés à la Jeanne d'Arc, comme un « petit extrêmement
éveillé », gai, même s'il est « fragile et maigre [8] ». Vers sept ans,

ses cheveux passent au brun ; il reste « toujours un peu pâle, olivâtre » et il « alterne la vivacité et la mélancolie », les « longs silences » et les « bavardages échevelés [9] ». La chose la plus importante pour François, à la fin des années trente, est déjà son quartier, dont il connaît les coins et les recoins, qu'il arpente régulièrement, de longs moments, avec sa grand-mère. Depuis la rue Henri-Monnier, sur la pente qui prolonge la butte Montmartre, on peut remonter en suivant un écheveau de petites rues vers les boulevards les plus chauds de Paris reliant Clichy, la place Blanche et Pigalle. D'ouest en est, parallèles à la rue Henri-Monnier, la rue Blanche, la rue de La Rochefoucauld, la rue des Martyrs, la rue Rodier et la rue Rochechouart offrent au marcheur côtes et descentes, tandis qu'une multitude de petites rues transversales composent un tissu urbain extrêmement serré, l'un des plus denses de la capitale : la rue de Douai, la rue Condorcet, la rue Chaptal, la rue de la Tour-d'Auvergne, la rue de Navarin, la rue Choron... On est au cœur d'un quartier xixᵉ siècle, celui des Lorettes, dit aussi « la Nouvelle Athènes », quartier d'artistes et de demi-mondaines, d'artisans et de « filles », de commerçants et de petits fonctionnaires. L'atmosphère est plutôt calme, malgré les bruits et les cris du marché de la rue des Martyrs. À part quelques hôtels particuliers construits à la fin du xixᵉ par de riches bourgeois afin d'y installer leurs maîtresses, les appartements sont plutôt modestes, les pièces petites. De ce quartier, l'un des plus authentiques de Paris, celui de Nerval, de Gustave Moreau ou de Paul Léautaud, se dégage une impression d'harmonie.

Truffaut est inscrit à l'école maternelle de la rue Clauzel, et apprend l'alphabet. Auprès de sa grand-mère, il s'adonne à la lecture. Ses premiers bulletins scolaires de l'année 38-39, alors qu'il est en onzième, à la petite école du lycée Rollin, avenue Trudaine, sont très bons. Inscrit au tableau d'honneur, dans les cinq premiers de sa classe, l'appréciation du maître, M. Dubuc, est élogieuse : « François est bon élève ; son esprit est éveillé et son intelligence vive. Son bon caractère et son humeur égale lui ont gagné la sympathie de tous [10]. »

L'été, Geneviève de Monferrand loue une grande maison en Bretagne, dans les Côtes-du-Nord, près de Saint-Brieuc, à Binic : la villa *Ty Rosen*, rue de l'Yc. C'est une maison de deux étages, avec jardin, située à quelques centaines de mètres de la mer. François, qui déteste les bains et la natation [11], passe son temps à courir ou à jouer sur le sable au milieu d'une bande de cousins et de cousines, tous plus âgés et assez turbulents, Bob, Marie-Louise, Simone, Odette, Monique... Avec l'entrée en guerre en septembre 1939, Geneviève de Monferrand décide de prolonger les vacances et de passer l'année en Bretagne. Tout comme son fils Bernard et son mari Jean, son gendre Roland Truffaut est mobilisé, au camp de Satory près de Paris, et la vie bretonne semble plus facile qu'une longue attente à Paris. Le petit Truffaut, après une jaunisse inquiétante, et les enfants Monferrand fréquentent l'école du village, en haut de la falaise. Sans doute François est-il un peu plus dissipé qu'à Paris, car, le 15 février 1940, la grand-mère réclame pour la première fois de l'aide : « François a meilleure mine qu'il n'a eue depuis longtemps et mange avec assez d'appétit, mais son accès de boutons est si mauvais cette fois que plusieurs ont l'air de petits furoncles. À cause de cela je lui pardonne un peu son humeur indocile, inattentive et raisonneuse. Il apprend une foule de choses en classe, bonnes de la maîtresse mais désolantes de ses camarades francs polissons. Il faut que Roland lui écrive avec une grosse voix qu'il doit obéir sans raisonner et supporter les observations sans impatience (qui va jusqu'au haussement d'épaules). Tout cela n'est pas grave mais il faut couper le mal à la racine. Sans cela je deviendrai une petite vieille débordée [12]. »

Après un deuxième été à Binic, Geneviève et tous les enfants retournent à Paris, pour la rentrée scolaire de septembre 1940. François retrouve le lycée Rollin en classe de 9e. Il conserve les habitudes de lecture, de travail, acquises auprès de sa grand-mère, qui en font un élève doué, mais aussi celles qu'il a prises au contact des cousins et de la petite école bretonne sur la falaise, qui en ont fait un enfant difficile. Les appréciations générales de ses maîtres en rendent compte : « Enfant fort intelligent, répondant très bien aux exercices oraux, mais si joueur, si étourdi et si bavard qu'il gâche d'excellentes qualités. Bon en français. S'il montrait un peu plus d'application et une attention plus soutenue, il réussirait à merveille [13]. » Cela n'empêche pas le garçon d'être inscrit au tableau d'honneur et de passer dans la classe supérieure. L'année suivante, après un nouvel été heureux à Binic, le même constat figure sur son livret : « Excellent élève, mais que je suis sans cesse obligé de reprendre pour la conduite. Il comprend très bien, tout, sauf la discipline [14]... »

Cette vie réglée par la lecture, les promenades, les courses dans le quartier, l'école et les étés bretons, et placée sous les bons auspices de sa grand-mère, est interrompue par des événements que le garçon trouve, selon les cas, importuns ou bienvenus. Tout d'abord les visites de ses parents, rarement à Binic, puisqu'ils passent en général l'été en montagne, à l'autre bout de la France, mais, plus souvent, dans l'appartement de la rue Henri-Monnier. François Truffaut en a gardé un souvenir plus amer : « Avec mon père ça allait, mais avec ma mère pas du tout. J'ai compris ce phénomène depuis en lisant des livres. Ma mère, que je voyais rarement, certains week-ends quand ils me prenaient chez eux, ma mère voulait tout d'un coup jouer son rôle et se mettait en tête, par exemple chez ma grand-mère, de me faire manger jusqu'au bout un truc que je ne pouvais pas sentir, comme les lentilles, jusqu'à ce que j'aie des haut-le-cœur et que je vomisse dans mon assiette. Alors elle se mettait en colère et m'enfermait dans la pièce du fond, puis elle criait sur sa propre mère, l'accusant de laisser aller mon éducation, enfin s'effondrait en larmes quand elle s'apercevait qu'elle aussi était fautive. C'était à chaque reprise des drames et des parties de bras-le-corps, si bien que je pouvais tout prévoir et que j'avais fini par redouter ces moments où ma mère venait nous rendre visite. Mon père rigolait de tout ça, et mon grand-père, lui, que je n'aimais pas parce qu'il était sec avec moi et qu'il ne me parlait jamais, ni de livres, ni de théâtre, ni même de l'armée qu'il adorait pourtant, mon grand-père refusait de voir, de comprendre, et allait lire son journal dans son bureau [15]. »

Un autre événement vient interrompre ce cours tranquille rue Henri-Monnier : les visites et les séjours chez les grands-parents paternels, à Juvisy. François y passe des vacances, à Pâques ou à la Toussaint. Parfois, il y reste plus longtemps et accompagne alors souvent son grand-père dans son atelier ou au cimetière pour ses travaux de marbrerie. Chez les Truffaut, on ne parle ni de littérature ni de spectacles récents, mais de la famille ; plus tard, l'adolescent soupçonnera sa grand-mère de rapporter tous ses propos ensuite à ses parents... Et l'on regarde passer le temps, en s'ennuyant sans s'ennuyer : « C'était marrant parce que les vacances à Juvisy se passaient le plus souvent au bord de la route à regarder passer les voitures qui partaient en week-end. Il n'y avait pas d'autoroute à l'époque, et ça y allait le samedi. Tout ça descendait ; et le dimanche soir les voitures remontaient. Nous, avec mon grand-père, ma grand-mère, et le chien Scout, on était là assis sur une chaise à regarder les voitures [16]. » Le garçon savoure de grands bols de crème fabriquée par sa grand-mère avec de la farine Heudebert, la seule chose que François Truffaut ait vraiment aimé manger dans sa vie.

Ma mère à moi

Au mois d'août 1942, Geneviève de Monferrand meurt des suites d'une pleurésie compliquée d'un accès de tuberculose. François est à Juvisy, chez ses autres grands-parents, lorsque la nouvelle redoutée depuis quelques semaines est connue. Un conseil de famille se réunit, dont le garçon de dix ans est écarté. On ne lui apprendra la mort de sa grand-mère que quelques heures plus tard. À Juvisy, on veut bien de François, mais Roland Truffaut insiste pour le prendre à plein temps, malgré les réticences de Janine. Voilà le jeune couple d'une trentaine d'années en charge d'un enfant jusqu'alors à peine vu le temps d'un week-end, d'un repas de famille, parfois d'une semaine de vacances. Un garçon cyclothymique et irritable, sensible, vif, susceptible, un peu maladif. Il a conscience d'être un poids pour ses parents, une charge dont ils se passeraient bien, spécialement sa mère, Janine, qui tient à préserver sa liberté face à un fils qui ne représente pour elle qu'une erreur de jeunesse. Après avoir vécu jusqu'ici ses plus belles années avec sa grand-mère, François est livré à lui-même dans un monde plus indifférent, voire hostile.

Peu avant sa mort, François Truffaut a décrit son adolescence avec des sentiments mêlés : « C'est une période qui semble malheureuse, mais le côté heureux est tressé là-dedans sans que je m'en rende bien compte [17]. » Il se rappelle clairement cette fascination mêlée de haine qui le liait à cette femme qu'il découvrait alors vraiment, « ma mère à moi » comme il pensait intituler, à la fois possessif et ironique, l'introduction de son projet d'autobiographie [18] : « Ce que j'ai vécu avec ma mère est une chose difficile à expliquer. Cela s'expliquerait peut-être mieux sous forme de roman — quoique Léautaud parle très bien de choses comme ça dans son journal. Une forme d'autorité un peu méprisante, une certaine façon de m'appeler " mon petit " ou " petit imbécile ", " petit crétin ", ou de donner des ordres, de me traiter comme un domestique, de voir jusqu'où j'irais sans me plaindre, sans aller jusqu'à me battre, enfin pas souvent... C'est vrai que cette femme je l'avais terriblement encombrée à ma naissance, puis on l'avait désencombrée lorsque ma grand-mère s'était occupée de moi pour elle. Formidable ! Tout d'un coup, après l'été 1942, elle est obligée ou elle se croit obligée de me prendre avec elle. C'est en comprenant cela que je me suis mis à détester ma mère, lorsque j'ai senti que je la gênais. Il y avait plusieurs indices de cet embarras, des petites choses, certes, mais qui m'ont fait terriblement mal. Par exemple, les médecins disaient tout le temps, aux visites médicales, qu'il fallait m'opérer des amygdales, et mes parents remettaient sans arrêt l'opération à plus tard ; ensuite la phrase qui rythmait tous les printemps, à l'approche des vacances : " Qu'est-ce qu'on va faire du gosse ? " Il y avait toujours cette idée sous-jacente, et qu'on ne me cachait même pas : " Comment peut-on s'en débarrasser ? " Et puis il y a eu une autre chose que j'ai eu du mal à digérer, ce furent deux ou trois Noëls tout seul, alors que mes parents étaient en montagne avec des amis. D'abord, ça m'était présenté comme quelque chose de favorable : je ferais tout ce que je voudrais à Paris, bien tranquille, avec un peu d'argent, aller au cinéma ou au théâtre avec mes cousines... Je sais qu'à chaque fois j'ai eu un cafard terrible [19]. »

« Malgré tout ce qu'il y a eu entre eux, haine et incompréhension, écrira Robert Lachenay, son ami d'enfance, il était très admiratif de sa mère, tout simplement parce qu'elle était une belle femme, une femme indépendante [20]. » Pour lui plaire, François se comporte comme un enfant modèle, presque comme un homme, par exemple lorsqu'il est laissé seul et tente, pour que ses parents « trouvent la maison mieux en rentrant », de repeindre les murs, le plafond ou les portes, ou de parfaire le vétuste circuit électrique, plaçant des prises de courant, travaillant les épissures et les branchements. Cette bonne volonté se solde parfois par des catastrophes. « Ça marchait bien avec mon père, qui se marrait toujours, mais c'était plus difficile avec ma mère. Sa réaction était imprévisible, parfois très négative : " Petit crétin, petit imbécile, personne ne t'a demandé de faire ça [21]... " »

Le rire de Roland Truffaut, ses blagues, reviennent souvent dans les souvenirs de son fils. Il s'amuse de tout, des crises entre la mère et le fils, des histoires que son garçon ramène de l'école, surtout si elles sont grivoises ou anticléricales, des problèmes financiers, même des soupirants de Janine, les « Messieurs de Madame ». Une bonne soirée au théâtre, pour voir une comédie sur les boulevards tout proches, un film au Gaumont-Palace, lui aussi voisin, et les épreuves de la journée sont oubliées. Cela exaspère souvent sa femme — et les disputes sont fréquentes à ce propos —, mais réjouit François, toujours prêt à solliciter l'humeur blagueuse de Roland. Une seule chose fait rarement l'objet de plaisanteries, la montagne, et les colères de Roland Truffaut éclatent alors, violentes comme un orage d'altitude, quand le plan d'un itinéraire de grande randonnée est égaré, un cordage emmêlé ou une série de mousquetons perdue.

Une fois François installé chez ses parents, ses relations avec son père deviennent vite difficiles. Roland Truffaut ne lui a jamais dit qu'il était son père adoptif. Mais, bientôt adolescent, il s'en est aperçu tout seul, interprétant certains signes avec une imagination nourrie par tous les romans qu'il lisait. D'abord ce malaise qui plane autour des questions qu'il pose sur son enfance, l'éloignement de ses parents. Ensuite cette idée fixe, chez Geneviève de Monferrand et sa fille Janine, que le petit, aux yeux de la société, doit avoir deux ans de moins que son âge réel... Janine et Roland se sont mariés en novembre 1933, donc le bébé n'a pu naître qu'en 1934... Les explications qu'on lui donne — notamment la nécessité de continuer à bénéficier du « tarif enfant » pour Fontainebleau — ne l'ont bien sûr jamais convaincu. De là ce doute, né assez tôt, qui se confirme avec la lecture des grands romans du XIXe siècle : « Malheureusement, peu à peu, je sentais qu'il y avait quelque chose qui n'allait pas et qui venait de... Charles Dickens. Je m'étais inventé, comme le font les grands lecteurs dans ces cas-là, des histoires de naissance, un mystère compliqué [22]... » L'adolescent semble avoir été surtout frappé par l'une des premières phrases de *David Copperfield*, un roman si marquant pour lui, avec *Les Grandes Espérances* :

« Quand je suis venu au monde, mon père était mort depuis six mois... » « J'ai essayé de me débrouiller tout seul avec ce livre, avec cette phrase qui était quand même très intrigante [23] », écrira Truffaut.

Au début de l'année 1944, alors qu'il vient d'avoir douze ans, François fouille dans une armoire en l'absence de ses parents. Il tombe sur un petit almanach Hachette 1932, ayant appartenu à Roland Truffaut et sur lequel il consignait divers événements, des itinéraires de randonnées, des anniversaires à ne pas oublier, des sorties au théâtre. À la date du 6 février, jour de sa naissance, François ne trouve aucune mention particulière... Le doute est définitivement levé quelques semaines plus tard quand il tombe sur le livret de famille. Roland Truffaut n'est pas son père et ses blagues ne le feront plus rire désormais qu'avec un pincement au cœur.

Fugues et mensonges

Depuis la rentrée scolaire de septembre 1942 — il a dix ans et demi —, François vit donc chez ses parents. Pour un couple avec un enfant, l'appartement de la rue Clignancourt en 1942, celui de la rue Saint-Georges en 1943, celui de la rue de Navarin à partir de janvier 1944 sont exigus. « Là, au 33 rue de Navarin, 1er étage gauche, se rappelle Truffaut, j'ai tout de même habité pendant près de cinq ans. C'était très dur de cohabiter dans cet appartement si petit. Il y avait une pièce qui faisait salle à manger et puis la chambre de mes parents, enfin une petite entrée, attenante à la cuisine qui faisait aussi salle de bains. Les toilettes étaient dans l'escalier, il fallait descendre un demi-étage. C'était tellement la précarité que mon père avait confectionné un système pour mon lit, dans l'entrée, avec une sorte de banquette qui se repliait pendant le jour et se dépliait pour la nuit grâce à un mécanisme pivotant. Pour lui, c'était un peu comme un refuge en montagne. Il en rigolait souvent. Pour moi c'était mon lit toutes les nuits et c'était moins drôle [24]. » Ce système, devenu célèbre grâce aux scènes des *Quatre Cents Coups,* ne pouvait que renforcer chez l'enfant le sentiment d'être « de trop », de gêner, de perturber l'intimité des parents.

Ces derniers le laissent régulièrement, le temps des week-ends à Fontainebleau où ils continuent de se rendre pour pratiquer promenade et varappe. Roland et Janine partent le samedi matin et reviennent le dimanche après-midi, tandis que l'adolescent reste seul dans l'appartement. Il lit, il bricole, il s'ennuie, sans quitter sa chambre et la cuisine où des repas ont été préparés pour lui, mais il préfère ce désœuvrement à l'escalade qu'il a très vite exécrée. Plus tard, il profitera de l'absence de ses parents pour sortir avec ses copains, et aller coucher chez l'un ou chez l'autre.

Janine et Roland n'ont pas toujours compris cette attitude, jugeant François paresseux, mettant ces refus sur le compte d'une crise d'adolescence « qui passera un jour ». Ils méprisent un peu ce jeune garçon « trop gâté » par sa grand-mère, incapable de préférer le grand air à l'atmosphère confinée du quartier des Lorettes. Roland Truffaut évoquera ce dialogue de sourds dans un livre paru en 1953 chez Julliard, *Du Kenya au Kilimandjaro* : « Mon fils François ne comprendra jamais rien à la montagne. Il y a longtemps, persuadé et désespéré à la fois, que je n'insiste plus. [...] Il préfère le scooter, le cinéma, et considère qu'il n'est pas de méthode plus désagréable pour manger que celle qui consiste à avaler des aliments accroupi devant une tente, même si le paysage est merveilleux. Ses goûts ne sont pas les miens [25]... »

Il accepta pourtant d'accompagner ses parents à Fontainebleau le week-end où ils décidèrent de tourner un remake parodique du film de Marcel Carné qui venait de sortir, et qu'ils intitulèrent *Les Visiteurs du samedi soir*. Pour l'occasion, on utilisa une cinquantaine de mètres de toile d'avion trouvée dans la forêt, un ami prêta sa caméra 16 millimètres, Roland Truffaut écrivit le scénario et en profita, avec son long nez, pour jouer la vieille duègne, Janine fit la jeune première, Monique de Monferrand dirigea la musique, des membres du Club Alpin firent de la figuration. Tout le monde participa à l'entreprise, y compris François embauché pour faire le nain. « Ça faisait des petites aventures [26] », dira-t-il avec le recul. Mais la plupart du temps, il préférait se replier sur lui-même, se tenir « peinard », faire semblant d'ignorer les histoires qui agitaient la vie du couple, ne pas faire d'éclats, garder pour lui ses commentaires et ses aventures, ne pas se faire remarquer, ne rien demander. Mais, s'il ne demande rien, il se sert, et vole régulièrement dans la caisse commune de petites sommes qui lui permettent une relative indépendance. Pour être tranquille, François raconte des histoires, invente mensonge sur mensonge dans une fuite en avant, une fuite dans la fiction destinée à régler ses comptes avec le réel. Cela ne passe pas inaperçu et les parents se plaignent ouvertement de son attitude auprès de leurs proches ou de leurs amis : « François est de plus en plus chapardeur et menteur. Il ne nous respecte plus, car il nous vole et s'est mis à mentir sans raison [27]. » Le malentendu se creuse et le respect manque de part et d'autre.

Cette première année de vie commune avec les parents est aussi sa dernière à l'école primaire du lycée Rollin, où se sont vite fait sentir les effets de la dégradation du climat familial. L'appréciation de Mme Mollier dans la case du premier trimestre — « bon petit élève, mais un peu bavard parfois [28] » — laisse place à un commentaire beaucoup plus sévère au dernier trimestre : « Cet élève m'a beaucoup déçue en fin d'année. Il perturbe de plus en plus souvent la classe et apprend de moins en moins ses leçons. Malgré son échec, il n'aurait aucun avantage à redoubler sa classe [29]. » François est alors contraint de passer un examen dont l'enjeu est très important. S'il le réussit, il pourra continuer sa scolarité au lycée Rollin en classe de sixième ; s'il le rate, il se retrouvera en « classe de fin d'études », réservée aux plus mauvais élèves, et validée par le certificat. L'examen est prévu au mois de septembre 1943, mais François ne s'y présentera pas [30]. En trois ans, de septembre 1943 à juin 1946, l'adolescent suivra des cours dans trois écoles différentes, toutes très proches : celle du 5, rue Milton, celle du 35 de la même rue, puis celle de la rue Choron, et décroche tant bien que mal son certificat d'études [31] le 13 juin 1946.

S'il a son diplôme en poche, et une ouverture possible vers la vie professionnelle, ces trois années n'ont été qu'une suite de problèmes et de péripéties, qu'il mettra en scène une bonne décennie plus tard dans *Les Quatre Cents Coups*. Truffaut est revenu vers la fin de sa vie sur cette période de son adolescence : « C'étaient de bonnes écoles, un peu sales, plus crasseuses que le lycée Rollin, mais on s'y faisait. Ce qui était plus difficile pour moi, c'était de passer d'un maître à plusieurs. C'était peut-être lié à la place de ma grand-mère qui m'avait habitué à une certaine pédagogie, mais j'avais tout d'un coup l'impression d'être abandonné, d'être un objet perdu et sans intérêt. Parfois, c'était drôle, car avec tous ces nouveaux profs, qui venaient souvent du primaire, on rencontrait de sacrés phénomènes. Il y en avait un qui disait : " Ça va cogner, ça va cogner, Truffaut ! " Ça me plaisait bien parce que c'était vraiment l'accent paysan [32]. » Ces scènes, ces personnages sont restés gravés dans l'esprit du cinéaste qui s'en inspirera dans *Les Quatre Cents Coups* : Ducornet, le professeur de lettres de la rue Milton, sec, autoritaire, qui retrouve des passages entiers tirés de Balzac dans une rédaction de l'élève Truffaut, et sanctionne sévèrement ce culte et ce péché d'orgueil ; Petit, le professeur de mathématiques de la rue Choron, ancien des F.F.I., qui vendait à ses élèves des photos de lui en grand uniforme ; le « prof de gym », si tolérant que, entre la cour de récréation et le stade, il perdait presque tous ses élèves, comme happés par les portes cochères qui jalonnaient le parcours.

Mais, au-delà des bourdes et des âneries, ce sont les absences et les fugues qui affectent la scolarité et la stabilité de celui que le curé au catéchisme surnomme « le météore [33] ». La fugue la plus culottée date du mois d'avril 1944 : « J'avais emprunté le premier volume des *Trois Mousquetaires* à la bibliothèque et, pour lire les deuxième et troisième, j'ai séché un mardi. Je voulais aller au bout de mon projet qui était d'avoir les trois volumes et de les lire dans un square que je connaissais, du côté de Montmartre, assez loin de l'école pour ne pas être repéré. Donc, le mercredi je continue à sécher et je passe ma journée à lire. Puis, la nuit tombante, arrive un magnifique spectacle, un bombardement sur La Chapelle. Je suis un peu inquiet mais ravi. Au bout de quelques minutes, je vois les gens se précipiter dans une bouche de métro, pour s'abriter. Je descends aussitôt en courant vers le métro Marcadet, car les bombes commencent à arroser le boulevard Barbès. Je rentre dans la station et j'attends au milieu des gens. Finalement j'ai dormi là, toute la nuit, sans penser à mes parents, avec juste Alexandre Dumas sous le bras. Le matin, je rentre à l'école, tout content de raconter ça aux copains. Et ma mère, morte d'inquiétude, est venue me chercher en plein cours. J'étais mal [34]. » L'école, pour lui, plutôt qu'un apprentissage, devient le lieu d'une mise en scène, une machine à fabriquer des mensonges : s'il faut fuir les cours pour lire Balzac ou Dumas, s'il faut fuguer pour rencontrer la vraie vie, il s'agit surtout de se jouer de l'autorité en mentant comme on ment aux parents. D'où la célèbre réplique trouvée par l'élève à l'automne 1944 lorsqu'il lui faut justifier une nouvelle absence, et reprise par le cinéaste quinze années plus tard, dans la bouche d'Antoine Doinel : « C'est ma mère, m'sieur... ... elle est morte [35]... »

Lachenay, l'amiamiamiami

Mais l'école est surtout le lieu où se faire des copains. Grâce à l'amitié, François trouve un premier refuge où il peut oublier l'indifférence familiale, comme l'autorité des professeurs. « À la rentrée 1943, à l'école de la rue Milton, il y a eu une sonnerie pour la récréation et, en descendant dans l'escalier, un garçon m'a parlé et m'a dit : " Toi, je suis sûr que tu fauches de l'argent à tes parents. " Alors je l'ai regardé en refusant de répondre. Une heure plus tard, il est arrivé dans la classe, au milieu du cours de français, accompagné par un surveillant. Le prof, qui semblait le connaître, lui a dit : " Allez vous asseoir à côté de Truffaut, tous les deux, vous ferez la paire. " C'était Robert Lachenay qui est devenu mon ami le plus proche [36]. »

Les deux garçons sont assez différents. Robert est l'aîné ; toujours dernier de sa classe, il a été rétrogradé en sixième lorsqu'il vient s'asseoir sur le même banc que François, sous le regard sévère de M. Ducornet. Robert est plus costaud, plus sûr de lui, plus mûr, surtout si l'on parle de politique et d'histoire, ou qu'il faut faire face à l'institution scolaire : c'est l'élément moteur du duo, déjà habitué à l'école buissonnière, aux mots d'excuse, aux fausses signatures sur le livret scolaire. François se rattrape grâce à sa passion pour les livres et les films, sauf sur les films de gangsters, une spécialité de Robert. Mais c'est avant tout la franchise de Lachenay qui a attiré François. Ce dernier sait mentir, bien sûr, mais il le fait toujours avec un aplomb qui impressionne. Surtout, il n'hésite jamais à qualifier les gens comme ils le méritent, les camarades de classe comme les professeurs, les parents comme les commerçants du quartier. Ce comportement est complètement étranger à François, plutôt habitué aux non-dits.

Leurs familles pourtant se ressemblent, comme le rappelle Lachenay : « Pour lui, son père et sa mère étaient des parents un peu légers, les miens c'était le même genre bien qu'ils soient très différents. On était vraiment seuls, tous les deux, pour se tenir lieu de famille et on s'épaulait dans notre solitude. C'est très dur d'être enfant, on est toujours soit traqué soit délaissé, à la maison par les parents, à l'école par les professeurs qui à l'époque cognaient comme des sourds, c'était la terreur. On s'était mis ensemble pour résister à ça [37]. » Les deux garçons se retrouvent dès le chemin de l'école, puisque François attend Robert tous les matins au coin de la rue Henri-Monnier et de la rue de Navarin. Les Lachenay habitent au 10 de la rue de Douai, juste après la rue Pigalle qui dévale de la place du même nom, dans un très grand appartement de huit pièces qui fascine François. Robert y jouit d'une relative liberté. Sa mère, qui travaille épisodiquement dans le théâtre, est alcoolique, et vit la plupart du temps recluse dans une partie de l'appartement. Lorsqu'elle sort, il arrive qu'on la ramène titubante, incapable de rentrer seule chez elle. Son père, élégant, plutôt grand seigneur, est secrétaire du Jockey Club, absorbé par les chevaux et les paris, bénéficiant ainsi de quelques avantages matériels [38] en cette période de pénurie (les enfants profiteront d'un réfrigérateur presque toujours garni durant l'Occupation, et auront parfois table ouverte chez Trémolo, un restaurant de la rue de Biot où M. Lachenay a un compte). Les courses constituent son unique passion et elles lui coûtent cher. Il arrive même que les huissiers débarquent rue de Douai. Le lieu se vide ainsi peu à peu de ses meubles, pour ne laisser que les souvenirs et les babioles les plus superflus, conférant ainsi à l'endroit un charme désuet, un peu fantastique, que vénèrent les deux garçons. Ils occupent une place privilégiée : à l'abri des regards indiscrets comme des saisies des huissiers, la chambre de Robert est isolée du reste de l'appartement par un long couloir. Suprême liberté, l'on peut y accéder par un escalier de service. François, à partir du printemps 1944, puis plus encore en 1945, passe de longues heures ici, y dormant parfois durant ses fugues plusieurs nuits de suite.

C'est le refuge par excellence, à l'abri des parents comme de l'école, où les deux amis parlent et lisent beaucoup, fument et boivent un peu.

Je sévigne, tu sévignes

L'été 1945, commence entre eux une longue correspondance. « Je ne peux pas me passer de t'écrire tous les jours, fais de même, recommande ainsi François, de Binic où il passe les vacances. Je sévigne, tu sévignes, nous sévignons. Je fais du kayak et j'écris cinq lettres par jour. Écris-moi ! Écris-moi [39] ! » Cette passion épistolaire exceptionnellement précoce va se révéler durable chez François Truffaut, et comportera toujours pour lui un enjeu vital. À partir de 1945, s'y développe son amitié pour Robert Lachenay, le « vieux », l'« old chap », l'« amiamiamiami » ou, généralement, le « cher Robert » à qui « Francesco », « Phronssouat », « ton pote », « ton caupin », « la truffe », ou, le plus souvent « ton ami François », se confie.

Lorsque l'un doit quitter une école, l'autre se débrouille pour le suivre. Ainsi, Robert et François se retrouvent de classe en classe, ne se mêlant guère aux enfants de leur âge, à l'exception pourtant de Claude Thibaudat — connu plus tard sous le nom de Claude Vega comme imitateur et artiste de variétés —, du même âge que François, gagné d'une même passion pour le cinéma, la lecture, la chanson et surtout le music-hall. Fils d'une concierge de la rue des Martyrs, Claude rejoint tous les matins les deux autres adolescents sur le chemin de l'école. C'est là qu'ils établissent ensemble le programme de la journée, et, surtout, de la fin d'après-midi, après l'école, parfois de la soirée en cas de permission ou d'absence des parents, et qu'ils évoquent leur « avenir ». « Entre enfants, se souvient Claude Vega, on se regroupait par affinités : " On va là, combien t'as ? Il me reste tant, bon je complète ", on se débrouillait. Il y avait des échanges de photos entre nous. François me disait : " Tu tiens vraiment à cette photo de film ? ", on n'avait pas toujours les mêmes goûts, mais on respectait ceux des autres, on se taisait pudiquement. Je voulais une photo d'Yvonne Printemps avec Pierre Fresnay et il me disait : " Ne t'en fais pas, je vais te trouver ça. " Et j'étais fou de joie d'avoir une photo qu'il avait réussi à piquer [40]. » Chacun a conscience que l'école de la rue Milton n'est qu'un passage et qu'il leur faut déjà se débrouiller pour acquérir leur indépendance. « Ce que l'on avait de commun Robert Lachenay, Claude Vega et moi, c'était de vivre projetés dans l'avenir, dans un avenir qui était proche, qui devait être proche. On discutait tout le temps de ce que l'on ferait bientôt, deux ou trois ans plus tard. Par exemple, on a eu la même idée qui nous a fait faire dès la rentrée 1945 un petit boulot et gagner un peu d'argent. C'était une idée très simple, l'idée de faire un *Pariscope* avant la lettre. À l'époque, les programmes de cinéma, de théâtre, de cabaret, étaient imprimés très condensés, en tout petit, dans les journaux, par manque de papier. On était tous les trois fanatiques de spectacles. Moi, j'avais l'habitude pour mes parents d'aller chercher du vin vers Barbès, et je m'arrêtais à chaque cinéma, sur les boulevards, pour regarder les photos des films à l'affiche et pour voir ce qu'on allait jouer la semaine suivante. Alors, comme chacun faisait ce même travail dans ses propres allées et venues, ça nous a permis de faire des petits carnets pleins d'informations [41]. » Les trois adolescents recopient ensuite ces données sur des feuilles volantes agrafées : *Trois Valses* avec Pierre Fresnay et Yvonne Printemps, du tant au tant, à telle heure, au Gaieté-Rochechouart, accompagné d'un dessin de Fresnay par Claude Thibaudat. Tandis que François Truffaut résume l'intrigue d'une phrase, Robert Lachenay vérifie systématiquement l'orthographe des noms propres. Le tout en une vingtaine, puis une trentaine d'exemplaires, vendus au porte à porte rue des Martyrs. L'association fonctionne, et conduit même à des spectacles : « Chez mon copain Vega, il y avait une chambre de bonne au 6ᵉ étage et on a fait cinq ou six spectacles, surtout des " soirées poétiques ". Claude était la vedette et récitait des vers raciniens, moi j'ai dû dire « L'Albatros » et Robert racontait des histoires. Le plus souvent, nous nous contentions de construire les décors pour les apparitions de Claude. Mais là aussi on faisait un peu payer les spectateurs, les gens de l'immeuble, les parents ou les copains de classe [42]. »

À deux ou trois, les adolescents, quand ils ne sont pas enfermés dans la chambre de Robert, parcourent le quartier. Les forains des boulevards Pigalle et Rochechouart qui, de décembre à mars, proposent leurs attractions, les nombreuses églises du quartier des Lorettes où l'on peut s'amuser en forçant les troncs, en allumant les cierges, et en imitant les curés, les commerçants, blagueurs et râleurs, la charcutière de la rue des Martyrs ou « Jo », le marchand des quatre-saisons de la rue Lepic. Et ces cavalcades qui mènent chez la grand-mère de Lachenay, Mme Bigey, qui leur prête assez facilement de l'argent. Dans les squares marquant les limites de la « Nouvelle Athènes », on peut lire et dormir pour récupérer les nuits blanches. Il y a enfin le bordel, rue de Navarin, tout proche de l'appartement familial de François Truffaut.

Car Pigalle est aussi le quartier des spectacles parisiens délurés autour du Moulin-Rouge. Des prostituées sur les boulevards, des maisons closes plus discrètes dans les rues adjacentes. « Près de chez nous il y avait une maison que j'appelais la " maison gothique " parce qu'il y avait deux ou trois niches et une façade un peu chargée. C'était un ancien hôtel particulier pour les grisettes du xixe siècle, mais, en fait, il n'y avait rien de gothique. C'était un lieu qui nous fascinait. Pendant la guerre, il y avait eu par moments des Français de la LVF, mais on savait très bien que c'était un bordel. Il nous arrivait même de faire des blagues, par exemple lorsqu'on rencontrait rue des Martyrs un type un peu trop coincé, avec sa serviette et son parapluie, qui nous demandait la rue de Navarin, on répondait : " C'est la première à gauche et le 9 c'est là tout de suite. " On faisait les malins, on savait, et ça nous perturbait pas mal [43]. » La prostitution apparaît comme un monde proche et mystérieux, un refuge possible, encore interdit, mais plus pour longtemps, un passage obligé vers la vie.

Le roman d'un tricheur

Dans la jeunesse de François Truffaut, le spectacle, sous toutes ses formes, a joué un rôle essentiel. Mais c'est à travers la lecture qu'il peut rêver une autre vie. On a dit le rôle de sa grand-mère, qui l'initia au plaisir de lire, mais il doit aussi ce goût pour les livres à ses parents, Janine et Roland : « Mes parents avaient entre vingt-cinq et trente-cinq ans, et, comme ils venaient d'être étudiants, ils parlaient de tout à la maison, de montagne, mais aussi de théâtre, de cinéma, de bouquins. C'est une chance pour un enfant, c'est une chance si ça l'intéresse. Je me suis ainsi rendu compte quand j'ai fait la documentation du *Dernier Métro* que je connaissais tout ce dont on parlait à l'époque, comme du livre *Corps et Âmes* de Maxence Van der Meersch, de la pièce baroque espagnole *La Célestine* qui venait d'être montée, ou bien *Solness le Constructeur,* des pièces du théâtre de la Ville avec Charles Dullin, autant de choses dont mes parents discutaient, entre eux ou avec des amis, et dont je me suis nourri en les écoutant. De plus, j'allais toujours acheter le journal le matin et j'avais plaisir à le lire dans la rue en revenant à la maison. Si bien que quand j'arrivais chez moi, je savais ce que mes parents allaient commenter, même si je ne savais pas ce qu'ils en diraient. Par exemple, il y avait une pièce qui s'appelait *Le Fleuve étincelant* de Charles Morgan, eh bien je savais que c'était ce dont ils allaient parler [44]. »

La lecture est aussi le plus sûr moyen de lui faire oublier une mère qui « ne me supportait que muet », propos qu'il reprendra dans *L'Homme qui aimait les femmes*. Absorbé par un livre, l'adolescent passe ainsi des heures assis sur un tabouret, faisant attention à tourner les pages avec la plus grande discrétion, en évitant le moindre bruit, le moindre froissement. Ce rituel de la lecture lui permet un accès à un autre monde. Robert Lachenay, le premier confident, est aussi le premier à partager cette passion littéraire : « On passait nos après-midi à discuter, par exemple pour savoir si George Sand avait couché avec le docteur Pagello pendant que Musset était en train d'agoniser. [...] Puis, il a découvert Balzac, et au cours de nos longues conversations, en classe, dans ma chambre, dans les squares, il a réussi à me convaincre que Balzac c'était mieux que Paul de Kock, parce que moi, je lisais, mais beaucoup moins bien que lui. François était beaucoup plus structuré, il me parlait du *Lys dans la vallée*, du baiser sur l'épaule de Madame de Mortsauf, qui était quelque chose qui le bouleversait. Moi je suivais plutôt, alors je me suis mis à lire Balzac [45]. »

Cette boulimie fait de François Truffaut, très jeune, un habitué des librairies. Avec son argent de poche, avec les sommes qu'il parvient à gagner en travaillant, avec le produit des chapardages et des petits vols dans la caisse familiale, il se constitue toute une bibliothèque. Dans une lettre à Robert Lachenay, le 18 septembre 1945, au retour des vacances, il décrit en détails ses dernières acquisitions : « Ah ! Mais oui ! La tour Eiffel est toujours là. [...] Me voici parisien depuis 5 jours. Mon premier saut ça a été pour mes " Fayard "... Le marchand qui est rue des Martyrs en face de Médrano en a une quantité formidable, j'y vais demain. Rue Mansard j'ai acheté cet après-midi 36 classiques parmi lesquels il ne te manque que *Candide, Stello* (2 volumes), *La Guerre et la Paix* (8 volumes), *Histoire d'un merle blanc, Première Méditation poétique, Tartarin de Tarascon 2, Fromont jeune,* 4 donc, il y a que 18 volumes que tu n'as pas dans ce que j'ai acheté et tu les trouveras chez toi en rentrant. J'ai en ce moment 295 bouquins ; il m'en manque 90 pour avoir la totale [46]. » Les 90 livres manquants finiront par entrer dans sa bibliothèque. Lorsque François Truffaut travaillera quelques semaines dans une librairie-papeterie du Palais-Royal, *La Paix chez soi,* il réussira à acheter pour 3 500 francs toute la collection de petits livres classiques de chez Fayard, de A à Z. Truffaut restera toute sa vie ce lecteur acharné. Abandonnant l'impossible exhaustivité, il se constituera jour après jour une bibliothèque intime, revendiquant ses propres choix comme en témoigne un complice en la matière, le scénariste Jean Gruault : « François, par exemple, ignorait volontairement Rabelais, Dante, Homère, Melville, Faulkner, Joyce, mais connaissait à fond Balzac, Proust, Cocteau, Louis Hémon, Roché, Audiberti, Léautaud, appréciait Thomas Raucat, Jouhandeau, Céline, Calet, Albert Cohen [...]. Il avait aussi un faible pour les méconnus comme Raymond Guérin. Ses livres, lus et relus, étaient bourrés de notes et de passages soulignés, témoignant qu'il appliquait à la lecture des œuvres qu'il aimait une attention aussi soutenue et minutieuse que celle avec laquelle il voyait et revoyait les films [47]. »

Mais le principal refuge, dès cette époque, devient l'écran, les salles obscures du cinéma. La formule de Truffaut : « La vie, c'était l'écran [48] », résume la passion de l'adolescent. Les premières impressions de spectateur, précoces, furtives et vives, sont liées à ce lieu magique : un cinéma permanent sur la place de l'Europe, à cinq minutes à pied de l'appartement de la rue Henri-Monnier. Avant-guerre déjà, il s'y était rendu une première fois avec sa tante Monique : les deux jeunes spectateurs voient une église sur l'écran, un mariage — « Je regarde, j'étais étonné, et puis hop c'était fini [49]. » Scène primitive du cinéma de François Truffaut. Le premier « grand souvenir » se situe quant à lui à l'automne 1940 — il a huit ans et demi — au Palais-Rochechouart, avec *Paradis perdu* d'Abel Gance, un des gros succès de l'Occupation, un mélo rendu célèbre par sa chanson-titre. Le garçon y est entraîné par sa tante Yvonne, ainsi que par Monique et sa meilleure amie du moment en classe de solfège, la jeune Danièle Delorme. L'histoire se situe au moment de la Première Guerre mondiale, dans les milieux de la mode parisienne. L'intrigue offre à la toute jeune Micheline Presle l'occasion de vivre deux rôles, celui de Janine, l'épouse d'un peintre qui devient célèbre en dessinant des robes pour un couturier (Fernand Gravey), puis celui de leur fille Jeannette. Comme dans son premier souvenir de cinéma, François retrouve une église sur l'écran lorsque, à la fin du film, Jeannette épouse son fiancé sous le regard de son père, qui meurt durant la cérémonie. Le crissement soyeux des robes, l'amour qui fait vivre et mourir, les mystères de naissance, la religion, le mélodrame : on retrouve ces thèmes dans la plupart des films que voit alors le tout jeune spectateur. Ainsi *Mademoiselle ma mère*, autre souvenir fort, un film d'Henri Decoin (1937) avec Danielle Darrieux et Pierre Brasseur, où un homme épouse une jeune fille qui pourrait être la sœur de son fils — « un film qui m'a plu pour son sujet scabreux, incestueux si l'on veut [50] ». Il n'y a pas encore de critères dans ses choix. L'adolescent voit tout (comme il lit tout), soit une bonne moitié des deux cents films français tournés durant l'Occupation. Mais un goût se forme, encore incertain, attaché à quelques constantes : « Je ne savais pas trop quels goûts j'avais. J'aimais la grande musique dans les films, j'aimais aussi une certaine religiosité, ou les histoires d'amour impossibles. Donc plutôt un cinéma pour adultes contrairement à Robert qui a très vite été vers les films d'aventures. Mes goûts, en fait, après *Paradis perdu,* c'était *Le Corbeau* de Clouzot, parce que c'était noir et que c'était dur à voir, et puis *Les Anges du péché* de Bresson [51]. »

Cette toute première cinéphilie, au rythme de deux ou trois séances par semaine, dès l'âge de douze ans, s'organise exclusivement autour du cinéma français, puisque les films américains sont interdits et que les films allemands sont vus d'un œil distrait. Cela ne doit pas étonner et révèle l'empreinte profonde du cinéma français de l'Occupation sur les esprits d'alors, du spectateur moyen au cinéphile acharné [52]. En 1945, le cinéma français n'est pas à reconstruire. Au contraire, il sort d'une période où il a paradoxalement connu, malgré une production réduite de moitié, ce qui fut sûrement un âge d'or. C'est sans doute ainsi, en vase clos, que l'« école française » s'est le mieux exprimée. N'ayant pas à subir la concurrence des films américains, ayant mis fin à l'anarchie et aux rivalités entre producteurs qui avaient troublé les années trente, elle a pu se développer avec les mêmes cinéastes — à quelques exceptions près : Jean Renoir, René Clair, Julien Duvivier, partis à Hollywood —, les mêmes acteurs (sauf Jean Gabin et Michèle Morgan, eux aussi expatriés), en affirmant les mêmes partis pris esthétiques, la ligne d'un cinéma classique « à la française ». La plupart des cinéastes reconnus sont restés : Marcel Carné, Jean Grémillon, Abel Gance, Henri Decoin, Christian-Jaque. De nouveaux apparaissent : Henri-Georges Clouzot, Claude Autant-Lara, Jacques Becker, Robert Bresson, et c'est à ce moment qu'est tourné le film emblématique de l'école française, de la France au cinéma : *Les Enfants du Paradis.*

Cet amour du cinéma français dans ces années d'Occupation — les agendas du jeune Truffaut, au milieu des années quarante, indiquent par exemple treize visions du *Corbeau,* neuf des *Enfants du Paradis,* sept de *Douce* d'Autant-Lara — se retournera parfois en haine avec l'arrivée massive des films américains à partir de l'été 1946, et la découverte d'un autre univers, d'un nouvel horizon d'auteurs et d'acteurs.

D'abord accompagné par sa tante Monique au début de la guerre, puis ses copains Robert Lachenay et Claude Thibaudat, François Truffaut écume tous les cinémas de son quartier, plus d'une vingtaine entre la place Clichy et la rue Rochechouart : le Clichy, l'Artistic, le Trianon, le Gaieté-Rochechouart, le Palais-Rochechouart, le Roxy, le Pigalle, le Cinéac-Italiens, sans oublier le prestigieux Gaumont-Palace et ses six mille places. Pendant la guerre, une atmosphère particulière entoure ces lieux de rêves où l'on peut oublier les contraintes et les privations de l'Occupation. Pour les jeunes cinéphiles, ce climat, cette autre vie, clandestine, secrète, est plus riche, plus excitante, plus exigeante aussi que l'horizon scolaire, familial ou social. Les parents subissent l'Occupation, vont rêver au cinéma, au théâtre, au spectacle, tandis que certains de leurs enfants s'enferment dans ces mêmes salles, plus tôt dans la journée, pour comploter, sécher l'école, ou fuir la table familiale. « Mes deux cents premiers films, je les ai vus en état de clandestinité, écrit Truffaut, à la faveur de l'école buissonnière, ou en resquillant pour entrer dans la salle. Je payais donc ce grand plaisir de fortes douleurs au ventre, l'estomac noué, la peur en tête, envahi d'un sentiment de culpabilité qui ne pouvait qu'ajouter aux émotions procurées par le spectacle. J'avais aussi un grand besoin d'entrer dans les films et j'y parvenais en me rapprochant de plus en plus de l'écran pour faire abstraction de la salle [53]. » À douze ans, l'adolescent fait semblant de dormir quand ses parents se rendent au théâtre, puis se précipite pour ne pas manquer le début de la séance de l'un des cinémas voisins, s'éclipse parfois avant la fin, et revient chez lui en courant avant le retour des parents. Il lui arrive donc souvent de revoir le même film, cette fois en famille, et d'être alors obligé de faire attention à ne pas en dévoiler l'intrigue à ses proches... À treize ans, il se fait régulièrement courser à la sortie des cinémas de Pigalle : « J'avais l'impression de types, à la tombée de la nuit, qui guettaient les gosses et les poursuivaient sans raison apparente. C'était assez sinistre. On avait peur, mais on aimait cette peur [54]. » La clandestinité du regard, chez Truffaut, est la condition même du spectacle de cinéma forgée dans sa jeunesse. La cinéphilie sera désormais comme une poche de résistance dans la culture du temps : une société parallèle, définissant un réseau de contre-culture, cultivant le goût du secret et de la contrebande, prenant peu à peu la forme d'un journal intime, partagé avec de fidèles initiés.

Colonies de vacances

La découverte d'une « nouvelle vie » est aussi liée chez l'adolescent aux colonies de vacances qu'il a fréquentées après la Libération. Roland et Janine Truffaut sont en montagne pour tout l'été et la colonie est une réponse idéale à l'éternelle question : « Que faire du gosse ? » « Le tournant, expliquera plus tard Truffaut, ce fut la colonie de vacances de la Libération.

Cette année-là, au printemps, ma mère était revenue avec une adresse miraculeuse, une colonie réservée aux enfants du personnel de chez Félix-Potin. Mes parents n'avaient rien à voir avec l'alimentation mais ils devaient avoir des relations. Alors, j'ai répondu par une phrase clé : " Est-ce que c'est mixte [55] ? " »
Entre le 10 juillet et le 29 août 1944, l'adolescent se retrouve ainsi près de Montereau, logé dans l'aile d'un château convoité par les différentes armées. D'abord, ce sont les soldats allemands qui occupent l'autre aile et une partie du parc, puis, au cours de l'été, les Américains leur succèdent. À chaque fois, entre les soldats et les enfants, ce sont les mêmes relations faites de méfiance et d'attirance, de chapardages et d'échanges : « On entrait dans les camions militaires et on piquait des boîtes de cigarettes en fer, des boîtes de ration de viande entourées de paraffine. Quelquefois les soldats nous attrapaient et nous flanquaient des baffes, d'autres fois ils nous laissaient faire en rigolant [56]. »

Sous les yeux des adolescents, le directeur de la colonie, M. Corneville, est arrêté par les F.F.I. en plein mois d'août 1944, pour être interrogé en ville sur ses activités durant la guerre. La rumeur court, activée par les moniteurs, qu'il aurait vendu aux Allemands une partie des stocks de nourriture laissés là en 1940 par l'armée française : « Le directeur a été arrêté et il est revenu quelques jours plus tard, mais ça a fait un scandale. On a eu alors une impression de très grande liberté parce qu'à partir de ce moment-là l'autorité avait sauté et on s'est mis à avoir tous les droits. On dormait dans le parc, on se réveillait quand on voulait, on s'était organisé en petites bandes autonomes et on faisait des cabanes. On vivait comme des adultes mais à notre manière, c'est-à-dire sur un mode très enfantin. On discutait avec les soldats américains, on visitait les caves du château, on volait des livres précieux, avec de belles reliures, dans la bibliothèque... C'était encore la guerre, et on le savait, mais on avait le sentiment que rien ne pouvait nous arriver. C'était la guerre mais sans le sentiment du danger. Et puis les relations avec les filles étaient plus faciles [57]. »

Dans cette colonie de vacances, le jeune François Truffaut rencontre aussi bien l'Histoire que l'amour, c'est-à-dire, en définitive, la matière de ses futurs récits d'adulte : « Là j'ai connu des gens, ce garçon qui a tenu ensuite le restaurant *Le Tourtour,* le comédien Jean-Claude Arnaud qui a fait les valets chez Molière et qui a joué cette pièce de Saroyan que j'aime tellement, *Mon cœur est dans les Highlands.* Je l'ai connu avec son frère, Chouchon, et ses deux cousines, Monique et Nicole, dont je suis tombé amoureux tout de suite. Ça a été très pittoresque mais aussi très important cette colonie [58]. » Entre les vols, les trocs, les discussions, entre les cabanes et les caves du château, entre les soldats et les collabos, ils inventent ainsi une vraie vie de liberté et d'échanges, vécue pleinement, mais de façon enfantine, comme des adultes.

Deux ans plus tard, après une période scolaire difficile, il retrouve la colonie de vacances. Il s'agit toujours de la filière Félix-Potin, mais la colonie est cette fois située aux Sables-d'Olonne, en Vendée. Plus de parc ni de château, mais une belle plage et une grande maison. Le groupe de Montereau s'est à peu près reconstitué. Avec la même liberté, parfois la même inconscience du danger : « Je me souviens très bien qu'à la plage des Sables-d'Olonne, avec notre petit groupe, cinq ou six adolescents, nous avions trouvé une grenade dans le sable. On avait passé deux heures à essayer de la faire exploser. C'était vraiment idiot. Heureusement, on a eu de la chance et il ne s'est rien passé, mais c'est encore très présent en moi, cette bande de gosses qui joue avec la mort, avec les armes des grands, comme une énorme liberté dont on ne savait pas trop quoi faire [59]. »

Cette année-là, il y a aussi le cinéma, une fois par semaine, avec toute une série de films d'aventures qui n'enthousiasment guère François, exception faite des films avec Tyrone Power. Il y a surtout la rencontre avec Liliane, son premier amour de jeunesse. Liliane Romano est nouvelle dans le petit groupe de la colonie où elle a su s'imposer par son talent de conteuse. Elle raconte formidablement bien les films, et tous s'assoient autour d'elle, l'écoutent, revoient les scènes comme s'ils y étaient. À quatorze ans, François est sous le charme, au point qu'il a l'audace de glisser un billet dans le short de Liliane, qui lui répond de la même manière. « Puis on est arrivé à cette chose qui ressemble tout à fait à la fin de *L'Argent de poche,* quand des copains disent tout fort " Liliane est sortie pour t'embrasser ", avec la confusion des deux dortoirs, la rencontre dans l'escalier et le premier baiser [60]... » Ce baiser, qui sera repris à trente années de distance, avec le même cérémonial, le même rituel enfantin, ouvre alors un nouveau monde à François Truffaut, celui des sentiments et de l'amour physique, auxquels il se donnera désormais avec passion, et un entêtement maladroit.

Ce premier vrai baiser laisse espérer à François que sa liaison avec Liliane pourrait se poursuivre à Paris, après l'été de la colonie. Il lui envoie un petit mot au 12 rue Traversière, où elle habite, pour lui fixer rendez-vous sous la grande horloge de la gare de Lyon. Il attendra là une demi-journée... Quelques jours plus tard arrive chez les Truffaut une lettre recommandée adressée à Roland, qui est absent. Janine la pose sur la cheminée, puis part faire ses courses. Comme à son habitude, François regarde la lettre et pâlit en voyant le nom de l'expéditeur : M. Romano. Il décide de l'ouvrir : « Votre fils fait le planton tous les jours à la gare de Lyon pour attendre ma fille Liliane. Je pense que ce n'est pas de leur âge et que vous devriez dire à votre fils de rester à la maison ; moi je garde ma fille chez moi. Salutations distinguées [61]. » Résolu à détruire cette « bombe à retardement », il descend d'un demi-étage, où sont les toilettes, déchire la lettre et tire plusieurs fois la chasse d'eau. Au retour de sa mère, il décide, meilleur moyen de se défendre, de passer à l'attaque, en improvisant un curieux mensonge : une dame serait venue chercher la lettre recommandée, qui n'était pas destinée à Roland Truffaut mais à quelqu'un d'autre. Bien des années plus tard, Truffaut se souviendra de la réaction de sa mère : « Petit imbécile, petit crétin ! Pourquoi as-tu donné cette lettre ? Elle était pour ton père. D'abord qui était cette dame ? C'est pas possible de donner une lettre à une femme inconnue, il y a un mystère là-dessous, elle sort bien de quelque part cette femme [62] ? » Pour sortir du piège dans lequel il s'est enferré, François fait un autre mensonge, décrivant une rousse avec un tablier bleu, « coiffeuse » de son état, ce qui, dans le langage familial des Truffaut, désigne les prostituées du bordel, rue de Navarin. Aussitôt, Janine prend son fils par le bras et l'entraîne dans l'escalier : « Comment elle est ta coiffeuse ? Tu sauras sûrement la reconnaître. On va aller la voir. » Rue de Navarin, une dame peu aimable leur ouvre la porte, à laquelle Janine demande : « Je voudrais savoir si parmi vos pensionnaires vous avez une demoiselle rousse avec un tablier bleu ? » Furieuse, la « coiffeuse en chef » leur ferme la porte au nez. Jamais François n'avait jusque-là subi colère plus forte de la part de sa mère...

D'autres épreuves tragi-comiques suivront, avec François toujours dans le rôle de l'amoureux transi que la jeune fille évite et fuit, par exemple lorsqu'il vient chercher Liliane à la sortie du cours Pigier et qu'elle saute sur la plateforme d'un autobus pour lui échapper. On peut déjà lire dans ce premier échec qui fut très mal vécu la trame des « romans » sentimentaux de François Truffaut, où tout semble résister obstinément à la volonté et aux désirs de séduction du héros. François Truffaut ne reverra Liliane Romano qu'en 1958, douze ans plus tard, quand, lectrice de *Arts,* elle voudra rencontrer le critique qui l'avait autrefois tant courtisée.

La guerre est un théâtre

Enfant, adolescent, François Truffaut a vécu la guerre. Il l'a rarement racontée, puisque *Les Quatre Cents Coups* ont été transposés dans les années cinquante et *L'Argent de poche* dans les années soixante-dix. Ce n'est que dans *Le Dernier Métro* qu'il mettra en scène un souvenir précis de cette période. « Pendant la guerre, le lycée Rollin a eu un nouveau lustre. Il y avait là une petite chapelle fermée depuis longtemps. Elle a été réouverte en 1943 par un cardinal qui avait la réputation d'être un collaborateur des Allemands, l'archevêque de Paris, Suhard. Il est venu bénir la chapelle. Une chorale d'enfants chantait, et moi j'ai communié pour la première fois. Alors un copain m'a dit : " Tu avais pris ton petit déjeuner avant ? " Je lui ai répondu : " Oui. " Il m'a fait : " Oh, la, la ! T'es mal parti ! " Ça, c'était l'ambiance typique de l'Occupation [63]. » Plus loin, au cours de cette séquence où la chorale des enfants entonne « Mon Dieu, Mon Dieu, sauvez la France au nom du Sacré-Cœur », François Truffaut a transposé un autre souvenir de l'Occupation : « Mon oncle, Bernard de Monferrand, a monté un réseau de résistance. Il a été dans le Vercors. Mon grand-père et lui se sont fait piquer à la gare de Lyon un jour où ils font une passation de messages. J'ai mis ce geste dans *Le Dernier Métro* [64], ou du moins pour moi c'est une transposition de ça. Le soir, drame à la maison quand on apprend la nouvelle. Dans la nuit, mon grand-père est relâché à cause de son âge, mais ils retiennent mon oncle prisonnier. [...] Ensuite, pendant toute la guerre, il y aura une carte sur la cheminée avec des petits drapeaux français pour essayer de situer Bernard. C'était assez ridicule, cette peur et cette fierté mêlées vis-à-vis de la Résistance, vis-à-vis d'une chose qui existait beaucoup moins que la contrebande de haricots et de saucisses que chacun faisait en revenant de montagne, depuis les Alpes, avec 25 kilos de bouffe dans son sac. J'avais vraiment l'impression que la montagne servait surtout à ramener à manger en douce à Paris, et, d'une certaine façon, la Résistance s'apparentait pour moi à une course en montagne, en un peu plus long. Quant à mon oncle Bernard, il s'en est sorti. On a tous été l'attendre pendant trois jours à la gare de l'Est, c'était assez impressionnant, mais ça ressemblait toujours à une partie de campagne, comme quand je revenais de colonies de vacances [65]. »

La France occupée, la France résistante, bien avant *Le Dernier Métro*, est ainsi comme un théâtre pour l'adolescent. Sur la scène se jouent des cérémonies un peu ridicules, vues de loin, mais dont certains détails peuvent apparaître émouvants ou pittoresques. La messe dans l'église de la collaboration et les complots de la Résistance sont visibles sur le même plateau, si bien qu'il n'y a ni bons ni méchants, ni héros ni salauds, comme dans le parc du château de Montereau, où les soldats américains ressemblaient étrangement aux Allemands, peut-être en plus séduisants. Et le cardinal Suhard fait figure d'acteur au même titre que le grand-père Jean de Monferrand, l'un collaborateur devant Dieu, l'autre apprenti résistant.

Ce refus de choisir, cette distance prise avec les engagements, vus comme des jeux de théâtre — en ce sens *Le Dernier Métro* vient de loin, et se révèle un film beaucoup plus intime et personnel qu'on ne l'a dit —, sont un regard moral porté sur la période : « Ce moment, on ne sait pas s'il est théâtral parce que lié à la perception de mon adolescence, ou parce que les Français de l'époque n'avaient pas envie de voir de trop près la réalité des choses, dans la mesure où s'ils regardaient la vérité vraie, en face, la France aurait été un pays de résignés, face à la facilité de la collaboration, face aux dangers de la résistance [66] », dira le cinéaste. Cela apparaît en définitive comme le principe éthique tiré par l'adolescent de sa première expérience de la politique et de l'Histoire. « De quel droit me jugez-vous ? », pour-rait-il lancer aux parents, aux professeurs, aux passants qui fron-cent les sourcils devant ses fugues, ses petits vols ou ses gros mensonges, tandis qu'ils demeurent les spectateurs de ce théâtre de boulevard de la collaboration et de la résistance.

Une image, une seule, a frappé l'adolescent, qui renforce ses convictions : un reportage sur l'ouverture des camps de concentration, les charniers, les morts vivants sortant des bara-quements, vu au Cinéac-Italiens en septembre 1945. Le théâtre de l'Occupation française apparut alors, en comparaison, comme plus ridicule et dérisoire, et les spectateurs résignés, plus passifs et grotesques encore.

Ce sentiment de méfiance vis-à-vis des discours convenables, bienséants, bien-pensants et officiels, à l'égard du personnel politique et de l'institution culturelle en général, s'exprime au mieux dans un devoir scolaire rédigé par François Truffaut le 11 décembre 1945, en classe de 4ᵉ. Il s'agit, sans doute, de sa toute première critique de cinéma. Elle concerne *Pourquoi nous combattons,* la série de films de propagande tournés aux États-Unis par des cinéastes américains réunis autour de Frank Capra, et par certains réalisateurs français émigrés à Hollywood. On y sent un grand scepticisme par rapport à tous les discours de la Libération [67]. L'adolescent n'est pas dupe : « Le film expli-que comment la France a déclaré naïvement la guerre à l'Alle-magne pour sauver la Pologne. Mais la générosité bénévole n'est plus de ce monde puisque l'individualisme et le secours inté-ressé l'ont avantageusement remplacé. » Il ne croit pas davan-tage à la légende d'une Résistance française unie : « Si la France n'était pas le plus court chemin de l'Amérique vers l'Europe, si la Syrie était sans pétrole, les pavés parisiens résonneraient encore sous les bottes nazies car notre résistance était dérisoire-ment faible et ne pouvait rien faire sans l'aide des Alliés. » À treize ans, le ton désabusé de ce devoir vaut à François un 4 sur 20, avec l'annotation « cynisme outrageant notre Histoire ». À travers la sûreté du vocabulaire (et de l'orthographe), s'y affir-ment pourtant une morale et un état d'esprit auxquels Truffaut demeurera fidèle toute sa vie : ne pas croire à ce que racontent les puissants, les adultes en général.

François Truffaut, pour impressionner son copain Lache-nay, inventera ainsi, dans une crise de mythomanie aiguë, une visite au procès de Pétain durant l'été 1945 : « J'ai été, pour une raison impossible à te mentionner dans cette lettre, obligé d'aller huit jours à Paris. Figure-toi que j'ai assisté au verdict de Pétain, à 1 h 05 du matin au Palais de justice. Là, ça a failli chauffer car 11 personnes distribuaient des tracts incitant les gens (car je n'étais pas tout seul !) à forcer les barricades des agents. Le problème c'est qu'il y en avait qui voulaient le tuer et d'autres qui voulaient le libérer. 9 personnes ont été arrêtées, et 7 avaient des armes chargées [68]... » François Truffaut se met en scène dans ce récit calqué sur un article lu attentivement dans un journal. Le verdict, l'atmosphère, la police, la bataille rangée entre les pétainistes et leurs adversaires, tout y est décrit avec un talent précoce de journaliste et un sens évident de la mystification. Mais on peut assez bien deviner de quel côté penche le garçon : sans doute vers Pétain, vieillard insulté qui a perdu tout pouvoir, l'adolescent se sentant tenu d'être en rébellion face à tous les acteurs trop puissants du théâtre politique, d'être révolté contre les vainqueurs. Ceci définit aussi une attitude face à la vie : François Truffaut désire rentrer dans la vie par la « mauvaise porte », celle qu'on ne lui montre pas, ni en famille, ni à l'école, celle d'une révolte encadrée par trois élans contradictoires, « se tenir peinard », « cracher sur leurs tombes » et « devenir quelqu'un de bien. »

II

QUATRE CENTS COUPS

1946-1952

Dans la France de l'après-guerre, la vie est difficile mais elle est à refaire, à reconstruire. Il s'agit alors d'aller vite, de travailler, de devenir adulte. François Truffaut, à quatorze ans, illustre cette frénésie avec plus de véhémence encore : quitter l'école, quitter l'appartement familial, entrer dans la vie. Son père l'inscrit à l'École commerciale de l'avenue Trudaine, qui a bonne réputation, mais le jeune homme la déserte après quelques semaines d'une fréquentation peu assidue. De même celle de la rue de la Victoire, de laquelle il est renvoyé au bout de quelques jours. Son destin, assumé et choisi, est désormais celui de l'autodidacte. Dans le récit qui défile dans sa tête, le modèle qui imprègne ses pensées et ses actions est celui du héros du *Roman d'un tricheur,* interprété par Sacha Guitry lui-même. Guitry n'est pas bien vu à la Libération, pour avoir été peu résistant — c'est le moins qu'on puisse dire — sous l'Occupation, mais cela renforce sans doute encore la puissance de provocation du film aux yeux de François. Ce n'est pas un film récent, puisqu'il date de 1936, mais pour lui c'est le film de la Libération, vu et revu douze fois entre 1945 et 1946, au cinéma Champollion, au Quartier latin [1]. Seul rescapé d'une famille détestable qu'il empoisonne avec un plat de champignons, devenu groom au Grand Hôtel de Saint-Raphaël, puis croupier au Casino de Monte-Carlo, l'adolescent du film propose une identification pleine d'allégresse à celui du quartier des Lorettes : « Ne rien attendre des autres, prendre ce dont on a besoin, et qu'on ne vous donnerait pas, se débrouiller sans recourir à la violence, ne pas se lier ni s'attacher, n'apprendre à ne compter que sur soi, s'établir un emploi du temps sans contraintes, telle est la morale du *Roman d'un tricheur*, une morale qui ne se donne pas pour telle mais qui consiste simplement à se protéger de la morale des autres [2] », écrira Truffaut, beaucoup plus tard, dans une préface au livre de Guitry, *Le Cinéma et Moi*. Il est surtout impressionné par le style, l'élégance très personnelle de Sacha Guitry, cette désinvolture qui lui permet en quelques phrases et quelques plans de fustiger l'injustice ou l'aveuglement moral d'une société. « Citizen Sacha », comme le surnommera le critique à la mort de Guitry en 1957, incarne dès lors une figure idéale de l'homme libre, au-dessus des conventions, indifférent au jugement des intellectuels qui le méprisent et à cette bonne conscience politique qui le condamne.

Les petits métiers

À partir de l'automne 1946, c'est autour des bistrots réputés et des grands hôtels du quartier de l'Opéra que rôde François, recherchant des contacts et des tuyaux auprès de ces hommes qui exercent des professions désormais mythiques : les liftiers ou les garçons d'étage. Son ami Robert Lachenay, âgé de seize ans, travaille précisément comme chasseur à l'hôtel des Deux-Mondes, avenue de l'Opéra. Cela renforce les liens entre les deux adolescents et ouvre une première perspective professionnelle à François : une place chez un agent de change de la Bourse, habitué du bar de l'hôtel où officie Robert. François étant encore mineur, c'est Roland Truffaut qui se présente chez l'agent de change à la mi-septembre, pour discuter d'une éventuelle embauche. L'entrevue ne se déroule pas sans heurts, puisque Roland, soupçonnant une quelconque escroquerie, empêche l'adolescent de donner suite à l'offre d'emploi. Ce n'est que partie remise. François répond à des petites annonces et, par chance, la première est la bonne. Il est engagé fin septembre 1946 par l'entreprise « Albert Simpère et Compagnie », avenue de l'Opéra, un important « grainetier sur la place de Paris ». Truffaut est chargé de trier les sacs qui arrivent des campagnes de l'Ile-de-France, et de bien les répartir dans les entrepôts. Il est surtout le « garçon à tout faire » de la maison, secrétaire, livreur, réceptionniste, magasinier, manutentionnaire et garçon de courses, « scribouillard et grouillot [3] », écrira-t-il dans son journal intime, allant d'un entrepôt à l'autre un peu partout dans Paris, à pied ou à vélo, ce qu'il préfère. Ce travail à plein temps l'occupe d'octobre 1946 à mai 1948. « Je donnais tout mon salaire à mes parents et ils m'en rendaient un tiers. Ils voulaient être justes [4]. » Ainsi, le jeune homme peut compter sur 1 300 francs par mois, pour ses livres, ses films et ses plaisirs, et tenter de vivre en adulte.

Robert Lachenay a quitté l'appartement familial pour une chambre de bonne, non loin, qui devient le nouveau quartier général des deux amis. Ceux-ci mènent une vie difficile, car ils ne bénéficient plus des avantages qu'avait le père de Robert pendant la guerre. Les bons d'alimentation venus du Jockey Club par son intermédiaire ont encore cours à la Libération, mais M. Lachenay a divorcé de sa femme et se trouve mis en cause pour de sombres activités de marché noir. Il ne voit plus guère son fils, et meurt, assez subitement, en 1947, interné dans un hôpital militaire. Dans la chambre de Robert, où François vit de plus en plus souvent, le quotidien est des plus hasardeux. Au moment de la paie, quelques bonnes surprises au menu, « des pommes de terre cuites à manger avec du pain, une tranche de bon jambon, deux rondelles de saucisson, quelques noix, une orange, et, oh ! surprise, un éclair au chocolat [5] ». Mais, peu à peu, les réserves s'amenuisent, et, vers la fin du mois, on atteint un tel état de misère que, plutôt qu'un recours aux parents, les adolescents sont contraints de jeûner : « Ça nous est arrivé combien de fois, je ne sais même plus, de ne pas manger pendant trois jours, de n'avoir ni feu, ni gaz, ni électricité dans la chambre, et de devoir échanger nos vêtements pour être présentable à tour de rôle afin d'aller travailler [6] », se rappelle Lachenay.

Pour arrondir leurs fins de mois, Robert et François tentent de faire fructifier leur cinéphilie. C'est ainsi que se poursuit l'élaboration des programmes des salles du quartier, désormais élargis aux cinémas situés entre l'Étoile et Clichy, qu'ils revendent rue des Martyrs. Ils montent aussi un petit trafic de photos de films, dérobées la nuit en démontant à l'aide d'un tournevis les vitres des devantures de cinéma (Truffaut mettra en scène ces virées nocturnes lors d'un rêve du cinéaste Ferrand dans *La Nuit américaine*). Il témoigne de ce trafic fébrile dans un mot daté du 17 janvier 1948 adressé à Robert : « Rendez-vous au studio Raspail où on essaiera d'avoir des photos de *Good Bye Mister Chips* et, surtout, du *Roman d'un tricheur*. On peut aussi essayer les photos du cinéma des Abbesses. C'est le plus peinard car personne n'y passe. Il faut le faire vers 11 heures-minuit... Nous avons cette semaine des photos de *Napoléon*, des *Inconnus dans la maison*, du *Roman d'un tricheur*, de *Fanny*, de *Scampolo*. Je pense qu'on en tirera un bon prix [7]. »

La meilleure façon de lutter reste néanmoins la solidarité, l'échange réciproque. Truffaut ramène des affaires de chez lui, et Lachenay profite de ses petits boulots plus rémunérateurs pour entretenir son cadet. Ainsi, durant l'été 1947, alors qu'il est manutentionnaire dans une usine d'armement. « Tu me proposes trois cents francs par semaine, c'est trop, lui écrit alors Truffaut. 150 à 200, c'est largement suffisant. Je préférerais que tu rapportes, si tu le peux, une boîte de *Milk condensed* et un peu de beurre car, comme tu le sais, je suis un gros mangeur du matin [8]. » Ces épreuves qui s'accumulent et les ardoises qui s'écrivent, Truffaut ne les oubliera pas lorsque sa vie matérielle deviendra plus facile. Il sera toujours sensible aux ennuis d'argent de ses amis, les dépannant régulièrement, faisant vivre une bonne partie de ses proches, réglant factures impayées ou rappels d'impôts.

Apprendre, sur le tas, la vie d'adulte, c'est aussi aller à la conquête des filles. Cette initiation sentimentale se vit également à deux, même si François, pourtant plus jeune, est plus précoce que son ami. Les aventures qu'ils partagent sont avant tout vécues à grand renfort de citations de romans ou de livres de poésie recopiées dans les librairies. Les deux adolescents ont laissé ainsi une petite bibliothèque grivoise, comme ce poème retrouvé au milieu des archives de jeunesse, emblématique des intérêts des deux amis, de leurs discussions, et de la médiation littéraire qui les anime :

> *Rubis étincelants je ne vous aime pas*
> *Vous brûlez d'une ardeur pour moi trop discrète*
> *Je préfère de deux seins la tiédeur déshonnête*
> *Seins durs, seins chauds et faits, veinés de bleu, si pâles.*

> *Dans l'éternelle prison, on entre sans frapper*
> *Et l'on suce à mourir les appâts de madame*
> *Narcisse tâte l'eau, Ophélie tient les rames*
> *On décharge et s'efface par un subtil retrait*[9].

Ou celui-ci, plus direct mais non moins poétique :

> *J'aimerais que sa robe m'encapuchonnât*
> *Par mes lèvres son slip frais serait humidifié*
> *Et mes bras, l'enlaçant sous ses genoux, ployeraient*
> *Ses cuisses ivoirines et crisseraient ses bas*[10].

Le cinéma joue un rôle essentiel dans cet éveil des sens, parfois trivial et fétichiste comme le rapportera Truffaut lui-même : « Un copain affirmait que sa mère et ses collègues, ouvreuses au Gaumont-Palace, ne ramassaient pas moins de soixante petites culottes de femmes dans les loges et dans les travées, entre les fauteuils, tous les dimanches soir après la dernière séance. [...] J'ai à peine besoin d'ajouter que ce chiffre — nous ne manquions pas de nous informer chaque semaine, il ne variait guère que de dix unités — nous faisait rêver dans une direction qui n'a rien à voir avec l'art cinématographique[11]. »

Pour François Truffaut, cependant, les médiations littéraire et cinématographique, si elles sont indispensables, ne sont bien-tôt plus suffisantes. Dans sa vie sentimentale, il semble y avoir place pour deux types de femmes, les jeunes filles sages et culti-vées, avec lesquelles il est plutôt emprunté, ne comptant que sur sa seule patience et son entêtement pour les séduire, et les aven-tures de passage où s'affirme un donjuanisme précoce. Liliane Romano a représenté le premier grand amour, grand amour attendu, amour frustré. Mais, à peu près au même moment, François Truffaut rencontre sa première maîtresse, Geneviève S. À l'automne 1946, celle-ci, bien plus âgée que lui, est secrétaire chez Simpère. Il l'écrit — médiation littéraire, encore et tou-jours — à son ami Lachenay le 3 décembre : « Pour ce que tu sais, ça s'est passé à peu près comme tu l'avais prévu, c'est-à-dire à moitié ; on fera mieux la prochaine fois. Mais dans l'ensemble je suis assez content[12]. » Dès l'âge de quatorze ans, l'acte sexuel est ainsi intégré de façon vitale mais pudique. La pudeur est aussi un trait permanent de caractère chez un homme qui bais-sera toujours les yeux devant certaines scènes trop crues, y compris dans ses propres films.

Les carnets magiques

Mais la vraie vie est ailleurs. Elle est au cinéma. Dans son adolescence, François Truffaut met un point d'honneur à voir trois films par jour et lire trois livres par semaine, tout seul ou avec un copain, mais en ne se fiant qu'à son propre jugement. Truffaut défend auprès de Lachenay l'attitude jusqu'au-boutiste de l'autodidacte : « Je me méfie de notre " culture ", en France, qui nous éloigne du peuple et de ses goûts ; je préfère maintenant le jugement du cœur à celui de l'intelligence [13]. » En matière d'érudition, le jeune homme acquiert vite une méthode de classement. Pour chaque cinéaste, il ouvre une chemise : « Ça commençait avec le metteur en scène français Marcel Abouker et ça finissait par le metteur en scène américain Fred Zinnemann [14]. » Dans ces chemises, il range des articles découpés dans *L'Écran français,* dans *Cinévie, Cinévogue, Ciné-Miroir, Paris-Cinéma, Ciné-Digest* ou *Cinémonde.* Le petit placard de la rue de Navarin où Truffaut entasse ses archives bientôt ne suffit plus. Et devant les protestations de ses parents, il décide de les déménager à l'automne 1947 dans la chambre de Robert, dont elles occuperont ainsi la moitié de l'espace. Là, les deux adolescents survivent au milieu de leurs dossiers et de leurs livres, métaphore spatiale d'une mentalité d'assiégés, preuve matérielle de l'accumulation de leurs savoirs, préfiguration, également, de ce culte érudit des listes, des classements, des filmographies, qui caractérisera l'âge d'or cinéphile des années cinquante et soixante.

Pour combler ses lacunes, Truffaut a trouvé une autre ressource : *L'Écran français,* le plus complet des hebdomadaires de cinéma de l'après-guerre. Entre le 13 avril et le 7 décembre 1948, on y trouve plus d'une quinzaine de lettres signées « F. Truffaut, Paris, 33, rue de Navarin », dans la rubrique « Prête-moi ta plume », qui est en fait le courrier des lecteurs dont s'occupe un jeune critique de trente-trois ans, Jean-Charles Tacchella : « Il me harcelait de questions, se souvient Tacchella, exigeait sans cesse de nouvelles filmographies. Sa passion me réjouissait. Moi qui passais alors la moitié de ma vie dans les filmographies et l'autre moitié dans les salles, j'avais trouvé mon meilleur lecteur. En tout cas le plus assidu [15]. »

Ce mode d'apprentissage porte ses fruits, puisque l'adolescent fait vite figure de « cinémathèque vivante », impressionnant ses amis, multipliant les prouesses et remportant certaines de ces joutes où se mesurent les jeunes cinéphiles du temps. Ainsi, ce concours du début de l'année 1948, à propos du *Voleur de bicyclette* : classé second parmi tous les cinéphiles en lice, François Truffaut répond brillamment au questionnaire distribué par Pathé-Cinéma sur le film de Vittorio De Sica, et gagne, bien entendu, un superbe vélo [16].

Cette érudition est surtout le fruit d'une fréquentation assidue des salles de cinéma et des ciné-clubs. Le Paris de l'après-guerre compte en effet plus de quatre cents salles, des immenses palaces aux petits cinémas de quartier, dont près de deux cents sont localisées aux alentours plus ou moins immédiats de l'appartement de François, de la place Clichy à l'Opéra, de Pigalle à Barbès, de la porte Saint-Denis aux Capucines en suivant les grands boulevards. Quant aux ciné-clubs, ils vivent leur véritable âge d'or, à cette époque, constituant un réseau très dense à travers la capitale. C'est là que se forme le regard du jeune Truffaut : « J'étais un maniaque de l'inscription, témoigne-t-il, j'avais cette envie de m'inscrire, de faire partie de cette chose où l'on programmait, où l'on présentait, où l'on discutait les films [17]. » Le premier ciné-club assidûment fréquenté, à partir de 1945, est celui du Delta, qui propose le mardi soir des films français des années trente. Il y a aussi le ciné-club de la Chambre Noire, très apprécié de l'adolescent pour ses programmations de films de Cocteau. Sans oublier les lieux plus prestigieux, tel le Ciné-Club de la *Revue du cinéma*, revue de référence éditée par Gallimard entre 1946 et 1948, animée par Jean George Auriol, Jacques Doniol-Valcroze, Pierre Kast, Jacques Bourgeois ou André Bazin, la « nouvelle critique » qui s'affirme depuis la Libération [18]. C'est là, certains samedis après-midi, que prennent place les premiers grands débats esthétiques, sur Orson Welles, sur Renoir, sur Rossellini et le néo-réalisme, auxquels assiste l'adolescent : « Ce ciné-club-là était très important pour moi, il m'a fait mentir chez moi, il m'a fait faire les " scouts buissonniers " car, parfois, le samedi après-midi, j'étais supposé aller en camping avec des amis [19]. » Enfin, il fréquente le ciné-club le plus apprécié de tous à la Libération, celui des Techniciens du Film, en principe réservé aux professionnels. « C'était le samedi matin au studio des Champs-Élysées, et j'ai l'impression d'avoir réussi à y aller beaucoup de samedis [20]. » C'est là, au printemps 48, qu'il verra pour la première fois *La Corde* d'Alfred Hitchcock. En plus des ciné-clubs, il y a les salles spécialisées dans les reprises de films importants, le studio des Ursulines par exemple, ou la salle des Agriculteurs, le Studio 28 ou le Champollion, qui aident à acquérir une solide connaissance de l'histoire du cinéma, mais aussi le réseau des salles spécialisées dans la distribution des films américains. Là encore, il faut ruser, apitoyer, parfois même chaparder les carnets de cinq séances hebdomadaires que les grandes compagnies hollywoodiennes installées à Paris impriment et distribuent aux exploitants. « Si l'on arrivait à dénicher l'un de ces carnets magiques, se souvient Truffaut, on pouvait voir en une semaine cinq films américains six mois avant leur sortie à Paris [21]. » Enfin, dans une quinzaine de salles parisiennes, tels le Caméo, l'Artistic, le Vendôme, le Studio Raspail, le Broadway, ou le Studio Marbeuf, les cinéphiles parisiens découvrent, à partir de l'été 1946, une fois les films américains autorisés en France, la production hollywoodienne de la décennie en version originale sous-titrée : *Citizen Kane* et *La Splendeur des Amberson*, d'Orson Welles, des films de John Huston, Howard Hawks, Preston Sturges, William Wyler, les premiers Hitchcock américains, et quelques-uns des principaux films de genre, comédies de mœurs, films noirs, ou comédies musicales [22].

L'école du cinéma par excellence est la Cinémathèque d'Henri Langlois, qu'il a dès décembre 1944 reprise en main en créant le Cercle du Cinéma, rue Troyon, et qui projette des grands films muets américains à un public très jeune et souvent en surnombre. Quittant la rue Troyon pour la salle des Ingénieurs des Arts et Métiers, avenue Iéna, le Cercle du Cinéma entraîne son public et lui propose un premier festival Eisenstein. Les séances, qui ont lieu le mardi et mercredi à 18h30 et 20h30, sont combles. En octobre 1948, s'ouvre enfin le premier « musée du Cinéma », autre appellation de la Cinémathèque de Langlois, dans un hôtel particulier, avenue de Messine. Dans la salle de projection, soixante spectateurs peuvent s'asseoir, une centaine peuvent s'entasser. On s'entassera plutôt. Pour avoir leur place, Truffaut et Lachenay ont de nouveau recours aux ruses. La plus facile consiste à rester enfermé dans les toilettes, pour attendre la séance suivante. À moins de faire preuve d'un talent de négociateur : en proposant les pièces les plus précieuses et les plus intéressantes de leur collection de photographies de films au musée du Cinéma, ils peuvent bénéficier, pour quelque temps, d'un droit d'entrée gratuit à la Cinémathèque.

Renoir, Welles et Bresson

Entre quinze et dix-huit ans, François Truffaut voit énormément de films. Outre *Le Roman d'un tricheur* de Sacha Guitry et *Le Corbeau* d'Henri-Georges Clouzot, qu'il connaît plan par plan, réplique par réplique, deux autres films vont marquer le jeune cinéphile : *Les Dames du bois de Boulogne* de Robert Bresson et *La Règle du jeu* de Jean Renoir. On sait que, à sa sortie en 1939, *La Règle du jeu* avait été un échec, voire un camouflet pour Renoir. Ni la critique ni le public ne l'avaient accepté. Lorsqu'il ressort en 1945, il est une fois encore au cœur des polémiques. On reproche à Renoir d'avoir trahi son art en s'installant à Hollywood. En quelques semaines, Truffaut voit ce film douze fois, révélation lumineuse pour ses quatorze ans. À ses yeux, Renoir devient le plus important des cinéastes, ayant choisi sa liberté d'homme et d'artiste contre les conventions et les jugements sceptiques de ses détracteurs. Désormais, comme Truffaut l'écrira dans l'un de ses tout premiers textes, en avril 1950 : « Il faut considérer *La Règle du jeu* comme le plus grand film de l'histoire du cinéma [23]. »

Avec *Les Dames du bois de Boulogne*, sorti en 1944, Robert Bresson a lui aussi rencontré un scepticisme certain de la part de la critique française, qui lui reproche le jeu des acteurs, la distance d'un regard qu'on a dit « glacé », la cruauté des sentiments, un style littéraire. C'est en classe, auprès de ses camarades et même de ses professeurs, au ciné-club ou encore à la table familiale, que Truffaut mène son combat, avec des fortunes diverses mais en se forgeant quelques certitudes, notamment l'idée que la valeur d'un film réside souvent dans la recherche entêtée de la sobriété, de la simplicité, de la décence et de la retenue dans l'expression des sentiments et des passions. « *Les Dames du bois de Boulogne* a été pendant quelque temps, un peu comme *La Règle du jeu*, le film favori des cinéphiles de Paris, le film favori des ciné-clubs, des gens qui attendaient un autre cinéma, confiera Truffaut quelques années plus tard. Les deux films ont comme point commun d'avoir été hués, méprisés, incompris. Ensuite, pour ces deux films, il y a eu une ou deux tentatives de ressorties malheureuses. Puis, quand même, à travers les ciné-clubs, ces films se sont établis peu à peu comme des œuvres majeures [24]. »

Guitry, Renoir, Bresson : à quatorze ans, François Truffaut a déjà donné un sens à ses combats cinéphiles, celui de la défense des « auteurs de films », comme il les désignera plus tard. Dernière pierre dans la formation de l'adolescent : *Citizen Kane* d'Orson Welles. « Ce film est certainement celui qui a suscité le plus grand nombre de vocations de cinéastes parmi nous », écrira Truffaut en 1967, dans un article au titre éloquent : « *Citizen Kane*, le géant fragile [25] ». « À cause de sa jeunesse, de sa culture et de son romantisme, le génie de Welles nous a immédiatement semblé plus proche de nous que le talent des metteurs en scène hollywoodiens, et nous avons aimé totalement ce film parce qu'il était total. » Sa sortie parisienne, le 10 juillet 1946 au Marbeuf, fut en effet l'occasion du premier grand débat cinéphile d'après-guerre. De nombreux critiques, influencés par le jugement sévère de Jean-Paul Sartre qui avait pu le voir à New York dès 1945, refusent le film de Welles, certains au nom de sa prétention littéraire, d'autres de son « expressionnisme ». De son côté, Georges Sadoul, chef de file de la critique communiste, n'y voit que l'exercice de style d'un écolier du cinéma. Lors d'une séance houleuse du Colisée, à l'automne 1946, André Bazin prend la défense du film et répond à Sartre dans *Les Temps modernes*. Avant Welles, les grands cinéastes devaient encore perfectionner une technique ; avec cet « éblouissant jeune homme [26] », la technique est déjà une donnée, et l'auteur, véritable démiurge, peut enfin en jouer à sa guise. Le temps des pionniers est ainsi définitivement révolu, l'apprentissage du cinéma est arrivé à son terme, ouvrant une ère nouvelle où la technique n'est plus à apprendre, mais à maîtriser au mieux pour faire naître un style personnel.

Ce combat pour *Citizen Kane* se présente avant tout comme

le manifeste d'une génération, celle des cinéphiles de l'après-guerre, en faveur du nouveau cinéma américain. Dans le contexte politique de la fin des années quarante, le cinéma américain divise au plus haut point la critique : défendre les films hollywoodiens passe aux yeux de beaucoup pour une provocation antinationale, un dandysme culturel qui met à mal la culture de gauche, marxiste ou marxisante, qui anime les milieux intellectuels. Le jeune Truffaut assiste en témoin à ces joutes, il cherche encore sa place à l'intérieur du mouvement cinéphile. En fait, il ne connaît pas encore grand monde car cet apprentissage est très souvent solitaire. André Bazin est une figure prestigieuse dans son esprit, de même qu'Alexandre Astruc ou Roger Leenhardt. Mais commence à naître en lui l'envie de partager son amour du cinéma.

L'aventure cinémane

Première manifestation publique de sa cinéphilie, François Truffaut décide de fonder un ciné-club en octobre 1948 : le Cercle Cinémane. Robert Lachenay est bombardé secrétaire général et gérant : à dix-huit ans, il est à même de s'occuper des finances. Truffaut se réserve le titre de directeur artistique. Il faut d'abord trouver une salle. Il parvient à convaincre M. Marcellin, le propriétaire du Cluny-Palace, situé boulevard Saint-Germain. Contre 4 000 francs par séance, le lieu lui est loué tous les dimanches matin. Afin d'obtenir des copies, Truffaut sollicite la Cinémathèque française. Pour la première séance prévue le dimanche 31 octobre à 10h15, Henri Langlois accepte de lui prêter deux films courts, *Entr'acte* de René Clair et *Un chien andalou* de Luis Buñuel. Le jeune homme tente d'obtenir également un long métrage, *Le Sang d'un poète* de Jean Cocteau, mais se heurte à la Fédération française des ciné-clubs, à laquelle Truffaut a refusé d'adhérer et de payer la location des films. De son côté, Langlois voudrait bien l'aider, et d'autres jeunes cinéphiles, à s'affranchir de cette tutelle en leur prêtant gratuitement ses copies, court-circuitant ainsi le réseau officiel des ciné-clubs. Mais, ne pouvant affronter la puissante fédération sous influence communiste, il est contraint de renoncer, et refuse de prêter à Truffaut *Le Sang d'un poète*. La séance inaugurale du Cercle Cinémane s'annonce incertaine. Au dernier moment, Truffaut la repousse au dimanche 14 novembre, espérant encore pouvoir convaincre Henri Langlois. Celui-ci le met en garde dans une lettre du 4 novembre : « Étant donné votre amour du cinéma, permettez-moi de vous dire que vous avez tort de vous lancer dans une entreprise comme celle que vous m'exposez sans concours. Car le différend qui sépare la Cinémathèque française et la Fédération française des ciné-clubs en ce qui concerne le prêt des films n'est pas une question de personnes ou de politique, mais simplement une impossibilité juridique qui oblige la Cinémathèque, malgré tout son désir de demeurer un organisme vivant, d'assister en spectatrice au mouvement des ciné-clubs [27]. » Truffaut s'entête et écrit à Jean Cocteau en personne, l'invitant à venir présenter son film, en apportant une copie. Des affichettes sont placardées autour du Cluny-Palace et distribuées dans les ciné-clubs du quartier Saint-Michel, annonçant pour cette première séance une projection du *Sang d'un poète,* « en présence du réalisateur ». Il est inutile de dire que ce programme fit sensation : écouter Cocteau était un grand privilège. Après le passage des deux courts métrages de René Clair et de Buñuel, la centaine de spectateurs présents attendent avec impatience l'arrivée de Cocteau. Mais ils comprennent vite la supercherie et la séance manque de tourner à l'émeute. Truffaut et Lachenay se débrouillent pour ne pas rembourser intégralement les spectateurs, mais leur Cercle Cinémane a déjà perdu une bonne part de sa crédibilité. Les recettes parviennent cependant à payer la location de la salle. Il reste même près de 1 000 francs de bénéfice, et M. Marcellin accepte de prolonger l'expérience malgré les plaintes des spectateurs.

Désormais, l'équilibre financier du ciné-club est menacé par les dettes que Truffaut accumule pour payer les séances hebdomadaires et la location des films. Il est en effet parvenu à un accord avec le chef du service cinématographique des Éclaireurs de France, M. Guillard, un collègue de son père, pour louer à crédit des copies à la MGM, sans passer par l'intermédiaire de la Fédération des ciné-clubs. Les Éclaireurs de France règlent le montant de la location à l'avance et Truffaut s'engage à les rembourser sur la recette du dimanche matin. Le même contrat est passé avec M. Marcellin, le propriétaire du Cluny-Palace. Seulement, les dettes augmentent : 8 000 francs après la seconde séance du dimanche 21 novembre consacrée aux *Barreaux blancs*, et 7 500 francs après celle du 28 novembre, avec *Ben Hur* de Fred Niblo... Truffaut est alors contraint de se démener pour tout régler. Les circonstances ne l'aident pas. Depuis la fin juin, soit cinq mois auparavant, il a quitté l'entreprise Simpère, lassé de ce travail lourd, ennuyeux et répétitif, avec 12 000 francs d'indemnités qui lui ont permis d'amorcer le financement de son ciné-club. Depuis, il travaille à mi-temps dans une librairie-papeterie proche de la Comédie-Française, *La Paix chez soi*, où il gagne beaucoup moins bien sa vie. Il n'a pas cru bon d'en informer ses parents, qui le croient toujours chez Simpère, François continuant de leur donner une partie de son salaire, qu'il justifie par des fiches de paie portant l'en-tête de la société. Janine et Roland Truffaut ignorent que l'argent provient d'emprunts, et que François a volé les fiches de salaire avant de quitter l'entreprise. Pour eux, malgré une passion jugée excessive pour le cinéma, il suit son chemin sans trop d'histoires. C'est loin d'être le cas, comme en témoigne l'épisode qui survient à la mi-septembre : une machine à écrire a mystérieusement disparu du bureau de Roland Truffaut, aux Éclaireurs de France, rue de la Chaussée-d'Antin. C'est François qui l'a volée, un soir, pendant que Robert faisait le guet pour surveiller les allées et venues du gardien de nuit. La machine est revendue deux jours plus tard à Jacques Enfer [28], un ami cinéphile plus âgé, pour la somme de 4 000 francs, qui sert à financer en partie les premières séances du Cercle Cinémane. Même en vendant quelques livres, puis en empruntant au libraire de *La Paix chez soi* et à Mme Bigey, la grand-mère de Robert, Truffaut ne parvient malheureusement pas à rembourser ses dettes.

La séance du dimanche 28 novembre, où Truffaut et Lachenay projettent *Ben Hur* de Fred Niblo, est un échec. Truffaut est obligé de l'avouer au propriétaire du Cluny, le justifiant par une concurrence trop forte des autres ciné-clubs. Le même jour en effet, à la même heure, celui de Travail et Culture, une association de militantisme culturel, tient séance, animé par André Bazin, et il y a du monde à chaque séance pour écouter le brillant critique et pédagogue. Truffaut, qui n'a pas froid aux yeux, décide d'aller voir Bazin, avec la ferme intention de le convaincre de changer les dates de ses séances.

Le mardi 30 novembre 1948, il se rend au siège de Travail et Culture, rue des Beaux-Arts, à Saint-Germain-des-Prés, et grimpe au deuxième étage. Là, il demande à voir André Bazin. Il ignore bien sûr à quel point cette rencontre sera décisive pour lui. Compréhensif, d'une générosité spontanée, Bazin se prend de sympathie pour le jeune cinéphile fougueux. L'homme que rencontre Truffaut dans ce petit bureau crasseux de Travail et Culture est âgé de trente ans. Maigre, un peu voûté, le regard vif, Bazin est alors la figure de ralliement des jeunes critiques[29]. Ses articles dans *Le Parisien libéré* lui valent une notoriété certaine, au-delà même du cercle des cinéphiles, si bien que ce bureau où il rédige chaque jour ses notes sur les films qu'il présente dans divers ciné-clubs est un lieu de passage très fréquenté. Pour Truffaut, il va devenir une nouvelle école de cinéma, rencontrant au hasard de ses venues Alain Resnais, membre actif du ciné-club de la Maison des Lettres, Remo Forlani, ou Chris Marker, le jeune directeur de la revue *Doc*, éditée par l'association Peuple et Culture, Alexandre Astruc, auteur d'un premier roman remarqué chez Gallimard en 1945, *Les Vacances*, chroniqueur régulier des *Temps modernes*, mais l'esprit déjà orienté vers le cinéma. C'est aussi là que travaille Janine Kirsch, future épouse d'André Bazin, l'assistante de Jeanne Mathieu qui s'occupe de la section théâtrale au sein de l'organisation. Bazin s'investit totalement, jusqu'à y perdre la santé, dans le militantisme culturel. Responsable de la section cinématographique de Travail et Culture, il a favorisé l'ouverture de ciné-clubs dans les écoles ou certaines grandes usines de Paris et de la proche banlieue. Catholique, il collabore aussi à la revue *Esprit* d'Emmanuel Mounier. Pour lui, le cinéma est la pièce maîtresse de la nouvelle éducation proposée aux hommes qui se relèvent des malheurs de la guerre. Le « droit d'égal accès à la culture », qui figure dans les statuts de Travail et Culture, et l'éducation populaire sont d'ailleurs au cœur de bien des projets militants à la Libération, d'où cette attention nouvelle portée au cinéma, et ce messianisme que ses amis comme ses adversaires reconnaissent à André Bazin.

La main au collet

À peine sorti du bureau de Travail et Culture, Truffaut doit reposer les pieds sur terre, car ses dettes ne se sont pas évaporées. Deux jours plus tard, M. Guillard, le chef du service cinématographique des Éclaireurs de France, se plaint auprès de son collègue Roland Truffaut. Quand celui-ci apprend que son fils lui doit la somme de 7 850 francs, il tombe de haut. Au soir du 2 décembre, il attend François rue de Navarin pour une franche explication. L'entrevue est violente. Roland contraint son fils à tout lui avouer. Acceptant de passer l'éponge si François cesse complètement ses activités ruineuses pour le Cercle Cinémane et rentre dans le droit chemin en trouvant un travail fixe, une situation stable, il lui fait inscrire noir sur blanc le détail de ses fautes et de ses dettes : « Je jure sous la foi du serment que tout ceci est exact. J'ai quitté ma place chez Simpère depuis 5 mois en rapportant aux moyens de truquages des bulletins de salaire et des paies. J'ai vendu des livres à la librairie-papeterie *La Paix chez soi*. J'ai volé une machine à écrire dans les locaux des Éclaireurs de France et je l'ai revendue à Jacques Enfer en septembre 1948 pour 4 000 francs. Je dois de l'argent à M. Prévost, 855 francs ; Mme Bigey, 10 500 francs ; M. Marcellin, 2 500 francs ; M. Guillard, 7 850 francs ; *La Paix chez soi*, 2 500 francs ; Chenille, 250 francs ; Geneviève, 150 francs [30]. » Humilié et vaincu, l'adolescent signe cette pitoyable reconnaissance de dettes, et Roland Truffaut rembourse un par un chacun des créanciers, au total la somme de 24 605 francs, équivalant alors à un peu plus d'un mois de salaire.

Par obligation (les copies étant déjà retenues et la publicité lancée), par inconscience, défi ou bravade, l'adolescent a pourtant programmé trois nouvelles séances de son Cercle Cinémane au Cluny-Palace : *La Citadelle* de King Vidor le 5 décembre, *Le Long Voyage* de John Ford le 8, enfin le 11, l'un de ses films préférés, *La Splendeur des Amberson* d'Orson Welles. Pour fêter cette dernière séance, François fait même passer une annonce dans *L'Écran français*, précisant que « les journalistes et les élèves de l'IDHEC sont cordialement invités ». Avec Lachenay, il s'est rendu lui-même au siège de la MGM pour y prendre les copies des films de Vidor et de Ford, en promettant de revenir le lendemain avec les 5 000 francs correspondant à la location du premier film. Une soixantaine de spectateurs auraient suffi à rembourser les frais, mais ce dimanche 5 décembre, ils ne sont qu'une vingtaine. Le mardi, n'étant pas payée, la MGM avertit M. Guillard, qui lui-même répercute la plainte auprès de Roland Truffaut. Excédé, celui-ci décide d'en finir de manière radicale.

Le soir du 7 décembre, l'adolescent est introuvable. Mais Roland sait où le dénicher, le lendemain à 17h30, au Cluny-Palace, juste avant la séance consacrée à John Ford. Dans le hall, au milieu de quelques amis dont Lachenay, Roland Truffaut « a déboulé et a saisi François par le col de sa chemise pour l'embarquer, sans oublier de nous dire que nous n'étions pas prêts de nous revoir et de faire nos bêtises [31] », se souvient Robert, qui assiste à la scène les larmes aux yeux. Le père ramène son fils, hébété, rue de Navarin. Janine laisse faire son mari. Depuis longtemps, elle s'est désintéressée de l'avenir de son fils, ne faisant plus que l'entrevoir au cours de repas souvent entrecoupés par de violentes disputes. La discussion est orageuse, et, sur le coup de 9 heures du soir, Roland Truffaut emmène François au commissariat le plus proche, rue Ballu. Là, appuyant sa requête sur la lettre-confession signée par François quelques jours auparavant, le père sollicite à son encontre une mesure de placement dans un centre spécialisé pour mineurs délinquants. Les policiers enregistrent sa plainte, prennent connaissance du document avouant les divers mensonges, vols et dettes de l'adolescent. Une fois sa requête déposée, Roland Truffaut quitte seul le commissariat, laissant son fils en de bonnes mains. François y passe la nuit, déménageant de la cellule principale pour une plus petite, individuelle, afin de laisser place à trois prostituées en situation irrégulière. Il aperçoit au passage son ami Robert, qui tente en vain de plaider sa cause. Mais il lui faut désormais attendre la confirmation de la détention par le président du tribunal de l'arrondissement. Truffaut patiente donc une journée dans sa cellule, puis une nuit encore sur une paillasse : trente-deux heures dans ce petit commissariat, à deux cents mètres de l'appartement familial, jusqu'à l'aube du 10 décembre, où, accompagné de quatre autres prisonniers, il est transféré en panier à salade au dépôt de la Cité, à la préfecture de

police de Paris. Après avoir subi les rituels humiliants de l'enfermement — immatriculation, photographies, empreintes digi-
tales et fouille —, l'adolescent passe encore deux jours à attendre qu'une décision concernant son affectation soit prise. Ce
n'est que le samedi en fin d'après-midi qu'il est transféré au
Centre d'observation des mineurs de Paris, à Villejuif, avenue
de la République, à deux pas de la porte d'Italie. Là, il subit de
nouvelles humiliations : dépôt des habits civils au greffe, prêt
d'un uniforme, désignation d'un dortoir, premiers coups de
règle d'un surveillant... François Truffaut fait l'apprentissage de
la loi « paternocratique » du Code civil français, dont les articles
375 et 377 stipulent : « Le père qui aura des sujets de mécon-
tentements très graves sur la conduite d'un enfant aura le moyen
de correction suivant : [...] Depuis l'âge de seize ans commencés
jusqu'à la majorité ou l'émancipation, le père pourra requérir
la détention de son enfant pendant six mois au plus. »

Mineur délinquant

À peine débarqué à Villejuif, François Truffaut est autorisé
à écrire à ses parents, en sachant que les lettres envoyées ou
reçues seront obligatoirement ouvertes et lues au greffe. Sa première lettre (« Chers papa et maman ») est écrite sans haine, ni
émotion, elle est purement pratique. Il ne demande à ses parents
qu'un peu de confiture, et ses dossiers sur Charlie Chaplin et
Orson Welles. Roland et Janine ne comprennent pas cette
« absence totalement cynique de regrets et de remords [32] » et
interprètent cette froideur comme un nouveau défi. Aussi
n'effectueront-ils aucune visite à Villejuif avant deux mois.

Le Centre d'observation des mineurs est une grande bâtisse
que ses hauts murs noirâtres protègent de l'extérieur. Une large
cour, triste et grise, pour les exercices physiques, presque militaires, des adolescents encadrés par des éducateurs. Des salles
de classe, un réfectoire et un dortoir, lieux tenus sous surveillance, où les punitions corporelles, comme les humiliations
morales, sont de mise. L'adolescent gardera longtemps en
mémoire cette veillée de Noël pathétique : « Quatre ou cinq gau-

frettes, une barre de chocolat, une mandarine, et aucun coup de baguette ce soir-là [33] », écrit-il à sa mère. Puis, de janvier jusqu'au début du mois de mars 1949, François Truffaut passera l'essentiel de son temps en isolement. C'est en cellule, du 5 au 8 février, qu'à la suite d'une tentative d'évasion et d'« injures envers un éducateur », il fêtera l'anniversaire de ses dix-sept ans, ne pouvant pas même recevoir le 6 février la première visite de sa mère. Pour aller ensuite à l'infirmerie, les médecins, quelques jours après son arrivée à Villejuif, ayant détecté dans son sang les germes de la syphilis. La fréquentation du bordel de la rue de Navarin ou les relations sexuelles déjà nombreuses du jeune homme en sont peut-être à l'origine. Dans l'après-guerre, la vérole, qui minait l'organisme de ses chancres et pouvait conduire, dans les cas extrêmes, à la paralysie et à la mort — « l'Irréparable qui ronge avec sa dent maudite », écrivait Baudelaire —, est encore une maladie relativement commune. Mais on la guérit mieux depuis le début des années quarante, grâce à la pénicilline. Le 11 janvier, Truffaut entre à l'infirmerie pour un premier séjour d'une semaine. Au programme : sept piqûres par jour, toutes les trois heures à partir de 6 heures du matin. Deux autres séjours suivront, fin janvier, puis du 28 février au 5 mars, au point que le malade en arrivera à prendre la piqûre pour unité de mesure de son temps : « En 6 jours, 38 fois j'ai été piqué, et j'espère bien recevoir *Paroles* de Jacques Prévert avant les 38 autres qui sont annoncées pour bientôt. Avec des livres, ça passe mieux [34] », écrit-il à sa mère le 8 mars.

Considéré comme un délinquant, malade et assommé de piqûres, il écrit une dizaine de lettres à ses parents en trois mois, pour leur réclamer des lunettes ou se plaindre du froid, leur demander surtout des livres, des nouvelles des proches, tout ce qui peut l'aider à supporter la solitude et les brimades. « Je lis, je dors, je mange, je vis enfin, par tranches de trois heures entre chaque piqûre, sur le ventre, car l'infirmière a transformé mes augustes fesses en passoires douloureuses [35] », écrit-il à sa mère le 28 février. Mais il n'a plus grand-chose à partager avec ses parents, qu'une vie strictement matérielle faite de trocs, de prêts et de services. Son moral est bas, il semble résigné et amer, comme en témoigne ce petit mot mélancolique écrit le lendemain de son anniversaire : « Je ne puis que me laisser vivre quatre ou cinq mois au Centre avant d'être transféré dans une ferme ou dans un centre de formation professionnelle jusqu'à dix-huit ans, ou, si vous ne me reprenez pas à dix-huit ans et que je ne veux pas m'engager, jusqu'à vingt et un ans [36]. »

Cependant, grâce à la complicité de la psychologue de l'établissement, Mlle Rikkers, Truffaut écrit plus librement à son ami Lachenay. Le ton est ici différent, moins soumis, plus tendu, en proie à des emportements toujours violents, contre la répression et l'incompréhension. À la mi-janvier 49, c'est une véritable lettre d'adieu qu'il adresse à Robert, à la fois tragique et romanesque, signée « François-Jean Vigo » : « Je pense aussi à Jean Vigo à qui tu faisais allusion lorsque je toussais trop ou que j'étais essoufflé après avoir grimpé tant bien que mal tes cinq étages ; si j'ai ou si j'aurai bientôt un ou plusieurs points communs avec Jean Vigo, je mourrai, j'en suis sûr, sans avoir le temps de faire un *Zéro de conduite*. Je pense aussi à Raymond Radiguet, mais je sais bien que je n'aurai pas le temps de vivre et d'écrire *Le Diable au corps* [37]. » Pour terminer par un pathétique « Je vais mourir, je le sais ». Au plus profond de son désespoir, Truffaut se raccroche aux livres, aux romans, revues ou magazines, que lui envoient sa mère, Lachenay, l'ami Claude Thibaudat, ou un certain Chenille, ancien copain de classe dont les parents tiennent une papeterie proche de la rue de Navarin.

Entre-temps, début février, il est passé en jugement. L'affaire n'est pas simple. Car au fur et à mesure de ses interrogatoires, François avoue un certain nombre de vols et d'emprunts supplémentaires. De son côté, Roland Truffaut a réglé l'essentiel de ses dettes, sacrifiant une partie des économies destinées à sa prochaine expédition sur le Kilimandjaro. Par tous les moyens, il tente de dissuader les créanciers de réclamer leur dû ou de porter plainte : « Mon fils est à la disposition de la justice depuis le 8 décembre et j'ignore complètement ce que concerne vos factures, écrit-il par exemple à *L'Écran français* qui exige le paiement des annonces passées par François. Je me permets de vous mettre en garde contre ce fantaisiste Centre Cinémane fondé à mon insu, et je vous serais obligé, en tous les cas, d'annuler toute commande ou demande de service pouvant venir éventuellement sous cette appellation. Je crois bon de vous signaler encore qu'il est possible que depuis l'arrestation de mon fils, certains de ses camarades se soient servis de ce nom pour passer des commandes. » Mais si son collègue des Éclaireurs de

France, M. Guillard, n'a pas porté plainte, il reste néanmoins une épine dans le dossier de François : la procédure instruite après la plainte d'un autre chef de service, M. Delatronchette, à propos du vol de la machine à écrire. Un avocat, maître Maurice Bertrand, a été désigné, et François a avoué. Sur toute cette affaire, dettes reconnues mais désormais payées par le père, ou vols avoués par le fils, le juge du tribunal du IXe arrondissement doit statuer. Il se révèle plutôt clément : Roland Truffaut est condamné à payer une amende de 12 000 francs au nom de son fils, qui sera placé en foyer dès sa sortie de Villejuif, jusqu'à sa majorité ou son émancipation, avec la possibilité de travailler à mi-temps à l'extérieur s'il trouve un employeur.

Dans son enfermement, Truffaut trouve pourtant un peu de réconfort. Cultivé, attachant même s'il se livre peu, quelques adultes appartenant à l'institution pénale et judiciaire s'intéressent à son cas. Raymond Clarys, directeur du Centre d'observation de Villejuif, s'attache à François malgré ses incartades et lui apporte régulièrement des quotidiens ou des magazines de cinéma. Il y a surtout Mlle Rikkers, la « spychologue », comme dira Antoine Doinel dans *Les Quatre Cents Coups*. Elle rencontre François à plusieurs reprises pour de longues discussions. Son rôle devient même essentiel pour alléger son dossier, qui n'a bientôt plus rien à voir avec le signalement initial : de l'« instable psychomoteur à tendances perverses », on passe au portrait fouillé d'un jeune « fuyant dans les mensonges répétés » une situation familiale et sentimentale jugée « traumatisante » par la psychologue [38]. Elle s'attache à lui au point de rencontrer ses parents ou ses proches comme Lachenay, pour accélérer sa mise en liberté. En mars 1949, elle contacte également André Bazin, et sollicite son intervention en faveur du jeune homme. Le critique, qui le connaît pourtant à peine, rencontre Mlle Rikkers chez elle, rue du Pot-de-Fer. Non seulement il peut se porter garant de François, mais il s'engage à lui trouver un emploi au sein de l'association Travail et Culture. La psychologue accepte également de suivre le jeune homme une fois libéré. Fort de ces garanties, le juge, trois mois avant terme, décide le placement de François Truffaut dans un foyer religieux de Versailles. Le 18 mars 1949, le jeune homme de dix-sept ans est en semi-liberté.

Je ne fixe pas longtemps le ciel

Au matin du 18 mars 1949, François Truffaut est conduit au foyer Guynemer, rue Sainte-Sophie, à Versailles. Un internat religieux dépendant de l'Association familiale et sociale de Seine-et-Oise, où règne un régime sévère mais moins contraignant qu'au Centre d'observation de Villejuif. Les sœurs de la paroisse Notre-Dame remplacent plutôt avantageusement les éducateurs de Villejuif, même si le dortoir, les contrôles de présence, les horaires stricts et la prière avant chaque repas ne lui laisseront pas le meilleur souvenir.

Psychologiquement, François porte encore les traces des épreuves traversées. En témoigne la rédaction qu'il fait à la demande du professeur de lettres de l'externat de garçons, boulevard de la Reine, à Versailles, où il suit des cours. Le sujet proposé : « Racontez la plus belle ou la plus triste aventure de votre vie. » Truffaut l'aborde de manière existentielle : c'est sa vie elle-même qui est devenue une « triste aventure ». Son désespoir se dit dans une langue simple, logique, sans aucun ornement, nue comme un mur de prison : « Ma vie ou plutôt ma tranche de vie jusqu'à ce jour a été des plus banales. Je suis né le 6 février 1932, nous sommes aujourd'hui le 21 mars 1949, j'ai donc 17 ans 1 mois 15 jours. J'ai mangé presque tous les jours, j'ai dormi presque toutes les nuits, j'ai à mon avis trop travaillé, je n'ai pas eu assez de satisfaction ni de joies. Les Noëls et les anniversaires ont tous été quelconques et décevants. La guerre m'a laissé indifférent et les abrutis qui la faisaient également. J'aime les Arts et en particulier le cinéma, je considère que le travail est une nécessité comme le rejet des excréments et que quiconque aime son travail ne sait pas vivre. Je n'aime pas les aventures et je les ai évitées. Trois films par jour, trois livres par semaine, des disques de grande musique suffiraient à faire mon bonheur jusqu'à ma mort, qui arrivera bien un jour prochain et qu'égoïstement je redoute. Mes parents ne sont pour moi que des êtres humains, c'est seulement le hasard qui fait d'eux mon père et ma mère, c'est pourquoi ils ne sont pas plus pour moi que des étrangers. Je ne crois pas en l'amitié, je ne crois pas non plus à la paix. J'essaie de me tenir peinard, à l'écart de tout ce qui fait trop de bruit. La politique n'est pour moi qu'une industrie florissante et les politiciens des fripouilles intelligentes. C'est là toute mon aventure. Elle n'est ni gaie ni triste, elle est la vie. Je ne fixe pas longtemps le ciel, car lorsque mes yeux reviennent au sol le monde me paraît horrible [39]. »

Pourtant, François Truffaut a pris la décision de lutter et de s'en sortir. Il tente de s'adapter à cette scolarité sous surveillance, mais la révolte reprend vite le dessus. Début août, il est puni pour avoir « dirigé un chahut monstre et entraîné trois de ses camarades plus jeunes ». Carreaux cassés, professeurs insultés... Le 13 septembre 1949, le directeur du foyer écrit à Roland Truffaut que son fils « a malheureusement une influence néfaste » et se voit dans l'obligation de le renvoyer [40]. Roland Truffaut signe le 17 septembre un chèque de 19 860 francs, pour la casse, les dettes accumulées et la pension du foyer. La conquête du Kilimandjaro est une fois encore repoussée !

Très tendu, le retour de François en famille va précipiter la rupture avec sa mère. C'est à elle qu'il s'en prend directement, et en appelle au contraire à la compréhension et à la confiance de Roland. S'il est vrai que Janine Truffaut lui a peu souvent rendu visite à Villejuif ou à Versailles, qu'à chaque fois elle ne restait qu'un très court instant, lui faisant sentir qu'il s'agissait de visites obligées, Roland, lui, n'est jamais venu. Mais tout le paradoxe familial est là, dans cette inversion des rôles symboliques : la révélation de la vraie filiation, au lieu de l'éloigner d'un père de substitution, a rapproché le jeune Truffaut d'un homme qu'au fond il trouve bon mais faible, faible sans doute parce que trop amoureux de sa femme. Et c'est à sa mère, désormais haïe, que François en veut. Il se confie à Roland, de manière très intime, en lui écrivant le 2 avril 1949 : « Mon cher Papa, si c'est à toi que j'expose mes peines c'est que, contrairement à ce que tu penses, c'est en toi que j'ai confiance. La révélation de ma filiation ne m'a pas, comme tu le penses, éloigné de toi. Si elle m'a éloigné de maman, elle m'a rapproché de toi. En effet, avant de savoir la vérité, je soupçonnais une irrégularité dans ma situation familiale et je pensais même que si tu étais mon vrai père, maman, elle, n'était pas ma vraie mère. J'ai longtemps pensé cela car ta conduite et celle de maman confirmaient cette idée. C'est pourquoi j'ai été atterré en apprenant que c'était le contraire. Mais moralement tu es toujours mon vrai papa et maman une belle-mère. Elle n'est certes pas une marâtre mais ce n'est pas non plus une mère... Dans mon existence nouvelle, je veux faire de toi mon confident et te confier tous mes petits ennuis [41]. »

Roland Truffaut ne peut s'empêcher de faire lire cette lettre à sa femme. François se sent trahi. Sa stratégie de division accentue l'hostilité de Janine. Elle décide de contre-attaquer. Et de le toucher en un point sensible : tout serait de la faute de Robert Lachenay, « mauvais génie » qui aurait entraîné son cadet sur la voie de l'école buissonnière, de l'irresponsabilité financière, voire de la débauche. Janine soutient en effet que Robert a non seulement emmené François chez les prostituées mais que les deux garçons auraient eu, à l'initiative de l'aîné, des relations homosexuelles, « ce qu'une analyse médicale et qu'une recherche du germe de la syphilis prouveraient aux yeux de tous [42] », lui écrit-elle de manière cinglante. Profondément blessé par cette accusation, François se défend comme il peut, plaide pour sa pleine conscience et sa maturité, puis réplique à son tour par la contre-expertise médicale : « Je vais devancer l'enquête médicale, écrit-il à ses parents le 27 mars 1949, en demandant expressément à Mlle Rikkers l'examen médical pour Robert Lachenay afin de faire disparaître toute espèce de soupçons de ce côté. À son sujet, je dois d'ailleurs vous dire que vous vous faites de fausses idées sur son compte. C'est un garçon beaucoup plus scrupuleux que moi, qui n'aurait pas fait la moitié de ce que j'ai fait. D'autre part, il fut un excellent ami puisqu'il n'a pas hésité à vendre pour le ciné-club et pour mes dettes une collection reliée des œuvres complètes de Buffon et bien d'autres livres encore [43]. » Ces échanges, où se lisent le soupçon de trahison, la haine et des accusations infamantes, provoquent une rupture quasi définitive entre François et ses parents. Le jeune homme désire désormais son indépendance complète. Et l'obtient un an plus tard, le 10 mars 1950, un mois après son dix-huitième anniversaire. Roland Truffaut signe alors une déclaration lui accordant son émancipation [44]. Affranchi de la tutelle parentale, François est libre. Mais cette liberté s'est bâtie sur un traumatisme familial qui le marquera à jamais et manifestera parfois violemment ses effets dans sa vie future.

Sans un sou, sans vêtements et ses chaussures « systématiquement percées », sa liberté est assez relative. Il habite dans un internat, à Versailles. Mais le jeudi et le dimanche, il peut emprunter le vélo du jardinier du foyer et en une heure rejoindre Paris : « Il faisait beau et je roulais comme un fou, écrit-il en avril 1949 à Lachenay. J'ai été voir Mme Duminy, Claude Thibaudat, rue des Martyrs. À mesure que j'approchais de la maison, que je n'ai pas revue depuis quatre mois, je m'imaginais un accueil froid et des reproches, c'est pourquoi, place Pigalle, j'ai continué ma route tout droit sur les boulevards et j'ai eu l'idée d'aller voir un copain assistant metteur en scène qui habite à La Chapelle. Sur l'insistance de sa mère j'ai déjeuné chez eux, et l'après-midi j'ai laissé là le vélo et nous sommes allés voir Bazin à Travail et Culture, rue des Beaux-Arts. Avec lui, nous avons écrit à Jacques Becker. J'ai commencé à chercher du travail. De son côté, Mlle Rikkers, la psychologue que je vois chez elle tous les dimanches, s'en occupe également [45]. » Paris lui appartient à nouveau...

Un chien fou dans un jeu de quilles

Profitant de ses moments de liberté, François Truffaut renoue avec le cinéma. À Versailles, il aide l'abbé Yves Renaud, professeur de français, cinéphile et ami d'André Bazin, à programmer le ciné-club de l'externat. De son côté, Bazin n'a pas oublié la promesse de trouver un emploi à son jeune protégé. Il fait de lui son « secrétaire particulier » à Travail et Culture, travail peu rémunéré, environ 3 000 francs par mois, mais qui aide à convaincre le juge de laisser François habiter seul à Paris. Pour vivre pleinement « son existence nouvelle », il doit trouver une chambre où loger. Il a trop souffert à Villejuif et à Versailles pour vouloir y retourner, « préfère vivre avec 200 francs par jour en me serrant la ceinture [46] », comme il l'écrit à son père. Roland, qui a sévèrement mis en garde son fils que, à la moindre dette et à la moindre plainte, il le ferait « mettre en boîte, sans aucun remords [47] », consent alors à faire un dernier effort. À partir du 16 septembre 1949, il lui loue une chambre au cinquième étage d'un immeuble situé rue des Martyrs, pour un loyer mensuel de 1 500 francs.

Grâce à André Bazin, François fréquente le ciné-club *Objectif 49*, lieu de rencontre entre artistes, écrivains, étudiants et critiques parisiens. Fondé par les tenants de la nouvelle critique, c'est-à-dire Bazin, Astruc, Kast, Doniol-Valcroze, Bourgeois, Tacchella, Claude Mauriac et bénéficiant du parrainage de cinéastes et d'écrivains, comme Jean Cocteau, Robert Bresson, René Clément, Jean Grémillon, Raymond Queneau et Roger Leenhardt, *Objectif 49* ne montre à ses adhérents que des films inédits. Club assez fermé (ces « snobs [48] » que dénonce le cinéaste communiste Louis Daquin dans *L'Écran français*), mais très influent, *Objectif 49* est lancé à l'occasion d'une grande première des *Parents terribles* de Jean Cocteau, au studio des Champs-Élysées. Cocteau apporte une caution aussi littéraire que prestigieuse et joue un grand rôle pour fédérer les volontés et les initiatives. C'est là, dans les locaux d'*Objectif 49*, qu'au printemps 1949 Truf faut le croise pour la première fois.

En ce début de guerre froide, les tensions sont fortes dans les milieux intellectuels, et les clivages idéologiques marquent la critique cinématographique. Les communistes ont fait main basse sur *L'Écran français*, dont Bazin, sans doute jugé trop « catho de gauche », est expulsé. Et, par ailleurs, *La Revue du cinéma*, de Jean George Auriol, dans laquelle écrivent aussi bien Bazin, Doniol-Valcroze, Astruc que Kast, dépose son bilan, lâchée par son éditeur, Gaston Gallimard. *Objectif 49* devient le vrai point de ralliement de la nouvelle critique. Les séances ont lieu dans des salles bondées, et des cinéastes aussi importants que Roberto Rossellini, Orson Welles, Wiliam Wyler, Preston Sturges, Roger Leenhardt, Jean Grémillon ou René Clément viennent y présenter leurs films. Forts de ce succès, les animateurs d'*Objectif 49* décident de créer un festival dont l'ambition consiste à rivaliser avec celui de Cannes : le Festival indépendant du Film Maudit à Biarritz. Le premier a lieu fin juillet 1949. Évidemment, Bazin, figure de proue du mouvement, y entraîne son jeune secrétaire particulier, qui, le 29 juillet au soir, prend le train de nuit en gare d'Austerlitz. Sans le sou, il n'a pu s'offrir une couchette et voyage dans l'inconfort, le bruit et la chaleur. Dès le matin du 30 juillet, il adresse une carte postale à Robert Lachenay : « Cher vieux, voyage épouvantable, temps moyen. Le

festival commence ce soir avec *La nuit porte conseil* de Marcello
Pagliero. Cocteau est arrivé. Photos, encore photos, la plage à
la manière de Jean Vigo, des cadrages à la Hathaway, de la profondeur de champ à la Welles, et des perspectives à la Fritz Lang.
T'écrirai longue lettre mardi. Suis presque fauché. François
Toréador [49]. » Logé, comme un grand nombre de jeunes festivaliers, dans le dortoir du lycée de Biarritz, Truffaut est pris dans
l'ambiance un peu folle et excentrique du festival, et ses nuits
blanches. Celle du 2 août par exemple, une « Nuit maudite »
animée par Alexandre Astruc et Marc Dœlnitz, autour d'un bal
costumé, au lieu-dit du lac de la Négresse. Pour y entrer, Truffaut
s'est même offert un nœud papillon, mais l'ambiance est trop
mondaine à son goût : « Le festival se déroule calmement sans
grande surprise, confie-t-il à son ami Lachenay. À ma grande
stupéfaction, Cocteau m'a reconnu *because* nœud papillon et
Bazin, mais il ne gagne pas du tout à être approché, pas plus
d'ailleurs que Grémillon ou Claude Mauriac. La ville est infecte
ainsi que les habitants et les touristes, mais Bazin est très apprécié pour ses présentations de films et ses débats [50]. »

Heureusement, les quatre films qu'il voit chaque jour occupent l'essentiel de son temps. C'est là, lors de certaines projections exceptionnelles (*L'Atalante* de Vigo présenté pour la première fois dans sa version longue, l'avant-première de *La Dame
de Shanghaï* de Welles, ou la première européenne du film américain de Renoir, *L'Homme du Sud*), et au cours de discussions
nocturnes dans le dortoir du lycée, que se forme un groupe de
jeunes cinéphiles qui fera bientôt parler de lui : Truffaut bien
sûr, mais aussi Jacques Rivette, Claude Chabrol, Charles Bitsch,
Jean Douchet et quelques autres. Éric Rohmer, lui aussi présent
à Biarritz, l'aîné du groupe, se souvient très bien y avoir croisé
pour la première fois François Truffaut, qu'on lui présente alors,
avec un large clin d'œil, comme le secrétaire de Bazin. Ces
jeunes gens, radicaux et insolents, mettent un point d'honneur
à se démarquer d'*Objectif 49*, et passent leur temps à dénigrer
l'organisation du festival, pourtant confiée à des critiques amis
mais plus établis comme Bazin et Doniol-Valcroze. Cet esprit
polémique soude la bande de cinéphiles autant que leur passion
commune pour des actrices et des cinéastes, qui se nomment
alors Gloria Grahame ou Ingrid Bergman, Alfred Hitchcock ou
Fritz Lang.

Le retour à Paris, durant l'été 1949, correspond chez Truffaut à la période de sa plus intense cinéphilie. Il en a terminé avec l'isolement et les ennuis, il fait désormais partie d'un groupe. À celui du dortoir de Biarritz s'ajoutent d'autres figures, Jean-Luc Godard, Suzanne Klochendler (bientôt Schiffman), Jean Gruault, Paul Gégauff, Alain Jeannel, Louis Marcorelles, Jean-José Richer, Jean-Marie Straub. Les points de ralliement sont les séances hebdomadaires des principaux ciné-clubs parisiens. Le mardi, rendez-vous au studio Parnasse, dont les débats sont animés avec rigueur et passion par Jean-Louis Chéray et se terminent toujours par un jeu de questions sur le cinéma, qui permet aux bons connaisseurs de gagner une place gratuite. « Cet animal de Rivette nous enfonçait tous. Il raflait les billets sous notre nez par douzaine. Des fauteuils au balcon des bouffées de rancœur jalouse empestaient l'atmosphère. On criait au truc, à l'imposture, on l'insultait. Finalement, pour éviter l'émeute, Jean-Louis Chéray fut obligé, dès que Jacques avait obtenu cinq places gratuites, de le déclarer hors concours afin de permettre aux autres de courir leur chance [51] », se souvient Jean Gruault. Le jeudi est réservé au Ciné-Club du Quartier latin, dont Maurice Schérer est la figure de proue. Âgé de trente ans en 1950, d'aspect sévère, mais assez potache et pince-sans-rire, Schérer enseigne le français au lycée Lakanal à Sceaux et signe ses articles sur le cinéma sous le pseudonyme d'Éric Rohmer. Il anime la séance du jeudi après-midi où il enseigne, à partir des films visionnés, l'esthétique du cinéma. Il est également le rédacteur en chef du *Bulletin du C.C.Q.L.* (Ciné-Club du Quartier Latin) qui paraît tous les mois dès janvier 1950. Pour les jeunes cinéphiles, Rohmer est une sorte de frère aîné que l'on vouvoie par respect. « C'était un honnête, un intègre, très prof. À nous les fauchés, il passait toujours un peu d'argent, mais il fallait remettre en échange un justificatif, du ticket de métro au billet de train, en passant par la note de l'épicier [52] », écrira son ami Paul Gégauff.

Les autres soirées de la semaine se passent à l'Artistic, au Cinéac-Ternes, à la Cinémathèque de Langlois, aux Reflets ou au Broadway, pour se prolonger par d'interminables discussions et déambulations dans les rues de Paris, avec Jacques Rivette et Charles Bitsch : « Parvenus devant la porte de l'un, se souvient ce dernier, nous repartions du même pas vers celle de l'autre, avant de prendre résolument la direction de la troisième. Et ainsi de suite, jusqu'à ce que la fatigue et la soif nous conduisent dans l'un des cafés ouverts à ces heures indues, ce qui nous ramenait immanquablement dans ce quartier de prédilection, entre les places Clichy et Pigalle. Reposés, rafraîchis et encore plus étourdis de paroles, nous reprenions notre ronde jusqu'au matin [53]. »

Jacques Rivette est arrivé à Paris au début de l'année 1949, de Rouen, sa ville natale, pour suivre des cours à la Sorbonne. Il a tout juste vingt et un ans et préfère généralement les séances de cinéma aux amphithéâtres. Maigre, le visage émacié, animé par la passion, il vit déjà dans l'ascèse et le dénuement : « Il ressemblait au chat d'*Alice au pays des Merveilles*, se souvient Claude Chabrol. Il était tout petit. On le voyait à peine. Il semblait ne pas manger. Quand il souriait, il disparaissait entièrement derrière ses dents superbes. Il n'en était pas moins féroce pour autant [54]. » Rivette est la conscience et la voix du groupe. En ce sens, il marquera profondément Truffaut, incarnant sans doute l'avis et le jugement sur le cinéma qu'il respectera le plus au monde. « Le grand discoureur, c'était Rivette, rappelle ainsi Jean Douchet. C'était l'âme secrète de la bande, le penseur occulte, un peu censeur. On l'appelait d'ailleurs " le père Joseph ". Son jugement était toujours très abrupt, très contradictoire, n'hésitant pas à brûler ce qu'il avait adoré [55]. » Surnommé « Carolus » par ses jeunes camarades, Charles Bitsch apporte un tout autre esprit. Il est le fidèle, le suiveur, toujours là pour donner un coup de main ou pour recevoir une confidence. Son père tient un bistrot place du Palais-Royal, juste en face de la Comédie-Française. La bande s'y retrouve souvent autour d'une table et de quelques verres, pour discuter et rediscuter des films.

En 1949, l'irruption de François Truffaut dans l'univers foisonnant de la cinéphilie parisienne [56] ressemble à celle d'un jeune chien fou dans un jeu de quilles. Le cadet de la bande est perçu comme un trublion. « Au début, pendant près de six mois, on ne pouvait pas le prendre au sérieux, il était trop écorché [57] », dit de lui Chabrol. Ce que confirme Gruault : « Avouons-le, l'agressivité de François, sa perpétuelle agitation de moustique en folie nous agaçaient [58]. » Ce qui frappe chacun en Truffaut, c'est d'abord son aspect physique. De petite taille, un mètre soixante-six, un corps sec, vif, mince, presque maigre. Des gestes rapides, saccadés, de la nervosité. Un regard noir, perçant. Une intensité, une exaltation qui contrastent avec les photographies qui nous restent de cette époque. Là, prenant souvent des poses, nous apercevons un jeune homme plutôt bien mis, fumant parfois la pipe, le visage souriant, mais contrarié par une lourde paire de lunettes, car Truffaut est myope, avec seulement 4/10 à chaque œil.

Plus jeune, plus révolté, plus pauvre, Truffaut doit faire ses preuves avant d'être adopté par la petite société cinéphile, fermée et exigeante. Cela prend un certain temps, le temps de voir davantage de films, de calmer un peu ses impulsions, de prendre de l'assurance dans les discussions, le temps, enfin, de travailler et d'écrire. Car sa qualité première est sa puissance de travail. Aux séances de la Cinémathèque, il est sûrement l'un des plus assidus, avec Rivette, Douchet, Godard et Suzanne Klochendler, mais aussi l'un des plus besogneux, avec sa manie d'accumuler dossiers et articles découpés, de dévorer la presse spécialisée et de prendre quantité de notes. S'il n'a pas la rapidité d'élocution ou la facilité d'écriture de Rivette, ni les intuitions de Godard, son principal atout, dans un premier temps, réside dans ce travail d'érudition, que l'on retrouve dans les tout premiers textes. Truffaut suit le chemin des disciples d'Éric Rohmer puisque le *Bulletin du C.C.Q.L.* accueille ses deux premières critiques de cinéma, au printemps 1950. L'une concerne une visite de René Clair au ciné-club, simple compte rendu d'un habitué. L'autre, un mois plus tard, s'attache plus longuement à *La Règle du jeu,* que le jeune homme a déjà vu douze fois. Cela lui permet de repérer, lors d'une projection de la version intégrale, treize scènes inédites et quatre plans nouveaux. Perles précieuses qu'il relève savamment dans une colonne du *Bulletin.* « Grâce à ces treize scènes, grâce à Renoir, ce fut une très belle soirée [59] », conclut-il. Ce n'est pas là une entrée fracassante dans le monde de la critique, mais plutôt une arrivée discrète, où précision et modestie font bon ménage, comme si Truffaut voulait faire oublier ses premiers mois de cinéphile trublion, où il gênait tant ses amis. À dix-huit ans, jeune autodidacte placé sous le parrainage amical de Rohmer, qu'il se permettra assez vite de surnommer « le grand Momo » en référence à son vrai prénom, il apprend à voir et à écrire, et ne tardera pas, dans un travail acharné où se mêlent l'érudition et la vocation cinéphile, à trouver son style.

L'amour à la Cinémathèque

Enfin indépendant, François Truffaut vit au cœur du quartier de son enfance, dans une chambre, rue des Martyrs. Mais la réinsertion est difficile, tout comme ses fins de mois, car son salaire à Travail et Culture est de plus en plus irrégulier. Et Bazin semble ne plus être en odeur de sainteté. En pleine guerre froide, les communistes, qui contrôlent l'association, ne considèrent plus d'un bon œil cet homme de gauche qui s'est permis de dénoncer le « mythe Staline » dans la revue *Esprit*. En janvier 1950, une crise aiguë de tuberculose va éloigner Bazin de Paris durant plus d'une année, pour une cure en sanatorium dans les Alpes. Truffaut, qui n'est plus payé depuis Noël 1949, doit quitter l'association.

Pour l'aider, Robert Lachenay lui propose en janvier 1950 un poste de soudeur à l'acétylène dans une usine de Pontault-Combault, en Seine-et-Marne, à une demi-heure de Paris par le car, « un coin perdu avec une église, deux hôtels, quelques fermes et 2 000 et quelques habitants [60] ». On ne voit pas ce qui peut réjouir un jeune cinéphile, très parisien, à l'idée d'habiter un « coin perdu », sinon sans doute la perspective d'un salaire régulier, qui puisse prouver à tous que les temps difficiles sont révolus. En effet, le travail est harassant mais bien payé : près de 12 000 francs par mois. Mais Lachenay lui annonce une mauvaise nouvelle : il est contraint d'aller faire son service militaire en Allemagne. Privé de son ami d'enfance et de Bazin, Truffaut est à nouveau seul. Le jour de l'an 1950 est l'occasion de fêter une dernière fois le futur troufion. Le réveillon, particulièrement arrosé, a lieu rue Myrrha, chez Jacqueline Pelletant, dont Robert est éperdument amoureux. François, lui, est amoureux de la jeune fille qui l'accompagne ce soir-là, Mireille G., cinéphile fervente, fine et jolie, un peu plus âgée. Depuis trois semaines, les deux jeunes gens vivent ensemble dans la chambre de

la rue des Martyrs, première liaison durable dans la vie sentimentale de Truffaut.

Le travail à l'usine de Pontault-Combault est éprouvant : dix
heures par jour à souder des métaux et à s'abîmer les yeux. Mais
la première paie arrive deux semaines plus tard le 18 janvier
1950 : 5 748 francs. Dès le lendemain, jour de congé, Truffaut
assiste à la séance de 16h à la Cinémathèque. C'est ce samedi-là,
après l'avoir beaucoup regardée, après avoir longuement hésité,
qu'il adresse la parole pour la première fois à Liliane Litvin, une
jeune fidèle de la Cinémathèque. Prenant prétexte d'un livre
d'Hervé Bazin qu'elle tient sous le bras, il engage la conversation, la discussion s'anime et les deux jeunes gens promettent
de se revoir lors d'une prochaine séance, avenue de Messine.
Cette rencontre bouleverse la vie de François. Sur un coup de
tête, il décide de ne pas retourner à l'usine. Il ne cesse de vouloir
revoir Liliane, sans réaliser qu'il n'est pas le seul à lui faire la
cour. Jean Gruault et Jean-Luc Godard sont aussi sous le charme
de la jeune fille, « petite, un peu boulotte, visage rond, cheveux
châtains frisottés, mais très vive et chef de bande [61] », comme la
décrit Gruault. Tantôt à l'un, tantôt à l'autre, l'esprit volage,
dessinant sa carte du Tendre avec virtuosité, donne ses rendez-vous à la Cinémathèque. Les soupirants défilent aussi à tour
de rôle chez les Litvin, 24, rue Dulong, dans le XVIIe arrondissement, entre Villiers et les Batignolles. Le beau-père de Liliane
est garagiste, sa mère fait une excellente cuisine casher, et tous
les deux adorent bavarder. Ils accueillent volontiers au déjeuner
ou au dîner Jean-Luc, Jean ou François. Chacun fait une cour
discrète à la fille comme aux parents, et en profite au passage
pour regarder une émission à la télévision, encore rare dans le
Paris de 1950. On parle littérature, car cela impressionne la mère
et passionne la fille, grande admiratrice d'André Gide. Truffaut
connaît l'auteur des *Faux-Monnayeurs* presque aussi bien que Balzac. Pourtant rien n'y fait, Liliane ne se donnera à aucun d'entre
eux.

Des trois soupirants, Truffaut est celui qui prend le plus à
cœur cette relation amoureuse mais platonique, passant de la
joie au désespoir, de la jalousie à l'emportement, tandis que
Liliane ne voit en lui qu'un copain. « Normalement je ne devrais
pas être amoureux d'elle. Chaque fois que je discute sérieusement avec elle, elle se marre. N'empêche que j'attends des

heures devant sa porte, et que je me les gèle à mort [62] », écrit-il dans son journal intime. Le 6 juin 1950, après quatre mois de douche écossaise, Truffaut tente un vrai coup d'audace en s'installant dans un hôtel meublé situé juste en face de chez les Litvin, rue Dulong. Le loyer mensuel est plus élevé que celui de la chambre de la rue des Martyrs, l'espace plus étroit, mais il est tout près de celle qu'il aime, il peut suivre ses allées et venues, et surtout ses fréquentations. Ravie, Liliane visite sa chambre, y entraîne même ses parents, mais n'en anime pas moins ce quadrille amoureux. En attendant, au cours du printemps et de l'été 1950, Truffaut multiplie les liaisons, avec Mireille, Madeleine, Janine, Gisèle, Geneviève, Monique ou Charlotte... Mais Liliane Litvin « reste toujours aussi insaisissable que l'Albertine de Proust [63] ». Truffaut conservera longtemps le goût de ces relations parallèles, heureuses et malheureuses à la fois, comme si chaque femme, séparément mais simultanément, lui paraissait aimable, plus encore : indispensable dans sa différence. L'homme qui aimait les femmes est sans doute né ce printemps 1950, il avait tout juste dix-huit ans.

Son salaire d'apprenti soudeur dépensé, Truffaut se retrouve sans le sou dès la fin janvier 1950. Lachenay n'est plus là pour lui venir en aide, même s'il lui a laissé sa chambre, que François sous-loue à un copain. Ces 1 880 francs mensuels ne le dépannent qu'en partie. Il donne des coups de main, par exemple à Rohmer qu'il aide à contacter les distributeurs de films, à porter les bobines ou à éditer le *Bulletin du C.C.Q.L.* Cela lui rapporte un peu d'argent, mais pas assez pour vivre. Alors il emprunte de petites sommes, 300 francs par-ci par-là. Et surtout, début mars, il liquide la moitié de la bibliothèque de Robert en la cédant à un libraire pour 3 000 francs. Ce qui met en fureur son « cher vieux troufion », et occasionnera une première vraie brouille entre les deux amis.

Le Club du Faubourg

Sans doute pour impressionner Liliane Litvin, Truffaut commence à fréquenter un endroit prestigieux dans le Paris de

1950, le Club du Faubourg, dirigé par Léo Poldès et sa femme. Fondée en 1917, cette vieille institution accueille, trois fois par semaine (les mardi, jeudi et samedi en fin d'après-midi), curieux, amateurs, journalistes et personnalités du Tout-Paris, qui s'y retrouvent pour converser sur les spectacles et les livres récents, sur des problèmes de société, ou pour assister à des débats entre écrivains. Chaque année, fin juin, le Faubourg organise un concours d'éloquence sur des sujets libres ou imposés, dont les éliminatoires, étalées sur l'ensemble de la saison, sont très courues par un public friand de ces joutes rhétoriques. Les parents de Liliane y vont le mardi, car la séance se tient non loin de chez eux, au Villiers-Cinéma. Dans la semaine du 27 février au 3 mars 1950, Truffaut participe par exemple à un débat sur les films de gangsters, puis à un autre concernant le festival du Film Maudit. S'il se cantonne d'abord dans le domaine du cinéma, il n'hésite pas à tenter quelques percées vers la littérature, ou des thèmes qui recoupent son expérience personnelle, comme la séance du 7 avril sur les « compétences des juges pour enfants ». François Truffaut se sent en confiance, car son talent y est reconnu. Attaquant ou soutenant films et cinéastes, il s'initie à la polémique et à l'engagement. Sa fougue et sa compétence impressionnent les habitués du Club, parmi lesquels Gengis Khan, richissime héritier, Armand Piéral, écrivain et directeur littéraire chez Laffont, ou l'acteur Jean Servais. Léo Poldès, le directeur, est également séduit, de même que Marc Rucart, sénateur et ancien ministre, l'un des nombreux hommes politiques à fréquenter l'endroit. Le 26 décembre 1950, il écrit à Truffaut : « Soyez assuré d'une estime qui date du jour où je vous ai vu intervenir la première fois au Club du Faubourg. Cette estime venait de l'impression que vous me donniez alors de votre courage, de la clarté de vos exposés ou de vos " contradictions " ; et du fait que vous parliez comme si vous aviez eu vingt ans de plus. Bien entendu, vous me choquiez presque toujours, comme vous choquiez presque tout l'auditoire : mais c'était pour moi une raison supplémentaire d'estime. À tort ou à raison, vous preniez plaisir à vous dresser contre ce qui vous apparaissait plus fort, ou plus expérimenté, ou plus âgé que vous ; et, dans la crainte où vous étiez qu'on ne vous crût pas capable de " foncer " davantage encore, vous employiez les mots susceptibles de heurter au maximum et, même, de provoquer les indignations.

C'était le témoignage d'un complexe d'infériorité qu'il fallait absolument conjurer, le besoin des attaques préventives, l'expression d'une révolte de votre jeunesse contre les prétentions des moins jeunes, d'une rébellion du faible contre les puissants, la manifestation de votre sauvagerie contre tous les conformismes et traditionalismes. N'étant pas de ceux qui jugent sur les effets, je soupçonnais les causes de votre attitude. Je ne les ai jamais connues, mais ce sont mes suppositions qui renforcèrent mon estime, et firent ma sympathie, et même quelque curiosité attendrie [64]. »

Au cours du printemps 1950, Truffaut devient ainsi la mascotte du Club du Faubourg et la liste de ses admirateurs, souvent des écrivains ou des aristocrates, s'allonge. Ainsi, Louise de Vilmorin, Aimée Alexandre et la comtesse du Pasthy, ces trois bienfaitrices qui le suivront longtemps. La première est un écrivain réputé, l'auteur de *Madame de...*, amie de Cocteau et d'André Malraux, et tient salon dans son château de Verrières-le-Buisson. Aimée Alexandre est russe, et disciple de Bachelard. Elle a écrit un essai sur Tolstoï et commence un roman qu'elle publiera au milieu des années cinquante. À la suite d'une brillante prestation de Truffaut, elle lui fait parvenir ce mot : « Mon cher et délicieux ami, vous avez tant souffert et lutté que votre âge moral est au moins le double de votre âge physique. Et je suis sûr qu'un jour vous deviendrez maréchal sans avoir été caporal [65]. » Jusqu'à sa mort, au début des années soixante-dix, Aimée Alexandre demeurera l'une des confidentes de François Truffaut. La comtesse du Pasthy, quant à elle, aristocrate, grande collectionneuse d'objets précieux, adresse à Léo Poldès une lettre pleine d'affection pour « notre benjamin François Truffaut » : « Cette personne a incontestablement du génie. Ce génie ne s'est pas encore manifesté car la lutte pour le pain quotidien l'a trop absorbé jusqu'ici, mais il sait ce qu'il veut, il a de la volonté. Il deviendra un créateur. Il élaborera une œuvre. Il réussira. D'autre part, c'est un être bon avec un trésor de tendresse [66]. »

Mis en confiance, l'intrépide Truffaut provoque et s'emporte, brille tout en étant lui-même fasciné par l'aisance et la culture de ce milieu aristocratique. Plus tard, il se souviendra de Louise de Vilmorin, d'Aimée Alexandre et de la comtesse du Pasthy, lorsqu'il concevra le personnage de Fabienne Tabard, interprété par Delphine Seyrig dans *Baisers volés,* comme l'incarnation d'une femme séduisante et raffinée.

Premiers pas de photos-flash

En avril 1950, Pierre-Jean Launay, directeur littéraire de *Elle* et ami de Louise de Vilmorin, d'Aimée Alexandre et de Léo Poldès, assiste à un concours d'éloquence auquel François Truffaut s'est inscrit. Ce jour-là Truffaut remporte sa série. Launay lui propose aussitôt de travailler pour le magazine féminin fondé par Hélène Gordon-Lazareff et installé dans les mêmes locaux que *France-Soir,* rue Réaumur.

Cette première expérience de journaliste va permettre à Truffaut de vivre quelques mois sur un pied qu'il n'a jamais connu. Il « régale les copains », s'habille, emmène Liliane au théâtre... Bref, il dépense tout. Il apprend à vivre de sa plume. Sur le modèle balzacien des *Illusions perdues.* Truffaut intègre désormais la vie du Paris littéraire et journalistique, se fait reporter, plutôt mondain, pour coller aux sujets qui intéressent le magazine. Il collabore à *Elle,* mais également à d'autres journaux, *Ciné-Digest, Lettres du monde* ou *France-Dimanche* : « J'ai fait mes premiers pas de " photos-flash " dans le cabaret *Le Méphisto* et j'ai une photo qui va paraître dans *France-Dimanche* : l'actrice Annette Poivre et sa fille au bar. C'est une bonne chose, je ne sais pas encore combien on me la paiera, mais ça revient cher, j'ai eu pour 1 600 francs de lampes. C'est très risqué [67]. » Pendant six mois, de mai à octobre 1950, Truffaut accumule reportages et enquêtes, seule façon de pouvoir tenir le train de vie que sa nouvelle existence lui impose, et de poursuivre sa métamorphose, regrettant que « bien des reportages lui [soient] passés sous le nez parce qu'il n'était pas assez habillé [68] », écrit-il à Lachenay. Truffaut, qui n'a jamais été aussi riche, peut même entretenir son ami à l'armée, lui envoyant de l'argent, des vêtements, des livres, de la nourriture.

Elle lui confie un sujet amusant, qui paraîtra le 11 septembre 1950 : comment dit-on « je t'aime » dans toutes les langues du monde, et que Truffaut a traité en enquêtant à la Cité universitaire auprès d'étudiantes étrangères. Il est vite débordé par cette double activité de journaliste et de photographe. Un reportage sur les défilés de mode et les magasins chic du quartier de l'Opéra, quelques portraits d'actrices en vogue, celui de Michèle Morgan, qu'il rencontre à la gare de l'Est sur le tournage du *Château de verre*, que réalise René Clément, ou Martine Carol, avec laquelle il déjeune aux studios de Billancourt où elle tourne *Caroline chérie*. « C'est une fille très bien, victime d'une publicité idiote, elle a bien du talent [69] », écrit-il à Lachenay début août.

L'affaire que Truffaut suivra pour *Elle* avec le plus d'attention n'a rien à voir avec le cinéma. Il s'agit du procès de Michel Mourre, un jeune homme de vingt-deux ans célèbre dans la France entière. En effet, l'année précédente, cet ancien novice, chassé d'un couvent dominicain pour athéisme, a réussi à monter en chaire à Notre-Dame, le dimanche de Pâques, pour y blasphémer à haute et intelligible voix : « Dieu est mort. » Ce scandale faillit l'envoyer à l'hôpital Sainte-Anne. Son procès, intenté par l'Église de France, est très suivi à partir de fin mai 1950. Truffaut reconnaît en Mourre une figure à laquelle s'identifier, l'un de ces proscrits promis aux attaques du pouvoir politique, académique, institutionnel ou, ici, spirituel. D'une certaine façon, à quatre ans d'intervalle, il retrouve paradoxalement la compassion qui l'avait attaché au maréchal Pétain. Il ne s'agit pas d'un véritable engagement politique, absolument contradictoire entre Pétain et Mourre, mais d'une adhésion aux causes perdues, quelles qu'elles soient, d'une « émotion partagée communément avec tous les décriés du monde [70] », écrit-il. Mourre est acquitté le 14 juin, et Truffaut sympathise avec lui. Le lendemain, les deux hommes déjeunent ensemble. Trois jours plus tard, Truffaut a écrit quatre articles sur l'« affaire » et s'apprête à les proposer aux différents magazines auxquels il collabore.

Entre le 8 et le 13 juin 1950, il se rend à Hesdin, dans le Pas-de-Calais, pour assister aux dernières prises de vue du tournage du film de Robert Bresson, *Le Journal d'un curé de campagne*, adapté de l'œuvre de Georges Bernanos. Rencontrer Bresson, « c'est formidable », écrit-il à son ami Lachenay, mais cinq jours sur le tournage, triste et pluvieux, « c'est trop long et ennuyeux [71] ». Là encore, Truffaut multiplie les articles, pas moins de cinq sur le film de Bresson. Mais le journaliste-reporter

commence à se lasser de son nouveau métier. Si le journalisme
parisien a ses bons côtés, les rencontres, l'excitation d'une vie
plus facile, une certaine frénésie née de l'écriture rapide, il a
aussi ses travers, notamment son artifice : « Tout cela m'ennuie
et j'aimerais tout laisser tomber », confie-t-il à Lachenay dès le
21 juillet 1950.

Vingt-cinq coups de rasoir

Las du journalisme, François Truffaut est en fait miné par
son histoire d'amour avec Liliane Litvin, qui vire au vaudeville.
En rentrant le 13 juin 1950 au soir du tournage du *Journal d'un
curé de campagne,* il s'installe dans sa chambre meublée de la rue
Dulong, qu'il loue depuis une semaine, juste en face de chez les
Litvin, écrit longuement à Lachenay pour lui décrire l'endroit
en détail, joignant même un croquis sommaire [72]. Il rêve d'y
installer Liliane, mais celle-ci ne semble guère décidée à emménager, apparemment très occupée par sa préparation du bac.
Les écrits sont pour la semaine suivante, immédiatement pro-
longés par les oraux.

Truffaut prépare lui aussi son oral, celui du concours d'éloquence du Club du Faubourg, qui doit se tenir le mardi 27 juin
au Villiers-Cinéma. Il fait partie des onze candidats retenus pour
la finale. Truffaut est le grand favori des habitués. Le sujet
imposé : « Paris en 1950. » Et une épreuve d'improvisation dont
le thème n'est divulgué qu'au dernier moment. Jusqu'au bout,
le jeune homme espère la présence de Liliane. En vain. Le soir
du concours, privé de son auditrice tant attendue, François Truffaut boude : « J'ai déçu tout le monde parce que j'ai pris l'air
infiniment las, ennuyé, monotone, avec l'air de dire " quel sujet
idiot ". Je suis arrivé 3e sur 11 [73]. » Truffaut emporte un lot de
consolation, une bouteille de Ricard, un attirail de produits de
beauté et plusieurs billets de loterie, qu'il va offrir aux parents
Litvin.

La belle Liliane rate elle aussi son examen : elle n'aura pas
son bac, ce qui ne l'empêchera pas de fêter son anniversaire, le
4 juillet, avec tous les amis du moment, dans un appartement

vide situé en face de celui des parents, au rez-de-chaussée. « Il y a eu plus de 40 personnes parmi lesquelles : Claude Mauriac, Schérer, Alexandre Astruc, Jacques Bourgeois, Ariane Pathé, Michel Mourre, le Tout-Paris 16 mm et journalistique [74] », rapporte Truffaut au soldat Lachenay qui s'ennuie dans sa caserne allemande. Godard, Rivette, Chabrol, Gruault, Suzanne Klochendler, son frère et sa sœur sont également de la fête... « Le reste de la soirée se passa dans le genre de *La Règle du jeu*. Intrigues, scènes dans la rue, portes qui se fermaient, Liliane jouait Nora Grégor, elle changea 4 ou 5 fois de Saint-Aubain, je faisais Jurieu, il fallait une victime [75]. » Elle est toute désignée. Au petit matin, Truffaut rentre chez lui et, dans son lit, se taillade le bras droit de vingt-cinq coups de rasoir. Le sang imprègne les draps... Il s'évanouit. À 11 heures du matin, Liliane arrive et le trouve inconscient. Elle le ranime, le soigne, fait bouillir de l'eau et applique plusieurs pansements sur son bras. « Maintenant je suis comme Frédéric Lemaître dans *Les Enfants du Paradis* avec un bandeau autour du bras et je dis à tout le monde que j'ai une foulure [76] », écrit Truffaut, transposant ironiquement les événements de sa vie dans la fiction. Liliane, elle, disparaît pendant deux jours, sans donner d'adresse, laissant son jeune voisin affaibli, et déprimé.

Pour sortir de ce mélodrame, Truffaut redouble d'activités au cours de l'été 1950. Du 1er au 12 septembre, il mène la belle vie à Biarritz, invité au second festival du Film Maudit. D'une année à l'autre, le jeune homme a pris du galon. Cette fois, envoyé spécial pour *Elle,* il n'est pas logé dans le dortoir du lycée, mais à l'hôtel du Casino-Bellevue. Mais l'ambiance est morose sur la côte basque pour ce qui se révélera être le dernier projet d'*Objectif 49,* déjà moribond. Puis Truffaut passe une dizaine de jours à Antibes, Cannes, Nice, Saint-Tropez, Saint-Jean-Cap-Ferrat, à la recherche de scoops, faisant le guet à l'entrée des riches villas et des palaces de la Côte d'Azur, pour surprendre une star du cinéma ou une vedette du Tout-Paris.

De retour à Paris fin septembre, Truffaut retrouve avec joie son ami Lachenay, qui bénéficie d'une permission. C'est l'occasion de quelques sorties au cinéma et de longues discussions, comme autrefois. Truffaut sort lentement d'une mauvaise passe, et André Bazin, cette fois encore, va tenter de l'aider. Fin août, Truffaut est allé dans les Alpes lui rendre visite dans un sanatorium. Au cours de l'entrevue, le critique propose à son jeune protégé de collaborer à une biographie de Jean Renoir, son cinéaste de prédilection. Truffaut est chargé d'établir sa filmographie complète. Le projet est une commande de la revue anglaise *Sight and Sound* et Bazin offre de partager l'argent, soit 13 000 francs pour chacun des auteurs. À l'automne, Truffaut commence à mener ses recherches sur les films de Renoir quand le projet tombe à l'eau, la revue anglaise n'ayant pas donné suite à sa commande.

C'est un film, rien de moins, qui pourrait alors tout cicatriser. En écrivant son premier scénario, *La Ceinture de peau d'ange*, Truffaut espère retrouver son entrain. C'est ce que l'apprenti cinéaste confie à son ami Lachenay en septembre 1950 : « Je vais faire un film en octobre ; j'ai eu 25 bobines de pellicule, soit 1 h 40 de projection. Mon film durera environ 45 minutes, j'ai donc de la marge. J'ai la caméra 16 mm et l'opérateur, j'ai tous les acteurs. Il ne me manque que quelques costumes et une grande pièce avec un compteur de 40 ampères pour les éclairages pour faire la salle à manger [77]. » *La Ceinture de peau d'ange* raconte l'histoire d'une communiante, et il ne fait aucun doute qu'il l'a conçue et écrite avec l'idée d'en confier le rôle féminin à Liliane Litvin. Le jour de sa communion, une jeune fille se fait violer par son cousin dans le grenier familial. Six ans plus tard, elle se marie et, au cours du repas de mariage, monte dans le grenier pour retrouver les jouets de son enfance enfermés dans une vieille malle. Le chef de bureau de son mari, invité à la cérémonie, la rejoint au grenier et sous prétexte de la consoler de sa mélancolie, la renverse sur un vieux divan.

Dans ce scénario fantasmatique, à la fois sexuel et blasphématoire, Truffaut a réservé un rôle à Jacques Rivette (celui du cousin), un autre à Alexandre Astruc, tandis qu'il gardait pour lui-même celui du frère de la communiante. Pour mener à bien son projet, Truffaut espère le soutien de l'Église de Paris. Officiellement, il présente son film comme un documentaire sur les premières communions et, pour séduire les autorités religieuses, compte aussi sur le soutien de l'abbé Gritti, de l'abbé Ayfre et du père Yves Renaud du ciné-club de Versailles, tous proches d'André Bazin. Mais l'Évêché de Paris prend la décision de ne pas soutenir ce documentaire peu orthodoxe. Et Truffaut, plus tard, devenu cinéaste, aura la sagesse de ne pas revenir à ce premier scénario de jeunesse.

Engagé volontaire

Au cours du mois d'octobre 1950, Robert Lachenay est reparti en Allemagne poursuivre son service militaire. Liliane Litvin est toujours aussi insaisissable et André Bazin, tuberculeux, est retenu loin de Paris. François Truffaut est seul et le journalisme l'ennuie. Sur un coup de tête, il décide de devancer l'appel et d'effectuer son service militaire. Le 29 octobre, il se rend à la caserne Reuilly-Diderot, puis au ministère des Armées, rue Saint-Dominique, enfin au palais de justice pour y chercher un extrait de casier judiciaire. Le compte à rebours commence : quinze jours plus tard, il sera sur le départ. « Bien sûr, je demande les troupes d'occupation en Allemagne [78] », écrit-il à Lachenay. Dans un premier temps, ce dernier est plutôt enthousiaste : son copain se rapproche et ils passeront ensemble leurs permissions à Coblence. Mais deux mois après, Lachenay changera d'avis en apprenant l'engagement réel souscrit par Truffaut. Il n'était pas parti début novembre en Allemagne comme prévu, mais a traîné à Paris jusqu'au 27 décembre, date à laquelle il s'est présenté devant l'intendant militaire de Paris, rue Saint-Dominique. Là, Truffaut signe son engagement volontaire dans l'artillerie, pour trois ans. Par dépit amoureux, par bravade, par dégoût pour la vie parisienne qu'il mène, et sans doute aussi pour toucher la prime importante offerte aux engagés volontaires. Son départ pour l'Indochine est programmé six mois plus tard. Robert Lachenay a du mal à comprendre la décision de son ami : « François, pourquoi as-tu fait ça ? François, nous voilà séparés pour trois ans ; j'ai peine à y croire et je n'arrive pas à me faire à l'idée que je ne te trouverai pas à Paris lorsque j'y retournerai. Je me demande comment je vais faire, comment je vais vivre, comment je vais m'habituer à ne plus te voir, toi, ta serviette, tes papiers, tes lunettes, tes morceaux de pantalon, tes bouts de chaussettes [79]... »

Le 30 décembre 1950, François Truffaut passe la frontière

allemande en direction de Wittlich et rejoint le 8ᵉ bataillon d'artillerie. Il doit y faire ses classes pendant six mois, avant de partir pour Saigon. Paradoxalement l'expérience militaire débute dans l'enthousiasme, comme si Truffaut voulait se convaincre de la beauté de son geste. « J'ai délibérément fait à l'armée française le don de trois ans de ma vie, trois ans sans cinéma, sans livres, sans vie irrégulière, sans amis et sans initiatives, écrit-il à son père le 3 janvier 1951. Je trouve cela assez beau. L'armée est bien souvent incomprise. Dire que la vie militaire est dénuée de sens, de logique, est aussi puéril que de donner des coups de pied aux Arabes dans les commissariats ou de rire aux films russes [80]. » Et le jeune homme de revendiquer haut et fort un vocabulaire martial et viril, au nom d'une logique plus « juste », plus « égalitaire » que celle de la société civile... Mais trois jours plus tard, revenu de ses illusions, Truffaut réclame déjà leur aide à Bazin, à Rohmer et à Launay, le directeur littéraire de *Elle,* afin d'être pistonné et affecté à Baden-Baden comme journaliste à la *Revue d'information des Troupes d'Occupation en Allemagne.* Dans sa lettre à Rohmer du 7 janvier, il décrit le camp de Wittlich comme un enfer : les exercices, la discipline, la neige et la boue, les marches forcées avec trente kilos sur le dos. Pour faciliter sa mutation, il supplie Rohmer de lui adresser au plus vite une lettre certifiant qu'il a bien été rédacteur à *La Gazette du cinéma* : « N'oubliez pas qu'au-delà du Rhin un ami compte sur vous. Si je meurs en Indochine, ce sera de votre faute ! Dépêchez-vous [81]. » Rohmer intervient, tout comme Bazin et Launay, auprès des autorités militaires en Allemagne pour favoriser le transfert de Truffaut vers Baden-Baden. Rien n'y fait, l'engagé volontaire demeure « prisonnier » à Wittlich. À Lachenay, il décrit sa vie quotidienne minée par l'ennui et les manœuvres régulières, dont il s'acquitte évidemment très mal. « Quand je dis : " Pour la section, à mon commandement, en avant... marche ! ", personne ne bouge, car il n'y a que l'aspirant qui m'entende... » Il est incapable de tenir un fusil en main : « Je suis de toute la caserne (2 000 types), celui qui sait le moins bien monter l'arme sur l'épaule. C'est ahurissant de maladresse et c'est cela qui me vaut tant et tant de punitions [82]. » Pas étonnant, dès lors, que Truffaut devienne la tête de turc des sous-officiers du régiment, qui lui mènent la vie dure.

La fin des classes sonne comme une relative libération. Le

10 mars 1951, le jeune homme bénéficie enfin d'une sorte de planque : secrétaire, il reçoit les messages au téléphone, ce qui lui laisse le temps de lire et d'écrire. Durant cet hiver allemand rigoureux, Truffaut fréquente souvent l'infirmerie, à cause de sinusites à répétition et de troubles auditifs persistants. Ces maux, qu'il a contractés à Wittlich, le suivront très longtemps, puisqu'il ne sera opéré de la cloison nasale qu'au début des années soixante. Il souffrira toujours d'une perte auditive de son oreille droite à cause du froid et du bruit des canons. « J'ai l'impression, plusieurs fois par jour, qu'on m'arrache l'oreille droite avec une énorme pince, tellement ça me tire quand une détonation traverse le camp [83] », écrit-il à Lachenay au mois de février. Plus tard, Truffaut reprendra cette particularité pour le personnage de Ferrand, le metteur en scène qu'il interprète dans *La Nuit américaine* et qui porte un sonotone.

Depuis sa planque, Truffaut correspond aussi avec toutes « ses femmes ». D'abord avec Liliane Litvin, dont il demeure amoureux. Elle s'occupe de lui, fait suivre son courrier et lui envoie des paquets, des livres et des revues. Truffaut espère bien davantage : une déclaration d'amour, qui ne viendra jamais. Mais comme il le dit à son ami Robert, sa « vie sentimentale est assez compliquée », et « les objets de mes amours ont ou 16 ans ou 40, plus quelques relations équivoques entre les deux âges : jeunes filles de famille, veuves, et mes " dames " de Pigalle [84] ». Truffaut correspond avec Louise de Vilmorin, Aimée Alexandre et la comtesse du Pasthy, ses bienfaitrices du Faubourg. « Je leur écris des mensonges fatigués. Elles répondent favorablement à ces lettres qui sont toutes des déclarations d'amour enfiévrées (le succès, sans doute, provient de ce que je ne suis pas sincère) [85]. » Le jeune militaire balance entre le dépit amoureux, nourri d'une passion déçue envers une jeune femme cinéphile qui ne l'aime pas, et le cynisme de « l'homme à femmes » déjà blasé, truqueur. Reste les femmes faciles : les prostituées qu'il fréquente assidûment, ou encore Geneviève, sa première maîtresse de l'automne 1946, avec laquelle il correspond depuis l'Allemagne. « Elle vit seule et ses lettres sont très engageantes. Mon rêve de 1946 est en train de se matérialiser. Geneviève, héroïne balzacienne, mon lys dans la vallée que je vais souiller à nouveau [86] ! », écrit-il le 12 février à Lachenay. Ces femmes réelles seront plus tard les « modèles » de ses personnages au cinéma : Liliane Litvin sera la Colette de *L'Amour à 20 ans,* interprétée par Marie-France Pisier ; les jeunes filles bien élevées se reconnaîtront sous les traits de Christine Darbon dans *Baisers volés* puis *Domicile conjugal,* avec Claude Jade comme interprète. Enfin, les femmes mûres et élégantes trouveront en Fabienne Tabard (le personnage inoubliable de Delphine Seyrig) une figure idéale, tandis que les personnages de prostituées traversent toute l'œuvre du cinéaste.

Le Journal du voleur

François Truffaut, privé de cinéma durant ses classes militaires, s'adonne à des lectures intensives dans le dortoir de la caserne de Wittlich. Il découvre Marcel Proust, dont il lit et relit en janvier 1951 *À la recherche du temps perdu* : « C'est merveilleux et décisif sur le sort du roman : Balzac et Proust sont les deux plus grands romanciers de langue française [87] », écrit-il à Lachenay le 27 janvier. Une autre révélation, Jean Genet. Juste avant de s'engager dans l'armée, Truffaut a lu le *Journal du voleur,* il en recopie un passage précis dans un carnet en date du 19 décembre 1950 : « Je suis né à Paris le 19 décembre 1910. Pupille de l'Assistance publique, il me fut impossible de connaître autre chose de mon état-civil. Quand j'eus vingt et un ans, j'obtins un acte de naissance. Ma mère s'appelait Gabrielle Genet. Mon père reste inconnu. J'étais venu au monde au 22 de la rue d'Assas [88]. » Enfant de père inconnu, délinquant passant de centres spécialisés en prisons, de punitions en vexations, à la sexualité brute et débridée, puis le salut par l'écriture : l'identification est évidente pour l'ex-adolescent du Centre d'observation de Villejuif.

Si François Truffaut a recopié cet extrait, c'est aussi parce que la date qui y figure lui importe tout particulièrement : le 19 décembre 1950, il écrit à Jean Genet pour ses quarante ans. Lorsqu'il reçoit le mot de ce jeune admirateur, par l'intermédiaire de Cocteau auprès duquel le cinéphile s'est renseigné, Genet habite l'hôtel Terrass, 12, rue Joseph-de-Maistre, dans le XVIIIe arrondissement de Paris, tout près du cimetière Montmartre. L'écrivain traverse alors une crise profonde, tant morale et intellectuelle que physique. Il souffre d'un calcul biliaire et sera hospitalisé à plusieurs reprises, en 1950 puis en 1951. Financièrement démuni, il survit en logeant dans une petite chambre d'hôtel, comptant sur les voyages et les amis plus fortunés. Son travail même semble tari, après l'exaltation des « années glorieuses », entre 1942 et 1947. « Je suis resté six ans, dira-t-il par la suite, dans cet état misérable, dans cette imbécillité qui fait le fond de la vie : ouvrir une porte, allumer une cigarette... Il n'y a que quelques lueurs dans une vie d'homme. Tout le reste est grisaille. » Genet écrira aussi en 1954 : « La pensée — non l'appel — mais la pensée du suicide, apparut clairement en moi vers la quarantième année, amenée, me semble-t-il, par l'ennui de vivre, par un vide intérieur que rien, sauf le définitif glissement, ne paraissait pouvoir abolir [89]. » Ce sont ainsi deux « suicidaires » qui se rencontrent alors, et cette communion d'esprit, malgré la différence des conditions et des âges, rapproche sûrement Truffaut de Genet. Mais si l'écrivain vit dans cette « espèce de détérioration psychologique », il devient en revanche l'un des auteurs français les plus célèbres du temps. Chacun de ses livres, chacune de ses pièces — *Haute Surveillance* l'année précédente aux Mathurins — font scandale. Gallimard, en 1951, commence la publication de ses œuvres complètes. Et Jean-Paul Sartre le reconnaît comme le poète et le personnage de son siècle dans *Saint Genet, comédien et martyr*.

C'est à cet homme que François Truffaut écrit le 19 décembre 1950, joignant à sa lettre un texte sur le *Journal du voleur* et sur *L'Enfant criminel* rédigé initialement pour la revue *Lettres du monde*, intitulé « Jean Genet, mon prochain », texte malheureusement perdu. Le 24 mars 1951, Truffaut mentionne à Robert Lachenay avoir eu « la surprise d'une réponse » : « Il m'a écrit une lettre très chic de remerciements et de sympathie : il me dit de l'aller voir quand j'irai à Paris. C'est là un bel autographe [90]. » La lettre de Genet est en effet chaleureuse : « Cher Monsieur, votre mot me touche beaucoup. Je suis aussi très étonné qu'on songe à m'écrire et à écrire sur mon travail. Je risque peut-être de vous décevoir car je ne suis pas brouillé avec Sartre que j'aime énormément, et très sincèrement. Son travail de critique sur moi me concerne du reste très peu : il s'agit plutôt de lui-même. De ce que vous écrivez, je ne sais que vous dire, sauf que cela me paraît trop élogieux. Si l'armée vous laisse quelques jours pour passer à Paris, venez me dire bonjour. Je vous serrerais la main avec plaisir. Amicalement [91]. »

La rencontre a lieu dans la petite chambre d'hôtel de Genet, à la mi-avril 1951, lorsque le jeune soldat bénéficie de sa première permission. L'écrivain en donne toute la portée dans la dédicace qu'il inscrit sur la première page du *Journal du voleur* offert peu après à François : « Mon cher François, n'en soyez pas blessé, mais quand je vous ai vu entrer dans ma chambre, j'ai cru me voir — presque d'une façon hallucinante — quand j'avais 19 ans. J'espère que vous garderez longtemps cette gravité du regard et cette façon simple et un peu malheureuse de vous exprimer. Vous pouvez compter sur moi. » Avec sa coupe militaire, son allure frêle, sa petite taille, son nez légèrement tordu, son regard vif et inquiet, la mélancolie qu'il dégage, Truffaut correspond sans doute à l'autoportrait que décrit Genet en avril 1951. Mais cette apparition, dans l'encadrement de la porte d'une chambre d'hôtel, illustre également ce que Sartre pouvait écrire, à peu près au même moment, du *Journal du voleur* : « Genet se voit partout ; les surfaces les plus mates lui renvoient son image ; même chez les autres, il s'aperçoit et met au jour du même coup leur plus profond secret. » Ce secret chez Truffaut, c'est évidemment ce « père inconnu » que le jeune homme cherche à remplacer par les artistes qu'il admire le plus profondément. Jean Genet est, avec André Bazin, le premier à jouer réellement ce rôle de substitution. Truffaut l'écrit à Lachenay le 15 août 1951 : « Bazin et Genet ont fait pour moi en trois semaines ce que mes parents n'ont jamais fait en quinze ans [92]. » Genet répond à toutes les lettres et à toutes les demandes de Truffaut au cours du printemps et de l'été 1951. Il lui adresse à Wittlich « un mot très bref afin que vous sachiez que je ne vous oublie pas. Donnez-moi de vos nouvelles, demandez-moi ce que vous voulez, et venez me voir si vous venez à Paris. Croyez-moi toujours votre ami très fidèle ». Surtout, il lui envoie des dizaines de livres par l'intermédiaire de Gallimard. C'est lui, par exemple, qui le premier fait lire à Truffaut des « Série Noire » en août 1951 : « Je vous ai porté quelques romans policiers (lectures d'hôpital) et deux paquets de gitanes. Vous les a-t-on remis ? » Lectures essentielles pour celui qui adaptera plus tard William Irish, David Goodis, Henry Farrell et Charles Williams, tous traduits dans la prestigieuse série policière.

Au total, onze lettres [93] de Jean Genet, et deux dédicaces de
ses livres, rythment cette amitié décisive : « Votre lettre m'amuse,
écrit Genet au début du mois de juin 1951. Faites ce que vous
voulez, mais ne me demandez pas d'explications aussi cons. En
effet, je n'aime guère les lettres. Pardonnez-moi si les miennes
sont courtes. L'essentiel c'est qu'elles vous disent assez mon amitié. » Les réponses de Truffaut, une quinzaine au total, seront
plus longues. Cette amitié, même si elle eut peu d'effets concrets
sur les conditions matérielles de la vie du jeune soldat, l'aida
profondément dans ces moments difficiles. Truffaut l'écrit à
Lachenay le 22 novembre 1951, lorsqu'il est au fond d'un cachot
et songe parfois au suicide : « Je ne reçois que de courtes lettres
de Genet, espacées, et pourtant ce sont elles qui me permettent
de tenir le coup [94]. »

Leur relation se prolongera après le retour de Truffaut dans
la vie civile, sous la forme de longues et fréquentes promenades
communes sur le boulevard de Clichy. Mais elle prendra fin brutalement en novembre 1964, lorsque le cinéaste arrivera très en
retard à un rendez-vous où l'écrivain espérait lui présenter son
ami Abdallah, à la recherche d'un travail. Truffaut recevra le
lendemain un dernier mot de l'écrivain : « Hier je vous
demandais de rendre service à un jeune Marocain un peu égaré,
mais vous l'avez fait attendre une heure et demie. Pour son
hygiène morale, c'était bien qu'il voit comment se tiennent les
gens de cinéma et comment on doit les traiter. De tout mon
cœur, François, je regrette que vous en ayez appris et tenu le
rôle, parce que je vous aimais bien. Laissez monter à votre tête
toute la gloriole rigolote que vous voudrez mais lâchez les mauvaises manières, François, et rôdez toujours souvent boulevard
de Clichy, il arrive que j'aie besoin de mille balles [95]... »

Le déserteur

Le 12 mai 1951, François Truffaut est officiellement
reconnu apte au service par le médecin militaire de Wittlich. Il
sera donc affecté à Saigon, en Indochine. Le départ est fixé le
14 juillet, après un rendez-vous impératif au centre militaire

colonial de Marseille. En compensation, ses deux derniers mois en caserne seront ponctués de quelques permissions, et bénéficieront d'un régime plus souple. Le 13 mai, Truffaut arrive à Paris et n'en repartira que pour de courts séjours à Wittlich. À chaque fois, les retours vers la caserne, par le train de 22 h à la gare de l'Est, sont douloureux. La vie parisienne a repris ses droits : les amis retrouvés, la fréquentation assidue de la Cinémathèque, les rencontres avec Genet. Durant ces longues permissions, il voit souvent Liliane Litvin, qui l'accompagne au cinéma, ou l'invite chez elle à la campagne. Jalouse, elle exige même sa rupture immédiate avec Geneviève S., qui loge et entretient le jeune homme à Paris.

Truffaut commence alors à regretter son engagement pour l'Indochine. Le 8 juin, il écrit à Robert Lachenay pour lui demander conseil, pesant le pour et le contre, et concluant ainsi : « J'ai envie de déserter [96]. » Le 21 juin, à grand renfort de références cinématographiques : « Je vais bientôt me trouver dans la même situation que Jean Gabin au début de ce film qui se passe au Havre [*Quai des Brumes*], mais moi j'aurai des habits, du travail, un logement, des amis sûrs. Je serai alors dans la peau de Gabin, mais à la fin d'un film qui se passe à Alger [*Pépé le Moko*], lorsque le bateau part sans lui ! Je ne sais pas si tu approuveras ma décision, mais je suis persuadé que c'est la meilleure. Ne t'étonne de rien quand on se verra à Paris, et fais-moi confiance [97]. »

Sa décision est prise : aller à Saigon serait une pure folie. À Wittlich, le 13 juillet, Truffaut rend son paquetage, fait ses adieux et prend à 16 heures le train pour Strasbourg. « Un cafard fou », note-t-il dans son agenda au cours du trajet. Le lendemain, en début de soirée, il doit être à Marseille, où un mois de préparation intensive au combat précède son départ en Indochine, prévu le 20 août. Tout s'enchaîne alors très vite dans sa tête. Arrivé à Strasbourg au soir du 13 juillet, Truffaut se précipite dans le premier cinéma venu pour voir *Tarzan et la Femme-Léopard*. Durant le trajet entre Strasbourg et Paris, dans la nuit du 13 au 14 juillet, il rencontre Charlotte, « une fille délicieuse », une jeune Allemande qui partage son compartiment et l'aide à reprendre goût à la vie civile. À Paris, au petit matin, il croise miraculeusement Genet sur le boulevard de Clichy, et finit de dépenser avec lui sa prime de départ. Au début de l'après-midi, il retrouve Liliane, Robert, Chris Marker, Alexandre Astruc et Jacques Rivette, qui l'attendent pour « faire la fête » dans l'appartement de ce dernier, rue de Clignancourt. En cette nuit du 14 au 15 juillet, Truffaut n'est donc pas à Marseille. Il est désormais déserteur, ou du moins, selon l'appellation officielle, en « état d'absence illégale ». Dans un premier temps, il ne se cache pas, fier de reprendre aux yeux de ses amis sa vie de cinéphile. Mais il devient dangereux de traîner la nuit, au cas où la police lui demanderait ses papiers. Alors Truffaut cherche un endroit où se cacher. Il loge une ou deux nuits chez Jean Douchet, puis se retrouve à la rue. André Bazin, qui vient de rentrer d'une longue convalescence dans les Pyrénées, à Vernet-les-Bains, est une fois de plus l'ami providentiel. Apprenant par Chris Marker que Truffaut a déserté et qu'il erre dans Paris, Bazin se propose de l'héberger. Avec Janine, sa femme, et Marker, Bazin passe toute une journée à la recherche de Truffaut, faisant la sortie des salles de cinéma que le cinéphile a l'habitude de fréquenter. Le 21 juillet, ils finissent par le trouver et le ramènent à Bry-sur-Marne, où vit le couple Bazin, avec Florent, leur fils tout juste âgé de deux ans, et tous leurs animaux. L'appartement est petit, simple, mais agréable : trois-pièces cuisine au deuxième étage d'une maison, au calme, dans un parc, entouré d'une banlieue paisible. Même si elle n'est pas aménagée, la chambre de bonne mansardée est habitable. C'est là que Janine et André installent François. Pour Bazin, la première chose à faire consiste à régulariser la situation du déserteur. Croyant au dialogue, et voulant éviter une arrestation, il convainc Truffaut d'aller s'expliquer devant les officiers de la place de Paris, seule chance de retrouver sa vraie liberté. Le 28 juillet, après avoir invité Liliane à déjeuner à Bry-sur-Marne, et vu *Elephant Boy* de Robert Flaherty à la Cinémathèque, le critique et son protégé, accompagnés de Janine et de Liliane, se rendent à la Prévaûté, aux Invalides. La tentative de conciliation échoue et François Truffaut est incarcéré sur-le-champ à la prison de la caserne Dupleix pour absence illégale. Il y passe sept jours. Les Bazin viennent le voir, Liliane aussi. Elle lui envoie même un colis de livres. On informe Truffaut qu'il doit rejoindre le 32e bataillon d'artillerie à Coblence. C'est en quelque sorte une bonne nouvelle, puisque le départ pour l'Indochine semble écarté.

Mais, atteint d'un nouvel accès de syphilis, Truffaut est trans-

féré d'urgence dans l'après-midi du 3 août au service de médecine militaire de l'hôpital Villemin, près de la gare de l'Est. Sous
surveillance, assommé par son traitement, comme deux ans plus
tôt à l'infirmerie du Centre d'observation des mineurs, l'ennui
et le cafard sont terribles. Seules les visites des Bazin, de l'abbé
Gritti et quelques lettres d'amis égayent son humeur. Jean Genet,
qui rentre d'un voyage à Stockholm, tente de venir le voir. Il n'y
parvient pas, n'étant pas muni d'une autorisation spéciale du
juge d'instruction. Aussi lui écrit-il une lettre, accompagnée d'un
gros paquet de livres : « On m'a dit aussi pourquoi vous êtes
enfermé à Villemin. En fait, tout est donc pour le mieux. Votre
vérole s'est montrée au beau moment. Moraliste, je déplorerais
qu'on vous évite l'Indochine : c'est les malades qu'on devrait,
les premiers, envoyer à la casse. Jean Domarchi vous portera
d'autres livres, les *Situations*. Que vous souhaiter ? La guérison ?
La prison ? L'hôpital psychiatrique ? La liberté ? Vous ne sem-
blez guère y tenir. J'ai peur que vous ayez l'âme d'un desperado.
En ce cas il faut en prendre votre parti, accomplir votre destin
et crever une grenade à la main. Je vous aime bien tout de même
et je vous embrasse amicalement [98]. »

Du 3 août au 3 septembre 1951, François Truffaut séjourne
à l'hôpital Villemin, dans un état de confusion physique et mentale dont il émerge peu à peu. Les Bazin sont partis en vacances
en Charente, les amis parisiens dispersés. De nouveau il est seul,
malade et en prison. Genet fait tout pour lui venir en aide et
évoque un psychiatre ami de Sartre, Leibowitz, qui pourrait
l'aider à sortir de ce mauvais pas. Mais pour le joindre, il faut
attendre que Sartre rentre d'un voyage au pôle Nord : « Et que
ce psychiatre devra-t-il faire ? Expliquez-vous. Je connais aussi
une avocate. Que faut-il qu'elle fasse ? Écrivez-moi tout cela avec
précision. Comme je sais que votre courrier sera ouvert, je suis
très gêné pour vous parler avec plus d'abandon. Vous pardon-
nerez le ton guindé de ma voix. De quoi avez-vous besoin ?
Quelles sortes de livres ? Je vous serre la main et vous souhaite
bonne chance [99]. » Malgré les démarches de Genet, aucune de
ces pistes n'aboutira. Mais sous l'influence de l'écrivain, Truffaut
commence le 21 août à écrire son journal. La couverture même
de ce cahier d'écolier, un montage de photos et de dessins, est
un hommage à Genet en même temps qu'un autoportrait :
visages esquissés, corps de femmes, un Pierrot et, découpés dans

un magazine, le visage de Genet ainsi que les mains d'un jeune homme entravées par une paire de menottes. Un exergue, sous le titre *Journal* : « Que ce cahier soit à Truffaut ce que les *Pierres* sont à Hugo [100]. » Ce sont là des notes, des dessins, des commentaires sur les cinéastes, les écrivains, mais également des impressions quotidiennes, rythmées par les lettres reçues et par les transferts successifs de prison en prison, de caserne en hôpital. Enfermé, malade, le jeune homme a tout son temps pour lire les nombreux livres que lui envoient Genet, Bazin, Lachenay et Liliane, et en faire de longs commentaires. Truffaut y définit les filiations littéraires admirées, de Balzac à Proust, ou Genet, pour rejeter les « moralisateurs », d'Eugène Sue à Hervé Bazin, ou les « écrivains du mépris », de Flaubert à Gide. Il décrit ses révoltes et ses révélations. Et parle de cinéma, avec un rejet de plus en plus net des films français de l'après-guerre, « cinéma d'adaptation et de studio ». Truffaut façonne aussi dans son journal son personnage, une figure qu'il veut provocante, digne de Balzac et de Genet réunis, comédien et martyr : « Nous allons aux douches avec les menottes aux poignets. La première fois j'étais gêné car il faut traverser l'hôpital et les gens nous dévisagent, puis j'ai eu honte de ma honte car la position " genetienne " ne me dictait-elle pas la fierté de mériter les menottes ? Donc, maintenant, avant de partir aux douches, j'allume une cigarette et je place sur ma bouche une sorte de sourire satisfait et un tantinet agressif [101]. »

Le lundi 3 septembre 1951, Truffaut est informé de son départ imminent pour l'Allemagne. Il demande une journée pour préparer ses affaires et faire ses adieux, l'obtient et, à peine libre, déserte aussitôt. Il passe alors trois jours à errer dans Paris, à la recherche d'amis plus fortunés. Bazin est absent, tout comme Genet. Jean Domarchi et Jean Cau, que Genet connaît et à qui il a recommandé le jeune homme, sont introuvables. Et aucun des amis croisés à la Cinémathèque, que ce soit Rivette, Gruault ou Liliane Litvin, n'a d'argent à lui avancer. Le 7 septembre, complètement démuni, Truffaut rend visite au docteur Cordier, le médecin de Bazin qui travaille à la Cité universitaire, et à l'abbé Gritti, aumônier à l'hôpital du Val-de-Grâce, pour demander secours. Avec un certificat de complaisance, ils tentent de le faire admettre au Val-de-Grâce. Mais il manque une pièce indispensable : l'autorisation délivrée par un médecin du service de santé militaire, rue de La Tour-Maubourg. Le 8 septembre à 16 heures, en allant y rencontrer un ami du docteur Cordier prêt à lui remettre le précieux document, Truffaut est arrêté à l'entrée du bâtiment par des soldats qui lui demandent ses papiers d'identité. Conduit à la caserne Dupleix, il y retrouve la cellule où il avait échoué quelques semaines auparavant.

Moi, François Truffaut, un autodidacte qui se hait

Il y demeure plus de trois jours, enfermé avec d'autres compagnons d'infortune. Le 12 septembre, à 6 heures du matin, le jeune homme est transféré dans un panier à salade. Direction : gare de l'Est. « Les gens me regardent, surtout avec les menottes aux poignets. Haine ou sympathie ? Rien des deux sans doute, mais une curiosité morbide et animale, et rien de plus. Dans le compartiment réservé, j'ai deux gardes pour moi seul et ces imbéciles ne m'enlèvent même pas les menottes. Ils sont plus crétins que salauds et la retraite est proche, ils ne veulent pas de pépins. S'ils savaient, pourtant, que derrière ces regards méprisants et hautains que j'affecte, il y a un petit garçon qu'une pression affectueuse sur l'épaule suffit à répandre en larmes [102] », écrit-il dans son journal. À Strasbourg, Truffaut et ses deux gardes prennent une voiture et, une fois passé la frontière allemande, on le remet entre les mains des gendarmes de Kehl, petit village allemand. On lui retire ses menottes, il peut même acheter des cigarettes, en attendant son départ pour Coblence, jeudi 13, à 5 heures du matin. Arrivé à midi à la caserne, on lui tond les cheveux.

Le lendemain, Truffaut passe devant l'officier judiciaire du camp, qui le soupçonne d'être communiste. Truffaut évoque sa jeunesse, « y compris Villejuif et la syphilis », si bien que le 15 septembre, il est transféré à l'hôpital de l'armée à Andernach, à trente kilomètres de Coblence. À peine arrivé, on lui administre un nouveau traitement. Une bonne cinquantaine de piqûres, pendant dix jours. Une fois guéri, il est ramené à Coblence pour être enfermé dans les locaux disciplinaires de la caserne, entièrement déserts. Les livres sont rares et Truffaut s'ennuie mortellement. Tous les jours, il se soûle avec ses gardiens. C'est sa seule distraction. Le 30 septembre au matin, les gardes le retrouvent le visage, le cou et la poitrine tailladés de nombreux coups de rasoir. Seconde tentative de suicide qui entraîne un nouveau séjour à l'hôpital d'Andernach, cette fois dans le service de neuro-psychiatrie : « Je suis avec un type qui ne parle jamais, un bleu qui ne s'est pas habitué à l'armée ; il y a aussi un cas de *delirium tremens* à qui l'on fait plus de 40 piqûres par jour ; un débile mental qui ne cesse de se caresser les pieds ; et un autre, qui, en pleine nuit, a mis ses chaussures, a pris sa musette pour partir chez lui. Un autre, très jeune, a vu péter un bazooka à côté de lui, et est devenu fou. Il s'appelle Dany, mais on le surnomme Tino Rossi, car il chante toute la journée des choses incompréhensibles. Il y a aussi Terrasse, un fils à papa un peu zazou, et Brault, un peintre que j'aime beaucoup. Mais il a des crises très violentes. Ses doigts sont crispés, comme tordus, il met une main à la gorge pour s'étouffer, pousse de petits cris et pleure. Enfin, il y a moi, François Truffaut, un autodidacte qui se hait [103]. »

Truffaut passera un mois et demi parmi les fous, sous la garde d'infirmiers brutaux, pourtant des appelés comme lui. Il écrit son journal, mais il doit vivre avec cette solitude et cette haine de soi. Ce n'est que le 27 novembre qu'il quitte le service neuro-psychiatrique d'Andernach pour revenir à la caserne de Coblence. Travaillant au foyer de la cantine, il y trouve une atmosphère plus conviviale et chaleureuse, seul homme au milieu de cinq femmes, parmi lesquelles Laura, une jeune domestique allemande avec laquelle il vit une aventure passionnée.

Pendant ce temps, André Bazin à Paris tente de le sortir de cette mauvaise passe. Ses interventions directes auprès des autorités militaires sont infructueuses ; elles se retournent même parfois contre lui, considéré comme un « intellectuel antimilitariste et communiste [104] », et contre Truffaut, le « pistonné ». Aidé par l'abbé Gritti, Bazin parvient cependant, par l'intermédiaire de Raymond Clarys, directeur du Centre d'observation des mineurs de Villejuif, et du sénateur Marc Rucart, l'ancien admirateur du Club du Faubourg, à contacter le juge d'instruction militaire, le lieutenant Le Masne de Chermont. C'est lui en effet qui est chargé d'instruire le « dossier Truffaut », en vue du procès devant le tribunal militaire de Coblence, prévu le 22 novembre 1951. Raymond Clarys transmet au juge militaire le dossier psychiatrique qui avait été établi deux ans auparavant par Mlle Rikkers. De son côté, le sénateur Rucart, ancien ministre, intervient auprès du général Noiret, en poste à Baden-Baden. L'issue de ces requêtes semble favorable, comme l'indique le juge d'instruction dans un mot adressé à Bazin le 22 octobre : « Laissez les choses se tasser maintenant sans remuer ciel et terre... Ayant instruit cette affaire je ne puis que vous dire d'espérer un dénouement favorable pour votre protégé [105]. » De même, le général Noiret rassure le sénateur Rucart sur l'avenir du jeune homme : « Vous pouvez être assuré que le cas de ce jeune soldat sera examiné avec bienveillance en raison des circonstances particulières que vous me signalez [106]. » Le vendredi 7 décembre, Truffaut apprend de la bouche de son capitaine, l'officier Wittmann, qu'il existe de fortes chances pour qu'il soit « classé réformé temporaire n° 2 » et renvoyé dans ses foyers [107].

Une bonne nouvelle qui s'accompagne de nombreuses vexations. Les officiers de Coblence n'acceptent pas facilement cette décision et soumettent le « tire-au-flanc » à une discipline rigoureuse. Truffaut passe dès lors l'essentiel de son temps en prison, Noël compris, mais un télégramme de Janine et André Bazin lui apporte un peu de réconfort : « Pensons bien à vous, prenez patience, affectueusement [108]. » Le 3 janvier 1952, Truffaut, au garde-à-vous, les cheveux rasés, flottant dans son uniforme, passe devant le conseil de réforme. Après deux heures de discussions au cours desquelles trois capitaines et deux commandants évoquent « l'instabilité caractérielle » et « la tendance perverse à la délinquance » du soldat, il est finalement considéré comme réformé temporaire. Son engagement militaire est cassé, mais il lui reste dix-huit jours de temps légal à effectuer. Il les passera de nouveau en prison, une manière de faire subir au pistonné ses derniers moments de cafard.

Il reçoit des lettres de ses amis : Bazin, Aimée Alexandre, Louise de Vilmorin, Marc Rucart, Lachenay. Le 16 janvier, Cocteau lui envoie même les épreuves de son nouveau recueil, *Bacchus*, avec une dédicace amicale et réconfortante. Et Genet ne l'oublie pas : « Vous n'êtes pas verni ! Encore en prison !

L'armée commence à comprendre la gaffe qu'elle faisait en vous acceptant. De toute façon, c'est bien que vous rentriez en France. Le malheur c'est que vous quitterez l'armée pour Saint-Germain-des-Prés. Personnellement, j'aimerais mieux vous savoir troupier. Revenez quand même et passez me dire bonjour. Je vais bien. Je vois peu de monde. Vous êtes très gentil et je vous aime bien [109]. » De son côté, Truffaut écrit de nombreuses lettres, et consigne dans son journal ses lectures du moment : Balzac, Raymond Radiguet, Julien Gracq, et une nouvelle revue à couverture jaune que Bazin lui a envoyée, les *Cahiers du cinéma*. Le silence de Liliane lui pèse beaucoup et accentue son sentiment d'isolement et d'humiliation. Le 6 février 1952, jour de ses vingt ans, il a droit à des injures de la part du capitaine Wittmann, devant cinq témoins. Truffaut inscrit le savoureux dialogue dans son journal, et s'en inspirera, plus tard, pour le début de *Baisers volés,* dans la scène où Antoine Doinel est réformé :

« — Ah ! Truffaut. Je crois que tu nous quittes. Sais-tu où aller en rentrant à Paris ?

— Oui, chez Bazin...

— Chez Bazin ? Eh bien, dis-lui à ton Bazin de t'être de meilleur conseil dans la vie civile que dans la vie militaire car si tu avais passé le tribunal militaire, tu ne t'en serais pas tiré comme ça, lui non plus d'ailleurs ; ça coûte cher d'héberger un déserteur, ça doit être du beau ton Bazin, et ses amis aussi, anti-militaristes, communistes, pédérastes, ces gens-là je leur crache à la gueule, tu comprends, c'est français, hein, tu comprends, c'est français !

— C'est français, mais c'est inexact...

— Ta gueule, tu n'es qu'un dégonflé, qu'un fort en gueule, qu'un pue de la gueule, c'est tout ; je voudrais te retrouver à la guerre ; pendant qu'il y a là-bas des types qui crèvent en Indochine [110]. »

Dix jours plus tard a lieu le rituel de la dégradation devant le conseil de discipline, en présence d'officiers. « Il est d'usage de remettre aux canonniers, à leur libération, un livret de bonne conduite même s'ils ont commis quelques fautes légères, mais celles que vous avez volontairement commises sont de celles qui entachent l'honneur », dira le colonel à un Truffaut digne, effectuant correctement son salut mais n'en pensant pas moins [111].

Dans l'après-midi du mercredi 20 février 1952, François Truffaut, enfin libéré, prend le train en gare de Coblence. Le lendemain, à 7 heures du matin, il est en civil à la gare de l'Est et peut noter à la page 184 de son journal, en lettres capitales : « À PARIS. »

III

LA VIE, C'ÉTAIT L'ÉCRAN

1952-1958

Deux heures à peine après avoir débarqué à la gare de l'Est, François Truffaut se rend boulevard Masséna, chez Mme Kirsch, la mère de Janine Bazin, qui, après un bon repas, lui remet les clés de l'appartement des Bazin, alors en voyage. Le jeune homme retrouve à Bry-sur-Marne sa chambre mansardée, le temps d'oublier son année militaire. Il sait ce qu'il doit aux Bazin, et prend bientôt goût à une vie familiale qu'il n'a jamais connue. « Tu peux rire, mais avoue que des parents comme ça, c'est plutôt rare. J'en ai assez de la solitude qui engendre la misère, l'inaction, le mauvais moral, etc [1]... », écrit-il à Robert Lachenay, attristé que son ami ne le rejoigne pas à Paris dès son retour d'Allemagne.

Chez les Bazin

À Bry-sur-Marne, Truffaut trouve un certain confort matériel, mais surtout le climat qui va lui permettre de se mettre au travail. Seule ombre au tableau, sa relation avec Liliane Litvin, qui se termine sans avoir jamais vraiment commencé. Avec un mélange de lucidité noire et d'autodérision, il résume ainsi sa situation à Lachenay : « Pour Liliane, je suis à peu près sûr que c'est fini. De toute façon, je laisse tomber en douceur... sans faire de bruit ; cela porte bien plus qu'une rupture bruyante. Je subis une progression à la Hervé Bazin : je redécouvre la famille, et il

ne manquerait plus que je finisse par le mariage bourgeois [2] ! »
Il passe la nuit du samedi 3 mai avec Liliane dans sa chambre
de Bry, ils se tiennent par la main, « en s'embrassant sur les
épaules ou les joues [3] ». Liliane lui annonce qu'elle est enceinte
et compte épouser le père de l'enfant. Cette rupture sentimentale marque sans doute l'ultime crise de jeunesse de Truffaut.
C'est ce qu'il écrit dans son journal, les 6 et 7 mai : « Voilà deux
ans et demi que j'aime Liliane et que je n'aime qu'elle. Cela
commence à trop durer. J'en ai marre. Je n'aurais pas dû l'inviter
samedi et dimanche. J'ai le sentiment de souffrir au plus haut
degré. Je ne l'inviterai plus. Il faut que tout cesse au plus vite.
J'attends impatiemment le retour de Janine et d'André [4]. »

Au cours des premières semaines de sa nouvelle vie à Bry-
sur-Marne, Truffaut assiste à quelques séances du Ciné-Club du
Quartier latin, avec Lachenay, Rivette, Godard et Rohmer. Il
reprend également ses conversations avec Jean Genet, lorsqu'il
lui rend visite, derrière le Sacré-Cœur, dans un petit studio, rue
du Chevalier-de-la-Barre. Mais l'essentiel de son temps, Truffaut
le consacre à lire les nombreux livres de la bibliothèque de
Bazin. Il arrive souvent que ce dernier l'entraîne à Paris, voir
deux ou trois films. Lentement, le jeune homme reprend goût
au cinéma, mais sa fréquentation des salles n'a rien à voir avec
la boulimie des années précédentes. Comme si Truffaut cherchait autre chose. Comme s'il voulait prolonger cet état de
convalescence après de rudes années de jeunesse. Cette atmosphère familiale aux côtés d'André, de Janine et de leur fils,
Florent, lui convient parfaitement. Malgré l'isolement dans une
banlieue trop calme, ou l'ennui après la vie tumultueuse du
journalisme parisien, elle devient un apprentissage mutuel : « Ils
se sont élevés tous les deux [5] », écrira Janine en 1961, évoquant
les liens entre Bazin et Truffaut. On devine ce que le critique
apporte à son protégé : l'expérience, un sens de l'écoute, une
intelligence toujours en éveil, et une profonde bonté. L'élève
répond à sa manière, avec ses talents propres : la parole, le rire,
la complicité, la vitalité. L'arrivée de Truffaut dans le paisible
appartement de Bry-sur-Marne anime la vie du couple et lui fait
traverser ses heures les plus joyeuses. « C'est le seul moment où
j'ai vu André rire et être heureux malgré sa maladie. La maison
n'était plus une barbante annexe du lycée Henri-IV, mais deux
ans de discussions ininterrompues sur le cinéma où chacun (sauf

moi) apportait son expérience à l'autre [6]... », se rappelle Janine Bazin dans une lettre adressée à Truffaut en février 1965. « Un état de grâce de deux années entre un jeune homme un peu insoumis et un " homme de conscience " [7] », dira-t-elle en 1984.

Mais ce n'est qu'une pause. Au début du mois d'avril 1952, Truffaut doit trouver du travail. Il mobilise amis et relations, de Jean Cau, secrétaire de Jean-Paul Sartre, connu grâce à Genet, au sénateur Marc Rucart, rencontré au Club du Faubourg... Plusieurs pistes s'ouvrent à lui, mais elles sont toutes infructueuses. Il écrit à Louise de Vilmorin, sollicitant son aide. Elle lui répond aussitôt, l'invitant à lui rendre visite dans sa propriété de Verrières : « Je connais pas mal de gens dans la presse et parmi les directeurs de revues. Néanmoins, je trouve impossible de leur parler de vous sans vous connaître mieux [8]. » Dans le salon bleu de Verrières, Louise de Vilmorin oriente le jeune homme sur une piste sérieuse. Un nouveau journal va paraître, *L'Express,* dont son amie Françoise Giroud constitue l'équipe rédactionnelle. « Peut-être vous pourriez en être », écrit-elle à Truffaut le 8 mai. Le 28 juin, le jeune homme déjeune avec Louise de Vilmorin et Françoise Giroud. « Mon sort se décide là [9] », avoue-t-il trois jours auparavant à Lachenay. Cependant, la piste de *L'Express* échoue et la dépression guette à nouveau le cinéphile, fauché et désœuvré.

De longs mois passent ainsi, sans travail, durant lesquels le jeune homme forme ses goûts et son esprit au contact de Bazin, qui, une fois encore, intervient en faveur de son protégé. Par ses relations, il lui obtient au début de l'année 1953 des piges à *Cinémonde,* et un travail au service cinématographique du ministère de l'Agriculture. Cette collaboration, qui consiste à assister des réalisateurs de films documentaires commandités par le ministère, ne dure que quelques semaines, et son passage à *Cinémonde* ne laissera que deux enquêtes, l'une sur le baiser au cinéma, la seconde sur les « nouvelles bombes sensuelles », hommage enflammé de Truffaut à l'une de ses actrices préférées : « Dans l'acharné derby du sexe qui fait jeter au monde entier un regard attentif sur Hollywood, Marilyn Monroe est hors concours. Parmi cinquante autres, Gloria Grahame a pris le meilleur départ et serre la corde de très près. Inutile de s'armer de lunettes d'approche pour mieux suivre les évolutions de ces pouliches d'un nouveau genre : bêtes de race elles sont, bêtes de race elles demeurent. Aucune paire de jumelles, aucune lentille savante ne sauraient résister aux radiations sensuelles qui émanent de leur si désirable personne [10]. » Protégé par l'anonymat, Truffaut écrit beaucoup, court, vif, rapide. *Cinémonde* lui a au moins permis d'ancrer son écriture journalistique dans le cinéma, projet qui n'était pas clairement dessiné quelques mois plus tôt lorsque le jeune homme visait davantage une carrière dans la presse parisienne.

Le temps du mépris

François Truffaut poursuit un objectif précis, peu rétribué, mais prestigieux : écrire aux *Cahiers du cinéma*, la revue fondée en avril 1951 par Jacques Doniol-Valcroze, Joseph-Marie Lo Duca et André Bazin. Depuis plusieurs mois, il travaille à un long article, qu'il remet à Bazin fin décembre 1952 : « Le Temps du mépris, notes sur une certaine tendance du cinéma français. » Un réquisitoire sévère dont le projet avait été conçu en Allemagne, où, privé de cinéma, Truffaut accumulait les notes de lectures et tentait de classer, de répertorier, de comprendre les films qu'il avait vus durant sa jeunesse. Ces dizaines et dizaines de films français constituent ce que Jean-Pierre Barrot, dans *L'Écran français* de l'après-guerre, a nommé, avec une estime certaine, la « tradition de la qualité [11] ». Et c'est cette tradition que Truffaut va s'appliquer à dénoncer.

Dans une première version, Truffaut avoue sa fascination de jeunesse pour l'atmosphère noire et les histoires troubles des films français traditionnels, entre autres ceux écrits par le duo de scénaristes le plus célèbre du moment, Jean Aurenche et Pierre Bost. Cette influence était d'ailleurs visible dans *La Ceinture de peau d'ange*, l'histoire de la communiante qu'il avait tenté de réaliser dans le courant de l'automne 1950. « J'ai honte d'avoir pu un jour inventer une histoire aussi bête que méchante, mais on aura reconnu l'influence du cinéma auquel je croyais alors [12]. » Goût du blasphème, haine de la famille, perversité et cynisme des personnages : tels étaient les principaux thèmes du cinéma français de l'époque, déjà lisibles dans les

trois pages du synopsis de Truffaut. L'« expérience de l'infâ-
mie [13] », l'enfermement dans une prison militaire, a sans doute
constitué une étape décisive et douloureuse dans son évolution.
Il ne supporte plus les « histoires infâmes » du cinéma français,
ce mépris, cette vanité ou ce sentiment de supériorité, affichés
par les cinéastes et les scénaristes par rapport à leurs personnages : « Le metteur en scène doit avoir envers ses personnages
l'humilité en regard de Dieu de saint François d'Assise. Pour
que nous acceptions des personnages infâmes, il faut que celui
qui les crée soit plus infâme encore. Anathème, blasphème, sar-
casme, voilà les trois mots de passe des scénaristes français. Griffith, lui, reste grand parce qu'il était plus ingénu encore que ses
personnages. L'artiste supérieur se veut supérieur à sa création ;
cette présomption justifie sans l'absoudre la faillite des arts
depuis l'invention du cinéma [14]. »

L'autre angle d'attaque touche à la tradition française de
l'adaptation d'œuvres littéraires, dont Aurenche et Bost ne sont
« que les Viollet-Leduc [15] », comme l'écrit alors Bazin. Truffaut
est convaincu que le cinéma français est un cinéma de scénaristes, qui doit ses échecs aux défauts des scénaristes eux-mêmes.
Dans sa prison militaire d'Andernach, Truffaut a relu *Le Diable
au corps* de Radiguet, qui paraît alors en feuilleton dans *Ici Paris*.
Et il établit de nombreux exemples d'« équivalences-trahisons »
entre le roman et l'adaptation qu'en a faite Claude Autant-Lara
à partir du scénario d'Aurenche et Bost. Truffaut met en cause
la médiocrité d'une école qui se veut vériste et psychologique,
issue de la guerre, représentée par les scénaristes Aurenche et
Bost, Charles Spaak, Henri Jeanson, Roland Laudenbach,
Robert Scipion, Pierre Laroche, Jacques Sigurd : « Chez eux le
réalisme psychologique veut fatalement que les hommes soient
bas, infâmes et veules, et les films qu'ils écrivent, puisqu'il faut
décrire cette bassesse avec l'air supérieur de celui qui demeure
plus intelligent que ses propres personnages, sont encore plus
bas, infâmes et veules que tout ce que l'art français avait produit
jusqu'à présent [16]. » Truffaut s'emporte aussi contre un certain
nombre de films comme *La Symphonie pastorale* et *Le Garçon sauvage* de Jean Delannoy, *La Chartreuse de Parme*, *D'homme à hommes*
de Christian-Jaque, *Manèges*, *Dédée d'Anvers*, *Une si jolie petite plage*
d'Yves Allégret, et *Retour à la vie*, film à sketches d'André Cayatte,
Henri-Georges Clouzot, Jean Dréville et Georges Lampin.

Lorsqu'il s'installe chez les Bazin, en février 1952, Truffaut poursuit la rédaction de son article. Il utilise même sa connaissance approfondie des films écrits par Aurenche et Bost pour approcher ce dernier. En le flattant, il réussit à lui emprunter quatre projets de scénarios, dont l'adaptation écrite par Aurenche et Bost du *Journal d'un curé de campagne* de Bernanos, refusée par l'écrivain de son vivant, et qu'Aurenche espérait réaliser lui-même. Avec ces documents de première main, qu'il utilisera pour se retourner contre Bost, après les avoir obtenus de cette façon inélégante et opportuniste, il tient quelques pièces à conviction pour le procès qu'il entend mener.

En décembre 1952, Truffaut propose une première version à Bazin [17]. Trente et un feuillets, souvent maladroits, au ton violemment polémique. Quelques valeurs sûres du cinéma français y sont attaquées, y compris sur un plan personnel. Aurenche est un « rescapé de la mise en scène ayant réalisé un ou deux courts métrages commerciaux », Jeanson jugé « bas et ignoble », Françoise Giroud pourvue d'un « incommensurable mauvais goût ». Les intrigues des « films de qualité » sont dénoncées avec une incroyable virulence, *Le Blé en herbe* d'Autant-Lara devenant une « infâme histoire de lesbiennes » et *Les Orgueilleux* d'Yves Allégret donnant lieu à une saillie révoltée : « Si Yves Allégret veut vraiment rester honnête avec lui-même, il doit avant trois ans nous montrer Madame Morgan posant culotte en Australie environnée de kangourous décimés par le typhus transformé pour raison locale en hémorragie nasale. Si ma prédiction ne se réalise pas — ce qui est probable —, j'aurais eu raison d'accuser Monsieur Allégret d'être le plus conformiste des cinéastes. »

André Bazin n'est pas insensible à cet essai. Mais il ne pense pas un instant à le publier tel quel dans les *Cahiers du cinéma,* et demande à son protégé d'y retravailler : moins d'exemples, moins de citations, moins d'attaques personnelles, et l'adjonction d'une partie positive, un contrepoint au cinéma dénoncé par Truffaut. Sur ces conseils, le jeune homme reprend durant près d'un an son article. En attendant, Bazin lui suggère de proposer quelques textes, rapides, courts, sur des films de l'actualité, pour s'exercer à l'écriture critique, s'engageant à les faire paraître dans les *Cahiers du cinéma.* En mars 1953, Truffaut publie ainsi sa première note dans la revue. Quelques feuillets sur un petit film américain passé à peu près inaperçu, *Sudden Fear*, de David Miller, avec Jack Palance, Gloria Grahame et Joan Crawford : « La facture du cinéma hollywoodien est parfaite jusque dans les films de série Z. Cela bouleverse la hiérarchie qui ne saurait être la même que chez nous où seules comptent l'ambition du scénario et la cotation du metteur en scène. [...] Là, au contraire, une histoire ingénieuse et d'une belle rigueur, une mise en scène honorable et précise, le visage de Gloria Grahame et une rue de Frisco dont la pente est si rude, tout cela fait le prestige d'un cinéma qui nous prouve chaque semaine qu'il est le plus grand du monde. » De mois en mois, Truffaut fait souvent l'éloge de films américains dits de « série B », dont il vante la modestie et la vitesse d'exécution, comparés à la lourdeur des films français des scénaristes. Le critique débutant lance ainsi l'un de ses thèmes de prédilection, l'incitation faite aux cinéastes d'aller tourner dans la rue pour y saisir la vie et filmer l'action, avec modestie et rapidité. Cet éloge d'un cinéma tonique et vital se révélera fructueux : Samuel Fuller, Nicholas Ray, Edgar G. Ulmer, Allan Dwan, Ernest Schœdsack, Richard Fleischer, Tay Garnett, André de Toth, pour ne citer qu'eux, doivent en partie leur destin critique en France à l'œil averti de François Truffaut [18].

À partir de mars 1953, Truffaut multiplie les articles dans les *Cahiers*. Au point qu'il ne se contente bientôt plus de les signer de son nom. Apparaît ainsi un certain « François de Monferrand », puis en novembre 1953, dans la même revue, « Robert Lachenay », qui seront ses deux pseudonymes préférés. Le critique peut ainsi varier à loisir le registre de ses interventions : François de Monferrand œuvre généralement dans le gag, le jeu de mots ou les contrepèteries, tandis que Robert Lachenay fait davantage dans la grivoiserie, le fétichisme — c'est lui, par exemple, qui, en novembre 1953, lance le culte de la lingerie de Marilyn dans un compte rendu passionné de *Niagara* intitulé « Les dessous de Niagara ». Mais les deux se rejoignent dans un art consommé de la polémique qui les apparente très directement à leur créateur.

Le 5 novembre 1953, Truffaut confie à Bazin et Doniol-Valcroze la nouvelle version de son article-fleuve, désormais intitulé « Une certaine tendance du cinéma français ». Deux jours plus tard, il rend à Pierre Bost les scénarios empruntés un an auparavant, accompagnés d'un petit mot malicieux et goujat : « Je ne m'attendais point à ce que la lecture de ces scénarios fût aussi fructueuse et révélatrice. Voici donc mon excuse et aussi la volonté qui m'a animé de ne rien laisser au hasard et d'effectuer un travail assez complet. J'espère n'avoir pas fait de ces documents un trop mauvais usage, et en vous exprimant toute ma gratitude, je vous prie d'agréer, Monsieur, mes sentiments les plus respectueux [19]. »

Doniol-Valcroze et Bazin hésitent. En attaquant frontalement le cinéma français établi, l'article risque d'irriter les cinéastes et de dérouter les lecteurs. Car ce sont les principaux représentants du cinéma français qui se trouvent réunis dans l'anathème lancé par Truffaut : « Si le cinéma français existe par une centaine de films chaque année, il est bien entendu que dix ou douze seulement méritent de retenir l'attention des critiques et des cinéphiles, l'attention donc de ces *Cahiers*. Ces dix ou douze films constituent ce que l'on a joliment appelé la tradition de la qualité, ils forcent par leur ambition littéraire l'admiration de la presse étrangère, défendent deux fois l'an les couleurs de la France à Cannes et à Venise où, depuis 1946, ils raflent assez régulièrement médailles, lions d'or et grands prix. »

Craignant qu'une partie des lecteurs ne soient choqués par « Une certaine tendance... », et pour en atténuer la portée auprès de cinéastes amis, tels Clément ou Clouzot, Doniol-Valcroze est obligé de nuancer ce jugement par un éditorial dans le numéro de janvier 1954 des *Cahiers du cinéma* où paraît l'article de Truffaut. Avec élégance, Doniol-Valcroze assume la publication de l'article sans pour autant en adopter tous les jugements : « Nous acceptons volontiers de voir récuser la forme pamphlétaire de certaines appréciations mais nous espérons qu'au delà du ton, qui n'engage que son auteur, et en dépit peut-être de tels jugements particuliers, toujours individuellement contestables et sur lesquels nous sommes loin ici d'être tous d'accord, on reconnaîtra au moins une orientation critique, mieux : le point de convergence théorique qui est le nôtre. » Avec un certain courage, Doniol-Valcroze a pris les devants. Mais ses précautions d'usage sont balayées par les effets dévastateurs que provoque l'article d'un inconnu de vingt-deux ans. La déclaration de guerre de Truffaut au « cinéma français de qualité », Doniol-Valcroze va en mesurer assez vite les effets. Le 28 janvier

1954, le déjeuner professionnel de la critique est consacré en grande partie à l'article de Truffaut. Les camps se divisent assez nettement. D'un côté, les défenseurs indignés du cinéma français emmenés par Denis Marion de *Paris-Cinéma*, de l'autre, Doniol et Claude Mauriac qui se rangent derrière le jeune critique. Écrivain et chroniqueur cinématographique du *Figaro*, Claude Mauriac est un renfort indéniable. Le 13 février, il prend résolument position dans *Le Figaro littéraire* : « Il y a longtemps que nous pressentions des failles dans l'œuvre de ces maîtres reconnus de la qualité cinématographique française que sont Jean Aurenche et Pierre Bost... Il faut être reconnaissant à un jeune critique, M. François Truffaut, de nous avoir définitivement ouvert les yeux à ce sujet en un brillant article que viennent de publier les *Cahiers du cinéma*. » La semaine suivante, Mauriac intervient à nouveau et, tout en reprochant à l'auteur « un certain ton moralisateur », constate que « force nous est de faire nôtres les conclusions de M. Truffaut ».

La contre-offensive ne tarde pas. Le 25 février, un second déjeuner de la critique est consacré à l'« affaire Truffaut ». Cette fois, les scénaristes sont venus se défendre. Doniol-Valcroze en témoigne : « Il y a là Charles Spaak, Georges Cravenne, Jacqueline Audry, Pierre Laroche, Kast et Astruc... et la discussion va loin. Ni Bazin, ni moi, qui avons pourtant beaucoup réfléchi avant de publier cette étude, aurions jamais cru que le " boum " serait aussi sonore [20]. » Mis en cause par Truffaut qui dénonce le « Charlespaak », cette « langue couramment parlée dans les films français », le scénariste adresse le 1er mars un petit mot d'humeur à Doniol-Valcroze, qui dit assez l'indignation, la surprise, mais aussi la supériorité affichées par la corporation des scénaristes à l'égard du « jeune chenapan » qui les a pris pour cible : « Une seule observation m'est venue en lisant les *Cahiers du cinéma*. Dans une note, au bas de la page 29, votre collaborateur marque son impatience que " Feyder et Spaak tombent définitivement dans l'oubli ". À première vue, il me paraît que nous sommes beaucoup qui aurons plus de difficulté à oublier le nom de Jacques Feyder qu'à retenir celui de François Truffaut [21]. »

Tandis que le milieu des professionnels du cinéma réagit, les *Cahiers du cinéma* reçoivent de nombreuses lettres de lecteurs indignés. Beaucoup éprouvent un sentiment de trahison et reprochent à la revue d'avoir abandonné l'esprit serein des études sur le cinéma, pour se lancer dans la polémique. Certains reprochent également à l'article de Truffaut son parti pris anti-français et pro-américain, d'autres ne supportent pas son « ton réactionnaire et calotin [22] ». À l'intérieur de la revue elle-même, « Une certaine tendance du cinéma français » est loin de faire l'unanimité. Pierre Kast, proche de René Clément et de Jean Grémillon, est son plus farouche adversaire. Il dénonce le ton imprécateur de l'article et ses jugements moraux, ce qu'il nomme le « dogmatisme critique », ou la « colonisation des *Cahiers* par le parti prêtre [23] ». André Bazin aussi répond à son jeune protégé. Dans sa critique du *Blé en herbe*, le film d'Autant-Lara, publiée en février 1954, il revient sur le thème de la fidélité aux œuvres : « Il n'est pas douteux qu'Aurenche et Bost ont imposé la notion de fidélité comme une valeur positive. Je sais bien que François Truffaut le leur conteste, mais il a tort, au moins dans la mesure où les libertés que s'accordent les scénaristes de *La Symphonie pastorale* se limitent au cadre relativement étroit des équivalences jugées nécessaires... Bref, comme l'hypocrisie à la vertu, leurs infidélités mêmes sont encore un hommage à la fidélité. » Tout en ne les considérant pas comme des chefs-d'œuvre, Bazin défend les films d'Autant-Lara. Et surtout, il les défend contre Truffaut.

Dans l'immédiat, l'article est donc très discuté et l'« affaire » retourne contre Truffaut une bonne part de la critique française. Mais à terme, ce texte déterminera la nouvelle orientation des *Cahiers du cinéma*, pour la raison qu'il fédère une grande partie de la cinéphilie, qui néglige et méprise alors totalement la tradition française de la qualité, préférant faire l'éloge des auteurs hollywoodiens.

Les jeunes turcs

François Truffaut tire toutes les conséquences de la publication de son pamphlet. Puisque les *Cahiers* ont adopté sa ligne polémique, alors il doit s'y investir pleinement, et en première ligne. Bazin et Doniol-Valcroze ont fait preuve d'une vraie tolérance en publiant un article dont ils ne partageaient pas entièrement les idées. Ils sont aussi mobilisés par d'autres journaux, Bazin écrivant chaque jour dans *Le Parisien libéré*, Doniol-Valcroze étant chroniqueur de cinéma à *France-Observateur*. C'est donc naturellement qu'ils accueillent Truffaut au sein des *Cahiers*[24], à partir de l'hiver 1953-1954. La revue est installée 146, Champs-Élysées. Un bureau confortable de 20 m^2, donnant sur l'avenue, prêté par Léonid Keigel, le financier de la revue, distributeur de films, directeur de *Cinévogue* et d'une salle parisienne, le Broadway. À ce bureau s'ajoute une petite salle réservée aux réunions de la rédaction, moins claire, située au fond d'un couloir donnant sur une cour intérieure. Trois tables : celle de Doniol-Valcroze, celle de la secrétaire, et celle de la rédaction, large, autour de laquelle on débat et où se conçoit la mise en page des *Cahiers*. Chaque rédacteur a ses habitudes, passe à ses heures. Le matin pour discuter au calme avec Doniol, le mardi à 15 heures pour écouter Bazin, en début d'après-midi pour relire son texte avec Truffaut, ou vers six heures du soir, entre deux séances de cinéma, pour prendre commande d'un article. En 1954, aux côtés des fondateurs Bazin et Doniol-Valcroze, se côtoient aux *Cahiers du cinéma* des critiques venus d'*Objectif 49*, tels Alexandre Astruc, Pierre Kast, Jean-José Richer, et les « jeunes turcs » entraînés dans le sillage d'Éric Rohmer, forçant la porte de la prestigieuse revue par la brèche ouverte par François Truffaut : Jacques Rivette, Jean-Luc Godard, Claude Chabrol, Charles Bitsch. Généralement, les échanges sont plutôt libres. On se répartit les films à la cantonade, avant que Truffaut, à partir d'un certain moment, ne les attribue d'autorité, connaissant les qualités et les défauts, les goûts et les connaissances de chacun. Quelques éclats aussi, de temps à autre, lorsque Doniol et Bazin tentent de tempérer Truffaut, ou quand passe Astruc, toujours prêt à semer la polémique, ou lorsqu'on s'aperçoit que Godard a « emprunté » dans la caisse, ou encore quand Michel Dorsday provoque Pierre Kast en duel... Éclats de rire parfois, réservés aux passages de Chabrol, ou, plus tard, à partir de 1956 et 1957, à ceux de Jean-Claude Brialy ou Jean-Paul Belmondo, les jeunes amis comédiens qui n'hésitent pas à venir faire les pitres lorsqu'ils sont à proximité des Champs-Élysées. Toujours une grande écoute : les apprentis cinéastes que sont Jacques

Demy, Pierre Schoendoerffer, Agnès Varda viennent très vite confier leurs projets, prendre conseil, établir des contacts.

Entre mars 1953 et novembre 1959, François Truffaut publie 170 articles aux *Cahiers,* le plus souvent des critiques de films de cinq à six feuillets, ou des entretiens avec des cinéastes, genre qu'il affectionne particulièrement. Mis à part son long texte de janvier 1954, « Une certaine tendance du cinéma français », il ne publie pas d'articles théoriques, comme Bazin, Rohmer, Rivette ou Godard. Ce n'est pas un rôle de maître à penser que revendique Truffaut, mais plutôt celui de stratège, allant à la rencontre des cinéastes, attaquant ses adversaires, faisant valoir son avis, avec fantaisie, mauvaise foi, désinvolture, parfois avec une certaine arrogance, sur *tous* les films qui sortent à Paris. Car, qu'il vente ou qu'il pleuve, Truffaut voit en moyenne plus d'un film par jour, confirmant ainsi sa réputation de critique ayant « vu quatre mille films entre 1940 et 1955 ».

Aux *Cahiers,* la bande des jeunes critiques, surnommée les « hitchcocko-hawksiens » par André Bazin, en référence à leurs deux cinéastes de prédilection, s'organise autour de Truffaut. Chacun a son rôle. Jacques Rivette est le meilleur ami et le vrai compagnon de cinéphilie, l'avis le plus autorisé et le plus sûr que consulte sans cesse son cadet. Éric Rohmer est comme un cousin plus âgé, un peu sévère et austère, que Truffaut vouvoie mais peut amadouer par les « cher Momo » qui ponctuent leur correspondance. Truffaut et Rohmer collaborent même à plusieurs projets, dont un scénario écrit à la fin de l'année 1953 : *L'Église moderne* [25]. À partir de 1954, le trio Truffaut-Rivette-Rohmer, complémentaire et efficace, donne sa véritable cohérence aux *Cahiers du cinéma,* « cette période de grâce où nous aimions tous les mêmes choses au cinéma [26] ».

À ce trio s'adjoignent d'autres « cousins », dont les goûts sont proches, tels Chabrol et Godard. Boute-en-train à la maigre figure (à l'époque...), Chabrol pratique, entre quelques études de pharmacie, de lettres et de droit, le culte inconditionnel d'Alfred Hitchcock. Le premier établi (il se marie dès 1956, vit bourgeoisement dans un appartement et non plus dans une chambre), il rend d'importants services au groupe par sa maîtrise de la langue anglaise — appréciable lorsqu'on part à la rencontre des cinéastes de Hollywood — et par son poste d'attaché de presse à la Fox, ce qui autorise avant-premières et informations de source sûre. Jean-Luc Godard est suisse, fils de famille, venu à Paris pour parfaire ses études, au lycée Buffon puis à la Sorbonne. Très vite, le goût du cinéma l'a attiré au Ciné-Club du Quartier latin où il rencontre les autres « jeunes turcs ». Mis en contact avec Doniol-Valcroze (leurs mères sont amies), il a l'occasion d'écrire dans les *Cahiers du cinéma* dès janvier 1952, et s'y forge rapidement une place grâce à son impertinence et son goût du paradoxe. C'est le plus taciturne, le plus artiste et le plus dandy de la bande, exerçant une fascination certaine sur les autres, sans doute aussi car il préserve une grande part de mystère sur sa vie privée, ses voyages en Suisse et à travers le monde, sa famille, ses amours. Se prolonge ainsi dans les pages des *Cahiers* le groupe cinéphile né à la Cinémathèque et dans le dortoir du lycée de Biarritz, en 1949, lors du festival du Film Maudit, groupe aguerri au combat critique par la participation collective au *Bulletin du C.C.Q.L.*, puis à la *Gazette du cinéma*, deux publications dirigées par Éric Rohmer.

Véritable chef de bande des *Cahiers du cinéma*, Truffaut y attire également de tout jeunes critiques. Charles Bitsch, l'ami parisien, André Martin, spécialiste de l'animation, Fereydoun Hoveyda, un jeune Persan fervent de science-fiction, François Mars, amateur de burlesque, Jacques Siclier venu de Troyes, André S. Labarthe de Sarlat, Claude Beylie, Claude de Givray ou Luc Moullet, les benjamins, qui prendront ensuite la revue en charge lorsque Truffaut, Godard, Chabrol, Rivette et Rohmer passeront à la réalisation. Auprès d'eux, Truffaut déploie un charisme et un pouvoir d'identification certain, se montrant très exigeant, n'hésitant pas à refréner les ardeurs polémiques lorsqu'elles ne lui paraissent pas justifiées — c'est lui, par exemple, qui refuse de publier le texte sur le festival de Venise d'un autre jeune cinéphile, Jean-Marie Straub, pourtant un ami, le trouvant très violent et radical. Truffaut craint en effet les comportements trop mimétiques de ses jeunes disciples, ainsi qu'il l'écrit à Luc Moullet en mars 1956 : « Vos textes sont difficiles à publier dans l'état actuel. J'aurais dû vous écrire cela plus longuement en vous expliquant comment les choses se sont passées pour nous, les textes que nous nous sommes vu refuser. Un article, dont aujourd'hui je ne suis guère satisfait, " Une certaine tendance du cinéma français ", m'a pris plusieurs mois de travail et cinq ou six réécritures complètes. Oui, je l'avoue, nous avions un peu peur de vous. D'abord parce que votre hargne (sincère et forcenée) fut la nôtre et qu'il est choquant de voir aux *Cahiers* ce recommencement éternel, cette attitude grinçante toujours reprise [27]. »

Truffaut met aussi à contribution des écrivains, n'hésitant pas à demander des articles ou des extraits de scénarios à Louise de Vilmorin, Jean Cocteau, Roger Leenhardt ou Raymond Queneau, pour les publier dans les *Cahiers du cinéma*. Mais la rencontre la plus déterminante est celle de Jacques Audiberti. Durant la guerre, Truffaut fut un lecteur assidu de l'hebdomadaire *Comœdia*, où Audiberti tenait une chronique régulière sur les films et le théâtre. C'est au théâtre qu'Audiberti s'est fait connaître, mais ce sont ses romans (*Monorail, Le Maître de Milan* et surtout *Marie Dubois*) qui séduisent le plus Truffaut, qui reconnaît là un univers proche de ses propres obsessions. « Ses livres posent inlassablement la même question : pourquoi les femmes ne nous désirent-elles pas comme nous les désirons, *a priori,* systématiquement, physiquement et abstraitement et toujours pour ce qu'elles sont : les bossues pour leur bosse, les bourgeoises pour leur chapeau, les putains pour leurs cuisses, les prudes pour leur vertu, les grasses pour leurs bourrelets et les maigres pour leurs os [28] ? » Au début de l'année 1954, Audiberti publie chez Gallimard un nouveau roman, *Les Jardins et les Fleuves,* que Truffaut lit avec avidité. Il retient particulièrement un passage où l'écrivain s'attarde sur le personnage de Charlot. Truffaut ne laisse pas passer cette occasion. Le dernier mercredi de mai 1954 — il s'en souvient comme d'une date marquante —, le critique s'adresse à l'écrivain : « Accepteriez-vous de tenir une rubrique que nous intitulerions " Le Billet d'Audiberti " ou une sorte de " Chronique perpétuelle de la femme au cinéma " à partir de réflexions que vous inspirent les actrices ou les héroïnes des films que vous voyez [29] ? » L'écrivain accepte aussitôt et, entre juillet 1954 et décembre 1956, confie aux *Cahiers* un billet mensuel. C'est l'occasion pour Truffaut de le rencontrer régulièrement. Les deux hommes tombent sous le charme l'un de l'autre. Un charme qui ne sera jamais rompu. Audiberti sera plus tard le premier soutien de Truffaut cinéaste, faisant l'éloge des *Mistons* puis des *Quatre Cents Coups* dans *Arts*. Truffaut considère l'écrivain comme l'un de ses maîtres, le seul avec Cocteau à savoir « décrire aussi bien les films que leurs actrices [30] ». « Avec sa bobine couturée de vieux loup de mer en vacances, Jacques Audiberti était un colosse antibois, beau et puissant comme ses livres [31] », écrit Truffaut en son hommage.

Campagnes de presse

La publication d'« Une certaine tendance du cinéma français » dans les *Cahiers* en janvier 1954 change la vie de François Truffaut [32]. Peu après, celui-ci est contacté par Jean Aurel, un journaliste à peine plus âgé que lui, responsable des pages cinéma au sein de l'hebdomadaire culturel *Arts-Lettres-Spectacles*. Paraissant tous les mardis sur un grand format de seize pages, *Arts* est le rendez-vous de la droite intellectuelle de la fin des années quarante, celle des « hussards » tels Jacques Laurent, Michel Déon, Roger Nimier, Marcel Brion ou Antoine Blondin. L'hebdomadaire culturel est volontiers polémique, usant avec un art consommé des titres en gros caractères, comme un quotidien à grand tirage, et attire des signatures de renom. Outre les « hussards », Cocteau, Audiberti, Louise de Vilmorin, Claude Roy, Maurice Clavel, Maurice Pons, Claude Roger-Marx, Pierre Seghers, Pierre Marcabru, Ferdinand Alquié, Jean Cathelin y collaborent. Sulfureux et provocateur, lançant de grands débats culturels, *Arts,* dans les années cinquante, est le véritable concurrent de revues ou magazines de gauche comme *Les Temps modernes, Les Lettres françaises* ou *L'Express.*

Le journal appartient à un riche marchand de tableaux, Daniel Wildenstein, qui laisse entière liberté au directeur de l'hebdomadaire, Jacques Laurent. Journaliste à la plume acérée, éditorialiste craint et respecté, auréolé du prestige de *La Parisienne,* une revue littéraire qu'il a lancée en janvier 1953, conforté par ses succès de romancier sous le pseudonyme de Cécil Saint-Laurent, Jacques Laurent dirige la rédaction de *Arts.* Il est secondé par André Parinaud, qui en est le rédacteur en chef. Pour donner une nouvelle impulsion au journal, Laurent et Parinaud confient à Aurel les pages cinéma. À lui de trouver un ton incisif et original. Séduit par la verve et le style que Truffaut déploie dans les *Cahiers,* Aurel lui propose d'écrire à *Arts.*

Truffaut saute sur l'occasion, car en plus d'être une tribune inespérée, *Arts* offre des piges substantielles (700 francs le feuillet,
soit cinq fois plus que les *Cahiers du cinéma*) qui vont le libérer
des soucis matériels. Dans les colonnes de *Arts,* le critique poursuit son entreprise de démolition de la « tradition de la qualité ».
Polémique, hussard, volontiers moraliste et imprécateur, Truffaut attaque les intellectuels de gauche et les « hommes de la
culture militante [33] ». En cinq ans, il y donne toute sa mesure et
publie 528 articles, soit une moyenne de deux articles par
semaine, occupant presque à lui seul, sous sa signature ou sous
des pseudonymes, l'ensemble de la page cinéma.

Truffaut est d'ailleurs très sollicité à cette période. Entre
janvier et septembre 1954, il publie, sous le nom de François
de Monferrand, douze articles dans l'hebdomadaire catholique *Radio-Cinéma-Télévision,* ancêtre de l'actuel *Télérama.* À la
demande de Doniol-Valcroze, il en propose plusieurs à l'hebdomadaire de gauche *France-Observateur* entre juillet et septembre.
Entre mai et août 1956, il collabore à *La Parisienne,* revue littéraire et mondaine, plutôt marquée à droite, dirigée par Jacques
Laurent et François Nourissier. Enfin, lorsque Philippe Boegner
lance en avril 1956 un nouveau quotidien libéral, *Le Temps de
Paris,* avec l'ambition de contrer *Le Monde* d'Hubert Beuve-Méry,
Truffaut est pressenti pour diriger le service cinéma. L'entreprise est un échec commercial et le journal dépose son bilan le
mois suivant. Mais le critique y a déjà publié une vingtaine d'articles.

Un film quotidien, un article tous les deux jours : le jeune
homme tient son rythme, travaille toutes les nuits, se bourrant
de Maxiton, de cigarettes et de café. Vie et travail se confon-
dent... Il se confie de manière émouvante à Jean Mambrino,
père jésuite et lui-même critique de cinéma : « Au fond je suis
très primaire, très inculte (je n'en suis pas fier) ; j'ai seulement
la chance d'avoir un peu le sens du cinéma, d'aimer ça, et de
bosser dur. Voilà. À part quoi toute considération plus profonde
sur le fond passe au-dessus de ma pauvre tête. Comme je suis
un autodidacte qui se hait, je ne " m'apprends " rien, ou presque. Ce qui me sauvera, c'est de m'être " spécialisé " très tôt
dans le cinéma et d'occuper la place, au maximum, en travaillant toutes les nuits s'il le faut [34]. »

Truffaut apprend aussi à diriger les autres, sachant mieux

que quiconque ce qu'il attend d'une critique de film ou d'un billet d'humeur. Sa légitimité ne vient pas de sa supériorité intellectuelle, puisqu'il se dit lui-même plutôt inculte, mais du fait qu'il sait ce qu'il veut. Lorsque la bande des *Cahiers du cinéma* se retrouve chaque fin d'après-midi dans les bureaux des Champs-Élysées, les films sont discutés, débattus, « passés au gueuloir [35] », comme dit Claude de Givray, alors fasciné par ces joutes oratoires. À l'intérieur de ce jeu collectif, Truffaut fait figure de leader, avec Rivette. La nuit, il s'agit d'écrire, de préciser les idées lancées dans la mêlée, de capitaliser ces discussions à plusieurs. Truffaut y met toute son énergie, laissant transparaître sous la plume sa personnalité. Un « ton Truffaut » s'impose dès ses premiers articles dans *Arts*, où se mêlent une certaine véhémence, un humour, une écriture foisonnante de jeux de mots, blagues, ou canulars, dans le but de séduire le lecteur. « Il réécrivait tous les scénarios par ses critiques, il recréait les films, de façon passionnée, aussi bien sur les éléments positifs que négatifs, tels qu'il pensait les avoir vus [36] », dira le producteur Pierre Braunberger, lecteur passionné de *Arts.* Truffaut peut résumer d'une phrase loufoque un film japonais, *Passion juvénile* de Nakahira, sorti en mai 1958 : « Si jeune et déjà poney de l'écurie René Julliard qui nous présente l'auteur de cette saga friponne comme l'équivalent d'une Sagan nipponne [37]. » Il peut également donner libre cours à son fétichisme érotique, en décrivant les gestes et les corps des femmes à l'écran, éloge de cet « œil exercé » qui « apprend les angles convenables à révéler du soutien-gorge la matière, la couleur, et partant la vie même de cette gorge », qui « voit les angles vifs saisissant dessins en diagonales et ourlets de petites culottes esquissés par la démarche d'une femme [38] ». Car « le visage sait feindre, la pudeur être fausse, la vertu simulée, le soutien-gorge, lui, ne ment pas ». L'exercice critique est ainsi pour Truffaut comme un journal intime, donnant au lecteur quelques clés d'une subjectivité, d'une sensibilité sans cesse en éveil, et pour l'essentiel tourné vers la polémique. Truffaut juge les œuvres sans détour et met toute son énergie à convaincre grâce à ce qu'il appelle ses « campagnes de presse ». « Vous êtes tous témoins dans ce procès... », lancera-t-il en première page de *Arts* dans l'un de ses pamphlets les plus célèbres et les plus violents [39]. Truffaut intervient ainsi à plusieurs reprises, pour défendre certaines causes. Celle de la Cinémathèque d'Henri Langlois, lorsqu'elle est menacée de fermeture au début de l'année 1955. Ou celle de films incompris et négligés par la critique, comme par exemple *La Comtesse aux pieds nus* de Joseph. L. Mankiewicz, *Les Mauvaises Rencontres* d'Alexandre Astruc, et surtout *Lola Montès* de Max Ophuls. Il manie parfois l'injure avec virtuosité et cruauté, par exemple dans ce portrait d'un éditeur parisien en juillet 1956 : « Vous êtes plus dégueulasse qu'un autre. Ce pli que vous avez sur le côté de la bouche révèle une veulerie qui doit détourner les femmes plus sûrement que la petite — ou grande — vérole... »

Face à ce fougueux tempérament, les réactions sont diverses. André Parinaud demande ainsi une certaine retenue dans une note interne adressée à Truffaut le 2 novembre 1955 : « Les lettres de plainte s'accumulent ces temps-ci, et je sais que ton humeur du moment ne va pas arranger les choses. Tu prends tes responsabilités, mais toutefois dès que le journal peut être impliqué, je te demande de rester prudent et de demeurer correct. Il y a des choses que tu dois éviter, et je t'interdis désormais d'employer dans tes articles publiés dans *Arts* des expressions telles que " plagié ", " copié ", ou des discriminations à caractère physique et sexuel. Que tu n'aimes ni les femmes maigres ni les pédérastes, c'est ton droit, mais cela ne doit plus apparaître dans les colonnes. » À peu près au même moment, Jacques Laurent prend, lui, le parti d'encourager cette fronde ouverte contre tous les académismes, estimant que ce ton polémique participe de la ligne générale de son hebdomadaire. Le 6 juillet 1955, Truffaut, à la demande de Jacques Laurent et de Jean Aurel, enfonce d'ailleurs le clou et publie « Les sept péchés capitaux de la critique ». « Il existe, en marge du cinéma, une profession ingrate, laborieuse et mal connue : celle de " critique cinématographique ". Qu'est-ce que le critique ? Que mange-t-il ? Quels sont ses mœurs, ses goûts et ses manies ? », interroge-t-il en ouverture d'un article illustré par un dessin plutôt acide de Siné intitulé « Critique de la critique ». Déclinées en sept points, les réponses de Truffaut suggèrent que la critique n'est ni libre ni intelligente, car elle est ignorante de l'histoire du cinéma comme de sa technique, sans imagination. Elle est professorale et pleine de préjugés. Il va même jusqu'à dire qu'elle est chauvine et vendue au plus offrant, puisqu'« on ne fait pas une carrière critique à Paris sans rencontrer un jour ou l'autre Delannoy, Decoin, Cayatte ou Le Chanois ». Ces sept péchés sont illustrés par de nombreux exemples : Jean Dutourd, François Nourissier, Georges Sadoul, Georges Charensol, Louis Chauvet, Jean-Jacques Gautier, André Lang, Roger Régent, Jacques Lemarchand, André Billy. Le gotha de la critique quotidienne ou hebdomadaire est ainsi ridiculisé et confronté à plusieurs citations grotesques. En contrepoint, Truffaut propose le portrait du « cinéphile non critique », autoportrait révélateur qu'il définit par deux caractéristiques : la radicalité du point de vue — « Chacun son système. Le mien m'amène à louer ou éreinter sans réserve » — et l'intégrité des jugements. Ainsi, rendant compte d'un déjeuner de presse auquel il assiste, pour le lancement d'un film de Mervyn LeRoy, *Mauvaise Graine,* en présence du cinéaste américain, il se permet d'écrire : « Je me souviens d'y avoir très bien mangé, mais la reconnaissance du ventre n'est sans doute pas mon fort, d'autant qu'il vaut mieux n'avoir jamais rencontré Mervyn LeRoy sans quoi on n'a plus aucune envie d'aller voir un film signé de lui. »

Jacques Laurent soutient ouvertement Truffaut. Il en fait la figure de proue de ce qu'il appelle la « critique des catacombes [40] ». Pour Laurent, Truffaut est un « hussard », l'équivalent pour le cinéma d'un Nimier ou d'un Céline pour la littérature. Il l'écrit dans un éditorial publié en février 1955 dans *Arts :* « Il y a deux sortes de critique de cinéma. D'abord une critique dont l'enseigne pourrait être " cuisine bourgeoise ". Elle est brave fille, désireuse de s'accorder avec les goûts du gros public et pratiquée par des gens pour qui le cinéma n'est pas une religion, mais un passe-temps agréable. Et puis il y a une intelligentzia qui pratique la critique à l'état furieux. Truffaut est un des représentants les plus doués de cette dernière sorte de critique, phénomène récent qu'il faut examiner attentivement. L'intelligentzia dont je parle se croit, ou se veut, en état de belligérance. Tous les assauts lui sont bons puisque le dieu du cinéma reconnaîtra les siens. Qu'elle approuve ou qu'elle condamne, cette critique est furieuse parce que, jugeant les films à travers une éthique et une esthétique qu'elle s'est formées à la cinémathèque, elle est toujours en état de guerre contre la critique embourgeoisée et souvent en désaccord avec les recettes cinématographiques, c'est-à-dire avec le public. »

Truffaut inaugure ainsi une manière nouvelle d'intervenir dans la critique de cinéma. Franche, directe, violente, sectaire, fondée sur un jugement de goût toujours circonstancié mais souvent provocateur et mordant, elle prend le risque du péremptoire et de l'injustice. Cette manière de concevoir la critique s'impose alors aux *Cahiers du cinéma* et à *Arts* grâce au groupe des « jeunes turcs ». Évidemment, cela choque beaucoup les milieux critiques de l'époque. Après la parution dans *Arts* de l'article sur les « sept péchés capitaux de la critique », Jean Néry, président de l'Association française de la critique de cinéma et de télévision, demande la démission de Truffaut, pourtant parrainé par Bazin et Doniol-Valcroze. « Je suppose qu'il vous est pénible de côtoyer des critiques de film dont vous soulignez sans cesse l'incompétence, la bêtise, la couardise et la nullité, qu'il vous est insupportable de rester en leur compagnie au sein d'une association où nous cherchons beaucoup plus à développer l'estime réciproque que la goujaterie systématique. Aussi comprendrais-je fort bien vos raisons si vous m'adressiez votre démission [41] », lui écrit-il le 27 octobre 1955. « En toute franchise, réplique Truffaut quelques jours plus tard, je me considère comme un excellent — quoique provisoire — critique, un de ceux qui justifient et honorent une association qui ressort du syndicat plutôt que de l'amicale, devant protéger ses membres des éventuelles (et permanentes) pressions politiques, policières, de censure ou de publicité. Mais comme il ne m'appartient pas d'en juger, j'ai cru bon joindre à la présente quelques témoignages de lecteurs, de confrères et de cinéastes [42]. » Suivent les appréciations élogieuses de critiques comme Henri Agel, Claude Mauriac, André Bazin et Jacques Doniol-Valcroze, et de cinéastes prestigieux comme Max Ophuls, Abel Gance, Fritz Lang, Nicholas Ray, Roger Leenhardt, Jean Cocteau. Là se dessine la tactique de Truffaut : travailler non pas à la marge mais en plein cœur du système, et le faire imploser sous les coups, soigneusement organisés et mis en scène, de ses propres campagnes de presse. Sous la protection de Jacques Laurent, le « hussard » peut à la fois en appeler au public des lecteurs de *Arts*, qu'il prend à témoin dans les procès qu'il initie, tout en bénéficiant du refuge et de l'autorité des *Cahiers du cinéma*, ce groupe de jeunes furieux qui le soutient sans faille.

Un hussard sabre au clair

Ce style, ces campagnes de presse comme ce goût de la provocation rapprochent François Truffaut de la droite littéraire. Ce lien n'est pas fortuit, car les journaux où il écrit, *Arts, La Parisienne, Le Temps de Paris,* ou même les *Cahiers du cinéma,* ainsi que ses relations — il apparaît pour bon nombre de lecteurs et d'adversaires comme la « créature » de Jacques Laurent — et sa manière pamphlétaire, tout cela conforte la thèse d'un jeune « furieux » en rébellion contre l'académisme et les milieux intellectuels de gauche dominant la culture de l'après-guerre. Au cœur des années cinquante, la polémique fait rage entre les deux camps, même si la gauche, communiste, sociale-chrétienne, humaniste, est largement majoritaire : *Les Temps modernes* dénoncent ainsi le danger du « réveil des intellectuels fascistes [43] », *L'Express* publie ses premiers dossiers sur les « écrivains de droite [44] », et Bernard Frank identifie, dans un article de décembre 1952, « Grognards et hussards », un groupe littéraire « réactionnaire, turbulent et pamphlétaire », ironiquement comparé aux soldats, « croisés de la plume », chargeant leurs ennemis sabre au clair. Figure de proue des « hussards » (mais prônant sans cesse le « désengagement » de la littérature), Jacques Laurent, dans un long texte, « Paul et Jean-Paul », publié en février 1951 à La Table ronde, comparait ironiquement l'engagement de Sartre, qui mêle politique et littérature, à celui de Paul Bourget, écrivain académique inventeur du « roman à thèse ». En fondant *La Parisienne,* en reprenant en main *Arts,* Jacques Laurent offre alors aux « hussards » les espaces et les tribunes littéraires où donner libre cours à leur « désengagement ». C'est ce qu'il écrit dans l'éditorial du premier numéro de *La Parisienne,* en janvier 1953 : « La littérature est devenue un moyen. Elle est mal vue dès qu'elle est autre chose qu'un moyen », s'attachant à défaire le lien entre littérature et politique, donc entre les milieux littéraires et le militantisme de gauche.

François Truffaut se reconnaît dans ce combat. Lui-même se bat dans les pages des *Cahiers du cinéma* contre les défenseurs des « films à thèse », faisant l'éloge de la forme, de la mise en scène contre le scénario. Mais cette cause est jugée réactionnaire, ce désengagement est associé à l'individualisme, à l'égoïsme, à la recherche formelle, au dandysme, autant d'attitudes dénoncées comme contraires aux valeurs de la reconstruction culturelle, politique et morale née avec la Libération. Les nombreux adversaires de Truffaut vont plus loin : ils l'associent radicalement à l'extrême droite, tels ses ennemis jurés de la revue *Positif,* qui interpellent régulièrement le « fasciste » dans leurs lettres ou leurs colonnes [45]. Ils voient en Truffaut un « intellectuel flic », aux « options politiques qui vont de pair avec un goût marqué pour l'autorité et la police [46] ».

Les alliés de Truffaut, qui ne sont pas insensibles à ses talents de plume, voire d'écrivain, le revendiquent clairement comme l'un des leurs. Jacques Laurent et François Nourissier l'ont même encouragé dans la voie littéraire, en publiant dans *La Parisienne* deux nouvelles d'une dizaine de pages dont il est l'auteur. La première, *Les Seins silicieux,* paraît en novembre 1954 et la seconde, *Antoine et l'Orpheline,* en mai 1955. Les deux héros, Gérard et Antoine, âgés d'une vingtaine d'années, assez dandys, provocateurs, sont deux incompris, rebelles face au pouvoir et à la pensée du moment. Truffaut romancier : l'expérience n'ira pas plus loin. Mais il aura été un temps l'une des plumes les plus en vue du mouvement hussard.

Lui-même aime jouer de cette provocation « de droite ». La morale intransigeante dont Truffaut fait preuve en s'attaquant avec véhémence aux sommités du cinéma français l'amène parfois à des positions extrêmes, plus qu'ambiguës. Ainsi, lorsqu'il en arrive à faire l'éloge de la censure américaine, dans les *Cahiers du cinéma* en janvier 1954 : « C'est à la censure cinématographique américaine que l'on doit que Marlowe ne soit plus pédéraste et que les personnages deviennent les uns aimables, les autres haïssables. Nécessité donc d'une censure moraliste... » Chez lui, la vocation de redresseur de torts, associée à une identification aux groupes intellectuels minoritaires, aux décriés, voire aux proscrits, le conduit parfois à la pure provocation politique. En ce sens, pendant les mois qui suivent la publication d'« Une certaine tendance... » et son entrée à *Arts,* le critique affiche clairement ses opinions. Plutôt qu'une véritable idéologie, il s'agit pour lui d'une « esthétique de droite » au sens où il la définit dans un article sur *Jet Pilot,* film violemment anticommuniste de Josef von Sternberg : « On a souvent défini la droite par sa désinvolture, sa légèreté, son absence de scrupules (la fin justifiant les moyens), sa culture et son raffinement ; la gauche apparaissant au contraire balourde, maladroite, primaire, militante, pleine de bonne volonté et toujours scrupuleuse [47]. » Pour conclure par cette intuition inouïe : « Mon avis sur cette question est qu'il faudra effectivement attendre qu'Alain Resnais devienne metteur en scène de long métrage pour voir enfin des films " de gauche " bons et beaux. »

Truffaut n'y va pas de main morte lorsqu'il rend compte de *L'Histoire du cinéma* de Maurice Bardèche et Robert Brasillach, ce dernier ayant été fusillé à la Libération pour collaboration : « Les idées politiques de Brasillach furent aussi celles de Drieu La Rochelle ; les idées qui valent à ceux qui les répandent la peine de mort sont forcément estimables [48]... » Quelques semaines plus tard, à l'occasion d'un compte rendu élogieux de *Si Versailles m'était conté* de Sacha Guitry, Truffaut rend hommage à l'Ancien Régime monarchique, « ce qui fit pendant plusieurs siècles la grandeur de la France : le sentiment chrétien et le sens de l'honneur, le respect du clergé et de la noblesse, clés de voûte d'une société justement hiérarchisée [49] ». Surtout il ne se montrera pas insensible, durant l'hiver 1955-1956, à un rapprochement avec Lucien Rebatet, ancien critique de cinéma de *L'Action française* sous le nom de François Vinneuil dans les années trente, puis à *Je suis partout,* un critique au talent certain et à la plume très acérée [50]. Pendant l'Occupation, Rebatet fut aussi le chantre de l'épuration antisémite des milieux du cinéma, auteur en avril 1941 d'un livre, *Les Tribus du cinéma et du théâtre* dans la collection « Les Juifs en France », où il réclamait la « régénération » des arts du spectacle : « Quoi que l'on entreprenne ou décide en faveur du cinéma français, il faut d'abord le désenjuiver. Il faudra tôt ou tard chasser de notre sol plusieurs centaines de milliers de juifs, en commençant par les juifs sans papiers réguliers, les non-naturalisés, les plus fraîchement débarqués, ceux dont la malfaisance politique ou financière est la plus manifeste, c'est-à-dire la totalité des juifs du cinéma. » Le talent de l'écrivain, la verve du polémiste peuvent-ils faire oublier ces livres odieux, et rapprocher Truffaut de Rebatet ou Rebatet de Truffaut ? C'est ce que laissait penser Henri Langlois, en confiant avant sa mort, survenue en 1977, à son amie Lotte Eisner « qu'il n'y a que deux grands critiques de cinéma dans ce siècle, François Vinneuil et François Truffaut [51] ». C'est aussi l'avis de Claude Elsen, personnage beaucoup plus douteux, auteur en 1943 d'un ouvrage mis au pilon à la Libération, *Destin du cinéma,* lui-même collaborateur condamné à mort par contumace en 1944. Réfugié en Espagne, il adresse à Truffaut au début de l'année 1956 une longue lettre de félicitation se réclamant de « notre ami commun François Vinneuil-Rebatet », concluant par cette phrase nostalgique : « Vous me rappelez beaucoup ce que j'ai essayé d'être avant le déluge. Bravo [52]. »

Lucien Rebatet lui-même écrit à François Truffaut, le 25 novembre 1955, après avoir lu et apprécié l'un des articles les plus virulents parus dans *Arts,* ridiculisant le film de Jean Delannoy, *Chiens perdus sans collier* : « Voilà un an que j'ai envie de vous voir, parce que vous me rappelez le jeune Vinneuil des années trente. Mon vieil ami Jacques Becker m'a dit énormément de bien de vous [53]... » Loin de refuser un rapprochement, Truffaut répond aimablement à Rebatet, entretient avec lui une correspondance « de critique à critique », lui conseillant certains petits films américains, tels *Le Bandit* de Tay Garnett, *Jour de terreur* d'Edgar G. Ulmer, ou *Maison de bambou* de Samuel Fuller. Après huit années de prison, d'où il sort en 1952, Rebatet a repris ses activités de critique à *Rivarol.* Il remercie Truffaut de ses précieux conseils : « Les camarades de mon âge ne sont pas fichus de me procurer ces petits tuyaux que vous m'offrez généreusement parce qu'ils recopient leurs fiches d'avant guerre [54]. » Curieux de le rencontrer, Truffaut répond même à une invitation de l'ancien collaborateur et passe avec lui une journée entière, à la fin de l'année 1955, déjeunant à bord d'une vedette des bateaux-mouches parisiens. Cela n'est pas du goût de tous ses amis, Doniol-Valcroze, par exemple, ancien résistant et homme de gauche, qui refuse catégoriquement de rencontrer Rebatet [55], ou Pierre Kast, très remonté contre cette « crise aiguë de maurrassisme [56] ». Le jeune « furieux » trouvait là un écho de l'une des traditions anticonformistes majeures de la culture française, celle qui mène de *L'Action française* aux « hussards », de Maurras à Rebatet.

Critique de cinéma à *Arts* à partir du printemps 1954, François Truffaut commence à vivre différemment car sa situa-

tion matérielle s'améliore. Des piges régulières, entre 15 000 et
20 000 francs mensuels, lui permettent de loger dans des hôtels
meublés situés à proximité des quartiers de son adolescence, et
de se nourrir correctement. Il peut aussi rembourser ses dettes
à Doniol-Valcroze, Astruc et Lachenay. Le travail l'accapare, il
passe son temps dans les salles de cinéma, dans les bureaux des
rédactions, ou avec les metteurs en scène. Il fuit les mondanités
et les cafés littéraires. Éric Rohmer a décrit la relative grisaille
de cette « vie hors cinéma » : « Il n'y a pas eu pour nous de
" belles années ", de " belle époque ", et en fin de compte si nous
pouvions nous réclamer de quelque chose, ce serait cette phrase
de Nizan : " Je ne laisserai dire à personne que vingt ans fut le
plus beau moment de notre vie. " Ces années ont été, non pas
malheureuses, mais assez grises : nous ne vivions que d'espoir,
nous ne vivions même pas. À qui nous demandait : " Mais de
quoi vivez-vous ? ", nous aimions répondre : " Nous ne vivons
pas. " La vie c'était l'écran, c'était le cinéma, c'était la discussion
sur le cinéma, c'était l'écriture sur le cinéma [57]. » Commune à
tous, cette cinéphilie s'accompagne étrangement d'une extrême
réserve. La vie privée de chacun reste secrète. Il y a chez Rohmer,
Rivette, Godard et Truffaut un fond de puritanisme. Entre
eux, certes, il existe des liens d'amitié, mais aucune familiarité.
Ce ne sont pas des « copains », ils se vouvoient parfois, car il
existe une barrière, un quant-à-soi, une raideur morale, qui
favorise le respect réciproque, mais non l'épanchement sentimental.

Si la vie de François Truffaut est accaparée par le cinéma,
il n'en réserve pas moins une grande place aux femmes. Au
quotidien, en nombre, avec obsession. Au point d'être contraint,
une nouvelle fois , de soigner quelque maladie vénérienne : « Je
suis une nouvelle fois encore puni par où j'aime le plus pécher :
il va falloir que je recommence à passer mes matinées à l'hôpital
Beaujon. Les femmes ne m'intéressent plus, ah non [58] ! », avoue-
t-il à Lachenay fin juillet 1954. Les relations avec les femmes
participent de la fièvre du moment : liaisons et conquêtes vont
de pair avec boulimie de films et suractivité critique. On trouve
souvent, dans les mots échangés alors entre Truffaut et Lachenay, des recommandations sur des filles, de bonnes adresses, les
coins où rôder entre la porte Saint-Denis et Pigalle. Les relations
de Truffaut avec les femmes sont encore à cette époque essen-

tiellement anonymes et coupées des milieux du cinéma. Mais ces liaisons éphémères font bien partie de sa vie, et il informe souvent Lachenay de son emploi du temps, lui tient à jour le livre ouvert de ses rencontres : « Après t'avoir quitté, j'ai levé une fille vers le studio Parnasse ; il ne me restait que 400 francs ; l'hôtel était à 500 balles ; elle m'a prêté 100 francs. Je rejoins les Bazin à 11 heures aux Champs-Élysées et je n'avais plus un sou pour y aller ni pour un petit déjeuner. Donc, je suis venu te voler 1 000 francs dans ton portefeuille noir, sous le matelas [59]. »

Sans doute faut-il voir dans ce rythme effréné le contrecoup du traumatisme causé par la rupture définitive avec Liliane Litvin, Truffaut cherchant tout à la fois des liaisons de passage et une femme à laquelle il puisse s'attacher. En février 1954, il rencontre Laura Mauri, une amie de Jean-José Richer, jeune critique aux *Cahiers* et proche de Doniol-Valcroze. Les deux amoureux vivent un temps ensemble dans un deux-pièces, boulevard des Batignolles. En 1955, lorsque Truffaut séjourne à Rome chez Roberto Rossellini, puis couvre, pour la première fois, le festival de Venise, Laura l'accompagne. Brune, jolie, enjouée, plutôt ronde et petite, élégante dans ses robes flottantes, Laura correspond au type féminin qui semble lui plaire plus particulièrement.

Deux ans plus tard, alors que sa liaison avec Laura Mauri s'est éteinte sans pour autant s'achever, Truffaut rencontre le 29 janvier 1956, chez Ganne, journaliste à *L'Aurore,* Joëlle Robin, de trois ans son aînée. Début mars, il quitte l'hôtel de Tunis, près de la place Clichy, où il vivait alors, pour s'installer chez Joëlle, rue de Lincoln, à deux pas des Champs-Élysées. Il y restera près de huit mois. Comédienne débutante sortie du cours Brunot, Joëlle Robin a déjà joué dans quelques films, des seconds rôles, entre autres dans *Mandrin* de René Jayet, *Au royaume des cieux* de Julien Duvivier, *Le Sorcier du ciel* de Marcel Blistène, ou *Les femmes sont folles* de Gilles Grangier. Elle apparaît également dans *La Vie passionnée de Vincent Van Gogh* de Vincente Minnelli, en 1956. L'ayant repérée dans un film, Truffaut lui consacre un portrait dans *Arts* le 22 février 1956. Joëlle semble dotée d'une verve insolente, d'une « ingénuité arrogante ». « Bien dirigée, Joëlle Robin peut apporter dans certains films un parfum nouveau : celui d'une moderne Alice au pays des

" merveilles " reconsidérées », écrit-il dans son article, qui dut favoriser la poursuite de leur relation.

Premier métrage

Engagé avec une grande réussite sur la voie de la critique, Truffaut n'oublie pas pour autant son désir de réaliser des films. Il n'a d'ailleurs jamais cessé d'écrire de courts scénarios, de jeter sur le papier des idées de films à tourner, seul ou avec ses amis des *Cahiers*. C'est avec son complice Jacques Rivette qu'il met sur pied un projet de court métrage, *Une visite*, à la fin de l'année 1954. Depuis *La Ceinture de peau d'ange* en 1950, toutes ses tentatives avaient échoué. Cette fois, il s'agit d'un film muet d'une dizaine de minutes. Truffaut va pouvoir « gâcher sa première pellicule [60] ». Robert Lachenay en est à la fois le producteur et l'assistant, tandis que Rivette, qui bénéficie de combines pour obtenir de la pellicule à moindres frais et peut se faire prêter gratuitement une caméra muette 16 millimètres, assume le cadrage et la prise de vue. Truffaut a trouvé un décor, l'appartement de Jacques et Lydie Doniol-Valcroze, rue de Douai, dans le quartier de son enfance. Il a également choisi ses trois acteurs : Laura Mauri, Jean-José Richer et Francis Cognany, des amis de Laura. Lydie Doniol-Valcroze impose sa propre fille, Florence, âgée de deux ans et demi, que l'équipe du tournage doit garder à tour de rôle. Truffaut trouve un rôle pour l'enfant dans son histoire, construite autour d'un ballet amoureux. Un jeune garçon cherche à louer une chambre par petites annonces. Il y parvient et s'installe dans un appartement où loge déjà une jeune femme seule. Elle l'accueille amicalement, se moquant gentiment de la maladresse du jeune homme, plutôt gauche et provincial. Le beau-frère de la locataire, joué par Jean-José Richer, passe dans l'appartement pour y amener sa petite fille qui doit rester là pour le week-end. Le temps de son passage, il fait le pitre, imite une locomotive avec la fumée de sa cigarette, et tente en vain de flirter avec la jeune fille, lui volant un baiser dans le cou. Après cet épisode, le nouveau locataire tente lui aussi sa chance auprès d'elle, maladroitement, en lui prenant la main. Rabroué, il refait sa valise et quitte à son tour l'appartement. La nuit tombe alors sur Paris, près de la place Blanche. La jeune fille met au lit sa nièce, ferme les rideaux et, pensive, s'assoit près de l'enfant.

Malgré la rapidité du tournage, cinq journées, ce film de huit minutes, très découpé, inclut de nombreux mouvements d'appareil. Mais Truffaut n'en est pas content, il ne le montre à personne, pas même à ses amis des *Cahiers du cinéma,* et la petite bobine dormira longtemps dans un placard de l'appartement de la rue de Douai. Ce n'est qu'en 1982, près de trente ans plus tard, que le cinéaste retrouvera son premier essai cinématographique. « Sur le coup, il voulait le détruire, estimant que ça n'avait aucun intérêt, se rappelle Lydie Mahias, ex-Doniol-Valcroze. Mais il m'avait laissé une copie parce que c'est un souvenir de voir ma fille à deux ans. En 1982, nous avons été convoqués par François à une projection, avec Rivette. Il avait fait gonfler son court métrage en 35 mm. On a bien ri, parce que Rivette était absolument enchanté de ses cadrages [61]. » Après ce premier échec, Truffaut est très déprimé, il met en doute ses propres capacités à devenir metteur en scène. Déçu par ce qui n'est pour lui qu'un travail d'amateur, il décide de mieux connaître les secrets des grands maîtres et de retourner à la critique.

Truffette et Rivaut

Polémiste, légèrement canaille, le cinéphile François Truffaut est aussi très curieux d'aller à la rencontre des cinéastes qu'il admire. Pour lui, critique, journalisme et interview vont de pair, car cela relève d'une même vision du cinéma fondée sur l'engagement, le parti pris et la connaissance intime des secrets d'un art. Le mercredi 20 janvier 1954, toute la matinée, Truffaut et Rivette enregistrent sur magnétophone une longue conversation avec Jacques Becker. Si la démarche paraît évidente aujourd'hui, elle est alors profondément novatrice et va bouleverser radicalement la manière d'aborder les films. C'est la première fois que les *Cahiers du cinéma* publient ce genre de texte, qui paraît sur douze pages le mois suivant. La forme n'est pas nouvelle dans son principe — Truffaut lui-même a été très impressionné par la publication des entretiens radiodiffusés de Paul Léautaud avec Robert Mallet [62] —, mais elle n'était jusqu'alors utilisée dans certaines revues que pour rapporter des propos de stars, les humeurs de producteurs ou des anecdotes de cinéastes. Truffaut et Rivette, eux, ont un objectif précis : connaître intimement un homme de cinéma, puisque l'auteur est invité à parler de lui, de sa méthode de travail, de sa carrière, avec une entière liberté. Ils confèrent à cette pratique une règle : l'utilisation du magnétophone portable et de ses ressources. Là encore, c'est une nouveauté. À l'époque, l'appareil Grundig, avec ses lourdes bobines de fils magnétiques, pèse près de quatre kilos. Si bien que cette pratique inédite ne passe pas inaperçue, et *Cinémonde*, le 14 mai 1954, peut en souligner l'« exceptionnel intérêt » : « Ces textes sont les copies d'entretiens enregistrés au magnétophone, et reproduits tels quels avec toutes les redites, toutes les hésitations du langage parlé, et d'autant plus précieux que ces redites, ces hésitations permettent au lecteur de suivre pas à pas et jusque dans ses moindre détails, dans ses contours les plus subtils, la pensée des interviewés. »

Ce sont « Truffette et Rivaut » — comme ils se désignent eux-mêmes, inséparables dans le travail au point que Becker pensera longtemps qu'ils forment un couple homosexuel — qui forgent les règles et choisissent les premiers « entretenus [63] », selon leur expression malicieuse. Ils tentent ainsi de respecter au plus près les paroles enregistrées, de rendre compte du côté vivant de l'entretien, style parlé, hésitations, rires, etc., sans que la lecture ne soit trop hachée, trop relâchée, ou trop longue. Cette méthode est précisément décrite par Rivette et Truffaut à l'occasion d'une rencontre avec Abel Gance en janvier 1955 : « L'élaboration des " entretiens avec... " est régie par deux règles. D'abord ne choisir que des réalisateurs que nous aimons. Ensuite les laisser s'exprimer à leur guise sans jamais les embarrasser par des questions gênantes ou insidieuses. » Luis Buñuel, à propos de son entretien, en juin 1954, parle d'une sorte d'« écriture automatique », tandis que Becker, lui aussi surpris et intéressé par la méthode, appréciera l'« adoption immédiate de la liberté du ton de l'interview radio ».

Le premier entretien est publié en février 1954, avec Jacques Becker, le réalisateur de *Casque d'or*, l'un des films français préférés de Truffaut. Le « cinéaste le plus authentique et le plus juste [64] », selon le critique, est en effet le premier des « maîtres » à sympathiser avec les jeunes turcs des *Cahiers*. Durant près de trois heures, Becker parle avec beaucoup de simplicité et de minutie de son travail, de ses films et de sa conception de la mise en scène. Se succéderont entre le printemps 1954 et l'automne 1957, la plupart interviewés par Truffaut et Rivette, Jean Renoir, Luis Buñuel, Roberto Rossellini, Abel Gance, Alfred Hitchcock, Howard Hawks, Robert Aldrich, Joshua Logan, Anthony Mann, Max Ophuls, Vincente Minnelli, Jacques Tati, Orson Welles, Gene Kelly, Nicholas Ray, Richard Brooks, Luchino Visconti et, enfin, Fritz Lang. Ce corpus fait l'une des grandes originalités des *Cahiers du cinéma* et demeure l'un des piliers fondateurs de la critique moderne. François Truffaut attend beaucoup de chacune de ces rencontres. Sans doute correspondent-elles à un trait profond de sa personnalité : se choisir des maîtres, et apprendre auprès d'eux.

Je vous admire...

Sa décision est mûrement réfléchie, presque planifiée. Au début du printemps 1954, Truffaut adresse une série de lettres à certains cinéastes. « Je vous admire ; j'aimerais vous rencontrer ; j'aimerais écrire sur vous et parler de vous dans la presse [65]... » Preston Sturges, Jean Renoir, Luis Buñuel, Max Ophuls, Abel Gance, Roberto Rossellini, Fritz Lang, et Nicholas Ray reçoivent cette lettre à peu près au même moment. La plupart y répondent, y compris les étrangers. Fritz Lang, par exemple, qui écrit le 2 juillet 1954, en français dans le texte : « Il m'est vraiment impossible de me concentrer, à présent, sur une rencontre pareille, car je suis surchargé de travail. Je viens de signer un contrat avec MGM pour la direction d'un film, *Moonfleet*, avec Stewart Granger dans le rôle principal, que je dois commencer immédiatement. Ce n'est pas une excuse commune, je vous prie de me croire. Encore une fois bien merci et mes meilleurs vœux pour vous [66]. » Certains sont un peu désabusés, tel Preston Sturges, le 1er septembre 1954 : « Venez me voir quand vous voulez, mais comprenez bien que je vous reçois avec plaisir simplement parce que vous êtes un jeune homme aimable qui s'intéresse sincèrement à un art que j'ai bien aimé. Qu'on parle de moi dans les journaux de cinéma, ou qu'on y reproduise ma tête — tout cela je m'en fous comme de l'an quarante [67]... »

À la même période, Truffaut commence à fréquenter régulièrement les tournages des cinéastes qu'il admire. Ainsi, en octobre 1954, il passe dix jours sur celui de *French Cancan*, de Jean Renoir, au studio Francœur, ce dont il rend compte dans *Arts* sous la forme d'un journal de tournage. Il faut croire que Renoir en est satisfait puisqu'il l'invite à plusieurs reprises chez lui, avenue Frochot, près de Pigalle, et le conviera, plus tard, en mars 1956 sur le tournage d'*Éléna et les Hommes*. Au cours de ces années, Truffaut sera aussi le spectateur privilégié de toutes les expériences théâtrales de Renoir. En juillet 1954, il l'assiste dans sa mise en scène du *Jules César* de Shakespeare, dans la traduction et l'adaptation de Grisha et Mitsou Dabat. Une seule représentation a lieu le 10 juillet, dans les arènes d'Arles. La distribution est prestigieuse, avec Jean-Pierre Aumont, Loleh Bellon, Paul Meurisse, Yves Robert, Françoise Christophe et Henri Vidal. C'est à cette occasion que Truffaut fait la connaissance de Jean-Claude Brialy, qui effectue alors son service militaire en Allemagne, aux services cinématographiques des armées. Là, il s'est lié d'amitié avec Pierre Lhomme, futur chef opérateur, qui lui propose lors d'une permission de se rendre en Arles avec des amis cinéphiles voir le *Jules César* monté par Renoir. Ces amis sont Charles Bitsch, Claude Chabrol, Jacques Rivette et Jean-Luc Godard. Durant le voyage, depuis Paris jusqu'au midi qui se fait en voiture, dans une belle Buick, il n'est question que de cinéma. Jean-Claude Brialy, fils de militaire et éduqué à la dure, n'en croit pas ses oreilles. « C'était comme un groupe clandestin qui prépare une révolution [68] », se souvient-il. Au matin, la bande arrive aux arènes. Ambiance de corrida, poussière, deux cents figurants. « Au milieu de tout ça, Jean Renoir, magnifique, et à ses côtés un jeune garçon en noir avec des yeux de feu : François Truffaut. » Au retour, dans la nuit, Brialy, qui n'a qu'une envie, devenir acteur, fait tout pour séduire la bande par quelques numéros, où il joue tous les rôles, « la danseuse, le vieux, le jeune, Carmen [69]... ». Il subjugue l'équipe des *Cahiers du cinéma* et deviendra leur acteur-mascotte. On le retrouvera dans leurs premiers films, des courts métrages comme, en 1956, *La Sonate à Kreutzer* d'Éric Rohmer et *Le Coup du berger* de Jacques Rivette, puis, en 1957, *Tous les garçons s'appellent Patrick* de Jean-Luc Godard, et surtout dans les deux premiers longs métrages de Claude Chabrol, *Le Beau Serge* et *Les Cousins,* la même année.

Au contact de certains cinéastes, Truffaut a de plus en plus envie d'être utile sur le terrain même de la mise en scène. Curieusement, c'est Julien Duvivier, vieux de la vieille du cinéma français, qui lui propose de collaborer à l'écriture d'un scénario. Pourtant, Truffaut n'a pas toujours été tendre avec lui. Mais à la sortie de *Voici le temps des assassins,* le nouveau Duvivier, la réaction de Truffaut est bonne : « Duvivier a tourné 57 films ; j'en ai vu 23 et j'en ai aimé 8. De tous, *Voici le temps des assassins* me semble le meilleur », écrit-il dans *Arts* le 18 avril 1956. Les deux hommes se rencontrent à Cannes et évoquent un projet de scénario, *Grand Amour,* l'histoire de la vie amoureuse d'un homme moyen. Mais Duvivier est accaparé par un autre projet, l'adaptation avec René Barjavel d'une série noire, *L'Homme à l'imperméable,* écrite pour Fernandel. Fin août, il adresse une lettre magnifique à Truffaut : « Cette nuit j'ai fait un curieux rêve. Vous et moi étions au Havre. Nous étions sur le point d'embarquer pour l'Amérique sur un énorme paquebot dont je voyais très nettement le nom : *L'Atlantique...* C'était moi qui vous offrais le voyage ! ! ! Mais au moment de monter à bord je m'apercevais que je n'avais pas pris votre billet de passage... Vous entriez dans une colère folle, et me disiez mes quatre vérités. Alors j'allais trouver le chef-purser qui se rappelait que j'avais traversé en 1948 et qui me donnait une cabine. Puis tout à coup nous étions en mer et on me demandait au téléphone... Je ne saurai jamais qui m'appelait car à ce moment je me suis réveillé [70]. » Un voyage en Amérique, un acte manqué (un billet pour deux !), un jeune homme en colère disant ses quatre vérités à un cinéaste chevronné : le « rêve » de Duvivier dit l'exacte nature d'une relation ambiguë entre un cinéaste établi et un critique qui, pour passer de l'autre côté, doit encore parcourir du chemin. La lettre de Duvivier se termine pourtant sur un ton très amical : « J'aimerais pouvoir, si vous en avez toujours le désir comme moi-même, vous avoir comme collaborateur. Dites-moi donc ce que vous êtes devenu ces derniers temps et quels sont vos projets. Vous avez en moi un ami qui vous estime et vous apprécie. »

Ophuls

Max Ophuls est l'un des grands « maîtres » de Truffaut. Leur rencontre date de 1953, au moment où le cinéaste tournait *Madame de...*. À la sortie du film, Truffaut et Rivette ont longuement interviewé Ophuls, chez lui, à Neuilly. Max Ophuls a demandé à son fils Marcel d'être présent ce jour-là, afin de faciliter le contact avec les deux journalistes des *Cahiers du cinéma* qu'il considère, non sans méfiance, comme des intellectuels un peu confus. « Dès qu'ils sont entrés, quelque chose s'est passé entre mon père et François, il n'y avait pas de traduction à faire, il n'y avait qu'à s'asseoir dans un coin pour les écouter parler [71] », se souvient Marcel Ophuls. Avec ce mélange de timidité et d'assurance dans le jugement, Truffaut séduit le grand cinéaste. Les deux hommes se comprennent et prendront l'habitude de se retrouver au bar du Plazza Athénée, avenue Montaigne, pour de longues conversations.

C'est à cette époque que Truffaut organise de vigoureuses campagnes de presse pour tenter d'imposer le « style Ophuls ». Il lui faut convaincre une opinion encore extrêmement sceptique à l'égard du cinéaste allemand, considéré comme un doux rêveur excentrique spécialisé dans les viennoiseries légèrement sucrées. Ni *Le Plaisir* ni *Madame de...* n'ayant rencontré en France le succès critique mérité, Truffaut bataille avec ardeur contre les préjugés les plus établis : « *Le Plaisir*, qui n'eut même pas les honneurs d'un compte rendu dans les *Cahiers du cinéma* fut, comme *Casque d'or*, victime de la plus grave injustice de la critique française à l'égard d'un film français, et je suis persuadé que Bazin reviendrait aujourd'hui sur son jugement de l'époque comme il l'a fait pour le film de Becker [72]. » Max Ophuls est touché d'être ainsi défendu avec vigueur par un critique aussi jeune : « Comme toujours je vous remercie pour votre compréhension et pour tout ce qui est si difficile à exprimer, meilleures amitiés [73]. »

Au cours de leurs nombreuses conversations, Ophuls et Truffaut évoquent le film que doit tourner le cinéaste, *Lola Montès,* à partir de février 1955. Truffaut se propose de collaborer comme simple assistant. Ophuls l'encourage et, fin janvier, Truffaut signe un contrat d'assistant-stagiaire avec Gamma Films et son directeur de production, Ralph Baum, pour cinq semaines, et un salaire de 12 000 francs par mois. Mais le contrat est résilié pour des raisons syndicales. Vieux routier du cinéma, Ralph Baum voyait sans doute d'un drôle d'œil l'arrivée d'un critique indiscret sur le plateau d'un film ambitieux et difficile, pour assumer un poste d'exécution. Désolé mais ne voulant pas de conflit avec Ralph Baum, Ophuls écrit à Truffaut le 17 février pour lui dire ses regrets de ne pas l'avoir à ses côtés sur le plateau. « La prochaine fois, il faudrait vous utiliser plus tôt, du côté des auteurs plutôt que du côté des assistants. J'espère que Monsieur Rossellini vous employera ainsi. [...] J'ai le sentiment, sans pouvoir l'expliquer, que vous deviendrez un personnage important du côté de la création cinématographique et que votre changement — de la critique à la production — se fera sans heurt [74]. »

C'est donc comme journaliste que, début mars, Truffaut passe une semaine à Nice sur le tournage de *Lola Montès*. Son reportage paraît peu après dans *Arts*. À sa sortie, fin décembre, *Lola Montès* donne lieu à une sévère bataille critique. Lors de sa présentation à Paris le 20 décembre 1955, au Marignan, sur les Champs-Élysées, le distributeur a fait précéder le film d'une annonce informant le public qu'il va voir un film « sortant de l'ordinaire » et qu'il est encore temps pour lui de se faire rembourser avant les premières images... Lors des toutes premières séances, une partie des spectateurs chahutent le film au point que la police doit intervenir à deux ou trois reprises. François Truffaut s'engage en première ligne dans ce qu'il nomme la « bataille du Marignan » : « Tout comme l'héroïne qui lui donne son titre, ce film risque de provoquer un scandale et d'exacerber les passions. Faudra-t-il combattre, nous combattrons ! Faudra-t-il polémiquer, nous polémiquerons ! Voilà bien, en effet, le cinéma qu'il faut défendre, aujourd'hui en 1955, un cinéma d'auteur qui est en même temps un cinéma d'idées, où les inventions jaillissent à chaque image, un cinéma qui ne ressuscite pas l'avant-guerre, un cinéma qui enfonce des portes trop longtemps condamnées [75]. » Après trois semaines d'exploitation, le film est déjà menacé d'être retiré de l'affiche.

Pour frapper un grand coup et tenter de sauver le film,

Truffaut a recours à la pétition. Le 6 janvier 1956 paraît en première page de *Arts* et du *Figaro* un court appel rédigé par Rossellini et Truffaut, signé par Astruc, Becker, Christian-Jaque, Cocteau, Kast et Tati, demandant à ce qu'on ne retire pas le film
de l'affiche : « *Lola Montès* est, avant tout, un acte de respect
à l'égard du public si souvent maltraité par des spectacles de
niveau trop bas qui altèrent son goût et sa sensibilité. Défendre
Lola Montès, c'est défendre le cinéma en général puisque toute
sérieuse tentative de renouvellement est un bien pour le cinéma
et pour le public. » C'est sans doute la première fois dans l'histoire du cinéma que des auteurs de films, solidaires et influents,
défendent l'un des leurs en osant contrer l'opinion du public.
Touché et ému, Max Ophuls écrit le lendemain à Truffaut pour
le remercier de son intervention : « À vous que je connais bien
maintenant, je peux avouer une image rêvée qui m'est arrivée
tout à l'heure : j'avais beaucoup d'argent. J'avais tant d'argent
que je finançais une grande maison de production, une espèce
de "United Artists européenne", et durant toute la matinée,
pour qu'ils fassent leurs propres films, dans lesquels ils trouve-
raient leurs propres expressions, les personnalités suivantes
signaient leur contrat : Jean Cocteau, Roberto Rossellini, Jacques
Becker — comme j'aime écrire ces noms —, Christian-Jaque,
Jacques Tati, Pierre Kast, Alexandre Astruc. Soyez, je vous prie,
mon postillon envers eux [76]. »

Sur le chemin qui mène du journalisme à la réalisation,
Truffaut avance donc par à-coups, au gré des rencontres décisives. Son talent et son charme constituent des atouts indéniables,
autant que la verve polémique qu'il met au service des causes
qu'il défend. Il a surtout le talent d'enchanter les cinéastes qu'il
rencontre, qu'il s'agisse de Julien Duvivier ou de Max Ophuls.

Rossellini

Max Ophuls souhaitait à François Truffaut d'être employé
par Roberto Rossellini... En 1954, celui-ci, alors âgé de quarante-
huit ans, est rejeté par la critique italienne : ses derniers films,
Stromboli, les *Fioretti, Europe 51* ou *Voyage en Italie*, restés incom-

pris, sont des échecs commerciaux. La même année, venant de réaliser en Allemagne *La Peur,* adapté du récit de Stefan Zweig, le cinéaste romain est découragé et prêt à abandonner le cinéma. Il s'installe à Paris, dans une suite de l'hôtel Raphaël, avenue Kléber, avec Ingrid Bergman, leur fils aîné Robertino, et les deux jumelles de trois ans, Isabella et Ingrid. Le projet du moment consiste à monter *Jeanne au bûcher,* l'oratorio de Paul Claudel sur une musique d'Arthur Honegger, à l'Opéra de Paris, en juin, avec Ingrid Bergman dans le rôle-titre.

À Paris, cet événement artistique défraie la chronique mondaine. Ingrid Bergman et Roberto Rossellini formant l'un des couples les plus célèbres du moment. *Paris-Match,* dans son édition du 3 avril 1954, publie en première page une photographie en couleurs de l'actrice, portant ses deux petites filles dans les bras. Pour la critique établie, Rossellini n'est qu'un fantôme qui resurgit, celui du néo-réalisme italien. Pour les jeunes turcs des *Cahiers,* il est au contraire l'un des plus grands cinéastes au monde [77]. Ni dépassé ni scandaleux, il incarne le cinéma moderne, le cinéma à venir. Une fois encore, Truffaut est en première ligne pour saluer publiquement l'arrivée en France de Rossellini et d'Ingrid Bergman. Le 6 avril, il obtient sa une pour la première fois dans *Arts* grâce à une interview exclusive d'Ingrid Bergman au titre tapageur : « J'ai échappé à Hollywood... et à Sacha Guitry. » Dès lors, Truffaut entame sa campagne de presse en faveur de Rossellini à raison d'un article tous les mois. En seize mois, pas moins d'une douzaine d'articles consacrés au grand maître. Dans *Arts,* le 12 mai, un portrait intitulé « La vie de Rossellini en onze " Fioretti " ». Le 16 juin, un premier entretien : « Je ne suis pas le père du néo-réalisme, déclare le cinéaste. Je travaille dans une solitude morale absolue. Je souffre d'être méprisé et insulté de tous côtés. Je suis obligé de payer mes films moi-même. » Le 4 juillet, un nouveau portrait, cette fois dans *Radio-Cinéma-Télévision* : « Un homme seul, Roberto Rossellini. » En juillet toujours, un deuxième entretien dans les *Cahiers,* préparé cette fois avec Éric Rohmer. Enfin, le 19, une sorte de bande-annonce dans *Arts* des cinq films de Rossellini visibles à Paris au cours de l'année : *Amore, Où est la liberté ?, Jeanne au bûcher, Voyage en Italie* et *La Peur.*

C'est indéniablement au contact de Rossellini que les fervents cinéphiles des *Cahiers* mettent à l'épreuve leur désir de faire du cinéma. Avec *Voyage en Italie*, Rossellini leur a prouvé qu'il est possible de faire des films le plus simplement du monde, en racontant une histoire d'amour avec deux personnages dans un décor naturel. Lorsque le film sort à Paris le 15 avril 1955, sous le titre de *L'amour est le plus fort*, il s'agit, pour Truffaut, Godard et Rivette, moins d'une leçon de cinéma que d'une véritable révélation [78]. À la même période, le producteur Henry Deutschmeister, qui vient de permettre à Renoir de faire sa rentrée en France en finançant *French Cancan*, donne carte blanche à son ami Rossellini. Ce dernier décide alors de produire une série de longs métrages de fiction, en 16 millimètres, dont chacun montrerait un aspect de la réalité française du milieu des années cinquante. Sous sa responsabilité, ces films seraient confiés à Rivette, Rohmer, Godard, Truffaut, Rouch, Reichenbach, Chabrol, Aurel... avec quatre ans d'avance, la future bande de la Nouvelle Vague. « Il fallait que chacun écrive un scénario, se souvient Claude Chabrol, c'est ainsi que je me suis mis à écrire celui du *Beau Serge*. Notre désir de faire du cinéma s'est cristallisé en même temps. François a sauté le pas le premier en réalisant un court métrage, et je me suis dit que j'allais en faire également, c'est aussi bête que ça [79]. » Des enquêtes sont lancées dans des lieux significatifs : la Cité Universitaire par Rivette et Gruault, dans les milieux de la presse par Truffaut, dans une paroisse de montagne par Rohmer et Truffaut, sur la construction d'un grand barrage dans les Alpes, par Godard. Quelques synopsis sont écrits, des contrats signés. Mais le projet est trop en avance sur son temps : il n'aboutit pas, aucun mètre de pellicule ne sera imprimé, ni par Rossellini, ni par ses disciples...

De tous, Truffaut est sans doute le plus proche de Rossellini, qui en a fait son assistant. « Factotum », préfère dire le jeune homme, au gré des projets du moment et selon leur urgence. Car Rossellini peut se décider du jour au lendemain pour un sujet et l'abandonner aussi vite, selon l'humeur de l'instant. Mais dès qu'une idée est lancée, Truffaut est mis à contribution. « Et, tout de suite, il fallait acheter tous les livres se rapportant au sujet, constituer une documentation, joindre des tas de gens, commencer à écrire, il fallait " bouger " [80]. » La première collaboration de Truffaut avec Rossellini date de février 1955. De Stockholm où il séjourne, le cinéaste italien prie son assistant de lui trouver une comédie qu'il puisse tourner avec Ingrid Bergman. Truffaut écrit alors *La Décision d'Isa,* un projet de scénario de dix-huit pages. C'est l'histoire d'une scénariste ayant repéré, lancé puis épousé un jeune comique vedette à Hollywood, Jimmy. Mais elle le quitte au moment où son précédent mari meurt accidentellement... Le projet, comme bien d'autres, sera abandonné.

Entre 1955 et 1956, Truffaut travaille ainsi sur une dizaine d'idées de films, réunissant à chaque fois une importante documentation, convoquant des acteurs, repérant des lieux, écrivant des synopsis. Parmi ces projets, une biographie filmée de Georges et Ludmilla Pitoëff, et l'adaptation de *La Reine morte* de Montherlant, que Rossellini envisageait de tourner à Lisbonne. Au printemps 1955, les deux hommes s'y rendent pour négocier un contrat. Au retour d'une journée à Vevey où il est allé rendre visite à Chaplin, Rossellini donne rendez-vous à Truffaut à Lyon. « Nous filons dans sa Ferrari à toute vitesse jusqu'à Lisbonne ; il conduit jour et nuit, je dois lui raconter des histoires pour le tenir éveillé et il me tend un flacon mystérieux à respirer chaque fois qu'il y a menace de sommeil [81] », racontera Truffaut. Les deux hommes travaillent quelques jours à Lisbonne, cherchant à rencontrer le cinéaste Manoel de Oliveira. Mais Rossellini, qui ne se plaît pas au Portugal, renonce au projet. Retour en France par le sud de l'Espagne, puis la Castille. La direction de la Ferrari cède en pleine vitesse et l'équipée évite par miracle l'accident. En une nuit, dans un petit village castillan, des ouvriers fabriquent une pièce qui permet aux deux hommes de repartir. « Ému par le talent, le courage et la conscience des mécaniciens du garage, Rossellini décide alors de revenir en Castille tourner *Carmen* [82] », poursuit Truffaut. À peine rentré à Paris, Rossellini entreprend donc des démarches auprès des distributeurs. Méfiants, ils exigent de lui un découpage. Truffaut se met au travail, muni de trois exemplaires de *Carmen,* d'une paire de ciseaux et d'un bon pot de colle. En trois jours, il propose un découpage du film à Rossellini. Celui-ci abandonne l'idée presque aussitôt.

Il s'agit ensuite d'un « *Païsa* soviétique », recueil de six ou sept histoires typiques de la vie moderne en U.R.S.S. Durant quelques semaines, Rossellini et Truffaut se font traduire la *Pravda,* lisent des ouvrages et commencent à imaginer des histoires, conseillés secrètement par un diplomate russe. Voué par avance à l'échec, le projet tombe définitivement à cause d'une des histoires jugée trop irrévérencieuse par le diplomate : un citoyen soviétique aperçoit de loin son épouse qui semble aller à un rendez-vous amoureux. Jaloux, il la suit, la perd de vue, la retrouve au bras d'un autre. Ainsi de suite pendant plusieurs heures. Jusqu'au fin mot de l'histoire : le magasin principal de la ville a reçu un nouveau modèle de robe en une centaine d'exemplaires et, ce jour-là, un grand nombre de femmes moscovites sont habillées de manière identique...

En septembre 1956, de retour du festival de Venise, Truffaut séjourne une dizaine de jours à Santa Marinella, chez Rossellini, non loin de Rome. Cette fois, il est question pour Truffaut de réaliser un premier long métrage. Le projet évoqué, *La Peur de Paris*, serait produit par Rossellini lui-même, grâce à l'aide de la Franco-London Films, la société de production de Deutschmeister. Un contrat est signé le 21 novembre. Pour ce scénario d'une quarantaine de pages, Truffaut touche 100 000 anciens francs et son contrat prévoit une rétribution totale d'un million de francs pour la réalisation et le montage définitif du film. Il s'agit d'un récit d'initiation [83] où un jeune homme, de retour du service militaire en Allemagne, apprend la vie parisienne auprès de son oncle, un riche artiste qui le loge et l'introduit dans le milieu de la presse. Vite écœuré par cette vie superficielle, cynique, sans son ami Robert qu'il rencontre à la rédaction de son journal, le jeune homme aurait mis fin à ses jours. Il quitte la presse, vivote quelque temps dans la rue en vendant des plaquettes de poésie et des livres sous le manteau. Puis il rencontre deux femmes, l'une avec laquelle il vit un grand amour passionné mais platonique, l'autre, plus âgée, qui tient une boîte de nuit, et qui l'entretient luxueusement. Finalement, une révélation décisive ramène le jeune homme à son véritable amour... Dans cette histoire, se mêlent l'influence de personnages rosselliniens et la propre expérience militaire, journalistique et sentimentale de Truffaut. Quoi qu'il en soit, le projet est une fois encore abandonné.

Ces deux années de collaboration avec Rossellini prendront fin assez abruptement, après un dernier projet auquel Truffaut travaille activement. Il s'agit d'un documentaire sur l'Inde, produit par la RAI et réalisé par Rossellini. Le tournage durerait près de deux ans. Truffaut, comme les fois précédentes, recueille une importante documentation et joue les intermédiaires auprès de Jean Renoir, dont l'expérience indienne, pour avoir tourné *Le Fleuve* en 1950 dans les environs de Calcutta, peut être très précieuse. Finalement, Truffaut ne pouvant sacrifier plus d'une année à ce lointain voyage, Rossellini partira seul, assisté de Jean Herman, pour tourner *India* en 1957. « Je crois qu'il est sage pour moi de renoncer à travailler avec R. R. avant qu'il ne m'annonce lui-même qu'il ne peut pas m'emmener aux Indes ou quelque chose comme ça[84] », écrit Truffaut à Lachenay, depuis Venise, le 16 septembre 1956.

Son expérience avec Rossellini, si elle fut stérile en apparence, restera essentielle dans la vie de Truffaut. Au contact du cinéaste, il aura appris la débrouille, la ruse avec les producteurs, il aura appris, surtout, à passer d'un projet à l'autre, au gré des caprices de l'imagination, ou des opportunités financières. Si Rossellini s'est désintéressé de la fiction, pour orienter sa réflexion et ses projets vers un cinéma plus strictement documentaire, Truffaut, lui, en revanche, restera toujours insensible au documentaire, en en refusant même la logique. On comprend mieux le désarroi qui le gagne entre 1954 et 1956, pour avoir travaillé à des histoires, des récits, des scénarios, avec un cinéaste qui les refusait par principe. Il n'en reste pas moins qu'il aura appris l'essentiel auprès de Rossellini : filmer la vie...

La politique des auteurs

Allant à la rencontre de Max Ophuls ou de Roberto Rossellini, François Truffaut a « pratiqué » ses auteurs. Les connaître le mieux possible était sans doute le meilleur moyen de les défendre. Il y eut une autre manière de les promouvoir, plus théorique, mais non moins militante : il s'agit de la « politique des Auteurs », concept décisif élaboré par Truffaut lui-même[85]. L'expression est devenue célèbre, mais demeure aujourd'hui encore souvent ambiguë. Essayer d'en suivre la genèse ou vouloir la comprendre, c'est nécessairement aller à la rencontre de la personnalité critique de François Truffaut. Dès janvier 1954, un article au titre explicite, « Aimer Fritz Lang », consacré à *The*

Big Heat (Règlements de comptes), met en place les grandes lignes de sa politique : « Tout ceci ne donne-t-il pas à penser que Fritz Lang pourrait être un véritable *auteur* de films, et que si ses thèmes, son histoire empruntent, pour venir jusqu'à nous, l'apparence banale d'un thriller de série, d'un film de guerre ou de western, il faut peut-être voir là le signe de la grande probité d'un cinéma qui n'éprouve pas la nécessité de se parer d'étiquettes alléchantes ? Il faut aimer Fritz Lang. » La « politique des Auteurs », c'est d'abord ce volontarisme dans l'amour des cinéastes élus, par exemple Jacques Becker : « Je ne dis pas que le *Grisbi* soit meilleur que *Casque d'or,* mais encore plus difficile. Il est bien de faire en 1954 des films impensables en 1950... Pour nous qui avons vingt ans ou guère plus, l'exemple de Becker est un enseignement et tout à la fois un encouragement ; nous n'avons connu Renoir que génial ; nous avons découvert le cinéma lorsque Becker y débutait ; nous avons assisté à ses tâtonnements, ses essais : nous avons vu une œuvre *se faire.* Et la réussite de Jacques Becker est celle d'un homme qui ne concevait pas d'autre voie que celle choisie par lui, et dont l'amour qu'il portait au cinéma a été payé de retour [86]. »

Amour volontaire et désir de suivre une œuvre en train de se faire : tels sont les éléments essentiels de la « politique des Auteurs » pour Truffaut. Cela implique avant tout une proximité, une intimité avec l'auteur, dont on doit défendre *tous* les films, même ceux méprisés pour leur genre ou leurs défauts. Aussi, ce n'est pas un hasard si cette défense de l'auteur apparaît définitivement comme une politique cohérente à l'occasion de la sortie de deux films très largement méprisés par la critique : *Ali Baba et les Quarante Voleurs* de Jacques Becker et *La Tour de Nesle* d'Abel Gance, dont Truffaut va se servir pour rendre plus explicite son manifeste.

Le 1ᵉʳ septembre 1954 dans *Arts,* Truffaut publie un article élogieux, « Sir Abel Gance ». Pour le jeune critique, il existe un paradoxe qui consiste à admirer l'œuvre muette de Gance tout en décriant ses films parlants. C'est à peu près l'opinion unanime au sein de la critique établie. Or, soutient-il, ses films parlants procèdent exactement du même génie visionnaire que les muets, et l'on ne peut sans se contredire faire l'éloge des uns et dénoncer les autres. « Je dois peut-être faire l'aveu suivant. Je crois à la "politique des Auteurs" ou, si l'on préfère, je me refuse à faire miennes les théories si prisées dans la critique cinématographique du " vieillissement " des grands cinéastes, voire de leur " gâtisme ". Je ne crois pas davantage au tarissement du génie des émigrés : Fritz Lang, Buñuel, Hitchcock, ou Renoir. » Ainsi, Truffaut prend à revers deux des préjugés critiques les mieux établis, le vieillissement et la perte des racines culturelles, pour fonder sa politique. Les cinéastes qu'il aime sont justement des « sages », des « maîtres », des esprits cosmopolites, des cinéastes « transfrontières ». « Les dix plus grands cinéastes du monde ont plus de cinquante ans », n'hésitera-t-il pas à écrire en janvier 1958 alors que la Nouvelle Vague s'annonce [87].

Truffaut est déçu par *La Tour de Nesle*, d'Abel Gance, à sa sortie en mars 1955. Mais, stratège virtuose, il fait de cette déception même son principal argument dans l'affirmation désormais définitive de sa politique. Il annonce même la couleur, avouant que sa critique sera « partiale, emphatique et sournoisement polémique ». « Il n'y a rien de bien intéressant à dire sur *La Tour de Nesle*. Tout le monde sait qu'il s'agit d'un film de commande à devis ridicule dont le meilleur est resté dans les tiroirs du distributeur. *La Tour de Nesle* est, si l'on veut, le moins bon des films d'Abel Gance [88]. » Jugeant Gance essentiellement sur ses virtualités et sur une seule scène réussie repérée dans le film, Truffaut défend l'auteur justement parce qu'il rate son film, mais le rate avec une sublime aisance : « Comme il se trouve qu'Abel Gance est un génie, *La Tour de Nesle* est un film génial. Abel Gance ne possède point du génie : il est possédé par le génie. [...] Si vous ne voyez pas en quoi Gance est génial, c'est que nous n'avons, vous et moi, pas la même idée du cinéma, la mienne étant, évidemment, la bonne. La question se pose à présent de savoir si l'on peut être à la fois génial et raté. Je crois plutôt que le ratage c'est le talent. Réussir c'est rater. Je veux finalement défendre la thèse : Abel Gance auteur raté de films ratés. Je suis convaincu qu'il n'est pas de grands cinéastes qui ne sacrifient quelque chose. Or, le film réussi selon l'ancestrale critique est celui où tous les éléments participent également d'un tout qui mérite alors l'adjectif parfait. Or la perfection, la réussite, je les décrète abjectes, indécentes, immorales et obscènes [89]. » Avec son goût du paradoxe, ici élevé à son plus haut degré, Truffaut illustre la politique des auteurs grâce à l'inaboutissement même de l'œuvre particulière de Gance. Chaque film d'auteur, en définitive, devient le récit d'un ratage, du sacrifice de la perfection. Et seul l'ensemble de ses films, retraçant un trajet personnel, unique, permet de comprendre un auteur. Toute cette politique est ainsi fondée sur ce que l'on pourrait nommer le « paradoxe du film mineur ».

La défense d'*Ali Baba et les Quarante Voleurs,* film de commande de Jacques Becker avec Fernandel, conforte d'ailleurs Truffaut dans son assurance. L'article qu'il lui consacre en février 1955 dans les *Cahiers du cinéma* apparaît comme une sorte de manifeste définitif. « *Ali Baba* et la " politique des Auteurs " », tel est d'ailleurs son titre. À sa sortie, le film est négligé par la critique. Truffaut lui-même est embarrassé par les faiblesses du film. Art du paradoxe, cette fois encore, pour sortir d'une difficulté en adhérant à l'œuvre entière de Becker, « sans exception », au nom d'une cohérence de goût. « *Ali Baba* eût-il été raté que je l'eusse quand même défendu en vertu de la politique des Auteurs que mes congénères en critique et moi-même pratiquons. Toute basée sur la belle formule de Giraudoux : " Il n'y a pas d'œuvre, il n'y a que des auteurs ", elle consiste à nier l'axiome cher à nos aînés, selon quoi il en va des films comme des mayonnaises, cela rate ou se réussit. De fil en aiguille, ils en arrivèrent, nos aînés, à parler, sans rien perdre de leur gravité, du vieillissement stérilisateur voire du gâtisme d'Abel Gance, Fritz Lang, Hitchcock, Hawks, Rossellini et même Jean Renoir en son hollywoodienne période. » De manière très démonstrative, Truffaut propose en quelque sorte une théorie du goût aussi intransigeante que celle qui attaquait le « cinéma français de qualité », exprimée un an auparavant dans son article « Une certaine tendance du cinéma français ». Le ton est donc aux certitudes. Certitude que les jeunes critiques ont raison contre leurs « aînés professoraux ». Certitude que les choix sont bons : Gance, Becker, Lang, Hitchcock, Hawks, Rossellini, Renoir. Certitude que seule cette politique garantit la cohérence de jugement. André Bazin, figure tutélaire des *Cahiers,* demeure quant à lui très sceptique sur cette ligne critique dont il redoute les effets pervers dus à l'éloge systématique et formaliste des films mineurs [90]. Malgré lui, la « politique des Auteurs » conquiert rapidement une large partie de la rédaction des *Cahiers du cinéma,* car elle correspond à l'écriture intimiste adoptée par la revue (les entretiens avec les metteurs en scène élus) et confirme son orientation polémique.

Si Truffaut a mis en avant une stratégie critique, une défense polémique, il s'agit aussi de fonder la politique des auteurs sur quelques critères, presque sur une morale. Mais il reste à définir la notion d'« auteur ». Truffaut, comme Godard, Rivette ou Rohmer, avance un argument simple : un auteur est d'abord, et uniquement, un « metteur en scène ». La mise en scène, c'est l'auteur mis à nu, ce qui subsiste lorsque tout ce qui est annexe au cinéma disparaît (le scénario, la réputation, la promotion...). Ce qui n'est beau qu'*au* cinéma, c'est la mise en scène. Elle seule définit l'auteur. Rohmer l'exprime par une boutade : « Nul n'entre dans l'Olympe des *Cahiers* s'il n'est metteur en scène [91] », et Bazin la retrouve au centre de son étude de la tendance « hitchcocko-hawksienne » (c'est-à-dire auteuriste) des *Cahiers* : « Ils prisent à ce point la mise en scène parce qu'ils y discernent dans une large mesure la matière même du film, une organisation des êtres et des choses qui est à elle-même son sens. aussi bien moral qu'esthétique [92]. »

Chez François Truffaut, le portrait de l'« auteur-metteur en scène » est cependant réservé à la figure emblématique d'Alfred Hitchcock. C'est un cinéaste sur lequel Truffaut écrit beaucoup, vingt-sept articles au cours des années cinquante. Car le « maître du suspense » est l'objet d'une admiration, d'un véritable culte. « Le plus grand inventeur de formes », le metteur en scène par excellence, celui qui « nous fait participer, par la fascination qu'exerce sur chacun de nous toute figure formelle, quasi géométrique, au vertige qu'éprouvent les personnages. Et au-delà du vertige, [il] nous fait découvrir la profondeur d'une idée morale, d'une vision du monde [93] ».

Et ce que le critique voit alors dans le film, grâce à la mise en scène, c'est un (auto)portrait : il s'agit du cinéaste, de l'auteur lui-même. L'auteur, pourrait-on dire en définitive, est ce metteur en scène qui, en multipliant les masques tel Hitchcock ou en se livrant avec une totale franchise comme Nicholas Ray, donne à voir l'intimité de sa personne à l'écran. Ce que Truffaut exprime à propos de Ray et de *Johnny Guitare,* ce film qui l'a si fortement touché, jusqu'aux larmes, jusqu'à le revoir plus de dix fois en deux semaines : « La marque de son talent réside dans sa sincérité absolue, sa sensibilité à fleur de peau... Contrairement à André Bazin, je crois qu'il importe qu'un metteur en scène se reconnaisse dans le portrait que nous traçons de lui et de ses films. Sinon nous avons échoué [94]. » Reconnaître l'homme qui, émotionnellement, s'est montré à l'écran, telle sera la conséquence ultime de la politique des auteurs. Il existe dans cet amour absolu une conception quasi anthropomorphique du cinéma, qui passe ici par l'esprit, le cœur et le corps de Nicholas Ray : qui voit un de ses films et le reconnaît, voit et reconnaît le cinéma tout entier. Ray est le cinéma.

La « politique des Auteurs » telle que la conçoit François Truffaut suppose une stratégie de harcèlement continu à l'encontre de l'ennemi. Et l'ennemi, au milieu des années cinquante, c'est encore et toujours le « cinéma français de qualité ». Pour développer ses attaques, le critique s'appuie principalement sur *Arts,* journal très lu et dont le rythme de parution hebdomadaire est idéal, plus propice à la polémique que celui d'une revue mensuelle comme les *Cahiers du cinéma.*

Le 30 mars 1955, l'assaut est lancé par un premier pamphlet, « Crise d'ambition du cinéma français ». Truffaut y propose un classement précis des « 89 metteurs en scène français du moment », qu'il répartit en cinq catégories. Les « auteurs » — il en dénombre neuf : Astruc, Becker, Bresson, Cocteau, Gance, Leenhardt, Ophuls, Renoir, Tati ; les représentants de la « qualité française » : Yves Allégret, Autant-Lara, Carné, Cayatte, Christian-Jaque, Clair, Clément, Clouzot, Delannoy, Grémillon ; les quinze « semi-ambitieux », les vingt-cinq « commerciaux honnêtes », et les vingt-neuf « délibérément commerciaux »... De la même façon, le 8 juin 1955, le critique s'en prend violemment aux scénaristes, généralisant l'attaque déployée contre Aurenche et Bost à toute une corporation qui, « singeant la pire des littératures », ne vise qu'une « qualité mort-née » : « Les cinéastes français, par le tour de passe-passe du scénario, troqueront les " comédies cochonnes " contre les adaptations de best-sellers : toutes les œuvres de Queffelec, Cesbron, Soubiran, Michel de Saint-Pierre, Kessel, Gilbert Dupé, Daninos, Jean Duché y passeront les unes après les autres. L'amélioration ne sera qu'extérieure mais quand les apparences sont sauves, le Fonds d'aide pourra considérer qu'il y a amélioration : le cinéma français sera toujours un sale gosse, mais un sale gosse débarbouillé. »

Truffaut appelle donc régulièrement les lecteurs de *Arts* à « se mettre en violence contre le cinéma français », et les spectateurs à « casser les fauteuils face à ces films infâmes [95] ». Revenant sans arrêt sur les mêmes thèmes, il dresse des bilans périodiques et sans concession de la production nationale. Mais c'est dans le combat singulier et les duels d'homme à homme qu'il se montre le plus habile et le plus efficace. Par exemple, lorsqu'il s'en prend avec verve et de manière très virulente au dernier film de Jean Delannoy, *Chiens perdus sans collier,* adapté par Jean Aurenche et Pierre Bost d'un roman de Gilbert Cesbron. La photo qui illustre son article dans *Arts,* le 9 novembre 1955, est particulièrement ironique, figurant Jean Aurenche, Jean Gabin et Jean Delannoy, piteusement maintenus derrière les barreaux d'une prison. « *Chiens perdus sans collier* n'est pas un film raté, c'est un forfait perpétré selon certaines règles, c'est un larcin conforme à certaines ambitions qui se devinent aisément : " faire un gros coup en s'abritant derrière l'étiquette de la qualité ". » Truffaut cherche l'affrontement avec Delannoy. Il l'insulte pour le faire sortir au grand jour, et prendre ensuite à témoin l'opinion. « Tout cela est écrit sur mesure pour le Gaumont-Palace par deux scénaristes désabusés et cyniques, Aurenche et Bost, qui ont écrit des répliques " émouvantes ", et mises en images par un homme insuffisamment intelligent pour être cynique, trop roué pour être sincère, trop prétentieux et solennel pour être simple. » La réponse espérée ne se fait pas attendre. Le 13 novembre, Delannoy lui adresse une lettre recommandée : « Ce que vous avez écrit à propos de *Chiens perdus sans collier,* des scénaristes Jean Aurenche et Pierre Bost, de Jean Gabin, des jeunes acteurs du film et de moi-même est d'une telle bassesse qu'en vingt ans de métier je n'ai pas rencontré la pareille. C'est un record que vous venez de battre. Cela valait d'être signalé [96]. » Évidemment, Truffaut ne rate pas l'aubaine, et publie un extrait de la lettre de Delannoy dans *Arts,* mais accompagné de mots de soutien qui lui ont été adressés. Une manière d'orchestrer la polémique, sur le thème du combat manichéen entre le « justicier incorruptible » et l'un des représentants les plus éminents de l'académisme officiel. Le 26 novembre, Truffaut triomphe : « M. Jean Delannoy est le cinéaste français le plus commercial ; que lui faut-il de plus ? Une critique unanimement élogieuse ? Impossible ! À la lettre, recommandée, de Jean Delannoy, j'en oppose, en guise de réponse, trois autres que leurs signataires n'ont " recommandées " qu'à la grâce de Dieu. Je certifie n'avoir reçu — non plus que la direction de *Arts* — aucune lettre favorable à *Chiens perdus sans collier*, sans quoi je l'eusse publiée, non par estime pour Jean Delannoy, mais pour le bon équilibre de cette vaine polémique. »

Après une année de combat, une nouvelle étape s'ébauche dans la carrière de François Truffaut. Au printemps 1956, sa popularité est telle que ses articles s'imposent en première page de *Arts*. Son sens de la polémique n'en est que plus renforcé. Ainsi, en mai 1956, ce sont quatre articles qui, titrés de manière spectaculaire, attirent coup sur coup l'attention des lecteurs sur ce que Truffaut appelle « la progressive dégénérescence [97] » du festival de Cannes. Véritable institution, il fête cette année-là sa neuvième édition, plus ouvert que jamais sur le cinéma international, mais également forteresse du cinéma français le plus établi. Le 23 mai, Truffaut dit « leurs quatre vérités » aux officiels du cinéma français, *Arts* titre à la une : « Cannes, un incontestable succès ? Non, Monsieur le ministre ! » Le critique dresse alors la liste de ses doléances, jouant avec habileté sur ce dialogue entre le « petit » détenteur d'une vérité et le « gros » aveuglé par son pouvoir : « Le cinéma c'est ceux qui le font, ceux qui l'aiment, ceux qui y vont, et pas ceux qui en profitent. Il faut réformer le jury. Il faut renvoyer les diplomates à leur dosage. Cela fait, des protestations salueront encore la proclamation des récompenses. Mais elles s'adresseront à l'audace et non à la prudence. Mieux vaut l'excès que la médiocrité. » S'attaquant avec violence et insolence au festival de Cannes, Truffaut gagne en autorité. À la une de son hebdomadaire, il a conquis une place pour y mener ses combats. Désormais, chaque année en mai, au moment du festival de Cannes, *Arts* sera marqué par ses humeurs.

Venise 56

Au début du mois de septembre 1956, François Truffaut assiste à la Mostra de Venise, le prestigieux festival de cinéma, plus ancien que celui de Cannes. L'année précédente, il y était déjà, accompagné de Laura Mauri, la jeune femme dont il était amoureux. Malgré une sévère angine et une forte fièvre, il avait envoyé à *Arts* deux longs articles soulignant la bonne tenue du festival et son ambiance chaleureuse. Cette fois, il s'y rend en compagnie de Jacques Doniol-Valcroze, le rédacteur en chef des *Cahiers du cinéma*. Truffaut doit prendre le train jusqu'à la gare de Bex, en Suisse, où le rejoint son ami. Ensuite les deux hommes poursuivront le voyage en voiture, dans la dauphine jaune de Doniol-Valcroze, empruntant le col du Grand Saint-Bernard avant de dévaler la vallée d'Aoste. À chaque virage, rapporte Doniol-Valcroze, Truffaut ne cessait de répéter, exalté par des paysages grandioses qu'il imaginait en décors de film : « Comme Bonaparte ! » Après s'être arrêtés non loin de Monza pour déjeuner, les deux hommes arrivent dans la nuit à Venise [98].

Présent une dizaine de jours au Lido de Venise, Truffaut voit deux ou trois films par jour, dont *Un condamné à mort s'est échappé* de Robert Bresson, *La Rue de la honte* de Kenji Mizoguchi, *Derrière le miroir* de Nicholas Ray, *Bus Stop* de Joshua Logan, et *Attack* de Robert Aldrich. Truffaut a très envie de rencontrer Aldrich, un cinéaste à qui il voue une grande admiration. La rencontre a enfin lieu, un événement qui compte dans la vie du critique : « Sur la plage, écrit-il dans *Arts* le 19 septembre, j'ai rencontré le corpulent génie et nous avons causé. Je lui ai posé 60 questions. Le résultat de ce réjouissant et sublime colloque dans notre prochain numéro. »

À Venise, entre deux films et à l'heure du déjeuner, journalistes et professionnels français ont l'habitude de se retrouver sur la plage du Lido, où un carré de sable leur est réservé. C'est là que se croisent André Bazin, Jean de Baroncelli, Jean Néry, Claude Mauriac et quelques autres. Pour Truffaut, les choses sont plus délicates. Car sur cet espace se côtoient les principaux acteurs polémiques de la « guerre de papier » qui secoue alors le cinéma français. Aussi, les petites vexations se multiplient, tout comme les grimaces, le mépris, ou au contraire la franche camaraderie. « Je prends des bains de soleil avec Carlo Rim, confie le jeune critique, mais on joue ceux qui ne se connaissent pas, ce qui est parfois cocasse étant donné qu'on tente de nous présenter l'un à l'autre trois fois par jour, et qu'il nous faut feindre de ne pas entendre les noms... Insensé [99] ! » Pierre

Braunberger est de ceux qui fréquentent la plage du Lido. À Paris, il est l'un des rares producteurs à s'intéresser aux jeunes metteurs en scène, prêt à financer leurs films, essentiellement des courts métrages. Braunberger conçoit une certaine admiration pour le talent critique de Truffaut, et aimerait bien enrôler le jeune homme dans l'aventure d'un court métrage, pour sa maison de production, les Films de la Pléiade. Le courant passe entre les deux hommes, et Truffaut évoque des projets avec le producteur, qu'il surnomme « Batala », clin d'œil à l'escroc fascinant interprété par Jules Berry dans *Le Crime de Monsieur Lange,* le film de Renoir. Dans une lettre à son ami Charles Bitsch, Truffaut décrit ainsi Braunberger : « Qui n'a pas vu Braunberger en slip, gigotant dans le sable, n'a rien vu. Mais Pierrot est emballé par mes nombreux scénarios et semble vouloir travailler avec moi [100]... »

Sur la plage du Lido, Truffaut fait la connaissance de Madeleine Morgenstern, une jolie brune aux cheveux courts, fine et rieuse. Elle est la fille unique d'un important distributeur, Ignace Morgenstern, qui dirige Cocinor (Comptoir cinématographique du Nord). Ignace Morgenstern, qui passe ses vacances en Suisse avec sa femme Élizabeth, a confié à sa fille la mission de le représenter à Venise, et de repérer des films susceptibles d'être distribués en France. Madeleine a vingt-cinq ans, elle travaille pour Cocinor dans le service publicité, après avoir fait des études d'anglais et séjourné quelques mois aux États-Unis. Un soir, à l'hôtel Excelsior, l'endroit chic du festival, Pierre Braunberger la présente à François Truffaut. Les jours suivants, les jeunes gens se croiseront à nouveau, se retrouvant parfois aux premiers rangs dans la grande salle où sont projetés les films de la compétition. Ils ont plaisir à parler ensemble, même si Madeleine n'a pas le sentiment d'impressionner le critique fougueux, dont elle connaît la réputation, lisant ses articles dans *Arts* ou les *Cahiers du cinéma,* dans le cadre de son travail. « Quand nous nous sommes quittés, il m'a promis de m'écrire, ce qu'il n'a jamais fait [101] », se souvient-elle. Les deux jeunes gens ne se reverront que six semaines plus tard, au hasard d'une rencontre sur les Champs-Élysées. « Ah, je vous ai écrit, mais j'ai déchiré la lettre [102] ! », lance-t-il pour justifier son silence. Manière de forger des mystères et de jouer les séducteurs. Ils se revoient régulièrement, vont au cinéma ensemble, mais il ne s'agit encore que d'une amitié.

En quittant Venise le 10 septembre 1956, François Truffaut s'est rendu à Rome, chez Roberto Rossellini. Épuisé par son intense activité journalistique, il voudrait passer à autre chose, pensera même abandonner la critique. Même s'il est sceptique quant aux projets développés avec Rossellini, la vie aux côtés du cinéaste italien le stimule. Faire un film devient pour lui une priorité absolue. Le contrat signé avec Rossellini et Deutschmeister pour *La Peur de Paris* restera dans les tiroirs.

Henri-Pierre Roché

À cette période, Truffaut est bouleversé par un roman, *Jules et Jim* d'Henri-Pierre Roché, qu'il a découvert en fouillant parmi les livres d'occasion de l'éventaire de la librairie Delamain, place du Palais-Royal. Il a été intrigué par le titre de ce roman, publié deux ans plus tôt chez Gallimard et passé à peu près inaperçu. Henri-Pierre Roché est un illustre inconnu âgé de soixante-seize ans, et *Jules et Jim* est son premier roman. « Dès les premières lignes, j'eus le coup de foudre pour la prose d'Henri-Pierre Roché, dira Truffaut plus tard. À cette époque, mon écrivain favori était Cocteau pour la rapidité de ses phrases, leur séche-resse apparente et la précision de ses images. Voilà que je découvrais, avec Henri-Pierre Roché, un écrivain qui me semblait plus fort que Cocteau, car il obtenait le même genre de prose poé-tique en utilisant un vocabulaire moins étendu, en formant des phrases ultra-courtes faites de mots de tous les jours. À travers le style de Roché, l'émotion naît du trou, du vide, de tous les mots refusés, en un mot de l'ellipse même [103]. »

Très enthousiaste, Truffaut fait référence à *Jules et Jim* sous le moindre prétexte. Ainsi, dans son compte rendu d'un western intimiste d'Edgar G. Ulmer, *The Naked Dawn* (*Le Bandit*), il ose un rapprochement dont lui seul possède la clé : « L'un des plus beaux romans modernes que je connaisse est *Jules et Jim* d'Henri-Pierre Roché, qui nous montre, sur toute une vie, deux amis et leur compagne commune, s'aimer d'amour tendre et sans pres-

1

1. François Truffaut à l'âge de quatre ans.

2. Roland et Janine Truffaut.
La grande injustice a été réparée
par un homme de cœur...
(Bernard de Monferrand).

3. François en vacances avec
son père, Roland Truffaut.

4. François Truffaut et
Geneviève de Monferrand, sa
grand-mère, en 1939.

5. François Truffaut. *Je devais*
lire en silence...

2

4

3

6

7

6. François Truffaut en colonie de vacances. *C'est une période qui semble malheureuse, mais le côté heureux est tressé là-dedans sans que je m'en rende bien compte.*

7. François Truffaut à dix ans. *Il comprend très bien, tout sauf la discipline...* (Livret scolaire).

8. François Truffaut, août 1941. *François a meilleure mine qu'il n'a eue depuis longtemps...* (Geneviève de Monferrand).

9. François Truffaut chez sa grand-mère paternelle, à Juvisy. *Les vacances se passaient le plus souvent au bord de la route à regarder passer les voitures...*

10. École communale de la rue Milton en 1944. François Truffaut, assis au premier rang, troisième en partant de la gauche (sur le même rang, à droite, son ami Claude Thibaudat, qui se fera connaître sous le nom de Claude Vega). *Bon petit élève, mais un peu bavard parfois...* (Livret scolaire).

8

9

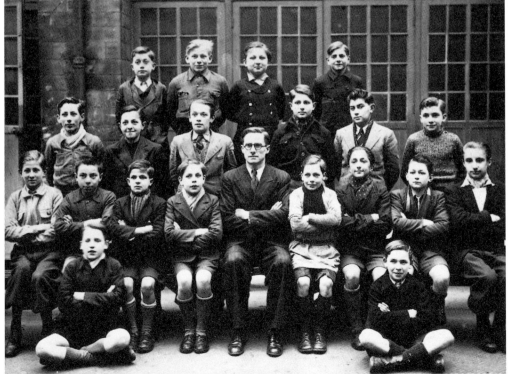

10

11

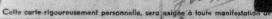

12

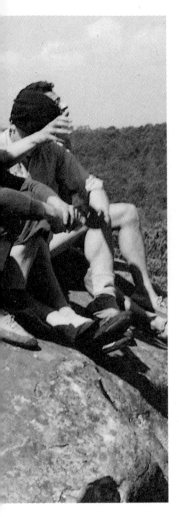

11. Week-end à Fontainebleau (en partant de la gauche : François, Roland et Janine Truffaut). *Mon fils ne comprendra jamais rien à la montagne...* (Roland Truffaut).

12. Carte d'adhésion à un ciné-club.

13. Reconnaissance de dettes, 8 décembre 1948.

14. François Truffaut et Robert Lachenay, boulevard Saint-Michel, en 1948. *On s'était mis ensemble pour résister...*

15

16

CENTRE D'OBSERVATION
DE MINEURS DÉLINQUANTS
DE PARIS

Villejuif, le samedi 11 décembre 1948

Nom : Truffaut François

Notes

Santé :   Conduite :

Travail :   Classe :

Chers parents,

Après avoir passé 30 heures au commissariat j'ai été transféré au dépôt à la cité, dans lequel dépôt j'ai passé 2 jours avant d'arriver ici. Vous devez envoyer sans tarder ma carte d'alimentation. Je vous signale que les visites ont lieu les dimanches et jours fériés de 13h30 à 15h30. L'autobus 185 vous conduit de la Porte d'Italie à 100m du bâtiment dont l'appellation est C.O.M, 54 avenue de la République, 54 Villejuif (Seine)

Le jeudi on a le droit de recevoir un colis de pain, le dimanche un colis ordinaire dans lequel on peut mettre tout ce que l'on veut à l'exception d'allumettes, briquets, rasoirs, linge) et livres seul autorisés. J'aimerai recevoir si vous n'y voyez pas d'inconvénient mon Charlot relié ainsi que mes dossiers Charlie Chaplin et Orson Welles.

En attendant d'avoir de vos nouvelles, je vous quitte et vous embrasse.

François

N. B. Les visites ont lieu le dimanche et jours fériés de 13h30 à 15h30

81.3217 – Imp. adm. Melun – C. 591 – 1948   (C. O. M.) Paris

17

15. Jean-Pierre Léaud dans *Les Quatre Cents Coups* : Antoine Doinel en mineur délinquant.

16. Guy Decomble et Jean-Pierre Léaud dans *Les Quatre Cents Coups*.

17. Mineur délinquant, Truffaut fait à ses parents le récit de son arrestation.

18. Cahier d'écolier où ont été écrits les premiers textes des *Quatre Cents Coups*.

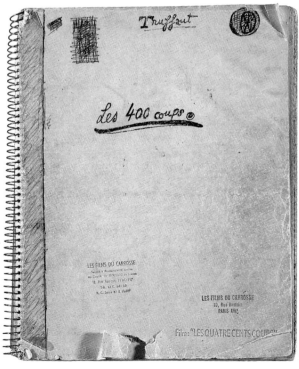

18

19

19. Mireille G. et François Truffaut.

20. Biarritz, 1949 : François Truffaut et Jean-Luc Godard au festival
du Film Maudit.

Hôpital Villemin   mardi — 21 août 1951
comme détenu 8 rue des Recollets   La mort de Jouvet
PARIS (10°)
3ème Médecine

        Jouvet est mort; je suis de ceux que la
mort de Thilda Tamar affecterait davantage.
        Pour Cocteau, une bonne occasion pour
écrire dans tous les hebdomadaires à la mode
qu'il vient de perdre son meilleur ami; je
gage que la comparaison avec les articles
qu'il fit sur la mort de Bérard serait
instructive sur ce style passe-partout.
        Genet trop sincère pour suivre l'enterrement
d'un personnage qu'il méprisait tant du point
de vue artistique que du point de vue moral; je
suppose qu'il aura regardé l'enterrement de
sa fenêtre qui donne juste sur le
cimetière Montmartre.
                LA JOURNÉE.
        Je n'ai reçu qu'une lettre, de Robert;
lettre très spirituelle où il me taquine sur mon
aventure transformée en escapade et sur ma
transformation morale qui me fait désirer
une vie paisible et familiale dès la Bazin;
il me cite une phrase de Prévert : "aimez vous
les uns sur les autres"
                D'Ursule Mirouët à Jean Genet
        Je viens de lire Ursule Mirouët, un des plus
extraordinaires romans de Balzac — je le mets avec
le Lys dans la vallée — la Duchesse de Langeais
Eugénie Grandet — Le cousin Pons — en lisant
Ursule Mirouët à plusieurs moments les larmes
me sont montées aux yeux et j'ai méprisé Gide
qui dans son journal consacre quelques lignes

HÔPITAL VILLEMIN (prison préventive)

21

21. Page du journal intime : hôpital Villemin, mardi 21 août 1951...

22. Truffaut en prison militaire en Allemagne.

23. Document : Truffaut engagé volontaire (27 décembre 1950).

24. Autoportrait de Truffaut, menottes aux poings entre deux
militaires.

22

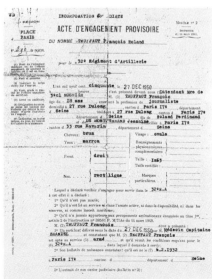

23

24

25. François Truffaut en 1951.
Un autodidacte qui se hait.

26. Jean Genet dédicace
Journal du voleur à F. Truffaut :
*Mon cher François, n'en soyez pas
blessé, mais quand je vous ai vu
entrer dans ma chambre, j'ai cru
me voir, presque d'une façon
hallucinante, quand j'avais
19 ans. J'espère que vous garderez
longtemps cette gravité du regard et
cette façon simple et un peu
malheureuse de vous exprimer.
Vous pouvez compter sur moi.*

27. *(Ph. page suivante).* Paris,
1952 : François Truffaut, enfin
libéré...

JOURNAL
DU VOLEUR

que de heurts grâce à une morale esthétique et neuve sans cesse reconsidérée. *The Naked Dawn* est le premier film à me donner l'impression qu'un *Jules et Jim* cinématographique est possible [104]. » Cette déclaration d'amour trouve assez vite son destinataire. Car, un mois plus tard, Roché lui adresse une petite carte où, de son écriture serrée et tremblée, il le remercie vivement : « J'ai été très sensible à vos quelques mots sur *Jules et Jim* dans *Arts,* notamment à " ... grâce à une morale esthétique et neuve sans cesse reconsidérée... ". J'espère que vous la retrouverez, encore plus, dans *Deux Anglaises et le Continent* que vous allez recevoir [105]. » Quelques jours plus tard, Truffaut reçoit en effet le deuxième roman de l'écrivain qui vient de paraître chez Gallimard. Après l'avoir lu, il est définitivement persuadé que Roché est un grand prosateur. Durant l'été, Truffaut rend visite à Roché, installé avec son épouse Denise dans une jolie maison de Meudon, près de la ligne de chemin de fer qui traverse la banlieue ouest de Paris. Il y trouve un vieil homme vif, grand et mince, en train de travailler à son troisième roman, *Victor,* qui restera inachevé et dont le héros reprend le portrait de son ami Marcel Duchamp. Roché raconte sa vie à Truffaut, dilettante, passée au milieu des femmes. Une vie proche de celle de Cocteau, ponctuée de voyages et de nombreuses rencontres avec ses amis peintres, André Derain, Francis Picabia, Max Ernst, Wols, Georges Braque (dont il a été un compagnon de boxe), Marie Laurencin (une de ses maîtresses les plus fidèles), Picasso (qu'il a présenté à Gertrude Stein). Cette société d'artistes, Henri-Pierre Roché l'a traversée avec élégance, vivacité, parfois ironie, nouant de nombreuses liaisons, des passions amoureuses, des querelles aussi, qu'il a tout au long de sa vie consignées dans ses multiples carnets.

Cette complicité exceptionnelle avec un homme trois fois plus âgé que lui ne fait que renforcer chez Truffaut son désir d'adapter *Jules et Jim*. À la mi-novembre 1956, il songe même à engager l'écrivain pour écrire les dialogues de Kathe, la femme aimée de Jules et de Jim. Le 23 novembre, Roché s'enthousiasme à cette idée et fait envoyer cinq exemplaires de *Jules et Jim* à Truffaut. Celui-ci travaille d'arrache-pied, annote, découpe et recompose, à partir des phrases de Roché lui-même, un récit linéaire et simple. Henri-Pierre Roché n'écrira pas les dialogues de Kathe devenue Catherine dans la version de Truffaut. Mais

il lui donne des conseils. En fait, Truffaut n'est pas prêt à faire
son premier film sur un sujet aussi littéraire et délicat, si bien
que le projet de tourner *Jules et Jim* est sans cesse repoussé.
Il poursuit néanmoins sa correspondance avec Henri-Pierre
Roché, dont la dernière lettre date du 3 avril 1959. Malade, il
ne pourra répondre à l'invitation que Truffaut lui adresse pour
l'une des premières projections des *Quatre Cents Coups*. « Cher
jeune ami, votre bonne lettre ! Si je vais mieux, j'irai voir *Les
Quatre Cents Coups* à Paris. Vous me direz où on les donne. J'ai
relu moi aussi *Jules et Jim*. Je n'essaierai de le visualiser sur un
écran qu'après en avoir bien parlé avec vous, et connu votre
plan d'adaptation. En voulez-vous d'autres exemplaires ? Grand
merci pour les photos de Jeanne Moreau. Elle me plaît. Je n'ai
bien sûr pas pu sortir pour voir *Les Amants*. Je suis content qu'elle
aime Kathe ! J'espère la connaître un jour. Oui, venez me voir
quand il vous plaira, à votre retour, je vous attends [106]. » Henri-
Pierre Roché meurt le 9 avril 1959, avant d'avoir pu voir *Les
Quatre Cents coups*, avant d'avoir pu lire le scénario de *Jules et Jim*.
Au moins aura-t-il vu le visage de Jeanne Moreau.

Faire un film

Conscient de n'être pas prêt, ou pas assez mûr pour la
mener à bien, François Truffaut met de côté son adaptation de
Jules et Jim. D'autres projets l'occupent durant les derniers mois
de 1956. Des idées de films plus ou moins abouties. Comme ces
quelques lignes jetées sur le papier après une longue conversation avec Jean-Luc Godard, un matin de décembre, sur les bancs
du métro Richelieu-Drouot. En voici l'histoire : ayant raté le dernier train pour Le Havre, Michel vole une voiture américaine
près de la gare Saint-Lazare. Après avoir abattu un motard de
la gendarmerie lancé à sa poursuite, Michel, revenu à Paris,
retrouve Betty, sa fiancée, jeune et jolie journaliste américaine.
Dans les rues de Paris, en cette fin d'été, la course poursuite bat
son plein, de cinéma en cinéma. Arrêtée par la police, Betty finit
par dénoncer Michel, qui a trouvé refuge sur une péniche. Il se
laisse prendre à son tour, mais prétend avoir avalé une dose

mortelle de cachets d'aspirine. Personne ne le croit et on l'amène au bureau de l'inspecteur chargé de l'affaire. « Mais pour une fois, Michel n'a pas menti. Arrivé dans le bureau, il s'écroule, les bras en croix, d'un seul bloc, à la renverse. On se précipite. Michel est déjà mort [107]. » Trois ans plus tard, ce synopsis de quatre pages sera développé et transformé, durant l'été 1959, pour devenir le scénario du premier film de Jean-Luc Godard : *À bout de souffle*.

Truffaut avait proposé ses projets les plus achevés à Pierre Braunberger, lors de discussions sur la plage du Lido. Ils signent ensemble un premier contrat, le 10 janvier 1957, pour un court métrage intitulé *Autour de la tour Eiffel*. Truffaut perçoit 75 000 francs pour ce découpage de quatre pages préfigurant un film de 25 minutes, qui serait tourné en dix jours et en 35 millimètres, avec un devis évalué à près de deux millions d'anciens francs. Joëlle Robin, Jean-Claude Brialy, Édith Zedkine et Raymond Devos doivent en interpréter les quatre personnages. Curieusement, Truffaut écrit deux versions de cette histoire, celle d'un personnage ayant une idée fixe : voir la tour Eiffel. Dans la première version, Juliette, jeune provinciale en visite à Paris pour un héritage, désire monter sur la tour Eiffel qu'elle aperçoit de partout sans jamais arriver à l'atteindre. Elle croise des personnages qui pourraient l'y aider : un marchand de bestiaux (Devos) en virée à Paris qui préfère monologuer sur la condition paysanne plutôt que de lui indiquer le chemin, une « p'tite femme » (Joëlle Robin) qui attend le client, aguichante, bavarde, gouailleuse, mais dont la jeune provinciale ne soupçonne visiblement pas le métier, et un play-boy (Brialy) qui la séduit aisément, l'emmenant enfin au volant de sa voiture de sport vers la tour Eiffel. L'autre version donne le beau rôle à Jean-Claude Brialy. L'acteur y campe un « paysan de Paris », qui entre dans le champ de la caméra « en tenant au bout d'une corde une énorme vache réticente », et se dirige vers les abattoirs de Vaugirard. Lorsqu'il en ressort, il tient à la main une liasse de billets et commence sa visite de la capitale. La tour Eiffel est le premier monument qui l'attire. Il la voit de loin, mais semble perdu dès qu'il tente de s'en approcher. Un patron de bistrot (Devos), distrait et bavard, ne lui est d'aucune utilité, de même qu'une prostituée. En revanche, une jeune femme, Juliette, en le voyant pleurnicher sur le bord du trottoir, l'invite à monter dans sa voiture décapotable et le mène à la tour Eiffel. Là, elle l'entraîne dans une visite rapide du monument et, au cours de l'ascension, « le paysan se transforme insensiblement : son béret enfoncé jusqu'aux sourcils remonte peu à peu jusqu'à disparaître dans le vide ». De là-haut, le paysan découvre « un Paris parisien jusqu'au bout des ongles ». Lorsqu'ils redescendent, manifestement amoureux, ils forment « le plus parisien des couples », elle, toujours souriante, élégante, lui, rasé de frais, méconnaissable, spirituel, « Adam 1957 au bras d'une Ève éternelle [108] ». Truffaut abandonne assez vite ce projet qui ne l'amuse plus. On en trouvera néanmoins la trace dans le générique des *Quatre Cents Coups,* quand la caméra parcourant les rues de l'ouest de Paris finit par s'immobiliser aux pieds de la tour Eiffel. Quelques années plus tard, Truffaut fera collection de tours Eiffel, de toutes tailles, disposées sur les étagères de son salon dans l'avenue Pierre-Ier-de-Serbie.

Toujours avec Braunberger, il signe un nouveau contrat en mars 1957 pour un court métrage qui s'inscrit dans un film à sketches ayant pour thème les enfants. Truffaut, Richard Leacock, documentariste américain disciple de Robert Flaherty, Claude de Givray, le romancier René-Jean Clot, Jacques Doniol-Valcroze, Pierre Kast doivent chacun réaliser un sketch. Celui de Truffaut s'intitule *Le Mensonge de Bernadette.* C'est l'histoire d'une adolescente, accusée par son institutrice d'avoir copié. L'écolière se défend en mentant, l'institutrice veut bien la croire. Quelques semaines plus tard, avant sa première communion, Bernadette ne mange plus, ne parle plus... Elle finit par déposer sur la table de la cuisine une lettre où elle avoue à ses parents son mensonge, avant d'aller se noyer dans la rivière [109].

Ce projet collectif n'aboutit pas davantage. Truffaut caresse un temps l'idée de l'assumer seul, si bien qu'il continue d'écrire, en les classant par séries, des anecdotes sur l'enfance en incluant *Le Mensonge de Bernadette.* Certaines seront reprises beaucoup plus tard, en 1975, dans *L'Argent de poche,* et l'une de ces séries annonce aussi un thème des *Quatre Cents Coups :* « La fugue de François. L'école séchée. Le retour. Le mot. Le cartable derrière la porte [110]. » Au cours du printemps 1957, Truffaut est travaillé par cette idée de faire un film sur l'enfance, mais il manque encore le chaînon qui rende ce passage à l'acte simple et évident.

La jupe de Bernadette

Dans les bureaux de *Arts,* rue du Faubourg-Saint-Honoré, François Truffaut fait la connaissance de Maurice Pons, jeune collaborateur de l'hebdomadaire culturel. Pons est également l'auteur de nouvelles qu'il a fait paraître deux ans auparavant chez Julliard dans un recueil, *Virginales.* L'une d'elles, intitulée *Les Mistons,* séduit Truffaut, qui aimerait l'adapter. Il en parle aussitôt à Maurice Pons, et le lui confirme par écrit le 4 avril 1957 : « Si vous êtes d'accord, j'aimerais discuter avec vous de l'adaptation [111]... » Pons, qui s'est pris d'amitié pour Truffaut, qu'il décrit comme « un jeune homme nerveux et toujours pressé, aux cheveux fous, aux superbes yeux noirs, c'était " Bonaparte au pont d'Arcole " [112]... », est enchanté à l'idée qu'une de ses nouvelles soit adaptée au cinéma. De son côté, Truffaut est séduit par l'écriture élégante, concise, à la limite de la préciosité, avec laquelle Maurice Pons raconte l'histoire de cette bande de gamins surnommés les « mistons », qui épient les amours d'un couple d'étudiants, Yvette et Étienne, assistent à leurs parties de tennis et troublent leurs séances de cinéma. Jusqu'au jour où, par un bel après-midi de mai, l'un des enfants, dans une clairière où ils ont poursuivi le couple, est attrapé et sévèrement corrigé par Étienne. Après les vacances, les mistons apprennent que l'étudiant s'est tué durant l'été dans un accident de montagne, et voient passer une dernière fois Yvette, portant le deuil, absorbée par ses tristes pensées. Truffaut est touché par cette nouvelle, par sa force d'évocation sensuelle, cet émoi physique qui transparaît par exemple dans la description du bain d'Yvette. « Lorsqu'elle se rendait au bain de rivière, elle laissait sa bicyclette cadenassée devant l'entrée. Comme elle roulait toujours jupe flottante, et assurément sans jupon, il arrivait, les journées chaudes, que la selle de sa machine s'en trouvât tout humide. De semaines en semaines, il s'y traçait plus apparemment de pâles auréoles. Nous tournions, fascinés, autour de cette fleur de cuir bouilli, as de cœur haut perché dont nous envions les voyages. Il n'était pas rare que l'un de nous, n'y tenant plus, se détachât de notre groupe et sans forfanterie ni fausse honte, allât poser un instant son visage sur cette selle, confidente de quel mystère [113] ? »

En avril 1957, Truffaut est enfin en mesure de pouvoir faire son premier film. Robert Lachenay, qui vient de faire un petit héritage, a promis de l'aider et Truffaut est d'autant plus confiant qu'il a trouvé l'acteur qui pourrait interpréter le rôle d'Étienne : Gérard Blain qu'il a remarqué dans le film de Julien Duvivier, *Voici le temps des assassins*. Un jeune et beau ténébreux, solide, au caractère plutôt ombrageux. Dans sa critique de *Arts*, le 18 avril 1956, Truffaut ne manque pas de signaler à ses lecteurs ce nouveau comédien : « Gérard Blain, pour sa première vraie apparition, est parfait dans le rôle le plus difficile. » Dès le lendemain, Blain réagit : « En vous lisant hier j'en avais les larmes aux yeux et je n'osais y croire. Je lis presque tous vos articles et je ne suis pas sans savoir la réputation que vous avez parmi nous, aussi n'en suis-je que plus flatté. Vous êtes le seul à m'avoir compris. » Quelques jours plus tard, les deux jeunes gens sympathisent, puis se revoient, dans un café près des Champs-Élysées ou chez l'acteur qui habite Boulogne. Au cours d'un dîner chez Blain, Truffaut fait la connaissance de sa jeune épouse, Bernadette Lafont, que l'acteur a rencontrée à Nîmes durant l'été 1955, au cours du festival d'Art dramatique, alors qu'elle n'avait que dix-sept ans. Séduit par la spontanéité de Bernadette, convaincu du talent de Gérard Blain, Truffaut propose au couple de jouer les amoureux des *Mistons*. Il choisit de tourner à Nîmes, dont Bernadette Lafont est originaire, non loin des Cévennes où la famille Lafont possède une belle propriété, le « Serre de Pomaret », à Saint-André-de-Valborgne.

Bernadette Lafont n'a encore jamais fait de cinéma. Mais la proposition de Truffaut est de celles qu'il ne lui faut pas manquer. « J'étais assez timide, je parlais peu et j'avais honte de mon accent [114] », dit-elle aujourd'hui en repensant à ses débuts avec Truffaut. Et Blain ne voit pas d'un très bon œil que sa compagne embrasse la carrière d'actrice. « Lorsque j'ai demandé à Truffaut pourquoi il m'avait choisie, il m'a répondu : "J'ai senti que vous aviez autant envie que moi de faire du cinéma." Et c'était vrai. » Aussitôt, la jeune femme se prépare au rôle que lui a confié le cinéaste, au point de sacrifier les révisions du baccalauréat qu'elle est censée passer en juin 1957. En mai, elle prend des leçons de tennis avec un professeur que lui a conseillé son père, déniche une deux chevaux pour l'équipe du tournage, et suit à la lettre les indications vestimentaires de Truffaut : « La couturière m'a dit qu'elle pourrait me faire en deux jours une tenue complète. Je n'ai rien de blanc. Aussi pourrais-je faire deux jupes de cette couleur : une très ample pour les scènes de vélo et l'autre étroite et fendue comme vous le dites. Cela ira-t-il [115] ? », écrit-elle à son pygmalion le 8 juillet. Au cours de deux longs week-ends de repérages, en avril et juin 1957, Truffaut découvre, accompagné de Rivette, Chabrol et Brialy et guidé par Bernadette Lafont et Gérard Blain, les lieux précis de son tournage : les arènes de Nîmes, le Tennis-Club, la place de la Fontaine, les environs de Saint-André-de-Valborgne. Il ne lui reste plus qu'à trouver l'argent. Le budget n'est pas énorme, d'autant que Truffaut bénéficie du prêt d'une partie du matériel par Jean Malige, le chef opérateur pressenti pour le film, qui possède un mini-studio près de Montpellier, avec caméra légère, rails de travelling, table de montage et matériel sonore. Les comédiens travailleront en participation et les amis, Robert Lachenay, Claude de Givray et Alain Jeannel, seront enrôlés comme assistants. Il faut néanmoins assurer l'indispensable durant le tournage et le montage, soit 45 jours effectifs de travail.

Pour le financement des *Mistons,* Madeleine Morgenstern, devenue très intime avec François, demande l'appui de son père, qui confie le dossier à Marcel Berbert, son collaborateur au sein de Cocinor. Celui-ci se souvient encore de la consigne de son patron : « M. Morgenstern m'a dit : " Ce jeune homme veut faire un film. Il faut qu'il le fasse, mais j'aime autant qu'il monte une société pour qu'il soit chez lui. Voyez ce que vous pouvez faire [116]. " » C'est dans son bureau de Cocinor, rue Hamelin, que Marcel Berbert rencontre pour la première fois François Truffaut. Celui-ci, âgé de vingt-cinq ans, est venu timidement en « visite d'affaires ». « Il était plutôt petit, avec son petit costard, sans doute complexé devant moi, qui étais directeur de société et qui lui donnais des conseils pour monter sa société de production », se rappelle Marcel Berbert. Truffaut crée ainsi sa propre société de production, les Films du Carrosse, hommage explicite à Jean Renoir, en bénéficiant d'un crédit de deux millions d'anciens francs, l'équivalent du budget du film, accordé par l'UFIC, un organisme de financement du cinéma. Il a suffi d'un coup de téléphone de Marcel Berbert pour convaincre le responsable de l'UFIC d'accorder ce prêt à un jeune inconnu, mais le volume d'affaires en cours de Cocinor est tel que le risque est réellement minime. « Truffaut a longtemps cru que c'était sur sa bonne mine qu'on lui avait prêté cet argent ! De même, quand il a porté ses pellicules pour les faire développer, nous nous étions portés garants. Ce n'est que bien des années plus tard que François a su ce qui s'était passé [117] », raconte Marcel Berbert. Aidé à son insu par celui qui deviendra son beau-père, Truffaut s'apprête à réaliser son premier film.

Le film de demain sera un acte d'amour

Avant de tourner *Les Mistons,* François Truffaut, désormais journaliste vedette, prend soin de ne pas rater sa dernière campagne de presse. Peu avant l'ouverture du festival de Cannes, il publie le 20 avril 1957 dans *Arts,* sur trois colonnes à la une, un nouvel article polémique : « Que sera le festival de Cannes ? Cinq académiciens dans un jury où la littérature dominera [118]. » Truffaut ouvre le feu en suspectant le festival d'académisme. Le 15 mai, alors que le festival est sur le point de s'achever, Truffaut enfonce le clou, toujours dans *Arts* : « Vous êtes tous témoins dans ce procès : le cinéma français crève sous de fausses légendes. » La semaine suivante, il porte l'estocade définitive : « Cannes : un échec dominé par les compromis, les combines et les faux pas. » Pour le critique, « il y a trop de films médiocres » dans la production française, ce « cinéma de qualité » qu'il dénonce depuis bientôt quatre ans, engoncé dans ses vieilles recettes, artificiellement fabriqué dans ses studios d'un autre âge, rodé par ses scénarios et ses acteurs, figé dans une morgue et un mépris affichés pour la nouveauté et la jeunesse. Comme toujours lorsqu'il attaque, Truffaut n'oublie pas, *a contrario,* de faire l'éloge de cinéastes qu'il admire. En l'occurrence Renoir, Ophuls et Rossellini, trois auteurs dont « les films sont aussi personnels qu'une empreinte digitale [119]. » Analysant la crise du cinéma français, Truffaut mentionne pêle-mêle la faillite des producteurs, celle des scénaristes et celle des metteurs en scène, qui tous se renvoient la balle. Un seul remède à ses yeux : la confiance investie en l'« auteur », à la fois cinéaste et scénariste, assez généreux pour imposer ses vues, choisissant librement son équipe, ses acteurs, ses décors, sa musique, son histoire, dialoguant d'égal à égal avec son producteur. « Le film de demain sera tourné par des aventuriers », écrit-il en conclusion d'un article, qui s'apparente à la fois à un testament critique et à l'anticipation de son propre devenir : « Le film à venir m'apparaît plus personnel encore qu'un roman, individuel et autobiographique comme une confession ou comme un journal intime. Les jeunes cinéastes s'exprimeront à la première personne et nous raconteront ce qui leur est arrivé : cela pourra être l'histoire de leur premier amour ou du plus récent, leur prise de conscience devant la politique, un récit de voyage, une maladie, leur service militaire, leur mariage, leurs dernières vacances et cela plaira presque forcément parce que ce sera vrai et neuf. Le film de demain ne sera pas réalisé par des fonctionnaires de la caméra, mais par des artistes pour qui le tournage d'un film constitue une aventure formidable et exaltante. Le film de demain ressemblera à celui qui l'a tourné et le nombre de spectateurs sera proportionnel au nombre d'amis que possède le cinéaste. Le film de demain sera un acte d'amour [120]. »

Cette fois encore, Truffaut provoque un tollé dans la profession cinématographique. Robert Favre Le Bret, patron du festival de Cannes, réagit vigoureusement en exigeant un droit de réponse, qui paraît dans *Arts* le 12 juin 1957. Et la direction de Cannes sanctionnera Truffaut l'année suivante en refusant de l'accréditer. Il viendra quand même. Puis Claude Autant-Lara monte en première ligne. Celui dont les adaptations telles que *Le Rouge et le Noir* de Stendhal, *Le Diable au corps* de Radiguet, ou *Le Blé en herbe* de Colette représentent la « qualité française », le réalisateur de films plus personnels, noirs, comme *Douce, Occupe-toi d'Amélie* ou *La Traversée de Paris,* tente de faire taire le jeune furieux du journalisme cinématographique. Une semaine après la mort d'Erich von Stroheim, le 19 mai, Autant-Lara saisit l'occasion d'une émission de radio en hommage à l'auteur des *Rapaces* pour régler son compte à Truffaut. « Alors que ce matin, j'assistais aux funérailles du cinéaste maudit Erich von Stroheim, je pensais à ce jeune voyou du journalisme qui prétend avec impudeur qu'il n'y a pas de censure, et j'avais envie de le prendre par les oreilles et de l'amener devant la tombe de l'auteur des *Rapaces* pour lui montrer la tombe d'un cinéaste qui fut la victime par excellence de la censure. » Truffaut répond le 19 juin par un article virulent, sans doute le plus polémique de toute sa carrière. Il accuse Autant-Lara, « faux martyr », de n'être « qu'un cinéaste bourgeois », de démissionner intellectuelle-ment, de manquer de courage en s'abritant derrière des scé-narios écrits par d'autres, de travailler à l'intérieur d'un système « pourri par l'argent », qui lui permet « de recevoir 25 millions de salaire pour diriger B.B. dans *En cas de malheur,* sans, à aucun moment, prendre le risque d'un travail personnel de mise en scène ». « Le mot courage revient souvent dans cet article consa-cré à celui qui manque à Claude Autant-Lara. Il n'a le courage que de rouspéter et de dénigrer [121] », conclut le journaliste.

Le 3 juillet suivant, dans *Arts,* Truffaut savoure sa victoire. À la réaction courroucée d'Autant-Lara, il oppose des lettres de lecteurs favorables à ses thèses, indignés par l'appellation mépri-sante de « jeune voyou du journalisme », qui dessinent *a contrario* un portrait noir et infamant d'un cinéaste vaincu, aigri, « vendu à un système en pleine décomposition ». Un an plus tard, Truf-faut, grand seigneur, se permettra le luxe de défendre, avec une certaine perfidie, le nouveau film d'Autant-Lara, *En cas de mal-heur,* tout comme il avait auparavant fait l'éloge de *La Traversée de Paris.* « Il y a quelques années, la pureté de mes vingt ans aurait condamné un tel film en bloc, rageusement, et c'est avec un peu d'amertume que je me surprends aujourd'hui à admirer, même partiellement, un film plus intelligent que beau, plus adroit que noble, plus rusé que sensible [122]. »

François Truffaut n'en reste pas à son duel sans merci avec Autant-Lara, largement commenté par la presse parisienne. D'autres cinéastes à la réputation établie sont également dans le collimateur du critique. Ainsi, Yves Allégret est-il accusé de reconstituer de manière totalement artificielle et méprisante le milieu de la prostitution dans *Méfiez-vous fillettes* [123]. Truffaut reproche à Allégret d'être coupé de la vie, de n'avoir jamais mis les pieds à Pigalle, bref de faire partie de ces « cinéastes français qui sont des bourgeois sans problèmes, ne connaissent la vie qu'à travers les potins ressassés à l'Élysée-Club, sur l'Escalator du Rex ou à la Kermesse aux Étoiles... ». Truffaut s'attaque à Michel Audiard, à qui il reproche la vulgarité de ses dialogues et son mépris des personnages [124]. À Carlo Rim, cinéaste réputé pour ses poncifs [125]... Truffaut se fait moraliste en affirmant qu'il ne faut pas « mépriser le public en le sous-estimant », mais traiter « le spectateur comme son égal » en respectant cette règle qui veut que, dans un film, il ne faut « rien mettre pour faire rire qui ne vous fasse rire vous-même, pour faire pleurer qui ne vous émeuve », écrit-il le 6 novembre 1957. En s'emportant ainsi contre « le fric qui pourrit les cinéastes bourgeois », contre un système corrompu, contre les « fonctionnaires [126] » du cinéma français, Truffaut rejoint le discours protestataire de la fin de la IVe République, reprenant le thème de la coupure entre le « pays légal » et le « pays réel » qui emplit alors les colonnes et les tribunes, des communistes aux gaullistes, de Poujade à de Gaulle, pour mettre en cause la décomposition du système politique et parlementaire français. À la fin des années cinquante, la France a besoin d'air frais, d'un vrai remue-ménage. On en ressent la nécessité dans tous les domaines, que ce soit dans la politique, le social, ou l'univers culturel. Ce besoin d'oxygène, Truffaut l'incarne avec un indéniable talent polémique dans les milieux du cinéma par ses incessants appels au peuple (des lecteurs).

Henri-Georges Clouzot et René Clément sont les deux derniers cinéastes de cette « qualité française » à n'avoir pas encore été directement pris à partie par Truffaut. Il les surnomme d'ailleurs « les Intouchables [127] ». Mais ni Doniol-Valcroze ni André Bazin, pourtant proches de ces deux cinéastes reconnus et importants, n'ont le pouvoir d'empêcher Truffaut d'opérer une véritable exécution de Clouzot, en décembre 1957 dans les *Cahiers du cinéma,* dans un article intitulé « Clouzot au travail, ou le règne de la Terreur », qui étonne aujourd'hui encore par sa violence. « Avec *Les Espions,* Clouzot a fait Kafka dans sa culotte, formule qui en sept mots réussit à rendre compte très parfaitement de la portée exacte de l'entreprise », écrit-il en appuyant sa démonstration sur le récit du tournage du film, et dénonçant la terreur que fait régner le cinéaste sur son plateau. Clouzot comme Clément sont ainsi expulsés du « cinéma de demain » dont Truffaut souhaite l'avènement, celui-ci se montrant particulièrement sévère dans sa critique de *Barrage contre le Pacifique*: « L'essentiel pour Clément est que le film qu'il est en train de tourner coûte plus cher que le précédent et moins cher que le prochain [128]. » Clouzot, terroriste, Clément, pourri : le couperet est tombé.

Pour François Truffaut, tout n'est cependant pas à jeter dans le cinéma français. En face des « mauvais cinéastes », il existe de grands auteurs. Et ce sont toujours les mêmes noms qui reviennent sous sa plume : Renoir, Guitry, Becker, Bresson, Gance, Ophuls, Tati, Cocteau ou Leenhardt. Il lui reste à convaincre lecteurs et adversaires, les uns et les autres de plus en plus nombreux, du bien-fondé de ses jugements.

Si Guitry nous était conté

Au milieu des années cinquante, Guitry, par exemple, est encore et avant tout considéré comme un homme de théâtre, un auteur et un amateur de bons mots, toujours sous le coup de l'accusation politique et morale dont il a été victime à la Libération. De ce fait, il est ignoré des cinéphiles et méprisé par la critique de gauche. Truffaut, lui, est resté fidèle au réalisateur du *Roman d'un tricheur,* l'un des films qui ont le plus marqué sa jeunesse. Et dès lors, tout film de Sacha Guitry devient l'occasion d'un combat sans merci contre les « préjugés du cinéma français ». En mars 1956, il mène croisade en prenant la défense de *Si Paris nous était conté,* qu'il considère largement sous-estimé par la critique. Mais l'écart, le gouffre qui s'est installé entre la critique et l'auteur de *Désiré* ou de *Donne-moi tes yeux* est plus visible encore au moment de la sortie de ses deux derniers films, *Assassins et Voleurs* et *Les trois font la paire,* dirigés par un homme déjà infirme et gravement malade. Truffaut relève le défi et se lance dans une entreprise de réhabilitation particulièrement pugnace, peut-être son combat le plus brillant au cours de ces années. Le 13 février 1957, Truffaut titre son article dans *Arts* sur *Assassins et Voleurs* avec un humour provocateur : « Sacha en pleine forme », soutenant qu'il s'agit d'un des meilleurs films de l'année, avis qui est loin d'être partagé par la majorité de la critique. Truffaut s'insurge et affirme que « la désinvolture inouïe avec laquelle Sacha Guitry tourne ses films est une superbe idée de mise en scène car elle est parfaitement en rapport avec son humour. J'aime Sacha Guitry parce que, entre une grivoiserie et une obscénité, il choisit toujours l'obscénité, parce que son humour ne connaît pas de limite et que les infirmes, les vieillards, les enfants et les morts trinquent comme les autres. » Pourfendant la critique conventionnelle, Truffaut défend la verve comique d'*Assassins et Voleurs,* affirmant « qu'un film bâclé en quelques jours par de joyeux lurons qui se moquent du monde peut devenir une œuvre importante ». Le seul regret du jeune critique sera de n'avoir jamais rencontré celui qu'il compare volontiers à Renoir. « En 1955, pendant le tournage d'*Assassins et Voleurs,* je voulus interviewer Sacha Guitry ; son secrétaire me répondit que c'était possible à la condition de préparer mes questions et de les faire lire au maître préalablement. Stupidement je refusai ; j'étais idiot ce jour-là [129] », avoue-t-il dans un hommage qu'il publie à la mort du cinéaste, en juillet 1957.

Vadim à l'heure juste

Contre le « cinéma de qualité », le désir de renouveau, au milieu des années cinquante, se cristallise principalement autour de deux jeunes cinéastes : Alexandre Astruc et Roger Vadim. Pour Truffaut, ces deux noms sont synonymes d'un cinéma intime et neuf, en prise sur la vie. « Vadim ne parlera que de ce qu'il connaît bien : les filles d'aujourd'hui, les voitures rapides, l'amour en 1957 (et non pas celui que l'on copie sur les films d'avant-guerre). Alexandre Astruc de son côté, au tempérament plus abstrait, tournera des films lyriques qui pourront être très beaux et très commerciaux lorsque les personnages seront en costumes d'époque, très beaux et non commerciaux lorsque les mêmes personnages exprimant la même chose seront en costumes modernes », écrit-il le 15 mai 1957 dans *Arts.* Son point de vue, cette fois encore, est loin d'être partagé par l'ensemble de la critique. Astruc et Vadim sont même des cinéastes décriés. On a raillé les « précieuses mondanités » du premier à la sortie des *Mauvaises Rencontres* en 1955, et l'on vitupère l'effronterie du second lorsqu'il déshabille Brigitte Bardot dans *Et Dieu créa la femme,* un an plus tard.

L'affaire fit même grand bruit lorsqu'elle s'étala à la une de *Arts :* « Les critiques de cinéma sont misogynes. B. B. est victime d'une cabale », titre l'hebdomadaire le 12 décembre 1956 sous la plume de Truffaut. Sévèrement jugée par les intellectuels et les censeurs vertueux, la nouvelle star du cinéma français est également l'objet de rumeurs, de ragots et de potins continuels dans la presse populaire. Une fois encore, Truffaut choisit son camp et l'annonce publiquement : « Bardot, ayant la malchance de paraître dans trois films en un mois, voit se liguer contre elle une armée de potineurs qui, insuffisamment versés dans le calcul mental, se surprennent à compter sur leurs doigts que trois fois trente millions, cela fait loin de ce qu'ils gagneront jamais avec leurs misérables piges d'intellectuels sous-alimentés depuis l'enfance [130]. » Avec l'apparition du mythe Bardot, Truffaut croit surtout voir enfin une faille à l'intérieur du cinéma français, avec l'avènement d'un corps féminin libéré, d'un nouvel érotisme, loin de la mièvrerie ou de l'esprit grivois de la plupart des films de l'époque. « Je remercie Vadim d'avoir dirigé sa jeune femme en lui faisant refaire devant l'objectif les gestes de tous les jours, gestes anodins comme jouer avec sa sandale ou moins anodins comme faire l'amour en plein jour, eh oui !, mais tout aussi réels. Au lieu d'imiter les autres films, Vadim a voulu oublier le cinéma pour " copier la vie ", l'intimité vraie, et, à l'exception de deux ou trois fins de scènes un peu complaisantes, il a parfaitement atteint son but [131]. » La déclaration de Truffaut est loin de déplaire à Brigitte Bardot qui, le 13 décembre, fait parvenir au jeune homme un mot timide et reconnaissant : « Cher Monsieur Truffaut, j'ai été infiniment touchée par votre article publié dans *Arts,* il m'a encouragée et je vous en remercie de tout cœur [132]. » Truffaut considère Brigitte Bardot à l'égal de Marilyn Monroe ou de James Dean : une simple présence qui rend la plupart des autres comédiens archaïques. Ainsi, de même que James Dean, dans l'esprit de Truffaut, condamnait Gérard Philipe à la grimace de l'acteur théâtral, B. B. relègue par ses apparitions « Edwige Feuillère, Françoise Rosay, Gaby Morlay, Betsy Blair, et tous les premiers prix d'interprétation du monde » au rang de « mannequins vieillots ». Seul Vadim filme une femme de son temps, alors que les autres cinéastes ont vingt ans de retard. En avril 1957, *Sait-on jamais ?*, le second film de Roger Vadim, illustre d'ailleurs la couverture des *Cahiers du cinéma*. Puis, en juillet, toujours dans les *Cahiers*, Jean-Luc Godard reconnaît l'importance du phénomène : « Roger Vadim est " dans le coup ". C'est entendu. Ses confrères, pour la plupart, tournent encore " à vide ". C'est entendu aussi. Mais il faut néanmoins admirer Vadim de ce qu'il fait enfin avec naturel ce qui devrait être depuis longtemps l'ABC du cinéma français. Quoi de plus naturel, en vérité, que de *respirer l'air du temps* ? Ainsi, inutile de féliciter Vadim d'être en avance car il se trouve seulement que si tous les autres sont en retard, lui, en revanche, est à l'heure juste. »

Les Mistons

« Être à l'heure juste » : 1957 est pour François Truffaut l'année décisive. À Nîmes, tout est prêt pour le tournage, exception faite des... mistons précisément. Lorsqu'il s'installe au matin du 30 juillet 1957 à l'hôtel Imperator, la première tâche de Truffaut consiste donc à choisir les gamins qui joueront dans son film. Pour cela, il a fait paraître une annonce dans *Le Midi libre* : « Metteur en scène cinéma cherche 5 garçons de 11 à 14 ans pour jouer " les mistons ". » Le 31 juillet, une cinquantaine de jeunes garçons défilent dans les locaux du journal, parmi lesquels cinq sont élus. Le 2 août, enfin, c'est le premier jour de tournage, dans les arènes de la ville, événement suivi de près par le journal local. En août, pas moins d'une dizaine d'articles sont consacrés au tournage des *Mistons* dans *Le Midi libre*. « C'est ce matin, rapporte un journaliste, que le critique (devenu cinéaste) François Truffaint [sic] a commencé les prises de vue de son premier film. Les arènes ressemblaient assez à un studio (pas tout à fait comme à Hollywood toutefois, mais enfin...) avec un déploiement de matériel, sur lequel veillait jalousement le chef opérateur Jean Malige (encore un Nîmois [133] !)... » Le matériel technique est en fait plutôt rudimentaire : un travelling de huit mètres, un chariot qui n'a pas besoin de rouler silencieusement puisque l'enregistrement est muet, une caméra 35 mm légère, trois écrans réflecteurs des rayons du soleil et une cellule photoélectrique. L'ensemble est confié à une équipe très réduite constituée de Jean Malige, Robert Lachenay, Claude de Givray et Alain Jeannel. Les économies imposaient cette légèreté, se souvient Bernadette Lafont : « Il n'y avait pas un sou, j'habitais chez mes parents, qui hébergeaient Claude de Givray. François voulait être à l'Imperator : " Quand Madeleine va me téléphoner, il faut que je sois dans un bon hôtel ", disait-il pour se justifier. Mais il faisait de la provocation en entrant avec son vélo dans cet hôtel, qui à l'époque était chic et assez strict, vêtu d'un short bleu [134]. »

Les 5 et 6 août, l'équipe se déplace au Tennis-Club de Nîmes où, malgré les cours intensifs suivis depuis le printemps, les progrès de Bernadette Lafont et de Gérard Blain paraissent très relatifs... Le 7 août au matin, première épreuve de vérité : les rushes des quatre jours précédents sont visibles au cinéma Corona. Truffaut analyse son travail avec une grande lucidité, trouvant ses premiers résultats plutôt inégaux, y repérant un « certain côté statique » et se méfiant d'une « photo trop soignée [135] ». Le 8 août, Truffaut tourne à la gare de Montpellier, sur le quai du train pour Palavas, la scène de séparation entre les amoureux. Bernadette Lafont s'en souvient comme d'un moment difficile : « François voulait que je pleure, je n'y arrivais pas. Alors, pour me stimuler, il m'a dit : " Vous savez, Brigitte Bardot (que nous adorions lui et moi) n'est pas une très bonne comédienne, je ne pense pas qu'elle arriverait à pleurer, mais vous, vous allez y arriver ! " J'ai pleuré, pleuré, mais le plan n'a pas été gardé au montage [136]. » Le lendemain, on tourne la grande scène, dans la campagne près de Saint-André-de-Valborgne, lorsque Gérard Blain attrape un gamin pour lui dire son fait : « Sale petit miston ! »

Au milieu du tournage, profitant d'un week-end de repos, Truffaut tente un premier bilan et décide de privilégier le personnage interprété par Bernadette Lafont : « C'est ce qu'il y a de mieux », confie-t-il à son ami Charles Bitsch, à qui il écrit le dimanche 11 août au matin [137]. Et de concentrer son attention sur les enfants, qu'il prend un grand plaisir à diriger : « Il y a une telle différence entre ce que j'obtenais d'eux les derniers jours et au début du tournage que je suis regonflé à bloc », écrit-il à Bitsch dans cette même lettre. En vérité, ses relations avec Gérard Blain sont difficiles. L'acteur se montre capricieux, et jaloux de l'attention accordée par Truffaut à sa jeune femme, Bernadette Lafont. Blain est délibérément mis sur la touche et quitte le tournage avant le reste de l'équipe. Peu après, l'ambiance du plateau s'améliore, sans doute aussi parce que Truffaut a davantage confiance en lui. Bernadette Lafont se souvient qu'on le surnommait « le petit Caporal, parce qu'il ressemblait à Napoléon au pont d'Arcole, de profil, très inspiré, brûlant, avec une grande ambition. Il y avait quelque chose de féminin en lui, cette manière de voler aux autres, avec génie [138] ».

Lorsqu'il rentre à Paris, le 7 septembre 1957 au matin, François Truffaut est plutôt soulagé, même s'il est épuisé par ses cinq semaines de travail intensif en Provence. La première projection des *Mistons* a lieu le 17 novembre, dans la salle de la B.B.C., avenue Hoche, suivie d'une seconde, dix jours plus tard, au cinéma U.G.C. sur les Champs-Élysées. Truffaut est littéralement torturé par l'angoisse et le trac, au point qu'une radiographie ordonnée par un médecin le 7 novembre révèle une aérophagie, comme ce sera souvent le cas avant et après chaque tournage [139]. Il redoute l'ambiance froide et mondaine de ce type de projections. Aussi a-t-il mobilisé de nombreux amis, ceux des *Cahiers* et de *Arts,* ainsi que des cinéastes proches, Alex Joffé, Roberto Rossellini, Pierre Kast, Norbert Carbonnaux, mais également Audiberti ou Cocteau, qui découvrent le film le 27 novembre. « La salle est très grande, se plaint Truffaut à Lachenay, la veille de cette projection, et j'espère que tu pourras y venir avec qui tu veux. Je voudrais la remplir pour avoir une meilleure ambiance [140]. » Avec ce premier passage à l'acte, Truffaut a conscience d'être attendu au tournant. Il suffit en effet de la moindre faille pour que ses nombreux ennemis s'y engouffrent et rejouent la très ancienne et redoutable comédie, « le dénonciateur dénoncé », autrement dit celle de l'« arroseur arrosé ». Les réactions de ses amis, Rivette, Rohmer, Godard, Doniol-Valcroze et Bazin, le réconfortent. Mais l'apaisement viendra surtout à la suite des projections réservées aux journalistes et aux professionnels du cinéma, les 18 et 19 décembre, au Centre national de la cinématographie. Des producteurs, comme Pierre Braunberger, Henry Deutschmeister ou Paul Graetz, sont favorables au film. Tout comme Simone Signoret, pourtant méfiante à l'égard d'un critique qui n'a pas toujours été tendre avec ses films. Le 23 novembre, Truffaut présente *Les Mistons* au festival du court métrage de Tours devant une salle pleine. Mais il n'a pas osé inscrire son film en compétition. L'accueil est enthousiaste, ce qui lui fait aussitôt regretter ce manque d'audace. Membre du jury, André Bazin pense la même chose et l'écrit deux jours plus tard dans *Le Parisien* : « Je regrette très vivement que le plus intéressant, à mon avis, des films français présents, *Les Mistons* de François Truffaut, n'ait pas été en compétition [141]. » En rendant compte du festival dans *Arts* le 27 novembre, Rivette évoque, à propos des *Mistons*, Vigo et Renoir. Truffaut a gagné son pari : ses ennemis se taisent, certains se sont déjà ralliés, et seuls ses amis prennent publiquement parti.

La sortie commerciale des *Mistons* attendra pourtant une année. Le 6 novembre 1958, au cinéma La Pagode, le film est accompagné de deux moyens métrages en complément de programme, *Les Fils de l'eau* de Jean Rouch et *Capitale de l'or* du Canadien Colin Low. Entre-temps, présenté au Festival du film mondial de Bruxelles en février 1958, le film remporte le prix de la mise en scène. La presse est abondante et souvent élogieuse. « On l'attendait au tournant. Il se tire avec honneur de l'épreuve. Il ne sait pas encore raconter une histoire solide, mais sa pochade éclate de dons. Il a le sens des images, il sait diriger des acteurs et surtout il possède un " ton " à la fois poétique et cruel [142] », peut-on lire dans *France-Soir.* Les hebdomadaires sont unanimes et les amis de Truffaut qui y écrivent ont le champ libre pour soutenir activement ce premier essai. Claude Mauriac dans *Le Figaro littéraire*, Jacques Siclier à *Radio-Cinéma-Télévision*, Jacques Doniol-Valcroze dans *France-Observateur*, Jacques Audiberti dans *Arts* et Paul-Louis Thirard dans *Les Lettres françaises* sont favorables, rejoints par Claude Beylie aux *Cahiers du cinéma.*

Dans ce concert de louanges, Jean Delannoy crée une fausse note. Il faut dire qu'il est directement interpellé, puisque, dans une scène du film, les mistons s'amusent à déchirer une affiche de *Chiens perdus sans collier*. En février 1958, *France-Soir* rapporte ainsi les propos de Delannoy : « L'histoire des *Mistons* prend une saveur particulière quand on sait que François Truffaut n'a pu réaliser son premier film que grâce à l'appui de l'important distributeur dont il est devenu récemment le gendre, et qui a sorti entre autres choses mes deux films, *Notre-Dame de Paris* et *Chiens perdus sans collier.* Ainsi ai-je la satisfaction d'avoir contribué, dans une certaine mesure, à favoriser les débuts de mon adversaire le plus acharné [143]. » Un critique ambitieux qui épouse la fille d'un riche distributeur pour faire carrière... Cette rumeur alimentera longtemps la légende noire de François Truffaut...

Madeleine

Depuis plusieurs mois, François Truffaut et Madeleine Morgenstern ont appris à se connaître. Ils se voient de plus en plus souvent. Ils ont une passion commune pour les livres, et vont beaucoup ensemble au cinéma. Quand ils sont en voiture, il aime la regarder conduire, cela lui rappelle les personnages de femmes dans les films de Hawks ou de Hitchcock. Entre-temps, l'été a été occupé par le tournage des *Mistons*, mais dès la rentrée, il est question d'un mariage, et celui-ci est prévu pour l'automne. Fille unique, Madeleine vit rue de La Tour, dans le XVIᵉ arrondissement, entre une mère au tempérament exclusif et un père qu'elle adore et auprès duquel elle travaille. Ce mariage avec « un jeune journaliste asocial et qui sentait le soufre [144] » est, sinon un acte de rébellion contre ses parents, du moins d'une grande audace pour l'époque. Jeune femme élevée dans une éducation stricte mais non religieuse, Madeleine est séduite par François, par l'intensité de son regard, cette timidité qui « lui servait de paravent pour ne passer son temps qu'à ce qui lui plaisait, avec les personnes qui lui plaisaient [145] ». Il se dégage aussi de lui une part de solitude qui le rend différent des jeunes gens de bonne famille qu'elle avait jusque-là rencontrés. Avec François, elle a le sentiment de découvrir un autre monde, une autre manière de vivre : « Il ne disait jamais rien d'indifférent ou de neutre [146]. » Sous son influence, ses goûts cinématographiques évoluent : « J'ai aimé ce que François aimait, même si j'ai renâclé à certains films, mais je me suis retrouvée dans ses choix [147]. » Pour François Truffaut, Madeleine incarne l'intelligence et l'humour, une certaine gravité, et l'étrangeté d'une autre culture à laquelle il est très sensible. Elle est d'une grande douceur, et elle a un petit quelque chose de

Leslie Caron... Cette histoire d'amour se fonde sur une complicité immédiate, qui cache pourtant quelques malentendus. En se rapprochant, chacun trouve en l'autre ce que profondément il désire. Lui se range et cherche une forme de stabilité après de longues années aventureuses. Elle échappe enfin à l'emprise familiale et rencontre l'aventure, après des années trop sages.

Le mariage est célébré le 29 octobre, à la mairie du XVIe arrondissement de Paris. Pour des raisons familiales, les deux jeunes gens ont désiré une cérémonie discrète et la plus simple possible. Madeleine est en effet très préoccupée par l'état de santé de son père, gravement malade. Quant à François, ses relations avec ses parents sont à ce point distendues qu'il a repoussé jusqu'au dernier moment la présentation de sa future femme à Janine et Roland Truffaut. En témoigne une lettre assez sèche à sa mère, écrite durant l'été 1957, où il l'informe des modalités concrètes de son mariage : « Le mieux est que vous fassiez la connaissance de Madeleine après les vacances, puis de ses parents le jour du mariage seulement afin de simplifier au maximum les rapports interfamiliaux. Madeleine et moi procédons en sorte que ce mariage ne constitue une corvée pour personne. Pour l'instant, n'en parlons pas dans la famille. Peut-être au dernier moment, pour ne vexer personne, faudra-t-il invoquer un deuil dans le " camp adverse " pour justifier la " stricte intimité [148] ". »

François Truffaut croit utile de préciser qu'il se marie « à la mairie seulement, d'autant que les Morgenstern sont des Juifs hongrois ». Cette phrase pourrait s'entendre sous le seul trait de l'information. Mais, sous sa plume, elle est une provocation contre les Monferrand, dont il connaît les valeurs attachées à une vieille France catholique, très collet monté, et plutôt nationaliste. Consciemment, Truffaut n'a rien fait pour rapprocher les deux familles. Madeleine Morgenstern confirme d'ailleurs que « la présentation aux Bazin a été plus importante pour François que la rencontre avec ses parents [149] », comme si le futur marié était lui-même gêné, ou trop conscient de l'impossibilité d'une complicité affective entre deux familles de cultures aussi éloignées. « Ses parents n'étaient pas désagréables, assez évolués, cultivés et plaisants, pas du tout brutaux, mais il y avait cette détestation et cette révolte chez François », poursuit Madeleine.

Son père, Ignace Morgenstern, né en 1900, avait quitté la

Hongrie en 1921, fuyant le régime contre-révolutionnaire qui avait maté dans le sang le mouvement de Béla Kun. Ignace Morgenstern, étudiant communiste, s'est installé un temps en Allemagne, d'où il désirait rejoindre l'Union soviétique pour se mettre au service de la révolution. À l'origine, la famille Morgenstern est riche et propriétaire de vignes et d'un moulin dans un petit village du Tokai. Très jeune, Ignace Morgenstern a été confronté à la gestion des affaires familiales, ses frères aînés étant tour à tour mobilisés au moment de la Première Guerre mondiale. Refusant l'éducation religieuse à laquelle son père voulait qu'il se consacre pour devenir rabbin, Ignace Morgenstern désirait suivre des études de droit, afin de devenir avocat et entrer en politique. Après avoir obtenu son baccalauréat, il s'inscrit en 1920 en faculté de droit, mais c'est le moment où la contre-révolution impose un *numerus clausus* qui chasse les Juifs des universités. Venu s'installer à Paris, après son passage en Allemagne, il travaille d'abord comme manœuvre chez Renault, puis comme grouillot dans le service comptable de Paramount-France. Il a un grand sens de l'organisation, commence à parler le français, même s'il ne perdra jamais son accent d'origine. Ainsi, il gravit un à un les échelons et devient directeur de production chez Adolphe Osso, lorsque celui-ci, fondateur et président de Paramount-France, crée en 1930 sa propre société, les Films Osso. En 1927, Ignace Morgenstern épouse sa cousine Élizabeth, venue le rejoindre de Hongrie à Paris. En juillet 1931, c'est la naissance de Madeleine. Les Films Osso ayant fait faillite en 1934, Morgenstern se retrouve sans emploi. Au moment du Front populaire, il s'installe avec Élizabeth et Madeleine à Lille, où il crée l'agence locale de distribution de films, la SEDIF, dont la société mère appartient au producteur Joseph Lucachevitch. En 1939, Morgenstern est mobilisé. L'année suivante, l'exode jette sur les routes Élizabeth Morgenstern et sa fille, qui s'entassent avec six autres personnes dans un taxi en direction de Lyon. Morgenstern a loué une ferme dans le Beaujolais, dans le village de Frontenas, où lui et sa famille se cacheront durant l'Occupation, vivant difficilement du travail de la terre. Madeleine se réfugie dans la lecture, elle lit les Classiques Larousse, (Beaumarchais, Lesage ou Racine). À la Libération, Morgenstern rouvre la SEDIF, puis il fonde à Paris en 1948 sa propre société de distribution, Cocinor (Comptoir Cinématographique du

Nord), tout en rachetant la SEDIF à Lucachevitch, qui s'est installé en Amérique durant la guerre.

Au cours des années cinquante, Ignace Morgenstern devient l'un des principaux distributeurs parisiens. « C'était un homme qui ne méprisait pas de gagner de l'argent, témoigne Madeleine, mais ce n'était pas un flambeur. Il aimait jouer aux échecs, et pour lui, faire des affaires, c'était comme de gagner une partie d'échecs. Il se trouve qu'il a plus souvent gagné que perdu [150]. » Morgenstern, qui distribuait surtout des films populaires interprétés par Fernandel ou Jean Gabin, des films d'Henri Verneuil et d'autres cinéastes à succès, jouit alors d'un grand prestige parmi les professionnels du cinéma français. C'est un homme de parole, discret, rusé, intelligent, généreux.

Lorsqu'il fait la connaissance de François Truffaut, Ignace Morgenstern ne fait aucun commentaire particulier à sa fille sur ce jeune homme au regard noir, timide, qui se ronge les ongles. Il ne lit pas *Arts,* qu'il juge trop à droite, préfère *L'Humanité* et *Les Lettres françaises,* par conviction idéologique, et *Le Figaro,* pour suivre les critiques concernant les films qu'il distribue. Travaillant au cœur du cinéma populaire, distributeur installé et respecté, rien ne peut le rapprocher du jeune hussard, de ce « voyou du journalisme » que fréquente Madeleine. Mais il l'accepte par respect et amour pour sa fille.

Élizabeth Morgenstern, elle, n'a jamais caché qu'elle aurait préféré que sa fille épouse un médecin juif, ou un avocat, en tout cas, un Juif. Madeleine décrit sa mère comme un personnage attachant, mais au caractère volcanique, capable de grandes colères. « Mon seul acte d'indépendance a été d'épouser François. Ma mère était possessive alors que mon père respectait la liberté de l'autre [151]. » Il est évident que ce mariage apparaît comme incongru aux yeux d'Élizabeth Morgenstern. Voulant à tout prix le bonheur de sa fille, elle voit d'un œil inquiet cette union avec un jeune homme qui ne répond à aucun des critères de valeur qui sont les siens. Il n'y a rien d'étonnant à ce que la cérémonie de mariage, en ce 29 octobre 1957, n'ait pas laissé un immense souvenir à Madeleine Morgenstern.

Truffaut a demandé à André Bazin d'être son témoin, tout comme il est heureux de la présence amicale de Rossellini à la mairie. Claude de Givray est le seul de la bande des *Cahiers du cinéma* à être présent. Madeleine porte une robe de mariée blanche, seule note traditionnelle dans une cérémonie rapide, simple, laïque, et plutôt tendue. Après la mairie, le jeune couple se rend chez Ignace Morgenstern, auquel les médecins ont recommandé de ne pas quitter la chambre. Puis Madeleine et François rejoignent leurs invités au Pavillon Dauphine près du bois de Boulogne, pour leur déjeuner de mariage.

Heureusement, quelques messages de félicitations, provenant des amis des *Cahiers*, apportent un peu de légèreté et d'humour dans cette fête un peu triste. Ainsi, celui de Jean-Luc Godard : « Il faut être contre sa femme. Félicitations », ou celui de Doniol-Valcroze : « Après Schérer marié à Paramé, voici Truffaut le héros de Mado. Les *Cahiers* s'embourgeoisent, et c'est tant mieux, on bouffera mieux. Bravo [152]. » Le soir même, le couple prend le train pour leur voyage de noces à Monte-Carlo. L'ennui et le mauvais temps les aideront sans peine à écourter leur séjour dans la principauté, pour rejoindre Nice, qui présente l'avantage d'avoir un plus grand choix de films à l'affiche !

Critique vedette, cinéaste en devenir, heureux époux : à vingt-six ans, François Truffaut est désormais installé, la vie de bohème est achevée. Le couple emménage dans l'appartement qu'Ignace Morgenstern a offert à sa fille, rue Saint-Ferdinand dans le XVIIe arrondissement, à cinq minutes de la place de l'Étoile. Plutôt moderne et froid, l'immeuble n'a rien d'exceptionnel, mais le trois-pièces du 6e étage, escalier D, porte gauche, est confortable, bien agencé, aménagé avec goût, et un grand salon aux nombreux rayonnages de bibliothèque permet enfin à Truffaut de ranger tous les livres et la plupart des dossiers accumulés depuis l'adolescence, et transportés jusqu'alors de chambre en chambre, d'hôtel en hôtel, au gré des humeurs, des finances et des amours vagabondes.

En finir avec la critique

Après *Les Mistons*, François Truffaut se considère déjà cinéaste à part entière. Jeune, inexpérimenté, perfectible, mais cinéaste. Il désire mettre un terme à son activité critique, car il considère d'emblée les deux occupations comme incompatibles.

« Critiquer un film revient à critiquer un homme et cela je ne veux plus le faire [153]. » Refusant de « jouer le rôle du loup dans la bergerie », et ne souhaitant plus dire ses quatre vérités à un « confrère » paresseux ou indigne, Truffaut s'en tiendra désormais à cette ligne : soutenir quelques amis cinéastes par un texte élogieux, surtout s'ils sont dans le besoin. Il va donc céder la place à d'autres dans les colonnes des journaux où il travaillait jusqu'alors. Cela ne pose aucun problème aux *Cahiers du cinéma*, où une nouvelle rédaction se forme autour d'Éric Rohmer : Jean Douchet, Luc Moullet, André Labarthe, Jacques Siclier, Claude Beylie, Michel Delahaye. Mais l'affaire est plus complexe à *Arts*, où Truffaut est une véritable vedette, presque au même titre que Jacques Laurent. Dès 1956, pourtant, Truffaut y a entraîné ses amis, d'abord Rohmer, puis Rivette ou Siclier, rejoints l'année suivante par Charles Bitsch, Claude de Givray, Jean-Luc Godard ou Jean Douchet. La stratégie de l'« entrisme » des jeunes turcs est désormais bien au point. En 1958, la signature de Truffaut s'y fait donc plus rare ; il semble avoir préparé son désengagement critique, aussi aisément qu'il avait précédemment, grâce aux mêmes amis, pris d'assaut la page cinéma de l'hebdomadaire culturel.

Pourtant, sentant le danger de perdre un journaliste vedette, André Parinaud, rédacteur en chef, se montre de plus en plus pressant. Il est même disposé à mieux payer le critique plutôt que de le voir quitter la page cinéma. Le 7 septembre 1957, Parinaud fait une sérieuse mise au point, exigeant au passage que Truffaut assiste aux conférences de rédaction du mardi après-midi : « Je voudrais savoir si tu prends ton travail au sérieux. Tu as obtenu depuis trois ans un certain succès dans la profession et je crois que nous sommes pour quelque chose dans la reconnaissance de ton talent. Mais il se trouve que depuis plusieurs semaines ton laisser-aller devient grave. La page cinéma a perdu son tonus. Tes petits amis, comme Éric Rohmer, quelle que soit leur compétence, manquent de métier et je crois à ce sujet qu'il est utile que M. Éric Rohmer fasse ses classes ailleurs. Je te demande de le lui dire [154]... »

Tout à la fois courtisé et menacé, Truffaut doit trancher. Alors il choisit l'affrontement en pratiquant la surenchère. La tactique est claire : soit la rédaction en chef refuse ses exigences et les deux parties rompent définitivement, soit elle accepte qu'il intervienne à sa guise dans l'hebdomadaire, libre de confier à ses amis les articles réguliers qu'il refuse désormais d'écrire. Truffaut va trouver un excellent prétexte pour prendre le dessus. Le 18 septembre 1957, *Arts* publie en effet en première page une interview de Truffaut avec Jean Renoir, qui fait alors répéter à Paris *Le Grand Couteau*, d'après le film de Robert Aldrich, lui-même tiré de la pièce de Clifford Odets. L'entretien, sévèrement coupé, est illustré par une photographie désavantageuse du cinéaste ; on l'y voit abattu, les traits tirés, mimant un geste grotesque avec ses deux mains, le tout accompagné d'une bulle qui sort de sa bouche : « Je ne crois pas au théâtre bien charpenté. » Furieux, Truffaut écrit à Parinaud : « Vous m'avez assez répété que mes articles ont du succès et je le sais bien. Pourquoi plaisent-ils ? Parce que j'ai un sens assez vif du journalisme. C'est pourquoi je puis t'affirmer que ce que Renoir m'a dit sur *Le Grand Couteau*, sur Jack Palance, intéresse davantage nos lecteurs que les baratins de Jean-Louis Barrault, Delaunay et Gaxotte, à suivre respectivement en pages 3 et 5. Je puis même t'assurer que les lecteurs s'en branlent des confidences de Jean-Louis Barrault, Delaunay et Gaxotte... [155] » Et le critique reformule ses exigences quant à la direction effective de la page cinéma, en toute liberté, en y faisant écrire qui bon lui semble. Truffaut termine sa lettre en traitant son rédacteur en chef de menteur, puisque Parinaud avait promis de publier l'entretien dans son intégralité. Le rédacteur en chef de *Arts* réagit vivement à cette mise en demeure, et se justifie sur les coupes au nom d'impératif techniques : « Je suis navré de constater à quel excès te pousse la prétention d'une " tête un peu gonflée ", mais tes airs de grand méchant sont trop drôles pour que je me fâche. Il se trouvera d'ailleurs bien un jour ou l'autre un gars que tes attitudes de taureau mettront en joie et qui te flanquera la paire de claques qui te ramènera sur la terre. Moi, j'ai trop de travail [156]. »

Dès lors, Truffaut calme le jeu, ayant conscience de ne rien obtenir par la colère : « Je n'ai pas la tête gonflée, mais je crois pouvoir obtenir aujourd'hui par mon mérite, mais oui, cette supervision complète qu'Aurel exerçait à mes débuts ici par la terreur et l'intimidation. J'ai reçu assez de paires de claques entre dix et quinze ans pour que de nouvelles changent quoi que ce soit à mon comportement. Et justement, je navigue dans ces milieux (journalisme et cinéma) où personne ne sait plus donner de paires de claques : on préfère me dire oui, et on trahit aussitôt le dos tourné [157]. » Et il termine par cet aveu : « Je ne demande qu'une chose, la haute main sur le cinéma ici », exigeant une lettre signée de son rédacteur en chef définissant son rôle. Il semble que Truffaut n'ait pas obtenu gain de cause dans le rapport de force engagé avec André Parinaud, même si ses piges furent substantiellement augmentées.

Entre l'automne 1957 et le printemps suivant, Truffaut traverse une sévère crise de confiance. Le passage à la réalisation d'un premier long métrage s'avère beaucoup plus difficile que prévu. Plusieurs de ses projets, notamment avec Pierre Braunberger, échouent coup sur coup. « Je suis obligé de continuer à écrire des articles pour vivre, d'autant que *Arts* à présent me rémunère fort correctement. Mais quelles difficultés pour tenter d'impressionner encore un peu de pellicule cette année [158] ! », écrit-il le 6 mai 1958. Cet état d'esprit désabusé, voire pessimiste, transparaît d'ailleurs dans ses articles du début de l'année 1958. Au moment où l'on voit, à travers une grande partie de la presse, pointer le renouveau et la jeunesse, premières vagues annonçant le cinéma à venir, le journaliste de *Arts* prend systématiquement le contre-pied de la mode critique. « Une relève ? Non ! De nouveaux effectifs. Seule la crise sauvera le cinéma français. Il faut filmer autre chose avec un autre esprit et d'autres méthodes », écrit-il le 8 janvier 1958. Il renchérit le 15 : « Il est trop tôt pour secouer le cocotier. Les dix plus grands cinéastes du monde ont plus de 50 ans. » Pour la première fois sans doute, le critique semble dépassé par le mouvement qu'il a lui-même lancé, la Nouvelle Vague à venir, ce que lui reprochent d'ailleurs certains lecteurs.

Ces derniers articles du printemps 1958, s'ils constituent un intéressant testament, assez pessimiste, écrits dans un climat de grande incertitude, ne suffiraient pas à résumer toute l'activité de Truffaut. Car celui-ci a connu la gloire par le journalisme et la critique de cinéma. Il est difficile de se rendre compte du degré de haine ou d'admiration qui l'entourait au milieu des années cinquante. Truffaut a écrit d'Orson Welles qu'il était célèbre avant d'avoir imprimé le moindre mètre de pellicule ; on peut aussi dire cela du journaliste de *Arts* et des *Cahiers du cinéma* qui, en 1957, a autant de fervents admirateurs que d'irréductibles ennemis. Il n'est qu'à voir les allusions à son personnage, qui se multiplient alors dans les films. Ainsi, dans *Nathalie* de Christian-Jaque, le dialoguiste Jean Ferry a donné le nom de Truffaut à un policier plus ou moins véreux. Dans un documentaire d'Édouard Molinaro sur la Banque de France, un homme décroche le téléphone : « Passez-moi Truffaut au service des risques. » Et dans *Le Désert de Pigalle*, de Léo Joannon, l'on peut voir un individu louche qui, dans un bistrot mal famé, lit un article signé François Truffaut à la une de *Arts*. On pourrait ainsi énumérer les exemples où le critique est apostrophé par des collègues, pris à partie ou analysé comme un cas d'école par des éditorialistes de la grande presse. Philippe Labro, qui fait alors ses débuts dans le journalisme, publie son premier article dans *Arts*, un portrait du poète Blaise Cendrars. Quelques mois avant de rejoindre Pierre Lazareff à *France-Soir*. Sa première vision de François Truffaut, dans les locaux de *Arts*, est éloquente : « Il était en train de corriger les pages grand format du journal, en bras de chemise. Il avait quatre ans de plus que moi, mais je le regardais comme on regarde déjà un patron, car il faisait preuve d'une autorité, d'une sécheresse, d'une précision dans la manière de corriger les articles. S'il était resté dans le journalisme, Truffaut aurait pu diriger un grand journal [159]. »

Pour toute une génération, Truffaut a joué le rôle d'un catalyseur d'énergie et d'une instance de goût. Beaucoup se sont identifiés à lui, si bien qu'il est devenu le porte-parole d'une culture, la cinéphilie, jusqu'alors méprisée. En témoigne cette lettre emblématique, parmi tant d'autres, écrite par le tout jeune Christian Bourgois, futur éditeur, adressée à Truffaut le 12 décembre 1956 : « Vous n'êtes pour moi qu'une signature, mais elle paraphe de si belles colères, de si justes enthousiasmes, semaine après semaine depuis des mois, que vous êtes un ami : je vous en prie, continuez à exprimer tout notre dégoût devant cette façon paresseuse et fade de critiquer ou de faire des films. [...] Il semble que vous ayez mauvaise presse et mauvaise réputation dans le milieu du cinéma, mais il faut toute l'impudence et la malhonnêteté intellectuelle de nos prétendus critiques ou metteurs en scène pour ne pas voir dans vos " exécutions " et vos fureurs un immense amour du cinéma. [...] Dites-vous bien, cher François Truffaut, que nous sommes nombreux, dans tous les coins de Paris et dans toutes les caves des cinémas de quartier, à haïr ce cinéma, cette critique, et que jamais nous ne vous trouverons assez violent pour défendre notre Marilyn pâle et bouleversante. Nous aussi, spectateurs passionnés, nous sommes amoureux du cinéma [160]. »

IV

NOUVELLE VAGUE

1958-1962

Avec *Les Mistons,* François Truffaut s'estime en mesure de tenter l'aventure d'un premier long métrage. Au cours du printemps 1958, celle-ci se dessine encore de manière incertaine, et l'apprenti cinéaste est prêt à sauter sur la première occasion pour pouvoir enfin tourner.

Paul Graetz, l'un des principaux producteurs français de l'après-guerre, notamment du *Diable au corps* de Claude Autant-Lara, de *Dieu a besoin des hommes* de Jean Delannoy, ou de *Monsieur Ripois* de René Clément, lui propose d'écrire et de réaliser un film sur l'enfance, en collaboration avec Jean Aurenche. Il est question d'Yves Montand pour le rôle principal, celui d'un directeur d'école. Truffaut est sensible à la proposition, même s'il est conscient de faire une alliance contre nature avec les tenants d'un cinéma qu'il a violemment combattu. En janvier 1958, il déjeune ou dîne régulièrement avec Graetz au Relais-Augustins pour discuter du projet, et rencontre longuement Yves Montand l'après-midi du 14 janvier. Mais Truffaut et Aurenche n'ayant guère envie de travailler ensemble, le projet traîne en longueur, pour être finalement abandonné.

Temps chaud

Le 24 janvier, Truffaut accepte d'être premier assistant-metteur en scène sur un film produit en Belgique, *Quelqu'un frappe à la porte.* Le 27, il est à Bruxelles pour signer son contrat avec Janvier Szombati, le producteur, qui lui propose un salaire de 75 000 francs. Le tournage est prévu en mars et avril 1958 à Bruxelles. Mais Truffaut ne s'y rendra pas. Entre-temps, invité à une soirée chez le producteur Pierre Braunberger, le 25 janvier, Truffaut est tombé sous l'emprise de ce qu'il appelle non sans malice « les danses du ventre de l'ami Pierrot [1] ». Celui-ci lui avait déjà parlé, un mois auparavant, d'un roman de Jacques Cousseau, *Temps chaud,* paru en 1956 aux éditions Corrêa, qui évoque sur un ton vif et léger les amours d'été de quelques jolies jeunes femmes. Braunberger revient à la charge et convainc le cinéaste d'en faire son premier long métrage. Le 14 mars 1958, les deux hommes signent un contrat stipulant que Truffaut collabore au scénario, réalise le film et en assure le montage, moyennant une part de 6 % sur les recettes dont un million d'avance, 200 000 francs à la signature, 800 000 au premier jour de tournage.

Truffaut a conscience de faire un compromis en travaillant ainsi à la commande sur un projet que Braunberger verrait bien dans la veine des films de Vadim, alors très en vogue. « Comme tu le sais, confie-t-il à son ami Charles Bitsch, je vais tourner *Temps chaud* en dix semaines dans le Midi. [...] Pour Pierrot, ce sera un super *Et Dieu créa en noir et blanc la femme,* pour moi un nouveau *Journal d'une femme de chambre,* délire et baroquisme. Braunberger pense que ce sera joli à regarder et tragique, j'espère que ce sera insoutenable et burlesque, bref, nous nous comprenons très bien, comme toujours [2]... » Il travaille d'arrache-pied à l'adaptation du roman et présente dès la mi-février un scénario à Braunberger. Son idée est de confier le premier rôle à Bernadette Lafont, de reprendre l'équipe technique des *Mistons,* et de remplacer Gérard Blain par Jean-Claude Brialy. Truffaut prend également contact avec Joëlle Robin, Caroline Dim, une copine de Jean-Luc Godard, Catherine Lutz, une amie qui tient une salle de projection, Michèle Cordoue, une jeune actrice de théâtre, et Nicole Berger, révélée par *Le Blé en herbe* d'Autant-Lara, actrice principale de *Tous les garçons s'appellent Patrick,* de Godard, court métrage produit par Pierre Braunberger, dont elle est la belle-fille. Fin février, les conditions de tournage sont réunies. Mais au dernier moment, Braunberger préfère attendre les premières chaleurs de l'été : « C'est une histoire un peu érotique, avec la chaleur qui amène les gens à sortir de leur naturel. Je suis prêt à le faire, mais attendons les derniers jours de mai qui sont aussi les premiers jours de "temps chaud "[3] », écrit-il à Truffaut. Pour le faire patienter, il lui propose de réaliser un court métrage en quelques jours, sur un sujet de son choix. Truffaut décide de profiter des inondations dans le sud de la région parisienne pour filmer à toute vitesse une histoire fantaisiste : deux jeunes gens en voiture tentent de se frayer un chemin au milieu des routes barrées et des champs immergés. Godard viendra lui prêter main forte au montage, en reprenant une bonne partie des dialogues. Dédié à Mack Sennett, *Histoire d'eau,* tourné en deux jours dans les environs de Montereau, est un film d'une dizaine de minutes où Jean-Claude Brialy, doublé par Godard, use de son talent burlesque, tandis que Caroline Dim parle de la pluie et du mauvais temps, de la littérature et de l'amour.

Assuré de tourner *Temps chaud* en juin, Truffaut, l'esprit plus libre, consacre l'essentiel du printemps à la critique et à l'installation de son ménage. Il accompagne *Les Mistons* dans divers festivals [4], et fréquente à nouveau les bureaux des *Cahiers du cinéma* et de *Arts.* Il prend aussi des leçons de conduite pour obtenir son permis. Il voit également beaucoup de films, un ou deux par jour, passe pas mal de temps avec Madeleine, et quelques soirées chez André Bazin à Nogent-sur-Marne, dont il fête le quarantième anniversaire, le 18 avril 1958. Cette attente tranquille prend brutalement fin lorsque, dans les derniers jours d'avril, Bernadette Lafont se blesse assez sérieusement. Le tournage de *Temps chaud,* fixé au 15 juin, est une fois encore reporté. Truffaut décide alors de se tourner vers un nouveau projet.

La fugue d'Antoine

En mai 1958, Truffaut se rend pour la dernière fois au festival de Cannes en tant que critique. Pour lui faire payer ses attaques virulentes de l'année précédente, la direction du festival refuse de l'accréditer comme journaliste. Truffaut contre-attaque dans *Arts :* « François Truffaut, seul critique français non invité au festival de Cannes [5] », signe-t-il à la une de l'hebdomadaire. Quinze jours plus tard, c'est une mort annoncée du festival : « Si des modifications radicales n'interviennent pas, le prochain festival est condamné [6]. »

Truffaut sera pourtant redevable au festival d'avoir facilité la réalisation de son premier film. En effet, Ignace Morgenstern réalise cette année-là l'une des plus belles affaires de sa carrière de distributeur. Le 21 avril 1958, il a vu en avant-première à Paris *Quand passent les cigognes,* le film de Mikhaïl Kalatozov, qui représentera les couleurs soviétiques au festival de Cannes. Avec sa vitesse et son lyrisme, ses jeunes héros romantiques et l'audace de ses cadrages, le film exprime au mieux le dégel politique khrouchtchévien. Le 3 mai au matin, toujours à Paris, Ignace Morgenstern revoit le film, cette fois en compagnie de son gendre, qui le convainc aussitôt d'en acquérir les droits. Conclue « pour une bouchée de pain [7] », avant même l'ouverture du festival, l'affaire sera largement rentabilisée trois semaines plus tard, lorsque le jury du festival présidé par Marcel Achard attribue la Palme d'or au film de Kalatozov. Dès sa sortie nationale en juin, *Quand passent les cigognes* remporte un grand succès commercial. Ignace Morgenstern pourra se sentir plus libre pour coproduire le premier film de son gendre. « Mon père lui a fait confiance, mais François n'avait pas d'argent, il apportait son scénario, qui au départ n'était pas gros. Mon père avait de l'estime pour François et le trouvait intelligent, mais il n'avait pas été emballé par *Les Mistons.* Alors, évidemment il a produit *Les Quatre Cents Coups* pour aider notre ménage, pour donner une chance au mari de sa fille de prouver qu'il était capable de faire des films [8] », se rappelle Madeleine. Pour Ignace Morgenstern, le risque financier est faible, le budget des *Quatre Cents Coups* étant estimé à une quarantaine de millions d'anciens francs, une somme très nettement en retrait par rapport au coût d'un film français courant à l'époque. À la date du 22 juin 1958, Truffaut peut alors tranquillement noter sur son agenda : « Tout est en règle [9]. »

De nouveau optimiste, il doit désormais écrire un scénario. Il décide de reprendre *La Fugue d'Antoine,* initialement prévue pour un épisode d'un film à sketches sur l'enfance. Il s'agit d'un moment précis de son adolescence, lorsque, élève à l'école de la rue Milton, il avait séché la classe parce qu'il avait oublié de

faire un travail donné en punition. Le lendemain, son excuse
(« Ma mère est morte ») n'était pas passée inaperçue, et son
père était venu chercher l'adolescent en plein cours pour lui
administrer une gifle monumentale. Début juin, Truffaut étoffe
l'épisode avec des souvenirs de son enfance, ses fugues en
compagnie de Lachenay, une séance de cinéma, le rotor à la
fête foraine, des scènes à la maison, avec les parents, et dans la
rue, lorsque l'adolescent surprend sa mère dans les bras d'un
amant place Clichy. Ce sont ces premières pages, quelques idées
mises bout à bout, qu'il présente à son beau-père pour le
convaincre de financer le film.

Pour construire un véritable scénario, Truffaut puise la
matière dans sa propre adolescence, depuis le passage par
l'école de la rue Milton à l'automne 1943, jusqu'au Centre
d'observation des mineurs de Villejuif, en décembre 1948. Il
mobilise Lachenay : « Note des idées, des souvenirs, pour *La
Fugue d'Antoine*. Ressors nos lettres de Villejuif, etc. [10] » Claude
de Givray rappelle combien le personnage même d'Antoine doit
beaucoup à Lachenay : « Antoine, ce n'est pas Truffaut, c'est un
amalgame des deux, il a un peu piqué sa jeunesse à son copain
Lachenay. C'était plutôt Lachenay à l'époque qui était le moteur.
Truffaut était un peu timide, il était tiré par Lachenay [11]. » Si le
récit est autobiographique dans ses moindres détails, Truffaut
tient à le présenter comme une fiction. Il condense ainsi en une
durée relativement brève cinq années de sa vie, qu'il transpose
de l'Occupation et de l'immédiat après-guerre au présent des
années cinquante. Enfin, il brouille certains repères autobiographiques. Truffaut donne par exemple à l'adolescent fugueur le
nom d'Antoine Loinod, anagramme et pseudonyme de
Doniol[-Valcroze]. Robert Lachenay devient René Bigey, en souvenir de sa grand-mère. Et la passion du père n'est plus l'alpinisme, mais l'automobile.

Pour mieux définir ses personnages et maîtriser son récit,
Truffaut fait appel à Marcel Moussy, romancier et scénariste,
auteur d'une série très populaire à la télévision, *Si c'était vous*,
réalisée par Marcel Bluwal. Début juin 1958, il écrit à Moussy :
« Je sais que vous travaillez vite et que vous construisez avec
une rigueur qui me fait bigrement défaut. Par contre, je crois
bien connaître cet univers de gosses de douze ans que je
veux filmer [12]. » Moussy hésite, car il s'est engagé auprès de René

Clair sur un autre projet. Truffaut lui écrit à nouveau le 21 juin 1958 : « Vous avez si bien et si vite tout compris de mon film que je ne puis m'imaginer privé de votre collaboration [13]. » Moussy finit par donner son accord. Truffaut et lui se mettent au travail à partir du 9 juillet 1958. En un mois, une dizaine de séances. Moussy travaille vite et apporte beaucoup à la construction du récit. À la fin de l'été 1958, le scénario compte 94 pages et porte un titre définitif : *Les Quatre Cents Coups*.

Le plan de financement du film assuré et son scénario achevé, Truffaut s'occupe alors de questions pratiques. Il décide de tourner *Les Quatre Cents Coups* en Cinémascope noir et blanc et de faire appel à l'un des meilleurs directeurs de la photo, Henri Decae, qui a travaillé avec Jean-Pierre Melville (*Bob le flambeur* a été très apprécié par Truffaut), Louis Malle et Claude Chabrol. Avec son noir et blanc contrasté, son goût de l'éclairage naturel et sa grande rapidité de travail, Decae est un collaborateur idéal pour Truffaut, qui, éprouve sans doute le besoin d'être rassuré sur un plan technique. Mais son engagement constitue le principal investissement de la production : le plus gros salaire de l'équipe, un million et demi d'anciens francs, tandis que Moussy et Truffaut sont payés un million de francs chacun et que la totalité des cachets réservés aux acteurs avoisine trois millions.

Il reste à obtenir l'autorisation de tourner délivrée par le Centre national de la cinématographie. À cette époque, il n'est pas facile de s'improviser metteur en scène. Il faut avoir suivi trois stages, avoir été trois fois second assistant et trois fois premier. Réalisateur de deux courts métrages dont le premier n'a jamais été montré, Truffaut est loin du compte et n'en mène pas large lorsqu'il se présente, début septembre 1958, devant une commission syndicale réunie au CNC. C'est la raison pour laquelle il choisit un premier assistant plus expérimenté que lui, Philippe de Broca. À vingt-six ans, Truffaut obtient ainsi une dérogation pour tourner son premier long métrage.

Depuis l'expérience des *Mistons*, Truffaut sait qu'il n'est pas facile de diriger des enfants, et la réussite des *Quatre Cents Coups* repose essentiellement sur deux adolescents. Avec un scénario largement autobiographique, Truffaut voit bien le danger d'une « confession geignarde et complaisante [14] », lui qui cherche au contraire à faire passer ce qu'il y a d'universel dans l'enfance.

Il recueille alors une importante documentation sur la psychologie adolescente, et surtout l'enfance difficile, malheureuse, délinquante. Au cours de l'été 1958, Truffaut consulte à plusieurs reprises deux juges pour enfants, Mlle Lamotte et M. Chazal. Il travaille aussi avec Joseph Savigny, le directeur du Service de l'éducation surveillée au ministère de l'Éducation nationale, lit énormément, par exemple *Graine de crapule, Les Vagabonds,* ou le livre de Fernand Deligny, *Adrien Lhomme,* qui influencera certaines séquences du film. Grâce à Bazin, qui l'a connu après la guerre à Travail et Culture, il s'intéresse de plus près aux expériences menées par Deligny au Petit-Bois, à Saint-Yorre dans l'Allier. Installé en pleine nature avec une dizaine d'enfants autistes « volés à la porte même de l'internement psychiatrique [15] », Deligny tente de les faire « vivre autrement ». Truffaut lui envoie son scénario début août 1958, en lui demandant conseil. Deligny critique assez sévèrement la séquence du dialogue avec la psychologue, « gênante et artificielle [16] », que le cinéaste abandonnera en cours de tournage pour la remplacer par une confession improvisée par le jeune Antoine devant la caméra. En septembre, Truffaut passe deux journées à Saint-Yorre avec Deligny. Dans une lettre qu'il lui adresse le 29 octobre 1958, quelques jours avant le début du tournage, il parle de ces rencontres décisives « pour m'empêcher de me précipiter sur toutes les erreurs venues [17] ».

La dernière étape dans la préparation des *Quatre Cents Coups* consiste à choisir les acteurs. Truffaut engage Guy Decomble, qu'il a déjà vu au cinéma dans de nombreux seconds rôles, notamment dans *Jour de fête* de Tati, pour le rôle du professeur de français surnommé Petite-Feuille. Après les avoir vus dans une même émission de variétés, Truffaut choisit le comique Pierre Repp, pour le rôle du professeur d'anglais, et Henri Virlojeux pour celui de l'inquiétant gardien de nuit qui préside à l'arrestation d'Antoine, après le vol de la machine à écrire. Georges Flamand, acteur dans *La Chienne* de Renoir et dans *La Vénus aveugle* de Gance, incarne M. Bigey, le père de René, joueur invétéré et amateur de chevaux. Avec sa fantaisie d'humoriste et sa gouaille de Parisien blagueur et râleur, Albert Rémy, acteur prolifique des années quarante et cinquante, convient parfaitement au rôle du père d'Antoine. Sa mère sera jouée par Claire Maurier, jolie brune de trente-cinq ans — elle sera teinte en blond pour le rôle — qui a jusqu'alors davantage exercé ses talents sur la scène qu'à l'écran.

Pour les deux adolescents, Truffaut fait paraître une annonce dans *France-Soir :* « Cherche un garçon de douze à quatorze ans pour tenir un rôle dans un film de cinéma. » En septembre et octobre 1958, il auditionne ainsi plusieurs centaines d'enfants. Auparavant, Jean Domarchi, critique aux *Cahiers du cinéma,* lui a recommandé le fils d'un assistant-scénariste, Pierre Léaud, et de l'actrice Jacqueline Pierreux. D'emblée, Truffaut est sous le charme de cet adolescent de quatorze ans, qui a déjà fait une apparition l'année précédente dans *La Tour, prends garde* de Georges Lampin, aux côtés de Jean Marais. Il retrouve en lui des traits qui leur sont communs, « par exemple une certaine souffrance par rapport à la famille. [...] Avec toutefois cette différence fondamentale : bien que tous deux révoltés, nous n'avions pas exprimé nos révoltes d'une façon semblable. Je préférais camoufler et mentir. Jean-Pierre, au contraire, cherche à froisser, à choquer et tient à ce qu'on le sache. [...] Pourquoi ? Parce qu'il est turbulent alors que j'étais sournois. Parce que sa nervosité exige que des choses lui arrivent, et quand elles ne viennent pas assez vite, il les provoque [18]. »

Inscrit en classe de 4e aux Verrières, une école privée située à Pontigny, dans l'Yonne, Jean-Pierre Léaud est loin d'être un élève idéal : « Je suis au regret d'avoir à vous faire part que Jean-Pierre se montre de plus en plus " infernal ", écrit à Truffaut le directeur de l'école. Désinvolture, arrogance, défi permanent, indiscipline sous toutes ses formes. Il a été pris à deux reprises dans le dortoir à feuilleter des images pornographiques. Il tourne de plus en plus au caractériel grave [19]. » Mais ce garçon instable, qui fugue souvent pour suivre des élèves plus âgés dans leurs virées nocturnes, peut être aussi brillant, généreux, affectueux. Très cultivé pour son âge, il possède déjà une grande maîtrise de la plume, il soutient même devant le cinéaste qu'il a déjà écrit une « tragédie en vers », *Torquatus.*

Les bouts d'essai avec Jean-Pierre Léaud sont d'emblée concluants. Mi-septembre, près de quatre cents candidats se sont présentés, à la suite de l'annonce parue dans *France-Soir.* Plusieurs jeudis de suite, Truffaut fait ses auditions. À la fin du mois, il ne reste que six adolescents en lice pour le rôle d'Antoine. À chaque étape, Jean-Pierre Léaud impose sa personnalité et son naturel. Ce qui n'est qu'une confirmation pour Truffaut s'impose bientôt comme une évidence pour le reste de l'équipe. La figure d'Antoine est née, portrait mêlé de Truffaut et de Jean-Pierre Léaud : « Je crois qu'au départ, écrit le cinéaste, il y avait beaucoup de moi-même dans le personnage d'Antoine. Mais dès que Jean-Pierre Léaud est arrivé, sa personnalité qui était très forte m'a amené à modifier souvent le scénario. Je considère donc qu'Antoine est un personnage imaginaire qui emprunte un peu à nous deux [20]. » Dans la foulée, Truffaut attribue le rôle de René à Patrick Auffay, un peu plus âgé que Jean-Pierre Léaud, plus grand, à l'allure plus bourgeoise, moins voyou de Paris qu'héritier de bonne famille. Quelques improvisations persuadent très vite Truffaut qu'il a enfin trouvé son duo.

Dans la nuit du 10 au 11 novembre 1958, André Bazin, âgé de quarante ans, est emporté par une leucémie. Le matin même, Truffaut, tendu et angoissé, avait commencé le tournage des *Quatre Cents Coups*. Le soir, le cinéaste se rend à Nogent-sur-Marne, où les Bazin habitent depuis trois ans. Aux côtés de Janine, il reste au chevet de celui qu'il considère comme son père adoptif, son maître et son ami. Cette atmosphère de deuil imprégnera l'ambiance du tournage, accentuant certainement la noirceur du film. Tandis qu'un personnage de fiction est en train de naître, le « vrai » père disparaît.

Truffaut a plusieurs fois écrit ce qu'il devait à Bazin, « cette espèce de saint en casquette de velours vivant avec une pureté totale dans un monde qui se purifiait à son contact [21] ». Mais sans doute ne l'a-t-il jamais dit avec autant d'émotion que dans le numéro spécial des *Cahiers du cinéma* publié immédiatement après la mort du critique : « Bazin m'a fait franchir le fossé séparant le vrai cinglé de cinéma du critique, puis du cinéaste. Je rougissais de fierté si, au cours d'une discussion, il venait à m'approuver, mais je ressentais un plaisir encore plus vif à être contredit par lui. Il était le Juste par qui on aime être jugé et pour moi un père dont les réprimandes mêmes m'étaient douces, comme les témoignages d'un intérêt affectueux dont, enfant, j'avais été privé [22]. »

Dès qu'il le peut, Truffaut quitte le plateau des *Quatre Cents Coups* pour être à Nogent-sur-Marne parmi les proches de Bazin. Le 16 novembre 1958, jour de la cérémonie funèbre, il dirige ses acteurs, vêtu d'un costume noir, et dédiera son film « à la mémoire d'André Bazin ». Le critique le plus important de l'après-guerre s'éteint quand naît la Nouvelle Vague, au moment même où Truffaut tourne les premiers plans des *Quatre Cents Coups*. Le fait n'est pas seulement symbolique : devenir cinéaste, pour lui, c'est régler les comptes d'une enfance clandestine et d'une adolescence à l'abandon. Les *Quatre Cents Coups* portent les traces de ces déchirements et d'un affranchissement douloureux.

Le 10 novembre 1958, tenaillé par l'angoisse et fumant cigarette sur cigarette, François Truffaut a donc commencé le tournage [23] des *Quatre Cents Coups*. La première semaine se déroule dans un petit appartement de la rue Marcadet, sur la butte Montmartre, un trois-pièces si minuscule qu'il ne peut accueillir l'équipe entière, techniciens et acteurs, en tout une vingtaine de personnes. L'immeuble est si vétuste que des sautes de tension provoqueront des coupures d'électricité, interrompant à plusieurs reprises le tournage. Tendu, mal à l'aise et se sentant jugé par son équipe, Truffaut limite les visites sur le plateau au strict nécessaire. Albert Rémy, quant à lui, est presque paralysé par des douleurs dorsales. Jean-Pierre Léaud est finalement le plus détendu, même s'il a failli être intoxiqué par l'épaisse fumée qui a envahi la pièce lors de la scène où la photographie de Balzac prend feu, dans la petite niche au-dessus du lit d'Antoine. Truffaut, rongé par l'angoisse de mal faire, arpente le plateau en tous sens. Aussi, le 19 novembre, c'est un grand soulagement pour toute l'équipe quand elle sort enfin à l'air libre pour tourner place Clichy la scène du baiser entre la mère et son amant, auquel le critique Jean Douchet a prêté sa silhouette.

La deuxième partie du tournage, du 20 au 25 novembre, est largement consacrée aux séquences jouées par les deux adolescents chez René. Pour l'occasion, Truffaut est revenu au cœur du quartier de son enfance, rue Fontaine, où Claude Vermorel, un critique de cinéma proche de Bazin et de Doniol-Valcroze, lui a prêté son grand appartement. C'est l'un des moments clés du film, et la complicité entre Jean-Pierre Léaud, Patrick Auffay et Truffaut fait merveille. Le tournage est ensuite beaucoup plus dispersé et change presque tous les jours de lieu au gré des différentes scènes. Des amis passent, comme Audiberti, Jacques Laurent et Doniol-Valcroze, et font même de la figuration, comme Jacques Demy et Charles Bitsch déguisés en policiers dans la scène du commissariat de la rue Jouffroy. Un tout jeune cinéphile, Bertrand Tavernier, grand lecteur de *Arts,* a demandé à son professeur la permission d'assister à une journée de tournage. Quelques jours plus tard, par souci d'économie, l'équipe des *Quatre Cents Coups* s'installe rue Hamelin, dans les bureaux de la SEDIF, la société dirigée par Ignace Morgenstern, pour filmer la séquence où Jean-Pierre Léaud vient rapporter la machine à écrire volée et se fait prendre par le gardien de nuit. C'est la première fois que l'un des personnages doit désigner Antoine par son nom de famille, que la veille au soir, Truffaut a brusquement changé : Antoine Loinod devient Antoine Doinel, hommage discret à Jean Renoir dont l'une des proches collaboratrices se nomme Ginette Doynel.

Les deux jours suivants, lors des séquences dans une imprimerie, Jean-Pierre Léaud se blesse assez sérieusement à la main ; le film prend un peu de retard. Dans la nuit du 10 décembre, alors que l'équipe filmait la famille Doinel sortant du Gaumont-Palace où ils ont vu *Paris nous appartient* (clin d'œil de Truffaut à son ami Rivette), et rentrant chez elle dans une Dauphine louée pour l'occasion, la police interrompt le tournage pour tapage nocturne. Et ce soir-là, aux abords de la place Clichy, Jean-Pierre Léaud a « insulté la maréchaussée », soit deux agents de service. Quelques jours plus tard, la veille de Noël, un car de police prévenu par le patron du café *Le Rendez-Vous du bâtiment* interrompt à nouveau le tournage : lors de la séquence du professeur de gymnastique, qui nécessite plusieurs prises, Jean-Pierre Léaud insultait à chaque fois le propriétaire du café tandis que deux de ses camarades chipaient des couverts et des cendriers.

Auparavant, du 16 au 22 décembre, le tournage s'était déplacé en Normandie pour les dernières séquences du film, celles où Antoine est placé en observation dans un centre, puis sa fuite vers la mer. Un grand panneau, « Centre d'Observation des Mineurs », a été placé à la hâte à l'entrée d'une propriété qui ne ressemble en rien à une prison, puisqu'il s'agit du Moulin d'Andé, un très beau domaine situé près de Saint-Pierre-du-Vauvray où Suzanne Lipinska, amie de Maurice Pons, accueille écrivains et artistes. La longue course d'Antoine vers la mer, qui referme le film, est tournée aux alentours de Villers-sur-Mer,

grâce à la caméra qu'Henri Decae a placée sur une voiture-tra-
velling, lui permettant de suivre la course de Jean-Pierre Léaud.
Cette séquence s'achève sur un regard-caméra d'Antoine Doinel
— « De quel droit me jugez-vous ? » semble dire Léaud au spectateur —, figure de style plutôt rare à l'époque, inspirée d'un
plan de *Monika* d'Ingmar Bergman.

Juste après Noël, les nombreuses scènes de classe sont
tournées à l'École technique de photographie et de cinéma de
la rue de Vaugirard, fermée pour les vacances. Après quarante
jours de travail, Truffaut est plus sûr de lui. La progression du
tournage a été étudiée. Il peut désormais affronter avec plus de
confiance les scènes avec les groupes d'adolescents, qui sont les
plus difficiles à diriger.

Le tournage des *Quatre Cents Coups* s'achève le 5 janvier
1959. Marie-Josèphe Yoyotte a déjà commencé le montage, si
bien que début février, Truffaut peut déjà visionner une première version. Jean Constantin compose une musique à la corde
sèche, simple mais entêtante comme une ritournelle, qui
s'adapte parfaitement à l'atmosphère. En deux mois, Truffaut
peut ainsi livrer une copie zéro de son premier long métrage.

Le 22 janvier 1959, à l'hôpital Américain de Neuilly, Madeleine Truffaut a donné le jour à une petite fille, Laura, Véronique, Annie, Geneviève, en hommage à ses grand-mères, qui est
déclarée par son père à la mairie de Neuilly, une semaine après.
Marqué par un deuil au premier jour du tournage, Les *Quatre
Cents Coups* s'achève par une naissance.

Les réactions de Doniol-Valcroze, Rivette, Godard et Rossellini aux premières projections du film sont enthousiastes, et
le 2 avril, la projection de presse au Marbeuf est tout aussi
concluante. Le 14, à la surprise générale, le comité du festival
de Cannes, sans doute influencé par le mouvement qui s'esquisse en faveur du jeune cinéma, propose à André Malraux,
ministre des Affaires culturelles, la sélection officielle du film
pour représenter la France, aux côtés d'*Orfeu Negro* de Marcel
Camus et d'*Hiroshima, mon amour* d'Alain Resnais. « Quand j'ai
annoncé à Monsieur Morgenstern que j'avais reçu un coup de
téléphone de Jacques Flaud, le directeur du Centre, m'informant que le film était sélectionné, il ne m'a pas cru [24] », se souvient Marcel Berbert. Le 22 avril, Jean-Luc Godard peut alors
s'exclamer dans les colonnes d'*Arts,* en prenant violemment à

partie les cinéastes de la « qualité française » : « Aujourd'hui, il se trouve que nous avons remporté la victoire. Ce sont nos films qui vont à Cannes prouver que la France a joli visage, cinématographiquement parlant. Et l'année prochaine ce sera la même chose. N'en doutez pas ! Quinze films neufs, courageux, sincères, lucides, beaux, barreront de nouveau la route aux productions conventionnelles. Car si nous avons gagné une bataille, la guerre n'est pas encore finie. »

Le festival des enfants prodiges

Le 27 avril 1959, François Truffaut et Jean-Pierre Léaud louent leur smoking à Paris, en vue de la soirée officielle des *Quatre Cents Coups* à Cannes. Le cinéaste arrive le 2 mai au matin, accompagné de Madeleine, de Marcel Berbert, de Jean-Pierre Léaud, lui-même entouré de ses parents, d'Henri Decae, Claire Maurier et Albert Rémy. Tout le monde est logé au Carlton. « Nous n'avions même pas une affiche du film, juste une photo agrandie de Jean-Pierre Léaud, que nous avons collée au mur. Et j'ai fait venir quelqu'un pour peindre le titre du film et le nom de Truffaut [25] », rappelle Marcel Berbert. Ce dernier, beaucoup moins angoissé que son patron, a déjà réussi l'impossible : vendre le film aux Américains avant le festival, « pour 50 000 dollars, ce qui représentait exactement les 47 millions de francs que le film avait coûté [26] ». Mais la véritable épreuve a lieu lors de la projection officielle, dans la soirée du lundi 4 mai. En attendant, Truffaut arpente les rues de Cannes à la recherche de visages amis. Jean Cocteau, président honoraire du jury, Roberto Rossellini, ou Jacques Audiberti envoyé par *Arts* pour couvrir le festival, lui apportent un peu de réconfort. Ayant déjà vu *Les Quatre Cents Coups* à Paris, les trois hommes sont confiants. Le soir de la projection dans la salle du Palais des festivals, Truffaut est pâle, tendu. Jean-Pierre Léaud lui fait un clin d'œil lorsque la lumière s'éteint. Le cinéaste est bientôt rassuré en entendant les applaudissements qui, avant même la fin de la projection, saluent déjà certaines scènes. Et, lorsque les lumières se rallument, c'est un véritable triomphe, chacun se tournant vers le jeune cinéaste pour en découvrir le visage. À la sortie du Palais, dans une indescriptible bousculade, Jean-Pierre Léaud est porté à bout de bras pour être présenté aux festivaliers et aux photographes agglutinés en bas des marches. Parrainé par Cocteau, Truffaut salue et serre les mains anonymes qui montent vers lui, puis il entraîne Cocteau dans un restaurant provençal où a lieu un dîner réunissant l'équipe du film.

Le lendemain, les gros titres s'étalent à la une des grands journaux. Ainsi *France-Soir,* au-dessus d'une photographie de la descente des marches : « Un metteur en scène de 28 ans : François Truffaut. Une vedette de 14 ans : Jean-Pierre Léaud. Un triomphe à Cannes : *Les 400 Coups.* » *Paris-Match* relate ce triomphe sur quatre pleines pages dans son édition du 9 mai : « Le festival des enfants prodiges. » Le magazine *Elle* insiste sur cette jeunesse retrouvée : « Jamais le festival n'a été si jeune, si heureux de vivre pour la gloire d'un art qu'aime la jeunesse. Le XIIᵉ festival du film a le grand honneur de vous annoncer la renaissance du cinéma français [27]. » Cette jeunesse, le film de Truffaut l'incarne pleinement, et plus encore Léaud, qui devient l'attraction du festival. Les reportages sur lui, sa famille, sa vie difficile, ses ambitions et son naturel se multiplient, dans *Paris-Match, France-Dimanche, Paris-Presse,* ou à la radio sur RTL. Ses frasques cannoises, dans les restaurants, les bars, les boîtes de nuit, ses phrases à l'emporte-pièce, ses disputes avec ses parents, passionnent journalistes et paparazzi. La presse d'opinion emboîte le pas et Truffaut devient, en quelques jours, une figure emblématique. Dans *Le Monde,* Yvonne Baby dresse un portrait flatteur du jeune cinéaste, tout comme Pierre Billard dans *France-Observateur.* Le 7 mai, une photo de Jean-Pierre Léaud est en couverture de *L'Express,* qui fait du film un événement. *Arts* n'est pas en reste : « Avec ses " 400 coups " d'essai Truffaut a réussi un coup de maître [28] », écrit Jacques Audiberti. Celui-ci poursuit en décrivant minutieusement et avec un certain lyrisme l'« épopée de Truffaut » : « Tous ceux qui, sans animosité particulière à l'encontre de Truffaut, réprouvent ce qu'ils appellent son arrivisme, son machiavélisme, se laissaient aller, à contrecœur et à tombeau ouvert, au vertigineux attrait de ce qui est fatal, au plaisir intensément passif de se représenter, par avance, dans tous les détails, ce triomphe qui allait se produire et qui, en effet, se produisit. » Enfin, pour Jacques Doniol-Valcroze dans les *Cahiers du cinéma* : « *Les Quatre Cents Coups,* ce ne serait au fond qu'un film bouleversant et la confirmation du talent de l'ami François, si ce n'était soudain aussi la fusée qui éclate en plein camp ennemi et consacre sa défaite par l'intérieur [29]. »

À ce déluge de commentaires élogieux s'ajoutent des télégrammes de félicitations venus des quatre coins du monde, de Georges Braque, Pierre Brasseur, Jacques Flaud, Abel Gance, Jean Renoir, Robert Aldrich, Nicholas Ray, Louise de Vilmorin, Georges Simenon... Quant au jury du festival, il couronne *Les Quatre Cents Coups* en lui attribuant le Prix de la mise en scène. En deux jours, les distributeurs étrangers s'arrachent le film et négocient les droits auprès de Marcel Berbert : Japon, Italie, Suisse et Belgique. En incluant l'Amérique, les ventes atteignent déjà 87 millions d'anciens francs, soit deux fois le budget du film. Sur cette lancée, il sort le 3 juin dans deux salles des Champs-Élysées. Le succès est considérable : près de 450 000 spectateurs verront le film.

Au-delà du public cinéphile, le film est vite devenu un fait de société. La presse populaire, la presse d'opinion, comme la presse spécialisée, s'emparent des mésaventures d'Antoine Doinel pour en faire l'illustration d'un thème social : l'enfance malheureuse et l'éducation des adolescents. « Parents, si c'était vous ? », titre ainsi le magazine *Nouveaux Jours,* tandis qu'au même moment son concurrent, *Bonheur,* met en garde les adultes : « Attention, parents ! Ne laissez pas vos gosses devenir des voyous ! » Servant de prétexte à un débat de société sur la démission des parents, le film de Truffaut élargit par là même considérablement son public. Mais il profite surtout du phénomène « Nouvelle Vague ». Le « nouveau cinéma » est à la mode, comme en témoigne *Arts* [30], qui lui consacre deux dossiers spéciaux. Un tournage rapide, des histoires au présent jouées par des acteurs de la nouvelle génération, des prises de vue en extérieurs plutôt qu'en studio, le choix de la lumière naturelle, des moyens techniques et économiques plus légers : grâce au succès des *Quatre Cents Coups* à Cannes, ces idées nouvelles prennent un essor inattendu, gagnant même la presse populaire. Le film de Truffaut apparaît bien comme le point de départ du mouvement, orientant pour quelque temps la production française vers le « film jeune ». En trois ans, près de cent soixante-dix cinéastes tourneront leur premier long métrage et la marque « Nouvelle

Vague » devient une sorte d'appellation (in)contrôlée. Jusque-là très méfiants envers le jeune cinéma, des dizaines de producteurs cherchent à produire des films à petits budgets, avec des acteurs inconnus, flairant la bonne affaire. Ce tournant à l'intérieur du cinéma français fera date dans son histoire.

En fait, le terme « Nouvelle Vague » est apparu un an et demi plus tôt, dans *L'Express* du 3 octobre 1957, en titre du *Rapport sur la jeunesse* commenté par Françoise Giroud. En juin 1958, celle-ci publie chez Gallimard un livre à succès, *La Nouvelle Vague, portrait de la jeunesse,* qui n'a aucun rapport direct avec le cinéma, mais exprime ce besoin de changement à l'intérieur de la société française. C'est le critique Pierre Billard qui, en février 1958, applique ce terme au nouveau cinéma français [31]. Au printemps 1959, l'expression est diffusée à Cannes, et reprise à l'automne par la presse provinciale, lors de la sortie des *Cousins* et des *Quatre Cents Coups.* Bientôt c'est à la presse internationale de s'en faire l'écho. Il n'est désormais plus un festival, en France ou dans le monde, sans une table ronde autour de la Nouvelle Vague. Même l'édition s'empare très vite du filon et tente d'analyser le phénomène : trois livres sur la Nouvelle Vague sont publiés à la hâte dans les quelques mois qui suivent la révélation de Cannes [32].

En 1959, si l'on juge le bilan de la Nouvelle Vague largement favorable, se profile déjà la contre-offensive de ses ennemis, principalement celle des tenants du cinéma français traditionnel et d'une partie de la critique de gauche. Dès le festival de Cannes, quelques cinéastes et scénaristes consacrés, tels Jean Delannoy, René Clair, Claude Autant-Lara, Henri Jeanson, Michel Audiard ou Charles Spaak, ceux que François Truffaut nomme ironiquement dans les *Cahiers* l'« Ancienne Vague [33] », attaquent sévèrement le mouvement. « Amateurisme », « intellectualisme », « ennui », « auto-promotion », « arrivisme » sont les mots qui reviennent le plus souvent dans les interviews ou sous la plume des représentants officiels du cinéma de l'époque. L'autre pôle anti-Nouvelle Vague est représenté par *Positif,* revue rivale des *Cahiers du cinéma,* qui accuse le mouvement de gratuité, de maniérisme, de parisianisme, et surtout de dérive droitière, reprochant à ces films leur manque d'engagement [34].

Tout en étant lui-même méfiant à l'idée d'un quelconque

embrigadement, Truffaut tente d'analyser le phénomène Nouvelle Vague. À travers ses nombreux articles polémiques dans *Arts,* il a été le témoin privilégié et actif de cette crise du cinéma français traditionnel. Il a appelé de ses vœux un renouvellement profond des sujets, des acteurs, des méthodes de production et de tournage. Sous l'influence de Renoir, Rossellini ou Ophuls, il a fait l'éloge de l'« auteur » indépendant, affranchi des contraintes du vedettariat et de l'emprise des scénaristes. Ce fil théorique est le lien fondamental entre Truffaut cinéaste et Truffaut critique. Car lui-même a mis en pratique, dès *Les Mistons,* ce mode de tournage rapide et économique, entouré de techniciens fidèles, en écrivant ses histoires et ses dialogues et en donnant leur chance à de nouveaux acteurs. Mais, telle qu'elle est décrite par la grande presse, avec ses nombreux films « jeunes » et très inégaux, la Nouvelle Vague est davantage, il en est conscient, un phénomène de mode, une sorte de concept sociologique, qu'une rupture définitive dans les pratiques et les habitudes du cinéma français. Pourtant, tout en s'en défendant, il est bel et bien considéré, par ses amis comme par ses ennemis, comme le chef de file du nouveau cinéma, tandis que Resnais ou Godard en seraient davantage les théoriciens ou les expérimentateurs. Pour le meilleur et pour le pire, son destin personnel se confond avec celui de la Nouvelle Vague. En 1959, le pire est à venir, et une bonne part de l'énergie du jeune cinéaste, pendant quelques années, va s'investir dans la défense du mouvement.

L'homme exposé

En première ligne dans la révolution cinématographique en cours, François Truffaut est un homme exposé. Avec le succès des *Quatre Cents Coups,* les portraits de lui paraissant dans la presse sont en général favorables mais souvent stéréotypés. La reconnaissance est quasi unanime, malgré quelques fausses notes et quelques perfidies. Une sensibilité à vif, une volonté de revanche sur la vie, un charme certain, tels sont les traits de caractère prêtés à cet homme de vingt-sept ans en pleine réussite. Chacune de ces caractéristiques trouve aussi son envers : violence et colère pour la première, arrivisme pour la seconde et mièvrerie académique pour le troisième, autant de qualificatifs pour rappeler à Truffaut qu'il fut le critique le plus détesté de sa génération. « Malingre, noiraud, le teint blême, un regard d'enfant sournois, il n'inspire pas à première vue la sympathie [35] » : l'aspect physique de Truffaut, décrit ici sans concession par Michèle Manceaux dans *L'Express,* fait souvent ressurgir sous la plume des journalistes l'ancien cinéphile « sectaire », le « critique des catacombes », le jeune « furieux » à la langue acerbe et aux attaques violentes contre les cinéastes installés : « On peut s'imaginer François Truffaut en terroriste du septième art, écrit ainsi Pierre Ajame dans *Les Nouvelles littéraires,* lacérant les affiches des films qu'il n'aime pas, claquant les portes de certains producteurs, dressant la liste des gens-à-qui-l'on-ne-doit-pas-serrer-la-main, dictant ses exclusives sans admettre la moindre remarque. On le peut d'autant mieux qu'il fait tout pour donner de lui cette image outrée [36]... »

D'autres reprochent à Truffaut de ressembler à ce qu'il avait autrefois combattu, et de reproduire les valeurs d'un cinéma qu'il avait lui-même dénoncé. Dès la sortie de son premier film, on l'accuse de trahison. « Celui qui fut le miston terrible de la critique est devenu l'académicien de la Nouvelle Vague [37] », peut-on lire ainsi en gros titre dans le mensuel *Lui,* tandis qu'un autre journal, dès le 15 mai 1959, annonce en couverture : « La trahison de Truffaut ». « J'aimais le Truffaut pur et dur, s'exclame un journaliste anonyme dans ce virulent billet d'humeur, j'aimais ses coups de bec sur le crâne des " pompiers " de la pellicule, j'aimais lorsqu'il fut excommunié par les gens qui règnent à Cannes. Désormais, je lui en veux d'être allé à Cannes. Pour moi, c'est un peu comme si Paul Léautaud avait brigué un fauteuil à l'Académie française. Il s'est laissé mettre un smoking, il s'est laissé engouffrer dans la grande usine de brosses à reluire. Roulé dans le sucre en poudre, apprivoisé, édulcoré, que va-t-il rester du Truffaut d'autrefois [38] ? » À ce syndrome de trahison s'ajoute le constat ironique établi par les anciens que le jeune cinéaste a largement contribué à pousser vers la sortie : la révolution annoncée aurait-elle accouché d'une souris et le jeune cinéma va-t-il bientôt rentrer dans le rang des productions les plus commerciales ? C'est ce qu'écrit Charles Spaak dans *France-Soir* au début du mois de juin 1959 : « Une fois lancé, Truffaut se prépare allègrement à passer de l'autre côté de la barrière, chez les " vrais " metteurs en scène qui font des films de 250 ou de 500 millions de francs [39]... »

Dans la presse court également la rumeur d'un Truffaut arriviste, dévoré d'ambition, prêt à tous les compromis pour réussir, cynique, rusé, roué, hypocrite et sournois. « Il a épousé la fille de son pire ennemi pour trouver un financement [40] », n'hésite pas à écrire Claude Brulé dans *Elle*, pendant le festival de Cannes 1959. L'histoire est reprise dans de nombreux portraits du « Rastignac de la Nouvelle Vague » : « Et puis Truffaut s'est marié, constate l'un d'entre eux, ce qui après tout était son droit. Mais son beau-père, hélas ! est un des producteurs-distributeurs les plus avisés et les plus sûrs de l'ancien cinéma français. Je dis " hélas ! " pour le Truffaut pur et dur première manière. On nous dit que *Les Quatre Cents Coups* n'ont pas coûté cher. Cependant, trente à quarante millions, il faut pouvoir les trouver et ne les trouve pas qui veut. Il y a des tas de jeunes, voire d'anciens jeunes, qui ont vieilli avec leur talent et avec leurs idées simplement parce qu'ils n'ont pas hérité d'un parent, comme Chabrol, ou qu'ils n'ont pas épousé Mlle Morgenstern, comme Truffaut. Entre l'art cinématographique et son expression, il y a l'argent, et j'ai peur que François Truffaut y ait trop songé. Cela porte un nom : l'arrivisme. Préparons-nous à être déçus par un tel personnage [41]. » Philippe Labro rapporte un témoignage de Jean-Pierre Melville, qui fut un temps, au tout début des années soixante, une sorte de mentor pour les cinéastes de la Nouvelle Vague. « Melville me disait : " Je me vois en train de descendre les Champs-Élysées avec François Truffaut me glissant : 'Méfiez-vous de Louis Malle, c'est un arriviste !' Et je me vois en train de les remonter sur le trottoir d'en face, avec Louis Malle me confiant : 'Méfiez-vous de Truffaut, c'est un arriviste !' " Ce sont des termes péjoratifs que chacun attribuait à l'autre, mais c'est tout simplement parce que Malle et Truffaut étaient des cinéastes ambitieux [42]. » « Parmi les hommes que j'ai connus, confirme Jeanne Moreau, François était le plus ambitieux tout en restant fidèle à sa jeunesse. Cette ambition-là, on en a toujours besoin. Ce que vous avez reçu des autres, c'est autre chose que ce que vous recevez de vous-même. François n'a rien reçu en comparaison de Louis Malle, dont l'ambition était plus âpre [43]. »

Même si le succès des *Quatre Cents Coups* lui a donné une

certaine assurance, François Truffaut reste extrêmement sensible à ces attaques et aux rumeurs qui courent sur son compte.
D'une certaine manière, il s'attendait à être maltraité, mais cela
le blesse, car il s'agit le plus souvent d'attaques personnelles,
armes dont il ne s'était lui-même pas privé auparavant. Il décide
de riposter par un autre portrait à travers quelques entretiens
soigneusement préparés. Cet autoportrait autorisé explique
assez clairement l'attitude du cinéaste envers la presse et le
public, faite de bonne volonté et de retenue mêlées. Il met en
avant l'enfance difficile, placée sous le signe de l'échec scolaire,
en épargnant le plus possible ses propres parents, tandis qu'il
banalise le profil de l'adolescent, et gomme volontairement
l'influence du critique. Il fait surtout de sa passion cinéphile
l'élément privilégié : l'expression « La vie, c'était l'écran » permet d'apaiser les passions plus inavouables et d'oublier la dureté
des rapports avec les parents, les centres pour mineurs délinquants, la violence du critique comme des passions amoureuses,
le trouble de la bâtardise comme celui du positionnement idéologique hussard. De nombreux entretiens, où « Truffaut dit
tout », où il « accepte d'ouvrir l'album de ses souvenirs secrets »,
où il « propose un autoportrait inédit », évoquent aussi la figure
d'André Bazin, l'amitié avec Robert Lachenay, avec Rossellini,
le passage à la réalisation, le succès de la Nouvelle Vague... La
violence qu'on lui prête s'efface dans ce portrait émouvant d'un
autodidacte plutôt aisément intégré au système, d'un jeune cinéphile que le cinéma a élevé jusqu'à en faire le symbole d'un
« art français » classique, tout en demi-teintes et en subtilités.

Blessure familiale

François Truffaut doit bientôt faire face à un autre front
d'hostilité. En lisant la presse où s'étale le récit de la jeunesse
de leur fils, Roland et Janine Truffaut sont stupéfaits de découvrir leurs propres portraits, qu'ils jugent outrageusement noir-
cis. Leur réaction est à ce point virulente qu'il n'est même pas
question pour eux d'aller voir le film. Déshonorés, ils sont mon-
trés du doigt dans leur quartier, celui-là même qui est devenu

le cadre de vie d'Antoine Doinel dans *Les Quatre Cents Coups*. Truffaut n'a mesuré ni l'impact de son film, ni surtout le fait que, pour la première fois, la presse se soit emparée de la vie privée d'un cinéaste, plutôt que celle d'acteurs ou d'actrices célèbres. Mais s'il est trop tard pour corriger le tir, le cinéaste fait son possible pour arrondir les angles, allant jusqu'à dire que son film n'est pas autobiographique. De leur côté, Roland et Janine passent à l'offensive, encourageant la famille à réagir, avant d'adresser eux-mêmes à leur fils des lettres indignées.

En fait, dès le tournage des *Quatre Cents Coups*, François Truffaut avait pris ses distances. Sans doute pressentait-il que l'aspect autobiographique du film et le portrait assez noir des parents allaient provoquer des réactions dans sa famille. Du coup, il choisit la stratégie de l'évitement, de manière maladroite et sournoise. Il fait le mort, ne donne plus aucune nouvelle. C'est par la presse que Roland et Janine, deux mois plus tard, apprendront la naissance de leur petite-fille : « Nous souhaitons que la petite Laura soit en très bonne santé, écrit alors Roland Truffaut, surpris par la désinvolture de son fils. Tu nous permettras cependant d'être un peu étonnés de ne pas être directement instruits de faits et d'événements essentiels. Vous avons-nous fait quelque chose ? S'il y a un malentendu, n'hésite pas à le dire... Il doit être possible de le dissiper [44]. » Cette bonne volonté des parents est encore de mise au moment où leur fils connaît ses premières réussites. Le 17 avril 1959, par exemple, Roland et Janine Truffaut le félicitent à l'annonce de la sélection des *Quatre Cents Coups* à Cannes, et avouent « une certaine fierté à l'idée [qu'il] représentera le cinéma français [45] ».

Leur désillusion est d'autant plus grande à la lecture des premiers articles sur le film. C'est ce dont témoignent les notes de Roland consignées sur quelques feuilles volantes rageusement regroupées sous le titre « À travers la presse en délire : autour des *400 Coups* [46] ». La blessure profonde des époux Truffaut s'y exprime sans détour : « François abandonné à lui-même », « Le père de Truffaut rameute les commissariats », « Enfant mal aimé », « Les parents, pas méchants mais incapables de s'intéresser à leur enfant », « Son père est un bon bougre assez lâche », « Sa mère n'est folle que d'une chose, son propre corps », « Un héros né d'une mère volage et d'un père inconnu », « Sa mère, une assez vilaine petite putain »... Roland

Truffaut accompagne ces citations de ses propres commentaires. Vainement, il essaie de s'expliquer l'attitude de son fils : « Tu as manqué de scrupules et d'argent », « Tu veux sans doute nous faire croire que c'est nous qui t'avons rendu comme cela », « Amour du camping peut-être, et toi, espèce de salaud, que ne m'as-tu coûté pour le cinéma », « Et l'IDHEC que je t'ai offert, espèce d'idiot, et que tu as refusé », « Nous payons cher la mort de Bazin ». Les dernières remarques de Roland dressent le portrait d'un fils arriviste sans scrupules, d'un cynique habile et sournois : « Pourquoi venir nous voir quatre ans de suite les jeudis ? Hypocrisie. Quelle comédie intéressée », « Ce film, un chef-d'œuvre avant que personne ne l'ait vu. Publicité bien orchestrée », « Les millions Morgenstern sont bien utiles »...

Par la suite, la solidarité familiale vient les conforter dans leur colère. Monique de Monferrand, la jeune sœur de Janine, pourtant proche de François, leur écrit son désarroi devant l'attitude de son neveu : « Il faut se dire que, malgré tout, la saloperie ne paie pas, et ça m'étonnerait fort que cela lui porte chance. Ce sont ces sortes de gars qui misent sur tout pour arriver au succès et à la gloire et qui marcheraient volontiers sur des cadavres si cela était nécessaire [47]. » Puis, c'est au tour de Suzanne, la sœur aînée de Janine, de réagir : « François n'a sûrement pas la conscience tranquille, son attitude le prouve, et au moindre revers de fortune il vous reviendra. C'est à ce moment-là qu'il faudra le recevoir comme si de rien n'était et c'est cela qui sera le plus difficile. Rejeter tout sur le dos de ses parents, c'est devenu le mal du siècle ; mais cette mode de la jeunesse passera vite [48]. » Enfin, la réaction la plus violente provient de Bernard, le frère cadet de Janine, commandant dans l'armée et mobilisé en Algérie : « Mentalement, ce petit couillon de François n'est pas sorti de l'âge ingrat ; il se prend au sérieux et il est bourré de complexes. Il espère peut-être s'en débarrasser en agissant ainsi. Sans l'excuser, je le crois quand même plus inconscient que méchant, car s'il croit pouvoir changer de milieu en crachant sur ses origines il se trompe lourdement. Le malheur est qu'il vive dans ce milieu de faux intellectuels, de bohème du cinéma, et d'hommes d'affaires plus ou moins véreux, milieu cosmopolite et sournois dans lequel toute notion de morale, c'est un bien trop gros mot pour eux, mais de simple savoir-vivre, est inconnue. Il doit sentir que dans ce milieu il ne fait pas le poids et essaye de s'y imposer définitivement en s'y présentant comme un " cas " en ayant jadis mené une vie en marge de la morale courante. Alors, partant de ses aventures d'adolescent, bien banales et plus répandues qu'il ne le croit, il a fabriqué le roman de sa vie et s'est composé un personnage d'incompris mûri par les épreuves. " Il se fait du cinéma ", c'est le cas de le dire [49]. »

Le 20 mai 1959, Roland Truffaut adresse à son fils une lettre courte mais cinglante : « Peut-être auras-tu maintenant le temps de m'accorder un entretien au sujet d'articles parus dans une presse sans doute bien mal documentée, car j'imagine mal que tu aies pu laisser publier tant d'inexactitudes. Je te laisse libre de choisir le jour et l'heure de ce rendez-vous mais je crois qu'il vaut mieux nous rencontrer 33, rue de Navarin. D'ailleurs, tu reverras sans doute avec émotion ce misérable logement dans lequel tu as été si " maltraité " par des parents ignorants qu'ils te permettaient de devenir ainsi, plus tard, un glorieux et désintéressé " enfant martyr ". Je compte sur ta franchise habituelle pour accepter cette petite conversation. À bientôt... ? Ton père (seulement légal). P.-S. : Je tiens à préciser que tu peux venir en toute tranquillité corporelle : la caisse à ordures sera vidée et je n'informerai pas les commissariats de police [50]. » Il a joint à sa lettre une photo de son fils prise sur le tournage des *Quatre Cents Coups,* où il pose, cigare à la bouche, cravaté, l'air plutôt conquérant, ainsi légendée au dos par son père : « Portrait d'un authentique salaud. » Chez les parents Truffaut, c'est la brutalité de la révélation qui a sans doute provoqué une telle réaction : une enfance que chacun semblait avoir réussi à oublier ressurgit de manière dévastatrice. Ce portrait noir de son enfance, les Truffaut le mettent au compte de l'hypocrisie de leur fils et de son arrivisme, le jugeant corrompu par un « milieu » malsain, malhonnête, « cosmopolite ».

Pour se justifier, Truffaut écrit une longue lettre à son père le 27 mai, confession bouleversante où il révèle ses désarrois à des parents aveugles : « Je regrette, comme toi, les abus de cette publicité ; on a interrogé des gens qui m'avaient connu, on a acheté des photos à des copains de régiment, on a simplifié, grossi, déformé, tout cela est courant dans cette forme de journalisme. Je vais toutefois dans *Arts* dénoncer l'exagération de cela et démentir partiellement le côté " autobiographique " du

film. Je crois qu'une explication entre nous est souhaitable mais
seulement lorsque tu auras vu le film. [...] De ce qui m'est arrivé,
je n'ai filmé que ce qui arrive ou peut arriver dans d'autres
familles. J'ai montré, non un petit saint, mais un adolescent qui
fait l'école buissonnière, imite l'écriture de ses parents, leur vole
de l'argent, ment constamment... Malgré le désagrément de voir
imprimer un certain nombre de sottises dans les journaux, je
n'ai aucun regret d'avoir entrepris ce film. Je savais bien que je
vous ferais de la peine, mais cela m'est égal car depuis la mort
de Bazin je n'ai plus de parents. J'aurais tourné le film le plus
effroyable du monde si j'avais dépeint ce que fut mon existence
rue de Navarin entre 1943 et 1948, mes rapports avec maman
et toi. Durant toute la période des restrictions, je n'ai pas mangé
un morceau de chocolat ; vous l'emmeniez à Fontainebleau.
Vous partiez le samedi en ne me laissant pratiquement rien. Je
me débrouillais en volant du sucre (une rangée entière pour
que cela ne se voit pas trop). Je vivais dans le mensonge et la
peur dès le dimanche soir. Un enfant qui se trouve le seul à
l'école à ne pas avoir un " goûter ", cela le laisse rêveur. Il y a
eu aussi des moments d'exceptionnelle tension entre maman et
moi, comme lorsque j'étais par terre et qu'elle me donnait des
coups de pieds, un matin où j'étais resté deux heures à faire la
queue pour ne ramener qu'un paquet de biscottes. Je jure que
cela est vrai. Devenu lâche et sournois, je ne l'" ouvrais " pas et
vos amis admiraient ma sagesse à table ; je haïssais maman en
silence et toi je t'aimais bien tout en te méprisant. À la visite
médicale, quel drame s'il fallait ôter mes chaussures et révéler
l'état de mes chaussettes... Il y a aussi un petit drame ridicule
qui a influencé toute ma vie, c'est le repêchage au lycée Rollin
pour passer en 6ᵉ. À cette époque, j'étais encore un bon élève
et mon échec avait été accidentel. Au repêchage d'octobre j'avais
presque toutes les chances de réussir. J'étais en vacances à Juvisy,
et je vous ai écrit pour que vous veniez me chercher le dimanche
précédant l'examen. Vous n'êtes pas venus et je n'ai pas pu passer le repêchage. Alors vous m'avez inscrit à l'école communale
où j'ai commencé à faire les 400 coups. Vous m'avez dit que ma
lettre ne vous était jamais parvenue. Coïncidence extraordinaire : vous avez passé ce week-end à Fontainebleau, tiens pardi,
comme d'habitude. Quelle tristesse d'abandonner un week-end
en forêt pour venir à Juvisy chercher son gosse... Tu signes ta

lettre : " Ton père (seulement légal) " et je conçois ton amertume. Il se trouve que cette révélation a été un très grand choc pour moi et je crois t'avoir raconté que je la fis en fouillant dans l'armoire et en trouvant l'agenda de 1932 puis le livret de famille. T'ai-je dit aussi que l'ambiance familiale était telle que j'étais presque certain de l'existence d'un secret concernant ma naissance ; maman me détestait tellement que j'ai cru, pendant un an, qu'elle n'était pas ma vraie mère. Je pourrais poursuivre pendant des pages et des pages. Non, je n'ai pas été un " enfant maltraité " mais simplement pas " traité " du tout, pas aimé et se sentant complètement " de trop " depuis que vous m'avez pris avec vous jusqu'à mon émancipation. Je suis conscient de toutes les données du problème : j'étais devenu un enfant menteur, voleur, sournois, dissimulé et " difficile " mais je vous garantis que ma fille ne sera pas une enfant difficile. Pour qu'elle ait déjà " sa " chambre, nous avons installé notre lit dans la salle à manger et nous la gâtons autant que possible car je crois qu'avec les enfants il vaut mieux se tromper dans ce sens-là que dans l'autre. Le film, infiniment moins violent que cette lettre, vous blessera certainement et il est faux que cela me soit égal. J'ai constamment pensé à vous en le faisant et j'ai improvisé quelques scènes pour éviter d'être injuste, pour vous convaincre de ma bonne foi et pour vous montrer, partiellement, ce que je crois avoir été la vérité. Tu ironises dans ta lettre sur mon retour de Cannes " libéré enfin de nombreux complexes ". Tu ne crois pas si bien dire ; j'ai le sentiment, depuis deux mois, d'avoir dissipé un vieux cauchemar, d'être devenu un homme capable d'élever un enfant [51]. »

Comme promis à son père, le 3 juin, jour de la sortie de son film, Truffaut dément dans *Arts* avoir fait une œuvre autobiographique : « Je n'ai pas écrit ma biographie en 400 coups », titre-t-il en première page, tandis qu'il poursuit dans cette perspective apaisante : « Si le jeune Antoine Doinel ressemble parfois à l'adolescent turbulent que je fus, ses parents ne ressemblent absolument pas aux miens qui furent excellents... » La réécriture du roman familial par Truffaut commence ce jour-là, en rupture radicale avec les entretiens accordés jusqu'alors. Il pense avoir préservé l'essentiel, ses propres parents, qu'il a sermonnés avec véhémence et sincérité dans une lettre privée, mais qu'il préfère oublier aux yeux du public. Ultime geste de sa part : il prend en charge financièrement sa grand-mère de Juvisy, à qui il envoie tous les mois un mandat de 20 000 francs à partir de l'automne 1959. Certes, il rencontre son père à la brasserie du Courcelles, début juin, mais c'est un dialogue de sourds, conclu quelques jours plus tard par ce petit mot de Roland : « Nous devrions être contents, heureux, en lisant ou en entendant tes succès. Hélas, ce n'est pour nous que le rappel d'un fils qui nous " méprise et nous déteste " [52]. »

Ces échanges, ces entrevues, ces suspicions et ces aveux minent considérablement le moral de François Truffaut. Il se sent à la fois coupable et libéré, coupable parce que libéré d'une enfance qu'il a pu étaler aux yeux de tous. Mais il a quelque remords d'avoir dit publiquement que son film n'était pas auto-biographique. Devant ce qu'il considère dès lors comme une réussite artistique, mais un immense gâchis dans sa vie intime, il décide de rompre définitivement avec ses parents. La rupture va durer trois ans, un silence pesant, une absence volontaire. C'est Madeleine, sa femme, qui décidera seule de renouer avec sa belle-famille. En janvier 1962, en cachette de son mari, elle envoie une courte lettre à Roland et Janine Truffaut, comme une main tendue : « Pardonnez-moi d'avoir tant tardé à écrire cette lettre. J'aurais dû le faire il y a longtemps [53]. » Ce geste est apprécié par les Truffaut : « Par votre lettre courageuse, chère Madeleine, vous avez adouci en nous une grande amer-tume [54]... » Entre-temps, le 29 juin 1961, une deuxième fille, Éva, est née. Madeleine Morgenstern témoigne de cette fracture familiale : « Pendant très longtemps, François n'a pas voulu que ses parents voient nos filles. Il s'est beaucoup occupé de sa grand-mère, qui avait quitté Juvisy pour aller dans une maison de retraite. À l'occasion de son quatre-vingt-douzième anniversaire, en 1976, François a emmené ses filles. Elle est morte en février 1979. Quant à Roland, il n'a fait la connaissance de Laura qu'en 1979, quand elle avait vingt ans. Roland et Éva ne se sont vus, eux, que quelques années plus tard. Mais Janine Truffaut, elle, n'a jamais connu ses petites-filles [55]. »

Un événement va favoriser une certaine réconciliation : le divorce de Roland et Janine Truffaut. « À l'annonce de votre séparation, écrit aussitôt François à son père en mai 1962, ma réaction immédiate a été absolument joyeuse, mais cette satis-faction n'était dirigée contre aucun de vous. C'était étrange et j'ai ensuite analysé minutieusement ce sentiment. Il me semble que je vous aime davantage séparément qu'ensemble, voilà l'explication. Finalement il y a, d'une part le père et la mère, et d'autre part les parents, c'est une notion différente. J'ai toujours aimé mon père et ma mère, je n'ai pas toujours aimé mes parents, c'est cela. J'espère que je ne te choque pas en dépistant cela, crûment. Je pense très souvent à maman et à toi, non pas en tant que parents et par rapport à moi, mais en tant que couple. Il me semble que j'ai hérité beaucoup de traits de maman, par exemple le sens critique, l'alternance rapide de gaieté et de tristesse, et comme mari, je te ressemble beaucoup ; je fais rire Madeleine et les enfants avec des blagues qui me viennent de toi, pendant les repas et le matin avant de quitter la maison [56]. »

Désormais, François Truffaut revoit régulièrement son père. À partir de l'automne 1963, il déjeune à nouveau un jeudi sur deux rue de Navarin avec sa mère, qui a épousé Robert Vincendon, l'ancien amant qui apportait autrefois des cadeaux au jeune garçon. L'épilogue est donc plutôt heureux, même s'il est sans doute un peu forcé. Il n'en reste pas moins que ce « drame de famille » a miné Truffaut durant de longues années. La rencontre du cinéma avec sa vie intime fut pour lui un choc douloureux, mettant à vif des sentiments, des haines, des rancœurs et des souvenirs longtemps refoulés [57]. Le cinéaste a connu un succès rapide, immédiat, mais paradoxalement ce succès même l'a meurtri, culpabilisé. Ainsi, malgré de grandes joies, tant professionnelles que personnelles, cette période de la Nouvelle Vague n'est pas heureuse dans la vie de François Truffaut. Il le confiera d'ailleurs à sa mère : « Je fais le métier qui me plaît, absolument, le seul possible pour moi, mais il ne me rend pas heureux. Je suis triste, maman, très souvent si triste [58]. »

Nouvelle vie

Le succès des *Quatre Cents Coups* transforme le mode de vie de François Truffaut, qui apparaît désormais comme un jeune homme très « rive droite », d'une élégance classique, portant sur lui les signes extérieurs du succès : « Toujours tiré à quatre épingles dans ses complets bien coupés, François me paraissait désormais parvenu à des hauteurs où il eût été, de ma part, présomptueux d'aspirer[59] », avoue Jean Gruault, tandis que Claude Chabrol raconte les effets produits par le jeune cinéaste au volant d'une superbe voiture de sport verte sur ses amis des *Cahiers du cinéma*. « François était établi dans le monde, savait discuter ses contrats, il n'était pas du tout marginal, et en même temps il restait totalement révolté[60] », témoigne aujourd'hui Florence Malraux, qui fait sa connaissance au tout début des années soixante, au milieu d'une bande de cinéastes dont la notoriété commence à poindre : Resnais, Chabrol, Rivette, Godard, Varda et Demy. « C'est un mélange que je n'ai jamais su doser, poursuit-elle, les deux composantes existaient. Surtout en comparaison avec nous tous, qui n'étions pas encore installés. François avait un vrai bureau, mais il était plus anarchiste que nous. J'ai toujours vu en lui ce double visage, qui fait sa particularité, donc son charme. »

D'un côté, cet attachement aux lieux de son enfance, à la culture de sa jeunesse, les chansons, le music-hall, la gouaille et la fantaisie parisiennes, les gestes de toujours, les Gitanes à la main, les prostituées qu'il continue à fréquenter, les vieilles manies — il ne supporte pas certains tissus, suit toujours certains itinéraires, prend très rapidement les mêmes repas aux mêmes endroits, vide systématiquement ses poches en rentrant chez lui... D'un autre côté, l'aisance matérielle avec tout ce qu'elle peut impliquer, l'entretien des siens, la générosité envers les amis, ou son propre train de vie. Simone Jollivet, une proche de Sartre et de Simone de Beauvoir, à qui Truffaut pensait confier le rôle de Mme Bigey dans *Les Quatre Cents Coups,* décrit très justement le jeune cinéaste en le comparant, d'une certaine façon, à Jean Renoir et à son allure de « noble populaire » : « Je pense, cher Truffaut, que vos qualités essentielles sont d'ordre populaire, passions brusques, presque instinctives, sentimentales et mélodramatiques, goûts pour le burlesque, le mélodrame, le roman, la fantaisie, avec d'autre part un ordre aristocratique et subtil dans votre apparence et votre pensée. Les deux ont plus de difficulté que toute autre sorte de dons à se concilier (ce sera quand vous aurez vraiment trouvé " la forme " qui doit être la vôtre), et pourtant ces qualités rares sont celles que les fées ont déposées sur votre berceau, et il ne vous est pas possible de les renier sans renoncer à vous-même [61]. »

Au milieu des années cinquante, alors qu'il était déjà un critique vedette, toutes ses piges additionnées à divers travaux lui rapportaient 500 000 francs par an, c'est-à-dire l'équivalent de 45 000 francs actuels. En 1958, les contrats de films s'accumulent et s'ajoutent aux gains journalistiques : Truffaut déclare plus de 3 millions de revenus aux impôts. 1959, l'année des *Quatre Cents Coups,* 65 millions sont déclarés, soit vingt fois plus que l'année précédente. Sur la lancée, les revenus de 1960 sont à peu près comparables. Truffaut est désormais un jeune homme qui gagne très bien sa vie, et cette aisance se voit. Il s'habille bien et, comme il déteste les essayages — « Il ne supportait pas d'être touché par un homme [62] », témoigne Madeleine Morgenstern —, commande deux fois par an quatre ou cinq costumes, en même temps que ceux de Jean-Pierre Léaud, et des chemises unies par douzaines, d'abord chez Ted Lapidus en 1959 et 1960, puis chez Pierre Cardin, qu'il rencontre par l'intermédiaire de Jeanne Moreau.

Autre signe extérieur de réussite, Truffaut s'offre à la fin de l'année 1959 une superbe Facel-Véga, « au volant duquel j'évoque irrésistiblement James Dean, mais cette comparaison ne plaît guère à ma femme [63] ». La comparaison a effectivement failli tourner au drame lors du sévère accident dont il est victime, le 17 décembre 1962, au volant du « chef-d'œuvre roulant [64] ». Il s'en sort indemne, mais la voiture est réduite en miettes. « Il a été " nouveau riche " pendant deux ans, raconte Claude Chabrol, jusqu'à ce qu'il casse la Facel-Véga qu'il s'était achetée. Dans sa voiture, il était émouvant, presque transparent. Et très vite, il a eu un accident, je ne sais plus comment, il a abîmé la Facel-Véga. Ça l'a transformé : à partir de là, il a cessé d'être nouveau riche [65]. » Truffaut, prudent, se replie sur une berline Jaguar plus confortable pour conduire sa petite famille. L'argent lui permet aussi d'assouvir sa curiosité. Si le tourisme et les musées ne l'intéresseront jamais, les voyages se limitant à ceux que nécessitaient les tournages ou la promotion des films, la musique et surtout la lecture l'ont au contraire toujours passionné. Truffaut se constitue ainsi une belle collection de disques, généralement des variétés françaises (Trenet, Aznavour, Mistinguett, Béart, Francesca Solleville), ou encore le Québecois

Félix Leclercq, parfois de la musique classique, peu de jazz, jamais d'opéra, qu'il déteste. Il possède également une très riche bibliothèque, où les livres qu'il a gardés de sa jeunesse côtoient tous les romans qui paraissent, surtout les romans noirs, ainsi que des ouvrages de cinéma. C'est un fidèle de quelques librairies, celles proches du Palais-Royal, ou *Contacts,* rue du Colisée, réputée pour être la meilleure librairie de cinéma à Paris. Il y passe des heures entières à feuilleter des nouveautés, à fouiller dans les vieux stocks, ou à discuter avec la « belle vendeuse créole », Élaine Micheaux-Vigne. Il a une collection de romans classiques, du xıxe siècle et du début du xxe, achetés à des bouquinistes au gré des occasions et des trouvailles. Il achète aussi des ouvrages de psychologie enfantine, d'histoire, notamment sur l'Occupation, la Belle Époque, ou certaines grandes affaires judiciaires des xıxe et xxe siècles qu'il adore retrouver en bandes dessinées sous le crayon de Gordeau dans *France-Soir,* toujours dans l'idée d'y trouver des sujets pour ses films. S'il n'est pas en train de tourner, Truffaut s'accorde du temps pour lire et écrire, plaisirs qu'il juge essentiels. Il lit aussi beaucoup la presse quotidienne *(France-Soir, Le Monde, Combat),* hebdomadaire *(L'Express, France-Observateur, Le Canard enchaîné, Paris-Match), Cinérevue* (pour les mots croisés), ainsi que de nombreux mensuels, de cinéma bien sûr, mais également *Critique, Les Temps modernes, Diogène, Le Crapouillot,* et enfin *Détective* pour les faits divers, source inépuisable d'idées et de sujets.

Familles en parallèle

Lorsqu'il est préoccupé, mélancolique, ce qui lui arrive fréquemment, François Truffaut se réfugie auprès de ses deux familles, celle qu'il a fondée avec Madeleine, et l'autre, professionnelle, autour des Films du Carrosse. « Je suis las, démoralisé, je doute de plus en plus de l'intérêt de faire des films. Ma seule joie est de jouer avec ma fille qui devient formidable. Donc, je reste et resterai à la maison toute l'année, le plus possible, pour jouer avec elle et lire, lire, et lire encore, car je ne lisais plus assez [66] », écrit-il par exemple à une amie le 29 mars 1960.

Fin mars, Madeleine, Laura et François ont quitté l'appartement un peu froid de la rue Saint-Ferdinand, pour un cinq-pièces situé dans un bel immeuble, rue du Conseiller-Collignon, au cœur du XVIᵉ arrondissement. C'est à contrecœur que Truffaut a consenti à ce déménagement, car il aimait l'appartement de la rue Saint-Ferdinand, très clair, au sixième étage, même si sa famille commençait à s'y sentir à l'étroit. « Il a détesté celui de la rue du Conseiller-Collignon, à la minute même où nous y sommes entrés, lors de la visite avec l'agent immobilier. François a ouvert son journal, s'est plongé dedans et ne l'a refermé qu'une fois la visite terminée [67] », se souvient Madeleine. Une grande chambre pour le couple, une plus petite pour Laura, un bureau, une salle à manger, un salon composent cet appartement de caractère, situé sur deux niveaux, auquel s'ajoute une chambre au rez-de-chaussée pour la femme de ménage. La vie de famille est harmonieuse, la « santé conjugale [68] » excellente, selon l'expression de Truffaut. Madeleine est perturbée par la maladie de son père, mais elle est heureuse, consacrant l'essentiel de son temps à élever Laura et à préparer la naissance de sa seconde fille, Éva, prévue pour le début de l'été 1961. Dans ses moments de liberté, Madeleine, qui parle couramment l'anglais, lit et traduit pour son mari les manuscrits, scénarios, lettres et livres reçus d'Angleterre ou des États-Unis. Elle est en forme, « douce », « charmante », « merveilleusement sincère [69] », et le couple s'entend bien, le plus souvent sur le mode du rire, de la bonne humeur et de la fantaisie amoureuse. Madeleine et François passent de fréquents séjours hors de Paris, en Bretagne, près de Concarneau, ou à Saint-Paul-de-Vence à partir de juillet 1959, lorsque l'hôtel de la Colombe d'Or s'impose comme un lieu de villégiature familier. Parfois, à l'étranger, hors des périodes de tournage, à Londres en 1960, en Argentine, au Brésil, puis à New York et à Montréal, durant le printemps 1962.

Truffaut semble s'investir pleinement dans son rôle de père. « Je réagis avec mes enfants en contradiction totale par rapport à ce que j'ai vécu. Mais je suis un père quand même trop blagueur ; je pense surtout à distraire mes filles, à leur enlever tout souci et je n'ai pas tellement d'occupations sérieuses avec elles, peut-être parce que ce sont des filles. C'est vraiment leur mère qui assume la grande part de responsabilité [70] », écrit-il en 1963. Il a ardemment désiré avoir des enfants, le plus vite possible. Ce que confirme Madeleine : « François s'est marié pour fonder une famille. Ça a été un des malentendus entre nous. Moi, je m'étais mariée pour avoir un homme dans ma vie, pour quitter mes parents et qu'on me fiche la paix. Quand nous avons eu Laura, François était fou de bonheur et il a voulu avoir un autre enfant rapidement, trouvant que j'étais une bonne mère [71]. » Ses filles lui procurent des moments de vrai bonheur en dehors du temps des tournages, lorsqu'il les fait jouer durant des heures dans leur chambre, qu'il les prend en photo, ou les filme parfois avec une petite caméra 8 millimètres. Très tôt, il leur montre des films qu'il projette sur le mur du salon, et Laura se rappelle son premier souvenir de cinéma, le *Charlot soldat* qu'elle a vu à quatre ans avec son père à la Cinémathèque.

D'une certaine manière, Jean-Pierre Léaud fait lui aussi partie de la famille. Depuis le tournage des *Quatre Cents Coups,* il a pour ainsi dire été adopté par Truffaut, passant une assez grande partie de son temps rue Saint-Ferdinand. Au début de l'année 1960, le cinéaste trouve un établissement qui accepte de le prendre en charge, l'institut de la Muette, rue Cortambert, tout près du nouvel appartement du couple. Mais Jean-Pierre est renvoyé quelques semaines plus tard, à la demande du chef de l'établissement : « Nous aurions pu prolonger l'essai, écrit ce dernier au cinéaste, mais lui-même nous en a empêchés par les récits faits à ses camarades de sa vie merveilleuse, sur ses gains journaliers, si bien que les familles ont protesté devant cette contagion qui envahissait la classe et aiguisait dangereusement cet appétit d'argent qui sévit chez les jeunes actuels [72]. » Truffaut installe alors Jean-Pierre Léaud chez un couple de retraités qui tentent de le discipliner un peu, M. et Mme Athénor, à Colombes. Malgré leur bonne volonté, Jean-Pierre Léaud fugue régulièrement pour aller à Paris, se montre insolent, parfois violent. Truffaut le reprend alors directement en main, et lui propose, à dix-sept ans, de vivre seul dans une chambre de bonne, un peu à la façon dont il avait lui-même vécu au sortir du Centre d'observation des mineurs. Léaud habitera donc dans une chambre, d'abord rue Quentin-Bauchart, à proximité des bureaux du Carrosse, puis rue Perdonnet, dans le Xe arrondissement. Il accepte de suivre régulièrement les cours du Centre psychologique et scolaire, rue de la Grange-Batelière, un établissement spécialisé dans les cas difficiles. Entre 1958 et 1963, François Truffaut a donc « élevé » Jean-Pierre Léaud, se confrontant directement à ces années d'adolescence qu'il sait décisives et délicates. Tout à la fois grand frère — il n'y a que douze années d'écart entre eux —, père de substitution — il est installé, reconnu, il « éduque » le plus jeune —, et pygmalion — Truffaut est très attaché au personnage qu'il a créé —, la relation est complexe, mais enrichissante. Truffaut y puise les éléments qui constitueront plus tard le matériau de certains de ses films : non seulement ceux du « cycle Doinel », mais aussi *L'Enfant sauvage, Les Deux Anglaises, L'Argent de poche, La Nuit américaine*... Léaud, quant à lui, est littéralement tenu à bout de bras par son protecteur.

S'il assume ses responsabilités familiales, la vie conjugale pèse à François Truffaut. Comme s'il se sentait pris dans un engrenage. Même en période d'harmonie et de complicité au sein du couple, il n'est pas fidèle. Ou plutôt, il conçoit très vite la fidélité comme un paradoxe : il vit avec Madeleine, mais poursuit ses liaisons, anciennes ou nouvelles, tout en continuant de fréquenter les prostituées, comme au temps de sa jeunesse. Il ne se sent ni coupable ni honteux, ce mode de vie sentimental lui paraissant presque naturel, au point de tenir, durant ces premières années de mariage, un journal intime où il détaille avec minutie ses amours et ses rencontres. En 1959, par exemple, il poursuit sa liaison avec Évelyne D., qu'il voit régulièrement à Paris, aventure commencée au milieu des années cinquante. Et au festival de Cannes, la même année, s'il est accompagné par Madeleine pour la projection officielle des *Quatre Cents Coups,* il se sent assez disponible, peu de temps après, pour aborder une belle brune aux yeux verts. Jeune comédienne, Liliane David séjourne à Saint-Tropez durant le festival, au milieu d'une bande d'amis, parmi lesquels Nicole Berger, Pierre Clémenti, Jean-Pierre Cassel... « Je marchais sur la Croisette à la recherche de mon amie Nicole Berger, se souvient-elle. En me rendant au Martinez, je passe devant un bistrot, *Le Festival,* juste à côté du Palais, et un ami me présente à deux personnes attablées. L'un, le journaliste Pierre Rey, était en train d'interviewer celui qui se prénommait François. Celui-ci me regardait de manière intense. Ce fut notre première rencontre, je ne savais rien de lui, rien des *Quatre Cents Coups*[73]. » Le lendemain, les deux jeunes gens se retrouvent à la terrasse de Sénéquier à Saint-Tropez : « Nous avons passé un long moment ensemble, timides tous les deux, à parler. J'étais en confiance, il était enchanté d'apprendre que j'avais été virée du Centre dramatique de la rue Blanche, où je voulais jouer du Musset plutôt que les soubrettes de Molière... » Après un aller-retour entre Saint-Tropez et la Colombe d'Or, Truffaut revient chercher Liliane David pour la ramener à Paris. En route, ils font une halte à Aix-en-Provence, où Chabrol tourne *À double tour*. À Paris, il dépose Liliane David en bas de chez elle, rue du Colonel-Moll, perpendiculaire à la rue Saint-Ferdinand où il vit alors avec Madeleine. Liliane habite une chambre de bonne, au-dessus de l'appartement de ses parents. Là commence une aventure qui va durer près de quatre ans, une passion tumultueuse mais intermittente, le temps d'un week-end hors de Paris, d'une visite à un ciné-club de province, ou d'un séjour dans un festival.

Dans ces conditions, la vie avec Madeleine est sans cesse confrontée au danger de ces révélations gênantes. Assez rapidement, Truffaut considère son mariage heureux, mais condamné à ne pas durer. De plus, les articles de presse insinuant qu'il n'était qu'une alliance destinée à faciliter sa carrière professionnelle semblent avoir créé un malaise au sein du couple. « François, raconte Madeleine Morgenstern, a pu avoir le sentiment de faire une compromission, soit sur le plan des idées, soit par rapport à ses amis, en devenant quelqu'un d'important. C'est un malaise explicite dans *Tirez sur le pianiste,* et il fallait être aussi aveugle que je l'étais à l'époque pour ne pas l'avoir vu, mais je ne pouvais rien y changer [74]. » Alors, de manière attendue, François Truffaut se sert des Films du Carrosse comme d'une protection, pour se donner les apparences d'un homme rangé, travaillant beaucoup, et ne pensant qu'au cinéma. Aux films qu'il aime voir, et à ceux qu'il compte faire. Méthodique, obsessionnel, Truffaut ne veut pas perdre de temps. C'est aussi pour cette raison qu'il cloisonne ses relations amicales et professionnelles. Autour des Films du Carrosse, il fonde une autre « famille », parallèle à sa vraie famille, qui lui permet de tisser des liens forts, de vraie fidélité, le plus souvent fondés sur des relations de personne à personne.

En mai 1959, le Carrosse s'est installé dans les locaux de la SEDIF appartenant à Ignace Morgenstern, située rue Quentin-Bauchart, à deux pas des Champs-Élysées. François Truffaut et Ignace Morgenstern y ont chacun un bureau, tout comme Marcel Berbert, bientôt gérant de la petite maison de production. Le personnel du Carrosse est composé d'une secrétaire, Lucette Deuss, et d'une réceptionniste, Christiane. Marcel Berbert est un homme discret, sérieux, au visage à la fois sévère et enfantin, les cheveux toujours bien lissés, raisonnable et prudent, mais volontiers pince-sans-rire, parlant peu mais avec précision. Présent dès 1957 pour conseiller le tout jeune cinéaste, il sera là jusqu'au bout, occupant le bureau jouxtant celui de Truffaut, dont la porte n'est jamais fermée.

Plus âgé que Truffaut de neuf ans, Marcel Berbert a dès sa jeunesse été attiré par le spectacle et ses coulisses. Comme Truffaut, il a passé son enfance dans le IXᵉ arrondissement, dans une famille de la petite-bourgeoisie parisienne. Pendant la guerre, le jeune homme est enrôlé au STO et passe deux années à travailler dans des usines à Vienne. À son retour en France, sans être bachelier, il fait du droit et, sur le point d'obtenir sa Capacité, entre comme comptable de production, puis administrateur de production, chez Gloria Films, une société dirigée par « un Niçois très jovial [75] », Guy Lacour. En 1955, apprenant grâce à une petite annonce du *Film français* qu'Ignace Morgenstern cherche un comptable pour sa société de distribution Cocinor, Berbert s'y présente. Devant Morgenstern, il tient un discours inattendu : « Monsieur, ce que vous proposez ne m'intéresse pas du tout, mais je désirais vous connaître. » Séduit, le patron de Cocinor lui propose de devenir secrétaire général de la société. Deux ans plus tard, c'est la rencontre avec Truffaut et la naissance des Films du Carrosse. Dès qu'il a vu *Les Mistons,* Berbert a cru en Truffaut comme metteur en scène, et il sera très emballé par *Les Quatre Cents Coups :* « C'était un peu ma vie, moi aussi je traînais dans les rues, ma mère était malade, j'étais un peu comme Antoine Doinel, j'entrais dans les cinoches pendant l'entracte pour ne pas payer [76]. »

Après le succès des *Quatre Cents Coups* et l'installation rue Quentin-Bauchart, Ignace Morgenstern ne vient plus que rarement dans ses bureaux. « Il était malade et triste, c'était pourtant un homme costaud, genre paysan », se rappelle Marcel Berbert. À cet homme malade, on n'a pas dit la vérité, lui laissant croire qu'il souffre des suites d'un infarctus survenu au début de l'année 1957. Il s'agit en fait d'une première rupture d'anévrisme de l'aorte, extrêmement grave. Madeleine sait que son père peut mourir d'un moment à l'autre. Les médecins le mettent au repos complet.

Truffaut a de l'estime pour son beau-père. Il lui est d'abord reconnaissant de l'avoir aidé en produisant *Les Quatre Cents Coups.* Mais il apprécie surtout la rigueur morale dont ce professionnel fait preuve dans la gestion de ses affaires. S'il tient à mener sagement la sienne au sein du Carrosse, guidé par Marcel Berbert, c'est qu'il ne veut pas décevoir son beau-père, encore moins lui causer des soucis financiers. Même si Ignace Morgenstern n'a guère été emballé par *Les Quatre Cents Coups* (ses goûts cinématographiques le rapprochaient plus de *Chiens perdus sans collier*), cet homme d'une autre époque et d'une autre trempe a influencé son gendre en lui transmettant le sens des responsabilités dans les affaires.

En janvier 1961, lorsque Ignace Morgenstern meurt d'une seconde rupture d'anévrisme à l'âge de soixante ans, Marcel Berbert s'investit pleinement dans les Films du Carrosse. « La société a continué sur la lancée des *Quatre Cents Coups,* enchaînant les films. François s'occupait entièrement de la partie artistique, et moi de la direction de la production. J'étais producteur exécutif, ou producteur délégué : on faisait tout à cette époque. Je m'occupais également de la vente à l'étranger [77]. » La société fonctionne ainsi en circuit fermé, dans le seul but d'assurer à Truffaut son indépendance. Entre les deux hommes, les conflits sont rares, d'abord parce qu'ils se font confiance, ensuite parce que Truffaut aime ce qui est raisonnable, et n'aura jamais d'exigences superflues pour le financement de ses films. La vie est calme au Carrosse, sauf dans les périodes précédant les tournages. Il règne alors une agitation fébrile, d'autant que les bureaux sont exigus. Truffaut s'enferme dans le sien. Il lit son journal ou un livre, écrit son courrier, cherchant à déjouer l'angoisse qui l'étreint.

Correspondants étrangers

Dès *Les Quatre Cents Coups,* Truffaut entreprend de constituer autour du Carrosse un important réseau de correspondants à l'étranger. Ce sont souvent des critiques de cinéma, qui connaissent déjà la réputation de Truffaut du temps où lui-même était critique, et qui seront amenés à traduire ses textes dans leur langue et leur pays respectifs. Ou des directeurs de festivals ou de cinémathèques, avec lesquels il commence à nouer des liens de fidélité, quand il se rend à l'étranger. Grâce à eux, Truffaut sait exactement ce qu'il en est de la diffusion de ses films et de ceux de ses amis de la Nouvelle Vague, sur chaque territoire, comptant sur le soutien actif de ces correspondants étrangers dans la promotion de ses films ou de ses livres sur le cinéma. Ce réseau d'informateurs lui permet également d'être au courant des nouveaux talents apparus ici ou là. Au début des années soixante, le dispositif mis au point par Truffaut, avec un grand soin professionnel, sera décisif pour accroître la renommée internationale de la Nouvelle Vague française.

Le 25 octobre 1959, Truffaut accompagne la sortie des *Quatre Cents Coups* à Londres au Curzon Theater. C'est à cette occasion qu'il fait la connaissance de Richard Roud, du British Film Institute, qui jouera dès lors un grand rôle dans la reconnaissance du cinéaste et de la Nouvelle Vague par les revues et la presse anglaises, puis américaines, lorsqu'il s'installera à New York pour diriger le New York Film Festival où Truffaut présentera régulièrement ses films. *Les Quatre Cents Coups* ont également du succès en Allemagne, où le cinéaste trouve un relais efficace en la personne d'Enno Patalas, qui dirige à Munich la revue *FilmKritik*. En Italie, c'est Gianni Amico, proche de Rossellini qui, depuis Gênes, traduit et publie les premiers textes de Truffaut. L'Espagne franquiste, qui sera toujours plus rebelle à ses films, est approchée à travers Antonio Vega de Seoanne au festival de San Sebastian, où Truffaut est présent en juillet 1960, et José Sagré, à Barcelone, qui traduit et publie bon nombre de ses textes.

À ses nombreux correspondants à l'étranger, Truffaut écrit régulièrement pour les informer de ses activités, qu'il s'agisse des scénarios en cours d'écriture, des films qu'il réalise, ou des projets de livres pouvant être traduits. Il n'hésite pas à les recevoir à Paris, lorsque les uns ou les autres s'y déplacent, conscient de l'enjeu que représente la reconnaissance internationale de ses films. Curieusement, c'est au Japon que se manifestent ses supporters les plus fervents et les plus efficaces. Par exemple,

Shukichi Okada, qui traduit pour sa revue, *L'Art du cinéma,* des extraits des premiers films de Truffaut et qui prépare un essai sur la Nouvelle Vague. À ce critique dévoué, auquel Truffaut fait régulièrement parvenir de nombreux documents, s'ajoute un peintre, graphiste et musicien de jazz, Hisamitsu Noguchi, auteur de l'affiche japonaise des *Quatre Cents Coups,* sur laquelle figure Antoine Doinel, le visage à moitié caché par le col roulé d'un pull noir qu'il a remonté sur son nez. Cette affiche plaît énormément à Truffaut, au point qu'elle fait partie du décor de la chambre de Doinel dans le court métrage qu'il réalisera en 1962, *Antoine et Colette.* De même, elle orne depuis 1960 l'un des murs des Films du Carrosse.

Paris nous appartient

Fort du succès des *Quatre Cents Coups,* et se sachant épaulé par Marcel Berbert, François Truffaut veut aider ses amis de la Nouvelle Vague. D'abord Jacques Rivette, qui n'arrive pas à terminer son premier film, *Paris nous appartient,* dont le tournage a commencé dans le courant de l'été 1958. Malgré son faible budget, le film est en panne un an plus tard. Grâce au soutien de Chabrol et de Truffaut, Rivette peut l'achever, en tournant plusieurs scènes, en juin 1959, avec l'acteur Gianni Esposito, et commencer son montage. En retour, Truffaut emprunte à Rivette pour ses prochains tournages ses deux plus précieux collaborateurs, Jean Gruault, scénariste et dialoguiste de *Paris nous appartient,* et Suzanne Schiffman, l'« assistante-à-tout-faire ». Si Truffaut a sauvé ce film, le finançant en partie, puis assurant avec pugnacité sa sortie parisienne au studio des Ursulines en décembre 1961, c'est qu'il estime avoir une dette envers Rivette, sans qui les audaces de la Nouvelle Vague n'auraient pas été possibles : « La sortie de *Paris nous appartient* est un événement pour chaque membre de l'équipe — ou de la mafia si vous y tenez — des *Cahiers du cinéma.* [...] Car Rivette est à la source de beaucoup de choses. L'exemple du *Coup du berger,* son court métrage de 1956, me décida à tourner *Les Mistons,* puis décida Claude Chabrol à tenter l'aventure du grand film avec *Le Beau*

Serge, et dans le même temps les courts-métragistes les plus ambitieux, Alain Resnais et Georges Franju, se voyaient proposer leur premier grand film. C'était parti. Oui, c'était parti, mais c'est à Jacques Rivette que nous le devons tous car de nous tous il était le plus farouchement déterminé à passer aux actes [78]. »

En 1959, Jean-Luc Godard est le seul de la « mafia des *Cahiers* » à ne pas avoir réalisé de long métrage. Une fois *Les Quatre Cents Coups* en route, Truffaut, qui a déjà beaucoup d'admiration pour Godard, essaie de convaincre certains producteurs de risquer l'aventure avec lui. Plusieurs projets sont évoqués, par exemple une adaptation de *Mouchette,* de Georges Bernanos. Au printemps 1959, Truffaut ne réussit pas à convaincre Ignace Morgenstern de coproduire avec Pierre Roustang un projet de Godard, *Prénatal,* première version de ce qui deviendra, deux ans plus tard, *Une femme est une femme.* Quelques semaines plus tard, Godard propose à Truffaut l'adaptation d'un roman de Simenon, *Quartier nègre,* avec Nicole Courcel, toujours avec l'espoir de séduire le beau-père de son ami. « Ça se passe à Panama que je connais bien, lui écrit Godard. Sans blague. C'est le genre de film qui serait inouï à tourner comme Rouch avec ses nègres. Est-ce que tu peux te renseigner pour savoir qui a les droits cinéma (c'est édité dans la collection des Simenon verts chez Gallimard) puis te débrouiller pour les dégoter. Sérieusement. Est-ce que la SEDIF marcherait soit pour une minuscule garantie avec de petits acteurs, soit une plus grande avec des acteurs moyens ? Amitiés à toi. Dis-toi bien que tous les jeux de mots que tu es en train de faire, je les ai déjà faits [79] ! » À nouveau, le projet de Godard échoue. Ce n'est qu'avec le triomphe des *Quatre Cents Coups* à Cannes que de meilleures perspectives vont s'ouvrir à lui. Car les producteurs commencent à se ruer sur les projets de jeunes cinéastes, à condition qu'ils fassent des films à très petit budget. En panne de sujet, Godard trouve alors en Georges de Beauregard un interlocuteur convaincu de son talent, mais qui ne s'engagera qu'à condition d'avoir une histoire « qui se tienne ». Godard se souvient du synopsis d'*À bout de souffle,* que Truffaut lui a raconté quelques années auparavant. Pressé, il demande à son ami d'en étoffer l'histoire, voulant tourner son film à toute vitesse, dès la fin de l'été 1959. « Si tu as le temps de me finir en trois lignes l'idée de film commencée métro Richelieu-Drouot (c'était le bon temps), bien que je ne dispose pas de Françoise Sagan, je pourrais en faire des dialogues [80] », écrit-il à Truffaut. Les quatre pages de synopsis de Truffaut suffisent à convaincre Beauregard. Par amitié et pour ne pas alourdir le budget du film, Truffaut cède ses droits d'auteur pour une somme modeste, un million d'anciens francs. Il insiste auprès de Georges de Beauregard pour ne pas apparaître dans la publicité autrement que comme l'auteur du scénario original, et propose de donner son avis sur le scénario définitif. « Je vous suis très reconnaissant de vous intéresser de si près à mon film, répond Beauregard le 20 juillet. Je sais que vous le faites par amitié pour Jean-Luc, mais croyez qu'un producteur n'a pas souvent l'occasion de rencontrer pareil désintéressement. Merci donc [81]. » À la veille du premier jour de tournage d'*À bout de souffle*, le 17 août 1959, Godard écrit à Truffaut pour faire le point : « Je te ferai lire la continuité dans quelques jours. Après tout, c'est ton scénario. Je pense que tu seras, une nouvelle fois, assez surpris. Hier, j'en ai parlé avec Melville. Grâce à lui, et d'avoir vu les rushes du grand Momo, mon moral est enfin en quatrième vitesse. Il y aura une scène où Jean Seberg va interviewer Rossellini [ce sera finalement Jean-Pierre Melville] pour le *New York Herald*. Je pense que tu n'aimeras pas ce film, bien qu'il soit dédié à *Baby Doll*, mais via *Rio Bravo*. Je voudrais t'écrire encore très longtemps, mais je suis tellement paresseux que cet effort va m'empêcher de travailler jusqu'à demain. Or, on tourne le 17, qu'il vente ou pleuve. En gros, le sujet sera l'histoire d'un garçon qui pense à la mort et celle d'une fille qui n'y pense pas. Les péripéties seront celles d'un voleur d'auto (Melville va me présenter des spécialistes) amoureux d'une fille qui vend le *New York Herald* et suit des cours de civilisation française. Ce qui me gêne, c'est d'avoir dû introduire quelque chose à moi dans un scénario qui était de toi. Mais nous sommes devenus bien difficiles. Il n'y a qu'à tourner tant et plus sans faire les malins. Amitiés d'un de tes fils [82]. » À sa sortie parisienne en décembre 1959, *À bout de souffle* est un succès commercial, presque aussi important que celui des *Quatre Cents Coups*. Et les critiques y voient le manifeste esthétique de la Nouvelle Vague, complétant le film de Truffaut qui en avait été auparavant l'avènement public. C'en est fait : la « jeunesse » a pris le pouvoir à l'intérieur du cinéma français. Désormais considéré comme un cinéaste à part entière, Godard n'a plus besoin de l'aide de son ami Truffaut, et commence déjà la préparation du *Petit Soldat,* son second film qui fera couler beaucoup d'encre et subira la censure gaulliste, en pleine guerre d'Algérie.

Les copains d'abord

D'autres cinéastes ont besoin du concours des Films du Carrosse. Et Truffaut l'offre volontiers, pouvant voler ainsi au secours de certains de ses maîtres. Âgé de soixante-dix ans, Jean Cocteau désire réaliser l'un de ses derniers rêves : tourner *Le Testament d'Orphée* qui, à la suite du *Sang d'un poète* et d'*Orphée,* constituerait le troisième volet d'un triptyque. Truffaut et Cocteau, qui se connaissent depuis une dizaine d'années, sont amis depuis le festival de Cannes de 1959. En témoigne cette lettre étonnante du poète à un jeune homme qui n'a pas encore atteint la trentaine : « J'ai vu dans ton œil comme tu l'avais vu dans le mien cette franchise du cœur dont le festival de Cannes ignore la lumière. En te rendant service je me rendais service : je me lavais l'âme de toute cette crasse. Mon film a l'air de prendre forme. J'ai fait des parts de cinq millions remboursables sur les chances de l'œuvre. Si tu es ce fou délicieux qui veut s'embarquer sur mon yacht fantôme, il n'y a qu'à écrire à Gérard Worms, à Édouard Dermit ou à Jean Thuillier. Mon film sera de cette logique épargnée à la raison et je suis heureux qu'il t'intrigue. Écris-moi souvent. Ce sont des lettres comme les tiennes qui me permettent de vivre en ce monde [83]. » En juin 1959, les Films du Carrosse s'engagent à cofinancer *Le Testament d'Orphée,* malgré le scepticisme d'Ignace Morgenstern et de Marcel Berbert. Durant l'été, Truffaut collabore au scénario avec Cocteau, qui commence le tournage en septembre, aux Baux-de-Provence. Jean-Pierre Léaud y fait une apparition, « comme un porte-bonheur qui me rappelle ce que je te dois [84] », écrit le vieux cinéaste à son « producteur ».

Truffaut aimerait aider un autre de ses maîtres, Roberto Rossellini, qui est rentré de son long voyage avec un film magnifique, *India,* largement méconnu. À cette époque, Rossellini, qui s'est engagé dans une voie nouvelle, celle du film didactique et historique, a en projet un film sur Socrate, dont le montage financier s'avère délicat. L'affaire est sur le point d'aboutir avec des financiers grecs, italiens et suédois qui, associés aux Films du Carrosse, constitueraient une société de production du nom de « Message ». Avocat et ami de Rossellini, Robert Badinter dirigerait cette société, laissant au cinéaste une entière liberté artistique. Truffaut semble heureux d'aider un de ses maîtres à sortir de cette mauvaise passe où il se morfond : « Plus je réfléchis à ce Socrate, plus je pense que c'est le film que tu dois faire à l'heure actuelle et que ce sera magnifique [85] », écrira-t-il au cinéaste italien le 5 juillet 1962.

En septembre 1960, Truffaut nourrit le projet de produire un film à sketches à partir des *Histoires extraordinaires* d'Edgar Poe. Le prétexte serait de faire en sorte que les cinéastes de la Nouvelle Vague parrainent de jeunes réalisateurs de courts métrages. C'est ce que Truffaut explique dans une note à Marcel Berbert : « Il me semble que ce film collectif mérite d'être tenté, car les courts métrages isolés c'est bien joli mais difficile à vendre. Une bonne possibilité serait que chaque sketch soit tourné par un tout nouveau cinéaste, Lachenay, Marcel Ophuls, Varesano, de Givray, Gégauff, Demy, mais supervisé par un type différent et déjà consacré : Godard, Malle, Astruc, Resnais, Franju, Chabrol, moi-même... Cela donnerait un côté fraternel à l'entreprise et même un peu polémique, anti-vieille vague, qui me plairait assez. Bref, il faut se bagarrer et profiter de ce que la porte est entrouverte pour faire passer les copains avant qu'il ne soit trop tard [86]. » De ce projet collectif, seul *Le Scarabée d'or* verra le jour en 1960, un court métrage de Robert Lachenay, adapté d'une nouvelle de Poe [87].

Dans son rêve de constituer un mini-studio autour des Films du Carrosse, véritable fer de lance de la Nouvelle Vague, Truffaut place de grands espoirs en Marcel Ophuls, le fils de l'auteur de *Lola Montès*, et Claude de Givray, l'ancien benjamin des *Cahiers du cinéma*. En mars 1960, le Carrosse signe avec Marcel Ophuls un contrat pour l'adaptation du *Retour de Casanova*, d'après Arthur Schnitzler. Ce projet n'aboutit pas, mais une amitié est née. Et lorsqu'il réalisera *Peau de banane*, en 1963, avec Jeanne Moreau et Jean-Paul Belmondo, Marcel Ophuls reconnaîtra sa dette envers Truffaut : « Depuis trois ans, c'est vous, François, avec Jeanne, qui avez rendu possible mon film. Votre amitié fidèle a été la plus créative que j'aie jamais connue. Je ne l'oublierai jamais [88]. »

Claude de Givray est un jeune cinéaste prometteur pour Truffaut, qui produit avec enthousiasme son premier long métrage, *Tire-au-flanc*. Une fois l'adaptation de la pièce de Mouëzy-Éon écrite par les deux amis, le film se tourne en février-mars 1961, dans la région niçoise, avec une équipe Carrosse composée notamment de Raoul Coutard, Suzanne Schiffman, Robert Lachenay et, dans les principaux rôles, Ricet-Barrier, Christian de Tilière, Jacques Balutin, Serge Davri, Bernadette Lafont, Cabu, Jean-François Adam, et Truffaut lui-même en troufion de seconde classe. À sa sortie en décembre, *Tire-au-flanc* est un échec commercial. Cela n'empêche pas Truffaut de confier quelques mois plus tard à de Givray l'écriture et la réalisation d'un second film, *Une grosse tête*, avec Eddie Constantine, Georges Poujouly et Alexandra Stewart. Coécrit en août 1961 par Truffaut et de Givray, puis tourné à l'automne, ce film n'a pas davantage de succès. Dès lors, Truffaut renonce à ses ambitions de producteur, décidant de ne produire que ses propres films. Mais il aura vécu cette expérience avec une farouche détermination.

L'histoire d'un timide

François Truffaut est impatient d'entreprendre un deuxième film. Fidèle au contrat passé avec Pierre Braunberger, il reprend d'abord l'idée d'adapter *Temps chaud*, toujours avec Bernadette Lafont. Il travaille au scénario avec Godard, engagé par Braunberger pour 130 000 francs début avril 1959. Le tournage est prévu du 15 juillet au 30 août, à Mougins. Mais le succès des *Quatre Cents Coups* va modifier le cours des choses. Truffaut est conscient qu'il doit rompre avec l'image que certains professionnels du cinéma et journalistes ont de lui, celle du modeste petit Parisien parvenu au succès à force de culot et d'ambition. L'enfance et les histoires d'amour un peu légères sont devenues des thèmes à la mode. Il doit s'en démarquer, quitte à révéler d'autres facettes de sa personnalité, celles d'un séducteur souvent angoissé, au fond assez pessimiste, d'une timidité maladive, y compris avec les femmes. Son second film ne sera donc pas l'histoire d'un succès, mais celle d'un échec, d'un renfermement sur soi, reflétant un aspect plus intime que Madeleine Morgenstern décrit ainsi : « Parfois, face à certaines situations, François ne pouvait plus parler, surtout quand il y avait plus d'une personne en face de lui ou lorsqu'il se sentait en terrain étranger. Il avait cette attitude un peu enfantine et déroutante de se taire devant des gens qui n'employaient pas le même langage que lui [89]. »

En Charles Aznavour, Truffaut trouve un double idéal. En le voyant jouer dans *La Tête contre les murs,* de Georges Franju, Truffaut est séduit. Il aime en lui « sa fragilité, sa vulnérabilité, sa silhouette à la fois humble et gracieuse, qui le fait ressembler à saint François d'Assise [90] ». Les deux hommes se ressemblent : petite taille, même allure, même visage expressif, vivacité, nervosité, angoisse, mais aussi une grande élégance de gestes, de maintien, et une terrible volonté. Leur première rencontre a eu lieu à Cannes, le matin du 11 mai 1959, au bar du Carlton. La complicité est immédiate, si bien que les deux hommes vont se revoir fréquemment à Paris, avec le désir de faire un film ensemble. Délaissant *Temps chaud,* Truffaut décide d'adapter un roman de David Goodis, *Down There,* paru dans la « Série Noire » sous le titre de *Tirez sur le pianiste.* Goodis est l'un de ses écrivains américains préférés. Ce qui lui plaît dans le roman, c'est l'aspect « conte de fées » traité avec noirceur, ce sont les rebondissements mêlant la fantaisie la plus débridée au tragique le plus sordide. Des gangsters parlant de la vie quotidienne, des truands discutant d'amour et des amoureux devenant des meurtriers. Truffaut fait lire le roman à Aznavour. Le chanteur est emballé. Il reste à convaincre Pierre Braunberger. Celui-ci accepte les conditions de Truffaut : six millions d'anciens francs pour lui-même et deux millions pour Marcel Moussy, qui fera l'adaptation et les dialogues. Auparavant, le producteur acquiert les droits du roman (deux millions) et assure le salaire d'Aznavour (cinq millions). *Tirez sur le pianiste* coûtera 75 millions de francs, presque le double du budget des *Quatre Cents Coups,* mais qui reste modéré en regard de nombreux films français de l'époque.

En juin 1959, Truffaut fait de nouveau appel à Marcel Moussy pour écrire son scénario. Les deux hommes passent quinze jours à Saint-Tropez, à la Ferme d'Augustin, puis une semaine à la Colombe d'Or à Saint-Paul-de-Vence. À Saint-Tropez, Truffaut est accompagné de Liliane David et de Jean-Pierre Léaud. Présente incognito, logée dans un autre hôtel, la jeune femme est censée s'occuper de l'adolescent, pendant que Truffaut travaille avec Moussy. Cela crée un imbroglio, quelques situations assez cocasses pour Truffaut, très soucieux de ne rien montrer de sa vie privée. « Jean-Pierre et moi, nous étions à l'hôtel de Paris, François avait sa chambre à la Ferme d'Augustin, il courait d'un endroit à l'autre, raconte Liliane David. Je devais surveiller Jean-Pierre, qui faisait beaucoup de bêtises [91]. » Pendant que Truffaut et Moussy travaillent au scénario, Jean-Pierre Léaud, à peine auréolé du succès des *Quatre Cents Coups*, est la coqueluche des journalistes. À Saint-Tropez, un jeune photographe désire faire un reportage pour le compte de *Elle* : Léaud posant avec les personnalités tropéziennes, Françoise Sagan, Jean-Pierre Aumont, etc. « Jean-Pierre a réussi à emprunter la voiture du photographe, témoigne Liliane David, avec laquelle il a eu un acccident. François était furieux, d'autant qu'il a dû payer les frais de réparation [92]. »

En juillet, Madeleine et François Truffaut retournent à Saint-Paul-de-Vence avec la petite Laura, âgée de quatre mois. Puis le couple séjourne à Saint-Tropez à la Ferme d'Augustin. Marcel Moussy est également rejoint par sa femme. Le travail se poursuit, progresse vite. Le 17 juillet, le scénario de *Tirez sur le pianiste* est prêt. Pierre Braunberger en est satisfait. Charlie Kohler est un petit homme sombre et mystérieux. Pianiste de bastringue au Mammy's Bar, dorloté par une prostituée, Clarisse, et secrètement aimé par la serveuse du bar, Léna, il vit seul avec son petit frère Fido. Son passé le rattrape une première fois lorsque son autre frère Chico débarque au Mammy's Bar, poursuivi par deux truands. Un sérieux différend à propos d'un « coup fumant » l'oppose à ses deux poursuivants et il risque sa peau, ainsi que son autre frère Richard. Malgré lui, Charlie est emporté dans cette histoire louche par les deux gangsters, Momo et Ernest, même si ceux-ci se révèlent plus fantaisistes que prévu. Son passé le rattrape une seconde fois quand Léna lui déclare son amour, le séduit et l'entraîne chez elle. La jeune femme sait que Charlie Kohler est le pseudonyme d'Édouard Saroyan, jeune virtuose du piano. Charlie/Édouard lui raconte alors toute son histoire : sa jeune épouse Thérésa s'est sacrifiée pour la carrière de son mari en devenant la maîtresse d'un imprésario, Lars Schmeel. Quand elle lui avoue sa faute et donc l'origine de son succès, Saroyan ne supporte pas la vérité et quitte Thérésa, qui se suicide en se jetant dans le vide. La réussite et la gloire ayant brisé son bonheur conjugal, Édouard est devenu Charlie Kohler. Après une nuit d'amour, Léna et Charlie/Édouard doivent retrouver Fido, qui a été enlevé par les deux gangsters, et se rendent dans la maison familiale des Saroyan, en pleine montagne, où ils retrouvent Chico et Richard, les deux autres frères qui y ont trouvé refuge. Une course poursuite s'engage entre les Saroyan et les gangsters... Durant le finale, c'est Léna, l'innocente, qui prend une balle perdue et glisse dans la neige teintée de sang, pour mourir dans les bras de Charlie.

« Un jour, se souvient Claude de Givray, François m'a dit : "J'ai trouvé, ce film avec Aznavour, ce sera l'histoire d'un timide. " C'est vrai qu'il était timide, mais par contre, quand il parlait de cinéma, même tout jeune, c'était déjà en cinéaste. C'était son terrain, il pouvait se permettre toutes les audaces. Lui qui pouvait avoir du mal à parler dans la vie, dès qu'il s'agissait de parler de ce qu'il connaissait, devenait un bulldozer. François a appris à jouer de sa timidité. Dans *Tirez sur le pianiste*, cela se voit à travers le personnage d'Aznavour, qui n'ose pas appuyer sur la sonnette d'une porte : François filme le geste en quatre plans, ce qui lui plaisait beaucoup, car il avait trouvé une astuce filmique pour transmettre ce sentiment. François se rongeait les ongles (il disait que c'était très bien de se ronger les ongles, parce qu'il y avait toujours une femme qui voulait vous empêcher de le faire !), mais dès qu'il parlait de ce qui le concernait, c'est-à-dire le cinéma, il devenait un vrai professionnel [93]. »

Truffaut est de plus en plus excité par cette histoire qui commence à lui ressembler. Moins l'intrigue elle-même que certains détails significatifs qui trahissent ses obsessions les plus personnelles. Dans leur dialogue poétique, les gangsters évoquent le pouvoir « magique » des femmes, tandis que le personnage de Charlie/Édouard, pianiste célèbre qui s'est compromis pour obtenir le succès puis plonge dans l'anonymat par désespoir, maladivement timide et tout aussi maladivement séducteur, est évidemment un double de Truffaut.

Goodis façon Queneau

Avec ce film, le cinéaste cherche un nouveau style, fondé sur d'incessants changements de tempo. *Tirez sur le pianiste* sera continuellement joué sur ces ruptures de rythme qui évoquent à la fois Queneau ou Trenet. Pour Truffaut, c'est d'ailleurs « quasiment un film musical [94] », composé comme une partition mêlant plusieurs registres. Sur les conseils de Pierre Braunberger, il s'adresse à Georges Delerue, musicien formé par Darius Milhaud au Conservatoire de Paris, qui a ensuite dirigé l'Orchestre de la Radiodiffusion française. Truffaut et Delerue s'entendent parfaitement, ainsi que l'a rapporté le cinéaste : « On en était au stade pénible du bout-à-bout. Delerue a regardé et a tout de suite compris les intentions : "Bon ! C'est un film de série noire traité à la manière de Raymond Queneau, je vois ce qu'il faut faire" [95]. » Et ce premier travail marquera le début d'une longue et intense collaboration.

Boby Lapointe est l'autre révélation musicale du film. Guidé par Audiberti, Truffaut l'a repéré au Cheval d'Or, un cabaret de chansonniers : ce fut « un délire de joie dans la salle quand Boby attaqua *Léon*, puis *Marcelle*, enfin *Avanie et Framboise* [96] ». Jeux de mots constants, rythmes rapides et syncopés, ces morceaux enthousiasment immédiatement Truffaut, car ils sont l'illustration de ce qu'il voudrait réussir dans *Tirez sur le pianiste*. Le cinéaste engage Boby Lapointe pour jouer son propre rôle et chanter en continuité et en intégralité *Avanie et Framboise* devant sa caméra, sur la scène du Mammy's Bar où joue Charlie Kohler. Mais Pierre Braunberger, qui considère qu'on ne saisit pas le sens des paroles, demande à Truffaut de couper la chanson, ou de sous-titrer la scène. Truffaut refuse la moindre coupe, mais trouve l'idée du chanteur « sous-titré [97] » excellente. Par la suite, Aznavour fera engager Boby Lapointe en première partie de son récital à l'Alhambra, ce qui permettra au chanteur d'enregistrer enfin son premier disque.

À la fois « Série Noire » et journal intime, *Tirez sur le pianiste* est sans doute le vrai film Nouvelle Vague de François Truffaut. Il a d'ailleurs fait appel à Raoul Coutard, le chef opérateur emblématique du mouvement depuis *À bout de souffle*. « Ce qui m'a séduit en lui, écrit Truffaut, c'est l'originalité de sa photo mais aussi l'extraordinaire grossièreté de son langage. [...] La rudesse de Coutard fait fuir les visiteurs et plus encore les visiteuses. Aucune servilité chez lui, qui s'adressera dans les mêmes termes au producteur ou à un technicien qu'à la vedette féminine [98]. » De son côté, Coutard, habitué à travailler vite, est séduit par les conditions de tournage de ce film au budget modeste : « Je suis arrivé avec mes mauvaises manières de reporter-photographe, explique Coutard. J'aime le travail sur le vif et vite fait. Le joli, le " léché " m'écœurent. J'ai commencé par supprimer dans mes films tous les effets dits artistiques, ces choux gras des opérateurs, et au lieu de réclamer une armée de projecteurs, j'ai utilisé la lumière du jour. [...] Résultat : on a tourné quinze fois plus vite pour dix fois moins cher, et nos films décontractés et vivants avaient davantage d'ambiance [99]. »

Suzanne Schiffman est aussi une nouvelle recrue pour Truffaut. C'est une ancienne connaissance du temps de la Cinémathèque et du ciné-club du Quartier latin, proche de Rivette, Godard ou Gruault. En 1956, ayant obtenu une licence de lettres à la Sorbonne, elle part à Chicago avec une bourse obtenue grâce à son travail avec Edgar Morin, puis réside une autre année au Mexique. Revenue à Paris, elle collabore au tournage de *Paris nous appartient* durant l'été 1958, avant d'être engagée comme scripte sur le *Pianiste*. « Braunberger n'était pas mécontent, se souvient-elle, car il pouvait me payer largement au-dessous du tarif syndical. Je trouvais tellement merveilleux d'être payée que je n'avais aucun désir de discuter [100]. » Sans réelle expérience professionnelle, Suzanne Schiffman s'intéresse à tous les aspects du tournage, sans idées préconçues. Si bien que son travail se rapproche très vite de celui d'un premier assistant. Dès lors, elle devient la complice essentielle de Truffaut, sa collaboratrice la plus proche.

Aux côtés de Charles Aznavour, Truffaut engage plusieurs acteurs initialement prévus pour *Temps chaud*. Ainsi, Nicole Berger joue Thérésa, la femme d'Édouard Saroyan conduite au suicide ; Serge Davri endosse le rôle de Plyne, le patron du bar, costaud, borné, gueule cassée, mais cachant sous cette apparence de brute une grande sensibilité et des amours naïves ; Catherine Lutz prend le rôle de sa femme, Mammy, la mélancolique propriétaire du bar. Quant à Albert Rémy, le père d'Antoine dans *Les Quatre Cents Coups,* il devient Chico, le frère loufoque et gaffeur de Charlie Kohler. Par ailleurs, Truffaut, avec beaucoup de liberté, ponctue son film d'apparitions amicales, comme le réalisateur Alex Joffé, ou l'écrivain Daniel Boulanger dans un rôle de gangster, tandis que le cinéaste Claude Heymann joue l'imprésario Lars Schmeel. Restent les deux autres rôles féminins principaux, Léna la serveuse et Clarisse la prostituée. Le 14 octobre 1959, Truffaut fait publier une petite annonce dans *Paris-Flirt,* avant de procéder à des auditions. Il a promis le rôle de Clarisse à Liliane David, qui vient de tourner dans *À bout de souffle* (la copine à qui Jean-Paul Belmondo vient piquer un peu d'argent dans l'armoire de l'hôtel où elle habite). Par crainte sans doute de mêler vie sentimentale et travail, Truffaut préfère confier le rôle à Michèle Mercier, future « Angélique » et star des années soixante. Lors d'une seconde audition, Truffaut a le coup de foudre pour une comédienne de vingt-deux ans, Claudine Huzé, le visage rond, les boucles blondes, la bouche et les yeux charmants, qu'il a remarquée dans une dramatique à la télévision. Après un bout d'essai filmé du plus haut comique où il demande à la jeune comédienne plutôt timide de l'insulter en lui disant des gros mots, Truffaut lui propose le rôle de Léna. Il lance ainsi la carrière de Claudine Huzé, à laquelle il trouve son nom d'actrice, Marie Dubois, en hommage au roman d'Audiberti : « Marie Dubois n'est ni une " souris " ni une " pépée ", elle n'est ni " piquante " ni " mutine ", mais c'est une jeune fille pure et digne dont il est vraisemblable qu'on puisse devenir amoureux et être payé de retour. On ne se retournerait pas sur elle dans la rue, mais elle est fraîche et gracieuse, un peu garçonne et très enfantine. Elle est véhémente et passionnée, pudique et tendre [101] », écrit Truffaut en présentant sa découverte.

Commencé dans les derniers jours de novembre 1959, pour l'essentiel à Levallois-Perret, puis dans une brasserie de la porte Champerret, le tournage du *Pianiste* se termine autour du Nouvel An, dans un chalet du Sappey, en plein massif de la Chartreuse, non loin de Grenoble. C'est là que se déroulent les scènes finales du film, dans la neige, lorsque Léna succombe à une balle perdue lors de la fusillade générale entre les Saroyan et les gangsters. L'avant-veille de la fin du tournage, on apporte gâteaux et champagne pour fêter le vingt-troisième anniversaire de Marie Dubois. La bonne humeur et la convivialité ont régné sur ce tournage. Truffaut est satisfait, mais il sait que l'essentiel va se jouer au montage et lors de la postsynchronisation. Car la construction de son film est biscornue, avec au centre un long flash-back, et sans cesse mise en danger par les changements de rythme et les mélanges de genre. D'autre part, il s'agit d'un « film musical » et la bande sonore y revêt une importance particulière.

L'amie américaine

Le 6 janvier 1960, alors qu'il termine le tournage de son film au Sappey, François Truffaut reçoit un télégramme des Films du Carrosse : *Les Quatre Cents Coups* viennent d'obtenir le Prix du meilleur film étranger décerné par la critique new-yorkaise. La bonne nouvelle est assortie d'une invitation de Daniel Frankel, patron de Zenith International Film Corporation, la société de distribution qui sort le film à New York. Truffaut décide alors de faire son premier voyage aux États-Unis. Sorti le 16 novembre 1959 au Fine Arts, *Les Quatre Cents Coups* ont été accueilli par une presse très élogieuse. Ainsi, Bosley Crowther, critique influent du *New York Times,* écrivait dès le lendemain que « les mots ne suffisent pas pour qualifier la performance de Jean-Pierre Léaud dans le rôle du garçon. Il restera comme un monument provocant et déchirant de jeunesse [102] ». Quant au film lui-même, il s'agit d'« un petit chef-d'œuvre qui encourage un renouvellement de foi dans les films ». Les autres critiques importants sont à l'unisson, tel Paul Beckley dans le *New York Herald Tribune :* « Un film que tous ceux qui s'intéressent sérieusement au bon cinéma ne voudront pas manquer de voir [103] », ou Archer Winsten dans le *New York Post :* « *Les Quatre Cents Coups* nous apportent l'un de ces grands films français classiques qui nous touchent au cœur par leur beauté, leur vérité et leur désespoir [104]. »

Pour Truffaut, les États-Unis représentent un enjeu décisif en terme de notoriété comme sur le plan commercial. C'est aussi le pays de cinéastes qu'il admire, qu'ils soient américains ou exilés venus d'Europe : Hitchcock, Hawks, Lang, Aldrich, ou Nicholas Ray, autant d'auteurs ayant trouvé une légitimité artistique et une deuxième patrie en France, grâce à l'enthousiasme des cinéphiles. De même, Truffaut sait que la Nouvelle Vague s'imposera grâce à son succès critique et public aux États-Unis. Mais dans son ambition de séduire l'Amérique, il possède cependant un sérieux handicap : il ne parle pas l'anglais. Dès lors, apprendre cette langue va devenir une idée fixe qui le poursuivra toute sa vie.

Le 20 janvier 1960, Truffaut quitte Paris pour New York. La remise du prix de la critique est prévue pour le 23 janvier au soir. Il compte passer une quinzaine de jours aux États-Unis. Une semaine à New York, un passage par Chicago, puis un voyage jusqu'à Los Angeles, afin d'y faire quelques rencontres et d'y visiter des studios mythiques, en compagnie de Jeanne Moreau. Lors de la remise du prix, Truffaut est livide, incapable d'articuler le moindre mot en anglais. À ses côtés se tient l'un des acteurs qu'il admire par-dessus tout, James Stewart, couronné pour son interprétation dans *Autopsie d'un meurtre* d'Otto Preminger. Audrey Hepburn et Elizabeth Taylor figurent également au palmarès, ainsi que William Wyler pour la réalisation de *Ben Hur.* Tous posent pour la photographie de groupe. Truffaut esquisse un sourire timide, regardant un peu impressionné en direction de James Stewart. Auparavant, Dan Frankel s'est chargé de présenter le jeune homme aux critiques présents dans les salons du *New York Times :* « Monsieur Truffaut vient de faire son premier voyage de Paris à New York pour être avec nous ce soir. C'est également son tout premier film. Il n'a que vingt-sept ans. Il a été critique de cinéma, mais son seul désir depuis quelque temps le poussait à réaliser ce film. Il montre au monde entier — y compris aux critiques new-yorkais — comment on fait un bon film, un chef-d'œuvre, à vingt-sept ans seulement. Je vous demande de réserver l'accueil le plus chaleureux à ce jeune homme qui le mérite [105]. »

Dès son arrivée à New York, Truffaut fait la connaissance

d'Helen Scott. C'est pour lui une rencontre qui sera décisive pour sa carrière américaine. Née en 1915, cette femme brune et corpulente a quelque chose d'imposant. Sous la direction de Joseph Maternati, Helen Scott est chargée des relations avec la presse au sein du French Film Office. C'est à ce titre qu'elle accueille Truffaut à son arrivée à l'aéroport de New York, et lui sert de guide et d'interprète. Cultivée, francophone, très cinéphile et dotée d'un solide humour juif new-yorkais, Helen Scott est une ancienne militante de l'extrême gauche américaine, puis du mouvement féministe. Pendant la Deuxième Guerre mondiale, en poste à Brazzaville, elle a fait de la résistance en étant secrétaire de Geneviève Tabouis, obtenant par la suite la médaille de la France libre. Dans les années cinquante, elle a été victime du maccarthysme, au même titre que de nombreux écrivains, scénaristes ou cinéastes de gauche ou membres du parti communiste américain, tous « blacklistés » pour « activités antiaméricaines ». Ayant une connaissance parfaite de la presse et du monde culturel new-yorkais, Helen Scott est une alliée indispensable pour Truffaut en Amérique. Admiratrice des *Quatre Cents Coups* comme des premiers films de la Nouvelle Vague, elle va consacrer toute son énergie à leur promotion, présentant Truffaut, Godard et Resnais à la critique américaine comme les emblèmes du nouveau cinéma français. De tous, c'est Truffaut qu'elle préfère. Elle devient sa confidente et sa correspondante attitrée. Pour faciliter ses contacts avec les journalistes, elle l'accompagne à Chicago, lui servant d'interprète. Au cours de ce voyage, François Truffaut et Helen Scott deviennent amis, parlant des heures et des heures de cinéma, de leur jeunesse, ou de politique, « lui se proclamant de la génération dite " désengagée " et moi au contraire, vieille militante, m'efforçant de lui expliquer les conditions de ma jeunesse en Amérique, de la guerre en Afrique, qui m'avaient amenée à mon parti pris de gauche [106] ».

En raison d'une tempête de neige à Chicago, Truffaut est contraint d'annuler l'étape californienne. Impatient de visionner un premier bout à bout de *Tirez sur le pianiste,* il décide de rentrer à Paris, heureux d'avoir pu rencontrer, grâce à Helen Scott, aussi bien David Goodis, dont il vient d'adapter un roman, que Henry Miller [107], auquel il voue la plus grande admiration. Le 26 janvier, Helen Scott a également organisé un dîner pour lui présenter Élie Wiesel, qui suggère à Truffaut l'idée de faire un film sur la Deuxième Guerre mondiale et les camps de concentration.

Dès son retour à Paris, Truffaut reste en relation avec Helen Scott à travers une correspondance régulière et très riche, chacun informant l'autre de la situation du cinéma à Paris et à New York. Habituellement très pudique sur ses relations amoureuses ou amicales, Truffaut confie à Helen ses états d'âme de cinéaste ou les difficultés de sa vie privée. Il sait bien sûr que la distance qui sépare New York de Paris lui garantit une certaine discrétion. Mais ces confidences doivent aussi beaucoup au talent de persuasion d'Helen Scott, qui tient beaucoup à ce que leur relation ne soit pas exclusivement professionnelle. Ainsi, dans une lettre qu'elle lui adresse le 3 mars 1960, quelques semaines après leur séparation à Chicago, Helen se plaint à Truffaut : « Sans m'attendre à un débordement égal de votre côté, j'espérais cependant recevoir de vous quelques nouvelles personnelles — vos préoccupations pour le nouveau film, votre retour à Paris, que sais-je ? — bref, une phrase, n'importe laquelle, qui me permettrait de reconnaître mon ami Truffaut. Or, votre lettre, toute bizness, aurait pu être écrite par Tati ou n'importe quel autre producteur. Le message à la main ? Vous connaissez ma manie anti-formule ; pour moi, il n'y a que la substance qui compte. En tout cas, j'en suis arrivée à me demander si le ton de ma correspondance n'était pas déplacé [108]... » Piqué au vif, Truffaut présente aussitôt ses excuses : « Vous avez eu raison de m'engueuler, car j'avais tendance à me laisser aller à cette facilité : dicter tous les matins quelques lettres pour " expédier les affaires courantes " et me donner ainsi l'impression à moi-même que je suis un *big business man,* un *self-made man,* un homme de *first class quality,* que sais-je encore ? Bref, grâce à vous, je vais me conduire mieux, je reprends l'habitude de taper moi-même quelques lettres à la maison, et mes amis provinciaux ou étrangers vont se demander pourquoi je deviens si affectueux sans se douter qu'ils doivent cela à Helen Scott, ma chère Helen [109]. » Outre d'innombrables jeux de mots (« Truffe », dit aussi « Truffaldin : valet de comédie italienne, hypocrite, rusé et menteur »), une évidente tendresse (« Scottie » ou encore « Mascotte ») et toutes sortes de confidences, cette correspondance à laquelle Truffaut va s'attacher tout au long des années soixante dessine un véritable « journal intime de la Nouvelle Vague ». « Tout ce que vous m'écrivez compte tellement pour moi. Je vous aime presque autant que je m'aime, ce qui n'est, diantre, pas peu dire [110] », lui écrira-t-il, après son deuxième séjour à New York en avril 1962.

Le drame algérien

À son retour des États-Unis, François Truffaut commence à évoluer à gauche sur le plan idéologique, sans doute sous l'influence d'Helen Scott. Le 12 février 1960, il confie ainsi à un ami scénariste son désir « dans les deux ans à venir, de tourner un film politique [111] ». L'idée est née de ses longues discussions avec Helen Scott et Élie Wiesel. S'il apprécie le franc-parler, l'humour caustique, l'expérience politique et le sens pratique de la première, il se méfie plutôt de la « bonne conscience meurtrie » du second : « Ce type est bouleversant plus que sympathique ; je veux dire qu'il doit être effroyable à vivre, gémissant et pleurant sur lui-même, mais je l'admire beaucoup [112]. » Néanmoins, les sujets évoqués lors du dîner new-yorkais — la guerre, la résistance, la déportation, les camps d'extermination — passionnent le cinéaste. Élie Wiesel lui a confié les épreuves de son roman *Le Jour,* avec l'espoir que Truffaut puisse l'adapter au cinéma. Le cinéaste n'y donne pas suite. Les deux hommes envisagent alors un film intitulé *Le Dernier Déporté,* l'histoire du dernier convoi de Juifs parti de France pour les camps de la mort, le 31 juillet 1944, et du retour d'un survivant. En décembre 1960, Wiesel écrit à Truffaut : « Maintenant, si vous le voulez, ou plutôt si vous le voulez encore, nous pourrions nous mettre à travailler sur votre sujet de film. *Le Dernier Déporté* : les comptes qu'il doit régler avec les hommes d'hier et de demain, les angoisses qui l'accablent, les doutes (était-ce vraiment arrivé ?), les silences — sujet débordant de richesse [113]. » En deux mois, Truffaut se documente, lit beaucoup d'ouvrages concernant la « solution finale », « sur Hitler, sur Nuremberg, et particulièrement l'admirable bouquin américain de Shirer sur le IIIe Reich [114] ». Il rencontre Alexandre Chambon, rescapé du dernier convoi, alors consul de France à Rio de Janeiro et qui

a écrit ses souvenirs du camp de Buchenwald dans un livre témoignage terrible dont le titre, *81.490*, se réfère à son matricule de
déporté. Un temps, une adaptation est envisagée par Truffaut,
mais il y renonce, rejetant l'idée d'avoir à reconstituer l'intérieur
d'un camp pour y diriger des acteurs et des figurants, de « mettre en scène la fausse réalité de l'horreur » : « Je ne pourrais pas
me résoudre à faire jouer des personnages de 30 kilos par des
figurants de 60 kilos, car dans ce domaine cette réalité physique,
visuelle, corporelle est trop importante pour être sacrifiée [115]. »
Même s'il est vite abandonné, l'intérêt de Truffaut pour ce projet souligne une nette évolution sur le plan idéologique, par
rapport à son attitude des années cinquante lorsque le critique
refusait absolument toute œuvre « engagée », allant jusqu'à rencontrer le collaborateur Lucien Rebatet, et ironisant sur tous les
« films de gauche ».

Si ses convictions politiques, et par conséquent son image
publique, ont évolué, cela est dû en bonne partie aux événements liés à la guerre d'Algérie. Tant qu'il écrit encore à *Arts,*
aucun sujet étranger au cinéma, que ce soit l'arrivée au pouvoir
du général de Gaulle, la montée en puissance du mouvement
poujadiste, ni même les grands manifestes de Sartre dans *Les
Temps modernes,* ne l'avait conduit à une prise de position publique. Seuls les événements d'Algérie mobilisent parfois l'attention du critique. À deux reprises, Truffaut prend ainsi une position de plus en plus sceptique face à l'engagement de l'armée
française en Algérie. Une première fois, le 12 mars 1958, dans
son compte rendu des *Sentiers de la gloire,* le film antimilitariste
de Stanley Kubrick sur la Première Guerre mondiale, interdit
en France pour atteinte au moral de l'armée, le critique adopte
un point de vue clairement antimilitariste, hérité sans aucun
doute des mauvais souvenirs du séjour dans les prisons et les
hôpitaux militaires. Le 8 octobre 1958, dans l'une de ses dernières critiques, il réaffirme le même parti pris à propos de la
reprise de *La Grande Illusion* de Jean Renoir. Dans une longue
digression, Truffaut mentionne une conversation avec le cinéaste
Pierre Schoendoerffer, ancien reporter d'actualités en Indochine
et, brisant un tabou de la grande presse nationale, associe la lutte
anticoloniale du Viet-minh à celle du FLN en Algérie, enjoi-
gnant clairement à l'armée française à se retirer de ce champ de
mines. Cette prise de position résulte d'une profonde indi-

gnation face à la torture employée par les officiers français en Algérie, et d'un farouche sentiment antimilitariste. Le critique ne fait aucune confiance à l'armée pour régler le problème algérien, et il le fait savoir dans *Arts,* provoquant un éclat dans ce journal de droite.

Peu à peu, Truffaut se sent de plus en plus concerné par les conséquences de la guerre d'Algérie. Elles le toucheront même très directement, lorsque, le 9 mars 1960, Cécile Decugis, la monteuse de *Tirez sur le pianiste,* est arrêtée et enfermée à la prison de la rue de la Roquette, bientôt condamnée à cinq années de prison, pour avoir loué à son nom un appartement servant de local à des militants du FLN. Truffaut se mobilise pour venir en aide à sa collaboratrice. Il lui fait parvenir des livres, de l'argent, l'assure de son soutien moral et amical. De nombreux amis répondent à l'appel [116] de Truffaut, qui récolte ainsi plus de 20 000 nouveaux francs en quelques jours, pour engager un avocat susceptible de soutenir le pourvoi en cassation de Cécile Decugis. Au cours du printemps 1960, il se rendra régulièrement à la prison de la Roquette pour assurer sa monteuse de l'amitié et de la solidarité de l'équipe du *Pianiste.*

Truffaut n'est pas tant sensible à la cause algérienne proprement dite — il ne sera jamais tenté d'être un « porteur de valises » — qu'à la défense des libertés élémentaires en période de guerre. Il soutiendra financièrement bon nombre de périodiques indépendants, interdits puis clandestins, sympathisants du FLN, tel le journal *Liberté-Vérité* dirigé par Pierre Jean Oswald (il s'y abonne en envoyant un chèque de 4 000 nouveaux francs), ou *L'Espoir d'Alger,* « dernier journal libre » paraissant en Algérie dirigé par un cinéphile, Guy Teisseire [117]. En juin 1960, Truffaut se passionne aussi pour l'« affaire Maurice Audin », ce jeune scientifique de vingt-cinq ans, membre du parti communiste algérien, arrêté trois ans auparavant par des officiers parachutistes français et dont on est depuis sans nouvelles. La thèse officielle de l'armée française plaide pour une fusillade malheureuse, consécutive à une tentative de fuite du jeune universitaire. Le « Comité Audin », constitué par le doyen Chatenet, de la faculté de droit de Paris, Pierre Vidal-Naquet, Jacques Panijel, Michel Crouzet et Luc Montagnier, soutient la thèse contraire d'une mort indigne sous la torture (coups violents, électricité, baignoires remplies d'eau), qu'on a tenté de cacher, thèse qui

met en cause une partie de la hiérarchie militaire française en
Algérie. L'« affaire Audin », ajoutée au témoignage accablant du
journaliste communiste Henri Alleg, place ainsi sous une
lumière très crue des pratiques militaires qui révoltent Truffaut.
Le cinéaste pensera même tirer un film de cette affaire, puis
abandonnera ce projet en en donnant les raisons dans *Clarté*, le
mensuel des étudiants communistes : « L'affaire est tellement
claire en elle-même qu'il n'y aurait pas besoin de la commenter.
Peut-être est-ce faisable en s'en tenant aux faits. Mais un film de
fiction signifie chercher les raisons des gens d'en face, non seulement les raisons politiques, mais les raisons personnelles. Finalement, le film ne consisterait plus qu'à montrer une victime,
un homme qui a subi un sort absolument injuste et révoltant,
et, de l'autre côté, le mécanisme qui a mené à cela. Ce serait
inopportun car on anoblit en montrant. Un tel film ne satisferait
ni Madame Audin, ni le comité Audin, parce qu'il faudrait
rechercher les mobiles des autres. Il faudrait donc s'intéresser,
vous allez sursauter, au drame de conscience du général Massu
qui a admis et couvert la torture en Algérie [118]. »

La liberté d'expression, la lutte contre la censure et contre
la torture, l'antimilitarisme, toutes ces causes renforcent les
convictions de Truffaut, mais il hésite encore à prendre publiquement position. L'homme a toujours haï la « bonne
conscience de gauche », « ceux qui découvrent tout d'un coup
un beau jour que tout le monde, sur cette terre, devrait manger
à sa faim [119] ». Après « mûre réflexion », ses réticences vont tomber grâce aux témoignages accablants de ses amis, Claude de
Givray et Claude Gauteur, soldats appelés en Algérie pour deux
ans, qui décrivent de l'intérieur la conduite dégradante de
l'armée. Le 28 août 1960, Gauteur écrit à Truffaut une lettre
bouleversante qui achève de convaincre le cinéaste : « Je vous
jure que lorsqu'on voit des gosses, peau, os, pustules et haillons,
se faufiler entre les barbelés électrifiés pour lécher une boîte de
sardines vide ou ramasser quelques centimes qu'un troufion
irresponsable a fait exprès de jeter là, précisément, je vous jure
que lorsqu'on mesure à quel point ces " Français à part entière "
ont été exploités, on passe du sentiment à la raison, du dilettan-
tisme à la vigilance, du désengagement à la disponibilité. [...]
Des fellaghas, je n'en ai vus à ce jour que quatre, passés à tabac
et dont on " ignore le sort " (admirable euphémisme) et ils per-

turbent mon sommeil deux fois par nuit. Que me réservent les huit mois qu'il me reste à tirer ? La reconquête du Maroc sous les ordres du camarade Soustelle ? » Il reçoit également une lettre très remuante de Claude de Givray, témoin d'atrocités commises par l'armée française en Algérie : « Le type avait une balle qui lui ressortait littéralement par le derrière, il chiait du sang. Il n'est pas mort sur le coup et nous l'avons évacué en hélicoptère. Heureusement pour lui, il a succombé à sa blessure, car avec le tas de documents codés qu'il portait sur lui, il n'aurait pas eu la vie belle ! Dame torture se serait régalée. Cher vieux, j'en ai marre comme c'est pas permis et je me sens vieilli de dix ans. Il y a de plus en plus de casse. Les pertes " amies " ne me font pas plus d'effet que les pertes " ennemies ", car ici, tout est mesquinerie pour essayer de se maintenir en vie, une vie végétative, absurde [120]. »

Le Manifeste des 121

Le 13 septembre, Truffaut reçoit la « Déclaration sur le droit à l'insoumission dans la guerre d'Algérie », que lui adresse Dionys Mascolo : « Si, comme nous l'espérons tous, elle trouve votre accord, voulez-vous la renvoyer, signée, ainsi que le texte dactylographié qui y est joint, à D. Mascolo ou Marguerite Duras, 5, rue St-Benoît Paris 6e. Il y a urgence, bien entendu. Amitiés [121]. » Depuis début juillet, le fameux « Manifeste des 121 », ainsi nommé en raison des cent vingt et un artistes, écrivains et universitaires qui l'ont préalablement signé, circule sous le manteau. Dionys Mascolo, Marguerite Duras et Maurice Blanchot en sont à l'origine, bientôt relayés par Sartre et Simone de Beauvoir. Il s'agit d'un appel en faveur de tous les soldats français qui désertent en Algérie ou avant de partir en guerre, en faveur aussi de tous les Français qui aident d'une façon ou d'une autre le FLN. Pour le gouvernement, l'armée et une bonne part de l'opinion publique, cette déclaration est synonyme de trahison, dénoncée comme antinationale, défaitiste, anarchiste et gauchiste, en conséquence poursuivie comme telle par la justice. Pour Truffaut, au contraire, ce texte correspond à son indignation du moment, dénonçant la torture, rejetant les actions de l'armée, réclamant la liberté d'expression, soutenant les déserteurs et les « porteurs de valise ». Parmi les 121 figurent quelques-uns de ses amis, Florence Malraux et Alain Resnais, Maurice Pons ou Claude Sautet. Truffaut signe le manifeste le 13 septembre au soir. Même si le manifeste et ses signataires sont interdits de publication dans la presse française, son geste ne passe pas inaperçu et frappe d'autant plus que les anciens « alliés » du cinéaste, ses amis de *Arts* et de *La Parisienne,* ont massivement répondu aux 121 par le « Manifeste des Intellectuels français » paru dans la revue *Carrefour* du 12 octobre 1960, en dénonçant les « professeurs de trahison » et proclamant sa fidélité à l'armée française qui « se bat pour la France en Algérie » et y « accomplit depuis des années une mission civilisatrice, sociale et humaine ». Environ trois cents universitaires nettement classés à droite ont signé avec les hussards, Roger Nimier, Jacques Laurent, Thierry Maulnier, Michel Déon, Antoine Blondin.

Le problème algérien est devenu source de polémiques douloureuses pour les intellectuels français [122], regroupant en partie les appartenances et déplaçant les anciennes frontières héritées de l'après-guerre. À cette occasion, publiquement et de façon spectaculaire, Truffaut passe de la droite à la gauche de l'échiquier politique, ce que ses amis apprécient — notamment Helen Scott et David Goodis qui, depuis New York, le félicitent chaleureusement. Ses adversaires d'hier lui reconnaissent également un certain panache, Robert Benayoun par exemple, lui-même signataire du « Manifeste des 121 » (tout comme Louis Seguin et Raymond Borde, faisant également partie du comité de rédaction de la revue *Positif),* l'« anti-Truffaut » des années cinquante, le pourfendeur de la Nouvelle Vague, qui écrit au cinéaste au début du mois d'octobre 1960 : « J'ai appris qu'on te faisait toutes sortes d'ennuis et je tiens à t'assurer de toute ma sympathie. Je savais que tes qualités primordiales étaient l'honnêteté et la sincérité. Je sais maintenant qu'on peut y joindre le courage [123]. » Avec Truffaut, seuls Jacques Doniol-Valcroze et Pierre Kast, des *Cahiers du cinéma,* ont rejoint les signataires du Manifeste. À l'automne 1960, la situation française est ambiguë, le général de Gaulle étant encore proche des partisans, majoritaires, de l'Algérie française. En ce sens, pour une partie de l'opinion publique, les signataires de la déclaration sur le droit à l'insoumission sont des traîtres et doivent être poursuivis comme tels. Le 28 septembre 1960, le conseil des ministres prend ainsi une série de mesures de rétorsion, interdisant aux signataires tout passage à la télévision nationale, toute intervention dans des théâtres subventionnés par l'État, et tout financement d'ordre public pour leurs entreprises culturelles. Les journaux d'opposition s'interrogent : « Une chasse aux sorcières serait mortelle pour le cinéma français », titre Georges Sadoul dans *Les Lettres françaises* du 6 octobre, tandis que l'hebdomadaire communiste *France nouvelle,* sous la plume de Jack Ralite, compare la « répression gaulliste » à un « maccarthysme français [124] ». Une campagne se développe dans la presse internationale qui, quelques mois auparavant, avait été séduite par l'apparition de la Nouvelle Vague. En Italie, en Angleterre, en Allemagne, les journalistes parlent de la carrière peut-être brisée d'Alain Resnais, Truffaut, Françoise Sagan, Roger Blin, Alain Cuny, Simone Signoret, Laurent Terzieff ou Danièle Delorme, tous signataires de l'appel en faveur du droit à l'insoumission. Truffaut lui-même, à cet instant, est inquiet. C'est ce qu'il écrit, un peu affolé, à Helen Scott le 1er octobre 1960, en dramatisant le récit, sans doute pour établir une plus grande complicité politique avec une femme qui a toujours milité à gauche : « Les événements ont pas mal empiré depuis quelques jours, politiquement. Si vous lisez les journaux français, vous savez que les " artistes " qui ont signé le manifeste en faveur de l'insoumission sont désormais sur une liste noire officielle : interdit de parler à la TV et à la radio, de jouer dans des théâtres subventionnés. Pour le cinéma, c'est très compliqué (heureusement), car il est question de supprimer à nos films l'aide qui est automatique sur tous les films français, ainsi que les différentes primes à la qualité ou avances sur recettes existantes. C'est Malraux qui est chargé de mettre cette sanction au point. Bref, c'est le bordel ! Tout cela évidemment m'a tourmenté et m'a empêché de me concentrer sur mon travail. Si je parlais anglais, j'envisagerais sérieusement de venir tenter ma chance en Amérique, mais mon complexe des langues est terrible ; il y aurait aussi des possibilités en Italie où j'ai beaucoup d'amis. Je suis à la fois découragé — parce que tous les jours il y a de nouvelles inculpations, des menaces et que mon trouble passé militaire de déserteur va sans doute être exploité dans les journaux de droite — et stimulé, car il suffit qu'on m'empêche de faire des films pour m'enlever tous mes doutes à ce sujet. Les 121 signatures sont devenues 144 durant l'été, puis plus de 400 à la rentrée, et maintenant la police opère des perquisitions pour l'empêcher de s'étendre ; beaucoup de professeurs ont signé, qui seront peut-être révoqués. Drôle de climat. Cela va devenir très délicat pour moi de superviser *Tire-au-flanc* officiellement et je crains qu'on fasse sauter les primes à la qualité des courts métrages que j'ai produits. Faudra-t-il aller tourner mon prochain film hors de France [125] ? »

« Réfugié » à la Colombe d'Or, Truffaut est convoqué dès son retour à Paris, le 7 octobre 1960, à la Préfecture de police pour un témoignage. Mais il choisit de ne pas se rendre quai des Orfèvres et de se cloîtrer chez lui. Quelques jours plus tard, grâce à la campagne de presse française et internationale, les sanctions contre les signataires du « Manifeste des 121 » sont levées. Il n'y a plus de liste noire et de Gaulle ne sera pas un nouveau McCarthy. Malgré cet épilogue plutôt tragi-comique, l'engagement de Truffaut contre la guerre d'Algérie aura compté dans sa vie : il est désormais légitimé comme homme de gauche, sa réputation d'un artiste honnête, sincère, courageux est renforcée. Lui-même gardera toujours une rancune tenace vis-à-vis du Général et de la France du début des années soixante : « Un peuple qui s'apprête à dire " Oui " à de Gaulle est un peuple qui se fout complètement que la culture disparaisse ou non, donc qui se fout de mes films [126] », écrit-il à Helen Scott le 18 octobre 1962, à la veille du référendum sur l'élection du président de la République au suffrage universel.

On tire sur le Pianiste

Pour François Truffaut, *Tirez sur le pianiste* a été un film agréable à tourner, mais difficile, ennuyeux à monter. Car il avoue éprouver « une peur panique de tous les scénarios construits en flash-back [127] ». Or le montage du *Pianiste* est conçu autour d'un long flash-back, qui fait revivre l'histoire d'amour tragique entre le pianiste Édouard Saroyan (Aznavour) et sa femme Thérésa (Nicole Berger). La bande sonore est également complexe, multipliant les fausses pistes, les atmosphères différentes et les chansons. Claudine Bouché, qui a été la monteuse de films de Michel Boisrond et d'Alexandre Astruc, a remplacé Cécile Decugis au pied levé. Truffaut lui propose de voir les rushes du *Pianiste* aux studios de Boulogne. « Comme François avait tourné en son témoin, tous les rushes étaient postsynchronisés sans choix définitif. Ce fut une projection cauchemardesque, car très longue. François ne disait pas un mot, je ne savais pas comment l'aborder, ayant peur de commettre une erreur. Je n'avais pas lu le scénario et l'ensemble me paraissait bizarre, car je n'étais pas habituée à des films aussi peu structurés. Le son n'était pas toujours audible. Vers une heure du matin, Truffaut m'a demandé si cela pouvait faire un film. Cela m'a rendue furieuse : comment un cinéaste comme lui pouvait-il me poser une telle question ? À tout hasard, je lui ai dit que cela me faisait penser à Queneau. J'ai su par la suite que je ne m'étais pas trompée [128]. » Sans doute parce qu'il s'est fait avec des bouts de ficelle, *Tirez sur le pianiste* donne un sentiment de grande liberté. Pourtant, lorsque le film est montré, en juin 1960, aux acteurs et amis, puis à quelques journalistes, les avis sont mitigés, ce qui déprime Truffaut qui, à ce moment-là, doute de lui. Pierre Braunberger lui-même est dérouté par le film. Il est vrai que Truffaut a tenu à prendre le contre-pied systématique des *Quatre Cents Coups*. Loin de proposer une nouvelle histoire d'enfants ou d'adolescents et des émotions simples, il présente à son public des gangsters, des prostituées et un pianiste miné par la mélancolie, un film de pure fantaisie, un mélange constant de tragédie et de comédie, de série noire et de film musical. Le cinéaste a surpris en voulant changer radicalement de genre, là où beaucoup attendaient une confirmation.

En outre, *Tirez sur le pianiste* rencontre de sérieux ennuis avec la censure. Le 13 juillet 1960, le film est victime d'une interdiction aux moins de dix-huit ans. Truffaut a pourtant coupé une séquence qui pouvait s'avérer délicate, celle d'un petit chat qui est écrasé par la voiture des gangsters. Mais une autre scène, où Michèle Mercier se couche dans le lit d'Aznavour et découvre sa poitrine, est jugée trop osée. Truffaut réduit la scène, mais se refuse à la couper entièrement. La commission de censure demeure inflexible : *Tirez sur le pianiste* reste interdit aux moins de dix-huit ans.

Le cinéaste finit par se désintéresser de son film, mal accueilli lors de sa sortie d'été dans quelques villes d'eaux comme Vichy, Deauville et Biarritz. Il commence à penser à d'autres projets, et au scénario de *Tire-au-flanc* qu'il doit écrire avec son ami de Givray. Braunberger tente alors de le motiver : « Vous êtes le plus grand metteur en scène, l'homme le plus intelligent du cinéma, un merveilleux ami et je vous aime beaucoup, écrit-il de Saint-Jean-de-Luz le 20 août 1960. Je suis prêt à recommencer le même film dans les mêmes conditions [129]... » Mais à l'automne, lorsque le *Pianiste* s'annonce comme un échec commercial, le ton change et Braunberger harcèle Truffaut de télégrammes, le sommant de s'occuper de la promotion de son film : « C'est à Paris que se décidera pour cinq années votre carrière et celle, particulière, du film dans le monde. C'est pourquoi je ne suis pas pressé de le sortir et que je cherche la meilleure façon de le présenter. Ce n'est pas facile : faut-il dire qu'il s'agit d'un " film comique noir ", d'un " film fantaisiste noir ", d'un " drame d'amour et d'humour ", d'une " tragédie burlesque ", d'un " film où les bons sont quelquefois méchants et les méchants quelquefois sympathiques ". Vous êtes bien mieux qualifié que moi pour ce genre de jeu. Alors reprenez-vous et aidez-moi. Je compte absolument sur vous [130]. »

Tout compte fait, *Tirez sur le pianiste,* sorti le 25 novembre 1960 dans trois salles parisiennes, ne fait pas une carrière très brillante : 71 901 entrées en six semaines d'exploitation. Il est retiré de l'affiche le 3 janvier 1961, Truffaut le considère comme un véritable échec, même s'il ne met guère en péril les Films du Carrosse. Jean Cocteau tente de lui remonter le moral. « Je déteste tes craintes, mon François chéri, lui écrit-il. Bien sûr que c'est difficile mais tu ne peux pas mal faire même si tu t'y appliquais [131]. » Du moins Truffaut peut-il reconnaître ses vrais amis, car ils sont beaucoup moins nombreux à venir le féliciter qu'à la sortie des *Quatre Cents Coups.*

La plus grande amoureuse

Déçu par l'échec de *Tirez sur le pianiste,* François Truffaut trouve un vrai réconfort auprès de Jeanne Moreau, une actrice qu'il admire depuis longtemps. En 1957, il en avait même fait l'aveu public dans les *Cahiers du cinéma,* en disant d'elle qu'elle « est la plus grande amoureuse du cinéma français. Pendant que des gangsters et des groupes s'entretuent, elle danse en tutu dans un cirque, est torturée par un sadique et traverse les rafales de mitraillettes en ne pensant qu'à l'amour. La bouche frémissante, les cheveux fous, elle ignore ce que d'autres appellent " moralité " pour vivre par et pour l'amour. Messieurs les producteurs et metteurs en scène, donnez-lui un vrai rôle, nous aurons un grand film [132] ».

Depuis, Jeanne Moreau a été l'interprète de quelques films célèbres, entre autres ceux de Louis Malle, *Ascenseur pour l'échafaud* et *Les Amants,* et de Roger Vadim, *Les Liaisons dangereuses,* qui ont fait d'elle une actrice vedette, l'autre star du cinéma français avec Brigitte Bardot. La première fois que Truffaut a rencontré Jeanne Moreau, c'était à Cannes en 1957, justement à l'occasion de la présentation d'*Ascenseur pour l'échafaud.* À cette époque, il pensait déjà à *Jules et Jim,* le roman de Roché qu'il espère adapter au cinéma, dans lequel elle incarnerait le rôle de Catherine. « François m'a très vite donné à lire *Jules et Jim,* et nous nous sommes vus régulièrement pour en parler, rapporte Jeanne Moreau. François était quelqu'un de peu loquace, ce qui n'a pas empêché notre complicité d'être très vite profonde. D'habitude les gens, lorsqu'ils font connaissance, échangent énormément de souvenirs. Nous, c'étaient des silences, on échangeait beaucoup de silences. Heureusement, il y avait la correspondance : on s'est très vite beaucoup parlé par lettres [133]. »

Dans *Arts,* François Truffaut a défendu *Les Amants,* présenté au festival de Venise en septembre 1958 et qui fit scandale : « Louis Malle, admirablement épaulé par Louise de Vilmorin, a réussi un film parfaitement familier et presque banal, d'une pudeur absolue et moralement inattaquable [134]. » La même année, Jeanne Moreau fait une apparition amicale dans *Les Quatre Cents Coups,* au bras de Jean-Claude Brialy. Dès lors, elle devient un personnage essentiel dans la vie de François Truffaut, incarnant la réussite professionnelle en même temps que la gloire et le mythe de la star, la femme libre et amoureuse de la vie. Pour l'ancien critique longtemps épris des actrices par écran interposé, la rencontre avec Jeanne Moreau fait figure de révélation. « Jeanne devait bluffer François, se souvient Florence Malraux. Il a été subjugué par elle pendant quelques années, en partie parce qu'elle était une star, sans doute la seule qu'il connaissait. Il arrivait à François de me téléphoner à minuit pour me demander si je savais où était Jeanne. J'étais témoin de cette fascination, qu'il ne me cachait pas. Mais je n'étais pas assez intime avec lui pour oser poser des questions [135]. »

« Quand j'ai connu François, il était extrêmement timide, réservé, parlant très peu, confie Jeanne Moreau. Moi, j'étais habituée à la célébrité, je n'en vivais que les agréments. Mon origine anglo-saxonne constituait d'autre part une ouverture supplémentaire au monde, sur le plan du mode de vie et de la culture. C'est moi qui ai fait découvrir Henry James à François, et qui lui ai fait boire du champagne [136]. » Généreuse et conviviale, Jeanne Moreau n'a pas le même mode de vie que son ami, qui fréquente toujours les mêmes restaurants et ne ressent aucune envie particulière à l'idée de partager les plaisirs de la table. Cette amitié va libérer en quelque sorte son ambition. Car Truffaut n'a qu'une idée en tête : réaliser un grand film avec celle qui est devenue son amie. Et ce grand film ne peut être que *Jules et Jim.*

Mais l'adaptation du roman de Roché n'est pas au point. D'ici là, Truffaut envisage un autre film avec Jeanne Moreau, *Le Bleu d'outre-tombe,* tiré du roman de René-Jean Clot : l'histoire d'une institutrice persécutée par une ville entière, dès lors que les parents d'élèves apprennent qu'elle fut autrefois enfermée dans un hôpital psychiatrique. Les Films du Carrosse ont déjà pris une option sur le roman publié chez Gallimard, et René-Jean Clot a même été engagé comme adaptateur-dialoguiste [137]. Entre-temps, un drame est intervenu dans la vie de Jeanne Moreau. En février 1960, alors qu'elle tourne à Blaye, près de Bordeaux, *Moderato Cantabile,* le film de Peter Brook adapté de Marguerite Duras, avec Jean-Paul Belmondo pour partenaire, son fils Jérôme, dix ans, est victime d'un grave accident de voiture. L'enfant demeure une quinzaine de jours dans un profond coma, entre la vie et la mort. Pour soutenir son amie, Truffaut la rejoint plusieurs week-ends. *Le Bleu d'outre-tombe* est repoussé d'une année, puis sera abandonné. Après *Moderato Cantabile*, Jeanne Moreau enchaîne avec un film d'Antonioni, *La Notte*, pendant que Truffaut termine au plus vite le scénario de *Jules et Jim*.

Vague divague

L'échec du *Pianiste,* et les incertitudes qui pèsent sur ce troisième film, interviennent dans un climat devenu défavorable pour la Nouvelle Vague. En 1960, les films des jeunes cinéastes connaissent de graves échecs commerciaux : 70 000 entrées pour le *Pianiste,* 65 000 pour *Une femme est une femme* de Godard, 53 000 pour *Les Godelureaux* de Chabrol, 35 000 pour *Lola* de Demy. Sans oublier les démêlés du *Petit Soldat* avec la censure : en pleine guerre d'Algérie, le deuxième film de Godard est interdit en septembre 1960 sur tout le territoire français. Truffaut dresse alors un tableau très pessimiste à son amie Helen Scott. « Je ne suis pas un persécuté, et je ne veux pas parler d'un complot, mais il devient évident que les films de jeunes, dès qu'ils s'éloignent un peu de la norme, se heurtent, en ce moment, à un barrage de la part des exploitants et de la presse. C'est le cas d'*Un couple* de Mocky et Queneau, du *Farceur* de De Broca et aussi du *Pianiste.* Il faut dire qu'il y a cette année un très grand nombre de gros films français à l'ancienne qui resteront long-temps en salles. Cela sent la revanche de la Vieille Vague : *La Vérité* de Clouzot, *La Française et l'Amour* (film abject), *Le Passage du Rhin* de Cayatte, ou même *Et mourir de plaisir* de Vadim [138]. »

Un peu partout, de nombreux journalistes et professionnels reprochent aux films de la Nouvelle Vague d'être à l'origine de la nette désaffection des salles de cinéma qui marque le début des années soixante. Ainsi, la Nouvelle Vague devient un bouc émissaire, on accuse son cinéma jugé « intellectuel » ou « ennuyeux » d'éloigner les foules. « Le tournant, écrit Truffaut à Scott, le passage de l'éloge au dénigrement systématique a été marqué par le film de La Patellière et Michel Audiard, *Rue des Prairies,* que la publicité a présenté comme un film anti-Nouvelle Vague : " Jean Gabin règle son compte à la Nouvelle Vague [139]. " » Dans *Arts,* le scénariste Michel Audiard accuse les nouveaux cinéastes de dégoûter le grand public du cinéma, donc de faire le jeu de la télévision : « Ah ! la révolte, voilà du neuf ! Truffaut est passé par là. Charmant garçon. Un œil sur le manuel du petit " anar " et l'autre accroché sur la Centrale catholique, une main crispée vers l'avenir et l'autre masquant son nœud papillon. Monsieur Truffaut voudrait persuader les clients du Fouquet's qu'il est un terrible, un individu dangereux. Ça fait rigoler les connaisseurs, mais ça impressionne le pauvre Éric Rohmer. Car, si autrefois les gens qui n'avaient rien à dire se réunissaient autour d'une théière, ils se réunissent aujourd'hui devant un écran. Truffaut applaudit Rohmer, qui, la semaine précédente, applaudissait Pollet, lequel la semaine prochaine applaudira Godard ou Chabrol. Ces messieurs font ça en famille. Voilà à quoi joue, depuis plus d'un an, le cinéma français. Résultat pratique : l'année 60 s'achève sur des succès de Delannoy, Grangier, Patellière, Verneuil, ces pelés, ces affreux, ces professionnels. Pouah ! Voilà où ils en sont arrivés, ou plutôt où ils en étaient. Car il serait incohérent de continuer à parler d'eux au présent. La Nouvelle Vague est morte. Et l'on s'aperçoit qu'elle était, au fond, beaucoup plus vague que nouvelle [140]. » Henri Jeanson, scénariste lui aussi, attaque dans *Cinémonde, La Croix* et *Le Journal du dimanche* les « jeunes tricheurs-en-scène », tandis que Jacques Lanzmann s'interroge dans *Arts* : « Le jeune cinéma français a-t-il son avenir derrière lui ? » Sur *France-Inter,* Jean Nocher dénonce le « cinéma-cafard ». La revue *Positif* publie en 1960 un numéro entier anti-Nouvelle Vague, tandis que *Télérama,* dans une « Enquête sur les goûts cinématographiques des Français », fait montre d'un certain scepticisme. En février 60, Jean Cau, ancien secrétaire de Sartre aux *Temps modernes,* est allé voir pour *L'Express* « quelques films français nouveaux ». Son opinion est sévère : « Je dis que pendant dix ans ces " jeunes " nous ont clai-ronné à peu près — " Ah ! si on nous confiait une caméra ! " [...] On finit par les prendre au mot. On la leur donna. Que disent-ils ? Ô stupeur, rien ! Qu'ont-ils dans la tête et le cœur ? Ô surprise, un grelot ! Et dans le cœur ? Ô misère, de l'eau ! Je vous avoue que les bras m'en tombent d'étonnement et de tristesse. [...] Nous nous apercevons que les jeunes cinéastes n'ont à peu près rien à dire [141]. »

Ces accusations interviennent à un moment où Godard et Truffaut, les chefs de file du nouveau cinéma, sont particulièrement fragiles et démoralisés. « Moi aussi, *caro Francesco,* je suis complètement perdu, écrit Godard à son ami. Je tourne dans une étrange zone. Je sens qu'il y a quelque chose de très beau qui rôde autour de moi. Mais chaque fois que je dis à Coutard de vite panoramiquer pour le capter, ça a disparu [142]. » L'interdiction totale du *Petit Soldat* ne fera qu'accentuer ce désarroi.

En privé, Truffaut n'hésite pas à formuler quelques sévères critiques à l'égard de films, pourtant estampillés « Nouvelle Vague », qui, à ses yeux, « font un mal fou » au jeune cinéma français, « ces histoires qui regroupent en quelques minutes tout ce que l'on reproche aux jeunes cinéastes, à juste titre, depuis quelque temps, amateurisme, mondanité, personnages excentriques et incompréhensibles [143] ». Mais face à des attaques qu'il juge démagogiques, et parfois menées par des journalistes qui, deux ans auparavant, s'étaient déclarés de fervents supporters du mouvement, il décide de contre-attaquer. « Auparavant, dans les interviews, Godard, Resnais, Malle, Chabrol, moi et d'autres, nous disions : " La Nouvelle Vague n'existe pas, ça ne veut rien dire. " Après, j'ai revendiqué mon appartenance à ce mouvement. Il fallait alors être fier d'être de la Nouvelle Vague comme d'avoir été Juif pendant l'Occupation [144] », dit-il. En dépit de l'échec du *Pianiste,* Truffaut tient à rappeler qu'il existe un « esprit Nouvelle Vague ». « Les bons films se tournent dans les chambres, le cul sur une chaise [145] », écrit-il à son amie Helen Scott.

Quelques mois plus tard, en octobre 1961, Truffaut accorde un long entretien à Louis Marcorelles pour *Le Nouvel Observateur.* C'est à la fois le cinéaste, le producteur, l'ancien critique, et surtout le chef de file de la Nouvelle Vague, qui s'exprime : « Je reconnais qu'il y a un malaise, un mauvais moment à passer et des solutions à trouver. J'attribue ce malaise à un paradoxe qui est le suivant : l'effort essentiel du " nouveau cinéma " a porté sur une émancipation vis-à-vis de l'industrie du cinéma. Les films étaient devenus impersonnels à force de contraintes. Nous avons pensé qu'il fallait tout simplifier pour travailler librement et faire des films *pauvres* sur des sujets *simples,* d'où cette masse de films

Nouvelle Vague dont le seul point commun est une somme de refus : refus de la figuration, refus d'une intrigue théâtrale, refus des grands décors, refus des scènes explicatives ; ce sont souvent des films à trois ou quatre personnages avec très peu d'action. Malheureusement l'aspect linéaire de ces films s'est trouvé recouper un genre littéraire qui agace beaucoup la critique et le public d'exclusivité actuellement, un genre que l'on peut surnommer le saganisme : voiture de sport, bouteilles de scotch, amours rapides, etc. La légèreté voulue de ces films passe — parfois à tort, parfois à raison — pour de la frivolité. Là où la confusion s'installe donc, c'est que les qualités de ce nouveau cinéma : la grâce, la légèreté, la pudeur, l'élégance, la rapidité, vont dans le même sens que ses défauts : la frivolité, l'inconscience, la naïveté. Le résultat ? Tous ces films, bons ou mauvais, se nuisent les uns aux autres ! Ce qui est paradoxal c'est que ce louable effort de légèreté porte ses fruits trois ans trop tard, c'est-à-dire à un moment où la désaffection du public de cinéma est très forte, à un moment où, précisément, on organise le rabattage des spectateurs en leur offrant les films les plus solennels et les plus spectaculaires jamais tournés. Autrefois, il y avait une superproduction, biblique ou non, par an. Actuellement il y en a une par mois dans le sillage de *Ben Hur*. Ce sont des films anti-télévision contre lesquels nos petits films émouvants ou blagueurs, tournés à la diable, ne peuvent rien [146]. »

En quelques mois, Truffaut multiplie ce genre d'interventions militantes et pédagogiques. Il reprend même la plume, exclusivement pour soutenir quelques « films amis ». Dans *Arts*, le 20 décembre 1961, il fait paraître un long article en faveur du film de Rivette, *Paris nous appartient*, intitulé « L'agonie de la Nouvelle Vague n'est pas pour demain ». Quelques semaines plus tard, il fait l'éloge du premier film de Jacques Rozier, *Adieu Philippine*, « ce poème ininterrompu », affirmant que « c'est la plus évidente réussite du nouveau cinéma, un film dont la spontanéité est d'autant plus forte qu'elle est l'aboutissement d'un très long et minutieux travail. [...] Rien que pour cela la Nouvelle Vague devait exister, pour filmer des personnages de vingt ans avec un décalage de dix ans, juste assez pour prendre le recul sans perdre en route la justesse de ton qui est une fin en soi comme dans certains romans de Raymond Queneau [147] ». C'est ensuite *Vivre sa vie* de Godard, qui reçoit le soutien enthousiaste de Truffaut, qui avoue même à Helen Scott avoir pleuré en le voyant, puis en le revoyant, « et mon Dieu je ne pleure pas souvent au cinéma [148] ».

Pour mieux assurer la défense de la Nouvelle Vague, Truffaut pèse également de tout son poids pour que les *Cahiers du cinéma* adoptent une attitude plus engagée à l'égard des films qui incarnent le mieux son esprit. Dirigée par Éric Rohmer, la revue à couverture jaune, à laquelle Truffaut demeure très attaché, juge en effet les nouveaux films français avec une certaine circonspection, préférant défendre les films hollywoodiens du début des années soixante — ceux de Vincente Minnelli, Otto Preminger, Alfred Hitchcock, Howard Hawks, Samuel Fuller ou Franck Tashlin. *Les Cahiers* suivent une ligne cinéphile intransigeante, qui les éloigne de la défense systématique et militante de la Nouvelle Vague. Truffaut s'en étonne, s'en indigne même à partir de 1961 lorsque le jeune cinéma français est attaqué de tous côtés. Avec l'appui de Doniol-Valcroze et de Godard, il organise, non sans une mauvaise conscience, et même plus tard quelque remords, le remplacement de Rohmer par Rivette au poste de rédacteur en chef des *Cahiers*. Dès lors, la revue prendra ouvertement la défense des films de la Nouvelle Vague [149].

François Truffaut soutiendra aussi fermement le projet de Janine Bazin et d'André S. Labarthe, une série de portraits réalisés pour la télévision, intitulés *Cinéastes de notre temps*. En janvier 1962, Janine Bazin prend contact avec le service de la Recherche de la RTF dirigé par Pierre Schaeffer, avec l'idée de confier aux jeunes réalisateurs de la Nouvelle Vague l'enregistrement de grands entretiens avec des cinéastes qu'ils considèrent comme leurs maîtres. Janine Bazin a associé à son projet André S. Labarthe, critique aux *Cahiers du cinéma*, ainsi que François Truffaut. Un numéro zéro est tourné début février 1962, à Rome, où Truffaut s'entretient longuement avec Roberto Rossellini sur ses films et sa conception du cinéma. Il suffira à convaincre Pierre Schaeffer de tenter l'aventure des *Cinéastes de notre temps*. Le premier est consacré à Luis Buñuel, tourné en Espagne au cours de l'été 1963, par Labarthe et une équipe de télévision dirigée par Robert Valey. La série de Janine Bazin et André Labarthe est désormais lancée, et une cinquantaine de portraits se succéderont au cours des années soixante. Truffaut se verra consacré à son tour en 1965 par la série : son portrait, *François*

Truffaut, l'esprit critique, est réalisé par Jean-Pierre Chartier, à partir de propos entrecoupés d'extraits de ses premiers films.

Le tourbillon de la vie

Après l'échec du *Pianiste,* François Truffaut n'a plus droit à l'erreur. La situation financière des Films du Carrosse est peu flamboyante, après des productions ou coproductions parfois hasardeuses. Depuis la mort d'Ignace Morgenstern, Truffaut est seul responsable, avec l'appui de Marcel Berbert, de sa petite société de production. « J'ai la responsabilité supplémentaire de ne pas foutre en l'air l'argent de sa veuve et cela compte, écrit-il à Helen Scott. J'ai un trac absolument effroyable en ce moment. Il entre sûrement là-dedans de l'orgueil, de la vanité, de l'arrivisme et je ne sais encore quoi d'infamant mais d'irrésistible aussi : je désire pour *Jules et Jim* un succès le plus complet possible et non celui du *Pianiste*[150]. »

En septembre 1960, Truffaut séjourne seul une quinzaine de jours à la Colombe d'Or, à Saint-Paul-de-Vence. Il retravaille l'adaptation de *Jules et Jim,* car il n'est pas satisfait de celle qu'il avait proposée trois ans auparavant à Henri-Pierre Roché. S'inspirant des *Carnets* rédigés par l'écrivain durant près de soixante ans, depuis 1901, de la liaison à trois entre Helen Hessel, Franz Hessel et Roché lui-même, il recentre son scénario autour de l'amour simultané de Catherine envers deux hommes, deux amis très dissemblables : Jim, le Français cultivé et élégant, le dandy séducteur, autoportrait de Roché, et Jules, l'Allemand plus naïf, généreux et doux, que Catherine épousera et qui sera le père de sa petite fille, Sabine.

Le temps d'un week-end, Jeanne Moreau rejoint Truffaut à Saint-Paul-de-Vence. Indéniablement le film sera aussi marqué par leur relation, Truffaut l'avoue à Helen Scott : « *Jules et Jim* sera un hymne à la vie et à la mort, une démonstration par la joie et la tristesse de l'impossibilité de toute combinaison amoureuse en dehors du couple[151]. » Mais le scénario, trop fidèle au roman, boite encore. Truffaut décide alors de faire appel à Jean Gruault, dont il avait apprécié la collaboration à *Paris nous appar-*

tient. Gruault, immédiatement séduit par le roman de Roché, accepte la proposition de Truffaut. En janvier 1961, les deux hommes se mettent au travail, pour bâtir l'histoire centrée sur ce « pur amour à trois » qui devait être le sous-titre du film [152].

Pour incarner Jim, Truffaut choisit Henri Serre, jeune comédien encore inconnu qui se produit dans un numéro de duettistes au Cheval d'Or. Il est frappé par sa ressemblance physique avec l'écrivain au temps de sa jeunesse : grand et maigre de corps, la voix grave et douce, les gestes secs et rapides. Pour incarner Jules, le choix est plus délicat. Truffaut souhaite un acteur étranger, persuadé que l'accent et les hésitations sur la langue contribueront à rendre le personnage plus émouvant. Il est à un moment question de Marcello Mastroianni, ce qui faciliterait une coproduction avec l'Italie. Mais, par fidélité au roman, Truffaut préfère un acteur germanique, Oskar Werner, acteur de théâtre célèbre en Allemagne et en Autriche, directeur du Burgtheater de Vienne, qui fut au début des années cinquante un Hamlet très remarqué. Au cinéma, il n'a pas encore trouvé de grands rôles, mais son apparition dans *Lola Montès,* le film de Max Ophuls, avait beaucoup frappé Truffaut. Contacté par l'intermédiaire de Marcel Ophuls, Werner accepte la proposition de Truffaut, après une entrevue à laquelle assiste également Jeanne Moreau. Celle-ci est la véritable star du film, et Truffaut est persuadé qu'il lui offre là un rôle à la mesure de son talent. Jeanne Moreau est alors au sommet de sa gloire. Mais ses deux derniers films l'ont un peu frustrée, particulièrement *La Notte* qu'elle n'aime guère. Truffaut s'en fait d'ailleurs l'écho lorsqu'il affirme vouloir faire *Jules et Jim* contre *La Notte.* « Antonioni avait exploité le côté " Bette Davis " de Jeanne Moreau : le visage maussade. Elle ne riait jamais. J'ai voulu relever ses traits. Elle a un rire étonnant. Il y a d'ailleurs une scène où elle dit dans le film : " Mais je sais aussi sourire. " Et là, on voit qu'elle peut avoir un autre visage [153]. »

Pour Jeanne Moreau, cette première vraie collaboration avec Truffaut participe comme elle le dit de ces « harmonies inéluctables, que certains appellent le hasard ». « Après l'épanouissement que j'avais connu avec Louis Malle, j'étais un peu une orpheline sur le plan cinématographique. Et de partager avec François un début aussi magnifique, c'est quelque chose qui m'a réconciliée avec moi-même [154]. » À travers le personnage de Catherine, Jeanne Moreau va incarner pour Truffaut la femme suprême, fragile et fatale, intelligente et vive, drôle et tragique, libre, souveraine, suivant jusqu'au bout les pulsions du désir. Entre ce personnage romanesque et l'actrice, la relation fusionnelle paraît évidente et Truffaut veut en être le témoin.

Avant la préparation et le tournage de *Jules et Jim*, Truffaut séjourne à plusieurs reprises chez Jeanne Moreau, dans la maison qu'elle possède à La Garde-Freinet. « Pour François, c'était un refuge, pas seulement du fait de ma présence, mais des gens qui travaillaient pour moi, dont une femme, Anna, qui était magnifique et s'occupait de lui et de son confort. Cet endroit lui convenait. En général, c'était lié à des crises personnelles ou affectives, que je devinais à demi-mot. Il pouvait lire ou écrire, il se sentait protégé par notre amitié [155]. » Truffaut y retrouve Jean-Louis Richard, l'ancien mari de l'actrice, qu'il a connu quelques mois auparavant à l'occasion d'une projection privée des *Quatre Cents Coups*. Il apprécie beaucoup les qualités de Jean-Louis Richard, son humour dévastateur, son refus de la mode, et surtout son caractère ludique. Les deux hommes deviennent amis, et évoquent déjà quelques projets communs. Surtout, ils rient beaucoup ensemble. Avec son ancien mari, Jeanne Moreau a noué des relations d'amitié et de grande tendresse ; elle admire l'homme et demeure très soucieuse de son opinion sur tout ce qui concerne sa vie professionnelle. Jean-Louis Richard est ami de Danièle et Serge Rezvani, qui eux aussi ont une maison à La Garde-Freinet. Naturellement, il les présente à Truffaut, qui aura ainsi l'idée d'inclure dans *Jules et Jim* une chanson de Rezvani (ou plutôt de Cyrus Bassiak, son nom de compositeur dans la vie, et qui jouera dans le film sous le nom de Boris Bassiak), *Le Tourbillon de la vie*, chantée par Jeanne Moreau :

> *On s'est connu, on s'est reconnu*
> *On s'est perdu de vue, on s'est r'perdu de vue,*
> *On s'est retrouvé, on s'est réchauffé*
> *Puis on s'est séparé*
> *Chacun pour soi est reparti*
> *dans l'tourbillon de la vie...*

À La Garde-Freinet, une bande d'amis s'est formée, d'une grande gaieté. Aux côtés de Jeanne Moreau, Truffaut vit des moments euphoriques, les instants de sa vie les plus harmonieux, les plus juvéniles, les plus amoureux aussi. « Après le dîner, Jeanne se mettait à chanter sous les tilleuls, se souvient Florence Malraux, assistante sur le film, le seul qu'elle fera avec Truffaut avant d'entamer une longue collaboration avec Alain Resnais. Il y avait déjà un côté *Jules et Jim*[156]. » Truffaut est pris dans cette ambiance, si bien qu'il lui arrive de chanter, lui aussi. « Avec François, nous mettions au point nos numéros de chant, raconte Jean-Louis Richard. Nous chantions *Le soleil a rendez-vous avec la lune* de Trenet, ce qu'il aurait été incapable de faire en public. Il nous arrivait aussi de nous déguiser[157]... » C'est dans cette légèreté et cet épanouissement que *Jules et Jim*, l'un des films les plus graves de toute l'œuvre du cinéaste, prend corps. Comme si chacun des protagonistes du film ressentait la nécessité intime d'en mesurer l'audace avant même l'épreuve du tournage. « C'était un moment où tout était possible et rien n'était grave, dit Jeanne Moreau, comme si François découvrait une joie de vivre : les chansons de Serge, les balades en voiture, aller faire le marché... Le temps était consacré à la lecture, à faire des découvertes, plutôt qu'à prévoir l'avenir ou à faire des plans sur la comète. Cela tenait à la maison, et c'était aussi une vraie libération corporelle[158]. »

Ce pur amour à trois

Le scénario achevé, François Truffaut est saisi par le trac à l'approche du tournage. « Nous n'avions pas encore de distributeur, se souvient Marcel Berbert. Le financement provenait uniquement de l'aide de la SEDIF. Truffaut m'a dit : qu'est-ce qu'on fait ? On laisse tomber ou on continue ? J'ai répondu : on continue[159] ! » Berbert est conscient du risque financier, constatant combien les distributeurs sont hésitants à la lecture du projet. La plupart ne croient pas au film. « Qu'est-ce que c'est que ce sujet ? Un homme qui tient la chandelle quand sa femme est en train de faire l'amour avec un autre ! On en a entendu de belles, et nous faisions une sale tête, François et moi. »

Jules et Jim sera donc tourné à l'économie, alors que le budget n'est pas encore bouclé. Truffaut complète la distribution de son film avec Marie Dubois et la petite Sabine Haudepin. Les repérages sont rapides et un grand nombre de scènes seront réalisées dans des lieux prêtés par des amis. Le 10 avril 1961, premier jour de tournage, tout le monde se retrouve ainsi au Moulin d'Andé, à Saint-Pierre-du-Vauvray en Normandie, là où Truffaut avait filmé les dernières scènes des *Quatre Cents Coups*. L'équipe est réduite au strict minimum, une quinzaine de personnes, ce que Truffaut apprécie beaucoup. Pour se rassurer, il tourne d'abord quelques scènes secondaires. Il multiplie les prises — sept en moyenne pour chaque plan au début de *Jules et Jim*, contre trois lors des dernières semaines. Enfin, pour créer l'atmosphère qu'il juge propice à l'histoire de cette fièvre amoureuse, Truffaut exige la présence de tous ses comédiens, même si certains n'ont pas de scènes prévues. Mais les débuts du tournage sont difficiles, à cause des nombreux changements de décors (Normandie, puis Ermenonville, Paris, Beaumont-sur-Oise, pour quelques scènes de tranchées de la Première Guerre mondiale). Les journées sont troublées par de multiples ennuis : Marie Dubois se tord la cheville, Jeanne Moreau souffre d'un début d'angine, Henri Serre se blesse au talon gauche dans une tranchée, ce qui le rendra tendu et peu crédible dans la séquence de boxe qui est tournée deux jours plus tard au gymnase Lamotte de la rue Louis-le-Grand.

Grâce à Jeanne Moreau, Truffaut retrouve peu à peu confiance. « Il y avait une harmonie dans notre travail, l'idée d'un tandem : rouler sur la même machine et au même rythme. » Il le dit lui-même : « Jeanne Moreau me rendait courage chaque fois que j'étais envahi par le doute. Ses qualités d'actrice et de femme rendaient Catherine réelle sous nos yeux, plausible, folle, abusive, passionnée, mais surtout adorable, c'est-à-dire digne d'adoration [160]. » Motivée, concentrée et heureuse sur ce tournage, « pleine de générosité, d'ardeur, de complicité, de compréhension de la fragilité humaine [161] », la comédienne croit beaucoup en ce film et au personnage de Catherine. De passage sur le tournage, Liliane David se souvient d'une ambiance peu ordinaire, quasi passionnelle : « C'était compli-

qué parce que tout le monde était amoureux de Jeanne Moreau :
le producteur Raoul Lévy qui débarquait à l'improviste, Henri
Serre, François lui-même. Il était littéralement fasciné par elle.
L'ambiance était par moments euphorique et par moments très
pénible, presque tragique [162]. » Jeanne Moreau sait qu'un tournage est toujours un moment intense et collectif, mais d'une
intensité plus forte encore dès lors que le film raconte une passion amoureuse. La relation entre un metteur en scène et son
actrice en est presque toujours modifiée. « C'est un échange
d'une intimité extraordinaire, qui peut mener à une relation
amoureuse, et quelquefois à une relation beaucoup plus
complexe, subtile, qu'il est difficile d'imaginer, et qui participe
de la création [163] », confie-t-elle.

Oskar Werner et François Truffaut entretiennent d'excellents rapports durant le tournage, l'acteur autrichien se révélant
enjoué, fin, concentré, et très amical. Chaque soir, l'équipe se
retrouve pour le dîner : « François était en général en bout de
table, et il y avait parfois des soirs où il n'ouvrait pas la bouche.
Il comptait un peu sur moi, me demandait de me débrouiller
avec Oskar Werner, à qui j'apprenais un peu le français, qu'il
parlait mal. Werner chantait du Mozart dans la voiture, il était
merveilleux [164] », se souvient Florence Malraux.

En mai, l'équipe se déplace près de Saint-Tropez, puis dans
les environs de Saint-Paul-de-Vence, pour tourner quelques
séquences heureuses de ménage à trois. Marcel Berbert en profite pour rejoindre Cannes, en pleine période de festival, avec
l'espoir de trouver un distributeur. « J'ai pu, *in extremis,* vendre
Jules et Jim à Cinédis pour 20 millions d'anciens francs, ce qui
n'était pas beaucoup d'argent pour un film qui en coûtait sept
fois plus [165]. » Mais cet argent est vital pour financer les dernières
semaines de tournage. De la mi-mai jusqu'au début du mois de
juin, les scènes les plus importantes du film se tournent dans les
Vosges, à Molkenrein, dans le grand chalet « allemand » de Jules
et Catherine. Certaines séquences sont délicates à filmer, mobi-
lisant une caméra-grue et un hélicoptère lors des scènes de train
prises à la gare de Landenbach-Vieil Armand. D'autres, comme
la longue confession mutuelle de Jim et de Catherine, nécessi-
tent d'être tournées en « nuit américaine », avec un filtre spécial
permettant de reconstituer une atmosphère nocturne.

À la mi-juin, après avoir filmé au crématorium du cimetière

de Strasbourg la scène de l'incinération des corps de Catherine et de Jim, toute l'équipe est de retour à Paris, pour quelques séquences supplémentaires, puis se sépare avec tristesse, Oskar Werner retournant à Vienne pour un opéra, Henri Serre retrouvant les planches du cabaret et son duo comique avec Jean-Pierre Suc, tandis que Jeanne Moreau se prépare à tourner *Éva* sous la direction de Joseph Losey. Entre elle et Truffaut, tout au long du tournage, la passion tumultueuse s'est transformée peu à peu en une amitié complice et tendre, durable et forte, vitale. Un amour impossible a finalement trouvé forme esthétique : ce film tourné ensemble, que le cinéaste résume ainsi à Helen Scott : « Malgré certaines scènes ratées que je couperai ou rafistolerai peut-être, je crois que les personnages sont plus vivants que dans mes autres films. C'est un mélodrame scabreux et pourtant très moral [166]. »

À peine le tournage achevé, Truffaut est de nouveau soucieux, car le premier bout-à-bout de *Jules et Jim* dure deux heures et demie. Il doit donc resserrer le film au montage. Contrairement au *Pianiste,* qui adoptait une liberté de ton et un rythme assez débridé, *Jules et Jim* joue sur un certain classicisme formel, comme pour accentuer l'audace du sujet. « Ce qui nous semble aujourd'hui admis, une femme amoureuse et amante de deux hommes, n'était pas évident à montrer il y a trente ans, raconte Claudine Bouché, qui a monté le film de Truffaut. Nous avons enregistré une partie du commentaire pour en mesurer la durée. Puis nous l'avons enregistré dans son entier, avec la voix de l'acteur Michel Subor, et nous l'avons monté sur les images. Nous avons reçu les musiques de Georges Delerue, qui étaient très belles. Lorsque nous avons écouté le mixage des musiques avec la voix off, les choses devenaient compliquées. Par moments, des *forte* surgissaient et recouvraient le commentaire. Et François n'envisageait pas de renoncer à ces moments musicaux, si beaux et si lyriques. Sur la scène où Catherine vient chercher Jim à la gare après la guerre, pour le ramener au chalet, il y avait une très belle musique. Pour placer la voix de Michel Subor, il a fallu réenregistrer le commentaire en fonction de la musique [167]. » Elle témoigne aussi de la grâce et de la liberté du tournage : « Lorsque Jeanne Moreau chante *Le Tourbillon de la vie,* elle fait un geste à un moment parce qu'elle se trompe en inversant deux couplets. C'est cette prise que nous avons choisie avec François. Jeanne, très professionnelle, n'a pas demandé à ce que la prise soit interrompue, elle a simplement fait ce geste pour signifier qu'elle s'était trompée. Je savais que François accepterait cette prise, parce que le geste de Jeanne lui donne encore plus de charme [168]. »

Ayant besoin d'un regard extérieur, Truffaut fait appel à Jean Aurel, l'ancien journaliste de *Arts,* devenu cinéaste, en qui il a toute confiance pour tout ce qui touche au montage ou à la structure narrative d'un film. « Je venais de faire un film, *14-18,* dont Truffaut admirait le commentaire, témoigne Jean Aurel. Il avait le souci que la voix off corresponde avec l'image, qu'elle ait une réponse partielle dans l'image, pour que le film soit plus efficace. Le commentaire projetait le film dans une sorte de passé romanesque, François y tenait beaucoup, le film n'existait pas sans le commentaire. Nous l'avons visionné plusieurs fois, et je lui ai fait plusieurs propositions pour déplacer la voix par rapport aux images. C'était une expérience intéressante, qui faisait qu'on pouvait espacer une phrase, en fonction de l'image [169]. » « Montrer un film à Aurel, c'est appeler un plombier à qui on demanderait non seulement de réparer la fuite, mais aussi de la détecter. Il arrive, regarde le film, prend des notes dans l'ombre, et ensuite nous causons [170] », écrira plus tard Truffaut à propos de celui qui devient dès lors son principal recours, au stade du montage définitif de ses films. Aurel, lui, se définit comme un « conseiller » pratiquant le « déménagement des séquences [171] », travail précieux s'appuyant à la fois sur un esprit critique et sur une capacité à imaginer de nouvelles solutions. Grâce à Aurel, *Jules et Jim* trouve sa forme définitive, notamment ce commentaire en voix off qui occupe près de quinze minutes de la bande son du film.

Tout au long des quatre mois de montage et de postsynchronisation que nécessite *Jules et Jim,* Truffaut est miné par une angoisse de mort, irrépressible, irrationnelle. N'ayant pas encore trente ans, il s'identifie d'une certaine manière à Henri-Pierre Roché : « J'essayais de faire le film comme si j'étais quelqu'un de très âgé, comme si j'étais à la fin de ma vie. C'est peut-être le premier moment dans mon existence où j'ai vraiment eu peur de mourir [172] », dit-il. Dans *Jules et Jim,* on retrouve, comme dans le *Pianiste,* cette mélancolie qui finit par s'emparer de tous ses personnages. « C'est la troisième fois que cela m'arrive :

commencer un film en imaginant qu'il sera amusant et m'apercevoir en cours de route qu'il n'est sauvable que par la tristesse [173] », écrit-il au père Jean Mambrino, à la veille de commencer le mixage de *Jules et Jim*. Épuisé, il est conscient d'avoir réalisé son film le plus délicat et le plus risqué. Mais il demeure confiant, persuadé d'avoir offert un rôle magnifique à une grande comédienne, tout en ayant conquis son amitié : Jeanne Moreau.

Les femmes pleurent

Avant la sortie de *Jules et Jim*, les premières projections privées rassurent François Truffaut. Ses proches sont touchés par le film. Ses amis écrivains comme Queneau, Audiberti, Jules Roy, parmi d'autres, sont enthousiastes. « Les femmes pleurent, beaucoup d'hommes s'ennuient un peu. C'est mon premier film délibérément emmerdant (1 heure 50 minutes). Franchement, grâce aux trois acteurs, ça se tient mieux que mes films précédents [174] », écrit-il à Helen Scott.

La réaction qui le touche le plus est celle de Jean Renoir, bouleversé par le film. Truffaut gardera longtemps dans la poche intérieure de son veston la lettre que Renoir lui a envoyée de Hollywood, en février 1962 : « Je voulais vous dire que *Jules et Jim* me paraît la plus précise expression de la société française contemporaine que j'aie vue à l'écran. En situant votre film en 1914 vous avez donné à votre peinture une tonalité encore plus exacte car le style de la pensée et du comportement présents est né avec les automobiles rehaussées de cuivre flamboyant. Le soupçon d'immoralité qui, apparemment, a effleuré certains confrères me semble inexplicable. La constatation d'une conséquence ne peut être immorale. La pluie mouille ; le feu brûle. L'humidité et la brûlure qui en résultent n'ont rien à voir avec la morale. Nous sommes passés en quelques années d'une civilisation à une autre. Le saut est plus impressionnant que celui exécuté par nos pères entre le Moyen Âge et la Renaissance. Pour les Chevaliers de la Table ronde, les aventures sentimentales étaient un sujet de vaste rigolade, pour les Romantiques, un prétexte à débordements de larmes. Pour les personnages de *Jules et Jim* c'est encore autre chose et votre film contribue à nous faire comprendre ce que peut être cet " autre chose ". C'est très important, pour nous autres hommes, que de savoir où nous en sommes avec les femmes, et également important pour les femmes que de savoir où elles en sont avec les hommes. Vous aidez à dissiper le brouillard qui enveloppe l'essence de cette question. Pour cela et pour bien d'autres raisons, je vous remercie de tout mon cœur [175]. »

Cocteau voit en *Jules et Jim* la révélation, la reconnaissance littéraire d'une grande figure encore ignorée du public : « C'était l'âme la plus délicate et la plus noble [176] », écrit-il à propos d'Henri-Pierre Roché, qui fut l'un de ses amis. La réaction de Denise Roché compte évidemment beaucoup pour Truffaut. « J'aurais voulu avoir un œil neuf devant votre *Jules et Jim,* lui écrit-elle. Mais malgré mon désir de faire le vide je voyais votre film comme si j'avais été moi-même Pierre — et je sais que sa joie aurait été extrême et son intérêt passionné. Je suis assez bouleversée. En tout cas j'ai passé deux heures de grand intérêt, toutes baignées de fraîcheur, de poésie, d'innocence, d'élans du cœur et d'inquiétude. Oui, Pierre serait très heureux [177]. » Mais la réaction la plus bouleversante, et la plus inattendue, parvient à Truffaut à la fin du mois de janvier 1962. « Je suis, à 75 ans, ce qui reste de Kathe, l'héroïne redoutable du roman de Pierre Roché, *Jules et Jim.* Vous imaginez la curiosité avec laquelle j'ai attendu le moment de voir votre film sur l'écran. Le 24 janvier, j'ai couru au cinéma. Assise dans cette salle obscure, appréhendant des ressemblances déguisées, des parallèles plus ou moins irritants, j'ai été très vite emportée, saisie par le pouvoir magique, le vôtre et celui de Jeanne Moreau de ressusciter ce qui a été **vécu** aveuglément. Que Pierre Roché ait su raconter notre histoire à nous trois en se tenant très proche de la suite des événements, cela n'a rien de miraculeux. Mais quelle disposition en vous, quelle affinité a pu vous éclairer au point de rendre sensible l'essentiel de nos émotions intimes ? Sur ce plan, je suis votre seul juge authentique puisque les deux autres témoins, Pierre et Franz, ne sont plus là pour vous dire leur " oui ". Affectueusement à vous, cher Monsieur Truffaut [178]. » Lettre magnifique signée Helen Hessel, la véritable héroïne de Roché.

Dans l'ensemble, la critique chante les louanges du film.

« Une fête de tendresse et d'intelligence », titre Jean-Louis Bory dans sa critique dans *Arts*. « Le premier film attachant de la Nouvelle Vague », reconnaît René Cortade dans *L'Express,* tandis que Georges Sadoul intitule sa chronique des *Lettres françaises :* « Faire du bien aux autres ». Les grands quotidiens sont à l'unisson, aussi bien *Le Monde* que *Combat* ou *Le Figaro*. Il n'y a finalement que *France-Observateur,* où, sous la plume de Bernard Dort, on lit une démolition en règle du cinéma et de la personnalité de François Truffaut : « Au lieu du récit d'une jeunesse rêvée par un vieillard, le *Jules et Jim* de Truffaut est un film de jeune homme qui mise sur la vieillesse. Un film d'une Nouvelle Vague qui, la vedette aidant, fait des clins d'œil aux "croulants " [179]. »

Si l'accueil critique est excellent, Truffaut se montre préoccupé par le risque d'une censure, conscient que ce « pur amour à trois » a de quoi choquer la morale établie. Les faits lui donnent malheureusement raison. Après avoir visionné le film, la commission de contrôle, présidée par Henri de Segogne, autorise le 24 novembre 1961 sa diffusion assortie d'une interdiction aux moins de dix-huit ans, ce qui constitue un réel handicap pour la carrière commerciale du film. Truffaut livre aussitôt bataille pour faire lever cette restriction. Mais il a beau réunir les témoignages prestigieux de Renoir, Cocteau, Armand Salacrou, Pierre Lazareff, Alain Resnais, qui se portent garant du « caractère non immoral » du film, le jugement est confirmé. Sorti le 24 janvier 1962 en exclusivité parisienne, *Jules et Jim* tient près de trois mois l'affiche, totalisant 210 000 spectateurs, ce qui constitue un succès relatif.

Truffaut s'engage alors avec fougue dans la promotion du film, sillonnant la province pour le présenter devant des salles pleines et attentives. Ce n'est plus désormais l'enfant terrible ou le jeune ambitieux que la presse de province accueille, mais un cinéaste sérieux, humain, timide et poli. C'est le portrait qu'en fait *La Voix du Nord*, repris quasiment à l'identique dans plusieurs quotidiens provinciaux : « Il a pour exprimer les " valeurs de fond " des mots en demi-teintes comme les images de ses films, des phrases avec des points de suspension où s'ébauche toute la subtilité d'une pensée infiniment nuancée. Rien qui tranche, rien qui impose, mais de timides suggestions qui invitent à la compréhension intuitive. Cela nous change merveilleusement des matamores de l'intellect qui bravent le monde de leurs paradoxes. L'auteur de *Jules et Jim* est un homme tranquille, marié sagement, père de deux petites filles encore toutes jeunes. On ne parle jamais de lui. On ne parle que de ses films. C'est l'homme sérieux de cette Nouvelle Vague qui est en train de changer en douceur le cinéma français [180]. »

Alain Vannier, qui a connu Marcel Berbert lorsque celui-ci travaillait encore chez Cocinor, va s'occuper des ventes à l'étranger de *Jules et Jim*. Ce jeune professionnel, qui connaît déjà assez bien les acheteurs étrangers, a vu le film de Truffaut lors d'une projection réservée aux professionnels. « J'ai tout de suite été enthousiaste, alors que les projections se passaient plutôt mal [181] », raconte-t-il. Aussitôt Alain Vannier appelle le patron d'une société anglaise, Gala Film Distribution, qu'il représente à Paris. « *You buy the picture !* [Vous achetez le film !] », lui répond Kenneth Rive, avant de prendre un avion de Londres pour venir signer un contrat de vente avec les Films du Carrosse. Plus tard, au cours de son premier voyage aux États-Unis, Alain Vannier vante les mérites de *Jules et Jim* à deux étudiants de Cambridge, cinéphiles et animateurs d'un ciné-club, Cyrus Harvey et Brian Halliday, qui ont créé une petite société de distribution indépendante, Janus Films, à Cambridge, dans le Massachusetts. Si bien que le 20 février 1962 la SEDIF, agissant pour le compte de la coproduction avec le Carrosse, signe un contrat avec Janus Films pour l'exploitation de *Jules et Jim* aux États-Unis, « Porto Rico exclu », mais incluant « les bateaux battant pavillon USA », contre la somme de 40 000 dollars, minimum garanti sur les recettes américaines. Depuis lors, Alain Vannier est le vendeur des films de Truffaut à l'étranger, excepté ceux que le cinéaste coproduira avec des sociétés américaines (essentiellement les Artistes Associés). Très lié à Gérard Lebovici, le patron d'Artmédia, Vannier deviendra un élément essentiel au sein du système de production et de financement mis au point par François Truffaut tout au long de sa carrière, avec l'aide de Marcel Berbert.

En Italie, le 22 juin 1962, *Jules et Jim* est purement et simplement interdit. Truffaut vient à Rome soutenir la mobilisation publique orchestrée par Dino de Laurentiis, le distributeur du film, avec de prestigieux intellectuels, autour d'Alberto Moravia et Roberto Rossellini. Le 2 juillet, l'interdiction est levée. Sauvé des griffes de la censure, *Jules et Jim* sort le 3 septembre à Rome,

Turin et Milan, salué par la critique : « *Jules + Jim + Catherine : é un triangolo perfetto* », titre ainsi *La Stampa* à la une.

Truffaut voyage avec son film dans les principales villes européennes : Bruxelles, Londres, Munich, Berlin, Stockholm, puis en Argentine, au festival de Mar der Plata, à Rio, à Porto Rico, enfin à New York. Partout, ce sont les mêmes rituels, conférences de presse, rencontres avec les critiques, déjeuners avec les distributeurs. Cette tournée promotionnelle porte ses fruits car l'accueil du film est unanime. En Allemagne, *Jules, Jim und Catherine* est un succès tout comme en Angleterre, en Belgique et en Suède. Mais pour Truffaut, la sortie new-yorkaise de *Jules and Jim* revêt un caractère primordial. Venant de Mar del Plata, il arrive à New York le 11 avril 1962 avec Madeleine. Helen Scott les accueille, ayant tout organisé selon les vœux de son ami, qui lui a fait part de son désir de rencontrer des cinéastes américains, tels Joshua Logan, Sydney Lumet, John Cassavetes ou Arthur Penn. Dès le lendemain, une réception est organisée par le bureau du cinéma français à New York en son honneur. Truffaut y évoque un projet qui lui tient à cœur : la création d'une Semaine du cinéma français à New York, avec des films inédits de la Nouvelle Vague tels *Lola, Une femme est une femme, Vivre sa vie, Tirez sur le pianiste*. L'idée fera son chemin, reprise quelques années plus tard par le critique Richard Roud dans le cadre du New York Film Festival. Ce séjour s'achève le 17 avril, Truffaut devant rejoindre Cannes pour faire partie du jury du festival. Sorti le 25 avril dans une salle new-yorkaise, *Jules and Jim* y reste en exclusivité quatre semaines, soutenu par une presse élogieuse. « *Return of Movie " Boy Wonder " * », annonce ainsi Jo Morgenstern (sans rapport avec la famille de Madeleine) en première page du *Herald Tribune*, tandis que Bosley Crowther dans le *New York Times*, Andrew Sarris dans le *Village Voice*, Archer Winsten dans le *New York Post*, ou Paul Beckley dans le *New York Herald Tribune*, adoptent *Jules and Jim* « comme l'une des œuvres les plus originales et les plus attachantes du cinéma français ».

Un coup de foudre musical

En juin 1961, François Truffaut accepte de réaliser un film
de commande, un court métrage produit par Pierre Roustang,
dont il s'engage à livrer la copie au début de l'année suivante.
C'est la première et dernière fois qu'il se pliera à l'exercice
d'une commande. Sa principale motivation consiste à donner
une suite aux aventures d'Antoine Doinel. Roustang veut confier
la réalisation de cinq courts métrages à cinq jeunes cinéastes
internationaux, sur le thème des amours adolescentes, pour les
réunir ensuite sous le titre *L'Amour à vingt ans*. Truffaut pense
que c'est un bon prétexte pour retrouver Léaud-Doinel. Il
recommande Marcel Ophuls et Renzo Rossellini, le neveu du
cinéaste italien, à Roustang qui, de son côté, obtient l'accord du
cinéaste polonais Andrzej Wajda et du Japonais Kon Ishihara.
À un moment, Truffaut songera aussi à Cassavetes, et sollicite
Helen Scott pour qu'elle trouve l'adresse « du jeune génie new-
yorkais, l'auteur de *Shadows* [182] », dont il entend parler avec
enthousiasme à Paris. Mais Cassavetes n'est pas disponible, il
tourne alors un film, *Too Late Blues*.

Pour écrire le scénario d'*Antoine et Colette,* Truffaut puise
dans ses souvenirs de jeunesse, s'inspirant essentiellement de
son histoire d'amour ratée avec Liliane Litvin, au tout début des
années cinquante. Mais il en modifie certains détails, afin de
brouiller les pistes. Ainsi, Antoine et Colette, ses deux personnages, se rencontrent aux Jeunesses musicales de France, et non
plus à la Cinémathèque ; Antoine travaille dans un atelier de
fabrication de disques, ce qui est plus gratifiant que la soudure
à l'acétylène, pratiquée par le jeune Truffaut durant quelques
semaines. Alors qu'il avait accepté avec enthousiasme la
commande, Truffaut, épuisé par le tournage et la promotion de
Jules et Jim, n'est curieusement pas très inspiré pour écrire son
scénario. « Ce sketch me barbe énormément à faire, avoue-t-il à
Helen Scott. J'aurais voulu sortir de *Jules et Jim* avec une nouvelle
virginité. Je n'ai rien préparé, je n'ai pas de script, pas de notes,
pas d'idées, je suis vidé, à sec, stérilisé [183]. »

Pour trouver la jeune actrice qui interprétera le rôle de

Colette, il fait passer une annonce dans *Cinémonde* : « François Truffaut cherche une fiancée pour Jean-Pierre Léaud et pour *L'Amour à vingt ans*. La partenaire de Jean-Pierre doit être une vraie petite jeune fille, pas une lolita, pas une " blousonne ", pas une petite jeune femme. Elle doit être simple et rieuse, et avoir une bonne culture moyenne. Si trop " sexy ", s'abstenir. » Aussitôt après, il reçoit un mot de Mario Brun, journaliste à *Nice-Matin*, accompagné d'une photographie d'une jeune Niçoise, Marie-France Pisier, que son correspondant a repérée dans une troupe de théâtre amateur. Truffaut a prévu d'organiser ses auditions début janvier 1962, juste avant le tournage. En attendant, il désire séjourner quelques jours à la Colombe d'Or vers la mi-décembre pour à la fois s'y reposer et terminer l'écriture du scénario. À Saint-Paul-de-Vence, il déjeune avec Mario Brun, qui lui présente Marie-France Pisier, que Truffaut n'a jusque-là vue qu'en photo. L'après-midi même, il fait répéter la jeune fille en lui faisant lire un extrait de *Jules et Jim*. Déjà sous le charme, il demande à la revoir le lendemain. Elle lui parle de sa vie, de ses espoirs, de ses ambitions...

De retour à Paris, Truffaut s'occupe du casting de son film. Les deux adolescents des *Quatre Cents Coups* ont grandi : Jean-Pierre Léaud, que Truffaut n'a pour ainsi dire pas quitté pendant trois années puisqu'il l'a logé, installé, éduqué, apparaît plus discipliné, plus mélancolique aussi ; Patrick Auffay retrouve le rôle de René, l'ami d'Antoine. Dans *Antoine et Colette*, ils se croisent, discutent, évoquent un souvenir du temps des *Quatre Cents Coups*, et évaluent leurs chances respectives de soupirant, Antoine auprès de Colette, René de sa cousine. Après avoir engagé Rosy Varte et François Darbon pour jouer les parents de Colette, Truffaut organise les auditions pour le rôle de la jeune fille. À chacune des jeunes femmes qui se sont présentées les 11 et 12 janvier, il fait lire un passage de *Jules et Jim*, tout en filmant les essais en 16 millimètres. Deux candidates se dégagent, Marina Bazanov, la petite-fille d'Helen Hessel, la véritable « Kathe » du roman de Roché, et Marie-France Pisier. Plus joueuse, plus charmante, mais aussi plus désinvolte, celle-ci correspond davantage au personnage. Lors des essais, se souvient l'actrice, « il ne me regardait pas vraiment, il ne s'intéressait qu'à ma voix. François a toujours accordé une grande importance aux voix, à leur rythme. Là, il me disait : " Plus vite, plus vite,

Jeanne le disait plus vite. " Il aimait que je puisse parler vite, et je me suis rendu compte ensuite de l'importance que cela avait concernant le personnage du film : il fallait que la fille ait un rapport aux mots plus aisé que Léaud [184]. »

Le tournage d'*Antoine et Colette* commence le 15 janvier avec la petite équipe des habitués du Carrosse autour de Raoul Coutard et Suzanne Schiffman. Il ne dure qu'une semaine, dans le quartier de la place Clichy et des Batignolles, et quelques séquences tournées salle Pleyel. « Je me souviens d'une scène très importante, celle du " coup de foudre musical ", se rappelle Marie-France Pisier, une des premières que nous ayons tournées. Il fallait faire une série de gestes d'une précision démente, imposés par François, sans doute parce que ceux-ci avaient une résonance très intime en lui. Il disait à Jean-Pierre " Tu tournes la tête de ce côté, non pas trop ", et à moi " Tu prends la chaîne que tu as au cou, tu la portes à ta bouche, pas deux fois, une seule, refais-le, tu croises la jambe, pas deux fois, une seule, le geste plus net... " C'était une véritable partition musicale [185]. »

Au bout du compte, Truffaut est content de son tournage, rapide, vif, parfois aux limites de l'improvisation. Jean-Pierre Léaud et Marie-France Pisier se sont très bien adaptés à cette méthode. Ce film, qui l'ennuyait au départ, a fini par lui plaire, au point qu'il regrette de ne pas en avoir fait un long métrage. En revanche, le film dans son ensemble est moins réussi, avec ses cinq sketches composites. Truffaut le supervise avec Claudine Bouché, dont la table de montage est installée aux Films du Carrosse. « Ils étaient tous trop longs, il a fallu faire des coupes, raconte-t-elle, leur trouver un ordre [186]. » Seul le sketch de Marcel Ophuls trouve grâce aux yeux de Truffaut. Jean Aurel est chargé de réaliser le lien entre les cinq films. Le choix se porte sur une chanson reprenant le thème de « l'amour à vingt ans » (« Ils font l'amour aux quatre vents, tous les enfants du monde, cognant la vie à belles dents, comme une pomme ronde... », chantée par Xavier Depraz), avec des photos de Cartier-Bresson. Le film est présenté en avant-première au festival de Berlin, le 23 juin 1962, dans une indifférence quasi générale, puis sort à Paris au début du mois de juillet, à l'Ermitage, sans succès. Il sera retiré de l'affiche au bout de deux semaines. Truffaut est assez déçu car il s'est attaché aux amours timides et infructueuses de son double. Mais le ton des « aventures d'Antoine

Doinel » est désormais donné, plus léger, fantaisiste et mélancolique que *Les Quatre Cents Coups* ne le laissaient prévoir.

Dès la préparation du film, Truffaut est tombé sous le
charme de Marie-France Pisier. Au point de vouloir rompre avec
Madeleine et de quitter sa famille. Il se confie alors à Helen
Scott, dans une lettre d'une rare intimité : « Je suis très fatigué,
très énervé et triste, car terriblement amoureux d'une jeune fille
de dix-sept ans et demi ; pour elle, pour me tenir à sa disposition, je vais installer le drame autour de moi et c'est désolant.
Sans compter que je vais peut-être lui gâcher les deux ou trois
années à venir à elle aussi. Chère Helen, je suis dans le drame
et le gâchis jusqu'au cou. La fille vous plairait ; elle est moderne,
très féministe, de gauche, Sartre-Beauvoir, très bûcheuse (économie politique en vue de devenir conseillère juridique) et
comédienne puisque c'est en cherchant une fille pour jouer
avec Jean-Pierre que je l'ai connue. Cette fille est très franche,
directe, très forte et en même temps très enfant. Elle sera très
dure avec moi, je le sais [...] ; nous aurons des bagarres, c'est
certain ; je l'admire énormément et je suis très bouleversé [187]. »

En effet, le 25 décembre 1961, Truffaut quitte l'appartement de la rue du Conseiller-Collignon pour s'installer à l'hôtel.
Il reviendra un mois plus tard. Mais, pour Madeleine, qui ne s'y
attendait pas, ce départ est un véritable déchirement. Les premiers jours, il ne parle pas avec elle de Marie-France Pisier, dont
Madeleine ignore encore l'existence, mais plutôt de leurs désac-
cords, de son besoin de solitude, de « l'hypocrisie qu'il y aurait
à rester ensemble [188] ». *Jules et Jim* (autant le tournage proprement dit que le sujet du film) lui a fait l'effet d'un douloureux
constat : la vie de couple lui est à la fois indispensable et insupportable. Les conséquences en sont immédiates sur son mariage.

Au début de l'année 1962, Truffaut croit la rupture quasi
inéluctable avec Madeleine. Cela le rend extrêmement triste, de
même que la perspective de s'éloigner de ses filles, Laura et Éva.
Mais, sitôt parti, il a peur de s'engager avec Marie-France Pisier,
assez désemparé face à une jeune fille de dix-sept ans qui lui
mène la vie dure. Éloigné de Madeleine, Truffaut se retrouve
comme un adolescent malheureux, et d'autant plus seul que
Jeanne Moreau le délaisse : « Elle est tombée amoureuse d'un
couturier pédéraste, écrit-il rageusement à Helen Scott. Il n'a
jamais touché une femme et il répond assez facilement aux

avances de notre orgueilleuse amie [189]. » Comme toujours dans ces moments de dépression sentimentale, Truffaut se réfugie dans le travail, le tournage puis le montage d'*Antoine et Colette*, qui le mobilisent alors à temps plein.

Après une « fugue » d'un mois, Truffaut se décide, un peu piteux, à regagner le domicile conjugal. La réconciliation est scellée par un grand voyage : Madeleine l'accompagne lors d'une tournée professionnelle aux États-Unis, au mois d'avril. Les fillettes sont confiées à Sylvia, la gouvernante, et, accompagnés de Marcel Berbert, les deux époux vont au festival de Mar del Plata (où *Jules et Jim* obtient le Prix de la mise en scène), puis à Rio et à New York. Truffaut est visiblement rassuré, détendu, et pense avoir mis fin à sa crise sentimentale. Quelques mois plus tard, après un été calme passé en compagnie de Madeleine à la Colombe d'Or, il semble avoir définitivement redécouvert les vertus du mariage, même si les angoisses professionnelles l'assaillent à nouveau : « Je traverse en ce moment une mauvaise période morale, écrit-il alors à Helen Scott le 18 octobre 1962, sans aucune raison d'ailleurs puisque cela va très bien avec Madeleine et que les deux filles sont formidables ; comme un bureaucrate, je rentre à la maison vers 18 heures tous les soirs pour jouer avec elles pendant deux heures. Je ne vais plus au bureau le matin pour la même raison [190]. » Le « pur amour à trois » s'est éloigné pour un temps devant le bonheur conjugal recouvré.

Le procès de la Nouvelle Vague

Au début de l'année 1962, le cinéma français traverse une nouvelle crise. Non seulement la fréquentation des salles continue de plonger depuis la fin des années cinquante, mais l'euphorie liée à la Nouvelle Vague est bel et bien retombée. Il redevient très difficile pour un débutant de monter son affaire, et le mouvement, hétéroclite au départ, a éclaté en rivalités insurmontables. Le « chacun pour soi » tourne ainsi parfois en affrontement ouvert : la guerre est déclarée, prélude à ce que la grande presse, depuis le début de l'année 1962, appelle la « mort de la Nouvelle

Vague ». « Je suis donc déprimé sans raison valable, écrit Truffaut à Helen Scott. Les affaires ne marchent pas trop mal ; malgré la crise qui commence, je fais partie des cinq ou six réalisateurs à qui l'on fait confiance pour le film à venir et *Jules et Jim* continue de marcher très bien en France, en Belgique et en Italie. Vous avez raison, chère Helen, quand vous dites que je veux tout, mais pour l'instant je ne sais même pas moi-même ce qui me manque [191]. »

Cette crise se noue autour d'un conflit particulier dont Truffaut est l'un des protagonistes les plus en vue, conflit que *L'Aurore,* dans son édition du 2 février 1962, nomme « le procès de la Nouvelle Vague ». L'affaire avait débuté en juin 1959, avec *La Bride sur le cou,* le premier film de Jean Aurel, dont Brigitte Bardot est la vedette. Après une préparation laborieuse, son tournage commence le 1er décembre 1960. Trois jours plus tard, Roger Vadim, l'ex-mari de B. B., est contacté par la production pour superviser un tournage qui s'annonce délicat. Le 12, Jean Aurel constate qu'il ne s'agit pas seulement d'une supervision mais d'un remplacement pur et simple. Il part, dénonçant les comportements de sa vedette et de Vadim. Ceux-ci, pour défense, arguënt de l'incapacité d'Aurel à mettre en scène et à diriger Brigitte Bardot.

Prenant parti pour son ami Aurel, Truffaut dévoile l'affaire dans un virulent article publié le 22 décembre 1960 dans *France-Observateur.* Il y défend la « morale de l'auteur de film » et dénonce l'attitude « non confraternelle » de Vadim. L'article est évidemment perçu comme une querelle de famille au sein de la Nouvelle Vague. La conclusion de Truffaut prend l'allure d'une sévère mise en garde : « Toujours est-il que, pour moi, Roger Vadim fait désormais partie de ces gens de cinéma capables de tout et dont il faut par conséquent se méfier. » Dans la foulée, une déclaration signée par vingt-sept réalisateurs soutient la cause d'Aurel, et tente de défendre les « droits de l'auteur de film » et la liberté pour chacun d'« improviser comme il l'entend sur un plateau de cinéma », deux principes essentiels selon la Nouvelle Vague. Vadim contre-attaque en traînant Truffaut devant la justice pour diffamation. L'affaire débouche sur un retentissant procès qui s'ouvre le 29 janvier 1962 devant la 17e chambre correctionnelle de Paris. « Un procès très " Nouvelle Vague " avec B.B., Vadim, Truffaut, Chabrol,

Godard », titre ainsi *France-Soir.* Les deux camps ont leurs témoins. Côté Vadim : Louis Malle, Michel Subor et Brigitte Bardot elle-même pour garantir sa bonne foi et discréditer les « improvisations cinématographiques » d'Aurel. Côté Truffaut : Resnais, Melville, Godard, Chabrol, Kast, Sautet, de Broca. Après une séance vaudevillesque, Bardot minaudant à la barre, Godard se faisant expulser pour « insulte à témoin », le verdict est favorable à Vadim, tandis que Truffaut est condamné à lui verser un franc de dommages et intérêts. Très amie avec Vadim et Truffaut, Claudine Bouché se souvient de cet épisode feuilletonesque : « Bardot était une star et tenait à imposer son point de vue : elle préférait Vadim à Aurel, qui était moins sécurisant pour un comédien sur un plateau. Et les premiers rushes d'un film sont souvent délicats, tous les metteurs en scène corrigent le tir. François a défendu Aurel pour le principe, il trouvait dangereux que l'on puisse remplacer un réalisateur au bout de trois jours, comme cela se fait aux États-Unis. Mais cette histoire l'amusait aussi, je me souviens qu'il me disait qu'il aurait mieux plaidé la cause de Vadim que Vadim lui-même [192]. » Cette atmosphère autour du procès, devenu un feuilleton dans la grande presse, est révélatrice de la crise de confiance que traversait alors le cinéma français en général et la Nouvelle Vague en particulier. Elle annonce la fin d'une époque, celle du règne (éphémère) des jeunes cinéastes. Pour la presse, pour les producteurs, pour le public, le nouveau cinéma français est mort et enterré.

Truffaut échappe à ce climat général : grâce au succès de *Jules et Jim,* il demeure l'un des cinq ou six réalisateurs d'avenir. Paradoxalement, ce statut d'exception est sans doute la cause principale de sa déprime. Alors que la Nouvelle Vague se meurt, François Truffaut éprouve un fort sentiment de culpabilité. « Je suis en train de devenir un salaud. Mais je ne suis pas encore assez fortement blindé et c'est très difficile, très douloureux [193] », confesse-t-il à Helen Scott, d'autant qu'il est contraint d'abandonner tous ses projets de coproductions pour se concentrer sur la seule préparation de ses films, et renvoie désormais tous les projets qu'il reçoit vers d'autres producteurs, que ce soit Pierre Braunberger, Anatole Dauman, Mag Bodard ou Georges de Beauregard. C'est à cette période, par exemple, qu'il renonce à produire le *Socrate* de Rossellini, utilisant des arguments imparables, mais conscient de décevoir un proche, de se décevoir lui-même : « Après avoir bien réfléchi, je dois te dire que je renonce à travailler avec toi et que je ne puis mêler ma société de films à ton projet, écrit-il la mort dans l'âme à Rossellini. En vérité, nous n'avons pas les mêmes idées sur la manière de faire du cinéma. Je trouve que tout ce que tu fais est bien, juste et logique tant que c'est toi qui le fais. Si je me mêle à cela, nous courons à la catastrophe [194]. »

Crise familiale, difficultés et ruptures sur le plan professionnel : Truffaut se sent isolé. Lui réussit, les autres échouent : le contraste est cause d'un bon nombre de malentendus et d'accusations. Certains protégés, découverts et financés par l'auteur des *Quatre Cents Coups,* réagissent avec une grande violence au repli sur soi du cinéaste. « Vous êtes passés chez les puissants, nous restons misérables [195] », lui écrit Michel Varesano, réalisateur de courts métrages qui espérait trouver en Truffaut un producteur. Même Robert Lachenay, l'ami d'enfance, le confident de toujours, se sent abandonné et manifeste son amertume au printemps 1962, dans un appel pathétique : « Je suis désolé de sentir entre nous une espèce de froideur et une certaine gêne. Tu en es en grande partie responsable. J'ai tellement de respect et d'admiration pour toi qu'il ne m'est plus possible de me conduire en égal et en ami comme je le voudrais tant. Ma dépendance financière aggrave encore les choses. Mais si je ne peux pas pour l'instant monter jusqu'à toi, rien ne t'empêche de descendre jusqu'à moi et de me traiter comme Jean-Pierre [Léaud] par exemple. Les moyens matériels ne sont rien si tu ne me donnes pas ceux du cœur. Il nous faut redevenir les complices et les amis d'autrefois, les complices et les amis du *Roman d'un tricheur* et de *Pépé le Moko* [196]. »

Truffaut choisit davantage encore de se replier sur son propre univers, ce qui ne fait qu'accroître le vide autour de lui. Jean-Luc Godard lui écrit alors ce petit mot mélancolique : « On ne se voit plus jamais, c'est idiot. Hier, je suis allé voir tourner Claude [Chabrol], c'est terrible, on n'a plus rien à se dire. Comme dans la chanson : au petit matin blême, il n'y a même plus d'amitié. On est parti chacun sur sa planète, et on ne se voit plus en gros plan, comme avant, seulement en plan général. Les filles avec lesquelles nous couchons nous séparent chaque jour davantage au lieu de nous rapprocher. Ce n'est pas normal [197]. »

V

LES ANNÉES LENTES

1962-1967

Malgré le bon accueil de *Jules et Jim*, François Truffaut est en proie à ce qu'il appelle la « mélancolie du troisième film [1] ». « J'ai cru remarquer, avoue-t-il dans un entretien, que, d'une façon générale, chaque cinéaste a dans sa vie trois films à faire, les trois premiers qui viennent du plus secret de lui-même. Après cela, il entre dans une carrière, ce qui est très différent. » Pour Truffaut, le seul moyen de briser cette fatalité est d'entreprendre un film extrêmement ambitieux et personnel. *Fahrenheit 451* va constituer dès lors ce défi. Un dimanche d'août 1960, au cours d'une soirée chez Jean-Pierre Melville, il entend pour la première fois parler du roman de Ray Bradbury, dont il n'a jusque-là jamais lu aucun des livres. Liliane David, qui l'accompagnait, se souvient de ce dîner auquel était également convié le producteur Raoul Lévy : « Raoul Lévy, qui était un conteur formidable, s'est mis à raconter l'histoire de *Fahrenheit*, François était suspendu, puis a demandé qui était l'auteur du roman [2]. » Lévy promet à Truffaut de lui en faire porter un exemplaire.

Science-fiction

S'il n'est guère amateur de science-fiction, l'histoire de *Fahrenheit 451*, où les livres occupent une place importante, ne pouvait que toucher François Truffaut. Car chez cet homme qui collectionne toutes sortes d'ouvrages, anciens et récents, des séries noires comme des livres d'art, et passe des heures dans les librairies, la passion des livres est aussi intellectuelle que charnelle. Dans le roman de Bradbury, le récit allie science-fiction et conte philosophique, réflexion politique et défense de la littérature, autant de thèmes qui passionnent Truffaut. Montag, le héros de *Fahrenheit*, est un pompier régulièrement envoyé en mission pour brûler les livres découverts chez des particuliers, ces livres interdits par une société aseptisée où règne l'audiovisuel. Mais les livres chargés de tous les maux prennent leur revanche lorsque Montag, entraîné par une jeune voisine, défiant l'autorité de son capitaine, de sa femme et du sens commun, se met à les regarder, à les conserver, puis à les lire. Dénoncé par son épouse, poursuivi pour attitude immorale par la police d'État, il se réfugie finalement de l'autre côté du fleuve, dans la forêt des « hommes-livres », ces marginaux qui ont décidé, chacun, d'apprendre un roman ou un essai par cœur pour conserver la mémoire écrite du monde, qui se sont identifiés chacun à un livre jusqu'à porter son titre pour nom de famille, et qui les incarnent ainsi pour les sauver des flammes.

En voulant adapter *Fahrenheit 451*, Truffaut est conscient qu'il s'agit d'un projet coûteux, à cause des costumes, des nombreux figurants, des décors et de l'atmosphère futuristes... Sa première idée consiste à envisager une coproduction avec Raoul Lévy, par fidélité envers celui qui est à l'origine du projet. Mais il y renonce à cause de la réputation velléitaire du producteur de *Et Dieu créa la femme*[3]. Il s'oriente alors vers une coproduction franco-américaine entre le Carrosse et Astor Films, le distributeur new-yorkais du *Pianiste*. Paul Newman tiendrait le rôle principal. C'est la première fois que Truffaut envisage de faire un film en Amérique. En avril 1962, au festival de Mar del Plata, en Argentine, il rencontre Paul Newman. Entre-temps, début février, Truffaut a écrit à Ray Bradbury, qui habite Los Angeles, et les deux hommes se rencontrent quelques semaines plus tard à New York, dans le bureau de Don Congdon, l'agent littéraire de l'écrivain. Helen Scott sert d'interprète dans une discussion où il est question des droits de *Fahrenheit 451*. Mais Bradbury préférerait qu'on adapte au cinéma l'une des nouvelles qui composent son recueil *Chroniques martiennes*. Don Congdon confirme que Bradbury n'était pas très excité à l'idée d'une adaptation cinématographique de *Fahrenheit*, déjà monté au théâtre quelques années auparavant [4]. Il est donc envisagé que Truffaut et lui collaborent dans un premier temps à l'adaptation des *Chroniques.* Dans cette hypothèse, Bradbury et sa famille séjourneraient deux mois en France, aux frais des Films du Carrosse, ce qui permettrait aux deux hommes de travailler à un scénario en français. *Fahrenheit* passerait donc au second plan. « Si tout va bien avec leur travail sur les nouvelles, nous serions ensuite très heureux de faire des arrangements pour que Monsieur Truffaut achète et produise le roman *Fahrenheit 451* [5] », résume Don Congdon dans une note adressée à Helen Scott le lendemain de la rencontre.

Truffaut quitte New York sur un malentendu : il est persuadé d'être en mesure d'acquérir les droits de *Fahrenheit,* alors que Bradbury lui propose de collaborer en priorité à l'adaptation de ses *Chroniques martiennes.* Dès son retour à Paris, il adresse une longue lettre à Bradbury lui expliquant ses motivations : « Pour mener à bien ce film tiré de plusieurs de vos nouvelles, il faudrait, dans la préparation, faire un grand effort de repérages de lieux futuristes, de costumes et d'accessoires ultramodernes tel qu'ensuite je risquerais d'être moins inspiré pour préparer *Fahrenheit.* Enfin, je ne tourne qu'un grand film tous les dix-huit mois. Si je tournais d'abord un film d'après vos *Chroniques,* cela reporterait *Fahrenheit* en 1964, et d'ici là je pense que, même pour les producteurs de films, ce sera trop tard : depuis Gagarine on ne peut plus faire absolument les mêmes films. Il est très important que *Fahrenheit* soit le premier film européen de science-fiction. Je pense donc que nous devrions dès maintenant traiter les droits de *Fahrenheit* avec Monsieur Don Congdon et travailler ensemble, cet été, aux dates qui vous conviendront, à l'élaboration de ce film dont le tournage pourrait débuter à la fin de l'année [6]. »

Mais Bradbury décline la proposition de Truffaut : « J'ai passé tant de temps, depuis des années, sur les différentes versions de *Fahrenheit,* la nouvelle, le roman, la pièce de théâtre qui n'a jamais été montée, que je pense sincèrement ne plus être la bonne personne pour vous aider à l'adapter comme scénario de film. Je me suis échiné sur cette histoire, j'y ai perdu beaucoup d'énergie, et je ne vous rendrais pas un service si j'acceptais de la reprendre avec vous. Néanmoins, je vous suggère de vous mettre d'accord avec mon agent Don Congdon pour acquérir les droits, puis d'engager un autre écrivain pour mettre au point le scénario [7]. » Plutôt méfiant après ses premières expériences de collaboration avec des écrivains [8], Truffaut se sent au fond de lui soulagé. Bradbury et lui sont devenus amis, et vont correspondre de manière régulière, Truffaut ne manquant pas d'informer l'écrivain de l'état d'avancement du projet.

Le 19 juillet 1962, les Films du Carrosse acquièrent les droits de *Fahrenheit* pour 40 000 dollars, une somme importante pour une petite société de production. Truffaut doit chercher d'autres financements pour faire son film. Comme il est clair pour lui que celui-ci se fera en français, il abandonne l'idée d'engager Paul Newman et pense à Jean-Paul Belmondo pour le rôle de Montag. « Grâce au succès de *Jules et Jim,* les offres ne manquent pas, ce n'est donc pas vraiment un problème, mais, dès que je me trempe là-dedans et que j'apprends que Belmondo demande 60 millions de salaire, cela me hérisse et me donne envie de changer de métier. En fait, j'aimerais ne pas m'occuper de tout cela et même ne pas en entendre parler, mais alors je ne serais plus un cinéaste libre et je ne pourrais plus choisir mes acteurs [9]. » Lors d'une rencontre au festival de Berlin, à la fin du mois de juin 1962, Truffaut et Belmondo évoquent *Fahrenheit.* Mais l'acteur n'est pas libre avant le printemps 1963, il doit tourner *Le Doulos* avec Jean-Pierre Melville, et ses exigences financières sont telles qu'elles rendent toute collaboration impossible. Le projet s'enlise à nouveau.

En quelques mois, *Fahrenheit* passe entre les mains de plusieurs scénaristes. Sur la lancée de *Jules et Jim,* Gruault se met d'abord au travail. Puis c'est au tour de Marcel Moussy de mettre au point une deuxième version du scénario. Insatisfait, Truffaut met en chantier la troisième, cette fois avec Jean-Louis Richard, l'ex-mari de Jeanne Moreau, qu'il a rencontré à l'époque des *Quatre Cents Coups.* Comédien de formation, Jean-Louis Richard n'est pas un scénariste professionnel, mais l'entente entre les deux hommes est parfaite, l'humour de Jean-Louis Richard faisant contrepoids aux angoisses de Truffaut, qui apprécie son indépendance d'esprit et sa personnalité « anti-mode au possible », comme dit Madeleine. « Notre amitié et nos conversations se sont transformées en travail, dit Jean-Louis Richard. Et c'était très bien à cause de cela, comme si la magie du verbe passait avant l'écriture. Évidemment, après on portait nos conversations sur du papier avec une machine à écrire et on arrivait comme ça à former un scénario [10]. »

En février et mars 1963, Truffaut s'installe dans l'appartement de la Résidence Saint-Michel, acheté par les parents de Madeleine sur les hauteurs de Cannes, avec sa femme et ses deux filles. Dans le même temps, il loue une chambre à l'hôtel Martinez pour Jean-Louis Richard. Chaque jour, il y rejoint son ami et les deux hommes travaillent dans un climat euphorique. « L'un de nous monte sur un meuble, l'autre se couche sur le plancher, et nous continuons ainsi à discuter et à mimer une scène. Un jour, un garçon d'étage est entré. Il a vu Jean-Louis Richard sur une armoire et moi couché sur la cheminée à l'autre bout de la pièce. Nous l'avons regardé comme si de rien n'était. Il a poussé un drôle de cri [11] », raconte Truffaut.

En mars 1963, le scénario de *Fahrenheit* est achevé, le projet peut redémarrer. Truffaut croit avoir trouvé en la personne d'Henry Deutschmeister un producteur solide pour financer les deux tiers du budget, alors estimé à près de trois millions de nouveaux francs. Ayant écarté Belmondo, Truffaut songe à Charles Aznavour pour le rôle de Montag. Après avoir lu le roman, Aznavour accepte. « Les autres pompiers seront choisis petits et minces comme lui. Ce seront de petits hommes [12] », écrit Truffaut à Bradbury, en évoquant ce choix. Puis il multiplie les repérages afin de trouver le décor idéal pour son film. Ayant l'habitude de coproduire ses films avec Dino de Laurentiis, Deutschmeister tente de convaincre Truffaut de tourner en Italie, mais l'idée est vite abandonnée. Il est alors question de réaliser *Fahrenheit* dans le midi de la France, puis dans la banlieue parisienne. « Je vais visiter les blocs de Sarcelles, Meudon, Antony, etc. Je pense beaucoup à toi en écrivant le scénario, le personnage de Montag sera assez fort, je crois, et meilleur que dans le roman [13] », écrit Truffaut à Aznavour. Parallèlement, il mobilise l'équipe du Carrosse, Delerue pour la musique, Coutard pour la photographie (pour la première fois, Truffaut compte faire un film en couleurs), et Suzanne Schiffman. Mais au moment où tout le monde s'active, où l'affaire semble enfin bouclée, tout s'écroule à nouveau. Aznavour ne correspond plus selon Truffaut au personnage de Montag. Ensuite, Deutschmeister n'arrive pas à boucler le financement, en France comme à l'étranger, aucun grand distributeur n'étant convaincu du projet. « " On n'y croira pas, c'est de la science-fiction, il faut laisser ça aux Américains ", voilà ce que j'entends à longueur de journées lorsque les grèves m'en laissent le loisir [14] », écrit le cinéaste à Helen Scott.

En attendant, Truffaut retravaille son scénario. Il songe à engager un inconnu, Maurice Pialat, dont il vient de remarquer un court métrage, *Janine*, qui l'a impressionné. En mai 1963, il le complimente sur son film et lui propose une collaboration. « Très heureux et très fier de vous aider dans la préparation de *Fahrenheit* [15] », répond Pialat. Mais, au dernier moment, Truffaut préfère se tourner vers Claude de Givray, complice de longue date. À l'automne suivant, un quatrième scénario de *Fahrenheit 451* est prêt. À travers ces versions successives, Truffaut cherche surtout à se rassurer, et à oublier les déboires et les lenteurs de la production. De report en report, il passera ainsi plus de deux années sans tourner, même si son « atelier d'écriture » fonctionne à plein régime. « Cela lui a laissé un très mauvais souvenir, se rappelle Marcel Berbert. Il disait que jamais il ne recommencerait à perdre deux ans à mettre un film au point [16]. » Le Carrosse est en situation difficile, et le relatif succès de *Jules et Jim* n'est plus qu'un souvenir : « L'achat des droits assez élevés de *Fahrenheit*, quatre traitements successifs, et toutes sortes de frais de production ont absorbé la plus grande partie de notre liquide [17] », avoue même Truffaut à son distributeur canadien, Monsieur Pépin.

Hitchcock

En attendant de réaliser *Fahrenheit 451*, François Truffaut poursuit un autre projet, celui de s'entretenir avec Alfred Hitchcock, l'un de ses « maîtres à filmer », sur sa carrière, son travail, ses choix. L'idée est née lors d'un séjour à New York en avril 1962, au cours d'un déjeuner avec Bosley Crowther, critique au *New York Times*, et Herman Weinberg, responsable du département cinéma du Museum of Modern Art. Truffaut est sidéré par la méconnaissance profonde dans laquelle est tenue l'œuvre de Hitchcock par la critique américaine, qui ne voit en lui qu'un

bon technicien, un « maître du suspense », cynique et roué, un
« *money maker* ». Cette absence de reconnaissance est à l'origine
du projet de ces entretiens. Truffaut et Helen Scott le conçoivent
ensemble, et décident de se répartir les tâches. Helen est chargée de trouver un éditeur new-yorkais, tandis que Truffaut, dès
son retour à Paris, ira proposer son projet à Robert Laffont. « Ce
livre est destiné à modifier l'idée que les Américains se font de
Hitchcock [18] », écrit-il à l'éditeur à la fin du mois d'avril 1962.

Dans les années cinquante, Truffaut s'était heurté en France
à cette même incompréhension de l'œuvre de Hitchcock. Pour
lui et ses amis des *Cahiers,* Rohmer, Chabrol, Rivette ou Godard,
le « maître du suspense » dissimule en réalité son génie et son
intelligence derrière une apparence bonhomme et pleine
d'humour, pour mieux séduire un large public [19]. Pour justifier
cette dissimulation, Truffaut avance une explication : Hitchcock
est « le plus gros menteur du monde », car il est lui-même un
personnage hitchcockien, donc hanté par ce secret qu'il faut
préserver et troublé par la peur de devoir le mettre au jour :
« Cet homme qui, mieux que tout autre, a filmé la peur est
lui-même un craintif, et je suppose que sa réussite est liée à ce
trait de caractère. Tout au long de sa carrière, Alfred Hitchcock
a éprouvé le besoin de se *protéger* des acteurs, des producteurs,
des techniciens, puisque les moindres défaillances ou les
moindres caprices de l'un d'eux peuvent compromettre l'intégrité d'un film. Pour lui, le meilleur moyen pour se protéger
était de devenir le metteur en scène par qui toutes les stars rêvent
d'être dirigées, devenir son propre producteur, en apprendre
plus long sur la technique que les techniciens eux-mêmes [20]. »

Le 2 juin 1962, Truffaut, mettant à exécution le plan établi
avec Helen Scott, écrit une longue lettre à Hitchcock. Il lui rappelle leur première rencontre : « Il y a quelques années j'étais
journaliste de cinéma, écrit Truffaut, lorsqu'à la fin de l'année
1954 je suis allé, avec mon ami Claude Chabrol, vous interviewer
au studio Saint-Maurice où vous dirigiez la postsynchronisation
de *To Catch a Thief.* Vous nous aviez demandé d'aller vous attendre au bar du studio, et c'est alors que, sous l'émotion d'avoir
vu quinze fois de suite une " boucle " montrant dans un canot
Brigitte Auber et Cary Grant, nous sommes tombés, Chabrol et
moi, dans le bassin gelé de la cour du studio. Très aimablement,
vous avez accepté de reporter l'entretien qui a eu lieu le soir

même à votre hôtel. Par la suite, à chacun de vos passages à Paris, j'ai eu le plaisir de vous rencontrer avec Odette Ferry, et l'année suivante vous m'avez même dit : " Je pense à vous chaque fois que je vois des glaçons dans un verre de whisky. " Un an plus tard, vous m'avez invité à venir quelques jours à New York regarder le tournage de *The Wrong Man*, mais j'ai dû décliner cette invitation, car, quelques mois après Claude Chabrol, j'abordais à mon tour la mise en scène. J'ai tourné trois films, dont le premier, *The Four Hundred Blows*, a eu, je crois, une certaine audience à Hollywood [21]. » Ensuite, Truffaut en vient à l'essentiel, ce projet d'un long entretien au magnétophone, pour évoquer toute la carrière de Hitchcock, dans le but d'en faire un livre qui serait publié simultanément à New York et à Paris. Il mentionne Helen Scott, qui se chargerait de traduire cette longue conversation. En attendant l'accord de Hitchcock, Truffaut s'engage à réunir une documentation, à préparer plusieurs centaines de questions concernant chaque film, couvrant aussi bien la période anglaise que la période américaine du cinéaste. Et il termine sa lettre par un éloge qui ne peut que toucher son destinataire : « Tout l'ensemble serait précédé d'un texte que j'écrirai et dont l'esprit peut se résumer ainsi : si, du jour au lendemain, le cinéma devait à nouveau se priver de toute bande sonore et redevenir un art muet, bien des metteurs en scène seraient condamnés au chômage, mais parmi les rescapés il y aurait Alfred Hitchcock dont tout le monde comprendrait enfin qu'il est le meilleur metteur en scène au monde [22]. » Flatté, ému, ravi, Hitchcock ne tarde pas à répondre par un long télégramme en français, expédié depuis Los Angeles : « Cher monsieur Truffaut, votre lettre m'a fait venir les larmes aux yeux et combien je suis reconnaissant de recevoir un tel tribut de votre part. Stop. Je suis toujours en train de tourner *The Birds* et cela continuera jusqu'au 15 juillet. Stop. Après cela je devrai commencer le montage ce qui prendra quelques semaines. Stop. Je pense que j'attendrai que le tournage sur *The Birds* soit terminé et je me mettrai alors en contact avec vous avec l'idée de nous rencontrer vers la fin août. Stop. Merci encore pour votre charmante lettre sincères amitiés cordialement votre Alfred Hitchcock [23]. »

Retiré à la Colombe d'Or, Truffaut travaille désormais à la préparation des entretiens. Il réunit une documentation importante, non seulement des livres et des articles sur Hitchcock, mais également les romans ou nouvelles dont le cinéaste a tiré des adaptations, entre autres ceux de Boileau et Narcejac ou de Daphné Du Maurier, dont *The Birds* [*Les Oiseaux*] que le cinéaste achève de tourner en Californie. Pendant ce temps, à New York, Helen Scott regroupe la documentation américaine et la résume en français à l'intention de son ami, entre autres les entretiens, encore manuscrits, réalisés par un jeune critique américain, Peter Bogdanovich, l'un de ceux qui contribueront le plus, outre-Atlantique, à faire reconnaître l'importance de Hitchcock, avant de devenir lui-même cinéaste. Vers la mi-juillet 1962, Truffaut se rend à Bruxelles, où Jacques Ledoux, directeur de la Cinémathèque royale de Belgique, organise pour lui durant trois jours des projections des films anglais de Hitchcock, qu'il connaît mal (et apprécie modérément), notamment la plupart de ses films muets. Truffaut profite aussi des reprises parisiennes de l'été, *L'Inconnu du Nord-Express, La Loi du silence, Fenêtre sur cour* et *La Corde*. Ensuite, il est temps pour lui de régler les détails pratiques de son premier voyage à Hollywood. Il en estime le coût à 3 500 dollars, qui lui sont avancés par les Films du Carrosse. « Le choix du magnétophone est important, écrit-il à Helen Scott le 20 juin 1962, car il ne faut pas que son transport soit un supplice pour moi, et pourtant il faut pouvoir enregistrer longtemps sans changer de bande. Renseignez-vous [24]. » Par la force des choses, Hitchcock et Truffaut parleront chacun leur langue, tandis qu'Helen Scott se fera l'interprète entre eux. Sur chacun des films, Truffaut prépare un long questionnaire, concernant aussi bien la naissance du projet que l'élaboration du scénario, la mise en scène que la manière dont Hitchcock juge lui-même le résultat. Tout est donc minutieusement préparé afin « de décrire avec précision une des plus belles et des plus complètes carrières de metteur en scène [25]. » Truffaut veut ainsi proposer « un ouvrage très précis sur la " fabrication " intellectuelle, cérébrale, mais aussi manuelle et matérielle des films », un livre permettant de connaître enfin ces « secrets » qu'il a longtemps traqués : « Ce bouquin sur Hitchcock n'est qu'un prétexte à m'instruire. Je voudrais que tous les gens qui font des films y apprennent quelque chose et aussi tous ceux qui ont envie de faire du cinéma. »

Dans ce projet, le rôle d'Helen Scott est essentiel, Truffaut le reconnaît volontiers : « Ne me laissez pas tomber, sinon je suis foutu. Si je ne vous avais pas, jamais je n'aurai envisagé, ou osé mettre en marche, la moitié de mes activités américaines et surtout le bouquin Hitchcock [26]. » Il défend de tout son poids son amie auprès des éditeurs qui, préférant laisser la paternité du livre aux deux cinéastes, ont tendance à négliger son travail. « Si Helen n'avait pas été une aussi brillante intermédiaire, ce livre ne me serait même pas venu à l'esprit [27], écrit-il à son éditeur américain, Simon and Shuster. Helen Scott perçoit 600 dollars d'à-valoir, plus 10 % sur les droits. Enfin, Truffaut est persuadé qu'Helen Scott s'entendra à merveille avec Hitchcock, qu'« il aura le coup de foudre pour vous, et lui, toujours resté un peu antiaméricain, sera séduit par votre vivacité européenne (continentale) et surtout votre humour [28] ».

Il ne restait plus qu'à attendre la réponse de Hitchcock, qui devait fixer lui-même le rendez-vous. Le 9 août, Truffaut reçoit enfin un télégramme de Hollywood : « Pouvez-vous ainsi que miss Helen Scott venir à Beverly Hills pour commencer travail lundi 13 août ? Si possible pouvez-vous venir avion pour être ici dimanche ou lundi matin ? Réservations seront faites pour vous Beverly Hills Hotel. Dans ce cas pourrions travailler toute la semaine [29]. » Après un passage éclair par New York où les deux amis se retrouvent, Helen Scott et celui qu'elle nomme son « hitchcoquin » débarquent à Los Angeles le lundi 13 août, le jour même du soixante-troisième anniversaire d'Alfred Hitchcock.

Une fois leurs bagages déposés au Beverly Hills Hotel, les deux compères sont reçus à dîner chez les Hitchcock, dans leur villa de Bellagio Road à Bel Air. Rendez-vous est pris pour le lendemain, dans un des bureaux du bungalow 142, à Universal. Le chauffeur de Hitchcock viendra les chercher à leur hôtel, sur Sunset Boulevard. À l'heure dite, le maître des lieux commence un numéro de charme : anecdotes, mots d'esprit, blagues, qui font beaucoup rire Helen, moins Truffaut qui n'en saisit pas tout le sens et attend impatiemment de passer enfin aux choses sérieuses. « Puritain ou pas, raconte Helen Scott, Hitchcock interrompait par moments l'enregistrement pour nous raconter une variante fort salace de la légende de Cendrillon ou pour énoncer une vacherie sur un ex-collaborateur. Pour nous mettre à l'aise, le Maître nous invita d'emblée à l'appeler " Hitch ", ce que je fis. Mais, tout au long de notre visite, François continua à l'appeler respectueusement " Monsieur Hitchcock ", alors que celui-ci répondait par " François, *my boy* "[30]. »

Les entretiens entre Hitchcock et Truffaut dureront six journées. Six jours de conversations animées, de l'anecdote à la technique de prise de vue, des plaisanteries grivoises à la construction d'une intrigue. Tout se passe comme Truffaut et Scott l'avaient espéré : Hitchcock est précis, volubile, enjoué, et entre volontiers dans les détails techniques ou interprétatifs que ses interlocuteurs lui suggèrent. Même certains aspects biographiques concernant l'enfance ou l'adolescence, ou ses relations ambiguës avec les actrices, thèmes sur lesquels le cinéaste hollywoodien se montre avare en général, sont abordés.

Après cette longue série d'entretiens, Truffaut rentre à Paris, déjà nostalgique de cette « semaine où j'ai réalisé un vieux rêve : parler du cinéma avec Hitchcock jusqu'à en être rassasié[31] ». Ce séjour californien a beaucoup contribué à rapprocher Helen Scott et François Truffaut. D'abord parce que leurs qualités professionnelles, mises à l'épreuve au cours des entretiens avec Hitchcock, se sont avérées très complémentaires. Ensuite, parce qu'un certain malentendu est né, installant une plus grande complicité entre eux. Car Helen Scott est évidemment amoureuse de Truffaut, ce dernier la considérant plutôt comme une « mère juive », protectrice et pleine d'humour, en aucun cas comme une maîtresse. Et cette relation, doublement fantasmatique, est à l'origine d'un certain nombre de blagues sexuelles et de nombreux fous rires. « Je me sens terriblement célibataire depuis notre douloureuse séparation à l'aéroport de Los Angeles[32] », lui écrit Truffaut, aussitôt arrivé à Paris. Dès lors Helen Scott n'aura qu'une envie, celle de travailler aux côtés du cinéaste, pour lui rendre service, devenir son « mentor politique », en échange de quoi cette excellente traductrice et attachée de presse new-yorkaise aurait le sentiment d'exister vraiment, d'être reconnue comme une collaboratrice à part entière. Mais, tout en étant très amical, Truffaut a pour le moment surtout besoin d'Helen à New York pour mener à bien le projet d'édition du livre d'entretiens avec Hitchcock dans sa version américaine.

En septembre, Truffaut met au point la transcription des entretiens, plus de quarante heures enregistrées sur bandes magnétiques. Mais ce travail se révèle plus ardu et plus lent que prévu. Truffaut avait pensé à une double transcription simultanée, en anglais et en français. Sur les conseils d'Helen Scott, il engage une jeune étudiante américaine, Linda, qu'il loge à Paris et rétribue pour dactylographier les propos américains. De leur côté, les deux secrétaires des Films du Carrosse, Lucette Desmouceaux, qui a épousé Claude de Givray, et Yvonne Goldstein, s'occupent de transcrire la version française. Mais très vite, « du fait de l'étrangeté de la diction d'Helen [33] », la version française bat de l'aile. Alors on adopte une autre solution : Yvonne et Lucette partent du texte anglais transcrit par Linda et, secondées par une vieille amie de Truffaut, Aimée Alexandre, tentent de traduire au mieux les paroles de Hitchcock en français. Ensuite, dans les moments libres que lui laisse l'écriture des différentes adaptations de *Fahrenheit,* Truffaut apporte de nombreuses retouches et corrections, qui seront réintroduites dans la version anglaise : un véritable casse-tête...

En mars 1963, Truffaut s'inquiète déjà du retard considérable que prend son livre. Mais, lorsqu'en avril il trouve le temps de relire la première version du manuscrit, il est très agréablement surpris. Il s'enferme dix jours dans son bureau, et dicte à Lucette de Givray une version française quasi définitive. Chaque fois qu'il introduit un changement dans les propos traduits de l'anglais, Truffaut prend soin d'établir une note précise destinée à Helen Scott. « Dans l'ensemble, lui écrit-il, je m'efforce de garder le ton d'une conversation, en évitant les tournures académiques. Je vous demande de faire votre travail de traduction avec la même désinvolture, quitte à conserver des familiarités et éventuellement des grossièretés. Les seuls scrupules à avoir concerneront les passages purement techniques (assez rares finalement) où vous devrez vous faire aider par un type de cinéma, genre Arthur Penn ou, mieux encore, bilingue comme Sydney Lumet, qui ne demanderont pas mieux que de nous rendre un coup de main [34]. » À la fin de l'été 1963, le double travail de transcription est achevé, ce qui soulage Truffaut tout en créant un grand vide. « Mon rêve serait que ce livre ne parût jamais, écrit-il à Helen Scott, et que, chaque année, nous passions vous et moi, un mois à le mettre à jour, à le compléter de nouvelles questions et de nouveaux " entretiens " avec le maestro, bref, quelques semaines de vacances hollywoodiennes chaque année [35]. » Il reste à s'occuper de l'illustration, car le livre nécessite une iconographie qui donne tout leur sens aux exemples visuels évoqués par Hitchcock. Truffaut contacte systématiquement les distributeurs, en France, en Italie, en Angleterre, pour obtenir des jeux de photographies d'exploitation, visitant les agences de presse et les archives des Cinémathèques à la recherche de précieux documents, empruntant des copies de films dans les agences parisiennes de Universal, Paramount, MGM, Warner Bros, pour en tirer des photogrammes précis aux frais des Films du Carrosse. Au début du mois de mars 1964, il passe trois jours dans un laboratoire photographique du British Film Institute, faisant défiler quatorze vieilles copies de films anglais afin d'en tirer des photogrammes. Truffaut en est ainsi arrivé à connaître par cœur chaque séquence tournée par Hitchcock au cours de sa longue carrière.

Deux longues années après l'enregistrement des entretiens, Truffaut se fixe comme but de « finir le bouquin pour la fin de l'année 1964 [36] »... Tout le monde avait sous-estimé la lourdeur de la tâche, mais elle aura permis à Truffaut une plus grande intimité encore avec les films de Hitchcock, et de réaliser un vieux désir : suivre, de A à Z, méticuleusement, religieusement, la fabrication d'un livre. Au moment où Truffaut raconte, grâce à *Fahrenheit 451,* l'histoire de « tous les livres, depuis Gutenberg jusqu'à nos jours [37] », il vit à son tour, presque quotidiennement, avec un « bouquin dans la tête ».

Voyage à Tokyo

En 1962, ces deux projets essentiels, *Fahrenheit 451* et ce livre d'entretiens avec Hitchcock, occupent François Truffaut. Mais ils sont lents, trop lents, au point qu'il lui arrive d'avoir envie de « mettre la clé du Carrosse sous le paillasson [38] ». À la fin de 1962, la perspective de tourner *Fahrenheit 451* s'éloignant, il décide de voyager, non pour faire du tourisme, mais pour la promotion de ses films. Pour Truffaut qui se considère alors en état de totale « disponibilité sentimentale [39] », chaque voyage est aussi l'occasion de rencontres féminines. Sa première destination est Stockholm, en janvier 1963, où *Jules et Jim* obtient une presse très élogieuse. Début mars, dans le cadre d'une semaine du cinéma français organisée par Unifrance Film, Truffaut est reçu par son distributeur à Tel-Aviv, Lucas Steiner [40], en Israël, où *Jules et Jim* rencontre un certain succès. Au printemps 1963, il se rend pour la première fois au Japon. Début avril, il est reçu à Tokyo une dizaine de jours par Marcel Giuglaris, le directeur d'Unifrance Japon, par Madame Kawakita, dont la société distribue *Jules et Jim*. Truffaut fait la connaissance de Koichi Yamada, un jeune cinéphile de Tokyo parlant français, qui deviendra son correspondant attitré au Japon et, au fil des années, l'un de ses amis les plus proches. Truffaut le recevra régulièrement au Carrosse durant ses longs séjours parisiens, en 1965 et 1966, le couvrant de livres, de revues, lui conseillant des films, l'introduisant à la Cinémathèque de Langlois. Il deviendra même le coproducteur de son court métrage, *La Marchande de poèmes*, que Yamada tournera dans son pays au cours de l'été 1964. Ce voyage à Tokyo, Truffaut l'effectue sous l'égide d'Unifrance, dont la délégation est composée d'Alain Delon et de Marie Laforêt, qui accompagnent le film de René Clément *Plein Soleil*, de France Roche, Françoise Brion et Alexandra Stewart. « On avait fait appel à moi sans doute pour remplacer Marina Vlady ou une autre actrice occupée sur un tournage, confie aujourd'hui la belle actrice d'origine canadienne. François m'a prise sous sa protection, et c'est à Tokyo que j'ai vu pour la première fois *Jules et Jim*. J'ai pleuré, pleuré... Nous avons passé la nuit à parler [41]. » C'est à Tokyo que naît cette relation d'amitié amoureuse entre François Truffaut et celle qu'il ne tardera pas à appeler dans l'intimité « Sandra, ma vague étoile », clin d'œil assez tendre au film que Visconti a réalisé en 1965 avec Claudia Cardinale, *Sandra (Vaghe Stelle dell'Orsa)*. Relation enjouée, « rien de grave ni de passionnel, je le faisais rire, il pouvait se permettre d'être léger et enfantin [42] », poursuit Alexandra Stewart en évoquant une amitié de trente ans. Comme preuve de son attachement, Truffaut recommandera son amie à Arthur Penn, lorsque le cinéaste américain, début 1964, cherche une actrice pour jouer dans *Mickey One* aux côtés de Warren Beatty.

Au Japon, François Truffaut a rencontré deux femmes, figures fascinantes et mystérieuses que l'on retrouvera plus tard dans son propre univers fictionnel, sous les traits du personnage de Kyoko, la jolie maîtresse de Doinel-Léaud dans *Domicile conjugal*. La première s'appelle Kyoko K., jeune mannequin, amie de Koichi Yamada, et écrira au cinéaste des petits mots tout à la fois enflammés et retenus, assez proches des messages transmis à Antoine Doinel par sa maîtresse japonaise : « Revenez au Japon, s'il vous plaît, s'il vous plaît, s'il vous plaît... François. Et promettez de me donner un jour avec vous. Je voudrais passer le jour à causer, rire, et me promener avec vous ; Kyoko et François seulement... Kyoko aime François [43]... » La seconde est Shinobu, une femme charmante et très distinguée, discrète et passionnée. Pour Truffaut, ce premier voyage au Japon a représenté un moment de vie intense et légère, qui lui fait oublier un temps les soucis parisiens. « C'est avec mélancolie que j'ai retrouvé Paris, car des nombreux voyages que j'ai faits depuis trois ans pour Unifrance à l'étranger, celui-ci, à Tokyo, a été le plus instructif, le plus excitant et le plus agréable [44] », écrit-il aussitôt à sa distributrice japonaise.

La Peau douce

Conscient que les conditions idéales ne sont pas réunies pour tourner *Fahrenheit 451,* et qu'il n'est pas occupé à plein temps par la transcription des entretiens avec Hitchcock, Truffaut décide d'entreprendre dans l'urgence un nouveau film. « Le film sera indécent, complètement impudique, assez triste, mais très simple. Ce sera vite écrit, vite tourné, vite sorti et, j'espère, vite amorti [45] », annonce Truffaut à Helen Scott. Le 20 juillet 1963, Jean-Louis Richard et lui se retrouvent cette fois encore à l'hôtel Martinez à Cannes. Moins d'un mois plus tard, le scénario de *La Peau douce* est écrit, conçu dans une tension extrême, comme si le fait d'explorer cette histoire d'adultère nécessitait l'isolement total, une sorte de retraite absolue.

L'idée de départ est un double fantasme érotique, ainsi que la rapporte Jean-Louis Richard : « À l'origine, il y a deux images qui ont frappé l'imagination de François. Une femme et un homme, dans un taxi, qui s'embrassent et dont les dents s'entrechoquent et font du bruit. Et puis le croisement et le décroisement de jambes féminines habillées de bas de soie, avec le bruit que font les bas en se frottant. Le baiser dans un taxi c'est évidemment un baiser adultérin. Je ne crois pas qu'il y ait beaucoup de maris qui embrassent leur femme en faisant cogner les dents [46]. » Le 20 août 1963, le scénario est achevé. Comme le prévoyait Truffaut, *La Peau douce* est une autopsie du couple, « un film incroyablement déprimant, sans issue, sans solution [47] ». Pierre Lachenay est un intellectuel reconnu, spécialiste de Balzac, directeur de la revue littéraire *Ratures,* souvent convié à faire des conférences, en France ou à l'étranger. L'homme mène une vie bourgeoise avec sa femme Franca, et leur petite fille Sabine. Lors d'un séjour à Lisbonne, à l'occasion d'une conférence sur Balzac, il est séduit par une jeune hôtesse de l'air, Nicole, qui occupe une chambre dans le même hôtel que lui. L'adultère installe le mensonge dans le mariage de Pierre, jusqu'alors stable. Lachenay revoit Nicole à Paris, l'emmène pour un week-end de conférence à Reims, désire vivre avec elle. Franca, qui l'a appris, chasse son mari après une violente dispute. Pierre quitte l'appartement conjugal, mais Nicole, tenant à sa liberté, refuse de s'installer avec lui. Perdu, Lachenay décide de revenir chez lui. Mais Franca, faisant irruption dans le restaurant où il déjeune seul à sa table, le tue de plusieurs coups de fusil.

Lorsque Truffaut fait parvenir le scénario de *La Peau douce* à Helen Scott en septembre 1963, il précise qu'il s'est inspiré d'histoires vraies. « Ces notations sur l'adultère me trottaient dans la tête depuis si longtemps qu'on ne sentira peut-être pas le caractère hâtif de ce travail [48] », prend-il soin de préciser, en demandant à Helen le maximum de discrétion sur le projet. Truffaut a toujours collectionné dans ses dossiers de nombreuses coupures de presse sur des faits divers qui le passionnent, certain qu'un jour ou l'autre elles lui seraient utiles pour écrire un scénario. Celui de *La Peau douce* s'inspire ainsi de la fameuse « affaire Jaccoud » qui a secoué l'opinion à Genève, au milieu des années cinquante, et de l'« affaire Nicole Gérard », cette femme de quarante et un ans qui, le 26 juin 1963, a tué son mari qui la trompait de deux coups de fusil de chasse, dans un restaurant, *Le Petit Chevreau,* rue de la Huchette à Paris.

Mais si l'issue tragique est identique, les personnages, les situations, les sentiments et les dialogues sont radicalement différents. Pour mieux situer *La Peau douce* dans la filmographie de Truffaut, il faut comprendre la piste du fait divers comme un leurre, destiné à détourner la curiosité des journalistes et des critiques. Alors que d'autres détails ramènent vers la piste autobiographique. À première vue, le personnage de Pierre Lachenay paraît assez éloigné du cinéaste. Il est plus âgé, c'est un universitaire, sans doute inspiré de l'écrivain Raymond Jean, avec lequel Truffaut a présenté *Jules et Jim* aux étudiants de la faculté d'Aix-en-Provence en juin 1962, ainsi que d'Henri Guillemin, grand spécialiste de Balzac, l'un des critiques littéraires les plus connus dans les années soixante. C'est aussi un hommage rendu à l'ami d'enfance Robert Lachenay, avec lequel Truffaut a découvert Balzac. Mais le personnage de Pierre ressemble indéniablement à Truffaut lui-même, avec cette obsession du détail, cette timidité, cette maladresse, cette manière d'exister à travers une reconnaissance sociale, une aisance matérielle et, de façon presque paradoxale, ce mal-être face à la routine bourgeoise et à la vie de couple. Que Truffaut, par souci d'économie et par commodité, ait utilisé son propre appartement de la rue du Conseiller-Collignon pour celui des Lachenay dans le film ne fait que valider l'hypothèse autobiographique. Désir impudique ou obsession réaliste ? Les scènes du couple Lachenay ont sans doute un lien avec celles du couple Truffaut. *La Peau douce* est un film sur l'adultère selon Truffaut, parsemé de détails intimes, proches de sa vie sentimentale, de ses expressions, de ses fantasmes — par exemple les bas « Scandale » couleur zibeline, tenus par de fines jarretelles, que porte Nicole. *La Peau douce* condense en une seule histoire les aventures sentimentales de Truffaut, avec en point d'orgue la crise conjugale vécue une année auparavant avec Madeleine. Nicole, l'hôtesse de l'air, évoque la longue liaison de Truffaut avec Liliane David, qui se souvient d'un voyage au Mans où il venait présenter *Les Quatre Cents Coups*. « Je n'ai vu qu'une chambre d'hôtel et une rue donnant sur une petite place où se trouvait la salle qui programmait le film. Je n'ai même pas pu aller voir le film, car c'était complet [49]. » La scène de l'hôtel, l'obligation de cacher Nicole aux yeux des organisateurs de la conférence, la scène où Lachenay court acheter des bas à sa maîtresse... *La Peau douce* reprend parfaitement quelques épisodes vécus au cours de cette liaison, qui se termine d'ailleurs au moment du tournage, quand Liliane David épouse Michel Dreyfus, le 19 octobre 1963.

Si *La Peau douce* est aussi marqué par la fugue avortée de Truffaut avec Marie-France Pisier, il est surtout illuminé par ses liens avec Françoise Dorléac. Le film est né de leur rencontre au cours d'un voyage à Tel-Aviv, organisé par Unifrance Film en mars 1963. Âgée de vingt et un ans, ancien mannequin chez Christian Dior, Françoise Dorléac a commencé sa carrière d'actrice en 1960 dans un film de Gabriel Albicocco, *La Fille aux yeux d'or*, puis dans *Ce Soir ou jamais* de Michel Deville. Françoise Dorléac est l'aînée des quatre filles des comédiens Maurice Dorléac et Renée Simonet. Comme sa sœur Catherine Deneuve, elle est ravissante, fine et gracieuse. Au cours de ce voyage en Israël, Truffaut et Françoise Dorléac parviennent à vaincre une certaine réticence : « J'avais une prévention inexplicable contre lui et il devait m'avouer par la suite qu'il me la rendait bien, confie alors Françoise Dorléac. Il me croyait insupportable. Et puis nous avons appris à nous connaître. Je dévorais des bouquins et il m'en passait. Nous en parlions ensemble et ce fut le début d'une découverte réciproque [50]. » Ils se revoient à Paris, juste avant que l'actrice ne s'envole pour le Brésil tourner le film qui va la rendre célèbre, *L'Homme de Rio* de Philippe de Broca, avec Jean-Paul Belmondo. À son retour du Brésil, Truffaut lui propose le rôle de Nicole dans *La Peau douce*. « Je me rappelle qu'une sorte de folie m'a gagnée ce jour-là : je faisais des bonds dans l'appartement en poussant des cris de sioux [51] ! », dira-t-elle. Pourtant, à la lecture du scénario, le rôle ne lui plaît pas, elle trouve le personnage trop dur. Il faudra toute la persuasion et le charme de Truffaut pour la convaincre. « Nicole a fini par me ressembler, François l'a fait parler comme je parle, lui fait raconter des histoires qui me sont arrivées et que nous transposions légèrement. Cela explique qu'aujourd'hui je ne sois plus très certaine de ne pas l'aimer [52] », précisera l'actrice à la sortie du film. Effectivement, Framboise, comme la surnomme Truffaut, clin d'œil à la chanson de Boby Lapointe, *Avanie et Framboise*, prête sa voix, ses gestes et son rythme à son personnage dans *La Peau douce*, élégant, vif, et assez retenu, susceptible, parfois violent, toujours mystérieux.

Pour interpréter Pierre Lachenay, Truffaut cherche un acteur de théâtre, doté d'une certaine expérience. Avant même l'écriture du scénario, il a sollicité François Périer, qui décline la proposition à cause d'une tournée théâtrale. Truffaut se tourne alors vers Jean Desailly, acteur de la compagnie Renaud-Barrault, qu'il avait apprécié en décembre 1961 dans une mise en scène d'*Arc en Enfer*, la pièce de René-Jean Clot, où le comédien jouait aux côtés de Silvia Monfort. Truffaut confie le rôle de Franca, la femme de Lachenay, à Nelly Benedetti, comédienne de théâtre qu'il a repérée dans un film de Claude Autant-Lara, *Les Régates de San Francisco*. Elle confère à son personnage une séduction certaine, loin du cliché de l'épouse délaissée. Truffaut choisit Daniel Ceccaldi pour le personnage de Clément, l'ami provincial et un peu collant de Lachenay. Et il retrouve la petite Sabine Haudepin, deux ans après *Jules et Jim*, pour jouer la fille du couple.

Pour son quatrième film, Truffaut fait confiance à son équipe habituelle : Raoul Coutard à la photographie, Georges Delerue pour la musique, Claudine Bouché au montage, et Suzanne Schiffman en script-girl. Il engage également Jean-Pierre Léaud, ainsi que son copain Jean-André Fieschi des *Cahiers du cinéma*, comme assistants-réalisateurs stagiaires. Les films de Truffaut se tournent toujours en famille, ce qui ne l'empêche pas d'être, comme à chaque début de tournage, envahi par le trac. Sans doute sous l'influence de ses discussions avec Hitchcock, il veut réaliser un film très découpé, en multipliant les plans et les cadrages. « Jusqu'ici j'ai toujours eu le sentiment, à chaque premier jour de tournage, de lancer un bateau sur la mer et ensuite le travail consistait à redresser la barre jour après jour afin d'éviter le naufrage où pouvaient me conduire fatalement les erreurs de calcul du travail préparatoire. Redresser un navire dans la tempête, c'est très fatigant et c'est aussi très exaltant. Quitte à ramener au port une épave, il faut souhaiter que cette épave soit belle. À présent, je suis las de ces images maritimes et je voudrais que mon quatrième film ne fût plus un navire en perdition, mais un train qui traverse la campagne. Je voudrais obtenir un beau trajet régulier, harmonieux, sans chaos et sans erreurs d'aiguillage. Je voudrais que l'improvisation, au lieu de masquer précipitamment des faiblesses, se borne à huiler les rouages, à ajouter un wagon sans dévier ni ralentir la marche [53]. »

Le lundi 21 octobre 1963, le tournage de *La Peau douce*

commence à l'auberge des Saisons, à Vironvay, près de Louviers en Normandie. Pendant trois jours, Truffaut tourne à la Collinière les séquences les plus intimes du film, lorsque Pierre Lachenay et Nicole se retrouvent dans un bungalow, le temps d'un week-end. Pour tourner quelques plans érotiques, voire fétichistes (Pierre ôtant les bas et caressant les cuisses de Nicole endormie), Truffaut n'est entouré que d'une petite équipe de six techniciens. L'imprévu survient cependant au matin du second jour de tournage, lorsque l'équipe au complet se lance à la poursuite d'un petit chat qui refuse obstinément d'aller tremper sa langue dans le bol de lait posé sur le plateau du petit déjeuner que les amants ont laissé devant leur porte. À la fois agacé et amusé, Truffaut reprendra cet épisode dix ans plus tard, dans *La Nuit américaine*.

Par souci d'économie, Truffaut a décidé de tourner tout son film en région parisienne, essentiellement à Suresnes pour les séquences du cinéma de Reims, à Paris place de l'Odéon, hôtel Michelet (pour des scènes censées se dérouler dans un hôtel rémois), ou près de Ville-d'Avray. Viennent ensuite les nombreuses scènes filmées à l'aéroport d'Orly, pendant trois jours, où Nicole apparaît en hôtesse de l'air[54]. Les scènes dans l'hôtel de Lisbonne, où Pierre aborde Nicole, sont tournées en réalité au Lutétia à Paris, ainsi que la conférence de Lachenay. Les fameuses séquences d'ascenseur, découpées selon un rythme hitchcockien, sont directement tournées chez les célèbres Roux et Combaluzier à Paris. Le tournage réel à Lisbonne, pour quelques scènes de rue, ne durera que quelques heures. Une équipe réduite accompagne Truffaut, Desailly et Dorléac, qui prennent l'avion le 18 novembre à Orly, pour revenir dès que possible. Le cinéaste parvient même à immobiliser l'avion, avec quelques figurants portugais, sur une piste isolée de l'aéroport de Lisbonne, pour tourner entre 7 heures et 10 heures du matin quelques plans supplémentaires sur le travail des hôtesses de l'air à bord. Au retour, sont filmées les séquences plus proprement domestiques, d'abord chez Nicole, dans le studio où habite Florence Malraux, rue du Télégraphe dans le XXᵉ arrondissement de Paris. Du 2 au 9 décembre 1963, Truffaut tourne dans son propre appartement, rue du Conseiller-Collignon. « Comme je ne recule devant aucune faute de goût, les scènes du ménage Lachenay se passeront dans mon appartement, vous voyez ce que je veux dire [55]... », écrit-il quelque temps auparavant à Helen Scott. Les trois derniers jours de tournage, juste avant Noël, se déroulent de nuit au restaurant *Le Val d'Isère,* rue de Berri, à deux pas des Champs-Élysées. C'est là que Franca fera irruption pour tuer Pierre avec un fusil de chasse.

Truffaut sort épuisé, lassé, démoralisé et amaigri du tournage, au cours duquel l'entente avec les comédiens n'a pas toujours été idéale. Si Françoise Dorléac a été « charmante, excellente, se conduisant aussi bien que Jeanne sur *Jules et Jim* [56] », Jean Desailly, lui, « n'aime ni le film, ni le personnage, ni le sujet, ni moi [57] », avoue Truffaut. Ses rapports avec l'acteur, habitué à un tempo tranquille et aux usages des grandes scènes parisiennes, sont demeurés tout au long du tournage « hostiles et sournois [58] ». « Desailly n'était pas heureux sur le plateau, rapporte Jean-Louis Richard, qui fait lui-même une apparition dans le film [59]. D'ailleurs, il a gardé ensuite beaucoup de ressentiment envers François. Je l'ai rencontré quelques années plus tard et il m'a dit : "À partir de *La Peau douce,* on ne m'a jamais plus proposé un rôle principal. " C'était un comédien formidable, mais aussi l'antithèse de François sur un tournage. Ils ne se sont pas compris du tout [60]. » Claudine Bouché, qui commence le montage de *La Peau douce* le 2 janvier 1964 au studio Marignan, se souvient également des relations tendues entre Desailly et Truffaut. « François détestait Desailly pour une raison idiote : il n'aimait pas la maladresse physique. Dans une scène, Desailly n'arrivait pas à fermer son attaché-case du premier coup. La maniaquerie et la tyrannie de François étaient telles qu'il ne supportait pas qu'un acteur s'y prenne à deux fois pour faire un geste. François n'aimait pas non plus diriger des acteurs plus grands que lui par la taille. Plus tard, il m'a dit qu'il aurait dû choisir Jacques Dutronc pour *La Peau douce,* parce qu'il était de sa taille. C'était évidemment une boutade, car François avait le goût du paradoxe [61]. »

Le montage dure trois mois. Claudine Bouché réduit le film de plus de quarante minutes, coupant des séquences entières, accélérant le rythme. Truffaut est plutôt content : « Le personnage de Nicole est devenu bien meilleur en cours de route, grâce à Dorléac et aussi aux entretiens que j'ai eus, avant le film, avec trois hôtesses de l'air. [...] Ce film aura plus de force dans les moments conjugaux où " ça va mal " que dans ceux où " ça va bien ". Enfin, je reconnais que si je méprise l'homme en Desailly, l'acteur a bien joué le bourgeois coincé par les événements. Je l'ai montré hypernerveux, presque au bord de la folie, pour éviter : a) la fadeur ; b) le drame bourgeois. J'aime bien le film. Je n'ai qu'une raison de me faire du souci : le personnage principal risque d'être antipathique au " grand public ". À part ça, il est impossible de s'emmerder, je le crois, et l'ensemble ne sera pas trop sordide [62]. »

La peau dure

Truffaut doit impérativement achever le mixage de *La Peau douce* début avril, afin de disposer d'une copie en mai, car le film est sélectionné pour faire partie de la compétition au festival de Cannes. Cinq ans après *Les Quatre Cents Coups*, le cinéaste renoue avec l'épreuve et l'excitation d'une projection officielle sur la Croisette. Les finitions sont supervisées par Claudine Bouché et Jean-Louis Richard, tandis qu'il séjourne à New York pendant l'essentiel du mois d'avril afin de travailler avec Helen Scott sur le manuscrit du livre d'entretiens avec Hitchcock. Tout s'annonce pour le mieux, car, pour la première fois de sa carrière, la commission de censure ne lui impose ni coupure ni interdiction. Pourtant, les cuisses de Françoise Dorléac ont été scrutées de près par les commissaires, puisque l'on trouve aujourd'hui encore une trentaine de clichés de la séquence de la Collinière dans les archives de la Commission.

Tout va bien jusqu'à la projection, le 9 mai à Cannes. « Tout le monde voulait voir le film [63] », se souvient Marcel Berbert, tellement harcelé qu'il fut contraint d'acheter des billets, n'ayant plus d'invitations. La projection de presse du matin se déroule mal, de même que la conférence de presse qui suit. Truffaut est tendu, sur la défensive. Celle de la soirée est un « fiasco complet [64] », avoue-t-il. Présente à ses côtés, Claudine Bouché s'en souvient encore, « à la façon qu'avaient les gens de bouger sur leurs sièges [65] ». *La Peau douce* est donc très mal reçu, à la limite du chahut. Les conséquences financières sont immédiates, les offres initiales des distributeurs italien et espagnol sont annulées. « Le lendemain de la projection, plus personne ne me connaissait, j'étais devenu l'inconnu du festival [66] », se rappelle Berbert. Le contraste avec le triomphe des *Quatre Cents Coups,* ici même, est d'autant plus frappant. Nombreux sont les journalistes à le faire remarquer dans les articles de presse du lendemain. Une fois l'épreuve passée, Truffaut retrouve cependant tout son esprit, comme en témoigne ce télégramme adressé à Helen Scott le 10 mai : « Heureusement que j'ai la peau dure. Stop. Malgré le flop on rigole beaucoup et tout va bien [67]. »

Mais cette distance légèrement ironique et fantaisiste par rapport à ses propres déconvenues cache un très profond malaise. Ce film très personnel et où il a mis beaucoup de lui-même est objectivement mal reçu. Cette vision « clinique » du couple ne convainc guère ni ceux qui voyaient en lui le cinéaste de la révolte *(Les Quatre Cents Coups),* ni les autres qui s'étaient habitués à l'idée d'un Truffaut plus fiévreux dans sa peinture des sentiments *(Jules et Jim).* La critique multiplie les contresens, évoquant, dans *L'Humanité* comme dans *Le Figaro,* un certain « embourgeoisement » du cinéaste, alors qu'il s'agit là sans doute de son film le plus « expérimental », car si le sujet est bourgeois, le traitement en est extrêmement audacieux. « François "La peau douce" succède à François "La dent dure" », confirme *Le Parisien libéré,* tandis que pour l'hebdomadaire *Candide,* « Les lions de la Nouvelle Vague se sont assagis ». *L'Express* et *Carrefour* enfoncent le clou, jugeant le film « ennuyeux » et dénonçant un « Truffaut affligeant ». Seuls quelques articles réconfortent le cinéaste meurtri par toutes ces critiques négatives. Celui de Michel Mardore dans *Lui* (« un beau film, réactionnaire et moral »), ou celui d'André Téchiné, qui publie à cette occasion son premier texte dans les *Cahiers du cinéma.* Mais ce sont les commentaires de Godard qui lui font le plus plaisir. « J'ai revu ton film hier sur le grand écran de l'Olympe. Il était plus grand encore que l'écran. J'embrasse bien Françoise Dorléac. Si elle entend dire que c'est joué comme du Bernstein, elle n'a qu'à répondre : pourquoi, vous n'aimez pas les Juifs [68] ! »

La Peau douce sort le 20 mai 1964 à Paris. Échaudés par l'accueil cannois, les distributeurs ont préféré le présenter dans trois salles seulement. Le film tiendra néanmoins l'affiche durant vingt-trois semaines, même s'il n'attire que 120 000 spectateurs, ce qui rembourse à peine l'investissement du Carrosse, bientôt soulagé par le succès inespéré du film dans les pays scandinaves, en Allemagne, en Angleterre, au Canada et au Japon. En décembre 1964, Truffaut fera une tournée triomphale en Scandinavie. Trois cent cinquante articles parus dans la presse suédoise, norvégienne, danoise et finlandaise, trois heures de télévision, le prix d'« Artiste d'honneur » décerné par l'université d'Aarhus : le bilan est impressionnant. *La Peau douce* est classé en tête des recettes à Copenhague pour 1965, et quatrième sur l'ensemble du territoire finlandais pour la même année.

La séparation

Pour Truffaut, la blessure est profonde. « Mon humeur est très faiblarde, j'ai hâte de quitter Paris pour me reposer, je suis fatigué [69]. » Il reçoit ce mot de son ami Claude Jutra, le cinéaste québécois : « J'ai trouvé bien tristes vos personnages. En tant qu'ami, cette vague amertume que le film exhale m'a fait un peu peur, puisque je sais que vos films vous ressemblent exactement, trait pour trait, au moment où vous les faites. J'espère ainsi que le prochain sera joyeux [70]. » Après *La Peau douce*, la rupture avec Madeleine est imminente, et cette fois définitive. « Nous nous séparons, Madeleine s'est sentie très seule pendant ce tournage [71] », écrit Truffaut à Helen Scott, conscient que l'hypocrisie conjugale n'est plus de mise. C'est Madeleine qui a pris l'initiative de rompre. « François était soulagé, il n'attendait que ça, dit-elle aujourd'hui. Je sentais qu'il fallait le faire, il n'était pas très agréable à la maison, probablement parce qu'il était très amoureux de Françoise Dorléac [72]. »

François Truffaut quitte l'appartement familial pour louer, à partir du 18 février 1964, un trois-pièces situé 35, avenue Paul-Doumer, à deux pas de chez Madeleine. Le plus difficile, avoue Truffaut, « c'est de ne pas voir les enfants quotidiennement, mais tout cela est bien de ma faute [73] ». Laura et Éva, âgées de cinq et trois ans, lui rendent visite régulièrement. Les rapports du couple sont excellents, tendres et amicaux, au point que Made-

leine envisagera sérieusement le retour de François. Leur séparation n'aura peut-être été qu'une nouvelle fugue nécessaire à
leurs retrouvailles. Truffaut lui-même, qui promet de revenir rue
du Conseiller-Collignon, ne veut pourtant rien brusquer. Le quiproquo s'installe, et pendant près d'une année, leurs relations
seront variables : espoir et déception d'un côté, culpabilité et
tendresse de l'autre. À la fin de l'année 1964, c'est un constat
d'impasse : « Nos efforts respectifs n'aboutissent pas mieux
qu'une conférence sur le désarmement. Ma liberté, je n'en fais
rien et pourtant j'ai l'impression de ne pouvoir m'en passer.
Notre séparation aura bientôt un an et nous nous y sommes
habitués, chacun de façon différente, et nos manies et nos tics
n'ont fait qu'augmenter. »

Au début de l'année 1965, Madeleine prend l'initiative de
demander le divorce. La procédure est entamée le 8 février, il
est prononcé le 6 décembre, Truffaut s'engageant à verser une
pension alimentaire de 1 000 francs par enfant. « Le divorce n'a
pas posé de problèmes, témoigne Madeleine, d'abord il n'y avait
aucun problème financier, aucune revendication démesurée,
d'un côté comme de l'autre. Par ailleurs, l'estime intellectuelle
qu'on avait l'un pour l'autre restait entière, et son amour pour
ses filles était visible [74]. » Entre-temps, Truffaut déménage une
fois encore et s'installe le 15 mai 1965 dans un appartement de
cinq pièces, situé rue de Passy, non loin de sa famille. Il peut
recevoir ses filles et loger une gouvernante chargée de « s'occuper du ménage, de la cuisine et de la couture [75] ». Désormais, il
consacre une partie de son temps libre à Laura et Éva, qui gran-
dissent en voyant le week-end un père rieur, farceur, cinéphile,
« qui préférait systématiquement le recours aux blagues, plutôt
qu'à son autorité paternelle, mais c'était clairement un père, pas
un copain, capable de se fâcher et de nous punir à l'occasion,
quand les blagues ne suffisaient plus [76] ! » témoigne aujourd'hui
Laura.

Cette stabilité retrouvée n'est pourtant pas le signe du bonheur retrouvé. Si elles sont toujours aussi nombreuses, aucune
de ses aventures féminines ne comble vraiment Truffaut, qui
l'avoue d'ailleurs à Helen, non sans ironie : « Les amours de
Truffaut, c'est 1° rien de neuf, 2° rien que de l'occasion, 3° un
peu de revenez-y. » L'homme n'est pas à l'aise, souvent
« déprimé », « mal dans sa peau », et « incapable d'aimer. [...]

Je n'ai toujours rien de sérieux dans la vie et mon sens critique, qui dépasse actuellement la maniaquerie en direction de la folie pure, m'empêche de tomber amoureux. Je sais bien qu'en vous parlant des fesses de ces dames, je ne fais que vous parler des miennes mais tant pis [77] ».

Dans le même temps, les ennuis professionnels s'accumulent. La situation des Films du Carrosse devient délicate. À part *La Peau douce* et *Mata-Hari*, le film réalisé par Jean-Louis Richard avec Jeanne Moreau, la société de production n'a guère de projets dans l'immédiat, et *Fahrenheit* reste trop cher : « On ne trouvait pas d'argent en France. Le film était difficile à faire à cause des truquages, des incendies [78] », se rappelle Marcel Berbert, le directeur de production de Truffaut. La situation est à ce point précaire qu'en septembre 1965, Berbert manifeste le désir de travailler sur d'autres productions, afin de soulager la trésorerie du Carrosse. « François a cru que je voulais quitter le Carrosse, c'était faux [79]. » Truffaut, vexé, le convainc tout de même de rester à plein temps dans l'entreprise, lui promettant, après *Fahrenheit*, de revenir à une économie plus en rapport avec les moyens et les habitudes de la maison, c'est-à-dire produire plus de films, rapidement tournés, aux budgets limités.

D'autres raisons expliquent la dégradation du climat au sein des Films du Carrosse. Les relations entre Truffaut et sa belle-mère, qui n'ont jamais été bonnes, sont de plus en plus tendues. Dès lors que le divorce de sa fille a été prononcé, Elizabeth Morgenstern ne voit plus de raison de faire de faveur à son ex-gendre. Les Films du Carrosse bénéficiaient jusqu'alors d'un loyer de complaisance, rue Quentin-Bauchart, dans les bureaux de la SEDIF, société qu'elle-même et Madeleine ont héritée. Le nouveau bail prévoyant un loyer beaucoup plus élevé, Truffaut décide de rompre avec la SEDIF. Le bail arrivant à expiration au printemps 1965, il faut faire vite. Par chance, Alain Vannier, qui s'occupe des ventes des films de Truffaut à l'étranger, connaît un producteur en difficultés prêt à céder ses bureaux. Il s'agit de René Thévenet, également directeur de Contact Éditions Publications, qui édite un annuaire professionnel du cinéma et de la télévision. Les Films du Carrosse rachètent alors la société d'édition de René Thévenet et s'installent le 20 juin 1965 dans de nouveaux locaux, 5, rue Robert-Estienne, une impasse donnant dans la rue Marbeuf. Il s'agit d'un appartement situé au deuxième étage, que des travaux menés en avril et en mai transforment en un lieu agréable et convivial. Boiseries, papier japonais aux murs, Truffaut s'installe dans le bureau de ses rêves, entouré de livres et de revues et recevant ses amis et collaborateurs dans de confortables fauteuils en cuir.

À peu près à la même période, une sombre affaire de contrefaçon perturbe la vie du Carrosse. Au printemps 1963, François Truffaut et Jean-Louis Richard avaient écrit pour Jeanne Moreau un scénario racontant la vie de Mata-Hari, la célèbre espionne allemande travaillant en plein cœur du Paris de la Grande Guerre. Réalisé par Jean-Louis Richard et entièrement produit par le Carrosse, *Mata-Hari* est sorti le 29 janvier 1965 avec un certain succès, attirant 180 000 spectateurs en deux mois. En juin suivant, le film est attaqué en justice pour plagiat. Michel Binder, directeur de la Société Financière de Production Cinématographique, accuse en effet Richard et Truffaut d'avoir repris sur une dizaine de points précis un scénario préalablement écrit par Paul et Cathy de Sainte-Colombe, des auteurs qu'il avait sous contrat en vue d'un film sur le même sujet confié au cinéaste américain Edgar G. Ulmer. La Cour d'appel de Paris donne raison au plaignant, et le 16 juin, les juges décident que les copies seront saisies et qu'une somme de 250 000 francs sera prélevée sur les recettes du film, soit l'équivalent des droits versés par Binder à ses scénaristes [80]. Les finances du Carrosse s'amenuisent. C'est l'avocat Georges Kiejman qui se charge de la défense du Carrosse dans cette affaire. De cette rencontre naîtront entre lui et Truffaut une longue collaboration et une profonde amitié.

À l'automne 1965, pour sortir le Carrosse de ses difficultés, Truffaut lance ses scénaristes sur plusieurs projets. Dans une lettre datée de novembre, il les énumère à Helen Scott : « 1) *L'Enfant sauvage* (l'histoire de l'enfant-loup que je vous ai racontée) ; 2) *La Petite Voleuse* (genre *Monika* de Bergman, naissance de la féminité et de la coquetterie chez une petite délinquante, *400 Blows* femelle) ; 3) Une histoire genre *Pianiste* ou *Bande à part* pour Jean-Pierre Léaud, peut-être un vieux roman de Goodis ; 4) Une comédie dramatique sur un jeune couple qui se sépare et se réconcilie, pour, éventuellement, Romy Schneider et Belmondo ; 5) Et enfin, le film dont je parle depuis longtemps et dont toute l'action se déroulerait dans une école.

Voilà cinq projets dont deux au moins seront en route le mois prochain. Tout cela est confidentiel. Je vous le dis à vous parce que je vous dis tout mais *motus*[81]. » Truffaut inaugure une méthode de travail qu'il mettra en œuvre tout au long des années suivantes. Il cloisonne ses relations avec ses scénaristes, Jean Gruault, Jean-Louis Richard, Claude de Givray et Bernard Revon, en les recevant séparément pour des séances de travail hebdomadaires, « enfiévrées et rapides[82] ». Engagés simultanément, ces projets vont l'occuper un certain temps, et déboucheront sur une série de films tournés à un rythme rapide.

Bonnie and Clyde

D'autres projets arrivent aussi de l'étranger. Deux d'entre eux retiennent plus particulièrement l'attention de François Truffaut. Le premier consiste à réaliser un des sketches du film *Les Trois Faces,* produit par Dino de Laurentiis, avec la princesse Soraya dans le rôle principal. Truffaut est intéressé par le salaire de 300 000 francs qui lui est proposé : « ...de quoi s'acheter un appartement[83] », avoue-t-il à Helen Scott. Intrigué aussi à l'idée de faire faire à Soraya ses premiers pas au cinéma, il se rend à Rome à la mi-juillet 1964 et rencontre Franco Brusati, le scénariste italien. Mais Truffaut renonce très vite à réaliser cette œuvre de commande et s'en excuse auprès de Soraya : « Hier, j'ai avalé un énorme verre de jus de tomate probablement trop glacé qui m'a rendu malade toute la soirée et toute la nuit et je me suis rendu compte que la vie romaine n'était pas bonne pour moi. J'étais découragé, fatigué et j'avais avant tout besoin de prendre des vacances. Je suis donc reparti vers la France en renonçant à tourner ce sketch[84]... »

L'autre projet est beaucoup plus excitant. À la mi-décembre 1963, Truffaut reçoit un télégramme de Lewis Allen, producteur indépendant rencontré à New York, l'informant qu'il dispose des droits d'un script que sont en train d'écrire deux jeunes scénaristes, Robert Benton et David Newman. Amis d'Helen Scott, Benton et Newman le destinent en priorité à Truffaut, dont ils ont admiré *Jules et Jim* et *Tirez sur le pianiste.* À la même époque, l'histoire est racontée en feuilleton sous forme de bande dessinée, dans *France-Soir*. C'est ainsi que Truffaut découvre l'équipée folle et meurtrière de Bonnie Parker et Clyde Barrow dans le Texas de l'avant-guerre. Le 2 janvier 1964, Elinor Jones et Norton Wright, les producteurs qui ont pris en charge le projet à New York, envoient à Truffaut une première version du scénario de *Bonnie and Clyde*. Claudine Bouché lui en fait aussitôt une lecture en français. Le scénario circule au Carrosse, et soulève l'enthousiasme. Persuadé de tenir là un beau sujet, Truffaut envisage de réaliser son premier film américain.

Le 26 mars 1964, il s'envole pour New York où il a prévu de séjourner un mois. Il loge à l'Algonquin Hotel, suivant la recommandation de Jeanne Moreau. Il a besoin de se changer les idées, après le montage de *La Peau douce*, et surtout sa rupture avec Madeleine. Heureusement, à New York, il retrouve Helen Scott, avec qui il travaille d'arrache-pied afin d'harmoniser les deux versions du livre d'entretiens avec Hitchcock, et de régler les derniers problèmes de traduction. C'est la première fois qu'il reste aussi longtemps : « New York me paraît très province, et c'est une surprise. Mais les fois précédentes, avec les films à présenter, les journalistes à rencontrer, et tout et tout, la vie américaine me paraissait moins calme. Cette fois je prends mon temps [85]. » Chaque jour, Truffaut et Helen Scott travaillent dans le salon confortable de la suite qu'il a louée. « Ça avance bien, pas aussi vite que je le voudrais bien sûr, mais puisque l'on est en retard de toute façon, autant en profiter pour fignoler [86] », écrit-il à Marcel Berbert.

Au cours de son séjour à New York, Truffaut rencontre à plusieurs reprises Robert Benton et David Newman, avec lesquels il discute du scénario de *Bonnie and Clyde*. « Je crois que le script peut devenir vraiment formidable, écrit-il à Berbert, il y aurait la possibilité de substituer ce projet à *Fahrenheit* [87]. » Mais Truffaut garde une certaine appréhension à l'idée de faire un film aux États-Unis. À cause de la langue anglaise, qu'il maîtrise mal. Et des conditions de tournage, qu'il sait sensiblement différentes de celles qu'il a réussi à mettre en place à chacun de ses films, grâce à des collaborateurs techniques d'une grande fidélité, et à l'indépendance financière des Films du Carrosse. Au même moment, la production commence les repérages au Texas. Le film pourrait se tourner l'été suivant dans la région de Dallas, où les petites villes n'ont pas beaucoup changé depuis les années trente. Estimé à 500 000 dollars, le budget du film est inférieur à ce que coûte un film américain moyen, ce qui rassure Truffaut, effrayé par le gigantisme des productions hollywoodiennes.

Fin avril, lorsqu'il regagne Paris pour superviser les finitions de *La Peau douce* avant la projection cannoise, Truffaut hésite entre *Fahrenheit 451,* dont la production tarde à se monter, et *Bonnie and Clyde,* sorte de série B à réaliser au plus vite, au cours de l'été 1965. Séduit par l'offre des Américains, le cinéaste se prépare et songe désormais à Jane Fonda pour le rôle de Bonnie, d'autant que l'actrice serait enchantée de tourner avec lui. Grâce au producteur Jacques Bar, la rencontre entre Truffaut et Fonda a lieu, qui ne donnera rien. Leslie Caron, très liée avec Warren Beatty, venu tout spécialement à Paris dans l'espoir d'être engagé dans le rôle de Montag dans *Fahrenheit,* organise un déjeuner avec Truffaut au Berkeley, avenue Matignon. C'est aussi l'occasion pour elle de faire la connaissance du cinéaste. « Comme un officier en campagne, Warren voulait que tout soit préparé au maximum et m'a dit : "Écoute, je ne parle pas le français, ce serait trop long de passer tout le repas avec Truffaut, alors je vous rejoins pour le café[88]." » À la fin du déjeuner, Truffaut oriente alors la conversation sur *Bonnie and Clyde,* et leur vante le scénario, l'histoire de deux bandits, très jeunes, dans l'Amérique des années trente. Le lendemain, Warren Beatty s'envole pour New York où il rencontre Robert Benton. « Il m'a téléphoné aussitôt, commente Leslie Caron, pour me dire que le script était formidable, un peu inquiet tout de même parce que les westerns ne marchaient pas. Il me l'a envoyé, et je lui ai dit très vite que c'était un scénario merveilleux, et pas vraiment un western[89]. »

Après réflexion, Truffaut décide de renoncer : « Je puis bien vous avouer que, de tous les scénarios que j'ai refusés depuis cinq ans, *Bonnie and Clyde* est de très loin le meilleur[90] », écrit-il à Elinor Jones. Dans sa lettre, Truffaut ajoute : « Je me suis permis de faire lire *Bonnie and Clyde* à mon ami Jean-Luc Godard qui a, lui aussi, beaucoup aimé le scénario. » Depuis le festival de Venise où il présente *Une femme mariée,* Godard adresse un télégramme à son ami : « Suis amoureux de Bonnie et aussi de Clyde. Stop. Serai content parler avec auteurs à New York[91]. »

Les premiers contacts entre Robert Benton, David Newman et Godard sont fructueux, mais l'affaire échouera à cause d'un problème de dates de tournage.

Si Truffaut a renoncé à *Bonnie and Clyde,* c'est qu'il a de nouveau l'espoir de faire *Fahrenheit 451.* Les choses ont l'air de se préciser pour un tournage au cours de l'été 1965. Mais il est une fois encore retardé pour des problèmes de coproduction. Sachant Truffaut disponible, Elinor Jones revient à la charge avec *Bonnie and Clyde.* Truffaut, qui n'est pas insensible à cette relance, exige un salaire de 80 000 dollars, et fixe aussi deux conditions : qu'Helen Scott soit engagée pour être son assistante personnelle et que le rôle de Bonnie Parker soit confié à Alexandra Stewart, qui, selon lui, correspond au personnage. « Elle est canadienne anglaise, parfaitement bilingue et prend avec une grande facilité n'importe quel accent. Je suis sûr d'elle comme comédienne et comme amie [92]... » « Lui et moi, nous formions un bloc européen, contre le bloc américain [93] », confirme Alexandra Stewart, à qui Truffaut a d'ailleurs rendu visite à Chicago, où elle tourne *Mickey One,* le film d'Arthur Penn. Dans son bureau situé en haut d'un immeuble de la 96e rue, Elinor Jones est prête à accepter les conditions fixées par Truffaut. Il suffit désormais de trouver la star qui jouera le rôle de Clyde Barrow pour que le tournage commence début juillet. Par télégramme, les producteurs new-yorkais suggèrent Paul Newman. Truffaut refuse : « Inutile d'approcher Newman car le film deviendrait trop important et disproportionné. Stop. Scooter Teague et Robert Walker me semblent adéquats pour les deux rôles mâles. Stop. Je ne vois pas de vedettes pour ce film, mais câblez-moi vos suggestions au fur et à mesure [94]. » Les Américains renoncent à Paul Newman, mais, pour des raisons financières, insistent pour engager une star, et proposent Warren Beatty. Cette fois, c'est un refus ferme et définitif de Truffaut. « En réalité, je n'ai aucune admiration pour Warren Beatty qui me paraît de surcroît être un personnage extrêmement déplaisant. Il fait partie pour moi, avec Marlon Brando et quelques autres, d'une petite liste que je classe dans ma tête sous la rubrique " Mieux vaut ne pas tourner du tout que de tourner avec ces gens-là [95] " », écrit-il à Elinor Jones. Entre-temps, séduit par le projet, Warren Beatty a racheté les droits du scénario et décide d'en confier la réalisation à Arthur Penn, avec lequel il vient de tourner *Mickey One.*

La piste Truffaut est ainsi définitivement abandonnée. *Bonnie and Clyde* se tournera au cours de l'été 1966, avec le couple vedette, Faye Dunaway et Warren Beatty, et sera l'un des plus gros succès commerciaux de la décennie.

Les degrés Fahrenheit

Sous l'impulsion de deux jeunes producteurs indépendants américains, Eugene Archer et Lewis Allen, *Fahrenheit 451* est à nouveau à l'ordre du jour. « Le moment est idéal pour un jeune et brillant metteur en scène français de venir tourner un film de petit budget (pour chez nous) aux États-Unis, écrit Eugene Archer à Truffaut. Plus que de toute autre chose, cette industrie a besoin actuellement de votre exemple : produire des films vraiment personnels et artistiques à des prix modérés. [...] Je crois que le système américain gagnerait beaucoup à s'approprier l'exemple de la Nouvelle Vague, car les films de " super spectacle " qui coûtent des millions de dollars ne permettront pas de redresser la situation [96]. »

Séduit par cette proposition qui témoigne de la reconnaissance de la Nouvelle Vague à l'étranger, Truffaut fait traduire en anglais le scénario de *Fahrenheit,* qui s'appelle désormais *The Phenix,* titre jugé plus international. Lewis Allen, qui s'occupe plus particulièrement du projet, se montre efficace. En août 1963, il rachète aux Films du Carrosse les droits du roman de Bradbury (34 000 dollars), ainsi que l'adaptation qu'en ont faite Truffaut et ses scénaristes successifs (30 000 dollars). « L'intervention de Lewis Allen a été inespérée, écrit Truffaut avec enthousiasme à Helen Scott. Les Films du Carrosse, actuellement, tiennent grâce à l'avance qu'il nous a versée pour le scénario de *Fahrenheit.* Notre arrangement stipule que le film ne peut être envisagé avec un autre réalisateur que moi, ce qui me rassure. Je ne pourrai pas perdre le script [97]. » Truffaut commence à croire sérieusement au film en version américaine. Toujours sous l'impulsion d'Allen, les contacts se multiplient avec les stars du cinéma américain, dans le but de trouver l'acteur idéal pour incarner le personnage de Montag. Allen soumet les noms de Marlon Brando et Paul Newman, ce dernier ayant déjà été contacté par Truffaut un an auparavant : « Il est très beau, surtout lorsqu'il est filmé en couleurs, et je le préfère à tous les acteurs de Hollywood qui ont un box-office, Hudson, Peck, Heston, Brando, Lancaster [98]. » Mais Truffaut se montre sceptique, affolé à l'idée d'engager son film sur la voie du star-system. « Un film cher, Newman cher [...] Qu'en serait-il alors de mon indépendance [99] ? » Truffaut propose d'autres noms : Montgomery Clift, Sterling Hayden, le héros de *Johnny Guitare*, l'un de ses films fétiches, qui n'a plus joué depuis près de cinq ans, ou Terence Stamp, remarqué dans *Billy Bud*, le film de Peter Ustinov, « une sorte d'Oskar Werner de langue anglaise [100] ». Contacté par Lewis Allen, Paul Newman est prêt à se lancer dans l'aventure, tout de suite, ou alors une année plus tard, au cours de l'été 1964. Truffaut et son producteur préfèrent prendre leur temps. Le tournage de *Fahrenheit*, avec Paul Newman dans le rôle principal, est alors prévu pour le mois de juillet 1964.

En septembre et octobre 1963, pendant que Truffaut tourne *La Peau douce*, la préparation de *Fahrenheit* se poursuit. Les producteurs américains font faire des repérages pour trouver des décors futuristes. Toronto, Seattle, choisi pour son métro aérien, Philadelphie... Lewis Allen penche pour Toronto, « l'endroit le plus économique en Amérique du Nord actuellement [101] », mais prévoit aussi quelques séquences dans le métro suspendu de Seattle. Il s'agit ensuite de compléter la distribution, de trouver les acteurs qui vont incarner trois personnages importants du film : Linda, la femme de Montag, Clarisse, sa jeune amie, et le capitaine des pompiers. Truffaut et Allen tombent d'accord sur Jean Seberg pour le premier personnage féminin, Jane Fonda pour le second, et proposent le script à Albert Finney, Max von Sydow, Peter O'Toole et Sterling Hayden, pour celui du capitaine. Il s'agit enfin de régler quelques points techniques, notamment la question de la couleur. Tourner en couleurs est évidemment un impératif commercial et, sur ce point, Truffaut est un cinéaste inexpérimenté. Allen suggère de lui adjoindre un conseiller, le photographe Richard Avedon. Truffaut refuse de manière catégorique : « Je n'aime pas l'idée que le cinéma est un art plastique ; je préfère penser qu'il est un art dynamique. Et la couleur est dynamique, donc naturellement filmable [102]. » Pour faciliter ses relations avec les producteurs américains, Truffaut a également besoin d'un intermédiaire, d'une personne en qui il ait entière confiance et qui connaisse sa manière de travailler. Il réussit à faire engager Helen Scott, qui rêvait de l'assister sur un tournage.

Mauvaise nouvelle : Paul Newman se désiste pour le rôle de Montag. « Il veut jouer " Paul Newman " davantage que " Montag ", commente Lewis Allen. Paul considère le film très différemment de nous. Il pense qu'il s'agit d'un document de société et il est très intéressé par cet aspect politique. Il voudrait qu'il soit privilégié [103]. » Allen suggère alors Kirk Douglas, mais Truffaut préfère Terence Stamp : « Je suis certain que cet acteur deviendra un jour ou l'autre quelqu'un de très important dans le cinéma américain [104]. » Allen, bien que réticent, fait parvenir le scénario de *The Phenix* au jeune acteur britannique au début du mois de décembre 1963.

Entre-temps, Truffaut a achevé les prises de vues de *La Peau douce*. S'il continue à avoir des doutes sur ses chances de réaliser *Fahrenheit 451* aux États-Unis, se demandant si Lewis Allen a les reins assez solides pour supporter la production, sa véritable inquiétude est liée au problème de la langue : comment fera-t-il pour communiquer avec des acteurs et des techniciens étrangers ? Avec Helen, il s'en sort par une pirouette : « Pour l'anglais, ne vous en faites pas, je n'en apprendrai pas un mot avant le premier jour du tournage. Ne me dites pas que je dois savoir l'anglais pour tourner ce film puisque je fais ce film pour apprendre l'anglais [105] ! » Mais le problème reste entier. Aussi fait-il de gros efforts en suivant un stage de six semaines, en janvier et février 1965, au Centre européen de traduction, prenant chaque jour d'intensives leçons particulières. À la fin du stage, s'il est susceptible de comprendre une lettre, un article ou même un roman, Truffaut est à peine capable de converser en anglais, encore moins de s'exprimer en public.

Au printemps 1964, une bonne nouvelle relance le projet : Terence Stamp a aimé le scénario de *Fahrenheit* et accepte de jouer Montag. Ses conditions financières sont raisonnables, mais il n'est pas libre avant un an, car il doit jouer dans *The Collector,* dirigé par William Wyler. Truffaut a enfin trouvé l'acteur idéal pour le personnage principal du film. Et il reste donc une année à Lewis Allen pour boucler le budget, estimé aux environs de 900 000 dollars. Le producteur américain négocie avec MCA

(Music Corporation of America), une filiale européenne du studio Universal, dirigée à Londres par le cinéaste Tony Richardson et Oscar Lewenstein. Cela impliquerait de tourner en studio dans la banlieue londonienne.

Entre-temps, Truffaut prend contact avec Oskar Werner pour lui proposer le rôle du capitaine des pompiers. L'acteur autrichien répond deux jours plus tard : « Enthousiasmé tourner *Fahrenheit* avec toi. Stop. Je t'embrasse [106]. » En ce qui concerne les deux personnages féminins, Clarisse (la jeune femme qui intrigue Montag, le séduit et l'incite à la lecture clandestine) et Linda (sa femme légitime qui finit par le dénoncer au chef des pompiers), Truffaut et Allen ont pris contact avec Jane Fonda et Julie Christie, celle-ci remplaçant Jean Seberg qui s'est désistée. Jane Fonda et Julie Christie ont donné leur accord. Enfin, le compositeur de Welles et de Hitchcock, Bernard Herrmann, que Truffaut admire et dont il possède tous les enregistrements, accepte de faire la musique du film. Les deux hommes se rencontrent à Londres et discutent pendant des heures de *Citizen Kane* et des *Oiseaux*. En cette fin d'automne 1964, tout le monde prévoit de se retrouver au printemps suivant, à Toronto ou Londres, pour les premiers tours de manivelle de *Fahrenheit 451*, titre préféré en définitive à *The Phenix*.

Considéré comme l'un des principaux producteurs indépendants de Hollywood, Sam Spiegel, qui vient de connaître un triomphe commercial avec *Lawrence d'Arabie*, le film de David Lean, entre dans le jeu. Spiegel négocie avec Lewis Allen et remet tout en question. Les noms de Robert Redford, Richard Burton et Elizabeth Taylor sont évoqués, si bien que le budget approche désormais les trois millions de dollars. Tenu à l'écart des négociations, Truffaut est très inquiet. Heureusement, vers la mi-juin 1965, Sam Spiegel abandonne, faute d'un accord sur les premiers rôles. Lewis Allen signe alors avec MCA, tandis que la distribution internationale est confiée à Universal. *Fahrenheit* est donc la première des coproductions indépendantes mises sur pied à Londres par MCA, la seconde étant *La Comtesse de Hong Kong*, que Charlie Chaplin doit réaliser pratiquement à la même période que Truffaut, avec Sophia Loren et Marlon Brando. À cause des négociations avec Spiegel, le tournage, prévu cette fois dans les studios de Pinewood, dans la banlieue de Londres, est encore repoussé à janvier 1966.

En juin et juillet 1965, Truffaut se rend régulièrement à Londres pour rencontrer Terence Stamp et préparer son tournage. Le courant passe entre les deux hommes, d'autant que Stamp, de mère française, est parfaitement bilingue. D'un caractère parfois ombrageux, Stamp se montre pourtant enthousiaste à l'idée de tourner avec Truffaut et d'avoir le rôle principal d'un film dont l'histoire le séduit. À Cannes, il vient d'obtenir le prix d'interprétation pour sa performance dans *The Collector,* si bien qu'à vingt-six ans, sa carrière semble très bien lancée. Début août, Lewis Allen avance une idée que Truffaut trouve très séduisante, celle de confier à Julie Christie les deux rôles féminins, celui de Linda, femme élégante et glacée et, grâce à une perruque coupée très court, celui de Clarisse, joueuse, espiègle, un peu garçonne. Laissant à son producteur le soin d'expliquer à Jane Fonda ce changement brusque dans la distribution, Truffaut souhaite annoncer lui-même la nouvelle à Julie Christie. Début septembre, il s'envole pour Madrid, où l'actrice tourne *Le Docteur Jivago* depuis plus de six mois. Elle est ravie à l'idée de jouer les deux personnages féminins du film. Entre elle et Truffaut, le coup de foudre est immédiat. Parlant bien le français, la jeune Anglaise est conquise par la fantaisie et l'enthousiasme du cinéaste, lui-même séduit par sa vivacité et son esprit. « Julie, c'est la première mini-jupe que j'ai vue. Ce n'était pas courant alors : j'ai pensé qu'elle était un peu folle... En fait, elle ne faisait que précéder la mode. Il faut ajouter sa voix, un peu en contradiction avec son physique. Comme si elle avait bu 1 800 whiskies, ce qui n'est pas vrai. Elle ne fume pas, ne boit pas, mais elle se ronge beaucoup les ongles. Comme moi. On s'est tout de suite très bien entendu [107]. » Cette liaison complice et amoureuse se prolongera tout au long du tournage de *Fahrenheit.*

Les choses se passent beaucoup moins bien lorsque Truffaut annonce à Terence Stamp sa décision de confier un double rôle à Julie Christie. Persuadé que Truffaut et elle lui volent la vedette et sont en train de gommer son personnage, Stamp menace d'abandonner *Fahrenheit.* Le cinéaste plaide auprès de l'acteur : « Mon cher Terry, vous avez un talent extraordinaire et vous ferez sans aucun doute une carrière magnifique. Vous êtes un très grand acteur, l'acteur poétique dont le cinéma actuel avait besoin depuis que Hollywood est devenu incapable de recruter autre chose que des playboys ou des G. Men. [...] Employer Julie

1. André Bazin, père spirituel de François Truffaut. *Un homme de conscience...*

2

3

2. François Truffaut et
Jacques Doniol-Valcroze aux
Cahiers du cinéma.

3. *Cahiers du cinéma,*
avril 1951, n° 1.

4. Premier texte polémique :
*Une certaine tendance du cinéma
français...*

5. François Truffaut, André
Mrugarsky (assistant-opérateur
de Jacques Rivette sur *Paris
nous appartient*) et Robert
Lachenay.

4

UNE CERTAINE TENDANCE
DU CINEMA FRANÇAIS

par François Truffaut

Jean Aurenche

« On peut aimer que le sens du mot art soit
tenté de donner conscience à des hommes
de la grandeur qu'ils ignorent en eux. »
ANDRÉ MALRAUX
(*Le Temps du Mépris*, préface).

Ces notes n'ont pas d'autre objet qu'essayer de définir une certaine tendance
du cinéma français — tendance dite du réalisme psychologique — et d'en
esquisser les limites.

DIX OU DOUZE FILMS...

Si le cinéma français existe par une centaine de films chaque année, il est
bien entendu que dix ou douze seulement méritent de retenir l'attention des
critiques et des cinéphiles, l'attention donc de ces CAHIERS.

Ces dix ou douze films constituent ce que l'on a joliment appelé la *Tradition
de la Qualité*, ils forcent par leur ambition l'admiration de la presse étrangère,
défendent deux fois l'an les couleurs de la France à Cannes et à Venise où, depuis
1946, ils râflent assez régulièrement médailles, lions d'or et grands prix.

★

Au début du parlant, le cinéma français fut l'honnête démarquage du cinéma
américain. Sous l'influence de *Scarface* nous faisions l'amusant *Pépé le Moko*.
Puis le scénario français dut à Prévert le plus clair de son évolution, *Quai des
Brumes* reste le chef-d'œuvre de l'école dite du *réalisme poétique*.

La guerre et l'après-guerre ont renouvelé notre cinéma. Il a évolué sous
l'effet d'une pression interne et au réalisme poétique — dont on peut dire
qu'il mourut en refermant derrière lui *Les Portes de la Nuit* — s'est substitué
le *réalisme psychologique*, illustré par Claude Autant-Lara, Jean Delannoy,
René Clément, Yves Allégret et Marcel Pagliero.

15

5

6

6. Tournage du film de Jacques Rivette, *Le Coup du berger*. De gauche à droite : François Truffaut, Claude de Givray, Jacques Rivette, Anne Doat, Jacques Doniol-Valcroze.

ARTS Spectacles

140, faubourg Saint-Honoré. — ELY. 21-14   Du 15 au 21 mai 1957. — N° 619 — Prix : : 100 francs

Vous êtes tous témoins dans ce procès

LE CINEMA FRANÇAIS CREVE SOUS LES FAUSSES LEGENDES

par François TRUFFAUT

NOUS ne pensons pas, dans ce numéro spécial, la classique question « QU'EST-CE QUI NE VA PAS AU CINEMA ? ». Nous connaissons parfaitement la réponse. Nous avons délibérément renoncé aux moyens et au style habituels de ce genre d'enquêtes qui, pour mieux masquer la réalité, font grand taper autour des « petits boites » du VII° art. Nous entrons dans le vif, sans ménager les hommes et leurs méthodes. Pour nous, la vérité est inséparable de la sévérité. Ce numéro spécial coïncide avec le X° anniversaire du Festival de Cannes, dont le Issu voudrait prouver l'apparente prospérité du cinéma français et diminuer la nette déception du public à peine voilée par le silence ; il y a trop de films médiocres. François Truffaut et ses collaborateurs procèdent ici le résultat de leur étude, qui est aussi une profession de foi dans l'avenir du cinéma.

LE cinéma est-il un art ?
Dans la plupart des cas, la conclusion se résume au mot oui. Il y a toujours l'extension qui pourrime la règle et, dans ce cas, la conclusion est celle-ci : ce n'est pas l'art car les films sont la résultat d'un travail collectif, le film n'est une œuvre...

avec le metteur en scène et lui « retrouve la balle » ; les génériques ne signifient pas grand'chose au fur de compris et il est utile que Cecil Saint-Laurent et Annette Wademann ou son signe respectivement le scénario et l'adaptation de Lois Monties affirment que Max Ophuls n'a rien conserve...

7ᵉ ART — VÉRITÉS et SÉVÉRITÉ

A l'occasion du Festival de Cannes ARTS présente son 3ᵉ numéro spécial qui dit sévèrement toute la vérité sur les hommes et les méthodes du cinéma français

LE CINEMA CREVE SOUS LES FAUSSES LEGENDES

1. On nous trompe : la censure n'existe que pour les lâches
2. La crise du cinéma n'est qu'une crise de virilité
3. Avec cinq millions, on peut faire un excellent film
4. Roberto Rossellini nous prouve que les risques paient
5. 45 millions de francs à B. B., ce n'est pas très cher
6. Trop d'intelligence, de clins d'œil et de « jeu »
7. Pas de mauvais films : il n'y a que des réalisateurs médiocres
8. Le film de demain sera tourné par des aventuriers

● Suite de la première page

LE niveau moyen des films dans les pays dont nous connaissons l'ensemble de la production est assez bas. Les producteurs prétend sincèrement que l'on manque de scénaristes inventifs et talentueux : les scénaristes pensent qu'il n'est pas nécessaire de se creuser la tête pour des réalisateurs qui affadiront leur pensée, des producteurs qui amenuiseront leurs sujets. Les metteurs en scène invoquent la censure politique ou celle des mœurs et, systématiquement la censure financière des producteurs, celle enfin dont les lois lâches sont édictées par la crainte du public...

Bref, l'artiste moderne connaît les affres du doute, conquiert de la vanité de la tâche, vacil, le devant le gouffre du renoncement, il l'orgueil le retour qu'il cause de lire les journaux pendant qu'il écrit une pièce, de crainte que la plume lui lui glisse des mains. Le cinéaste n'a pas le droit de reculer, n'a-t-il y a quelque chose d'inhumain. S'abandonner machinalement que le domine et qu'il y a la quelque chose d'inhumain. Je répondrai que la mise en scène n'est pas un travail de collégiens ou de garçons et que réaliser un film, c'est le grand moteur en scène est fabricile fait et en pendant des semaines de pendant des comédiens et très humbles ; il ne peut stopper le film...

qu'on l'en ait empêché, il ne se serait pas consolé avec Les Diaboliques.

Tout ceci m'amène naturellement à aligner deux formules : le cinéma est guéri par l'argent, le cinéma s'artisse pas.

On me dira qu'une telle lutte et tant de ruses s'entrent pas dans les devoirs d'un artiste et qu'il y a la quelque chose d'inhumain. Je répondrai que la mise en scène n'est pas un travail de collégiens ou de garçons et que réaliser un film, c'est le grand moteur en scène est fabricile fait et en aucun équipement une performance physique. D'un côté du grand moteur en scène est fabricile fait et en aucun équipement une performance physique. D'un autre côté, stupéfiants de, dans un lieu stupéfiant de, dans un lieu celle autour de quatre-vingts de, dans un...

tourner un grand film. Ce serait oublier la location de la caméra, le coût des éclairages et surtout les tarifs de laboratoire développement de la pellicule, tirage, etc.), le son, le montage, le mixage, et médiation que tout le monde bénévole. On peut maintenir qu'un film peut se tourner sans bénévole, sur, étant nécessaire de développer le déroulant et la pellicule. Alors, dans ce qui arrive à cette couche stupéfiants de, dans un celle autour de quatre-vingts des millions de francs, un ou...

il ne reste plus qu'à souhaiter qu'elles emporent, de manière que les colonnes du temple, lentement métamorphosé en berbé, s'écroulent, soutent un renouvellement par la base.

ROSSELLINI : PALISSY DU CINEMA

Le cinéma italien qui éclata en 1943, sous le point de départ d'action renaissant avec Rome, ville ouverte qui est la première pierre du néo-réalisme. Pour achever la pellicule néo-réaliste dont je vois Roberto Rossellini dont la vont...

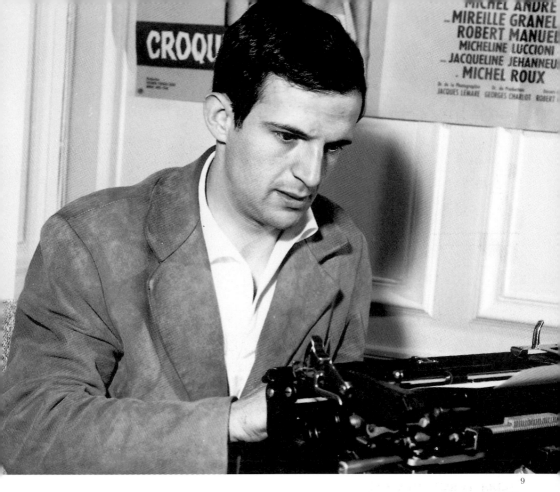

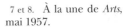

9

7 et 8. À la une de *Arts,*
mai 1957.

9. François Truffaut en 1959 :
de la critique à la mise en
scène.

10. François Truffaut et Max
Ophuls. *J'ai le sentiment que vous
deviendrez un personnage
important...* (Max Ophuls).

10

11

12

11. Cannes, mai 1959 : François Truffaut et Roberto Rossellini, *l'homme qui incarne le cinéma moderne.*

12. Truffaut et Jean Cocteau sur le tournage du *Testament d'Orphée* en 1960.

13. Lettre d'Henri-Pierre Roché à Truffaut : *J'ai été très sensible à vos quelques mots sur* Jules et Jim...

14. François Truffaut et Jean Renoir.

11 Avril '56   Sèvres

M. P. ROCHÉ 2, RUE NUNGESSER-COLI, SÈVRES (S.-O.)

Cher François Truffaut

J'ai été très sensible à vos quelques mots sur "Jules et Jim" dans <u>Arts</u> notamment à : "... grâce à une morale esthétique et neuve sans cesse reconsidérée."

J'espère que vous la retrouverez, encore plus, dans : "Deux Anglaises et le Continent", que vous aller recevoir ...

Henri Pierre Roché

13

14

15

15. Mariage de Madeleine Morgenstern et François Truffaut, le 29 octobre 1957, à Paris.

16. Truffaut avec sa mère, Janine, le jour de son mariage.

17. Madeleine et François Truffaut, avec Rossellini, témoin de leur mariage.

18. En famille à la Colombe d'Or : François, Madeleine, Éva et Laura.

19. À la Colombe d'Or.

16

17

18

19

20

21

20. Truffaut avec Bernadette Lafont et Gérard Blain, les acteurs principaux des *Mistons*.

21. Été 1957, tournage des *Mistons* à Nîmes : Truffaut, Claude de Givray, Bernadette Lafont.

22. Premier jour de tournage des *Quatre Cents Coups* : Truffaut et Henri Decae, directeur de la photographie. Truffaut est en deuil, car André Bazin est mort la veille.

23. Dernière journée de tournage des *Quatre Cents Coups* sur la plage.

22

23

24

24. Jean-Pierre Léaud, Madeleine et François Truffaut, le 4 mai 1959 à Cannes, avant la projection des *Quatre Cents Coups*.

25. De gauche à droite : l'actrice Claire Maurier (la mère d'Antoine Doinel), Cocteau, Truffaut, Albert Rémy (le père de Doinel), l'acteur américain Edward G. Robinson et Jean-Pierre Léaud.

26. Lettre de Cocteau à Truffaut, juin 1959. *Ton triomphe est une de mes grandes joies. Tu ne peux t'imaginer quel courage me donne ta gentillesse et celle d'Alain Resnais...*

27. À la une de *Arts* : article de Jacques Audiberti sur *Les Quatre Cents Coups*.

25

27

28

29

30

F602/WLA252

WEST LOS ANGELES CALIF 107 1/52 11 308P PDT

LT
MR FRANCOIS TRUFFAUT 25 RUE QUENTIN BAUCHART PARIS

CHER MONSIEUR TRUFFAUT VOTRE LETTRE MA FAIT VENIR LES LARMES AUX YEUX
ET COMBIEN JE SUIS RECONNAISSANT DE RECEVOIR UN TEL TRIBUT DE VOTRE
PART STOP JE SUIS TOUJOUR EN TRAIN DE TOURNER THE BIRDS ET CELA CONTINUED
JUSQUAU 15 JUILLET STOP APRES

F602/WLA252 2/55
CELA JE DEVRAI COMMENCER LE MONTAGE CMA CE QUI PRENDPA QUELQUES
SEMAINES STOP JE PENSE QUE JATTENDRAI QUE LE TOURNAGE SUR THE
BIRDS SOIT TERMINE ET JE ME METTRAI ALORSEN CONTACT AVEC VOUS
AVEC LIDEE DE NOUS RENCONTRER VERS LA FIN AOUT STOP MERCI ENCORE
POUR VOTRE CHARMANTE LETTRE SINCERES AMITIES CORDIALEMENT VOTRE
ALFRED HITCHCOCK

28. Truffaut, Charles Aznavour et Marie Dubois sur le tournage de *Tirez sur le pianiste*.

29. Dessin de Cocteau.

30. Télégramme de Hitchcock à Truffaut.

31. François Truffaut, Alfred Hitchcock et Helen Scott, en août 1962, lors des entretiens.

32. Truffaut et Helen Scott.

33. Hitchcock et Helen Scott.

31

32

33

34

34. Hitchcock et Truffaut en 1962.

Christie pour jouer à la fois Linda et Clarisse me donne enfin l'occasion de résoudre cet éternel problème du rôle ingrat et du rôle prestigieux, de montrer les deux aspects d'une même femme et aussi de prouver visuellement que pour la plupart des hommes, leur femme et leur maîtresse, c'est la même chose [108]. » Truffaut multiplie les arguments, rappelant que *Fahrenheit* est « d'abord et avant tout l'histoire du pompier Montag », jouant même l'argument de la fidélité, en revenant sur les négociations avec Sam Spiegel, lorsque celui-ci exigeait un autre acteur pour le rôle de Montag : « Au premier signe de trahison de Spiegel à votre égard, nous avons fait marche arrière pour rester avec vous. Maintenant, avec MCA (Universal) et Lewis Allen, l'affaire est plus modeste qu'avec Spiegel mais plus pure, et nous formons vous, Julie, Oskar et moi, un bon quatuor, solide, qui saura se défendre pour sauver l'intégrité du film. » Peine perdue. Jaloux et blessé, Stamp s'estime trahi. Il ne reviendra pas sur sa décision.

Truffaut et Allen trouvent en catastrophe un compromis. Ils proposent à Oskar Werner, prévu pour jouer le capitaine des pompiers, le rôle de Montag. Werner accepte, mais ce changement de distribution le met mal à l'aise. Il aborde le tournage assez tendu, et fait brusquement grimper ses exigences financières. Pour jouer le capitaine, Allen et Truffaut relancent Sterling Hayden, qui hésite après le tournage éprouvant du film de Stanley Kubrick, *Docteur Folamour*. Mais la British Actor's Equity Union (syndicat des acteurs) exige un acteur anglais, puisque Terence Stamp ne fait plus le film. Face aux pressions du syndicat, Truffaut préfère attendre le début du tournage avant d'accepter le premier comédien anglais venu qu'on lui présentera : « De toute façon ils ont tous la gueule de travers et un accent de théâtre [109]. »

Truffaut est épuisé par *Fahrenheit* avant même de l'avoir tourné. Cela fait quatre ans qu'il porte en lui ce projet, qu'il en a écrit quatre versions différentes avec quatre scénaristes différents. Une bonne demi-douzaine de producteurs s'y sont intéressés, ainsi qu'une vingtaine d'acteurs possibles. Et, au moment où il peut enfin tourner, le cinéaste semble indifférent, presque passif, comme s'il était miné de l'intérieur par ce long parcours, écrasé par le poids d'une trop lourde machine. Truffaut aimait dire et faire dire à ses personnages qu'une histoire d'amour possède un début, un milieu et une fin. Sur bien des points, on pourrait penser la même chose d'un film. Et *Fahrenheit 451* semble avoir épuisé sa durée de vie avant même d'avoir été tourné.

La forêt des hommes-livres

À la fin de l'année 1965, François Truffaut fait de fréquents voyages entre Paris et Londres pour travailler avec les acteurs et les techniciens de son film. Il loge dans une suite du Hilton, sur Curzon Street, un hôtel sans charme véritable, mais aux dimensions spacieuses. En janvier 1966, il s'y installe, jusque vers la mi-juin. Comme à son habitude, Truffaut se concentre sur son tournage. Pour lui, pas question d'être touriste à Londres, de se plonger dans ce « Swinging London des sixtie's » marqué par une incroyable effervescence musicale et par de nouvelles modes vestimentaires qui vont vite conquérir les grandes villes d'Europe, ni même de voir ses amis qui, de Roman Polanski à Françoise Dorléac, ont trouvé refuge dans la ville la plus dynamique du moment. Il ne connaît par cœur que quelques itinéraires de taxi, la route pour les studios de Pinewood, et les rues qui mènent aux salles de cinéma du British Film Institute ou du National Film Theater.

La veille du premier jour de tournage, Truffaut reçoit la visite de Godard, à qui il fait visiter ses décors et montre ses essais filmés en couleurs. Puis les deux hommes s'enferment dans une salle du British Film Institute, pour revoir le film de Sternberg, *L'Impératrice rouge*, avec Marlene Dietrich, que Truffaut considère comme « le meilleur, le plus fou, le mieux joué [110] ». Obsédé par son travail, il se contente d'être un cinéaste en exil, statut qui lui convient parfaitement. Tout au long de ce séjour londonien, ses deux « assistantes personnelles » l'accompagnent, Helen Scott, heureuse d'avoir enfin l'occasion d'être présente sur un tournage de son ami, et logée non loin sur Hertford Street, et Suzanne Schiffman, installée quelques jours au Regent Palace Hotel sur Piccadilly Circus avant de trouver un appartement. « Pendant le tournage de *Fahrenheit*, se souvient cette dernière, il y avait bien sûr une scripte anglaise, et j'ai découvert la merveille de ne plus avoir à faire tous les soirs les rapports-production ou les rapports-montage. Je parlais anglais, ce que François refusait de faire, et j'étais totalement disponible : on travaillait ensemble en permanence [111]. » Surnommée « Suzanna la perverse », clin d'œil au film de Luis Buñuel, Suzanne Schiffman est totalement intégrée au processus créateur. Pas une idée, pas une réplique nouvelle, pas un détail qui ne soit discuté avec elle, avant d'être mis à l'épreuve du tournage.

Le 11 janvier 1966, deux jours avant le premier tour de manivelle, Truffaut doit trouver *in extremis* un acteur pour jouer le rôle du capitaine des pompiers. Alors qu'il visionne *L'Espion qui venait du froid*, le film de Martin Ritt dans lequel joue Oskar Werner, il repère un comédien d'origine irlandaise à l'accent inimitable, Cyril Cusack. Il fera l'affaire. L'équipe enfin au complet, le tournage peut commencer le jeudi 13 janvier [112] sur le plateau 106 de Pinewood. Dans ces grands studios situés à quarante-cinq minutes du centre de Londres, Truffaut découvre un univers réglé par des normes très strictes, où règnent des équipes techniques nombreuses et perfectionnées. Près d'une cinquantaine de techniciens travaillent en effet autour de Nicholas Roeg, le chef opérateur de *Fahrenheit*. C'est la première fois que Truffaut bénéficie de deux maquilleuses et de quatre habilleuses. Souvent, ces contraintes l'irritent : « Les règles syndicales sont très strictes, puisque Nick Roeg par exemple, si nous tournons à deux caméras, n'a pas le droit de faire le cadreur pour l'un des deux appareils [113]. » Mais elles ont parfois aussi du bon : « Pinewood est un vrai studio confortable et magnifiquement équipé. D'une heure à l'autre, je peux demander une ou deux caméras supplémentaires, et elles arrivent avec des cadreurs et des pointeurs recrutés sur place, disponibles en permanence [114]. » Reste que l'impression générale est mitigée. « De gré ou de force, plutôt de force, *Fahrenheit* sera un film un peu trop anglais pour mon goût [115] », confie Truffaut à Marcel Berbert. « Je suis débordé par ce film insuffisamment préparé. Chaque week-end je dois rédiger des notes pour les décors, les costumes, les accessoires, etc., pour éviter les mauvaises surprises. La qualité du travail s'améliore un peu mais quelle lenteur [116] ! » Sur ce tournage, Truffaut s'adapte et change de style, ne faisant que trois prises au maximum, pour n'en tirer qu'une. Seules les scènes d'action sont filmées avec trois caméras.

À l'époque grand reporter à *France-Soir*, le journal dirigé par Pierre Lazareff, Philippe Labro passe quelques jours à Londres sur le tournage de *Fahrenheit 451*. « J'ai été pris en main par une femme, une sorte de baleine envahissante, sirupeusement sympathique, tout en étant métalliquement protectrice : c'était Helen Scott [117]. » Elle est à la fois l'interprète, l'assistante personnelle de François Truffaut, à même de lui dire si les acteurs jouent juste ou faux, quand le metteur en scène, ne maîtrisant pas assez la langue anglaise, a parfois du mal à en juger. « C'était la première fois que je voyais Truffaut sur un tournage, confirme Philippe Labro, il avait l'air perplexe, se demandant s'il avait raison de faire ce film. On le sentait comme un étranger sur le plateau, comme si le film était aux mains d'une autre entité, absolument indéfinie, qui était la langue étrangère. »

Tout au long d'un tournage qui aura duré trois mois et demi, Truffaut ne retiendra que quelques journées réussies. Notamment celles où les pompiers brûlent les livres que le cinéaste a lui-même choisis, aux puces ou dans deux ou trois librairies londoniennes. Toute une bibliothèque intime passe ainsi dans les flammes : Proust, *Roberte ce soir* de Klossowski, *Marie Dubois* d'Audiberti, *Journal du voleur* de Genet, *Sexus* de Miller, *Rébus* de Paul Gégauff, *Zazie dans le métro* de Queneau, et une pléiade d'auteurs anglo-saxons qu'il admire comme Twain, Dickens, Melville, Salinger, Defoe, Lewis Carroll ou Thackeray. Des livres de cinéma : *My Autobiography* de Chaplin, un numéro des *Cahiers du cinéma* illustré par une photo d'*À bout de souffle* en couverture, et un autre montrant Anna Karina en religieuse, manière pour Truffaut de prouver sa solidarité avec Rivette, alors que *La Religieuse* est interdit en France par la censure gaulliste [118].

Un autre moment heureux intervient vers la fin du tournage, en avril 1966, lorsque l'équipe se retrouve à Black Park, une forêt proche de Pinewood, en extérieurs. C'est là que Truffaut a situé le royaume des « hommes-livres », qui, pourchassés par un régime autoritaire, ont appris par cœur *La République* de Platon, *Les Hauts de Hurlevent*, *Ulysse*, *En attendant Godot*, la *Vie de Henry Brulard*, les *Mémoires* de Saint-Simon, *Chroniques martiennes* ou *David Copperfield*, afin de sauver des flammes la mémoire littéraire des siècles passés. Le temps est exécrable, froid, pluvieux et venteux. Les premières prises sont catastrophiques, un vrai désastre pour Truffaut, qui tourne toutes les séquences une deuxième fois. Mais, au fil des jours, le cinéaste trouve peu à peu ses marques. Les derniers plans du film, sous la neige, auront été le seul moment improvisé en soixante-sept jours de tournage.

Sur les conseils de Jean-Louis Comolli, rédacteur en chef des *Cahiers du cinéma,* Truffaut a tenu un journal de bord, qui décrit avec minutie les étapes de la réalisation et du tournage « le plus triste et le plus difficile [119] » qu'il ait connu jusque-là. Ce journal sera publié aux *Cahiers* entre mars et juin 1966. Truffaut y évoque ses relations extrêmement tendues avec l'acteur Oskar Werner, sans faire mystère de son dépit. Leurs retrouvailles, quatre ans après *Jules et Jim,* avaient été chaleureuses. Mais, dès la fin de la première semaine, les relations commencent à se dégrader. De plus en plus hautain, Werner revendique le statut de vedette du film, discutant sans cesse les décisions du metteur en scène, exigeant sans arrêt des justifications que Truffaut refuse de lui donner. Le 1er février, le cinéaste rapporte dans son journal leur premier conflit : « À propos d'un lance-flammes dangereusement manié dans son dos par Cyril Cusack, Oskar Werner devient nerveux, et une violente dispute nous oppose pendant cinq minutes [120]. » Truffaut lui reproche ses caprices de star, son manque de cran face aux difficultés du tournage, ou encore son jeu trop forcé, et surtout d'être totalement dénué d'humour et de fantaisie. Les deux hommes n'ont pas du tout la même conception du rôle de Montag. Oskar Werner veut camper un personnage héroïque, contre l'avis de Truffaut qui déteste l'héroïsme. « Je retrouve très vite mon sentiment anti-héroïque. Je ne pourrai jamais filmer le courage, probablement parce que cela ne m'intéresse pas. Le courage m'apparaît comme une vertu surestimée, par rapport au tact, par exemple. Je suis certain que le général Oufkir, le " vilain " de l'affaire Ben Barka, est un homme courageux, mais pour le tact, il repassera [121]. »

Le tournage de *Fahrenheit* est donc placé sous le signe d'un rapport de force permanent entre le metteur en scène et son acteur principal. Le 18 février, Werner refuse de jouer une scène avec son lance-flammes, ce qui contraint le cinéaste à employer sa doublure. Le 22, il se permet de donner des indications de jeu à Julie Christie et à Cyril Cusack. « Nous devons nous supporter jusqu'à la fin avril, lance le cinéaste à son acteur. Ce n'est pas le film que tu voulais, ce n'est pas non plus le film que je voulais, c'est un film entre les deux, c'est comme ça. Maintenant, si la scène telle que je la tourne ne te plaît pas, tu n'as qu'à rester dans ta loge et je tournerai sans toi ou avec ta doublure [122]. » Oskar Werner finit par céder, tout en sabotant la dernière réplique de la séquence que Truffaut sacrifiera au montage. L'acteur ne s'avoue pourtant pas vaincu, profitant du week-end de Pâques pour revenir sur le plateau les cheveux totalement tondus sur la nuque et l'arrière du crâne, prétextant s'être endormi chez le coiffeur. Furieux, Truffaut est alors contraint de le filmer de face uniquement ou de lui faire porter une casquette, et d'utiliser sa doublure pour les scènes de dos... Après un tournage de treize semaines, qui s'achève le 15 avril 1966, Truffaut peut enfin écrire : « Voilà comment se termine ma collaboration avec Oskar Werner que je ne reverrai plus avant son départ pour Hollywood, demain, ni, je l'espère, par la suite [123]. »

Début mai, toujours dans les studios de Pinewood, le cinéaste travaille avec son monteur anglais, Thom Noble, sur un premier bout-à-bout de près de deux heures. Truffaut n'en est pas satisfait. Début juin, il convie Jean Aurel à le rejoindre à Londres, pour lui demander conseil. Aurel trouve que le film démarre un peu tard, qu'il faut donc resserrer le rythme dans la première demi-heure et inverser la présentation des deux personnages féminins. Truffaut compte aussi sur Bernard Herrmann pour améliorer son film. En mai, Herrmann compose près d'une heure de musique, travaillant en harmonie avec la photographie du film, essentiellement ce rouge agressif obtenu par Nicholas Roeg, dans un esprit proche de Hitchcock. Grâce à sa musique, *Fahrenheit* trouve parfois un rythme de « film d'angoisse » plutôt réussi, utilisant souvent les sons les plus vifs et les plus stridents.

Le 20 juillet 1966, *Fahrenheit 451* est enfin achevé. S'il est satisfait de certaines scènes pour leurs couleurs, leur musique, pour un geste, un regard ou une intonation de la voix de Julie Christie, Truffaut n'aime pas le film dans sa continuité. Ses difficultés avec la langue anglaise y sont-elles pour quelque chose ? « Malheureusement, écrira-t-il à Thom Noble, nous n'aurons pas l'occasion de travailler ensemble pour mes prochains films car, après avoir vu et revu *Fahrenheit,* j'ai compris que je devais renoncer à tourner des films en anglais tant que je ne possèderai pas réellement la langue [124]. » Le 10 juin, Luigi Chiarini, directeur de la Mostra de Venise, venu visionner le film à Londres, décide de le présenter en sélection officielle. Pour Truffaut, c'est non seulement une première, mais aussi un encouragement. Au cours du mois d'août, une autre bonne nouvelle parvient de Californie. Ray Bradbury a vu *Fahrenheit 451* au cours d'une projection organisée par Universal et l'apprécie : « Comme c'est rare pour un écrivain de rentrer dans une salle de cinéma et de voir son propre roman adapté à l'écran aussi fidèlement et de façon si captivante. Stop. Truffaut m'a offert une nouvelle forme artistique de mon œuvre en préservant l'esprit de l'original. Je lui en suis profondément reconnaissant [125]. » Évidemment, même s'il ne la partage pas, Truffaut est touché par la réaction enthousiaste de l'écrivain.

À Paris, l'accueil critique est plutôt froid, dans le meilleur des cas poli. Michel Cournot, dans *Le Nouvel Observateur,* est même franchement hostile, accusant Truffaut d'avoir voulu copier le cinéma américain. « À moins d'aller passer dix ans dans une clinique de Los Angeles pour se faire refaire son groupe sanguin, son métabolisme et ses cellules nerveuses, François Truffaut n'est pas américain, n'est pas Alfred Hitchcock [126]. » Et Cournot de conclure désolé : « Esquinter un film de Truffaut me dégoûte littéralement, car il est l'un des cinéastes, et l'un des hommes, pour qui j'éprouve de l'estime et une sorte d'affection. » Jean-Louis Bory n'est guère plus indulgent et traite avec ironie Truffaut de « pompier » dans le titre de son article, tout en considérant son film comme académique [127]. L'attitude des *Cahiers du cinéma* est d'ailleurs emblématique de cette gêne de la presse face à *Fahrenheit 451.* La revue est fière d'avoir accueilli le journal de tournage du film, mais si la critique de *Fahrenheit* écrite par Jean-Louis Comolli est favorable, elle résonne comme un service rendu. Dans la liste des meilleurs films de l'année 1966 publiée par les *Cahiers du cinéma,* celui de Truffaut n'apparaîtra qu'à la quatorzième place.

Présenté à Venise le 7 septembre, *Fahrenheit* est bien accueilli, mais absent du palmarès trois jours plus tard. À Paris, le 15 septembre, veille de la sortie en salles, une soirée de gala est organisée au théâtre Marigny en présence de Julie Christie, rayonnante en mini-robe du soir. À chaque spectateur, Truffaut a fait remettre un exemplaire du roman de Bradbury, et, parmi les invités, une quinzaine d'académiciens français sont venus « célébrer les livres ». Associé ainsi à des écrivains établis, le cinéma de Truffaut apparaît un peu figé, dépassé, aux antipodes du nouveau cinéma qui éclate de toute part en Europe, sous l'influence de la Nouvelle Vague française dont il fut pourtant, quelques années auparavant, le porte-drapeau.

Finalement, *Fahrenheit 451* est loin d'être un véritable succès commercial, totalisant 185 000 spectateurs en France, en 18 semaines d'exploitation. Au regard du coût du film, ce score est plutôt faible. Sorti à New York le 2 novembre 1966, il ne marche pas mieux. Au fond, le seul soulagement de Truffaut est d'en avoir fini avec un projet qui l'a occupé six années. « Je peux vous dire en toute franchise que je respire davantage, maintenant que notre longue et commune aventure sur *Fahrenheit 451* est finie. Même si cette aventure a été excitante, je dois admettre que j'ai souvent été écrasé par l'ampleur du projet. Peut-être ai-je été trop ambitieux, et j'ai eu constamment peur que mes efforts ne soient pas à la hauteur de votre travail [128] », écrit-il à Ray Bradbury.

Le Hitchbook

Au cours de l'été 1965, en même temps qu'il commence la préparation du tournage de *Fahrenheit 451,* François Truffaut termine son livre d'entretiens avec Hitchcock. « Il y a ce bouquin à finir, nom de Dieu [129] ! », écrit-il à Helen Scott, exaspéré par le retard qui a été pris. Il doit écrire la préface, qui est « épouvantablement difficile à faire [130] », car il lui faut s'adresser à des critiques et des cinéphiles, en même temps qu'à un public plus large, aussi bien américain que français. Truffaut achève la première version à la mi-mai, une vingtaine de feuillets qu'il envoie à Helen Scott pour qu'elle les traduise. Parallèlement, il continue à réunir un grand nombre de photographies et de photogrammes de tous les films de Hitchcock, qui illustreront l'ouvrage. Il compte aussi sur les photos réalisées par Philippe Halsman, le célèbre photographe new-yorkais, présent lors des entretiens avec Hitchcock en août 1962.

À la mi-août 1965, Hitchcock reçoit la copie des entretiens en anglais, alors qu'il est en pleine préparation de son nouveau film, *Le Rideau déchiré,* avec Julie Andrews et Paul Newman, dont le tournage commence le 15 octobre. Pendant ces deux mois, qui sont décisifs pour le destin du « Hitchbook », Truffaut est impatient et inquiet, car, sans nouvelles de Hitchcock, il n'a plus la maîtrise du projet. Enfin, le 22 octobre, il reçoit une longue lettre, où Hitchcock s'épanche longuement sur son nouveau film, sa construction, le choix des acteurs, et conclut en une phrase rapide sur sa lecture des entretiens : « *You have done a wonderful job.* Il faudrait 2 ou 3 petits changements pour ne pas froisser personne. Tout va bien [131]. » Un exemplaire des entretiens, soigneusement annoté, accompagne la lettre. À Londres, en train de préparer *Fahrenheit,* Truffaut et Helen Scott sont soulagés. Ce n'est que plus tard, une fois le livre sur épreuves, que Truffaut apprendra que Hitchcock n'est pas entièrement satisfait du texte anglais, ne trouvant pas le style de l'entretien « assez *colloquial* [132] », et que la version américaine prend du retard. Les 27, 28 et 29 juillet 1966, au Claridge Hotel de Londres, en se retrouvant pour un dernier entretien consacré à *Marnie* et au *Rideau déchiré,* les trois complices mettent enfin un point final à cette entreprise. En août 1966, Truffaut fait déposer l'énorme manuscrit du *Cinéma selon Alfred Hitchcock* chez Robert Laffont : plus de sept cent cinquante feuillets, trois cents photographies. « Si je fais l'ouvrage selon vos indications, écrit alors l'éditeur à Truffaut, il aura 416 pages dans un grand format 15,5 x 24 et un prix de vente minimum de 57 francs. Ce prix me paraît prohibitif pour un certain type de clientèle [133]. » Il évoque l'hypothèse d'une édition en livre de poche, ce qui suppose des coupures importantes dans le manuscrit. Truffaut refuse et s'emploie à persuader Robert Laffont que le livre a des chances d'intéresser un grand nombre de lecteurs, au-delà du cercle des cinéphiles. Après avoir dîné en tête à tête avec Truffaut, à Londres, le 30 janvier, Robert Laffont est finalement convaincu. « Je crois que notre entretien de Londres a été assez constructif, écrit-il, en ce sens que vous m'avez apporté un élément nouveau lorsque vous m'avez dit qu'il s'agissait beaucoup plus d'une histoire du cinéma à travers Hitchcock qu'un livre sur Alfred Hitchcock lui-même [134]. » L'été suivant, une équipe éditoriale composée de l'ex-femme de Jacques Doniol-Valcroze, Lydie, devenue l'épouse de Claude Mahias, le directeur éditorial de Laffont, Jean Kress qui supervise la filmographie et Jean Denis, le maquettiste, conçoit l'ouvrage, dans un grand format presque carré, de 260 pages, et comptant près de 350 photos. Il a belle allure — Truffaut en est très fier — et sort en octobre 1966.

Il a suivi également de près l'édition américaine du livre chez Simon and Schuster. Le *Hitchcock by Truffaut* paraîtra en novembre 1967, plus élégant encore que dans sa version française. Si les ventes en France stagnent autour de 5 000 exemplaires, la version américaine est un vrai succès public : 15 000 exemplaires en « *hardcover* » et 21 000 en édition « *paperback* ». Entre 1967 et 1973, les droits d'auteur de Truffaut s'élèveront à 23 000 dollars. Il les réservera à Helen Scott, sans laquelle il n'aurait pu mener à bien l'ouvrage. Fidèle en amitié, discret dans sa manière de venir en aide aux amis, Truffaut, pour « nourrir le moutard [135] », comme il l'écrit à Helen, effectuera quelques versements sur son compte en banque.

En France, la critique a salué un nouveau type d'ouvrage et « la plus belle manière d'aborder le cinéma par deux hommes qui s'interrogent sur leur métier [136] ». « Ce livre constitue une révolution dans la critique de cinéma [137] », écrivent ainsi *Les Nouvelles littéraires,* ce que confirme *L'Aurore :* « *Le Cinéma selon Hitchcock* remplace deux années de présence à l'IDHEC [138] », tandis qu'un hebdomadaire salue « le livre le plus extraordinaire jamais consacré à un cinéaste vivant [139] ». Alors que les premières traductions sont annoncées, en Allemagne, en Italie, en Espagne, au Danemark et en Angleterre, le compliment qui touche le plus Truffaut vient de Hitchcock lui-même : « Je trouve le livre superbe, et je vous en félicite. Je pense que les illustrations ont fait toute la différence. Bravo et des milliers de mercis [140]. » Devenus amis, les deux hommes s'écrivent régulièrement : petits mots complices, longues lettres, conseils réciproques sur des scénarios en cours. Jusqu'à la mort du « maître du suspense » en 1980, Truffaut ne manquera jamais de venir le saluer à chacun de ses séjours californiens, d'écrire des articles ou des préfaces le concernant, de participer à des hommages rendus à celui qui, en grande partie grâce à lui, est enfin reconnu en Amérique comme un auteur à part entière et un authentique créateur.

Série blême

Comme il l'avait promis à Marcel Berbert, inquiet par la situation financière des Films du Carrosse, François Truffaut entend se remettre rapidement au travail, et réaliser ce qu'il appelle un « *B picture* ». En l'occurrence un petit film au budget de 400 000 dollars, c'est-à-dire quatre fois moins cher que *Fahrenheit,* qu'il prévoit de tourner au cours du printemps suivant, en 1967. Ce projet de *La mariée était en noir* remonte en fait à l'été 1964, alors conçu comme un hommage à Jeanne Moreau, le cadeau de Truffaut à une femme qu'il aimait, devenue une amie intime.

À cette époque, Jeanne Moreau vient de rompre avec Pierre Cardin. Elle a quitté l'appartement du couturier parisien pour s'installer chez Micheline Rozan, son agent, et se réfugier ensuite dans sa maison de La Garde-Freinet, dans le Var. Désespérée, elle appelle François Truffaut, qui séjourne à l'hôtel Martinez avec Jean-Louis Richard, avec lequel il est en train d'écrire les dialogues de *Mata-Hari.* Ayant rompu six mois plus tôt avec Madeleine, Truffaut vit également une crise sentimentale. Ensemble ils renouent ainsi le fil d'une histoire d'amour, commencée lors de la préparation de *Jules et Jim.* « Dans le Midi, ce fut entre nous un bonheur parfait. Comme toujours, le même problème se pose à moi, lutter ou ne pas lutter, attendre ou forcer les événements, pessimisme ou optimisme, vivre pour l'avenir ou pour l'instant, vouloir ou non, etc. [141] » Leur liaison dure tout l'été, se poursuivra jusqu'à l'automne, pendant le tournage de *Mata-Hari.* « Nous ne nous ménageons pas, mais nous nous traitons avec beaucoup de douceur et de tendresse, un peu craintifs l'un et l'autre mais pas trop [142]... », écrit Truffaut à Helen Scott. C'est de cette nouvelle et brève histoire d'amour que naît le désir d'un nouveau projet commun.

Truffaut se met à la recherche d'un rôle prestigieux pour Jeanne Moreau. En août 1964, il demande l'aide d'Helen Scott afin d'obtenir les droits d'un roman policier de William Irish, *The Bride Wore Black,* qu'il lisait en cachette de sa mère dans son adolescence. Sous le pseudonyme de William Irish se cache un auteur new-yorkais dont le vrai nom est Cornell Woolrich. Vedette littéraire au début des années trente, Irish a vécu ensuite reclus avec sa mère dans une chambre d'hôtel à New York. Diabétique et alcoolique, il eut du mal à surmonter la mort de celle-ci en 1957, et survécut onze ans dans une solitude désespérée. Victime d'une gangrène, l'écrivain dut être amputé d'une jambe et mourut en laissant une bourse d'un million de dollars à l'université Columbia. Irish est le chantre du « noir » et des ténèbres, qui reviennent comme une obsession dans la plupart des titres de son œuvre : *The Bride Wore Black, The Black Angel, The Black Path of Fear, Rendez-vous in Black, Waltz into Darkness...* Truffaut est fasciné par cet écrivain dont il va adapter deux romans, *La mariée était en noir* et *La Sirène du Mississippi* (titre français de *Waltz into Darkness*), et auquel il consacrera deux articles très élogieux. « Irish est pour moi le grand écrivain de la " série blême ", c'est-à-dire un artiste de la peur, de l'effroi et de la nuit blanche. On rencontre peu de gangsters dans ses livres ou alors ils occupent l'arrière-plan de l'intrigue, généralement centrée sur un homme ou une femme de tous les jours, auxquels le lecteur s'identifiera aisément. Mais le héros d'Irish ne fait rien à moitié et aucun imprévu ne peut arrêter sa marche vers l'amour et la mort. Il y a aussi beaucoup d'amnésie et de troubles mentaux dans son univers, dont les personnages archi-vulnérables et hypersensibles sont aux antipodes du héros américain habituel. Comme il y a du Queneau chez David Goodis, il y a du Cocteau chez Irish et c'est ce mélange de violence américaine et de prose poétique française qui m'émeut [143]. »

Grâce à Helen Scott, Truffaut sait que William Irish vit au Sheraton Russel Hotel, sur Park Avenue. Il confie à Don Congdon, devenu son agent américain, le soin de négocier les droits cinématographiques de *La mariée était en noir* avec l'écrivain. « J'ai proposé à William Irish de déjeuner ou de prendre un verre, se souvient Don Congdon, et il m'a répondu que ce n'était pas possible parce qu'il écrivait l'après-midi. Alors nous sommes convenus de nous voir à l'heure du petit déjeuner. En le voyant arriver, j'ai été étonné, on aurait dit qu'il sortait de sa tombe : il était pâle, sa peau était grisâtre. C'était quelqu'un de très secret, solitaire [144]. » Truffaut a bien précisé à Don Congdon qu'il souhaitait signer « un contrat plus simple et plus avantageux que celui de *Fahrenheit 451*. [...] Plus avantageux, parce que William Irish, probablement plus célèbre que David Goodis (l'auteur de *Shoot the Pianoplayer*), plus célèbre peut-être également que votre ami Charles Williams, est un écrivain moins connu que Ray Bradbury [145] ». Le 17 septembre 1964, Congdon informe Truffaut qu'Irish demande 50 000 dollars. Jugeant la somme excessive, Truffaut se contente d'une option, en attendant que les Films du Carrosse trouvent un partenaire pour financer le film. Oscar Lewenstein, coproducteur de *Fahrenheit 451* avec la société MCA, arrive le premier à son secours. Les négociations durent jusqu'à l'automne 1965 et Lewenstein finit par acheter les droits de *La mariée était en noir* pour 40 000 dollars. Associé à Lewenstein, Truffaut pense à nouveau réaliser un film anglais, qui se tournerait au printemps 1967 dans les studios de Pinewood. Mais l'accueil mitigé de *Fahrenheit 451* le conduit à modifier ses plans. Son prochain film se fera en France et, si possible, dans le cadre d'une coproduction entre le Carrosse et les Artistes Associés, compagnie avec laquelle Lewenstein s'est entendu. L'argument décisif de Truffaut pour convaincre Lewenstein est que ce tournage en France ferait économiser 200 000 dollars à la production.

Les Artistes Associés prennent tout leur temps avant de donner leur réponse. Ce qui pousse Truffaut à envisager d'autres projets pour Jeanne Moreau. Il caresse un moment l'idée d'adapter un roman de Charles Williams, *The Long Saturday Night*, traduit dans la « Série Noire » sous le titre *Vivement dimanche !*, ou *The Diamond Bikini*, connu en France sous le nom de *Fantasia chez les ploucs*. Jeanne Moreau n'est pas séduite par le premier, tandis que le deuxième, déjà acheté par la Columbia, est un projet en coproduction avec Pierre Braunberger avec qui Truffaut ne souhaite pas retravailler [146]. Début 1967, Ray Bradbury lui propose de réaliser un moyen métrage adapté d'une de ses nouvelles, *The Picasso Summer*. L'histoire en est magnifique. Sur une plage de Biarritz, un riche touriste américain, George Smith, voit soudain un petit homme sec et bronzé sortir de l'eau. Ce dernier se met à dessiner avec son doigt, sur le sable humide, avec une telle virtuosité que George Smith est subjugué. Puis le petit homme repart dans l'eau aussi soudainement qu'il était apparu. Cet homme, c'est Picasso en personne. La mer monte et recouvre bientôt ses dessins... Séduit à l'idée de travailler avec Picasso, Truffaut écrit aussitôt à Bradbury pour lui donner son accord. Contacté par l'écrivain, Picasso a en effet accepté de collaborer au film, qui sera financé par une société de production californienne spécialisée dans le cinéma d'animation (les dessins seraient en effet reproduits par des truquages). Lorsqu'il découvre le scénario que lui a envoyé Bradbury, Truffaut est beaucoup moins séduit : « Pour être tout à fait franc, puisque la franchise est de mise entre nous, je dois vous dire que je ne retrouve pas dans le traitement détaillé l'originalité d'inventions de votre *short story*. Je crois que si l'on visite la maison de Picasso, si l'on s'occupe de ses amis et de ses œuvres, etc. etc., l'arrivée de Picasso sur la plage n'est plus un événement aussi fort, à plus forte raison si toute l'histoire est coupée par des reproductions filmées et des animations [147]. » C'est en fin de compte Serge Bourguignon qui réalisera *The Picasso Summer*, « mais c'était tellement mauvais, avoue Bradbury, que le film n'est jamais sorti en salles [148] ».

En France, les propositions affluent également, mais aucune ne retiendra l'attention de Truffaut. Surtout pas celle de Nicole Stéphane : « Ayant relu *Du côté de chez Swann*, écrit Truffaut à l'actrice du *Silence de la mer* et des *Enfants terribles*, devenue productrice, il est devenu évident pour moi que je ne devais pas toucher à cela, qu'il ne fallait pas y toucher. Depuis quatre ans, j'ai dû refuser bien des *Voyage au bout de la nuit*, des *Grand Meaulnes*, des *Étranger*, des *Bal du comte d'Orgel*, des *Chant du monde*, et d'autres chefs-d'œuvre de la littérature pour m'être endurci et pourtant je ne le suis pas. Chacun de ces refus nécessaires me coûte infiniment. Lecture faite, ma conviction était que seul un charcutier accepterait de mettre en scène le Salon Verdurin et j'ai appris que, sans vous être inquiétée outre mesure de mon silence, vous aviez récemment contacté un charcutier, René Clément, lequel donnant une nouvelle preuve de la vulgarité effrontée qui est la sienne a sauté sur l'occasion aussi sec [149]. »

En décembre 1966, Oscar Lewenstein a enfin convaincu les Artistes Associés de laisser Truffaut tourner *La mariée était en noir* en France et en français. Se met en place un nouveau système de coproduction entre les Films du Carrosse et une major hollywoodienne, qui va durer une dizaine d'années et permettra à Truffaut de faire ses films avec une plus grande tranquillité financière. C'est aussi début 1967 qu'Helen Scott décide de s'installer à Paris pour se rapprocher de Truffaut, avec l'espoir de travailler régulièrement à ses côtés. « François avait essayé de mettre en garde Helen concernant sa venue à Paris, sachant qu'elle se faisait peut-être des idées [150] », témoigne Madeleine Morgenstern. En effet, Truffaut tient Helen à distance, comme il le fait parfois avec ses meilleurs amis, à la fois pour se protéger et pour ne pas décevoir. Cette prudence est d'ailleurs souvent à l'origine de malentendus, ou de légers froids dans ses amitiés, Truffaut étant guidé par une morale du travail dont les liens personnels ne doivent pas risquer d'atténuer la rigueur. À Paris, Helen Scott devient pendant un temps l'agent des studios Universal, avant de s'orienter dans la traduction en américain des dialogues de films français, en vue de leur sous-titrage. Elle loue un appartement rue de la Pompe, à deux pas de la rue de Passy où habite Truffaut. Ce dernier prend évidemment soin d'elle et la présente à ses meilleurs amis, soucieux qu'Helen multiplie ainsi les chances de trouver du travail. « Quand Helen est venue en France, nous sommes devenues très amies, raconte Claudine Bouché. Elle me racontait sa vie au jour le jour avec François, leurs engueulades. Elle se permettait de dire des vacheries. Elle était complexée physiquement et sur le plan professionnel, en demande permanente d'une certaine reconnaissance. François lui conseillait d'écrire, de faire des traductions quand elle avait du temps libre [151]. »

En février 1967, Truffaut fait paraître un article très élogieux dans *Le Nouvel Observateur,* sur le premier long métrage de Claude Berri, *Le Vieil Homme et l'Enfant.* « La gloire attend Claude Berri », titre l'hebdomadaire, et Truffaut, ému par le sujet autobiographique, celui d'un enfant juif recueilli pendant l'Occupation par un ouvrier retraité, « farouchement et impertubablement antisémite », magnifiquement interprété par Michel Simon, n'hésite pas à évoquer Vigo, Guitry, Renoir et Lubitsch, pour vanter les mérites d'un film « vivant et rigolard, filmé dans un esprit dégagé d'apriorismes et d'une intelligence libre [152] ». « Il a cru en moi, il m'a fait beaucoup de bien, il m'a énormément encouragé [153] », témoigne Claude Berri. Une réelle amitié va naître entre les deux cinéastes, Truffaut sera même le témoin du mariage de Claude Berri avec Anne-Marie Rassam, en octobre 1967. Redevenu célibataire depuis son divorce avec Madeleine, Truffaut trouve chez les Berri comme une véritable famille, chaleureuse, enthousiaste, assez excentrique, au sein de laquelle Helen Scott est également adoptée. Beau-frère de Claude Berri, Jean-Pierre Rassam, le jeune producteur français le plus imaginatif de la fin des années soixante et du début des années soixante-dix, devient l'un des meilleurs amis d'Helen, celui qui, dans son cœur, rivalise avec Truffaut.

Quelques mois auparavant, durant les vacances de Noël 1966, François Truffaut s'est installé à Cannes à l'hôtel Martinez avec Jean-Louis Richard, afin d'écrire l'adaptation de *La mariée était en noir*. Le scénario avance vite, tendu autour de cette histoire de meurtres en série : Julie Kohler, une meurtrière, jeune veuve, à la poursuite de ses victimes. Pour Jean-Louis Richard et François Truffaut, il s'agit de rendre crédible cette vengeance qui s'accomplit à travers une succession de meurtres, sans noircir pour autant le personnage incarné par Jeanne Moreau. Cette femme n'est ni folle ni hystérique, mais plutôt obsessionnelle, décidant d'exécuter son plan de manière méthodique.

Fin février, Truffaut possède un script de 237 pages, assez fidèle au roman d'Irish, même si les noms des personnages ont été francisés. *La mariée était en noir* est un film d'une construction logique, aux effets recherchés, où tension et suspense sont minutieusement étudiés. Truffaut sera particulièrement vigilant à ne pas laisser déflorer son intrigue avant la sortie du film. Pour cela, il recommande la plus extrême discrétion à toute son équipe et fera même circuler dans la presse un faux synopsis décrivant l'« histoire d'une femme menant son enquête pour retrouver son mari disparu [154] »...

Le début du printemps 1967 est consacré au casting, aux repérages, et à la mise au point des détails techniques. Six personnages masculins évoluent autour de Jeanne Moreau et Truffaut est heureux de pouvoir enfin diriger des comédiens qu'il admire depuis longtemps. Par exemple, son ami Jean-Claude Brialy, « le seul acteur du matin au soir », à qui il confie le rôle de Corey, le seul homme qui échappera à la vengeance assassine de Julie Kohler, car il n'est pour rien dans le meurtre de son mari. Pour les cinq victimes de Julie Kohler, Truffaut choisit

Claude Rich, Michel Bouquet, Michael Lonsdale, Charles Denner et Daniel Boulanger.

Les couleurs de la Mariée

Le 16 mai 1967, l'équipe habituelle du Carrosse, reconduite autour de Raoul Coutard et de Suzanne Schiffman, se retrouve à Cannes pour les premières prises de vue, dans un appartement loué à la Résidence Saint-Michel. Les quatorze costumes, tous en noir et blanc, que porte Jeanne Moreau dans le film ont été dessinés pour elle par Pierre Cardin. Mais *La mariée était en noir* est un film en couleurs, et cette question devient vite un thème de discorde entre Truffaut et Coutard, son directeur de la photographie. Dès le premier jour, le cinéaste trouve les scènes sous-éclairées. Il le fait savoir, se dispute pour la première fois avec son technicien, et interrompt le tournage pendant deux jours. *La Mariée* sera en définitive leur dernière collaboration. « Coutard a toujours eu un mauvais caractère, raconte Claudine Bouché, qui va assurer le montage du film, et François n'appréciait pas cette intransigeance, d'autant qu'il aimait beaucoup trafiquer l'image, en recadrant quand cela lui convenait. Coutard considérait qu'on " maltraitait la pellicule " [155]. » Cette brouille fait que le tournage est tendu, Truffaut dépensant une grande partie de son énergie à tenter de convaincre Coutard, si bien qu'une part de la direction d'acteurs est déléguée à Jeanne Moreau elle-même et à Jean-Louis Richard. « Ce fut un tournage difficile, se rappelle Jeanne Moreau. Il y avait des tensions entre François et Coutard parce que la lumière devait changer radicalement toutes les semaines pour suggérer des endroits différents alors qu'on tournait en fait dans des lieux très proches. François était très mystérieux, très secret. Il ne parlait pas sur le plateau. Il y avait eu beaucoup d'improvisation dans *Jules et Jim*, et plus du tout dans *La Mariée*. L'ambiance était très différente [156]. » Outre le différend entre Truffaut et Coutard, la difficulté du tournage tient aussi au fait que les acteurs masculins ont des rôles assez réduits, ce qui ne leur laisse que peu de temps pour entrer dans l'atmosphère du film. Truffaut, occupé à suivre la logique de son découpage, plus secret qu'à l'ordinaire, confie à Jeanne Moreau le soin d'expliquer à chacun son rôle. « François me disait : " Écoutez, occupez-vous-en... " Et à chaque fois, c'était à moi de prendre en charge et de rassurer l'individu que j'allais assassiner [157]. » Le seul moment où l'équipe prend le temps de s'installer dans ce film, c'est lors du tournage des scènes dans l'atelier du peintre Fergus, où se noue la rencontre entre Charles Denner et Jeanne Moreau. Truffaut a loué l'atelier parisien de Victor Herbert, rue du Val-de-Grâce, et a passé commande à Charles Matton d'une série de tableaux, dont plusieurs portraits de Jeanne Moreau. Truffaut s'entend bien avec Denner et place dans sa bouche nombre de ses propres expressions, de ses propres fantasmes. Tout le discours de Fergus sur les femmes, qui annonce précisément *L'Homme qui aimait les femmes,* est proche du « journal intime d'un séducteur » que pourrait tenir le metteur en scène au jour le jour. D'août à octobre 1967, Truffaut monte son film avec Claudine Bouché, assistée de Yann Dedet, et fait à nouveau appel à Bernard Herrmann, dont la musique cette fois le décevra un peu.

Truffaut pensait par ce film venir en aide à Jeanne Moreau, dans une période difficile de sa vie. Mais c'est l'inverse qui s'est produit : tout au long du tournage, c'est Jeanne Moreau qui l'a secouru, quand lui était aux prises avec certaines difficultés. Truffaut lui rend un vibrant éloge, vantant auprès de Hitchcock sa bonne humeur et son sens de la solidarité : « Sur le plateau, elle est prête à jouer vite ou lentement, à être drôle ou triste, sérieuse ou loufoque, à faire tout ce que le metteur en scène lui demande. Et, en cas de malheur, elle se tient près du capitaine du navire : sans histoires ni tapage, sans chanter " Plus près de Toi, mon Dieu... ", elle se contente de sombrer à son côté. Le danger pour elle, dans *La Mariée,* c'est que le rôle qu'elle joue est simplement trop merveilleux ; le personnage, une femme qui domine les hommes et puis les tue, est trop " prestigieux ". Pour contrebalancer cela, j'ai demandé à Jeanne de jouer le rôle avec simplicité et d'une manière familière qui rendrait son action inattendue, vraisemblable et humaine. Comme je l'imagine, Julie est vierge, puisque son mari a été tué à l'église le jour de son mariage. Mais cette révélation n'apparaît pas dans le film et devra rester un secret entre Jeanne Moreau, vous et moi [158] ! »

Truffaut s'en veut, se sent coupable de ne pas être parvenu

à rendre la beauté de Jeanne Moreau à l'écran. Celle-ci apparaît fatiguée, presque marquée par les épreuves qu'elle a traversées au milieu des années soixante. De plus, Truffaut n'apprécie pas les costumes dessinés par Cardin. De tous ses films, *La mariée était en noir* restera celui qu'il appréciait le moins, le seul qu'il n'aimait pas revoir, excepté l'épisode de la rencontre avec Charles Denner, ainsi que la séquence avec Michael Lonsdale.

Sorti le 17 avril 1968, *La mariée était en noir* totalise à Paris et dans la région parisienne près de 300 000 spectateurs, après quatorze semaines d'exclusivité, ce qui est un succès certain. Et, contrairement à ce que redoutait le cinéaste, la critique n'est pas mauvaise. « Professeur Hitchcock, élève Truffaut, bravo. L'élève a regardé les leçons du maître, il les a assimilées. Le voici maître lui aussi. Et ce n'est que justice [159] », écrit ainsi Jean-Louis Bory dans *Le Nouvel Observateur.* Un seul commentaire sur ce film touche cependant vraiment le cinéaste, celui de Hitchcock : « J'ai tout particulièrement savouré la scène où Moreau regarde mourir à petit feu l'homme qu'elle a empoisonné. Avec mon humour un peu particulier, je crois que j'aurais fait durer le plaisir : Moreau aurait délicatement posé un coussin sous sa tête de façon qu'il meure avec plus de confort encore [160] ! » Truffaut lui répond par deux très longues lettres où il commente dans le détail les scénarios de *Frenzy* et de *Topaz* que Hitchcock lui avait adressés. Mais cette période « hitchcockienne » du cinéaste français, qui s'ouvre avec *La Peau douce* et se referme avec *La mariée était en noir,* en passant par *Fahrenheit 451,* n'a pas été une pleine réussite. Truffaut en est le premier conscient.

Framboise

« Françoise, Framboise, la mort en été. Je savais que c'était douloureux. La solitude, c'est quoi ? Ce qui est intolérable [161] », écrit Truffaut dix jours après la mort de son amie. Le 27 juin 1967, Françoise Dorléac s'est tuée sur la route de l'aéroport de Nice, brûlée vive dans un accident de voiture. Ce drame bouleverse Truffaut, le laisse brisé alors qu'il tourne *La Mariée* non loin de l'endroit où l'actrice est morte. Se voyant très souvent et partageant les mêmes goûts littéraires et cinématographiques, Françoise Dorléac et François Truffaut, après leur brève idylle au moment de *La Peau douce,* avaient conservé entre eux une grande complicité et noué une tendre et solide amitié, presque à l'égal de celle qui le liait à Jeanne Moreau. Six semaines avant l'accident, il avait fait parvenir à l'agent londonien de la jeune comédienne de vingt-cinq ans un texte où il envisageait leur avenir commun : « Le problème, pour beaucoup de jeunes actrices, est d'effectuer harmonieusement le passage de la jeune fille à la femme, d'abandonner les rôles juvéniles au profit des personnages adultes. Françoise Dorléac, qui sera toujours pour moi Framboise Dorléac, ne connaîtra pas ces difficultés, car elle est une femme précoce et prématurée, avec un visage et un corps déjà construits et construits en dur, pour durer. Elle est la seule jeune actrice dont on puisse penser qu'elle plaira de plus en plus. Elle n'a rien à redouter des années qui s'ajoutent aux années car le temps travaille pour elle. Je me réjouis de penser que je collaborerai de nouveau avec elle en 1970, 1976, 1982, 1988, etc. etc. À bientôt Framboise [162] ! »

Ce destin brisé renforce la profonde mélancolie de François Truffaut, au milieu d'une décennie vécue par d'autres comme un moment d'élan et d'enthousiasme collectif. Pour lui, ces années ont été rythmées par des ruptures, des déceptions professionnelles ou sentimentales, des hésitations et des deuils. Et cela transparaît peu dans les deux films qu'il vient de réaliser, *Fahrenheit 451* et *La Mariée,* qui semblent maîtrisés et clairs, presque académiques, comme l'écrivent bon nombre de critiques du moment. On y décèle toutefois une faille, ou simplement une ombre, tel Jean-Louis Comolli qui fait ce portrait de Truffaut dans les *Cahiers du cinéma* en mai 1967 : « Derrière ces vertus plus ou moins flagrantes — un tel air de maîtrise, de calme et de sérieux que cela est parfois agaçant —, il en est une à rester masquée, secrète au point de s'être fait généralement oublier, et qui pourrait être de toutes les autres l'antagoniste si elle n'était précisément de toutes le moteur : l'inquiétude [163]. »

Même si Truffaut conserve sa fantaisie, jouant sans cesse avec les mots, aimant rire et blaguer, les échecs et les épreuves l'ont profondément atteint. Jean-Pierre Melville, à qui Truffaut s'était longuement confié toute une nuit, le 20 mars 1963, au moment de l'échec de la production française de *Fahrenheit,* voit dans ces épreuves successives une manière douloureuse mais vitale de s'affirmer : « Les échecs de *La Peau douce* et surtout de *Fahrenheit,* confie-t-il alors à Raoul Lévy, vont lui permettre de devenir un adulte qui connaîtra enfin la vie, par les expériences vraiment négatives du cinéma, celles qui enrichissent plus encore qu'elles n'appauvrissent. Cela lui permettra de redresser son œuvre, et de s'acheminer, sans quiétude aucune mais en liberté réelle par rapport à soi, vers l'expression de ce que *l'on a à dire* et non plus vers ce que *l'on voudrait dire*[164]. »

VI

LES VIES PARALLÈLES

1968-1970

En 1968, Truffaut envisage un nouveau départ en compagnie d'Antoine Doinel, son personnage, sa création, son alter ego. Cela fait trois ans déjà qu'il a ce projet en tête. Dans un premier temps, Truffaut voulait faire de Doinel un journaliste, dans un film dont le titre provisoire était *Un jeune homme à Paris*. Le scénario, une fois encore, mêlait souvenirs autobiographiques et quelques éléments d'enquête sur les milieux journalistiques. Truffaut avait fait appel à Guy Teisseire qui, avant d'être critique de cinéma, avait travaillé cinq ans au service « Informations générales » du quotidien *L'Aurore*. Teisseire rédige quelques pages de notes assez denses, résumant son expérience dans la presse à travers une série d'anecdotes et de gags. Le 13 octobre 1965, le cinéaste passe contrat avec Teisseire, qui lui cède ses notes contre la somme de mille francs.

Doinel détective

Deux ans plus tard, après avoir tourné *Fahrenheit 451* et *La mariée était en noir*, Truffaut se replonge dans les nouvelles aventures d'Antoine Doinel. Il abandonne l'idée du journalisme, qu'il trouve convenue, trop littéraire, et décide de faire de Doinel un détective privé. L'idée lui est venue en lisant le dos d'un annuaire de téléphone : « Agence Dubly : Recherches, filatures, enquêtes. » Il charge Claude de Givray et Bernard Revon de

mener une enquête préalable au sein d'une agence de détectives. Par souci de discrétion, Truffaut insiste auprès de ses deux
amis scénaristes pour que son nom ne soit pas mentionné :
« Dites que c'est une série pour la télévision [1] ! » précise-t-il à
Revon et de Givray, dont la récente enquête sur la prostitution
pour un film réalisé par de Givray, *L'Amour à la chaîne,* a beaucoup impressionné Truffaut. Tout au long du printemps 1967,
de Givray et Revon mènent ce travail préparatoire chez Dubly
Détective, agence privée installée rue Saint-Lazare, dirigée par
un passionné de cinéma, Albert Duchenne. Ils assistent à des
réunions au sein de l'agence et interrogent plusieurs soirs de
suite Duchenne au magnétophone, avant de confier les bandes
magnétiques aux secrétaires des Films du Carrosse, chargées de
les décrypter. Claude de Givray se souvient de ses séances de
travail avec le patron de chez Dubly, qui finit par devenir un vrai
collaborateur au scénario. « Albert Duchenne nous a raconté
comment faire un faux constat d'adultère : il suffit qu'un détective surprenne une femme avec son amant à l'hôtel ; il demande
au mari d'être présent, mais le seul témoignage du mari ne suffit
pas, puisqu'il est juge et partie. Le détective conseille alors au
mari de tout casser dans la chambre, jusqu'à ce que le veilleur
de nuit prévienne la police. Ainsi, le veilleur de nuit devient
lui-même témoin du tapage nocturne. Et il sera mentionné que
celui qui a occasionné ce tapage nocturne est aussi un mari
jaloux qui vient de surprendre sa femme dans le lit de son
amant [2]. » Dans le scénario, Doinel, qui vient de quitter l'armée,
est d'abord veilleur de nuit dans un hôtel parisien, avant d'être
engagé comme détective privé. Pour compléter leur travail, de
Givray et Revon interrogent le personnel du Terrass Hôtel, au-
dessus du cimetière de Montmartre, là où, seize ans auparavant,
Truffaut avait rencontré Jean Genet.

Fin juin, ils proposent un premier scénario à Truffaut, alors
que celui-ci termine *La mariée était en noir.* Intitulé *Baisers volés,*
titre choisi en hommage à Charles Trenet [3], celui-ci commence
à circuler chez quelques amis producteurs. Excepté celle de Mag
Bodard, les réactions sont plutôt décevantes. Truffaut se tourne
alors vers les Artistes Associés, déjà coproducteurs de *La Mariée.*
Ilya Lopert, responsable de la société de production en France,
n'est pas tout à fait convaincu par le scénario, mais désire poursuivre sa collaboration avec Truffaut. L'accord se fait avec le

Carrosse, les Artistes Associés finançant le film à hauteur de 250 000 dollars et les bénéfices étant partagés entre les deux sociétés. Mais l'apport financier des Artistes Associés est moins important que prévu, ce qui oblige Truffaut à réaliser son film à l'économie.

En décembre 1967, avec l'aide de Revon et de Givray, Truffaut réécrit le scénario de *Baisers volés* dont il entend faire une chronique assez souple « pour que l'improvisation puisse avoir le dernier mot[4] ». Après *Fahrenheit 451* et *La mariée était en noir* dont les scénarios étaient très structurés, Truffaut revient à un cinéma plus proche des petits événements de la vie, mais laissant une grande place à la fantaisie et à l'humeur du moment, plus inspiré de Renoir et de Lubitsch que de Hitchcock. Quelques mois avant mai 68, Truffaut compose un personnage d'un autre temps, anachronique et romantique, incapable de s'adapter à la vie ou de trouver un métier stable. Comme si toute l'inspiration du cinéaste était tournée vers le passé, vers ses propres souvenirs de jeunesse : l'armée, la fréquentation des bordels, le désir d'être adopté par une famille...

Neuf ans après *Les Quatre Cents Coups*, six ans après *Antoine et Colette*, Truffaut retrouve Jean-Pierre Léaud pour la troisième aventure d'Antoine Doinel. Âgé de vingt-trois ans, l'acteur est devenu une des figures emblématiques du cinéma de Godard, tournant entre 1965 et 1967 dans *Pierrot le fou, Masculin-Féminin, Made in USA, La Chinoise, Week-End,* et dans le sketch du *Plus Vieux Métier du monde.* Il possède désormais la présence et la puissance de caractère suffisantes pour tirer le personnage de Doinel vers sa propre vie. À partir de *Baisers volés,* celui-ci se situe d'ailleurs à égale distance de Truffaut et de Léaud. De plus en plus de gestes, d'attitudes, d'anecdotes et même de souvenirs du personnage appartiennent ainsi à Léaud lui-même. Truffaut est parfaitement conscient de ce phénomène et l'encourage, refusant de bloquer l'inspiration et les improvisations de son comédien. Et si le cinéaste se retrouve encore par bien des points dans le personnage de Doinel, sans doute est-ce dû autant aux liens qu'il entretient avec son comédien qu'au désir de mettre en scène ses propres souvenirs de jeunesse. Car la vie de Jean-Pierre Léaud se déroule encore souvent au sein de la « famille Carrosse ». Il habite le plus clair de son temps deux étages au-dessus des bureaux de la société de production, dans l'appartement loué par Truffaut au cinquième étage de l'immeuble de la rue Robert-Estienne. En dehors des périodes de tournage de l'un et de l'autre, le cinéaste et le comédien se voient régulièrement. Pas un scénario, un projet de film, de téléfilm, de théâtre, proposé à Léaud qui ne soit passé avant entre les mains de Truffaut, auquel l'acteur demande son avis. Ainsi, c'est Truffaut qui encourage Léaud à tenter l'aventure du théâtre, durant l'été 1967, au festival d'Avignon, où l'acteur joue dans deux des spectacles phares du festival de Jean Vilar, *Silence, l'arbre remue encore* de François Billetdoux et *La Baye* de Philippe Adrien mis en scène par Antoine Bourseiller.

En janvier 1968, conseillé par Gérard Lebovici et Serge Rousseau, ses amis d'Artmédia, Truffaut commence le casting de *Baisers volés*. Christine Darbon et Fabienne Tabard, les deux femmes entre lesquelles Antoine Doinel hésite, doivent conférer au film toute sa crédibilité sentimentale. Cela fait longtemps que Truffaut a reconnu le personnage de Fabienne, cette « femme superbe avec un air très vague et très doux [5] », en Delphine Seyrig, une actrice qu'il admire depuis les deux films qu'elle a tournés avec Alain Resnais, *L'Année dernière à Marienbad* et *Muriel*. Le 10 décembre 1964, Truffaut assiste au théâtre Hébertot à une représentation de *L'Amant*, la pièce de Harold Pinter, impressionné par la performance de Delphine Seyrig. Le soir même, la comédienne l'invite à venir dîner chez elle, place des Vosges. À cet instant, c'est Louise de Vilmorin, l'auteur de *Madame de...* qui avait séduit le jeune homme en 1950, que Truffaut retrouve dans les traits délicats — « un ovale très pur » —, le teint pâle — « lumineux et comme éclairé de l'intérieur » —, et le phrasé très particulier — « une gravité admirable » — de Delphine Seyrig. L'actrice est touchée d'être sollicitée pour ce rôle : « Pour moi, je vous l'ai dit, le film sera tel que vous et c'est cela qui importe. Quant à Fabienne " de Mortsauf " je l'*adore*. Il y a cependant des questions que je voudrais vous poser sur elle, sur Félix Antoine Léaud de Vandenesse. En tout cas, je m'amuse beaucoup à penser à eux [6]. » Truffaut a fondé l'intrigue et l'atmosphère de la rencontre entre Antoine Doinel et Fabienne Tabard sur un parallèle avec *Le Lys dans la vallée* de Balzac, le roman que Jean-Pierre Léaud lit au début du film. Cette clé convient parfaitement à la comédienne, idéale réincarnation de Madame de Mortsauf dans le film.

Quelques semaines avant le tournage de *Baisers volés,* le rôle de Christine Darbon, la jolie jeune femme qu'Antoine Doinel épousera à la fin du film, n'est toujours pas attribué. Fin novembre 1967, Truffaut assiste au Théâtre Moderne à la générale de la pièce de Pirandello, *Henri IV,* montée par Sacha Pitoëff, dans laquelle joue Claude Jade, une jeune comédienne de dix-neuf ans. Il la revoit sur scène à plusieurs reprises et, un mois plus tard, lui propose le rôle de Christine Darbon. Claude Jade entre ainsi presque naturellement dans la vie d'Antoine Doinel, et dans celle de François Truffaut. Son baccalauréat de philosophie en poche, cette jeune fille de bonne famille universitaire et protestante, installée à Dijon où elle suivait des cours d'art dramatique au conservatoire, monte à Paris. Prise en main par Jean-Laurent Cochet, elle jouera quelques petits rôles avant d'être révélée par un feuilleton télévisé, *Les Oiseaux rares.* Puis, en quelques mois à peine, surviennent la pièce de Pirandello montée par Pitoëff et la proposition de Truffaut, qui se déclare « absolument conquis par sa beauté, ses manières, sa gentillesse et sa joie de vivre [7] ». « Je devais correspondre à l'image de la jeune fille pure, se souvient Claude Jade, j'en avais l'âge, et il s'est dit que je pouvais faire couple avec Jean-Pierre Léaud, alias Antoine Doinel, et que c'était plausible. La première fois que je l'ai rencontré, François m'a dit que j'avais l'air d'être dans un salon, ça l'avait beaucoup amusé parce que je répondais très poliment : " Oui Monsieur, bien Monsieur. " Il piquait des petits détails à tout le monde. Chez moi, le côté bien élevé, avec le surnom de mon personnage : " Peggy sage ", Peggy à cause de son petit air anglais, car François savait que j'étais fille d'angliciste, ça l'amusait [8]. »

Daniel Ceccaldi et Claire Duhamel forment le couple sympathique et accueillant des parents Darbon : « François disait qu'il aimait bien les filles ayant des parents gentils, dit encore Claude Jade. C'est pour cette raison que les beaux-parents d'Antoine Doinel dans *Baisers volés* sont si sympathiques. Tout comme l'étaient François Darbon et Rosy Varte dans *Antoine et Colette* [9]. » Michael Lonsdale est le personnage inoubliable de M. Tabard, le propriétaire du magasin de chaussures surnommé « le Dinosaure » par ses employées. On retrouve aussi Jacques Robiolles, un ami du cinéaste, André Falcon, le patron de l'agence de détectives, Harry Max, Jacques Rispal... Autant de seconds rôles auxquels Truffaut est très attaché, car ce sont eux qui doivent donner vie au milieu dans lequel se déroule le film. Marie-France Pisier retrouve pour une seule apparition le personnage de Colette, tandis que Serge Rousseau interprète l'homme étrange en imperméable qui ne cesse de suivre Christine Darbon, avant d'oser, à la fin du film, lui déclarer un amour « définitif ».

Début février 1968, Truffaut, après une préparation menée tambour battant, est prêt à tourner *Baisers volés,* entouré cette fois d'une équipe presque entièrement nouvelle. C'est là le signe évident d'une petite révolution. Seule Suzanne Schiffman reste en place, à la fois scripte et assistante. Truffaut a fait appel à Denys Clerval comme chef opérateur, Agnès Guillemot comme monteuse, Antoine Duhamel pour composer une ritournelle « à la Trenet », Jean-José Richer, l'ancien des *Cahiers,* en tant que premier assistant, Roland Thénot, déjà présent sur *La Mariée,* comme régisseur général. En deux mois, depuis la réécriture complète du scénario en décembre 1967, jusqu'au casting et à la composition de l'équipe technique au cours du mois de janvier 1968, le cinéaste a presque tout mis en place pour son film : « 10 % d'inspiration et 90 % de transpiration [10] », fera dire Truffaut au patron de l'agence de détective Blady, dans *Baisers volés,* pour définir la réussite d'un projet...

Le 5 février 1968, veille de son trente-sixième anniversaire, Truffaut retrouve son quartier d'enfance — Villiers et Montmartre, Notre-Dame-de-Lorette et la place Clichy. Le tournage de son septième long métrage, qui doit durer sept semaines, va se dérouler sur un rythme vif et rapide. Chacun a ses habitudes, Léaud ne lit ses dialogues qu'au tout dernier moment, tandis que Claude Jade les apprend par cœur le plus tôt possible. Mais l'ensemble fonctionne en harmonie. Seule la séquence où Fabienne Tabard vient s'offrir à Antoine Doinel dans sa chambre meublée, tournée les 1er et 2 mars à l'Avenir Hôtel, boulevard de Rochechouart, pose quelques problèmes. Delphine Seyrig s'y sent nerveuse, peu satisfaite de son apport. « J'ai très vite pris conscience du peu que je vous ai apporté dans *Baisers volés* [11] », écrira-t-elle plus tard à Truffaut, pourtant sincèrement convaincu de l'élégance et de la présence de sa comédienne. « Je suis désespérée de manquer si totalement d'invention, alors que Jean-Pierre Léaud exerçait sur moi, et je pense sur tout le monde, son charme et sa liberté de mouvement et de parole devant la caméra. Vous voyez, il a exactement les qualités que je voulais posséder. Son indépendance vis-à-vis des mots, son aisance dans l'improvisation, c'est ce que je souhaiterais le plus acquérir. Lui, il l'a d'emblée. J'aurais voulu être plus à la hauteur [12]. » Truffaut considère au contraire que tous ses acteurs ont donné au film le meilleur d'eux-mêmes. Pour lui, *Baisers volés,* projet léger, vivement écrit et tourné, entre typiquement dans la catégorie de ces films « sauvés au tournage [13] », ceux en général qu'il aime bien, auxquels il est attaché par de bons souvenirs.

Scandale à la Cinémathèque

Le tournage de *Baisers volés* restera lié dans l'esprit de Truffaut à l'une des périodes les plus excitantes de sa vie : la mobilisation pour sauver la Cinémathèque d'Henri Langlois. L'un des derniers plans a d'ailleurs été tourné le 29 mars 1968, devant ses grilles (fermées), au Palais de Chaillot. « Ce film est dédié à la Cinémathèque française d'Henri Langlois », telle est la dédicace qui ouvre *Baisers volés,* juste avant un écriteau sur lequel le spectateur peut lire : « Relâche. La date de réouverture sera annoncée par voie de presse. »

Le 7 février 1968, deux jours après le début du tournage de *Baisers volés,* Jean-Louis Comolli, rédacteur en chef des *Cahiers du cinéma,* tente de joindre François Truffaut sur son plateau. En effet, des rumeurs circulent concernant le prochain conseil d'administration de la Cinémathèque qui doit se tenir le surlendemain. Henri Langlois, fondateur et directeur de la Cinémathèque française, serait sérieusement menacé [14]. Visionnaire doué d'une insatiable énergie, mais vivant dans un éternel désordre, Henri Langlois, pour Truffaut comme pour de très nombreux cinéphiles, est un véritable symbole. Le destituer serait un crime de « lèse-cinéma ». Tout en n'étant pas toujours d'accord avec la manière dont Langlois conçoit ses responsabilités de collectionneur et de programmateur de films [15], Truffaut, membre depuis le début de l'année 1968 du conseil d'administration, va se placer en première ligne dans ce combat pour le maintien à son poste du fondateur de la Cinémathèque. Mobilisé par son tournage, Truffaut, qui ne peut pas assister à la réunion du 9 février, a envoyé son pouvoir à Langlois. Mais l'appel de Comolli lui fait modifier son plan de tournage de la journée : il est présent le vendredi matin 9 février au siège de la Cinémathèque, rue de Courcelles.

Ce conseil d'administration devait en toute logique prolonger le mandat de Langlois à la tête de l'institution qu'il a créée en 1934. Mais, après un vibrant hommage en son honneur, Pierre Moinot, le nouveau président de la Cinémathèque, fonctionnaire au ministère des Affaires culturelles, propose étrangement que Langlois soit remplacé par Pierre Barbin, responsable des festivals de Tours et d'Annecy. Plusieurs membres du conseil exigent un délai de réflexion d'une semaine, qui leur est refusé. On passe donc au vote. Les indépendants, dont Jean Riboud, Ambroise Roux, Yvonne Dornès, François Truffaut et quelques autres, minoritaires, quittent la séance sans voter. Barbin est élu et succède à Langlois. De manière évidente, la manœuvre avait été préparée. Un mois plus tôt, des bruits couraient déjà dans les couloirs du Centre national de la cinématographie dirigé par André Holleaux. Le tort des amis de Langlois fut de ne pas les prendre assez au sérieux, tant il leur semblait intouchable. Quinze jours plus tôt, lors du festival de Tours, une réunion secrète avait même regroupé Barbin, Holleaux, Moinot et Chevasson, attaché au cabinet d'André Malraux, afin de régler les derniers détails de l'opération décidée en haut lieu. La manœuvre apparaît comme une tentative de mainmise du CNC, organisme de tutelle du cinéma, sur la Cinémathèque, association indépendante régie selon la loi de 1901 et regroupant près de 780 adhérents. Seules les subventions la placent en position de dépendance vis-à-vis du ministère des Affaires culturelles. Là est le grand argument des anti-Langlois : celui-ci n'est pas un bon gestionnaire et grèverait fortement l'institution par ses manies et ses dépenses.

Les anciens des *Cahiers,* Truffaut, Godard, Rivette, Chabrol, mais aussi Doniol-Valcroze, Kast, Astruc et Renoir, sont à la pointe du combat pour défendre Langlois. Dans son camp, on retrouve donc les protagonistes de la bataille des années cinquante contre les tenants d'un cinéma « officiel ». Sauf que les ex-critiques des *Cahiers* sont désormais célèbres et bénéficient du soutien de la nouvelle génération, celle des Marcel Ophuls,

Claude Berri, Luc Moullet, Jean Eustache, Philippe Garrel, et de la rédaction entière des *Cahiers du cinéma*. Mobilisés en faveur de Langlois, les cinéastes se sont groupés en un « Comité de défense », animé avec ferveur par Truffaut, tandis que la rédaction des *Cahiers du cinéma*, rue Marbeuf, à deux pas du siège des Films du Carrosse, fait office de quartier général où s'organise la contre-offensive.

Estimant sans doute l'affaire réglée, André Holleaux, directeur général du CNC, part en vacances pour quinze jours. Quant à Pierre Barbin, il entre, le 9 février vers 15 heures, à la tête d'un petit groupe de fidèles, dans les locaux de la Cinémathèque, afin de s'installer dans le bureau de Langlois, sans oublier pour plus de sûreté d'en faire changer les serrures. Quelques jours plus tard, les collaboratrices de Langlois, Marie Epstein, Lotte Eisner et Mary Meerson, sont licenciées. Dans l'autre camp, les amis de Langlois s'organisent avec une exceptionnelle rapidité. Ils espèrent, grâce à une mobilisation des professionnels du cinéma, des cinéphiles comme de l'opinion, contraindre Malraux à revenir sur sa décision.

Au matin du 10 février, un relais s'organise pour réunir les signatures de nombreux réalisateurs français et étrangers. Cent télégrammes sont envoyés depuis le bureau de poste de la rue Clément-Marot, à deux pas des *Cahiers ;* les rédacteurs de la revue et les secrétaires du Carrosse sont pendus au téléphone, égrenant les listes des personnalités à contacter, laissant, en cas de besoin, parler leurs aînés de la Nouvelle Vague, très excités par ce regain de flamme combattante. En début d'après-midi, une motion invite « tous les amis du cinéma à se solidariser avec toute manifestation susceptible de contrecarrer la décision arbitraire qui frappe Henri Langlois [16] ». Le 11 février, les réponses de Renoir, Pagnol et Tati arrivent, pour exiger que leurs films déposés à la Cinémathèque ne soient plus diffusés tant que Langlois n'aura pas été réintégré. Suivent celles de Gance, Resnais, Franju, Godard, Marker, Astruc, Chabrol, Bresson, Mocky, Robert Florey, Richard Lester, Lindsay Anderson, Henri Cartier-Bresson, Michel Simon, Busby Berkeley... Puis quelques pétitions, celle de l'association des metteurs en scène danois menée par Carl Dreyer, celle de l'association des critiques américains derrière Andrew Sarris, ou le manifeste des cinéastes japonais rédigé par Kurosawa, Oshima, Naruse, Yoshida et seize autres réalisateurs... Des télégrammes prestigieux font aussi grand effet, celui de Josef von Sternberg, par exemple : « Je suis très intrigué par votre télégramme. Qu'a fait Langlois ? Quelle intervention de l'État ? Bien entendu, je soutiens Langlois [17]. » Suivi de dizaines d'autres signés Jerry Lewis, Gloria Swanson, Chaplin, Rossellini ou Fritz Lang, qui tous suspendent la projection de leurs films à la Cinémathèque tant que Langlois n'est pas réintégré.

Dès le 10 février, c'est au tour de la presse de se mêler de l'affaire. Henry Chapier dans *Combat* et Jean de Baroncelli dans *Le Monde* titrent en chœur : « Scandale à la Cinémathèque ». « Ce ne sont ni les bons comptables ni les bons gérants qui manquent en France. Mais il n'y avait qu'un seul Henri Langlois. Allons-nous admettre qu'on nous le prenne ? » écrit Baroncelli. La campagne de presse se poursuit sans faiblir les jours suivants. Le 11, *Le Journal du dimanche* et *L'Humanité dimanche* rompent la trêve dominicale. Le 12, ce sont simultanément Truffaut, Chabrol, Philippe Tesson et Henry Chapier (titrant son article d'un célèbre « Le mythe Malraux a assez duré ») qui noircissent les pages de *Combat*. Truffaut, lui, s'en prend violemment à Malraux dans un texte au titre évocateur, « L'anti-fidélité ou l'antimémoire courte » : « Depuis qu'André Malraux est arrivé au pouvoir, toutes les décisions qu'il a prises à l'égard du cinéma ont été néfastes. Petite silhouette frénétique, isolée dans son usine à rêves évacuée par les cinéastes grévistes, André Malraux doit savoir que nous n'avons pas l'antimémoire courte et que nous n'oublierons pas qu'il a " lâché " Henri Langlois comme il avait " lâché " Jacques Flaud, Pierre Boulez, Jean Genet, Gaëtan Picon, Rivette et son ami Diderot [18]. »

Le 12 février à 22 heures, à l'appel de Michel Simon et de Claude Berri, deux à trois cents réalisateurs, critiques, cinéphiles et acteurs, dont une bonne partie de l'équipe de *Baisers volés*, Truffaut, Léaud, Claude Jade en tête, bloquent l'entrée de la salle de la rue d'Ulm. Le CNC tente une timide contre-attaque : un article non signé de *France-Soir* s'en prend à « la confusion dans laquelle s'enlisaient depuis des années le cinéma français et la Cinémathèque [19] ». Mais seul Claude Autant-Lara emboîte le pas et, sur les ondes de *France Inter*, attaque Langlois ainsi que la Nouvelle Vague mobilisée autour de la Cinémathèque. Au même moment, la fermeture « pour cause d'inventaire et de réorganisation » des deux salles de la Cinémathèque apparaît comme un premier signe de faiblesse de la nouvelle direction. La mobilisation culmine le 14 février, journée qui fera date : jamais jusqu'alors on n'avait vu des policiers charger une manifestation de cinéastes et d'acteurs. À l'appel des « Enfants de la Cinémathèque », trois mille personnes se regroupent sur l'esplanade du Trocadéro. Dès 15 heures, une trentaine de cars de policiers et de gardes mobiles cernent le quartier, interdisant les abords de la Cinémathèque. Les télévisions (la française ne fera rien, les étrangères y consacreront plusieurs minutes ce soir-là) sont présentes. Un tract est distribué et lu publiquement par l'acteur Jean-Pierre Kalfon. Puis la foule se dirige vers le Palais de Chaillot, scandant des « Holleaux démission ! » ou des « Non à la Barbinthèque ! ». Dans les jardins du Trocadéro, premier barrage de police et premiers heurts. Godard réussit à passer, mais se retrouve seul au milieu des rangs policiers, qui le laissent repartir. Les manifestants contournent les barrages, repassent par l'Esplanade et descendent l'avenue du Président-Wilson, bloquant la circulation. Au carrefour de l'avenue Albert-de-Mun, où stationne le gros des forces de sécurité, nouveau barrage, nettement plus agressif. Là, sur plusieurs rangs, la police charge. On relève des blessés, Truffaut commotionné, qu'on soigne sous un porche. Godard groggy, à la recherche de ses lunettes noires, Tavernier le visage en sang, tandis que la femme d'Yves Boisset a été jetée à terre. La foule reflue vers le Trocadéro et Godard, qui avait pris la tête des manœuvres, donne l'ordre de dispersion. Les troupes ont été refoulées par la charge policière, mais l'esprit de résistance demeure. Surtout, grâce à cette manifestation, l'opinion publique prend fait et cause pour les défenseurs de Langlois. Ce soir-là, le préfet de police ne fut pas vraiment félicité par Malraux, ni par l'Élysée...

Profitant de cette victoire morale, les amis de Langlois tiennent une conférence de presse le 16 février au Studio Action, en présence de trois cents journalistes et de cinq télévisions étrangères. À ce moment, on a déjà pris connaissance du nouveau communiqué du ministère, très en retrait par rapport aux positions initiales du CNC, faisant état de « nouvelles fonctions artistiques » qu'il conviendrait de trouver à Langlois. Le texte annonce également le renvoi du projet cher à Pierre Barbin d'un « dépôt légal » des films à la Cinémathèque, sur le modèle de la Bibliothèque nationale, projet qui aurait eu pour conséquence d'étatiser définitivement cet organisme associatif qu'était le musée de Langlois, conçu autour de sa vision particulière de l'histoire du cinéma. Lors de la conférence de presse, les amis du fondateur de la Cinémathèque parlent donc avec le ton assuré des vainqueurs. Godard et Truffaut sont toujours en première ligne, mais Rivette, Chabrol, Kast, Doniol-Valcroze, Astruc, Resnais et Rouch prennent aussi la parole, conseillés par l'avocat Georges Kiejman. Si les journalistes repartent convaincus que le retour de Langlois n'est qu'une question de jours, la pression ne se relâche pas pour autant. Le 20 février, à l'appel de Françoise Rosay, Jean Marais et René Allio, quatre cents manifestants investissent vers 18 heures les locaux de la rue de Courcelles. Le 26, à l'initiative de Truffaut qui en assure les fonctions de trésorier, un « comité de défense de la Cinémathèque française » est créé, avec un bureau composé d'une vingtaine de personnalités du cinéma. Ce comité est chargé de coordonner les actions qui se multiplient en France et dans le monde en faveur de Langlois. Renoir en est le président d'honneur, Resnais le président effectif. À cette occasion, Renoir diffuse dans la presse un vibrant hommage à Langlois, le « créateur de notre Louvre à nous », le « seul homme capable de relier ensemble les faiseurs de films de bonne volonté[20] ».

Vive Langlois !

André Malraux comprend qu'il faut reculer devant cette impressionnante mobilisation. Le 5 mars, lors d'une réunion du conseil d'administration de la Cinémathèque, sur proposition de Jean Riboud, patron de Schlumberger, ami de Langlois et de sa compagne Mary Meerson, un « comité consultatif » est chargé de trouver un compromis. La direction en est confiée à une personnalité indépendante, Georges Vedel, ancien doyen de la faculté de droit et des sciences économiques de Paris. Autre gage de bonne volonté, Rivette fait partie des cinq « sages » qui composent ce comité, qui décide de convoquer, le 22 avril 1968, une assemblée générale extraordinaire des adhérents de la Cinémathèque, seule instance susceptible de revenir officiellement sur la décision du 9 février précédent.

Entre-temps, les manœuvres se poursuivent. Pierre Moinot, le nouveau président de la Cinémathèque, tente d'effacer Pierre Barbin, qui s'accroche à son poste prestigieux de directeur artistique. Lotte Eisner et Mary Meerson sont toujours indésirables rue de Courcelles. Si bien que le comité de défense s'inquiète des tergiversations de la direction, qui pourrait tenter, en misant sur un pourrissement de la situation, d'installer la nouvelle Cinémathèque. Truffaut décide d'intervenir à nouveau dans la presse pour dénoncer les solutions de compromis du ministère. « Si, écrit-il dans *Combat* le 11 mars 1968, avec le tandem Moinot-Barbin nous avions affaire à des balourds soucieux de faire oublier leur gaffe, effectivement la lutte serait presque gagnée et l'on pourrait penser que les pouvoirs publics préparent le départ de Barbin et le retour de Langlois en deux ou trois temps afin de ne pas perdre la face. À mon avis c'est le contraire. Car nous avons en face de nous des gens mal intentionnés, qui ont peur certains jours mais qui, certains autres, se laissent griser par les promotions disproportionnées dont ils ont bénéficié par parachutage politique. [...] Autrefois, les gaffeurs, les maladroits, les malappris, le gouvernement s'en débarrassait en expédiant celui-là en Algérie, celui-ci en Nouvelle-Calédonie. Dans la France de 1968, les Moinot, les Barbin s'accrochent à Paris, ils tiennent à bouffer chez Lipp, à clôturer les festivals, à distribuer des petites médailles aux étrangers de passage et des bouquets de fleurs aux vedettes, ils sévissent, ils s'incrustent, ils irritent, ils aggravent leur cas. »

L'affaire Langlois prend une tournure politique. Le 21 mars, Grenoble se mobilise, à l'initiative des deux ciné-clubs de la ville et de la section locale du PSU La salle du cinéma, *Le Rex,* est trop petite pour accueillir le public venu écouter un prestigieux orateur qui prend la défense de Langlois, Pierre Mendès France, élu depuis quelques mois député de la ville. Truffaut s'est occupé personnellement de l'organisation de ce meeting, avec l'aide de Jean-Louis Comolli et de Georges Kiejman, qui est un proche de Mendès France. « Grenoble est le plus gros coup que nous puissions frapper actuellement, écrit-il le 8 mars à Comolli. Aussi, je pense qu'il faut le faire savoir. [...] Tâchons de nous voir ce soir après le tournage, éventuellement à ma séance de rushes (20 h, salle Ponthieu), pour examiner la situation [21]. » Quelques jours plus tôt, François Mitterrand avait lui-même profité des questions adressées au gouvernement à l'Assemblée nationale, pour tenter de déstabiliser Malraux sur ce thème. Le conflit devient donc ouvertement politique, ce dont veut profiter le comité de défense de la Cinémathèque. En effet, le 26 mars, Truffaut fait parvenir à Mitterrand une lettre et divers documents nécessaires à son information sur le sujet, sachant que le 8 avril le leader de l'opposition sera l'invité de l'émission de télévision « Face à Face » : « Nous espérons que vous profiterez le 8 avril de l'occasion qui s'offre de rompre le silence que l'ORTF a gardé sur cette affaire depuis le début [22] », écrit Truffaut à Mitterrand.

Le lundi 22 avril 1968, plusieurs centaines d'adhérents de la Cinémathèque française se réunissent à la salle des Arts et Métiers, avenue d'Iéna, pour l'assemblée générale extraordinaire qui doit statuer sur le sort de Langlois. Le doyen Vedel donne lecture des conclusions du comité consultatif : « La Cinémathèque, association selon la loi de 1901, sera organisée et gérée comme un groupement privé sans intervention de l'État dans ses affaires intérieures [23]... » Langlois est reconduit à l'unanimité dans ses fonctions de directeur artistique et technique. Pierre Moinot et Pierre Barbin sont désavoués, ainsi que le conseil d'administration. Le 2 mai, la salle de la rue d'Ulm rouvre ses portes. Ému et rayonnant, Langlois fait longuement applaudir Truffaut et termine son discours de bienvenue sur un « Place au cinéma ! » retentissant.

Pour le public présent ce jour-là, l'événement est essentiellement politique. Cinéastes et cinéphiles ont découvert les luttes de terrain contre l'administration et le pouvoir gaullistes, les manifestations de rue et le militantisme dans les comités de défense. À l'évidence, chaque défenseur de Langlois a vécu, avec deux mois d'avance, son propre mai 68. Pierre Kast l'écrit d'ailleurs de façon prémonitoire en avril dans le numéro 200 des *Cahiers du cinéma* dédié à Langlois : « Je sais bien que s'il est impossible de crier " Vive Castro " sans crier " Vive Langlois ", on peut parfaitement crier " Vive Langlois " sans penser " Vive Castro ". Mais enfin, ces bagarres, ces tracts, ces permanences, ces discussions vont bien au-delà de l'affaire de la Cinémathèque. [...] Le cinéma est devenu quelque chose d'autre qu'une denrée débitée dans des endroits spécialisés. Et défendre l'existence de la Cinémathèque française, curieusement, c'est un acte politique. »

En avril 68, s'il crie volontiers « Vive Langlois ! », Truffaut n'a aucune envie de crier « Vive Castro ! ». Il n'en reste pas moins que son engagement contre le pouvoir gaulliste le marque énormément. Du Manifeste des 121 de l'automne 1960, au comité de défense de la Cinémathèque du printemps 1968, il existe une continuité d'action et de pensée. La cause de la liberté d'expression n'a cessé de le mobiliser contre un pouvoir qu'il juge trop souvent maladroit, interventionniste, censeur, et sans tact. Mais s'il a côtoyé certains hommes de gauche, dans son esprit plus intègres et plus attentifs à la liberté de création, Truffaut n'est pas prêt à prendre un quelconque engagement, demeurant très méfiant à l'égard du discours comme du personnel politiques. « Il y a la connerie d'un régime impossible, écrit-il à Louis Marcorelles pour expliquer l'éviction de Langlois, mais aussi le fait que, de De Gaulle à Mitterrand et Deferre, sauf le modeste Mendès France, trop de soi-disant " élites " ne comprennent rien et ne comprendront jamais rien au cinéma [24]. »

Les rideaux de Cannes

Après les difficiles années *Fahrenheit*, ponctuées d'hésitations et d'échecs, l'engagement de François Truffaut pour Langlois correspond avant tout à un formidable « coup de jeunesse » dans sa vie. Le printemps 68 lui apporte un regain d'enthousiasme inespéré. Il vit cette période dans la fièvre, à toute allure, entre un tournage vif, rapide, et une action militante accaparante, dormant peu, sous l'emprise d'une continuelle excitation. « Je le revois encore dans l'avenue Albert-de-Mun, note son ami Georges Kiejman, courant comme un lapin et passant à pieds joints par-dessus une rangée de voitures, pour aller aux premiers rangs avec ceux qui allaient se faire matraquer par les policiers. Quand je l'ai vu détaler devant moi, il était l'adolescent des *Quatre Cents Coups* et c'est à ce moment que je me suis dit que, quel que soit l'âge qu'il atteindrait dans sa vie, il resterait éternellement un adolescent [25]. »

Au printemps 68, Truffaut est heureux, sans doute parce qu'il est amoureux de son actrice, Claude Jade. Les sentiments sont réciproques, Truffaut étant le premier amour de la jeune femme, à peine âgée de vingt ans. L'épouse de Sacha Pitoëff est même allée annoncer aux parents de Claude Jade le prochain mariage de leur fille, prévu pour le mois de juin. Avant d'aller passer quelque temps en Angleterre, chez sa sœur, Claude Jade a déjà choisi sa robe de mariée, et Truffaut, de son côté, a demandé à Jean-Claude Brialy et à Marcel Berbert d'être ses témoins. Ce mariage semble avoir été décidé sur un coup de tête ; Truffaut n'a prévenu personne, en dehors de sa famille. C'est tout juste s'il a demandé à Berbert, entre deux portes : « Êtes-vous libre tel jour ? Eh bien ! vous serez mon témoin [26]. »

Début mai, la France est secouée par la grande révolte étudiante autour de la Sorbonne et des barricades de la rue Gay-Lussac. Le 13, un million de manifestants défilent dans les rues de Paris, de la République à Denfert-Rochereau, tandis que la France entière connaît son premier jour de grève générale, à l'EDF, la RATP, la SNCF, les P et T, grève immédiatement étendue à l'ensemble du secteur privé. Simultanément, à Cannes, au début du XXIᵉ festival du film, toute l'activité s'interrompt durant vingt-quatre heures, à la demande de la majorité des critiques présents : les projections de *Peppermint frappé* de Carlos Saura et *Trilogy* de Frank Perry, d'après Truman Capote, prévues ce jour-là, sont reportées au 18 mai. Du 11 au 13, Truffaut est précisément à Cannes, pour préparer deux manifestations qui lui tiennent à cœur. Le samedi 18 mai, aux côtés de Claude Berri, Roger Vadim, Jacques Robert et Claude Lelouch, il doit participer à une conférence de presse, présidée par Alain Resnais, sur l'action du comité de défense de la Cinémathèque ; l'après-midi, avec Henri Langlois, il présidera un hommage à la mémoire de Georges Sadoul, le critique communiste décédé l'automne précédent. Le 13 mai, devant l'ampleur de la grève générale et les premières occupations d'usines, Truffaut conseille à Robert Favre Le Bret d'interrompre purement et simplement le festival. Il refuse. Dans la soirée, Truffaut est de retour à Paris, pour superviser avec Agnès Guillemot le montage de *Baisers volés*. Le mouvement étudiant s'amplifie, ainsi que les grèves dans les usines, et Truffaut se tient constamment au courant par la radio. Mais, pas un instant, il ne songe à manifester dans la rue, demeurant pour le moment un témoin attentif.

Le 17 mai, en fin de matinée, il redescend vers Cannes en voiture, roulant à bonne allure sur des routes désertes. Ce même jour, à midi, dans la capitale, lors d'une réunion du syndicat des techniciens à laquelle s'est jointe une délégation de « cinéastes en grève », la décision est prise de réunir l'ensemble des professionnels, le soir même, à l'École de photographie et de cinéma de la rue de Vaugirard occupée par ses étudiants. À 21 heures, le ban et l'arrière-ban de la profession se retrouvent au coude à coude rue de Vaugirard. Prolongeant les rencontres et les manifestations de l'affaire Langlois, c'est la naissance des « États généraux du cinéma français » qui réclament ouvertement un cinéma et une télévision plus libres. Près de mille deux cents professionnels et étudiants s'y retrouvent, régulièrement, pendant plus de quinze jours, débattant à n'en plus finir, travaillant en commissions, présentant des projets de transformation et de renouvellement du cinéma. C'est une petite révolution dans les mœurs d'un cinéma français jusqu'alors cloisonné, divisé par les querelles, tenu en tutelle par le CNC. Lors de cette première réunion des États généraux, deux décisions sont prises. Tout d'abord le vote du principe d'une grève des ouvriers du film, qui entre en vigueur dès le lendemain — le tournage du *Cerveau* de Gérard Oury sera ainsi interrompu au studio Saint-Maurice, de même que le montage de *Baisers volés*. Ensuite, le vote d'une motion demandant l'arrêt du festival de Cannes, en signe de solidarité avec les travailleurs et les étudiants en grève.

Dans la nuit, Jacques Rivette, présent à la première réunion des États généraux, prévient Truffaut qui séjourne à l'hôtel Martinez à Cannes. Celui-ci alerte à son tour d'autres cinéastes présents au festival (Godard, Malle, Lelouch, les Tchèques Jan Nemec et Milos Forman, Resnais, Richard Lester, Roman Polanski, Carlos Saura), leur suggérant d'agir au plus vite. Ceux qui présentent un film en compétition — c'est le cas de Forman (*Au feu les pompiers*), de Resnais (*Je t'aime, je t'aime*), de Lelouch (*Treize Jours en France*), de Nemec (*La Fête et les Invités*), de Lester (*Petulia*) et de Saura (*Peppermint frappé*) — doivent retirer leur film, tandis que Malle et Polanski, tous deux membres du jury, s'engagent à démissionner. Le matin du 18 mai, Truffaut, au nom des États généraux du cinéma, appelle les nombreux critiques et cinéastes venus assister à la conférence de presse concernant l'affaire Langlois à faire cesser le festival. Une heure plus tard, Godard propose l'occupation de la grande salle du Palais où se tiennent les projections. Au fur et à mesure que celle-ci se remplit de spectateurs venus voir le film de Saura, une délégation composée de Truffaut, Malle, Godard, Gabriel Albicocco, Berri et Lelouch monte sur scène et annonce l'arrêt du festival. Les « comploteurs » sont rejoints par d'autres cinéastes ou amis, tels Jean-Louis Richard ou Jean-Pierre Léaud. Dans un indescriptible brouhaha, tout le monde attend la décision du jury, qui délibère sur sa démission éventuelle, et celle des cinéastes en compétition qui discutent du retrait de leurs films. Cette attente est meublée de débats houleux où s'affrontent les « réformistes », majoritaires, qui suggèrent un aménagement du festival (sélections parallèles plus fournies, possibilités de rétrospectives et de débats, abrogation du palmarès...), et les « radicaux » qui exigent un arrêt immédiat. Les nouvelles reçues confortent les « radicaux » : quatre membres du jury ont démissionné (Roman Polanski, Monica Vitti, Terence Young et Louis Malle), et le nombre de metteurs en scène qui retirent leur film ne cesse d'augmenter... Robert Favre Le Bret déclare alors que le festival est reconnu « non compétitif », mais n'en continue pas moins. La majorité des spectateurs présents sont satisfaits et réclament à grand bruit la projection de *Peppermint frappé,* le film de Saura avec Geraldine Chaplin. Sur scène, les « radicaux » n'en démordent pas et veulent empêcher la projection. Coude à coude, ils font face au public déchaîné. L'obscurité se fait et la projection commence sous les vivats de la salle. Mais le rideau reste fermé, tenu vigoureusement par les rebelles, dont Saura et Geraldine Chaplin eux-mêmes, bientôt bousculés par le service d'ordre. Godard est giflé et perd cette fois encore ses lunettes ; Truffaut est ceinturé et jeté à terre par un spectateur mécontent. La salle se rallume au bout de quelques minutes, le temps pour Favre Le Bret de faire une seconde déclaration et d'annoncer l'annulation des projections de l'après-midi et de la soirée. Jusque tard dans la nuit, les palabres continueront dans la grande salle du Palais. Le coup de force des « radicaux » a réussi, puisque le lendemain à midi, Favre Le Bret, s'estimant dans l'incapacité de poursuivre sa mission, clôt le festival.

Les « saboteurs », les « enragés de luxe » sont alors violemment pris à partie par la presse gaulliste, de même que par les spectateurs cannois, et sont accusés d'avoir « définitivement torpillé » le festival [27]. Truffaut se justifiera dans un entretien accordé à Gilles Jacob, alors journaliste à *L'Express* et futur délégué général... du festival de Cannes : « Personne ne semblait vouloir comprendre que le pays était paralysé et que c'était logique qu'on arrête cette festivité. Il fallait obtenir la fermeture du festival. Nous l'avons obtenue. Cela aurait pu se passer plus élégamment mais dans ces circonstances-là l'élégance reste au vestiaire et on perd même la clé du vestiaire. Je sais que beaucoup de gens nous reprocheront longtemps notre attitude à Cannes, mais je sais aussi que deux jours plus tard, alors qu'il n'y avait plus d'avions, plus de trains, plus de cigarettes, plus de téléphone et plus d'essence, le festival continuant à fonctionner se serait formidablement ridiculisé [28]. »

Pendant ce temps, à Paris, les États généraux tentent d'organiser la mobilisation. Le 19 mai, un ordre de grève illimitée, avec occupation des lieux de travail, est lancé conjointement par le syndicat des techniciens, les réalisateurs ORTF, les étudiants de l'IDHEC et les États généraux : « Nous, cinéastes (auteurs, techniciens, ouvriers, élèves et critiques), sommes en grève illimitée pour dénoncer et détruire les structures réactionnaires d'un cinéma devenu marchandise. Nous ne cesserons notre lutte que responsables et gestionnaires de notre profession [29]. » La volonté de dissoudre les structures étatiques existantes est affirmée le 21 mai. Ce jour-là, les États généraux votent une motion déclarant l'abolition des « privilèges du CNC » : « Les États généraux du cinéma français considèrent les structures réactionnaires du CNC comme abolies. En conséquence, ils décident que son existence, sa représentativité et ses règlements ne sont plus reconnus par la profession. Les nouvelles structures de notre profession devront naître des États généraux [30]. » Dans le paysage des utopies de ce « Mai du cinéma », la motion du 21 fera date même si elle ne sera suivie d'aucun effet. Trois autres assemblées générales, réunies les 26 et 28 mai au Centre culturel de l'Ouest parisien, à Suresnes, présentent dix-neuf projets de nouvelles structures pour le cinéma français, tandis que le 5 juin est consacré à un projet de synthèse délicat, qui sera aussi vite oublié. D'autant que les 23 et 30 juin 1968, les élections législatives donnent au général de Gaulle une écrasante majorité à l'Assemblée nationale. Il n'est dès lors évidemment plus question de dissoudre le CNC.

À son retour de Cannes le 19 mai, Truffaut refuse de s'engager dans l'aventure des États généraux du cinéma. Le 21, il assiste désabusé à une séance dont l'irréalisme, l'idéalisme et l'impréparation l'agacent profondément : « Il y avait là des travailleurs qui voulaient qu'on tourne 140 films par an au lieu de 80, confie-t-il, ce qui est impossible ; il y avait des créateurs qui voulaient davantage de liberté donc moins de contraintes syndicales tout en conservant les avantages acquis, et des futurs réalisateurs qui, ayant peu d'espoir d'entrer dans la profession, espéraient la révolution à partir de quoi tout repartirait à zéro. L'échec de toutes ces réunions était fatal, et j'ajoute qu'il était fatal même si un gouvernement de gauche s'était constitué parce que le cinéma sera toujours au dernier rang des préoccupations d'un gouvernement quel qu'il soit [31]. » De même, Truffaut refuse d'adhérer à la Société des réalisateurs de films, qui se crée à ce moment-là à l'initiative de certains de ses amis comme Kast et Doniol-Valcroze. « Je me sens solidaire de Rivette, Godard ou Rohmer parce que je les aime et j'admire leur travail, mais je ne veux rien avoir en commun avec Jacqueline Audry, Serge Bourguignon, Jean Delannoy ou Jacques Poitrenaud. Faire le même métier ne signifie rien pour moi si l'admiration et l'amitié n'entrent pas en jeu [32] », dit-il pour s'en justifier.

En revanche, durant toute cette période, Truffaut s'est senti proche du mouvement étudiant, surtout vers la fin mai et début juin, lorsqu'il s'essouffle sous la pression politique et la répression policière. « J'admire les étudiants et j'approuve leur lutte, écrit-il dans *Les Nouvelles littéraires*. Je n'ai pas eu la chance d'être un étudiant, mais seulement un écolier contraint de gagner sa vie à quatorze ans. Certains poursuivent leurs études, moi j'ai été poursuivi par elles. À cause de cela, ma culture est trouée de partout et je comprends plus lentement qu'autrui ce qu'il y a à comprendre [33]. » En signe de soutien à la cause étudiante, il signe le 8 mai, à l'appel de Marguerite Duras, un manifeste en leur faveur. Le 15, il verse 1 000 francs à la « Commission d'Action Directe et de Créativité » et, s'il se refuse à visiter la Sorbonne occupée — « Je ne voulais pas faire le touriste, le " tout-Parisien " [34] » —, il se rend régulièrement au théâtre de l'Odéon, alors occupé, lieu de débat permanent, jusqu'au « net-toyage » par la police le 14 juin : « J'y suis allé souvent, presque tous les soirs à un moment. On sentait la nécessité d'un endroit où n'importe qui pouvait dire n'importe quoi comme cela existe dans les rues de Londres [35]. »

Enfin, le 1er juin 1968, lors de la dernière grande manifestation étudiante du Quartier latin, Truffaut est dans la rue, par solidarité et pour la première fois de sa vie, ce qu'il avait refusé de faire le 24 mai précédent lorsque les États généraux du cinéma avaient défilé pour la journée d'action sociale organisée par la CGT. « J'ai toujours été un individualiste. J'ai toujours regardé les gens du jeu politique comme des adversaires. C'est peut-être pour des raisons biographiques : les flics m'ont tapé dessus quand j'étais gosse, et j'ai toujours eu l'impression que les partis politiques ne s'occupaient pas de la seule chose qui me touchaient dans la vie, les asociaux... Alors, ce qui m'a ému chez les étudiants, c'est qu'ils rendaient les coups que la police leur donnait. J'ai suivi toute leur action ; j'ai même défilé alors que ça ne m'était jamais arrivé. Des jeunes gens qui étaient capables de défiler en chantant " Nous sommes tous des Juifs allemands ! ", j'éprouve une admiration énorme pour eux. Je n'avais jamais pensé qu'on pourrait voir un jour, dans la rue, à la fois l'intelligence, l'humour, la force et la justice. C'est cela qui m'a remué [36]. »

Le roman familial

Assez lâchement, après ces semaines d'agitation et d'excitation politique, Truffaut renonce à épouser Claude Jade, prétextant qu'il n'est pas à même d'assumer le mariage. Les événements de mai, ce spectacle désordonné auquel il assiste, ravi, y sont sans doute pour quelque chose. Truffaut se rend compte du décalage de génération entre la jeune actrice et lui, mais aussi qu'il existe entre eux une appréhension différente de la vie. Helen Scott, à laquelle il s'était confié, n'avait pas hésité à l'en dissuader : « Vous n'allez en faire qu'une bouchée [37] ! », lui avait-elle dit en parlant de Claude Jade. Pour ses proches, comme Helen ou Claude de Givray, Truffaut a un côté Barbe-Bleue. Lui-même se décrit comme « un vieux routier du cinéma [38] ». Mais, à trente-six ans, cet homme est tout d'un coup revisité par les fantômes de son enfance.

Quelques mois auparavant, au moment où il termine *Baisers volés,* Truffaut a rencontré Albert Duchenne, le patron de l'agence Dubly. Là, tel un des personnages de son film, il sollicite une enquête strictement confidentielle pour retrouver son vrai père, celui qui avait séduit Janine de Monferrand et dont elle attendait un bébé au printemps 1931, avant de disparaître mystérieusement, tandis que l'enfant, deux ans plus tard, était reconnu par Roland Truffaut. Entraîné par la fiction cinématographique vers cette agence de détectives, Truffaut cherche, une fois de plus, à détourner les aventures d'Antoine Doinel vers sa propre vie, en remontant aux sources du mystère familial.

Albert Duchenne s'occupe lui-même du « dossier », mène son enquête et, quelques semaines plus tard, remet à Truffaut un rapport « confidentiel » [39]. Son père serait Roland Lévy, né à Bayonne en 1910, fils de Gaston Lévy et de Berthe Kahn. Après des études secondaires menées jusqu'au baccalauréat sur la côte basque, il s'est installé à Paris à la fin des années vingt pour suivre un enseignement à l'École dentaire située rue de la Tour-d'Auvergne, dans le quartier des Lorettes. C'est là qu'il fait la connaissance de Janine de Monferrand. Il la fréquente au tout début des années trente, puis la quitte avant la naissance de François. Après ses études dentaires, Roland Lévy s'installe dans le quartier de l'Opéra et commence à exercer ses fonctions de chirurgien-dentiste en 1938. Juif, l'homme présumé être le père de François Truffaut est obligé de quitter Paris occupé par les Allemands, pour se réfugier à Troyes. Les détectives retrouvent sa trace à Belfort où il s'est installé en 1954. C'est là qu'il s'est fiancé avec Andrée Blum, de près de dix ans sa cadette, également chirurgien-dentiste. Il l'épouse en juillet 1949. Le couple vit dans un immeuble du boulevard Carnot, au centre ville, et exerce dans le cabinet dentaire installé au troisième étage de l'immeuble. Dix années plus tard, en 1959, le couple se sépare après avoir mis au monde deux enfants.

Cette révélation bouleverse et soulage à la fois François Truffaut. Ainsi il n'appartiendrait pas totalement à *sa* famille. Et la découverte d'une origine juive par celui qui, vraisemblablement, est son père, le trouble profondément, une découverte qui trouve dans le « Nous sommes tous des Juifs allemands » des étudiants de mai un écho effectivement très « remuant ». En ce sens — Truffaut le confiera à la fin de sa vie dans un long entretien inédit à Claude de Givray — « il s'est toujours senti Juif [40] ». Cette judaïté, il l'associe à son penchant pour les proscrits, les martyrs, les marginaux, à l'affirmation de cet « autre » qu'il dit avoir été tout au long de sa jeunesse ; cette judaïté, il l'avait déjà découverte en voyant les films sur la libération des camps de concentration en septembre 1945 au Cinéac-Italiens. Le jeune François, ignoré par sa mère, battu par les policiers, enfermé dans un centre de délinquance, était alors devenu, seul dans une salle obscure, le « Juif » de la famille Truffaut-Monferrand. Le cinéma a ensuite joué un rôle dans cette identification : là, dans les films vus et revus, existait un espace de liberté, hors du monde, un « ailleurs » de contrebande où le « Juif » pouvait enfin vivre pleinement, sans contrainte. Plus tard, d'une certaine manière, il s'est construit un double [41], qui du « Juif » était le portrait inversé : le jeune hussard, le brillant journaliste fasciné par Rebatet, le cinéaste ambitieux, le bourgeois, l'artiste désengagé. À la moindre occasion, cependant, le « Juif » réapparaissait, refaisait surface, perçait sous le portrait trop lisse offert à la presse, révélant sa véritable personnalité : celle de l'adulte touché par le sort de l'enfance martyrisée, de l'homme se sentant constamment coupable (de ses déceptions sentimentales comme de ses revers professionnels), du solitaire fuyant la société. Cette part « sauvage » l'emportait toujours sur l'alter ego « civilisé », poussant Truffaut à vivre en proscrit au milieu des succès, en marginal malgré la reconnaissance acquise. Ce déchirement ne relevait pas d'un mode de vie d'« artiste maudit », mais, plus profondément, d'un destin assumé dès l'enfance : être le « Juif » des autres, surtout d'une famille intolérante.

Au printemps 1968, Truffaut garde secrète son origine juive. Il ne la confie qu'à Madeleine et à Helen Scott, ainsi qu'à deux producteurs, Pierre Braunberger et Ilya Lopert. On en retrouve également quelques allusions dans certaines actions du cinéaste. Au moment, par exemple, où nombre de ses amis penchent vers un gauchisme antisioniste, quelques mois après la guerre des Six Jours, Truffaut, sollicité par Ilya Lopert, adhère le 20 mars 1968 au Fonds de solidarité avec Israël, auquel dès lors il versera régulièrement une cotisation annuelle de plusieurs milliers de francs.

Quelques semaines plus tard, le 22 août 1968, Janine de Monferrand meurt d'une cirrhose du foie. À travers la disparition de sa mère, François Truffaut est brusquement replongé dans les blessures de son enfance. « Il a fallu qu'Helen Scott le secoue pour qu'il se rende à l'enterrement [42] », se rappelle Madeleine Morgenstern. Car Truffaut est loin de s'être réconcilié avec sa mère, à laquelle il voue une rancœur tenace. Le 28 août, la cérémonie funèbre en l'église Saint-Vincent-de-Paul, près de la rue La Fayette, est particulièrement pénible pour le cinéaste, car la famille de Monferrand lui est hostile. Ce n'est qu'après la mort de sa mère que, peu à peu, la colère de François Truffaut se dissipera. Il sera même touché, en vidant l'appartement de la rue de Navarin, de trouver des documents précieusement gardés par sa mère, des « coupures de journaux le concernant, biffés, raturés, ce qui prouvait qu'elle s'intéressait à lui, qu'elle n'était pas insensible [43] », témoigne Madeleine.

S'enchaînant en quelques mois, la disparition de Françoise Dorléac, la découverte de son vrai père, la mort de sa mère, la fuite devant le mariage conduisent François Truffaut à remettre sa vie à plat. À la fin de l'été 1968, il se plonge dans les papiers retrouvés dans l'appartement familial, rue de Navarin, ses carnets et ses cahiers d'écoliers, les lettres de son adolescence, les traces de sa vie d'alors, son arrestation, son enfermement, son engagement cinéphile ou encore la prison militaire de 1951. Il reprend aussi les divers journaux intimes tenus dans sa jeunesse, parfois pour les réécrire, les mettre en forme, les concentrer. Il jette enfin sur des feuilles de papier divers moments de sa vie : « Mon enfance », « Ma vie militaire », « Mes articles », « Mes films », « Mes femmes », « Mes amis »... Grâce à ces documents extrêmement minutieux, où les dates et les faits s'accumulent d'une façon précise, maniaque, presque compulsive, le cinéaste envisage même d'écrire une autobiographie, projet qu'il abandonnera pour travailler à un recueil de ses principaux articles sur le cinéma, *Les Films de ma vie*, conçu également à cet instant. C'est à la même période que naissent quelques projets de films plus intimes et autobiographiques, notamment *L'Homme qui aimait les femmes*, *La Chambre verte* ou *L'Amour en fuite*. Truffaut tente donc d'« expliquer sa vie », de comprendre sa propre histoire, de la reprendre à rebours selon ses différents registres, de film en film, de femme en femme, de mort en mort [44], consignant l'ensemble par écrit en le classant dans ses dossiers les plus secrets [45].

Pourtant, un point essentiel de sa vie reste obscur : pourquoi son vrai père a-t-il quitté Janine de Monferrand ? Pourquoi lui-même ne s'appelle-t-il pas « François Lévy » ? Est-ce le jeune dentiste qui a repoussé une femme jugée trop différente de lui, de ses ambitions comme de sa religion ? Ou est-ce la famille Monferrand qui est intervenue dans cette romance pour la briser à jamais ? François Truffaut écrit à sa famille pour demander des renseignements sur sa naissance et l'existence de son vrai père. Seule Suzanne Saint-Martin, la belle-sœur de Geneviève de Monferrand, grand-mère de Truffaut, répond à ses lettres : « Je veux vous rassurer au sujet de votre naissance (non que je sache le nom exact de votre père), mais j'étais à Paris à cette époque pour finir de passer mes examens de professeur. J'allais passer la journée du dimanche chez votre grand-mère Viève. Votre grand-père, Jean, très snob et très croyant, s'indignait contre les folies de Janine avec des ouvriers du voisinage, des gens sans nom, mais il n'a jamais parlé de Juifs, et il l'aurait fait avec encore plus de colère... Non, vous êtes un vrai Français du Languedoc, de Brugnac où est née votre grand-mère [46]... » Cette lettre, dans sa dénégation même, renforce Truffaut dans son intime conviction [47] que Roland Lévy a été écarté de la vie de Janine de Monferrand par antisémitisme. Croyants, nobles, autrefois antidreyfusards, les hommes de la famille de Monferrand ne pouvaient accepter un Juif parmi eux.

Si Truffaut tente ainsi de reconstituer son roman familial, l'histoire de ses origines, certains doutes demeurent. Un jour de septembre 1968, il se rend à Belfort. Il a toujours conservé dans ses archives un plan de la ville où le chemin entre la gare et le boulevard Carnot a été soigneusement tracé à l'aide d'un stylo [48]. Là, le soir, à partir de 19 heures, il attend au pied d'un immeuble de six étages construit dans l'immédiat après-guerre. D'après le rapport du détective, Roland Lévy sort tous les soirs après dîner pour faire une courte promenade dans son quartier. Il vit seul, ses journées sont très précisément planifiées. À 20 h 30, un homme d'une soixantaine d'années, de taille moyenne, plutôt corpulent, emmitouflé dans un manteau gris, un foulard noué autour du cou, pousse la porte de son immeuble. Mais, à cet instant, François Truffaut se détourne. Il refuse de bouleverser les habitudes d'un homme en lui révélant brutalement qu'il est son fils. Ce soir-là il prendra une chambre en ville et ira s'isoler au cinéma où l'on projette *La Ruée vers l'or* de Chaplin.

Que reste-t-il de nos amours ?

Cette succession d'événements au printemps et à l'été 68 met en évidence les vies multiples, cloisonnées, comparti-mentées de François Truffaut. Mais liées entre elles par des cir-culations intimes, souterraines, des chemins secrets. Cinéaste en pleine activité, militant de la cinéphilie lorsqu'il se fait le défen-seur de Langlois, devenant un des « saboteurs » du festival de Cannes par souci logique de voir le cinéma « coller » à la France en grève, « étudiant » de mai, se découvrant « Juif » au moment où il perd sa mère, homme à femmes, Truffaut réussit à être tous ces personnages à la fois, sans y perdre la tête au regard de ses proches, mais en étant à l'intérieur de lui-même profondé-ment troublé par ces correspondances multiples.

Avec *Baisers volés,* le Carrosse est remis à flot de façon inat-tendue. Ce film que Truffaut a tourné avec une certaine insou-ciance, alors qu'il était mobilisé presque tous les soirs par l'affaire Langlois, avait, il le dit lui-même, « été sacrifié [49] ». À la fois fantaisiste et assez nostalgique, *Baisers volés* semble aussi tota-lement décalé par rapport à l'atmosphère de mai 68. Mais, para-doxalement, ce qui pouvait apparaître comme un handicap se transforme précisément en atout. L'insouciance du tournage donne au film son rythme, sa liberté, sa mélancolie, et son ambiance un peu désuète se révèle parfaitement synchrone avec les attentes du public : après un printemps de fièvre et d'enga-gements politiques, l'automne se fait léger, futile. La révolution a échoué, avec elle, le documentaire et le film engagé. Le spec-tateur retourne à la fiction, aux rêves, à la nostalgie et aux sou-rires. Le phénomène n'ôte rien au mérite personnel de Truffaut, mais il explique sans doute le destin commercial exceptionnel de ce petit film.

Baisers volés est montré en avant-première au festival d'Avignon. Jacques Robert l'a programmé en accord avec Jean Vilar, pour la soirée du 14 août 1968 dans la Cour d'honneur du palais des Papes, en clôture. L'année précédente, *La Chinoise* de Godard y avait fait l'événement, divisant les festivaliers. En 1968, c'est le festival lui-même qui fait l'événement, secoué par l'« esprit de mai ». Vilar est violemment contesté, le Living Theater y impose sa conception du « happening », et les CRS sont dans les rues. Dans cette ambiance, *Baisers volés* paraît totalement décalé, ce que Mathieu Galey écrit dans *Les Nouvelles littéraires* : « Par quelle aberration a-t-on pu retenir ces *Baisers volés* pour clore le festival ? Un charmant divertissement désinvolte, avec une jolie nuance de mélancolie, quelque chose de léger, de facile, d'aimable, plein de clins d'œil à la culture, mais pas du tout à la Révolution. J'ai passé là deux heures charmantes parce que ma sensibilité est franchement réactionnaire, mais voilà qui n'aura pas plu du tout aux messieurs et aux demoiselles d'Avignon. Ils attendaient du Brecht, on leur offre du Marivaux [50]... » Mais les 3 000 spectateurs présents font un triomphe au film, ce que Robert Chazal note avec satisfaction dans *France-Soir* : « *Baisers volés* n'est pas un film engagé. Antoine Doinel n'est pas l'un de ces petits casseurs à moto qui prétendent tenir le haut du pavé. C'est un jeune homme timide à la muflerie charmante et au romantisme nuancé d'humour, pour qui la vie est à la fois drôle et triste comme une chanson de Trenet [51]. » D'emblée, le paradoxe est installé : le film séduit, mais il est perçu comme anachronique, presque réactionnaire. Sorti le 4 septembre 1968 dans trois salles parisiennes, *Baisers volés* reçoit un accueil favorable dans la presse, qui reprend avec insistance le thème du film « hors du temps ». « Fraîcheur », « spontanéité », « acuité », « humour », « liberté », « émotion », « tendresse », « pudeur », « cocasserie » reviennent sans cesse. Dans *Paris-Soir,* Michel Aubriant dresse un portrait révélateur d'un Truffaut assagi, « tout sucre et tout miel » : « Fabuleux ce qu'il a changé depuis dix ans, le jeune homme insolent qui tirait à boulets rouges sur un certain cinéma de papa. Il n'y a que les imbéciles qui ne changent pas. Et les grands principes sont faits pour être transgressés. Oui, il a évolué, Truffaut. On ne peut pas toujours casser des vitres et jeter des pavés [52]. » La réputation de Truffaut est bâtie sur ce refus du moderne et de ses modes : il incarne pour la grande presse le « cinéma d'autrefois ». Tous ces critiques ignorent à quel point ce Truffaut « acceptable » ou « assagi » cache au fond de lui des facettes plus graves, des secrets infiniment plus morbides. Pourtant, cette couleur sombre affleure dans son film à travers l'inquiétant personnage interprété par Serge Rousseau (un des meilleurs amis du cinéaste, et le mari de Marie Dubois), l'homme à l'imperméable qui, à la fin de *Baisers volés*, fait brusquement irruption pour déclarer à Claude Jade son « amour définitif », un amour plus fort que la mort.

En quatre mois d'exploitation à Paris, le succès du film est incontestable : 335 000 entrées. Le prix Louis-Delluc obtenu le 9 janvier 1969 attire près de 50 000 nouveaux spectateurs. Pour un coût modeste, *Baisers volés* rapporte plus de trois fois la mise. À l'étranger, New York réserve un excellent accueil à *Stolen Kisses*. Tant dans la presse — « Tout ce que touche Truffaut semble immédiatement revêtu du lyrisme qui caractérise ses plus grands films. C'est l'un des meilleurs Truffaut [53] », écrit Vincent Canby dans le *New York Times* — qu'au Fine Arts Theatre, où le film est programmé avec succès à partir du 3 mars 1969. Depuis *Les Quatre Cents Coups,* aucun film de Truffaut n'a ainsi « rempli la caisse [54] ». En difficulté au sortir des années soixante, les Films du Carrosse prennent alors un nouveau départ. *Baisers volés,* film « sacrifié », film modeste, film décalé, réinstalle Truffaut sur la voie du succès.

Belle de nuit

Ce succès inattendu permet au cinéaste d'aborder enfin un film plus ambitieux. *La Sirène du Mississippi* est un projet qui vient de loin. Cela fait une dizaine d'années qu'il a lu le roman de William Irish, *Waltz into Darkness,* que Madeleine Morgenstern, au cours d'une visite à Nîmes en août 1957 sur le tournage des *Mistons,* lui avait apporté. Mais l'idée d'en faire un film remonte à l'été 1966. Alors qu'il achève *Fahrenheit 451,* les frères Robert et Raymond Hakim proposent à Truffaut de financer son prochain film, à condition qu'il se fasse avec Catherine Deneuve. L'actrice tourne alors *Belle de jour* de Luis Buñuel, une production Hakim. Truffaut est invité à visionner quelques rushes, puis déjeune avec elle. Il est conquis. Peu de temps après, il propose aux Hakim d'adapter *La Sirène du Mississippi*, en lui confiant le principal rôle féminin. Pour le rôle masculin, Truffaut pense immédiatement à Jean-Paul Belmondo. Tout au long de l'automne 1966, les négociations se déroulent entre les Hakim et Gérard Lebovici, le patron d'Artmédia, et qui, à ce titre, représente les deux vedettes, mais elles sont rompues net lorsque les « Brothers Zaquime », ainsi que les surnomme Truffaut, exigent un droit de regard sur le montage final[55].

Le projet de *La Sirène du Mississippi* circule alors de main en main... Un producteur allemand propose à Truffaut de racheter les droits aux Hakim et de réunir Brigitte Bardot et Jean-Paul Belmondo à l'écran. Truffaut refuse. Il tient à Catherine Deneuve. Et elle-même ne fera le film que si Truffaut en est le réalisateur. Jusqu'à l'automne 1967 où, alerté par Don Congdon, son agent littéraire new-yorkais, Truffaut apprend que les Hakim n'ont en réalité aucun droit sur le roman d'Irish et qu'ils l'ont, selon son expression, « formidablement bluffé[56] ». Les droits appartiennent à la Twentieth Century Fox, prête à les céder pour 50 000 dollars. Si les Films du Carrosse ne sont pas en mesure d'avancer la somme, Truffaut peut heureusement compter sur l'aide de trois amis, Jeanne Moreau, Claude Lelouch et Claude Berri, qui lui avancent 400 000 francs, de quoi acquérir les droits du roman. À partir de là, Truffaut et Marcel Berbert entrent en discussion avec les Artistes Associés pour monter le financement du film. Le budget s'élève à près de huit millions de francs, la plus grosse production du cinéaste. Le tournage, qui doit se dérouler en Corse et durer douze semaines, à partir de décembre 1968, est la seule « folie » que Truffaut se soit jamais permise : il lui permettra de filmer chaque scène dans l'ordre exact prévu par le scénario, « afin de respecter la progression dramatique nécessaire au jeu du couple d'acteurs[57] ».

Truffaut travaille seul à l'adaptation du roman d'Irish, car aucun de ses scénaristes habituels n'est disponible. S'il entend rester fidèle au roman, il décide néanmoins de transposer l'action : l'histoire de *La Sirène du Mississippi* ne se déroule plus à La Nouvelle-Orléans en 1830, mais en Corse aujourd'hui. Louis Mahé, riche propriétaire viticole, épouse Julie Roussel, une jeune femme du continent avec laquelle il a noué une relation grâce aux annonces matrimoniales. À l'arrivée du *Mississippi* dans le port de Calvi, Louis est surpris par la jeunesse et la beauté de Julie, et en tombe éperdument amoureux. Peu de temps après leur mariage, la jeune femme l'escroque en retirant tout l'argent du compte ouvert à leurs noms, puis disparaît. En fait manipulée par son amant, Richard, un truand, elle s'est substituée à la vraie Julie Roussel, qui a été jetée par-dessus bord. Déprimé et amer, Mahé vient s'installer sur la Côte d'Azur, retrouve par hasard Julie Roussel, et veut la tuer. Mais elle s'explique en une longue confession : elle s'appelle en réalité Marion Bergamo, enfant de l'Assistance publique, a traîné de maisons de correction en foyers d'accueil, avant de se prostituer dans les bars d'Antibes et de Nice. C'est là qu'elle a rencontré Richard, devenu son amant et souteneur, mais qui vient d'être arrêté. Marion demande pardon à Louis et veut changer de vie. Louis est toujours amoureux d'elle, le couple se reforme, vivant heureux dans une grande maison près d'Aix-en-Provence. Jusqu'au jour où survient le détective Comolli, qui avait été engagé par Mahé et par la sœur de Julie Roussel pour retrouver la trace de Marion. Pour la protéger, Louis tue Comolli. Le couple est désormais en cavale, fuyant vers Lyon, puis vers les Alpes, espérant passer la frontière. Là, dans un chalet au milieu de la neige, Louis s'aperçoit que Marion est en train de l'empoisonner avec de la mort aux rats, pour se débarrasser de lui et s'enfuir. Par amour, il accepte son sort. Lorsque Marion prend conscience de ce sacrifice, « l'amour lui ouvre les yeux » et les deux amants s'éloignent dans la neige.

Le scénario écrit par Truffaut fonctionne moins comme une histoire policière que comme un roman d'amour noir, fondé sur une passion qui ne peut mener que vers la mort. *La Sirène du Mississippi* sera le récit intimiste d'un amour tragique. Tout repose donc sur le couple et la vérité des rapports amoureux. C'est la raison pour laquelle Truffaut tient tellement à travailler avec Jean-Paul Belmondo et Catherine Deneuve, les plus grandes vedettes du cinéma français de l'époque, mais aussi les deux meilleurs acteurs du moment selon le cinéaste. En apparence, Louis Mahé, le personnage que doit jouer Belmondo, est un jeune homme prestigieux, riche, séduisant et drôle. Mais il est aussi timide, maladroit, trahi, escroqué, sans cesse mené par le bout du nez par Marion, et maladivement amoureux. Secrètement, le parti pris de Truffaut consiste à inverser les rôles : « Catherine Deneuve était un mauvais garçon, un voyou qui en avait vu de toutes les couleurs, et Jean-Paul Belmondo, une jeune fille effarouchée qui attend tout de son mariage. Lui se marie par petites annonces. Pour un peu je lui aurais fait dire, au générique : "Jeune homme, vingt-neuf ans, vierge, cherche à épouser, etc. " Il ne le dit pas mais en fin de compte, pour moi, Belmondo est vierge [58] ! » Au faîte de sa gloire, Belmondo doit accepter cette ambiguïté, au risque de décevoir son public en prenant à contrepied son image d'acteur viril. Incarner à la fois cette force et cette fragilité, produits de sa réussite et de ses traumatismes successifs. Hésitant, Belmondo finit par se laisser convaincre par Gérard Lebovici d'accepter le rôle de Louis Mahé. Mais au fond de lui, il gardera une certaine réserve vis-à-vis du personnage, quitte, comme il le confiera à Suzanne Schiffman sur le tournage, « à avoir l'air d'un con [59] ».

Catherine Deneuve accepte elle aussi un rôle plein de paradoxes par rapport à son image. « Ce que j'aime en elle, c'est son mystère, écrit Truffaut. Elle se prête admirablement aux rôles qui comportent un secret, une double vie. Catherine Deneuve ajoute de l'ambiguïté à n'importe quelle situation, n'importe quel scénario, car elle donne l'impression de dissimuler un grand nombre de pensées secrètes qui se laissent deviner à l'arrière-plan [60]... » Au début du mois de février 1968, Catherine Deneuve donne son accord définitif, avant de passer une bonne partie de l'été et de l'automne à Hollywood, où elle tourne un film américain, *April Fools* de Stuart Rosenberg, aux côtés de Jack Lemmon. Régulièrement, elle écrit de longues lettres à Truffaut, exprimant ses attentes et ses doutes, et demandant quelques indications sur le scénario. Le 2 septembre, Truffaut lui exprime plus clairement ses intentions, fondant sa croyance en la valeur intrinsèque de ce qu'il nomme les « films à couple » : « Les films américains n'ont jamais été meilleurs que lorsque James Stewart s'y accouplait avec Katharine Hepburn, Cary Grant avec Grace Kelly, Bogart avec Bacall. Avec *La Sirène*, je compte bien montrer un nouveau tandem prestigieux et fort : Jean-Paul, aussi vivant et fragile qu'un héros stendhalien, et vous, la sirène blonde dont le chant aurait inspiré Giraudoux [61]. » De cette entente dépend donc la réussite du film, à condition de passer outre les susceptibilités de chacun. Truffaut demande à

Catherine Deneuve d'assumer le rôle de « chef de couple » dans le film et sur le tournage, « y compris en étant un peu garce », ce qui ne manquera pas de vexer ou de perturber son alter ego masculin. Il parle à sa comédienne d'un « film d'amour fou », supposant une grande « familiarité dans le drame » entre les personnages : « Ce sont la concentration et l'entente parfaite entre nous trois qui restitueront l'intimité de cette vie amoureuse. Je ne vous demanderai de jouer aucune scène explicitement sexuelle, mais il faudra que la sexualité soit toujours présente, sous-jacente [62]. » Dans *La Sirène du Mississippi*, Catherine Deneuve est habillée par Yves Saint Laurent, son couturier favori qu'elle présente à François Truffaut. « Ils se sont rencontrés une fois, ils n'ont pas eu besoin de se parler beaucoup, il y avait une telle compréhension, confiera-t-elle plus tard à Laurence Benaïm, la biographe de Saint-Laurent. Les demandes de Truffaut en ce qui concerne les vêtements sont très proches de celles de Saint Laurent, même s'il n'aimait pas les pantalons. Il parlait toujours des jambes des femmes. Il n'aimait que les jupes qui bougeaient, jamais des choses raides, droites, figées [63]... »

Au cours de l'automne 1968, Truffaut sollicite Michel Bouquet, pour jouer le détective Comolli, personnage secondaire mais qui doit faire peser sur cette histoire d'amour-passion tout le poids de la menace policière. Le rôle de Jardine, l'homme de confiance de Louis Mahé, revient naturellement à Marcel Berbert, proche de celui qu'il incarne quotidiennement aux Films du Carrosse : « C'était pour faire des économies, avoue Marcel Berbert, sinon il aurait fallu faire venir un acteur pour pas grand-chose jusqu'à la Réunion [64] ! » En effet, le tournage prévu en Corse est annulé. Truffaut y a pourtant séjourné une semaine au printemps 1968, sillonnant l'île de long en large avec Jean-José Richer, son assistant, à la recherche de décors. Mais le mystère n'y est pas. Il est surtout impossible d'imaginer, pour la cohérence de l'intrigue, que Louis Mahé puisse vivre en Corse totalement décalé par rapport à la France continentale. Un dimanche matin, la veille du départ de Marcel Berbert pour la Corse, où il doit se rendre, accompagné de Claude Miller promu directeur de production, pour signer divers engagements liés au tournage du film, Truffaut téléphone à son proche collaborateur : « J'ai réfléchi, on va tourner en Nouvelle-Calédonie. Pouvez-vous me dire combien cela coûtera en plus [65] ? » Berbert annule les préparatifs en Corse, puis prend le temps de faire ses comptes. Rendez-vous est fixé dès le lundi matin au Carrosse, afin de trouver une solution. « J'avais un planisphère sur mon bureau, se souvient Berbert. Je regarde : la Nouvelle-Calédonie, à 20 000 kilomètres. Et je vois : l'île de la Réunion à 10 000... Cela nous en faisait gagner autant ! » À quatre semaines du début du tournage, tout est à refaire. Mais Truffaut est a priori séduit à l'idée de tourner à la Réunion. Département français d'outre-mer, l'économie comme la réalité sociale de la Réunion sont profondément coloniales. Là, dans cette petite île au relief tourmenté, à l'est de la pointe méridionale de l'Afrique, dans une belle et grande maison héritée d'une des plus anciennes familles de colons français, Louis Mahé devient un personnage crédible, qui aura pu préserver sa virginité et son innocence, tout en dirigeant l'une des principales plantations de tabac.

L'équipage du Mississippi

Le 15 novembre 1968, François Truffaut s'envole pour l'île de la Réunion, deux semaines à peine avant le début du tournage. Rien n'est encore prévu sur place. Jean-José Richer, Roland Thénot, Marcel Berbert et lui-même n'ont que quinze jours pour effectuer les repérages, réserver les hôtels, trouver une villa et une fabrique de cigarettes pour Louis Mahé, un paquebot pour l'arrivée de Julie Roussel, et une petite église dans la brousse pour leur mariage. Dans une lettre à Jean Narboni, critique aux *Cahiers du cinéma,* qui y a effectué son service militaire au titre de coopérant, Truffaut décrit ses premières impressions de l'île : « À l'arrivée, consternation, désolation et déception. Et puis, au bout de quelques jours, le charme commence à agir. [...] Les paysages étaient souvent beaux (pas toujours) et les types humains superbes, surtout en ce qui concerne les femmes et les enfants. Pour le film, c'est un bénéfice certain par rapport à la Corse [66]... »

Effectivement, les repérages sont fructueux : la chapelle Sainte-Anne pour le mariage, à cinquante kilomètres de Saint-Denis, en plein cœur d'un superbe paysage volcanique, la Villa du Bel-Air, prestigieuse bâtisse blanche d'une grande famille de colons pour Louis Mahé, située au Tampon, une propriété au-dessus de Saint-Denis ; et une fabrique de cigarettes, la compagnie Law Son, en pleine ville. Truffaut, quant à lui, loge aux Relais Aériens Français, une résidence surplombant Saint-Denis, avec une vue magnifique sur l'océan Indien. Fin novembre, le reste de l'équipe technique et les deux vedettes débarquent à la Réunion. Jean-Paul Belmondo réside à l'hôtel Saint-Gilles, au cœur de Saint-Denis, tandis que Catherine Deneuve s'installe aux Relais Aériens. « Je fais le fanfaron, mais, vous vous en doutez, le trac est là, trois jours avant de shooter, avec les inévitables pensées de dérobades : " Et si Catherine se cassait la jambe... et si Jean-Paul avait une angine... " Bref, il va encore falloir me traîner de force au travail, c'est la Schife qui me fera avancer à coups de pompes dans le cul [67] », écrit Truffaut à Helen Scott trois jours avant le début du tournage, qu'il prévoit difficile, du fait de l'éloignement de Paris, comme des exigences ou des caprices de ses acteurs.

Le premier jour, la prise de contact sur le plateau est effectivement assez tendue, et de fortes rafales de vent empêchent le tournage d'une série de plans filmés en hélicoptère. Mais très vite, tout rentre dans l'ordre. Catherine Deneuve désarme toutes les appréhensions de son metteur en scène : « J'ai découvert assez rapidement que nous pensions la même chose et que nous étions d'accord sur tout [68] », écrit-il soulagé, après avoir craint de sa part un trop grand souci de son image ou trop de perfectionnisme.

« Le tournage est idéal et tout va pour le mieux [69] », écrit Truffaut à Lucette Desmouceaux, sa secrétaire aux Films du Carrosse. Il est heureux. Non seulement son tournage se déroule dans des conditions idéales, mais c'est au cours de ces dix-huit jours à la Réunion que se noue son histoire d'amour avec Catherine Deneuve. « En général, il était d'une innocence incroyable et pensait que les gens ne s'apercevaient pas de ses aventures lors des tournages. Là, il ne se cachait pas. Pour elle et lui, c'était quelque chose de sérieux, ce n'était pas une simple relation de tournage [70] », résume Marcel Berbert. Discrètement et tout en restant de bonne humeur, Jean-Paul Belmondo ressent une certaine jalousie à cause du traitement de faveur dont sa partenaire bénéficie de la part du réalisateur. Des témoins se souviennent qu'avec Ursula Andress, sa compagne venue le rejoindre à la Réunion, il préférait rester à l'écart des repas en équipe, ou s'isoler dans sa villa. Avant de quitter la Réunion, le 23 décembre, un apéritif est offert par la production aux techniciens et comédiens, rejoints par les représentants officiels de l'île, qui avaient facilité la réalisation du film. « Belmondo n'est resté qu'un quart d'heure, toujours souriant, mais il n'a fait que passer [71] », se souvient Berbert...

Après Noël, le 30 décembre à Nice, le tournage reprend selon la chronologie du scénario. D'abord les scènes de clinique, où Louis Mahé, en pleine dépression, fait une cure de sommeil pour se remettre du départ et de la trahison de Julie Roussel. Trois jours de tournage, dans les jardins du musée Masséna et dans une clinique attenante, sur la Promenade des Anglais. Puis les principales scènes entre Louis Mahé et Marion, un « dialogue très parlé et très spontané que je rédige au jour le jour quelques heures avant de tourner les scènes [72] ». Cette cérémonie intime commence avec la longue confession de Marion à Louis Mahé. Pour ce monologue, Truffaut a repris, mot pour mot, quelques extraits du récit enregistré en octobre 1965 auprès de Mireille G., la première femme avec laquelle il ait vécu, en 1949, et qu'il a retrouvée dans le Midi [73] : l'Assistance publique, la première paire de chaussures à talon acquise à quatorze ans, l'argent volé dans les portefeuilles, la kleptomanie, la maison de correction [74].

En hommage à son ami Jacques Audiberti, mort en 1965, Truffaut a tenu à tourner cette séquence dans un hôtel situé sur une place baptisée « Jacques Audiberti », dans la ville natale de l'écrivain, Antibes. Il a aussi rebaptisé l'hôtel du nom de « Monorail », titre d'un roman de l'écrivain. L'équipe doit tourner une scène de nuit, au cours de laquelle Belmondo, refusant comme d'habitude d'être doublé, escalade la façade de l'hôtel pour pénétrer dans la chambre de Marion. Au cours de l'ascension, il dérape, son pied vient briser un néon, provoquant un court-circuit, et l'acteur se retrouve suspendu dans le vide... Plus de peur que de mal, deux heures plus tard, on retourne la scène, après que les techniciens ont bricolé un nouveau décor.

Le tournage se poursuit près d'Aix-en-Provence, où Louis Mahé et Marion renouent le fil de leur passion. Déclarations, jeux amoureux, caresses, le passage du vouvoiement au tutoiement, la double confession devant la cheminée, la scène du déshabillage de Catherine Deneuve sur le bord de la route [75], les séquences purement fétichistes où la femme revêt la « tenue des fantasmes » (des bas couleur zibeline, une combinaison de soie rose, et une petite robe dont l'homme défait un à un les huit boutons [76]), ou encore les étreintes, juste après des événements dramatiques (l'assassinat du détective Comolli, le retour de Louis avec l'argent). C'est un univers très intime qui est évoqué dans *La Sirène du Mississippi*, ce film que Catherine Deneuve résume avec une grande lucidité : « François a fait des films d'amour où la sexualité a toujours été présente. Elle est assez nimbée, la pudeur l'emportant souvent. Mais si on regardait ses films sous cet angle précis, avec un peu d'attention, par exemple *La Sirène*, on verrait combien ils sont sexuellement violents et explicites [77]. »

Entre la fin janvier et la mi-février 1969, l'équipe se retrouve à Lyon, puis au Sappey, au-dessus de Grenoble, dans le massif de la Chartreuse, là où Truffaut avait filmé les derniers plans de *Tirez sur le pianiste*. C'est d'ailleurs dans le même chalet qu'il tourne la fin de *La Sirène du Mississippi*, où Deneuve empoisonne Belmondo avec de la mort aux rats. C'est également là que se prononcent les derniers mots du film : « Est-ce que l'amour fait mal ? demande Marion. — Oui, ça fait mal, répond Louis. Quand je te regarde, c'est une souffrance, tu es si belle. — Hier tu disais que c'était une joie, reprend Marion. — Oui. C'est une joie et une souffrance », conclut Louis. Le soir du 15 février, toute l'équipe se réunit pour faire la fête, et célébrer le trente-septième anniversaire de Truffaut : « L'équipage du *Mississippi* vous prie de bien vouloir honorer de votre présence la Sirène Party organisée en l'honneur de François Truffaut à partir de 22 heures à l'hôtel des Skieurs (tenue de soirée non obligatoire...) [78]. »

La plus belle femme du monde

Entre mars et mai 1969, François Truffaut monte son film avec Agnès Guillemot, assistée de Yann Dedet. Après un montage de petites annonces lues par des voix off, le générique intègre un extrait de *La Marseillaise* de Jean Renoir, dont il vient de voir une copie restaurée [79]. « C'est pour moi un vrai bonheur de me savoir associé à ce spectacle [80] », écrit Renoir, très touché par ce geste. Début juin, selon son habitude, Truffaut organise une projection de *La Sirène* pour son ami Jean Aurel, qui lui suggère quelques modifications dans le montage. « Le film n'est pas formidable, mais il n'est pas raté ; les deux *lovers* sont très bien [81] », confie Truffaut à Helen Scott.

À la sortie du film, le 18 juin 1969, la critique se montre déçue. Dans *Le Nouvel Observateur,* Jean-Louis Bory donne le ton : « La touche " Truffaut " donne un film ravissant, dont je me moque éperdument. À cause de toute cette sauce ? Cette mariée est-elle trop belle ? Trop grande couture. C'est un *Tirez sur le pianiste* métamorphosé en article pour boutiques de très beaux quartiers. Couleurs idéales et vedettes internationales. Je regrette l'ancien, le pauvre, en noir et blanc. Car ces vedettes, justement, elles encombrent [82]... » Gilles Jacob est également déçu et l'écrit à son ami : « On ne croit pas aux deux personnages, on ne croit pas à Deneuve racontant sa vie, on ne croit pas à Belmondo [83]. » Le film d'amour intimiste et passionnel passe inaperçu, occulté par la réputation des vedettes et l'apparence d'un film « à grand spectacle ». *La Sirène du Mississippi* est d'emblée une œuvre incomprise, et le demeure aujourd'hui encore. Malgré la présence de deux vedettes comme Catherine Deneuve et Jean-Paul Belmondo, le public boude : tout juste 100 000 spectateurs à la fin du mois de juillet 1969, lorsque le film est retiré des salles. L'échec est sévère. Les Films du Carrosse ne s'en sortent pas trop mal, mais les Artistes Associés sont très déçus.

Paradoxalement, Truffaut se soucie peu de cet échec. En ce printemps 1969, il vit les moments les plus heureux de son existence. D'ordinaire si pudique, il ne peut s'empêcher de se confier à deux ou trois amis. À François Weyergans : « Je suis l'homme le plus heureux de la terre [84]... » À Helen Scott : « La vie privée est très bonne [85]... » « Ma vie privée s'est à nouveau organisée autour d'un bonheur amoureux [86] », écrit-il à Aimée Alexandre, sa vieille amie d'origine russe, alors âgée de soixante-dix-sept ans. Ce « bonheur amoureux » a les traits fins et réguliers de « Kathe de Neuve » comme l'appelle parfois Truffaut, avec tendresse et ironie.

Le tournage de *La Sirène* les a rapprochés. Le lien qui unit le cinéaste et son actrice confère au tournage une joie sensible et sensuelle, telle que Truffaut n'en avait plus vécue sur un plateau depuis *Jules et Jim,* et donne au film l'allure d'une véritable déclaration d'amour. Tout au long du tournage, rien n'est dévoilé de cette liaison, en dehors de l'équipe, même si, indice explicite, le premier tour de danse fut accordé par Catherine Deneuve à François Truffaut, le 15 février 1969, lors de la soirée à l'hôtel des Skieurs, au Sappey. Quelques jours plus tard, *Paris-Match* publiait d'ailleurs une photographie du couple, « Catherine et Truffaut sous le même parapluie [87] », serré bras dessus, bras dessous, sous la neige.

François Truffaut et Catherine Deneuve se ressemblent sur bien des points. « Nous sommes d'accord sur tout », dit volontiers le cinéaste. Les articles alors publiés sur celle qui est en train de devenir une star, par Yvette Romi dans *Le Nouvel Observateur,* Gilles Jacob dans *Les Nouvelles littéraires,* Nadine Liber dans *Life,* mais aussi dans *Newsweek* et *Look,* se font l'écho du slogan publicitaire de Chanel : « *The most beautiful woman of the world.* » Mais ils dessinent aussi une esquisse psychologique assez proche de celle que l'on pourrait tracer de François Truffaut. Une grande pudeur, le désir farouche de préserver sa vie privée, une forte ambition et un irrépressible besoin de séduire, une fragilité et une angoisse à fleur de peau, une blessure encore vive due à la disparition de certains proches, la peur du contact public, un certain pessimisme face à la société, une humeur cyclothymique... Truffaut lui-même, dans un article paru dans *Elle* sous le titre « Au travail avec Catherine Deneuve », contribue à tracer un portrait qui confine à l'autoportrait : « Catherine est très peu actrice dans la vie. En fait, elle calcule très peu et préfère se laisser aller, très à l'aise dans certaines situations, très malheureuse dans telles autres. Mais elle ne le montre pas et possède une décence que j'apprécie beaucoup. Elle n'a pas la vanité de son talent. Pour elle, seul le bonheur compte. Tout le reste est dérisoire. Catherine est comme ça [88]. »

Pour Truffaut, cette liaison est à la fois une consécration et un bouleversement profond dans son existence. Il est fier de vivre, de paraître parfois, aux côtés de l'actrice la plus célèbre du cinéma français et de « la plus belle femme du monde ». À son ami Claude de Givray, Truffaut, pourtant si pudique, aurait fait cet aveu à propos de son histoire d'amour avec Catherine Deneuve : « Ma vie ressemble à une comédie américaine [89] ! » Le cinéaste et l'actrice observent autour de leur liaison la plus grande discrétion, au point de recueillir chacun en 1970 le prix Citron du plus mauvais caractère à l'égard de la presse !

Début juin 1969, juste avant la sortie de *La Sirène*, Truffaut quitte son appartement de la rue de Passy pour s'installer avec Catherine Deneuve, dans un grand appartement moderne de Saint-Germain-des-Prés, rue Saint-Guillaume. C'est la première fois qu'il s'installe « rive gauche », mais c'est surtout la première fois, depuis sa séparation avec Madeleine, qu'il décide de revivre en couple. Quand Catherine Deneuve s'éloigne de Paris pour un tournage, Truffaut prend l'habitude de l'accompagner, s'il n'a pas d'obligations professionnelles. « Ma vie privée est beaucoup plus exclusive qu'avant [90] », confie-t-il à Helen Scott. « Nous ne dînons presque jamais en ville à cause des pièces à voir, des films et des soirées devant la télé. Catherine organise quelques dîners chez elle avec des amis proches. C'est tout pour notre vie mondaine [91] », écrit-il à Aimée Alexandre. Continuant à se vouvoyer, le couple ne se permet guère d'excentricités, affichant aux yeux de leurs amis une sobriété de bon ton. Truffaut n'a jamais été plus élégamment habillé. Il a changé de couturier, quittant Cardin pour Lanvin, se chausse chez Berluti, bottier de luxe installé à cent mètres de son bureau. Ce mode de vie, cette aisance qu'il partage avec Catherine Deneuve apparaissent comme la consécration, sociale et esthétique, d'une belle réussite bourgeoise.

Dès qu'il en a l'occasion, le couple voyage à l'étranger, où l'un et l'autre se sentent plus libres de leurs mouvements, de leurs sentiments, et où cette complicité amoureuse s'épanouit. En octobre et en novembre 1969, Truffaut passe ainsi près de cinq semaines à Tolède, où Catherine Deneuve a retrouvé Buñuel qui tourne *Tristana*. Installé à l'hôtel El Marron, Truffaut travaille au scénario de *Domicile conjugal*, rejoint quelque temps par Claude de Givray. « Il n'a jamais mis les pieds dans la vieille ville [92] », se souvient de Givray, témoin de l'absence chronique de curiosité touristique chez son ami : « Il avait une théorie selon laquelle les villes ne sont pas faites pour être visitées, qui allait dans le sens de la phrase de Cocteau : " Il meurt frappé par le pittoresque. " Pour lui, c'était vraiment une obscénité de visiter une ville dans laquelle des gens vivent. »

Entre l'appartement de la rue Saint-Guillaume et les grands hôtels des villes étrangères, François Truffaut et Catherine Deneuve vivent heureux. Après une année 1969 intense sur le plan professionnel, ils se sont promis du temps et du calme pour 1970, aménageant leur calendrier en conséquence. Il sera question des projets d'avenir, mais surtout d'une vie de couple dans laquelle François Truffaut, pour l'une des rares fois de son existence, semble vraiment s'épanouir.

L'Enfant sauvage

À la fin du mois de juin 1969, François Truffaut sait que *La Sirène du Mississippi* est son plus grave échec commercial. Heureusement, il est déjà occupé à préparer *L'Enfant sauvage,* dont le tournage commence le 2 juillet, loin de Paris et des problèmes rencontrés par son film. Depuis *Les Quatre Cents Coups,* Truffaut s'intéresse aux expériences pédagogiques concernant les enfants difficiles, autistes ou délinquants. Au cours du printemps 1964, alors qu'il se remettait à peine de l'échec de *La Peau douce,* un article du *Monde* avait éveillé sa curiosité. Il s'agissait d'un compte rendu du livre de Lucien Malson, *Les Enfants sauvages, mythe et réalité.* L'auteur, plus connu comme spécialiste de jazz que comme professeur de psychologie sociale au Centre national de pédagogie, y étudiait « les enfants privés de tous contacts avec les hommes et ayant, pour une raison ou pour une autre, grandi dans l'isolement [93] ». Parmi les cinquante-deux cas analysés par Malson, le plus instructif est celui de Victor de l'Aveyron, longuement étudié à l'époque, en 1798, par le docteur Jean Itard, qui s'était intéressé à cet enfant quelques mois après sa découverte en pleine forêt par des chasseurs.

Truffaut se procure immédiatement le livre de Malson en une dizaine d'exemplaires, comme à son habitude quand un ouvrage l'intéresse pour son travail. L'expérience de Jean Itard, brillant médecin spécialisé dans l'étude des processus auditifs, le fascine. En décembre 1800, Itard, tout juste âgé de vingt-neuf ans, se vit confier la direction de l'Institut national des sourds-muets, situé rue Saint-Jacques à Paris, où il travaillait depuis un certain temps, notamment avec l'enfant sauvage retrouvé dans l'Aveyron. Enfermé à la gendarmerie de Rodez, cet enfant d'une dizaine d'années était aussitôt devenu un objet de curiosité publique. Les savants parisiens demandèrent à l'examiner. Il fut transféré à l'Institut des sourds-muets au printemps 1799. Deux thèses s'affrontaient dans les milieux médicaux. Pour les uns, dont Philippe Pinel, principale autorité du moment en la matière, il s'agissait d'un enfant débile ou idiot que ses parents avaient essayé de tuer — il portait une profonde cicatrice à la gorge — puis avaient laissé pour mort dans la forêt. Selon cette thèse, il ne pouvait être qu'un phénomène de foire, qu'il fallait enfermer à Bicêtre, chez les fous et les incurables. Pour d'autres, dont Jean Itard, cet enfant avait bien échappé au coup de couteau de ses parents, mais n'était pas naturellement idiot. Seul l'isolement, l'absence de communication avec les humains et le manque d'affection l'avaient rendu « sauvage ». Itard obtint sa garde, à charge pour lui de démontrer les effets de son instruction. À l'Institut des sourds-muets, il entreprit alors l'éducation de l'enfant, qu'il baptisa Victor. Celui-ci apprit peu à peu à se servir de ses sens, de son intelligence, à marcher debout, à se tenir à table, à s'habiller, et finit par comprendre un langage peu élaboré, et prononcer certains mots. Pour illustrer cette progression et insister sur l'utilité de cette expérience, Jean Itard rédigea deux rapports, le premier, en 1801, destiné à l'Académie de médecine, qui connut sur le coup un immense succès public dans l'Europe entière ; le second, en 1806, pour obtenir du ministère de l'Intérieur le renouvellement de la pension allouée à Mme Guérin, la gouvernante qui s'occupait de l'enfant. Victor vécut ensuite jusqu'à quarante ans, toujours sous la garde de Mme Guérin, dans une petite maison de la rue des Feuillantines, près de l'Institut, rendant de menus services et vivant très simplement.

Au cours de l'automne 1964, François Truffaut envisage de faire un film tiré de cette histoire et sollicite Jean Gruault. Dès la mi-janvier 1965, celui-ci propose un premier fil conducteur à Truffaut, qui n'en est pas vraiment satisfait. Mais sur le fond, Truffaut est plutôt confiant : « Gruault s'est remis au boulot sur

L'Enfant sauvage qui sera un film sublime [94] », écrit-il, débordant d'enthousiasme, à Helen Scott, qu'il aime épater. Le scénariste se documente, consulte les traités éducatifs à l'usage des sourds-muets, le *Traité des sensations* de Condillac (1754), se penche sur divers articles de médecine ou de psychologie en rapport avec les enfants autistes. Vers la fin du mois de novembre 1965, Truffaut dispose d'un scénario de 243 pages dactylographiées et annotées par lui, qu'il confie en retour à Jean Gruault pour un nouveau traitement. Un an plus tard, après ce « travail de ping-pong [95] » comme l'appelle Gruault, le scénario de *L'Enfant sauvage* finit par faire près de quatre cents pages, ce qui, selon le minutage de Truffaut, représente plus de trois heures de film. Il faut donc le réduire de moitié. Truffaut consulte alors Jacques Rivette, qui lui remet à l'automne 1967 une note d'une quinzaine de pages. « C'est l'enfant qui est intéressant, et tout doit tourner autour de lui. Ceci valant aussi pour Jean Itard. Tout ce qui ne les concerne pas ennuie ou distrait [96]. » Suivant ces conseils, Truffaut et Gruault achèvent leur travail au cours de l'été 1968. Réduit à 151 pages, le scénario est dense, tendu, « rigoureux », « logique », « scientifique », donc « poétique » selon Truffaut [97].

Pour faire ce film un peu particulier, Truffaut rencontre un oto-rhino-laryngologiste qui travaille sur quelques expériences menées à l'aide de diapasons sur des enfants sourds-muets. Il met à contribution Roger Monnin, le père d'une de ses amies, sourd-muet, responsable de plusieurs associations d'handicapés. Enfin, comme pour *Les Quatre Cents Coups,* il sollicite Fernand Deligny qui s'occupe d'enfants autistes à la clinique expérimentale de La Borde, dans le Loir-et-Cher, puis à Monoblet, un petit hameau dans le Gard, perdu au cœur des Cévennes [98]. À l'automne 1968, à la demande de Truffaut, Suzanne Schiffman se rend à Monoblet pour observer un jeune garçon dont le comportement, selon Deligny, rappelle étrangement celui de Victor de l'Aveyron. « La description que vous me donnez de son comportement est tellement proche de ce qu'Itard a décrit dans ses textes et de ce que nous voulons obtenir dans le film, que je suis extrêmement troublé, écrit Truffaut à Deligny. Je crois, en tout cas, que votre garçon devrait nous servir de modèle à la fois pour choisir le garçon qui jouera effectivement le rôle et pour nous inspirer un style de comportement corporel [99]. »

Grâce à *L'Enfant sauvage,* Truffaut entend apporter un écho sensible à une cause pour laquelle il milite avec une farouche énergie, celle de la protection de l'enfance malheureuse. Avec la liberté de la presse et le droit à l'insoumission dans l'armée, c'est la seule cause pour laquelle Truffaut est disponible en permanence. Pour lui, l'enfant ne bénéficie d'aucune protection et reste soumis à l'emprise de son entourage direct, même s'il est violent ou abusif. De manière radicale, Truffaut accuse d'ailleurs la classe politique d'indifférence sur ce grave problème de société. « Il ne fait aucun doute que le nombre d'enfants martyrs ou simplement malheureux va augmenter considérablement au cours des années à venir. Naturellement il en ira de même en ce qui concerne les enfants délinquants. Tout le monde est capable d'identifier les raisons : trop d'enfants non voulus, crise du logement, écoles surchargées, professorat insuffisant, assistance sociale dérisoire. À de tels problèmes sociaux il n'existe que des solutions concrètes donc financières donc politiques et nous savons que les enfants ne préoccupent les élus qu'à l'âge où ils deviennent des électeurs. Une plus grande sévérité à l'égard des parents frappeurs est également une solution à envisager. Ce ne sera malheureusement pas la solution adoptée par les pouvoirs publics, car elle est impopulaire. C'est pourquoi nous avons toutes les raisons d'être pessimistes, absolument pessimistes, exclusivement pessimistes [100]. »

Intimement concerné, Truffaut accumule les coupures de presse sur certains cas qui le révoltent : suicides d'enfants, établissements hospitaliers condamnés pour mauvais traitements réservés à de jeunes arriérés, sévices exercés par des parents sur leurs enfants... En mars 1964, il devient membre du comité de parrainage du Secours populaire français, puis, au printemps 1967, président du comité des bienfaiteurs de l'association SOS Villages d'enfants qui propose des centres pour accueillir les enfants battus. Enfin, en avril, il a accepté que France-Culture lui consacre une journée entière dans le cadre de l'émission *Comme il vous plaira...,* à condition qu'elle soit exclusivement orientée vers la cause des enfants martyrs. L'émission, diffusée le 2 avril de 14 heures à minuit, comporte une enquête dans un HLM de la rue Ampère, à Paris, où vient de mourir un enfant martyrisé par ses parents, des lectures de Dickens ou de Léautaud, un reportage à Ermont, dans le Val-d'Oise, sur le « silence des braves gens » face aux parents bourreaux... Ce jour-là, le standard téléphonique de l'ORTF est submergé par les appels et les témoignages. La presse donne un large écho à l'émission, et Truffaut reçoit près de deux cents lettres d'auditeurs. Certaines proviennent d'anciens enfants martyrs, ou de membres de comités de vigilance, témoignant de la justesse du regard de Truffaut. « L'inceste, les enfants battus, ce ne sont pas des choses que l'on étale devant tout le monde [101] », écrit au contraire une auditrice indignée, tandis qu'un homme s'adresse directement à la direction de l'ORTF pour dénoncer cette « émission anti-française d'encouragement à la délinquance au lieu d'aider les familles [102] ». Contre la loi du silence, contre l'abus d'autorité des parents, Truffaut s'engage dans le but de susciter un vrai débat public. Et c'est précisément cette remise en cause qu'il veut provoquer, quelques mois plus tard, en consacrant un film à Victor de l'Aveyron, enfant martyr abandonné à l'état sauvage, et que le cinéaste tente en quelque sorte d'éduquer grâce au cinéma. La vocation pédagogique de Truffaut et de son cinéma n'a jamais été mieux dite que par *L'Enfant sauvage,* film à la fois optimiste et désespéré. Optimiste car il fait une confiance absolue à l'apprentissage de la culture ; désespéré car cette éducation ne cesse de faire apparaître la société comme un repaire de bourreaux et de lâches.

Pour financer son film, Truffaut s'adresse aux Artistes Associés. Mais Ilya Lopert est réticent, trouvant le scénario « trop documentaire ». D'autant que Truffaut a bien précisé qu'il voulait tourner en noir et blanc. Les choses se présentent mal, au point qu'en septembre 1968, le cinéaste sollicite pour la seule fois de sa carrière une avance sur recettes auprès du CNC. Gérard Lebovici joue alors un rôle décisif pour convaincre Lopert de financer, malgré tout, *L'Enfant sauvage* à hauteur de deux millions de francs. Jean-Louis Livi, bras droit de Lebovici, mais également le gendre d'Ilya Lopert, se souvient de ces négociations entre Truffaut et celui qui dirige les productions européennes des Artistes Associés. « Vous imaginez, proposer à une compagnie américaine un film en noir et blanc, sans vedettes, alors que Truffaut s'apprêtait à diriger Deneuve et Belmondo ! » Toujours sceptique, Lopert fixe une condition : les recettes de *L'Enfant sauvage* seront mêlées à celles de *La Sirène du Mississippi,* film avec lequel il compte alors réaliser des bénéfices. « Les Américains comptaient amortir les pertes de *L'Enfant sauvage* avec le succès de *La Sirène* : c'est exactement l'inverse qui s'est produit [103] », se souvient Marcel Berbert. « L'intelligence d'Ilya, c'est d'avoir accepté de faire les deux, car il ne voulait pas risquer de perdre Truffaut [104] », conclut Jean-Louis Livi.

Sur les conseils de Roland Thénot, son régisseur, Truffaut décide de tourner *L'Enfant sauvage* à Aubiat, en Auvergne, non loin de Riom, où la famille Thénot, d'origine auvergnate, possède une gentilhommière construite au XIXe siècle, le Montclavel, dont il suffit de modifier les fenêtres et de changer l'ameublement pour en faire la demeure du docteur Itard. Pour tourner en noir et blanc, Truffaut fait appel à Nestor Almendros, le directeur de la photographie de *Ma nuit chez Maud*, d'Éric Rohmer, dont la lumière, très épurée, originale et simple, l'a particulièrement impressionné. Ce sera le début d'une longue collaboration, d'une complicité artistique et technique, d'une amitié : Almendros et Truffaut feront neuf films ensemble, jusqu'au dernier, *Vivement dimanche !*

Au cours de la préparation de *L'Enfant sauvage*, Truffaut et Almendros visionnent quelques films : *Miracle en Alabama* d'Arthur Penn, qui traite de l'éducation d'une jeune enfant sourde, muette et aveugle, *Le Journal d'un curé de campagne* de Bresson, *Monika* de Bergman, plusieurs films muets de Griffith et de Dreyer... Avec le grain très travaillé de son image en noir et blanc, les ouvertures et fermetures à l'iris que Truffaut utilise ici pour la première fois de façon systématique comme des ponctuations, *L'Enfant sauvage* est aussi un hommage au cinéma classique. « Truffaut cherchait un côté désuet, dira Almendros : les transitions du cinéma muet, les fondus. Comment faire des fondus sans recourir au laboratoire, le contretype enlevant de la qualité aux plans ? La fermeture à l'iris, caractéristique du cinéma muet, était idéale. On en trouva un, vestige antédiluvien. Les limites de l'iris étaient très précises, et l'effet d'anneau qui obscurcissait progressivement l'image, fort remarquable [105]. »

Au même moment, Suzanne Schiffman et son jeune assistant, Jean-François Stévenin, font « la sortie des écoles » dans la région de Nîmes, Arles, Marseille et Montpellier, avec l'espoir d'y trouver le jeune garçon qui jouera Victor. Schiffman interroge et photographie près de 2 500 enfants, parmi lesquels cinq candidats sont retenus et convoqués pour des essais à Paris. Le

6 juin, Truffaut écrit à Helen Scott qu'« il a trouvé le petit garçon [106] », Jean-Pierre Cargol, douze ans, repéré par Suzanne Schiffman aux Saintes-Maries-de-la-Mer. La peau mate, un profil « très animal », un corps vif et agile, Jean-Pierre Cargol est un enfant gitan, le neveu du guitariste Manitas de Plata. « C'est un enfant très beau, mais je crois qu'il a bien l'air de sortir des bois [107] », écrit Truffaut à Helen Scott.

Pour les autres rôles, Truffaut fait appel à des comédiens de théâtre : Françoise Seigner, de la Comédie-Française, pour celui de Mme Guérin, et Jean Dasté, le directeur du théâtre de Saint-Étienne mais aussi l'acteur de Jean Vigo (*Zéro de conduite* puis *L'Atalante*) et de Renoir (*Boudu sauvé des eaux, Le Crime de M. Lange, La Grande Illusion*), pour celui de Pinel. Enfin, les personnages secondaires sont confiés à des collaborateurs : Claude Miller, sa femme Annie et leur bébé Nathan forment la famille Lemeri que Jean Itard visite parfois avec Victor, tandis que Jean Gruault apparaît en visiteur lors des séquences tournées à l'Institut des sourds-muets.

Truffaut hésitera longuement pour le rôle du docteur Itard. Il songe d'abord à des acteurs de télévision, puis à un journaliste (il pense à Philippe Labro), ce qui mettrait plus en évidence le lien pédagogique entre Itard et l'enfant sauvage. Puis il recherche plutôt un inconnu, qui rendrait le personnage plus crédible. En fait, sans oser l'avouer ouvertement à ses proches, Truffaut se verrait bien dans le rôle. Seule Suzanne Schiffman est mise dans la confidence, quelques jours à peine avant le début du tournage. Même Berbert n'est pas au courant. « C'est vrai, il n'avait pas osé me l'annoncer. Comme souvent, il l'a dit à Suzanne qui, passant devant mon bureau, m'a dit un jour : — Vous savez qui va faire le docteur Itard ? François ! — Ah, sans blague [108] ! » Truffaut est convaincu qu'il sera plus à l'aise de « l'intérieur du cadre » pour diriger un enfant qui ne parle jamais. « En confiant le personnage du docteur Itard à quelqu'un d'autre, j'aurais mis un intermédiaire entre Jean-Pierre Cargol et moi, et j'aurais eu beaucoup de mal à le diriger [109]. » Gruault abonde dans son sens : « On voit Itard presque uniquement sous l'angle de sa fonction, laquelle est très proche de celle du metteur en scène [110]. »

Le tournage de *L'Enfant sauvage* débute le 2 juillet 1969, en pleine forêt, près d'un arbre où l'enfant grimpe à toute vitesse

pour échapper aux chiens qui le poursuivent, et autour du ter-
rier où il se réfugie ensuite. L'équipe tourne pendant une
semaine dans la forêt de Saint-Pardoux, non loin de Montluçon.
Les petites sandales invisibles que l'on a confectionnées pour
Jean-Pierre Cargol lui permettent de courir sans mal dans les
sous-bois. L'ambiance est studieuse, Truffaut est fidèle à son scénario qu'il trouve « bien construit », l'harmonie est parfaite et
« le travail ici, dans cette gentilhommière perdue dans les molles
ondulations de la Limagne — comme disent les guides —, loin
du téléphone, des encombrements, de l'actualité, et même des
vacanciers, marche très bien [111] ». Catherine Deneuve passe une
bonne partie de l'été sur le tournage, ce qui rend Truffaut heureux.

En tournant *L'Enfant sauvage,* Truffaut mène une nouvelle
expérience : diriger un enfant en étant à la fois devant et derrière la caméra. Avec Jean-Pierre Cargol, sa méthode consiste à
jouer sur des comparaisons. « Pour les regards, je lui disais :
" comme un chien " ; pour les mouvements de tête : " comme
un cheval ". Je lui ai mimé Harpo Marx quand il fallait exprimer
l'idée d'émerveillement avec les yeux ronds. Mais les rires nerveux ou les rages lui étaient difficiles, car Jean-Pierre est un
enfant très doux, très heureux et très équilibré qui ne pouvait
faire que des choses tranquilles [112]. » Pendant que le cinéaste
joue son rôle, Suzanne Schiffman assume les fonctions d'assistante à la réalisation. C'est elle qui dit « moteur » et « coupez »,
et elle est la doublure de Truffaut durant les répétitions. Cette
première expérience d'acteur est très enrichissante pour le
cinéaste : « Sur un plateau de cinéma, le regard d'un acteur est
très étonnant, il reflète à la fois le plaisir et la frustration. Le
plaisir parce que le côté féminin qui existe dans chaque homme
(et *a fortiori* dans chaque acteur) est comblé par sa condition
d'objet. La frustration parce qu'il y a aussi toujours une part
plus ou moins importante de virilité qui veut se révolter devant
cette même condition [113]. » Avec *L'Enfant sauvage,* il aura appris
de manière plus concrète, physique, ce que la direction d'acteur
implique.

Fin août, l'équipe est de retour à Paris, pour une dernière
semaine de prises de vue à l'Institut des sourds-muets. Puis, après
cinquante jours de tournage, tout le monde se sépare, non sans
avoir auparavant offert une petite caméra 8 millimètres à Jean-

Pierre Cargol, qui promet alors de devenir « le premier metteur en scène gitan [114] ».

Le Carrosse roule

Avant même la sortie de *L'Enfant sauvage,* François Truffaut a entrepris dans les rues de Paris le troisième volet des aventures d'Antoine Doinel, *Domicile conjugal.* Avec ce dernier, il aura tourné quatre films en deux ans. La raison en est simple : depuis *Baisers volés,* en passant par *La Sirène du Mississippi, L'Enfant sauvage* puis *Domicile conjugal,* il a tout planifié pour retrouver cette énergie, les petites angoisses et les bonheurs d'un tournage, ce qui lui avait tant manqué au milieu des années soixante. Dans sa vie, le cinéma passe avant tout. Mais si Truffaut travaille autant, c'est également pour combler son obsession d'un emploi du temps bien rempli, et ne jamais laisser place à l'imprévu. Il y veille avec un soin méticuleux, avec cette manie de tout prévoir plusieurs mois, voire plusieurs années à l'avance, compartimentant ses différents projets de manière que ses scénaristes ne puissent se « connecter » entre eux. Cela effraie parfois ses amis, Jean-Louis Richard par exemple, qui se souvient que Truffaut lui fixait parfois des rendez-vous de travail douze ou dix-huit mois à l'avance : « Il me disait : " On pourrait commencer à travailler le tant, de telle année. " Et moi je lui répondais : " Mais je serai peut-être mort, non, non, moi je ne veux pas de ce genre de rendez-vous... " Il essayait d'organiser sa vie le plus loin possible, peut-être pour se rassurer [115]. »

Cette manière de ne rien laisser au hasard, de faire passer le cinéma avant la vie personnelle, est un des fondements de la personnalité de Truffaut. Il y a là une folie, une plongée vertigineuse dans le travail considéré comme le seul salut possible pour échapper à la mélancolie de la vie. Enchaîner film sur film entretient son exaltation, mais permet aussi de calmer ses angoisses de « chef d'entreprise ». « Le Carrosse roule [116] », écrit ainsi Truffaut : cela le rassure d'avoir plusieurs films en chantier, et c'est aussi le meilleur moyen de s'assurer quelques collaborateurs fidèles, scénaristes ou techniciens, conscients d'appartenir à la « famille du Carrosse ». « Je suis un metteur en scène-producteur qui s'occupe de ses propres réalisations. [...] Comme je travaille depuis quelques années en association avec des firmes américaines, je n'ai plus de contacts avec les producteurs français. Depuis ces mêmes années, je dois dire que j'ai la chance de travailler en toute liberté et que j'obtiens carte blanche dans la mesure où mes films ne demandent que des budgets moyens [117]. »

Ce statut pleinement assumé de patron-créateur est assez rare dans le contexte de l'après 68, où nombre d'intellectuels et d'artistes choisissent l'engagement idéologique à l'extrême-gauche ou la marginalité. Cela paraît à certains le comble du mauvais goût. Jean-Luc Godard, au cœur du cinéma militant, rejette ainsi ce système d'une phrase hautaine et pleine d'ironie : « Truffaut, dit-il, est un homme d'affaires le matin et un poète l'après-midi [118]. » Au critique Noël Simsolo qui lui demande ce qu'il pense de ses détracteurs qui le rangent dans le camp des cinéastes bourgeois, Truffaut avoue sincèrement ne pas être en mesure de répondre. « Presque tout le monde se sent insulté lorsqu'on le traite de bourgeois, moi je ne ressens pas l'insulte. En fait, je ne me sens pas concerné, probablement parce que je participe peu à la vie... en général ; la dénomination de " bourgeois " est l'attaque d'une façon de vivre. Je n'ai pas de façon de vivre (je ne vis pas, en dehors du cinéma), je n'ai pas l'impression que cela s'adresse à moi et s'il s'agit d'un malentendu, je ne suis pas impatient de le dissiper [119]. »

Cette manière de se situer non pas dans la société, mais légèrement en dehors, est évidemment la caractéristique primordiale de son personnage, Antoine Doinel, avec lequel Truffaut renoue au début des années soixante-dix, grâce à *Domicile conjugal.* S'il se décide à raconter la suite des aventures du couple formé par Antoine Doinel et Christine Darbon, c'est pour suivre le conseil d'Henri Langlois qui, en sortant d'une projection de *Baisers volés,* lui a dit : « Ce petit couple, je veux le revoir, marié, dans les premiers mois de la vie conjugale [120]. » Dès le printemps 1969, quelques séances de travail avec Claude de Givray et Bernard Revon permettent de tracer les grandes lignes d'un nouveau scénario. Il s'agit de donner du travail à Antoine Doinel, bientôt un fils, puis une maîtresse, enfin de le plonger au cœur de disputes conjugales. Les souvenirs personnels de Truffaut forment bien sûr toujours la trame du récit, mêlés à la propre vie de Jean-Pierre Léaud. Mais, comme pour *Baisers volés,* de Givray et Revon les nourrissent d'éléments provenant d'enquêtes sur le terrain. Ainsi, Antoine Doinel trouve un emploi original : il teint des bouquets chez un fleuriste. C'est là un souvenir de Truffaut qui remonte à son enfance : « Il y avait, au 10 rue de Douai, dans mon quartier, un fleuriste qui teignait ses fleurs dans la cour. » Même si l'on ne teint plus les fleurs, comme l'idée lui convient, Truffaut décide de la conserver. Elle contribuera à donner à son film un aspect désuet qui n'est pas pour lui déplaire. De même, le métier de Christine, professeur de violon, est un clin d'œil à Monique de Monferrand, la jeune tante de Truffaut, qui enseigne le violon après avoir fait le Conservatoire. En partant de souvenirs précis, liés à sa propre enfance ou adolescence, Truffaut pratique donc ce qu'il appelle la méthode de « vérification par la vie [121] », consistant à dissimuler le caractère autobiographique derrière plusieurs détails vrais ou de petits récits que ses scénaristes recueillent au cours de leurs enquêtes. Ainsi, Truffaut parvient à donner un sens à la fois plus concret et plus universel à son propre matériau autobiographique. Car son idée directrice est toujours la même : éviter la mode et les clichés, ne pas chercher à être « de son temps ».

Il est conscient du décalage qui existe entre le Doinel du début des années soixante-dix et la jeunesse française, très marquée par les idéologies de mai 68, le profond bouleversement des modes et des mœurs. Mais il l'assume parfaitement, comme il assume de ne pas être un cinéaste révolutionnaire. En parlant de Doinel, Truffaut fait de manière claire son autoportrait. « Doinel est sûrement asocial, mais il n'est pas révolutionnaire à la façon d'aujourd'hui. À partir de ce constat, j'admets que mes films soient condamnés politiquement. Doinel n'est pas un type qui veut changer la société ; il se méfie d'elle, il s'en protège mais il est plein de bonne volonté et désireux, me semble-t-il, de se faire " accepter " [122]. » En ce sens, le cinéma de Truffaut est aux antipodes de celui de Godard, toujours inscrit dans le langage et les formes du présent. Même si l'un et l'autre emploient Jean-Pierre Léaud comme acteur, ils le font dans des directions absolument contraires. Et Truffaut est souvent assez choqué ou meurtri par les choix de Léaud qui s'est engagé lui aussi dans le militantisme gauchiste. L'acteur se sent sûrement plus proche de Godard de ce point de vue, même s'il demeure humainement très attaché au créateur de Doinel. Léaud, souvent, considère ce personnage comme un poids, et son émancipation passe par un travail et un engagement aux côtés de Godard, quitte à blesser la susceptibilité de Truffaut.

Domicile conjugal raconte la vie amoureuse du couple Doinel sur le registre de la comédie légère, de l'anecdote personnelle, du geste burlesque. Tandis que Christine donne des leçons de violon, Antoine teint les fleurs dans la cour de leur immeuble où vont et viennent des clients du bistrot voisin, une serveuse amoureuse d'Antoine, les habitants de l'immeuble, dont un vieux nostalgique de Pétain séquestré volontaire, un inconnu surnommé l'« étrangleur »... Antoine, qui ne réussit pas à atteindre le « rouge absolu » avec ses œillets, change de métier : il est embauché dans une entreprise hydraulique américaine installée en région parisienne, où il doit manœuvrer des maquettes de navires. Le couple Doinel attend un enfant : Alphonse. Mais Antoine rencontre une jeune et belle Japonaise, Kyoko, qui devient sa maîtresse. Christine le découvre par hasard, en tombant sur des mots d'amour envoyés par Kyoko à Antoine dans un bouquet de fleurs, ce qui provoque une crise dans le couple. Antoine doit quitter le domicile conjugal. Il décide alors de se mettre à écrire un roman sur sa vie. Mais les deux jeunes gens s'ennuient l'un de l'autre, et Antoine interrompt un dîner en tête à tête avec Kyoko pour dire au téléphone son amour à Christine. Un an plus tard, un épilogue nous les montre de nouveau réunis, pour une réconciliation sans doute illusoire.

Scènes de la vie conjugale

Film ouvertement burlesque, *Domicile conjugal* est aussi, selon Truffaut, un « règlement de comptes [123] ». Car le cinéaste veut en finir avec Antoine Doinel. Truffaut prend cette décision pour « libérer » Léaud de Doinel, « parce que ce serait gênant pour sa carrière [124] », et qu'il estime avoir épuisé les ressources de son personnage. Il en a fait un homme marié, père de famille, et lui a donné un travail même si Doinel continue d'hésiter entre l'adolescence et l'âge adulte. « Doinel n'est pas antisocial, mais simplement décalé par rapport à la société. Ce n'est pas lui qui la refuse, mais elle qui conteste son esprit et son mode de vie. Antoine Doinel, qui est lié à la jeunesse, n'est pas intégrable à une société normale. Une fois adulte, il est devenu un personnage impossible [125]. » Avant de se séparer de son double, Truffaut lui offre cependant deux cadeaux, un film, *Domicile conjugal*, et un livre, *Les Aventures d'Antoine Doinel* [126], une sorte de roman qui dessine l'évolution du personnage, de l'adolescent fugueur des *Quatre Cents Coups* à l'homme marié de *Domicile conjugal*, en passant par *Antoine et Colette* et *Baisers volés*. Ce récit composé de quatre scénarios raconte la naissance, la vie, et l'épanouissement d'un personnage, l'un des plus célèbres du cinéma mondial.

Lorsqu'il rentre de Tolède à la mi-novembre 1969, le scénario de *Domicile conjugal* est achevé. Le budget, modeste, a été estimé par Marcel Berbert à trois millions et demi de francs. N'ayant guère apprécié les atermoiements des Artistes Associés à la lecture du scénario de *L'Enfant sauvage*, Truffaut tient à manifester sa mauvaise humeur et décide de bouder la firme américaine. D'autant qu'Ilya Lopert, avec lequel il travaillait dans une grande complicité, meurt en janvier 1970 d'une attaque cérébrale. Truffaut se tourne vers Hercule Mucchielli, producteur indépendant (Valoria Films), qui s'engage à hauteur de 40 % du budget et fait entrer dans l'affaire une petite société de production romaine, Fida Cinematografica, pour 10 %. L'autre moitié du financement est assurée par le Carrosse, qui confie les ventes à l'étranger de *Domicile conjugal* à Alain Vannier (Orly Films), qui s'était déjà occupé des ventes de *Jules et Jim* et de *La Peau douce*. Un accord est également passé avec la Columbia, qui assure la distribution du film aux États-Unis.

Outre Jean-Pierre Léaud et Claude Jade, Truffaut reconduit pour une grande partie l'équipe de comédiens de *Baisers volés*, notamment Daniel Ceccaldi et Claire Duhamel, dans les rôles des parents de Christine. Quinze jours avant le début du tournage, Claude Jade attrape une jaunisse qui l'oblige à rester chez ses parents, à Dijon, pour se soigner. C'est là, en fait, le premier contretemps d'un film qui s'affranchira vite du bon vouloir de son metteur en scène. Pour les rôles secondaires, Truffaut fait appel à des acteurs repérés au théâtre ou à la télévision. Jacques Robiolles et Daniel Boulanger font, une fois encore, une apparition, ainsi qu'un nouveau venu, Philippe Léotard, âgé de trente ans, issu de la troupe du Théâtre du Soleil dirigé par Ariane Mnouchkine. Enfin, deux personnages ont été particulièrement étudiés, celui de Kyoko, tout d'abord, le coup de foudre japonais d'Antoine Doinel, et celui du mystérieux « étrangleur », surnommé ainsi par les voisins des Doinel. Par l'intermédiaire de Jeanne Moreau et de Suzanne Schiffman, Truffaut a demandé à Hiroko Berghauer, ancien mannequin vedette chez Cardin, une femme « magique » à l'élégance raffinée, d'être la maîtresse japonaise de Doinel. Quant à l'« étrangleur », cet homme étrange, un peu efféminé et solitaire qui sème la terreur, jusqu'au jour où il apparaît à la télévision dans un sketch d'imitateur, Truffaut en confie le rôle à son ami d'enfance Claude Vega, alias Claude Thibaudat, le fils de la concierge de la rue des Martyrs, devenu humoriste, célèbre, entre autres, pour ses imitations d'actrices, notamment Delphine Seyrig.

Dès le début du tournage de *Domicile conjugal*, le 21 janvier 1970, dans une petite cour dénichée près de Sèvres-Babylone, Truffaut n'a de cesse de refaire jouer chaque scène plus vite, le plus vite possible, pour donner à son film le rythme des comédies américaines, sur le modèle de celles de Howard Hawks, Leo McCarey, dont il a d'ailleurs revu, juste avant le tournage, *Cette Sacrée Vérité*, ou Frank Capra. « Très souvent, confie Nestor Almendros, il utilisait la technique de Capra : il faisait chronométrer la prise et, si elle faisait 20 secondes, il disait : " Maintenant, faisons-là en 10 secondes ", alors les acteurs parlaient comme des mitraillettes et c'était parfois cette prise-là qu'il gardait [127]. » Tournant vite tout en étant contraint de changer souvent de décors, Truffaut est obligé de faire quelques sacrifices. « *Domicile conjugal* est probablement le film le plus ingrat visuellement de tous ceux que j'ai faits avec lui, témoigne Almendros. Mais l'intérêt se portait autre part, sur les situations et les personnages. Les qualités plastiques demeuraient secondaires dans son esprit sur ce tournage [128]. » Commencé en plein hiver, le tournage de *Domicile conjugal* se déroule souvent par des températures en dessous de zéro. Le scénario précise pourtant que les costumes des personnages sont « adaptés à la saison printanière ». Légèrement vêtus, Jean-Pierre Léaud, Claude Jade et les autres comédiens sont absolument transis, tandis que les membres de l'équipe technique sont emmitouflés dans des gabardines et des manteaux. « Parce que ce film est une comédie, avoue ainsi Almendros, une journaliste me demanda si le tournage avait été très amusant. Il ne le fut pas. Tourner une comédie en hiver est particulièrement difficile [129]... » Les journées sont courtes, ce qui oblige à travailler vite. Les techniciens sont pressés, les acteurs gelés, Almendros angoissé par un tournage dans des rues parisiennes souvent encombrées de voitures ou de badauds... L'ambiance n'est pas des plus favorables, ce qui rend Truffaut nerveux. Au point qu'il décide de ne plus jamais tourner dans les rues de Paris.

Heureusement, la fin du tournage, entre le 23 février et le 18 mars 1970, se déroule en intérieurs. Quelques séquences dans le pavillon des parents Darbon tout d'abord, tournées dans la même maison que pour *Baisers volés*, à Pantin. Puis viennent les scènes du « domicile conjugal », chez le couple Doinel. Par souci d'économie, Truffaut les tourne dans l'appartement qu'il loue au-dessus des bureaux des Films du Carrosse, au cinquième étage de la rue Robert-Estienne. Dans cet espace sommairement aménagé qui a souvent servi de lieu d'accueil à Jean-Pierre Léaud, Jean Mandaroux, le décorateur, a disposé le mobilier d'un jeune couple à peine installé : un lit et un berceau pour le futur enfant Doinel. Almendros et ses techniciens supportent difficilement de travailler dans un espace aussi réduit. De son côté, Truffaut vit cette fin de tournage dans un état de perpétuel agacement.

Cet agacement va se prolonger au-delà des quarante-trois jours de tournage. Ni le montage ni la musique de *Domicile conjugal* ne vont satisfaire le cinéaste, qui ne les trouve pas assez enlevés, assez légers, assez rapides. « Il y a de nombreuses difficultés avec la musique qui est beaucoup moins bonne que celle de *Baisers volés*, explique-t-il à Almendros. Nous supprimons les plus mauvaises parties et nous utilisons plusieurs fois les bonnes. On aboutira ainsi à un résultat artificiel mais honorable [130]. » Ce sera sa dernière collaboration avec la monteuse Agnès Guillemot, tout comme avec le musicien Antoine Duhamel. En général fidèle avec ses techniciens et ses collaborateurs, Truffaut peut être impitoyable dans ses jugements. Sa méthode pourrait se résumer ainsi : ne pas changer les gens en cours de travail, mais les noter sur une liste noire pour se rappeler qu'on ne fera plus appel à eux. Ce n'est jamais lui qui fait ce qu'on appelle le « sale boulot ». C'est à Marcel Berbert ou à Suzanne Schiffman, sa garde rapprochée qui l'entoure et le protège, d'apprendre à untel qu'il ne fait plus partie de l'équipe. Truffaut revendiquera de plus en plus ce travail bien fait, artisanal, « fait à la main [131] », avec les bonnes personnes à leur juste place. Tout ce qui ne se plie pas à cette règle, tout ce qui dérape, l'agace énormément. En ce sens, *Domicile conjugal,* sans être aussi déprimant que les tournages de *La Peau douce,* de *Fahrenheit 451* ou de *La mariée était en noir,* fut pour lui source d'une profonde insatisfaction. Ses prochains tournages seront différents, loin de Paris, de ses problèmes, avec de nouveaux collaborateurs.

La cause des enfants

Au moment de la sortie de *L'Enfant sauvage* le 26 février 1970, François Truffaut est encore en plein tournage de *Domicile conjugal.* Il ne croit pas beaucoup au succès du film, qu'il trouve austère et trop rigoureux pour séduire un large public. Est-ce la réputation du cinéaste, l'attrait de l'histoire, l'intérêt pour l'enfance, toujours est-il que *L'Enfant sauvage* attire près de 200 000 spectateurs en quelques semaines. La critique, élogieuse et unanime, y est sans doute pour beaucoup. Pas moins de cent cinquante articles paraissent sur le film, ce qui est considérable, avant même sa sortie à l'étranger.

Le 9 septembre 1970, c'est au tour de *Domicile conjugal* de connaître une belle exclusivité dans les salles parisiennes qui avaient programmé *L'Enfant sauvage.* La première semaine est bonne avec 40 000 entrées, puis la fréquentation se tasse un peu, atteignant tout de même 220 000 spectateurs. Ses deux derniers films ayant ainsi totalisé plus de 400 000 entrées parisiennes, sans oublier le succès de *Baisers volés* et malgré l'échec de *La Sirène du Mississippi,* Truffaut fait désormais figure de cinéaste populaire. En témoigne l'important courrier qu'il reçoit sur *L'Enfant sauvage,* émanant souvent de professeurs et d'élèves de lycées ou de collèges qui, particulièrement réceptifs au thème abordé, constituent une large partie de son public. Ainsi, cette

jeune fille de quatorze ans, élève d'une classe de troisième :
« Notre professeur de français nous a demandé d'écrire une lettre à la personnalité que nous admirons le plus. Aussi, ayant vu
votre film *L'Enfant sauvage*, j'ai pensé tout de suite à vous. Que
d'heures de travail avez-vous dû consacrer pour obtenir un tel
résultat ! Souvent depuis je me pose des questions. Pourquoi
avez-vous présenté ce sujet à l'écran ? Quelles satisfactions en
avez-vous retirées ? Aussi je serais heureuse si vous pouviez me
donner ces quelques réponses [132]. » À chacun, Truffaut répond
consciencieusement, expliquant ses idées, dédicaçant une photographie, offrant un disque ou un livre tirés de l'un de ses films.

Durant cette période d'intense activité professionnelle,
Truffaut multiplie les interventions dans les médias, cultive son
image de cinéaste pédagogue. En quelques mois, la télévision,
la radio et la grande presse en font un « homme public », une
personnalité que l'on fait parler et que l'on écoute. Le 29 octobre 1969, le cinéaste participe à l'émission que Pierre Dumayet
lui consacre sur la première chaîne de télévision, *L'Invité du
dimanche*. Une conversation à bâtons rompus, ponctuée d'interventions d'amis, d'extraits de films et de documents. Ayant vu
L'Enfant sauvage en projection privée, Dumayet donne d'emblée
le ton : « En sortant de ce film, on est fier de savoir lire. » L'animateur de *Lectures pour tous* oriente le débat vers l'éducation,
l'enfance, les livres, autant de sujets qui passionnent Truffaut.
Celui-ci, plutôt tendu au début de l'enregistrement en direct, se
montre de plus en plus prolixe. L'émission est ponctuée de deux
reportages réalisés à cette occasion, l'un avec Jeanne Moreau,
l'autre avec Jean Renoir à qui Dumayet a rendu visite à son
domicile parisien de l'avenue Frochot. Invités sur le plateau,
Langlois et Rossellini vont dans le même sens que leur cadet
tout en le couvrant d'éloges. « Excellente, vraiment, votre émission de dimanche par tout ce qui était dit et ce qu'il était aussi
loisible de deviner et de comprendre [133] », écrit alors Pierre
Mendès France à Truffaut.

Quelques semaines plus tard, cette fois sur la deuxième
chaîne, est diffusé le second volet de l'émission *Cinéastes de notre
temps* consacrée au cinéaste, à l'occasion de ses dix ans de carrière. *François Truffaut, 10 ans, 10 films* est réalisé par Jean-Pierre
Chartier, sous la direction de Janine Bazin et d'André S. Labarthe.
Le documentaire a été en partie tourné à Aubiat, sur le plateau

de *L'Enfant sauvage*, et tente de proposer un portrait original et sensible du cinéaste. Dans le même esprit, *Le Nouvel Observateur* publie le 2 mars 1970 un long entretien sous le titre « Truffaut chez les hommes » : « C'était le héros des *Quatre Cents Coups*. C'est aujourd'hui le professeur de *L'Enfant sauvage*. Le jeune loup de la Nouvelle Vague n'est-il devenu, à trente-huit ans, qu'un metteur en scène consacré ? Davantage : il s'est fait homme parmi les hommes. »

Dans ces entretiens, Truffaut réaffirme surtout son attachement à l'enfance, y compris de manière polémique. « Mes films sont une critique de la façon française d'élever les enfants. Je ne m'en suis rendu compte que peu à peu, en voyageant. J'ai été frappé de voir que le bonheur des enfants n'a aucun rapport avec la situation matérielle de leurs parents, de leur pays. En Turquie, pays pauvre, l'enfant est sacré. Au Japon, il est inconcevable qu'une mère puisse marquer de l'indifférence pour son fils. Ici, les rapports enfants-adultes sont toujours moches, mesquins [134]. » À partir de ce regard sur l'enfance, Truffaut propose une morale personnelle, un comportement qui n'est ni « engagé » ni « modèle » mais profondément sincère et humain. À une époque où le gauchisme triomphe dans les milieux intellectuels, lui se contente de réaffirmer quelques principes fondés sur l'éloge de la décision individuelle, de l'humanisme et du sens de la ruse. « Je vois la vie comme très dure ; je crois qu'il faut avoir une morale très simple, très fruste et très forte. Il faut dire : " Oui, Oui ", et ne faire que ce que l'on a envie de faire. C'est pour cela qu'il ne peut y avoir de violence directe dans mes films. Déjà, dans *Les Quatre Cents Coups*, Antoine est un enfant qui ne se révolte jamais ouvertement. Sa morale est plus fine que cela. Comme moi, Antoine est contre la violence parce qu'elle signifie un affrontement. Ce qui remplace la violence, c'est la fuite, non pas la fuite devant l'essentiel, mais la fuite pour obtenir l'essentiel. Je crois avoir illustré cela dans *Fahrenheit*. C'est l'aspect du film qui est le plus important, l'apologie de la ruse. " Ah bon ! Les livres sont interdits ? Très bien, on va les apprendre par cœur ! " C'est la ruse suprême [135]. »

Soucieux de réaffirmer ses convictions, François Truffaut accepte d'animer, durant la semaine du 22 au 26 juin 1970, le journal de la mi-journée sur RTL, de 12 heures à 13 h 30. Pour cela, il a conçu chaque émission sur un rythme rapide, où se succèdent plusieurs rubriques ouvertement polémiques. Par exemple sur les questions militaires, les ventes d'armes ou la censure à la télévision (la déprogrammation du film *Les Français sous l'Occupation* ou le fait que *Le Chagrin et la Pitié* de Marcel Ophuls et *L'Affaire Dreyfus* de Jean Aurel n'ont jamais été diffusés). Son émission est ponctuée de moments plus légers, un hommage quotidien à Charles Trenet, quelques musiques de film et des extraits du dernier disque de Jeanne Moreau. Truffaut innove en faisant lire les messages publicitaires de la station par des voix d'amateurs ou par celles d'enfants, avec, en fond, les bruits de la ville. Enfin, Jean Servais lit chaque jour quelques extraits de *Madame Bovary*.

Au cours de cette série d'émissions, Truffaut rend également publique une « Lettre ouverte à Annie Girardot [136] » au ton très polémique. En effet, l'actrice s'apprête à tourner, sous la direction d'André Cayatte, un film tiré de l'histoire de Gabrielle Russier, cette enseignante aixoise qui s'est suicidée après qu'on eut dévoilé son histoire d'amour avec un élève de dix-sept ans. Truffaut s'en prend d'abord à Cayatte : « Certains cinéastes cherchent des sujets, d'autres en trouvent, André Cayatte lui, les ramasse, éventuellement en faisant les poches des cadavres encore tièdes, à la façon dont le père Thénardier récupérait les montres des soldats agonisants de Waterloo. » Puis il s'adresse à Annie Girardot elle-même, espérant qu'elle démentira sa participation au film de Cayatte : « Gabrielle Russier s'est tuée parce qu'elle n'en pouvait plus, parce qu'elle vomissait ce qu'on faisait d'elle. En se détruisant, elle lançait une pierre dans le miroir qui lui renvoyait son image détestée. Cette image détruite, il est sacrilège de la reconstituer, même avec talent, même avec pudeur... » Cette prise de position, sur un fait de société qui bouleverse alors la société française, déclenche une polémique. La presse s'en fait largement l'écho, tandis que Truffaut reçoit plusieurs centaines de lettres. Lorsqu'il est engagé au cœur de la mêlée, le cinéaste tient donc à jouer son rôle d'homme public pour défendre certaines causes. Ce sont ces causes et ces interventions qui contribuent dès lors à façonner le portrait d'un « homme sans concession, donc seul et souverain », qu'il décrit lui-même au critique Jean Collet, à la suite de ses interventions sur RTL : « J'ai quitté les responsables de la radio assez froidement après quelques luttes de dernières

heures : refus de la direction de passer certains reportages jugés
" explosifs ". Je suis trop gâté par le cinéma où j'ai la chance de
décider seul et de faire ce que je veux [137]. » Ainsi placé au centre
du débat, Truffaut en profite pour provoquer la gêne et mettre
en lumière des pans occultés de la société, de la politique ou
de la culture françaises. L'image du cinéaste classique, gentil,
timide, s'inverse alors pour laisser place à l'homme sensible,
sincère et intransigeant dans ses convictions.

The New Renoir

À l'étranger, l'image de François Truffaut est plus claire :
il fait figure d'un *« New Renoir »* aux yeux de certains critiques
américains. Le phénomène est assez paradoxal dans la mesure
où c'est après l'échec flagrant de *Fahrenheit 451,* son seul film
en langue anglaise, que son audience internationale s'élargit,
grâce à ses « petits films » : *Baisers volés, L'Enfant sauvage* et *Domicile conjugal.* Comme le lui écrit l'attaché de presse new-yorkais
des Artistes Associés en septembre 1970, le cinéaste français est
en train de franchir, très progressivement, auprès du public des
grandes villes américaines, la « barrière du pop-corn [138] », qui
sépare aux États-Unis la culture élitiste liée à certains artistes
d'avant-garde d'un plus large public cultivé, étudiant et universitaire.

Truffaut contribue à cette réussite en accompagnant chacun de ses films à l'étranger, dès que cela lui est possible, c'est-
à-dire lorsqu'il n'est pas en tournage ou en préparation. Ce travail promotionnel, tous les cinéastes français ont l'habitude de
le faire au moment de la sortie de leurs films, en province ou à
l'étranger. Mais tous n'ont pas la même rigueur méthodique :
« Ce qui me frappait chez lui, c'est qu'il considérait chaque interlocuteur, qu'il soit un petit correspondant de la presse provinciale, un journaliste d'un grand hebdomadaire américain, ou
un critique important d'un grand quotidien parisien, avec une
même clarté dans l'élocution : il vous donnait l'impression que
vous étiez son meilleur ami [139] », témoigne Philippe Labro. Il est
vrai que Truffaut a mis au point une méthode qui consiste à

remercier d'un mot amical tel ou tel critique ou journaliste pour son article, signalant un détail ou poursuivant un dialogue. Claude Chabrol se souvient avoir assisté à l'une des premières projections de *Jules et Jim,* au cinéma Publicis en haut des Champs-Élysées : « J'avais des sueurs froides en voyant la tête des spectateurs à la fin de la projection. Je me disais : " Il va encore se faire ramasser ! " Car à peu près tout le monde faisait la moue, sauf les critiques, qui trouvaient le film formidable. À partir de ce moment-là, François a commencé une entreprise de séduction formidable. Tout en faisant semblant de rester sévère ou sceptique vis-à-vis des compétences, il a été très astucieux et il les a foutus dans sa poche. Il a trouvé une combine formidable avec les femmes critiques, d'une quarantaine d'années, qui l'aimaient bien... Il a joué le bébé avec maman, et ça a très bien fonctionné auprès de celles qui ont encore pour lui une affection maternelle, littéralement. À partir de là, il a réussi à tracer un chemin assez pénard vis-à-vis de la critique... Il a eu très peu de mauvaises surprises. Cela dit, il y a très peu de différences entre les films dit " réussis " et les films dit " ratés " de François. Il n'a pas fait d'un côté d'épouvantables navets, et de l'autre des films formidables ; même ses films qui sont considérés comme ratés sont des films nobles et dignes. Donc il ne s'est pas sali les mains. Mais c'est plus commode de conserver une espèce d'aura comme ça. Il a très bien su l'entretenir, et il était très explicatif [140]. »

Mais l'essentiel de son énergie a consisté à mettre au point cet étonnant réseau d'amis et de correspondants à l'étranger, qu'il n'a cessé de consolider tout au long de ces dix dernières années. Avec chacun, il entretient une correspondance suivie, sur le modèle de celle qui le lie à Koichi Yamada au Japon. C'est le genre d'atouts dont aucun autre cinéaste ne dispose. Pour Alain Vannier, la différence entre Truffaut et les autres cinéastes français est nette : « François savait prendre son temps, il séjournait une semaine aux États-Unis, quand n'importe quel autre cinéaste se contentait d'y rester deux jours. Il aimait n'accorder que trois entretiens par jour aux journalistes américains, leur accordant du temps. Si bien qu'ils n'en revenaient pas de sa gentillesse [141]. »

En 1970, les voyages se succèdent pour présenter *L'Enfant sauvage* et *Domicile conjugal :* Barcelone, Stockholm, Londres,

Lausanne, Genève et Zurich, Vienne et Milan, et jusqu'à Téhéran où *L'Enfant sauvage* remporte le prix spécial du jury lors du 6e festival international du film. On peut ainsi dessiner les contours du public international du cinéma de Truffaut en Europe. À quoi il faut ajouter le Japon et Israël. Mais, après Paris, c'est à New York que se juge la renommée internationale d'un cinéaste. Celle de Truffaut est incontestablement en hausse au début des années soixante-dix. Les recettes de *Stolen Kisses* (titre américain de *Baisers volés*), soit 80 000 dollars, n'ont rien de dérisoire à l'échelle du cinéma d'auteur. De même, en janvier 1971, *Bed and Board (Domicile conjugal)* est un succès. Sur ses quatre premiers jours d'exploitation, il s'agit même de la meilleure recette jamais réalisée par le Fine Arts Theater — certes une petite salle « art et essai » — soit 21 657 dollars. Mais, quand on connaît l'importance d'un article de Vincent Canby dans le *New York Times*, de Pauline Kael dans le *New Yorker* ou d'Andrew Sarris dans *Village Voice*, *Bed and Board* est avant tout un triomphe critique. « Nous venons de voir l'un des films les plus réussis, l'un des plus intelligents, l'un des plus agréables aussi, parmi tous ceux que nous verrons en 1971 [142] », écrit ainsi Canby, auquel répond Kathleen Carroll dans le *New York Daily News* : « La magie particulière de ce film est simplement qu'il nous fait sourire, tant le monde vu par les yeux de Truffaut est beaucoup plus chaleureux que nous ne puissions l'espérer. Des films comme *Domicile conjugal* sont si riches par leur humanité et leur légèreté qu'il est tout simplement bon de se réchauffer à leur chaleur [143]. »

Le succès de *L'Enfant sauvage* est encore plus éclatant à New York et dans les villes universitaires américaines, du fait que le thème du film touche à un phénomène de société. En septembre 1970, *The Wild Child* quitte les colonnes des critiques spécialisés pour gagner celles des magazines, les enquêtes sociologiques et les débats de société de grands journaux américains. Les campus le programment à l'intérieur de leurs cycles de conférences sur les thèmes liés à la pédagogie ou à l'enfance difficile. Le film est présenté en avant-première lors du huitième festival de New York, dans la grande salle du Lincoln Center. C'est la première fois que Truffaut y présente l'une de ses œuvres, ayant fait spécialement le déplacement depuis Paris. Deux ans auparavant, le comité de sélection du festival, dirigé par Richard Roud, ancien critique de cinéma de la revue *Sight and Sound* et ancien directeur du London Film Festival, n'avait pas retenu *Baisers volés,* jugeant le film trop désinvolte pour la critique et le public new-yorkais. Vexé, Truffaut n'avait pas hésité à traiter Roud de « snob » : « Si vous aviez écrit un éreintement de *Baisers volés* (ou de n'importe quel autre de mes films), je ne vous aurais pas adressé cette lettre car je trouve que les critiques doivent travailler en paix, mais il s'agit d'autre chose, d'une petite perfidie commise par vous, un refus peu compréhensif et peu scrupuleux, pas grave mais qui vous ressemble. Savez-vous que " snob " signifie " sans noblesse " [144] ? »

Grâce à *L'Enfant sauvage,* les deux hommes se réconcilient et Richard Roud est sincèrement heureux de programmer le film en ouverture du New York Film Festival, le 10 septembre 1970, en présence de François Truffaut, de Catherine Deneuve et de Jean-Pierre Léaud, auquel le film est dédié. Honoré par le maire de la ville en personne, Truffaut est l'incontestable vedette du festival, ainsi que la presse américaine en rend compte à travers de nombreux articles : « Lors de la soirée d'ouverture, *L'Enfant sauvage,* le film du réalisateur français François Truffaut, reçut une ovation exceptionnelle, et la présence frêle et timide de celui-ci dans la loge d'honneur du Philharmonic Hall fut l'un de ces moments rares sous les feux de la rampe qui illuminent le théâtre d'une lumière féerique jusqu'à ce que les projecteurs s'éteignent à nouveau [145]. »

À la sortie du film le 27 septembre au Fine Arts Theater, sur l'East 58ᵉ rue, un portrait de Truffaut paraît sur deux pleines pages du *New York Times.* L'article commente longuement sa prestation d'acteur dans *The Wild Child,* et brosse un portrait très élogieux de l'homme, de sa vie, de ses engagements, de ses relations avec les metteurs en scène américains — Arthur Penn, Mike Nichols et Stanley Kubrick —, voire de ses relations avec Catherine Deneuve, sujet pourtant tabou à Paris, ce qui souligne, à New York, la confiance et la décontraction du cinéaste qui séjourne à l'Hotel Sherry Netherlands, sur la Cinquième Avenue. Quant au film, il fait une honorable carrière commerciale, toutes villes confondues, réalisant près de 210 000 dollars de recettes aux États-Unis, accumulant de nombreuses récompenses décernées par des associations de critiques, d'écrivains ou d'hommes d'Église. À peu près à la même époque, trois livres de Truffaut paraissent aux États-Unis, contribuant à mieux le faire connaître du public cinéphile américain. En mai 1969, c'est la traduction de *The Four Hundred blows* chez Grove Press et, quelques mois plus tard, *Adventures of Antoine Doinel* chez Simon and Schuster, puis le scénario de *The Wild Child* chez Grove Press.

Les nombreuses lettres d'Amérique adressées aux Films du Carrosse témoignent de la notoriété acquise par Truffaut outre-Atlantique. À l'égal d'un Bergman ou d'un Fellini, il est devenu l'un des réalisateurs européens préférés des campus et de l'intelligentsia américaine. Un cinéaste comme Stanley Kubrick, des scénaristes tels Robert Benton et David Newman, des acteurs comme Gene Wilder, des producteurs comme Daniel Selznick, des éditeurs tels Michael Korda, font à son égard assaut d'éloges et d'amitiés, rejoignant ainsi Ray Bradbury ou Alfred Hitchcock, qui se sont manifestés après la vision de *The Wild Child*. « Quand allons-nous faire ce film sur mes trois nouvelles ensemble, François ? Nous en avons parlé une fois, et j'espère qu'un jour prochain nous en reparlerons [146] », écrit le premier, tandis que l'auteur de *Vertigo* fait parvenir à Truffaut ce superbe hommage, en français dans le texte : « Jai visioné lenfand sauvage que je trouve magnifique. Je te prie de menvoyer un autograph de acteur qui joue le docteur. Il est formidable. Je désire cet autograph pour Alma Hitchcock. Ce film a inondé de larmes ses yeux [147]. »

La cause de Sartre

Devenu une personnalité publique, François Truffaut est désormais très souvent sollicité pour intervenir sur les grandes questions qui agitent la vie politique du pays. Mais lui-même demeure toujours aussi méfiant à l'égard de tout engagement. Si la politique le passionne et s'il est un grand lecteur de journaux, Truffaut, fervent individualiste, ne se sent toujours pas suffisamment motivé pour s'inscrire sur les listes électorales. Dans cette même logique, il a refusé en 1967 la Légion d'honneur qu'André Malraux, ministre d'État chargé des Affaires culturelles, se proposait de lui remettre. « J'accepte volontiers les récompenses qui sont décernées à tel ou tel de mes films, mais il en va différemment lorsqu'il s'agit d'un rôle de citoyen que je n'ai jamais su remplir puisque je n'ai pas même ma carte d'électeur. Vous comprendrez donc que, dépourvu de tout sens civique, il serait déshonnête de ma part de solliciter quelque honneur national [148]. » Ce qui le gêne le plus dans tout engagement politique, c'est la simplification de la réalité, le manichéisme, que tout discours militant implique, car pour lui « la vie n'est ni nazie, ni communiste, ni gaulliste, mais anarchiste [149] ».

Dans l'effervescence politique et idéologique qui caractérise la France du début des années soixante-dix, certains de ses amis ne manquent pas d'inciter Truffaut à s'engager à gauche. C'est le cas d'Helen Scott qui, désormais installée à Paris, continue de se passionner pour la politique. Ou de Marie-France Pisier, militante gauchiste et féministe, avec qui Truffaut entretient une relation amicale mais souvent véhémente, faite d'engueulades puis de réconciliations successives. Chez Truffaut, il y a un indéniable mélange d'admiration et d'agacement envers celle qu'il fit débuter comme actrice dans *Antoine et Colette* au début des années soixante. Lui-même préfère se mettre en retrait, ne pas adhérer à des idées qui ne sont pas les siennes, ou qui ne font pas la part assez belle à l'individu. « François affectait souvent de se désintéresser de la politique, à tel point que quelquefois, il me disait que les choses allaient dans le bon sens en France après mai 68, et qu'il était inutile de toujours contester. En fait, François avait horreur de voir les gens se statufier dans un rôle politique, ou dans celui d'une grande conscience morale [150] », témoigne Marie-France Pisier. Comme il le dit lui-même, il n'éprouve pas « d'affection » pour la société, mais ne souhaite pas non plus en construire une autre à laquelle il ne croirait pas davantage. « Je voudrais me tromper, mais quand j'entends des gens dire : " On construira une société différente ", je n'y crois pas. Quand on dit : " Dans la société future, les usines appartiendront aux ouvriers ", je ne le crois pas. Les usines appartiendront peut-être à l'État, elles seront dirigées par des fonctionnaires, mais elles n'appartiendront jamais à des ouvriers. J'ai le sentiment d'un bluff immense de ce côté-là [151]. » En tenant ces propos à Noël Simsolo en décembre 1970, Truffaut fait non seulement montre d'une grande lucidité, mais d'un certain courage. Car il est à contre-courant des idées ou des utopies gauchistes en cours. Et il n'y a aucune trace de cynisme dans son propos. Tout juste une méfiance spontanée, qui remonte à son enfance et à son adolescence, envers les grandes idées générales et (en apparence) généreuses. Pour lui, l'artiste — terme qu'il n'emploie que rarement, et jamais à son endroit — doit avant tout défendre sa propre cause, celle d'un art libre, position qu'il a longuement évoquée dans un entretien accordé en 1967 aux *Cahiers du cinéma* : « Je sais bien que dans les périodes troublées, l'artiste se sent vaciller et que la tentation lui vient d'abandonner son art ou de le mettre au service d'un idéal précis et immédiat. C'est la disproportion entre la frivolité de sa tâche et la gravité des événements de l'Histoire qui hante l'artiste ; il se voudrait alors philosophe. Lorsque ce genre de pensée me traverse la tête, je pense à Matisse. Il a connu trois guerres, mais n'en a pratiqué aucune, trop jeune pour celle de 1870, trop vieux pour celle de 1914, patriarche en 1940. Il est mort en 1954 entre la guerre d'Indochine et celle d'Algérie, ayant terminé son œuvre : des poissons, des femmes, des fleurs, des paysages avec amorces de fenêtres. Ce sont les guerres qui furent les événements frivoles de sa vie, les milliers de toiles qu'il laisse en étant les événements graves. L'art pour l'art ? Non. L'art pour la beauté, l'art pour les autres. Matisse s'est d'abord fait du bien à lui-même, puis il a fait du bien aux autres [152]. »

Donc, Truffaut repousse systématiquement l'« action oppressive de toute idéologie gauchiste [153] », ainsi qu'il l'écrit de manière ironique à Claude-Marie Trémois pour justifier sa décision de ne pas répondre à un questionnaire de *Télérama* sur « les artistes et la politique ». Truffaut n'est pas non plus un signataire de pétitions. Sa réaction face à un texte de soutien à Régis Debray, qui lui est présenté par son amie Francesca Solleville, est tout à fait significative. En novembre 1969, cela fait deux années que Régis Debray, jeune intellectuel français pro-guévariste, est retenu prisonnier dans une caserne bolivienne et menacé d'être exécuté. À Paris, un grand nombre d'intellectuels se mobilisent pour exiger sa grâce auprès du président bolivien. Truffaut refuse de rejoindre une liste où figurent déjà les noms de Jacques Monod, François Jacob, Laurent Schwartz et Jean-Paul Sartre. Ce refus, qu'il ne motive pas, lui paraît naturel, car il n'a pas cette fibre romantique qui le ferait adhérer d'emblée à l'internationale des révolutions mondiales. Sur un sujet autrement plus décisif comme la guerre du Viêt-nam, il se montre aussi sceptique et refuse de s'engager contre l'intervention impérialiste américaine. Cela désespère Helen Scott, notamment lorsqu'il lui avoue comprendre les raisons de la présence des Américains au Viêt-nam : « Pour moi, Johnson, qui cherche à se retirer sans perdre la face, n'est pas plus responsable de cette guerre que Hô Chi Minh qui déclare : "Nous nous battrons jusqu'au dernier homme." Qui sait si les Vietnamiens ne deviendront pas à leur tour des tyrans [154] ? » L'enthousiasme révolutionnaire qui emporte une bonne partie de ses amis à cette période ne le concerne pas, lui qui peut d'ailleurs rayer énergiquement d'un « Non. Pas de Cuba ! ! ! [155] » le carton d'invitation reçu à l'occasion de la célébration de la fête nationale cubaine, le 12 janvier 1970, à l'ambassade de l'avenue Foch. Là, Truffaut est sans doute influencé par Nestor Almendros, en tout cas il est solidaire du directeur de la photographie qui, né à Barcelone, a vécu de longues années à La Havane, et sait ce qu'il en est du manque de libertés individuelles sous le régime de Castro.

Truffaut se méfie autant des débats idéologiques qui agitent la profession cinématographique. « Comme vous le savez, je ne suis absolument pas familiarisé avec le cinéma de " contestation " et mon apport au sein d'une telle discussion serait vraiment trop mince [156] », répond-il par exemple au directeur de la Mostra de Venise, qui l'invitait à participer à une rencontre autour du thème « Cinéma et politique » en septembre 1968. Truffaut se montre également méfiant à l'égard de la SRF (Société des Réalisateurs de Films), née dans la foulée de mai 68, dont le conseil d'administration est pourtant composé de plusieurs de ses amis, tels Jacques Doniol-Valcroze, Pierre Kast, Claude Lelouch, Louis Malle, Édouard Molinaro et Claude Sautet. S'il accepte de répondre à une enquête sur la censure, il se tient à l'écart des conférences de presse et ne cède aucun extrait de ses propres films censurés (*Tirez sur le pianiste* et *Jules et Jim*) pour un montage conçu par la SRF et destiné à populariser son combat contre la censure. « On ne me fera pas signer avec des amis cinéastes un papier contre la censure, écrit-il dans une lettre privée à Doniol-Valcroze, parce que je considère qu'il y a cinquante façons de ruser avec la censure, d'en triompher. Je ne lutterai pas pour des principes, mais pour des solutions concrètes [157]. » Truffaut refuse les grandes idées théoriques, les mobilisations sur des thèmes trop généraux. Aussi suggère-t-il à Doniol-Valcroze sa propre conception en la matière. « Je propose la création d'une commission anti-censure composée de cinéastes, de journalistes et de personnalités. Les membres de cette commission s'engageraient à donner le maximum de publicité à toutes les décisions abusives de la commission de contrôle. Il s'agit donc de faire paraître dans tel hebdomadaire le dialogue d'une scène coupée, de publier des photos dans tel magazine, puis d'assurer la diffusion de ce matériel auprès de la presse, des radios et des télévisions étrangères. Si tout cela était fait sérieusement, on arriverait à créer dans l'esprit des membres de la commission de contrôle, un état d'esprit que peut résumer le dicton : " Le jeu n'en vaut pas la chandelle. " [158] »

Dans ce grand bouillonnement des idées de l'après-68, Truffaut reste en retrait, car il aime avant tout être spectateur. Mais, sur le fond, il est plutôt réformateur, tout en admettant « que les véritables réformes sont obtenues ou plutôt arrachées depuis deux ans grâce aux " actions révolutionnaires ". Pompidou nous promet la Suède avec " davantage de soleil ". Pour l'instant, il nous donne la Suède avec davantage d'enfants maltraités, davantage de suicides dans les prisons, davantage de chômeurs, davantage de vieillards nécessiteux, davantage de censure, etc. [159] ». Il n'aime ni le général de Gaulle ni son successeur, Georges Pompidou, les deux présidents de la République conservateurs au pouvoir entre 1958 et 1974, sans pour autant avoir de grandes affinités avec la gauche ou l'extrême-gauche.

Le seul homme politique que Truffaut admire est Pierre Mendès France, l'ancien président du Conseil de la IVᵉ République, l'adversaire politique du général de Gaulle, l'homme de gauche intègre, rigoureux et compétent. S'il se sent mendésiste, comme il l'avoue à Pierre Bénichou dans un entretien du *Nouvel Observateur* paru en mars 1970, c'est parce qu'il pense que « c'est le type qui connaît le mieux la question, qui est le moins animé d'arrière-pensées néfastes, qui est capable d'une pensée ferme. J'estime que s'il ne gouverne pas la France aujourd'hui, c'est peut-être précisément à cause de la politique » [160]. Le réformisme de Truffaut traduit une attitude très raisonnée, fondée sur la confiance en l'homme politique intègre et expert. C'est également le sens de son engagement officieux derrière Jean-Jacques Servan-Schreiber, l'ancien patron de *L'Express* qui, au début des années soixante-dix, tente de redonner une vigueur au mouvement des centristes radicaux. Truffaut conseille ainsi « J.J.S.S. » sur le petit film que l'homme politique met au point, en février 1970, dans le but d'expliquer le plus clairement possible sa démarche. Entre Mendès France et Servan-Schreiber, Truffaut arpente un itinéraire assez particulier dans la France politique du moment, un choix sans avenir mais plutôt original, à l'écart du gauchisme, comme de la voie, plus sûre, qui mènera à la fondation puis au succès du Parti socialiste de François Mitterrand.

Sur des questions qui le touchent de très près et de manière occasionnelle, qu'il s'agisse de l'enfance, de prendre position contre l'armée et pour la liberté d'expression, ou encore pour soutenir les femmes dans leur lutte pour la légalisation de l'avortement, Truffaut peut cependant militer pour une cause politique. Ces engagements le rapprochent alors conjoncturellement de la mouvance gauchiste. Le 22 mai 1969, par exemple, Truffaut signe une pétition en faveur d'Éric Losfeld, l'éditeur du Terrain Vague astreint au dépôt préalable de ses livres auprès du ministère de la Justice. De même, en janvier 1970, il affirme publiquement sa solidarité avec les trois jeunes conscrits retenus dans leur caserne, pour avoir été surpris en possession de journaux gauchistes antimilitaristes, tel *Crosse en l'air*. « Je tiens à vous informer que j'ai effectivement signé l'appel pour la libération des soldats emprisonnés afin de leur exprimer ma solidarité. Je sais par expérience qu'il se passe de drôles de choses dans les prisons militaires et je souhaite qu'à la faveur de ce procès l'opinion en soit plus complètement informée [161] », écrit-il dans une lettre ouverte au président du tribunal militaire de Rennes, où doit se tenir le procès des jeunes soldats.

Le cinéaste serait-il ce « gauchiste d'occasion », que présente avec ironie le critique Marcel Martin dans les *Lettres françaises* en septembre 1970 : « Truffaut, qui a multiplié pendant dix ans les déclarations apolitiques au point que cet apolitisme faisait figure de politique (et de la pire qui soit car il n'y a de pire aveugle...), s'est-il acheté une conscience politique toute neuve en allant vendre *La Cause du peuple* sur les boulevards en compagnie de Jean-Paul Sartre [162] ? » Le samedi 20 juin 1970, Truffaut participe en effet, aux côtés de Sartre et Simone de Beauvoir, et diverses personnalités, parmi lesquelles Marie-France Pisier, Alexandre Astruc, Patrice Chéreau, à la vente publique de *La Cause du peuple*, à 17 h 30, sur le marché rue Daguerre, puis avenue du Général-Leclerc, dans le XIVe arrondissement. *La Cause du peuple*, l'organe de la Gauche prolétarienne, le principal mouvement maoïste issu de mai 68, dissout par le ministère de l'Intérieur au printemps 1970, est un journal interdit, et ceux qui le vendent sont arrêtés, avant d'être déférés devant la Cour de sûreté de l'État. Pour soutenir et protéger le mouvement gauchiste, Sartre a accepté d'être directeur de la publication du journal et, en guise de solidarité militante, décide d'aller le vendre lui-même dans les rues de Paris. La police sera-t-elle assez téméraire pour arrêter un prix Nobel ? Approché par Liliane Siegel, une intime du philosophe, qui lui demande de se joindre au mouvement, Truffaut a d'emblée accepté de participer à la vente publique d'un journal interdit. « Sartre avait dressé une liste de gens connus à contacter pour vendre *La Cause du peuple*, se souvient Liliane Siegel. Une réunion devait avoir lieu chez moi, boulevard Raspail. Truffaut était sur la liste. J'ai appelé les Films du Carrosse, j'ai eu François au téléphone et je l'ai convié à cette réunion. Il m'a dit qu'il viendrait, sans doute en retard à cause de son travail. Le jour venu, au moment où Sartre, à la fin de la réunion, me fait remarquer l'absence de Truffaut, celui-ci arrive en courant. Il s'excuse et s'informe des décisions prises. Sartre lui dit : on va vendre *La Cause du peuple*. Et Truffaut lui répond : allons-y [163] ! » Marie-France Pisier se souvient de Truffaut marchant dans la rue, vendant timidement *La Cause du peuple* : « Le contenu du journal, il s'en fichait, mais l'idée que le journal soit interdit lui paraissait absolument inadmissible. Dès qu'il s'agissait de lutter pour un peu plus de liberté, il était là, capable de le prouver en manifestant [164]. » La manifestation se passe bien, même si un policier, qui avait reconnu Truffaut et pas Sartre, tente un moment d'arrêter le philosophe en l'embarquant dans un panier à salade !

Le 8 septembre 1970, au cours du procès de militants de *La Cause du peuple*, le cinéaste justifie son geste auprès du président de la Cour de sûreté de l'État : « Je n'ai jamais eu d'activités politiques et je ne suis pas plus maoïste que pompidoliste, étant incapable de porter des sentiments à un chef d'État quel qu'il soit. Il se trouve seulement que j'aime les livres et les journaux, que je suis très attaché à la liberté de la presse et à l'indépendance de la justice. Il se trouve également que j'ai tourné un film intitulé *Fahrenheit 451* qui décrivait pour la stigmatiser une société imaginaire dans laquelle le pouvoir brûle systématiquement tous les livres ; j'ai donc voulu mettre en accord mes idées de cinéaste et mes idées de citoyen français [165]. » En juillet 1971, Truffaut signera un manifeste de soutien au journal trotskiste *Rouge*, organe de la Ligue communiste révolutionnaire, lorsque son directeur, Charles Michalou, est inculpé pour diffamation envers le ministre de l'Intérieur : « À travers ce procès s'ouvre celui de la liberté de la presse, précise le texte du manifeste. Ceci ne doit pas être toléré. Les soussignés affirment leur solidarité avec les articles incriminés et se déclarent prêts à venir témoigner lors du procès, montrant ainsi leur volonté de s'opposer à l'installation en France d'un État policier [166]. » Truffaut signe aux côtés de Boisset, Mocky, Malle, Sautet, Chabrol et Stéphane Audran. Quelques semaines plus tard, il est de ceux qui défendent le journal *Révolution !*, puis le cinéaste Jacques Kébadian arrêté par la police. Truffaut est en effet extrêmement choqué par la stratégie du ministre de l'Intérieur, Raymond Marcellin, qui, pour venir à bout des organisations gauchistes, intente systématiquement des procès aux organes de presse militants afin de les asphyxier financièrement.

À peu près à la même période, Truffaut participe au sauvetage des *Cahiers du cinéma*, devenus après mai 68 un des fers de lance du militantisme idéologique d'extrême-gauche. Le patron de presse Daniel Filipacchi, qui en est l'associé majoritaire depuis 1964, supporte mal l'engagement théorique et politique des *Cahiers*, dont les pages mensuelles négligent à son goût l'actualité du cinéma au profit d'analyses influencées par le structuralisme, la psychanalyse et le marxisme. En octobre 1969, Filipacchi décide de rompre et le 21 du même mois, les deux rédacteurs en chef, Jean-Louis Comolli et Jean Narboni, trouvent portes closes, rue Marbeuf, où sont installés leurs bureaux. Filipacchi et ses associés ont décidé un *lock-out* général. En conséquence, la parution des *Cahiers du cinéma* est interrompue, les actionnaires majoritaires formulant « des revendications concernant particulièrement la libéralisation de la revue qui, selon eux, est devenue entre les mains d'une rédaction d'un totalitarisme intransigeant, une publication obscure et indigeste d'où est exclue toute objectivité [167] ». En décrétant sa suspension, Filipacchi exige que la revue « soit uniquement consacrée à la défense et à l'illustration du septième art ».

Un rendez-vous est pris le 23 octobre pour tenter de trouver une solution de compromis, en présence de Georges Kiejman, l'avocat des *Cahiers,* de Truffaut et Doniol-Valcroze, associés minoritaires. Filipacchi exige le remplacement de la rédaction par un groupe hétéroclite d'une dizaine de critiques connus, allant de Samuel Lachize *(L'Humanité)* à Louis Chauvet *(Le Figaro).* Devant le refus, il propose à la rédaction de racheter son indépendance. Au prix fort : 280 000 francs, contre la cession de ses parts. Pour venir en aide aux *Cahiers du cinéma,* Truffaut et Doniol-Valcroze se mobilisent, investissant chacun 30 000 francs. Puis ils font le tour de leurs amis : Nicole Stéphane, Jean Riboud, Pierre Cardin, Gérard Lebovici, Michel Piccoli, Claude Berri, Pierre Braunberger, Costa-Gavras. Trois rédacteurs, Jean Narboni, Jean-Louis Comolli et Sylvie Pierre, bouclent le tour de table. Un premier protocole est signé le 30 décembre 1969, entre Filipacchi, Doniol et Truffaut, et le rachat conclu. Truffaut a sauvé les *Cahiers,* même s'il ne se reconnaît plus du tout dans le ton adopté par la revue. Il le confie d'ailleurs le 20 novembre 1970 à Sylvie Pierre : « Je redoute qu'il en aille de mal en pis pour la publicité, le choix des couvertures, la régularité des abonnements, les dates de parution, etc., etc. Tout cela m'attriste, même si ça ne me regarde plus. Tant mieux si j'exagère et si la réalité est moins noire [168]. » En désaccord avec l'équipe et dans l'impossibilité d'assister aux réunions rédactionnelles, le cinéaste ne tarde pas à demander à ce qu'on retire son nom du comité de rédaction de la revue. Ce sera chose faite en octobre 1970. La rupture sera alors consommée entre Truffaut et les *Cahiers.* Elle durera près de six années et laissera au cinéaste un souvenir assez amer.

Les ruptures sont nécessaires

Ayant réalisé quatre films en deux ans, François Truffaut, épuisé, ressent le besoin de faire une pause. Il confie à Helen Scott qu'il n'a aucun projet de tournage avant 1972 : « Je vais pouvoir mener à bien la composition de plusieurs livres consacrés au cinéma et cela va prendre tout mon temps [169]. » C'est à cette période qu'il entreprend de réunir ses critiques dans un recueil, *Les Films de ma vie,* et qu'il préface les livres de ses maîtres, Bazin, Guitry, Audiberti, par exemple.

Mais Truffaut a aussi le désir de vivre pleinement son histoire d'amour avec Catherine Deneuve. Au printemps 1970, celle-ci tourne *Peau d'âne* de Jacques Demy, en Anjou, ensuite, comme Truffaut, elle n'a aucun projet avant une année. Pourtant le couple est amené à se séparer au cours de l'automne 1970. Peu de temps auparavant, Catherine Deneuve a confié au magazine *Life* : « Le seul moment de ma vie où j'ai senti que tout, en moi et autour de moi, correspondait à ce que je désirais profondément, fut la période durant laquelle j'ai été enceinte [170]. » C'est sans doute la raison de cette rupture. Catherine Deneuve désire un autre enfant. François Truffaut, lui, n'y tient pas. Toujours dans *Life,* Catherine Deneuve ajoute : « Une femme possède trois soupapes de sécurité, un homme, un enfant, un travail. Dans ma tête, ces priorités devraient suivre cet ordre, mais en vérité, dans ma vie réelle, l'ordre est exactement l'inverse [171]. » L'enfant qu'elle désire passe avant l'homme qu'elle aime. Mais pour l'homme qu'elle aime, un enfant c'est une nouvelle famille, un nouveau foyer, donc des complications. Et il n'est pas prêt à les affronter.

Le dernier voyage du couple a pour cadre la Tunisie, du 30 novembre au 6 décembre 1970, à l'hôtel Sahara Palace de Nefta. Là, Catherine Deneuve annonce à Truffaut sa décision de rompre. Un ultime dîner, chez elle, à Paris le 22 décembre, rend cette décision irréversible. Ensuite, Catherine Deneuve part aux sports d'hiver avec son fils Christian. À son retour, François a quitté l'appartement pour s'installer à l'hôtel. Peut-être s'agit-il d'un total malentendu. Truffaut s'est confié à Madeleine et à

Claude de Givray : « Je croyais qu'elle avait envie que je parte [172] ! » En fait, il avait cru maîtriser une situation de crise, et s'est trouvé pris de court lorsque Catherine Deneuve a décidé de rompre.

Cette rupture laisse Truffaut totalement anéanti, d'autant qu'il a suscité lui-même le rejet manifesté par sa compagne. À Aimée Alexandre, sa vieille amie et sa confidente, il évoque « une désolante fin d'année moralement et sentimentalement [173] ». Celle-ci tente de réconforter son « petit François tendrement chéri », en lui écrivant une belle lettre le 31 décembre 1970 : « Je me sens horriblement triste de votre tristesse. Aujourd'hui, je ne puis m'empêcher de vous dire ce que savent mes cheveux blancs et ce que ne peut pas ignorer votre finesse : il n'existe pas de ruptures accidentelles. Les ruptures sont toujours nécessaires. Seulement, on ne le sait jamais dans le moment même, et on souffre comme si on avait perdu l'essentiel, on se reproche de n'avoir pas su surmonter les circonstances. Cette souffrance est inutile, inadéquate, mais elle n'en est pas moins cuisante car elle absorbe toutes les actions et toutes les pensées. " Vous avez eu toutes les chances, trop de chances ", dites-vous. C'est vrai. Et vous les méritiez. Mais vous aurez encore celle de rencontrer l'essentiel [174]. »

Ainsi, Truffaut a le sentiment d'avoir laissé passer sa chance. Sans doute, à cet instant, a-t-il même l'impression d'avoir raté une partie de sa vie, cette vie de couple qui lui échappe une fois encore. Il sombre dans la dépression, n'arrive pas à dormir même s'il est complètement épuisé, et ne quitte pas, parfois pendant des journées entières, la suite de l'hôtel George-V qu'il a louée depuis la mi-décembre. Il y reste quelque temps, avant de s'installer provisoirement au cinquième étage de l'immeuble qui abrite les Films du Carrosse, rue Robert-Estienne. Seul et triste, François Truffaut ressasse ses idées noires. Jeanne Moreau lui conseille de consulter le docteur René Held. Ce vieil homme de soixante-quinze ans, psychanalyste et spécialiste de médecine psychosomatique, séduit beaucoup Truffaut, qui le trouve « pittoresque et d'une incroyable vitalité », « très bavard et violemment antiaméricain » [175]. Il recommande un traitement antiasthénique, accompagné de pilules calmantes et de somnifères, et conseille au cinéaste de suivre une cure de sommeil d'une dizaine de jours. Un traitement assez radical mais efficace,

celui qui, dans *La Sirène du Mississippi,* faisait revenir Jean-Paul
Belmondo à la vie normale. Le 27 janvier 1971, Marcel Berbert
conduit Truffaut à la clinique Villa-des-Pages, au Vésinet, près
de Versailles, pour le confier aux soins du docteur Leulier. Le
« malade » y demeure sept jours, en état de repos psychique.
Entre les euphorisants et les calmants, Truffaut tente de surmonter sa dépression. Comme il l'écrit avec une certaine ironie à
Aimée Alexandre, « les couleurs de mes pilules sont devenues
mon unique horizon [176] ». Truffaut ne se sentira pourtant revenu
dans le monde des hommes, que lorsqu'il « ouvrira la fenêtre
pour jeter tout dehors comme des confetti multicolores [177] ».

VII

L'HOMME CINÉMA

1971-1979

« J'espère me montrer bientôt tel que j'étais avant, plus joyeux [1] », écrit François Truffaut au scénariste Jean-Loup Dabadie au début de l'année 1971. Après sa cure de sommeil, il demeure sous contrôle médical pendant quelques mois. Sujet à de brusques crises dépressives, son humeur est mélancolique. « Je suis sans doute moins en danger qu'il y a quelques semaines, avoue-t-il au même moment à Liliane Siegel. Mais le petit cauchemar de chaque nuit qui concerne huit fois sur dix Catherine, évidemment, me rappelle le trou noir. Dans le malheur, le mot est trop fort, on sent que l'on peut glisser facilement vers l'aigreur, le dénigrement de tout et de tous, et cela je n'en veux absolument pas [2]. » Jusqu'au printemps, Truffaut, sous calmants, vit au ralenti, conscient de « revenir de loin [3] ». Pendant toute cette période, Marcel Berbert s'occupe des affaires de la société, et Truffaut l'en remercie : « Au début de l'année, le Carrosse avait vraiment une roue dans le vide ; vous m'avez aidé, silencieusement mais très fortement, à redresser la situation. J'espère que tout ira bien désormais [4]. »

Madeleine Morgenstern se souvient de cette période dépressive, « très violente et qui traduisait le chagrin d'être rejeté par Catherine Deneuve. François a cru dominer cette situation, il a pensé que les choses évolueraient lentement, que Catherine changerait d'avis, mais il a été pris de court lorsqu'elle a rompu avec lui. Il s'est alors décomposé, je n'avais jamais vu François ainsi [5]. » Truffaut vit désormais dans l'attente des appels téléphoniques de Catherine Deneuve, pris de panique au moindre retard, regardant sans cesse sa montre avec anxiété, fumant cigarette sur cigarette. « J'aurais voulu tout faire pour que ça cesse [6] », conclut Madeleine.

Durant toute cette période, Truffaut fuit Paris. Lors des brefs séjours qu'il doit y faire, il se réfugie à l'hôtel ou dans son bureau, passant une grande partie de son temps à relire les papiers et documents de son enfance récupérés à la mort de sa mère en 1968. Non sans un sentiment de culpabilité qui ne fait qu'accroître sa mélancolie. Le deuil d'une mère, qu'il n'a jamais comprise, s'ajoutant deux ans et demi plus tard à la dépression sentimentale de l'hiver 1971, renforce cette impression de solitude et d'abandon. Grâce au soutien de ses proches, il tente de remonter la pente. Madeleine, qui s'est pourtant remariée (mais son mariage ne durera que quelques mois), est le plus souvent possible à ses côtés. Elle l'accompagne à Nice, où Truffaut séjourne quelques semaines au Négresco, le temps que Jean-Louis Richard le rejoigne pour se mettre au travail sur un nouveau scénario *(La Nuit américaine)*. En attendant d'aller se reposer chez Jeanne Moreau, dans sa maison de La Garde-Freinet.

Les Deux Anglaises et le Continent

Dans cette période noire de sa vie, Truffaut trouve dans un roman une véritable bouée de sauvetage : *Les Deux Anglaises et le Continent* d'Henri-Pierre Roché, qu'il a déjà lu plusieurs années auparavant avec l'idée d'en faire l'adaptation [7]. Il le lit et le relit jusqu'à en connaître par cœur la moindre ligne. Et, renonçant à l'année sabbatique qu'il envisageait, décide dans l'urgence d'en faire son prochain film. Jean-Claude Brialy, confident du cinéaste pendant sa dépression, comprend parfaitement l'enjeu des *Deux Anglaises* lorsqu'il écrit à Truffaut : « Je pense bien à toi en ce moment où tu commences le film que tu as provoqué brusquement pour chasser les mauvais nuages de ta tête. J'espère que le travail et le bonheur de tourner t'empêchent d'être triste [8]. » Filmer pour vivre, tourner pour guérir : rarement le cinéma aura eu une fonction aussi vitale.

Dix ans après *Jules et Jim,* Truffaut renoue avec l'univers de Roché, dialogue qui ne s'est jamais vraiment interrompu puisque, après la mort de l'écrivain, le cinéaste est resté en contact avec Denise, sa femme, et leur fils Jean-Claude. Ainsi, il a fait dactylographier par ses secrétaires les nombreux carnets intimes de Roché, qui auraient sans doute été perdus ou dispersés sans l'obstination du cinéaste à vouloir à tout prix les faire éditer. Mais ses démarches auprès des éditeurs, que ce soit Robert Laffont, Flammarion, Hachette ou Gallimard, ont échoué [9]. Truffaut s'inspirera de certains extraits de ces carnets pour le scénario des *Deux Anglaises*, et, quelques années plus tard, pour celui de *L'Homme qui aimait les femmes*.

Dès 1968, Truffaut avait commencé à négocier avec Gallimard les droits des *Deux Anglaises et le Continent*. L'éditeur demandait 150 000 F pour une adaptation cinématographique. Truffaut, trouvant la somme exorbitante, avait rappelé au passage que son film, *Jules et Jim,* avait largement contribué à relancer le roman de Roché en librairies, vendu à 15 000 exemplaires au cours des années soixante et traduit en Italie, en Angleterre, en Allemagne et en Hollande. Truffaut prend aussi prétexte du refus de Claude Gallimard de publier les *Carnets* de Roché pour faire valoir son argument : « Je sais bien que je ne dois pas nécessairement établir un lien entre votre exigence financière qui me semble excessive pour l'achat des droits des *Deux Anglaises* et le peu d'intérêt que la maison Gallimard porte à l'œuvre posthume de Roché, mais je crois tout de même que votre offre a été lancée sans que vous ayez connaissance de tout ce que j'ai entrepris pour défendre et faire connaître un écrivain de votre maison [10]. » Gallimard accepte alors de baisser de moitié le prix de cession des droits des *Deux Anglaises*.

Dès lors, Gruault commence à travailler l'adaptation à partir d'un exemplaire du roman annoté par Truffaut. Il lit également les *Carnets* de Roché. La tâche est ardue, car Truffaut souhaite partir d'une matière considérable (le roman et les *Carnets*) pour composer un scénario simple et linéaire. Près d'un an plus tard, en mars 1969, Gruault dépose aux Films du Carrosse quatre grands cahiers manuscrits correspondant à la première version du scénario des *Deux Anglaises*. Une fois dactylographié, le script découpé en 95 séquences fait 552 pages.

Le récit se déroule au début du siècle, sur une longue durée ponctuée par des séparations, des voyages, des retrouvailles, des morts, et relate de façon romanesque plusieurs existences croisées. Deux jeunes sœurs galloises, Muriel et Anne Brown, aiment un Français, Claude Roc, qu'elles appellent « le Continent ». Jeune Parisien (en fait Henri-Pierre Roché jeune), Claude se destine à la littérature et devient peu à peu amateur d'art. Orphelin de père, il a été élevé par sa mère. À Paris, Claude fait d'abord la connaissance d'Anne qui, secrètement, l'a destiné à sa jeune sœur Muriel qu'elle admire passionnément. Claude vient alors séjourner l'été au pays de Galles, dans la famille Brown. Au début, il remarque à peine Muriel, avant d'avoir une brusque révélation de son amour pour elle, au point de vouloir l'épouser. La mère de Claude s'y oppose, exigeant une séparation d'un an entre les deux jeunes gens. Rentré à Paris, Claude vit d'autres aventures, puis envoie à Muriel une lettre de rupture qui la blesse profondément. Anne, qui s'est installée à Paris pour travailler la sculpture, devient la maîtresse de Claude. Lorsque Muriel arrive à son tour à Paris et que sa sœur lui apprend cette liaison, tout s'effondre autour d'elle. Elle repart aussitôt pour l'Angleterre. Claude sombre dans la dépression, puis guérit en racontant cette histoire dans un roman, *Jérôme et Julien*. Quelques années plus tard, après la mort d'Anne, il retrouve Muriel à Calais, ils font l'amour pour la première fois. Muriel exigeant comme condition une séparation immédiate et définitive.

Découragé par l'ampleur du projet et par l'épaisseur du scénario, Truffaut le laisse deux ans dans un tiroir. Ce n'est qu'en mars 1971 qu'il reprend l'énorme matériau confectionné par Jean Gruault. Muni d'une paire de ciseaux et de scotch, le cinéaste ramène le script à deux cents pages, puis demande à Gruault d'y retravailler. En même temps qu'ils reprennent Les *Deux Anglaises*, ils lisent toutes les biographies des sœurs Brontë, « elles aussi Anglaises puritaines, romanesques et exaltées[11] », ainsi que les souvenirs de jeunesse de Marcel Proust. « Le héros des *Deux Anglaises* est un peu le jeune Proust qui serait tombé amoureux de Charlotte et Emily Brontë et les aurait aimées, toutes deux pendant plus de dix ans sans se décider à choisir l'une plutôt que l'autre[12]. » Reprise d'Emily Brontë, la dernière phrase d'Anne avant de mourir est : « J'ai de la terre plein la bouche. » Dans sa dernière version, le scénario des *Deux Anglaises et le Continent*, délaissant une bonne part du décor Belle Époque originel, est exclusivement recentré sur les sentiments qui lient Claude, Anne et Muriel. « Ce n'est pas un film d'amour physique, mais un film physique sur l'amour, précise Truffaut. C'est une histoire romantique que j'ai voulu également romanesque. Je crois qu'avec cette œuvre, j'ai désiré presser l'amour comme un citron [13]. »

Mais cet amour est douloureux, et le film, montrant cette souffrance, peut se lire comme le journal intime du cinéaste convalescent. C'est la véritable clé de l'œuvre : la fièvre qui lie les êtres dans une intimité passionnée, les pulsions qui dominent les corps et dont personne ne peut se défaire, tel l'onanisme de Muriel, ou les brûlures ou les déchirures qui meurtrissent chacun, des yeux malades de Muriel à la perte de sa virginité, de la jambe brisée de Claude à un vieillissement prématuré, de la soif de vie d'Anne à sa tuberculose fatale. La douleur physique et spirituelle est la matière de ce film, douleur des personnages soumis aux épreuves des affections vives. Ces souffrances éclairent d'une lumière crue le mal-être d'un cinéaste qui, lui aussi, a aimé deux sœurs, l'une l'ayant quitté dans la mort, l'autre l'ayant quitté pour la vie.

L'écriture de Roché est aussi comme un feu intérieur qui brûle le film de Truffaut. On aura rarement filmé plus crûment la chair d'un livre. Le générique montre d'ailleurs les pages du livre de Roché annotées de la main de Truffaut, les ratures, les hésitations, les expressions entourées au stylo. Cette écriture s'incarne enfin dans le texte en voix off lu par Truffaut lui-même, avec une rapidité et une concentration qui disent à quel point il se sent concerné par les sentiments des personnages.

Après les succès de *L'Enfant sauvage* et de *Domicile conjugal*, Truffaut n'a aucune difficulté pour financer son film. Berbert et lui poursuivent leur collaboration avec le producteur-distributeur indépendant Hercule Mucchielli. Le budget est estimé à 3 850 000 francs, ce qui est peu pour un film d'époque qui nécessite plusieurs décors et dont le tournage s'étale sur douze semaines. La Columbia avance 400 000 dollars comme à-valoir sur la distribution outre-Atlantique.

Entre mars et avril 1971, la préparation du film est rapide, intense. L'équipe du Carrosse se mobilise autour de Suzanne Schiffman. Roland Thénot (le régisseur), Jean-Pierre Kohut-Svelko (l'assistant décorateur) et Jean-François Stévenin retrouvent dans la presqu'île du Cotentin des paysages assez proches de ceux du pays de Galles où est censée se dérouler une grande partie du film. Ce choix convient à Truffaut puisqu'il facilite les conditions de tournage. Stévenin a également retenu un beau décor dans le Jura, autour d'un lac magnifique, ainsi qu'une ligne de chemin de fer à l'ancienne, en Ardèche, en pleine forêt.

C'est sans aucune hésitation que Truffaut attribue à Jean-Pierre Léaud le rôle de Claude Roc, ce jeune dandy hésitant, séduisant et fragile. Truffaut espère aussi le démarquer du personnage d'Antoine Doinel. « C'est comme si tu jouais le rôle de Jim, lui précise-t-il en lui adressant le scénario. Ce sera le personnage le plus difficile pour toi parce que tu devras jouer comme si tu étais né riche et grand [14]. » Pour les deux Anglaises, Truffaut fait appel à Oscar Lewenstein, son ami londonien qui avait produit *Fahrenheit 451* et *La mariée était en noir*. À peine sorti de clinique, le cinéaste lui demande d'organiser un casting auprès d'une centaine de jeunes actrices. « Elles doivent avoir entre dix-huit et vingt-quatre ans, ne pas être trop grandes en face de Jean-Pierre Léaud et parler français le mieux possible [15]. » À la mi-mars, Suzanne Schiffman se rend à Londres pour une première sélection. Kika Markham et Stacey Tendeter sont finalement retenues par Truffaut, venu lui-même auditionner début avril. La première sera Anne, et la seconde Muriel. Elles ne se connaissent pas, ne se ressemblent guère, mais la brune et la rousse s'entendront parfaitement sur le tournage. À Londres, le cinéaste engage également Sylvia Marriott, une actrice habituée des scènes britanniques, pour interpréter le personnage de Mrs. Brown, leur mère.

Truffaut complète sa distribution avec Philippe Léotard, Irène Tunc et Marie Mansart, et confie comme à son habitude certains rôles secondaires à des collaborateurs : Georges Delerue apparaît en homme d'affaires de Mme Roc, et Marcel Berbert en propriétaire d'une galerie de tableaux. Laura et Éva font également de la figuration, dans le plan d'ouverture du film, jouant à la balançoire avec Mathieu et Guillaume, les fils de Suzanne Schiffman.

Le 28 avril 1971, trois mois à peine après sa sortie de clinique, Truffaut accueille l'équipe du film au Hague-Dick Hôtel, une pension d'Auderville dans le Cotentin. Tout près de là commence le tournage des *Deux Anglaises,* dans une belle demeure louée à la famille Anquetil, décor idéal pour la maison « galloise » de Mrs. Brown. Le cinéaste a fait couper quelques arbres dans le jardin pour ouvrir la vue sur la mer, mais l'endroit est parfaitement adapté à son projet, notamment cette lande sauvage, en bordure de falaise, où viendront s'épancher les passions de Claude, Anne et Muriel. Lorsqu'il pleut, comme cela arrive parfois ici au printemps, l'équipe s'enferme dans la maison Anquetil pour les nombreuses scènes d'intérieur. Et quand la pluie cesse, l'équipe filme en extérieurs, sur la falaise. Le 8 mai, Truffaut tourne à Cherbourg la grande scène des retrouvailles entre Claude et Muriel, vers la fin du récit, censée se dérouler à Calais. Claude est sur le quai attendant Muriel qui descend d'un bateau, ils se retrouvent après quelques années de séparation et vont connaître ensemble leur unique nuit d'amour. « Le soleil tombait de telle façon qu'en se reflétant dans l'eau, témoignera Almendros, il faisait des vagues de lumière sur la coque du bateau. J'ai dit à François : " Regardez comme ce serait beau si l'on pouvait les faire se rencontrer devant ces vibrations de lumière. " Il a dit : " Allons-y vite, il faut le faire. " On a tourné et ensuite au montage il a éliminé le dialogue sur cette scène. Il a mis seulement la musique de Delerue et m'a dit : " Quand on a une image avec de la lumière comme celle-là, ça équivaut à une ligne de dialogue. " C'était comme si la passion, la vibration intérieure étaient projetées dans l'image. Quand il voyait une idée forte, il l'adoptait avec empressement [16]. »

Début juin, une partie de l'équipe se retrouve à Lamastre, dans le Vivarais, pour filmer la gare et le chemin de fer ancien du Cheylard, réputés pour leur atmosphère Belle Époque. Puis à Paris et dans ses environs, en intérieurs, et au musée Rodin, pour la dernière scène du film où Claude croit reconnaître, quinze ans plus tard, la fille de Muriel parmi les collégiennes anglaises qui visitent les œuvres du sculpteur. Le tournage se termine en juillet dans le Jura, près du lac de la Motte, où l'équipe loge à l'hôtellerie du Moulin des Truites bleues.

En définitive, Truffaut est très satisfait, il pense avoir réalisé son chef-d'œuvre. Grâce aux amis qui l'ont constamment entouré sur le plateau, il a retrouvé confiance. « Je n'étais pas seul pour creuser ce premier tunnel sous la Manche que constitue, je l'espère, *Les Deux Anglaises et le Continent* [17]. » Tourner aura constitué pour lui le moyen le plus efficace d'effacer ses « pensées noires », de dormir enfin « sans somnifères [18] ». L'idée de vivre seul à Paris lui fait moins peur. Truffaut sait que le travail est son seul remède, la seule chose qui le mobilise entièrement et lui permet de vivre ses émotions les plus fortes. « Quand je travaille, je deviens séduisant, écrit-il, au moment du tournage, à Liliane Dreyfus, je le sens et en même temps ce travail, qui est le plus beau du monde, me place dans un état émotionnel favorable au départ d'une *love story*. En face de moi, il y a généralement une jeune fille, ou femme, émotionnée, craintive et obéissante qui fait confiance et se trouve prête à l'abandon. Ce qui arrive alors c'est toujours la même chose. Quelquefois la *love story* est synchronisée avec le tournage et s'arrête avec lui ; d'autres fois ça continue après, par la volonté de l'un ou des deux [19]... » Ainsi, née pendant *Les Deux Anglaises,* sa liaison avec Kika Markham se poursuivra quelques mois au-delà...

À partir du 20 juillet 1971 jusqu'à la fin août, Truffaut s'accorde quelques semaines de vacances dans une maison louée à Antibes, la Villa Mirasol, boulevard du Cap. Vacances à mi-temps, puisqu'il supervise chaque jour le montage de son film, confié à Yann Dedet qui travaille aux studios de la Victorine à Nice. Mais Truffaut en profite pour voir régulièrement Madeleine, Laura et Éva, qui passent l'été à la Résidence Saint-Michel à Cannes, et recevoir ses amis : tour à tour, Bernadette Lafont, Liliane Dreyfus et Suzanne Schiffman, Jean Aurel, Jean-Loup Dabadie, Jean-Louis Richard, Jean Gruault, ces trois derniers travaillant séparément sur les prochains films de Truffaut : *Une belle fille comme moi, La Nuit américaine* et *L'Histoire d'Adèle H.* Truffaut poursuit sa convalescence, retrouve le moral en jouant avec ses filles qui l'aident beaucoup par « leur gaieté et leur santé » en lui répétant des « histoires drôles, scabreuses que les plus grandes leur racontent et qu'elles ne comprennent qu'à moitié. On rit beaucoup. Elles s'épanouissent, se jalousent beaucoup moins [20]... ».

Après une première projection des *Deux Anglaises* à la Victorine, en présence d'Aurel (son « conseiller particulier [21] », comme le qualifie Truffaut), de Dabadie et de Jean-Louis Richard, le cinéaste est confiant. « Ils pensent que c'est le plus beau de mes films, grâce à la photo [22] », écrit-il peu de temps après à Nestor Almendros. Début septembre, Truffaut est de retour à Paris pour une nouvelle projection, rue de Ponthieu, à laquelle assistent Léaud, Delerue, Gruault, Gérard Lebovici, Serge Rousseau, et l'équipe technique. « Tout le monde est très content [23] », confirme-t-il, euphorique, à Almendros le 11 septembre. Pour ses proches, *Les Deux Anglaises et le Continent* est indiscutablement son film le plus émouvant, le plus réussi plastiquement et le plus romanesque. Le critique Louis Marcorelles écrit à Truffaut : « Je me suis senti très proche de vous dans ce film qui me semble vous toucher de si près, non par quelque impudeur, mais parce que votre sensibilité, votre passion y transparaissent constamment [24]. » Avant même la sortie du film, Truffaut reçoit une cinquantaine de lettres, toutes élogieuses, d'amis ayant eu le privilège de voir son film en projection privée. « Ce film n'est pas seulement votre plus beau, mais le commencement d'une œuvre nouvelle, mûrie par le temps et la douleur [25] », lui écrit par exemple le cinéaste Paul Vecchiali. « François, malgré mes enthousiasmes de l'époque, je n'avais jamais cru que la Nouvelle Vague ait signifié quelque chose sauf le désir de prendre la place d'autrui. Maintenant, grâce à vous, une œuvre légitime profondément ce changement [26] », renchérit Jean Eustache. Et Denise Roché : « Ce film est si important que le public aura la patience et l'humilité de le comprendre. Je l'ai regardé — tout au long — comme si Pierre avait été à côté de moi [27]. »

Précédée d'une chaleureuse avant-première à la Cinémathèque française, la sortie du film a lieu le 24 novembre 1971 dans sept salles parisiennes. Les deux premières semaines d'exploitation sont catastrophiques : à peine 30 000 entrées. Curieusement, la presse est nettement divisée entre les partisans : Henry Chapier *(Combat)*, Claude Mauriac *(Le Figaro littéraire)* et Yvonne Baby *(Le Monde)*, et ses détracteurs : François Chalais y voit un « retour en arrière [28] », Louis Chauvet trouve Jean-Pierre Léaud « ridicule et risible [29] », Albert Cervoni parle « d'insignifiance du propos [30] », Pierre Marcabru juge l'ensemble « terne et appliqué [31] ». Et Jean-Louis Bory, au *Masque et la plume*, dira « s'être ennuyé de la première à la dernière image [32] ». Beaucoup reprocheront au film sa froideur, sa gratuité, voire sa vulgarité : « Truffaut insiste et va même jusqu'au mauvais goût en inondant de sang les draps d'un lit nuptial [33] », écrit Robert Chazal à propos de la séquence du dépucelage de Muriel. Truffaut, qui a lu, annoté, souligné ces propos, est profondément affecté par ces critiques. Devant ce double échec commercial et critique, il réagit brutalement et décide de retirer son film des salles parisiennes, pour le réduire de quatorze minutes. Ramené à 1 heure 58, *Les Deux Anglaises* offre ainsi aux exploitants la possibilité d'une séance quotidienne supplémentaire. En agissant ainsi, le cinéaste tente de limiter les dégats et de ne pas faire perdre trop d'argent à Hercule Mucchielli, son partenaire financier qui s'est déjà plaint de « la longueur du film, des commentaires parfois inutiles et surtout de la tache de sang [34] ». « Je ne méprise pas l'argent, répond Truffaut pour justifier ce que certains considèrent comme une autocensure, je ne l'aime pas d'amour, mais l'idée d'en faire perdre à autrui m'est insupportable. J'aime assez mon travail pour le croire intéressant, pas assez pour le croire indispensable ou irréprochable [35]. » Truffaut réduit son propre commentaire en voix *off,* mais refuse de couper le plan sur la tache de sang de Muriel, sans doute le plus intime qu'il ait jamais filmé. Il tenait beaucoup à la phrase de Roché : « Il y avait du rouge sur son or. » Ce moment reste pour lui l'empreinte des passions qui se déchaînent. Et s'il a choisi de tourner *Les Deux Anglaises* à un moment difficile de son existence, c'est bien qu'il a senti que le retour à la vie passait par l'excès même du mal d'amour. Truffaut s'est peut-être guéri, mais *Les Deux Anglaises et le Continent* conserve encore la trace indélébile d'une fièvre angoissée.

À l'étranger, l'accueil sera meilleur qu'à Paris. Truffaut accompagne son film un peu partout, d'abord pour échapper au cafard qui le guette. Ailleurs qu'à Paris, il se sent plus en confiance, loin de la spirale d'échecs qui semble de nouveau s'être emparée de sa vie. En témoigne cet entretien qu'il accorde en décembre 1971 à la télévision canadienne, où il se confie longuement sur son enfance, son adolescence, sa désertion à l'armée, les échecs de sa carrière, autant de sujets qu'il hésite à aborder devant des journalistes français. Du 13 au 17 décembre, Truffaut séjourne en effet à Montréal avec Madeleine. Il enregistre ainsi trois heures d'entretien télévisé avec Aline Desjardins, dans le cadre de l'émission *Femme d'aujourd'hui* réalisée par Gilles Derome : « Ce que j'ai dit ce jour-là, je ne l'avais jamais dit ailleurs, et je ne le redirai pas [36]. » Ensuite, Truffaut passe les fêtes de Noël et de fin d'année à Athènes, en famille, avec Madeleine, Laura (ainsi encouragée puisqu'elle commence ses études de grec) et Éva. Harmonie familiale, « moment très heureux dans un temps de détresse [37] », écrit-il à Liliane Siegel le 30 décembre 1971.

Un voyou femelle

« Lorsque je viens de tourner un film triste, je n'ai qu'une envie : faire un film joyeux [38]. » Pour vite oublier le naufrage des *Deux Anglaises,* Truffaut enchaîne avec un nouveau film à trois mois de distance. La passion romantique n'a guère été comprise, peut-être la farce l'aidera-t-elle à renouer avec le succès et à sortir de cette période difficile. Volontairement burlesque et loufoque, *Une belle fille comme moi* repose entièrement sur le talent de Bernadette Lafont. Lancée par Truffaut et Chabrol au début de la Nouvelle Vague, l'actrice a ensuite fait une pause dans sa carrière au milieu des années soixante, pour « vivre autrement [39] ». Mariée au sculpteur Diourka Medveczki, elle a donné naissance à trois enfants et vit retirée la plupart du temps dans sa maison des Cévennes. À la fin des années soixante, Bernadette Lafont fait un retour au cinéma, tournant à un rythme effréné, avec Louis Malle, Philippe Garrel, Jean-Daniel Pollet ou Nadine Trintignant. Mais c'est *La Fiancée du pirate,* réalisé en 1969 par Nelly Kaplan, qui relance véritablement sa carrière. À cette époque, Truffaut, dans un portrait télévisé consacré à l'actrice, la compare à Michel Simon dans *Boudu sauvé des eaux.* Cette truculence dans l'expression, cette vitalité, cette présence explosive et émouvante, le séduisent énormément. « Bernadette Lafont, ainsi que le disait Jacques Audiberti, joue comme si sa vie en dépendait. » Truffaut filme lui aussi « comme si sa vie en dépendait [40] ». Cette énergie commune rapproche beaucoup le cinéaste et l'actrice à un moment où ils ont, l'un et l'autre, besoin de vivre pleinement dans et par le cinéma pour oublier les mésaventures de l'existence.

En novembre 1969, Truffaut a lu un roman de l'écrivain américain Henry Farrell, *Such a Gorgeous Kid like Me,* paru l'année précédente en « série noire » sous le titre *Le Chant de la sirène.* « Un jour dans l'avion Paris-Madrid, raconte Truffaut, j'ai ouvert ce roman et, en m'entendant hurler de rire à chaque page, l'hôtesse de l'air est allée prévenir le chef-pilote qu'un passager devenait fou et qu'il fallait peut-être alerter la tour de contrôle [41]. » C'est l'histoire d'un sociologue (Stanislas Prévine, dans la version française), qui mène une enquête sur les criminelles. Son travail l'amène à s'intéresser plus particulièrement au cas de Camille Bliss, une pétulante prisonnière à l'argot irrésistible, qu'on soupçonne d'avoir tué son père et l'un de ses nombreux amants. Truffaut est séduit par le personnage de Camille parce qu'elle est un « voyou femelle [42] », comme l'était le personnage de Deneuve dans *La Sirène du Mississippi*. En parlant de son personnage, Bernadette Lafont évoque « Attila, une femme libre, qui trace sa route sans remords [43] ». Homme pudique et rempli de contradictions, Truffaut a toujours été attiré par ce type de femmes, qui lui rappellent certaines figures de sa jeunesse.

En se renseignant auprès de Gallimard, le cinéaste apprend que les droits du roman sont détenus par la Columbia. Le 15 mars 1971, il écrit à Stanley Schneider et à Jack Wiener, producteurs au sein de la major hollywoodienne, en se proposant de réaliser le film pour le compte de la compagnie américaine. La Columbia tergiverse car le projet est déjà entre les mains de Blake Edwards. Mais, en août, lorsque celui-ci renonce à faire le film, la voie est libre pour Truffaut. Il reste à mettre noir sur blanc les termes d'un contrat de coproduction entre les Films du Carrosse et le studio américain, lequel s'engage à financer un film dont le budget avoisine trois millions de francs.

Durant son séjour à Antibes au cours de l'été 1971, Truffaut reçoit son amie Bernadette Lafont, venue discuter du film et du rôle avec lui, et Jean-Loup Dabadie. Jeune scénariste, celui-ci s'est fait connaître grâce à deux films de Claude Sautet qu'il vient d'écrire, *Les Choses de la vie* et *Max et les Ferrailleurs,* ainsi que deux comédies de Philippe de Broca, *La Poudre d'escampette* et *Chère Louise*. « C'est le scénario de *Louise* qui m'a donné envie de travailler avec vous, car j'ai eu l'impression de lire pour la première fois un script français tournable tel quel [44] », écrit Truffaut à Dabadie en janvier 1971. Paradoxalement, le cinéaste rêve d'un scénario « clé en mains », qu'il n'aurait pas à « rafistoler sans cesse » et dont il n'aurait pas « à colmater les brèches [45] ». « J'en ai envie et besoin », insiste-t-il auprès de Dabadie, préférant momentanément à « l'amateurisme de ses complices habituels » un certain confort professionnel dans l'écriture du scénario. Entre Dabadie et lui, le courant passe bien, Truffaut trouvant son « nouvel acolyte drôle, amical et stimulant [46] ». Durant trois semaines, les deux hommes travaillent à Antibes, dessinant les grandes lignes du scénario que Dabadie écrira au cours de l'automne suivant.

Une belle fille comme moi est l'histoire de ce sociologue, Stanislas Prévine, qui, préparant sa thèse sur les femmes criminelles, interroge en prison l'exubérante Camille Bliss. Celle-ci, après avoir provoqué, enfant, la mort de son père alcoolique, fut envoyée dans un centre pour mineurs délinquants. Elle fugue et épouse le premier venu, Clovis Bliss, dont la mère cache un magot. Après avoir cherché en vain à mettre la main dessus, Camille, qui rêve d'une carrière de cabaret, trompe son mari avec un chanteur, Sam Golden. Fou de rage, Clovis passe sous une voiture et se retrouve paralysé sur un fauteuil roulant. Camille trouve alors refuge auprès d'Arthur, un dératiseur mystique à qui elle fait perdre son pucelage, pour être en fin de compte la victime d'un avocat véreux, maître Murène, qui lui fait signer des papiers compromettants. Acculée, Camille tente de supprimer Clovis et maître Murène avec la machine à dératiser d'Arthur. Celui-ci les sauve, mais veut entraîner Camille dans un double suicide du haut des tours d'une église. Arthur saute seul. Camille est accusée de meurtre et se retrouve en prison. Stanislas Prévine est secrètement amoureux de celle qui est en train de devenir son « sujet de thèse ». Il réussit à mettre la main sur un petit film amateur tourné au moment de la mort d'Arthur, qui innocente Camille. Libérée, elle devient une chanteuse célèbre. Mais Clovis la retrouve et la menace, elle le tue et parvient à faire accuser Stanislas du meurtre. Le sociologue se retrouve en prison...

La première version du scénario ne satisfait guère Truffaut. À ses yeux, le personnage de Stanislas, le sociologue-enquêteur, est sacrifié par rapport à celui de Camille, la femme criminelle. À cause de ce déséquilibre, l'argot de Camille Bliss prend trop nettement le dessus sur les réinterprétations scientifiques de Stanislas Prévine. Pour Truffaut, celui-ci est « un anthropologue qui étudie une tribu, la tribu des Bliss. À choisir entre du Audiard (en mieux) ou du Jean Rouch (pour tous publics) faisons du Rouch. Mon cher Jean-Loup, je n'ai aucune inquiétude pour votre façon de faire parler Bernadette. Tout ira bien. Il nous faut seulement revenir au côté " rapport " du récit qui nous permettra de tourner un film qui ne se présentera pas comme une comédie, mais qui sera 100% flegmatique [47]. » Dabadie reprend son scénario en tenant compte des remarques de Truffaut. Mais lorsque le tournage commencera, le cinéaste aura conscience d'avoir entre les mains un scénario qui ne le satisfait pas.

Au cœur de l'hiver 1971-72, il commence le casting de son film. Il confie à Philippe Léotard le rôle de Clovis, le jeune mari alcoolique de Camille Bliss ; Guy Marchand sera Sam Golden, la vedette du Colt Saloon, chanteur de charme un peu vulgaire, et Claude Brasseur, l'avocat véreux répondant au doux nom de Murène. Arthur, le dératiseur, est interprété par Charles Denner, qui se démarque des autres personnages, « dans son style, plus mystique, plus pompeux, plus puritain [48] ». Truffaut songera un moment interpréter lui-même le rôle de Stanislas Prévine. Son expérience d'acteur dans *L'Enfant sauvage* lui a donné du plaisir et il se sent prêt à recommencer, « sûr de mon impassibilité et du contraste qui serait créé entre Bernadette et moi [49] », comme il l'écrit à Dabadie. Le script achevé, Truffaut renonce cependant à jouer, ne se sentant pas prêt à s'exposer dans une comédie. Son choix se porte alors sur André Dussollier, vingt-six ans, premier prix de comédie au Conservatoire, et nouveau pensionnaire de la Comédie-Française. Ce sera donc la première apparition de Dussollier au cinéma, dont l'apparence sobre, élégante, donne un air de bonne famille en accord avec son rôle.

Très sollicité par d'autres cinéastes, Nestor Almendros n'est pas disponible aux dates de tournage prévues par Truffaut. Celui-ci confie à Pierre-William Glenn l'image de ce film burlesque, où la vitesse d'exécution et le rythme doivent primer sur les qualités plastiques. Glenn sera secondé par son cameraman Walter Bal, et Jean-Pierre Kohut-Svelko est engagé comme chef décorateur. Âgé de vingt-six ans, ancien élève de l'École des beaux-arts de Paris, Kohut-Svelko a été assistant-décorateur sur *La Sirène du Mississippi* et *Les Deux Anglaises,* et commence avec *Une belle fille comme moi* une longue collaboration avec Truffaut.

Début février, en prévision du tournage, celui-ci s'installe à Béziers dans un grand appartement loué en plein centre ville. Là, dans la tiédeur hivernale du Languedoc, il apparaît détendu, profitant de la présence de Marie, sa gouvernante, pour inviter à dîner les acteurs du film, au fur et à mesure de leur passage sur le tournage. « François adorait les blagues, et Denner et Brasseur ne s'en privaient pas. Deux fois j'ai vu François rire, rire, au point d'être obligé de sortir de table pour aller vomir [50] », se souvient Bernadette Lafont. Le tournage, commencé le 14 février, se déroule donc dans une très bonne atmosphère. « Bernadette, vraiment drôle, est toujours rieuse et facile à travailler, Claude Brasseur excellent, Charles Denner sublime [51] », écrit Truffaut à Liliane Siegel. Le film est tourné pour l'essentiel à Béziers, à la brasserie B.G.M., place d'Espagne où un décor figurant « chez les Bliss » a été installé. La cour de la prison où est enfermée Camille est reconstituée dans les anciens abattoirs de Béziers, tandis que les scènes de parloir sont filmées au palais de justice, place de la Révolution. Ensuite, l'équipe se déplace dans les environs de la ville, puis à Sète, enfin à Lunel où Suzanne Schiffman a repéré un bar-dancing d'ambiance western, *Le Rodéo,* qui convient parfaitement au tour de chant de Sam Golden.

Son personnage va comme un gant à Bernadette Lafont, heureuse de retrouver celui qui a lancé sa carrière d'actrice. « François tenait beaucoup au personnage de Camille Bliss, se souvient-elle. Il disait même que s'il avait été une femme, il lui aurait ressemblé, car cette femme n'était pas récupérée par la société. Elle était d'avant le péché originel [52]. » Tout se passe bien jusqu'au lendemain du 12 avril, dernier jour de tournage. Ce jour-là, Truffaut qui loge à l'hôtel Imperator à Nîmes (en souvenir des *Mistons*) « oublie » de passer prendre Bernadette Lafont, qui réside à Lunel avec le reste de l'équipe du film. « Il m'avait dit : " Voulez-vous que je vous ramène à Paris ? On part très tôt demain, soyez à neuf heures devant votre hôtel. " J'étais là avec mes valises à attendre. J'ai attendu jusqu'à onze heures, il n'est jamais venu ! Le soir, je lui ai téléphoné, vexée, et François a éclaté de rire : " Ma chère Bettine, écoutez, je vous ai oubliée ! " Il n'avait plus besoin de moi [53] ! » Après 46 jours de tournage, Truffaut est épuisé. Il vient d'enchaîner deux films au sortir d'une dépression, et a déjà en tête les problèmes du prochain. À peine rentré à Paris, il décide d'aller se reposer quelques jours en Normandie chez Liliane Dreyfus, dans la belle maison qu'elle et son mari ont acquise en 1968. Proche de Deauville, le manoir de la Ranconnière devient dès lors un des lieux préférés de Truffaut. « Il y venait souvent, dit Liliane Dreyfus, il y a beaucoup travaillé [54]. »

Entre-temps, Georges Delerue a composé une orchestration rythmée, tandis que Guy Marchand met en musique les deux chansons écrites par Jean-Loup Dabadie, la première pour Sam Golden, la seconde dans laquelle triomphe Camille Bliss à la fin du film. Avant sa sortie, le 13 septembre 1972, *Une belle fille comme moi* est montré en avant-première à Lyon, en présence de François Truffaut et de Bernadette Lafont, lors de l'inauguration du cinéma Bellecour entièrement rénové. La veille de la sortie parisienne, Bernadette Lafont présente également le film à Béziers, devant les autorités locales et une bonne partie des figurants, c'est-à-dire les habitants de la ville languedocienne eux-mêmes. Déjà, l'actrice se sent assez seule pour porter ce film où elle n'arrête pas de courir, et qui repose entièrement sur son énergie. « Quand François a vu les réactions du public, il m'a dit : " C'est votre film, ce personnage, c'est vous, alors vous vous en occupez ! " Il avait senti que l'accueil était moyen pour lui, par contre que ça irait bien pour moi [55]. »

En effet, la critique ne retiendra du film que la performance de Bernadette Lafont. Pour Baroncelli ou Chauvet, *Une belle fille comme moi* « tourne en rond et s'essouffle [56] », « semble vain [57] », comme si Truffaut avait choisi un style et un sujet qui n'étaient pas les siens. Il n'y a finalement que Robert Chazal pour crier au chef-d'œuvre [58], après avoir éreinté *Les Deux Anglaises* dix mois auparavant. *Télérama* soutient indéfectiblement le metteur en scène : « Le doux, le tendre Truffaut nous emporte dans une chevauchée d'humour goguenard et cruel [59] », titre l'hebdomadaire en reprenant des arguments critiques dont se moque souvent le cinéaste lui-même. Après sept semaines d'exclusivité, le film n'atteint pas à Paris les 100 000 entrées. Le film marche mieux en Italie, où il sort au printemps 1973 sous le titre *Mica Scema la Ragazza !* porté par quelques slogans accrocheurs tels « *Supercomico, Supersexy, Super-film* ». Aux États-Unis, *Such a Gorgeous Kid like Me* sort simultanément dans huit grandes villes (phénomène exceptionnel pour un film de Truffaut), obtenant un honnête succès malgré une presse médiocre et déçue. Mais le cinéaste a déjà la tête ailleurs, il pense à son nouveau film...

La Nuit américaine

Pendant le montage des *Deux Anglaises et le Continent* au studio de la Victorine, François Truffaut est intrigué par les vestiges d'un grand décor, construit en plein air quelques années auparavant pour les besoins d'une production américaine, *La Folle de Chaillot*. Déjà assez endommagé, le décor reconstitue quelques façades d'immeubles, une bouche de métro et une terrasse de café parisien. Il se met à visiter la Victorine de fond en comble, avec en tête l'idée « de tourner un film à propos du cinéma [60] ».

Parallèlement à l'écriture du scénario d'*Une belle fille comme moi* avec Jean-Loup Dabadie, Truffaut planifie déjà ce « film sur le cinéma ». Ce sera *La Nuit américaine*, qu'il veut écrire avec Jean-Louis Richard avec qui il n'a plus travaillé depuis *La mariée était en noir*. Dans la villa qu'il a louée à Antibes, les deux hommes se mettent au travail et, sur une grande table, déroulent un large rouleau de papier blanc afin d'y inscrire les points forts du scénario. « Quand on avait une idée, notre problème était de l'intégrer à tel ou tel moment du film et nous l'inscrivions à la place déterminée sur ce grand rouleau. On avait ainsi une vue presque graphique du film, une ligne dont on pouvait s'échapper, mais qui nous permettait de garder un rythme [61] », raconte Jean-Louis Richard. La construction du film avance vite et, dès la mi-août 1971, Truffaut possède le premier jet « d'un scénario racontant l'histoire d'un tournage de film ».

Le projet de *La Nuit américaine* est ensuite mis en veilleuse, le temps pour Truffaut de tourner *Une belle fille comme moi*. En janvier 1972, il retrouve Jean-Louis Richard et les deux hommes s'enferment dans une chambre de l'hôtel Martinez à Cannes pour le mener à bien. C'est là qu'ils imaginent l'histoire de *Je vous présente Pamela*, le film dans le film : un jeune homme présente sa fiancée à son père, qui en tombe amoureux et part avec elle. Connaissant parfaitement l'univers des tournages sous ses divers aspects techniques et humains, Suzanne Schiffman se joint à eux pour donner au scénario sa forme définitive. C'est la première fois qu'elle figurera au générique d'un film de Truffaut comme coscénariste, tout en restant son assistante.

L'histoire de *La Nuit américaine* mêle la vie privée des acteurs durant un tournage à l'intrigue des personnages qu'ils incarnent, montrant ainsi les liens qui unissent tous ceux qui font partie d'une équipe de cinéma. Dans les studios de la Victorine, le tournage d'un film, *Je vous présente Pamela*, commence sous la direction de Ferrand, le réalisateur. Les figurants s'agitent devant un grand décor. Les techniciens assaillent le cinéaste de questions, tandis que les acteurs commencent à arriver sur le plateau, chacun avec ses problèmes, sa vie privée. On attend la vedette féminine du film, Julie Baker, une star américaine psychologiquement assez fragile, accompagnée de son mari, le docteur Nelson. Son partenaire à l'écran, Alphonse, est arrivé avec sa compagne, Liliane, qu'il a réussi à faire engager comme scripte-stagiaire. Alexandre, un vieil acteur français ayant tourné dans quatre-vingts films, joue le père d'Alphonse. Sur le tournage de *Je vous présente Pamela,* il retrouve une ancienne complice, Séverine, ex-star hollywoodienne, qui jouera le rôle de sa femme. Toute l'équipe est logée à l'hôtel, là où chaque soir Ferrand prépare avec Joëlle, son assistante, les scènes et les dialogues du lendemain. Le tournage avance, mais semble parfois échapper au contrôle de Ferrand, troublé quelque peu par la vie privée des acteurs et des techniciens. Ainsi, Liliane quitte le tournage avec un cascadeur anglais, et Alphonse menace alors de tout arrêter. Ferrand tente de le convaincre de continuer, en essayant aussi de protéger Julie Baker qui vient de passer la nuit avec Alphonse. Le lendemain matin, celui-ci apprend au docteur Nelson qu'il a couché avec sa femme. Julie est désespérée. Son mari lui pardonne, la rassure, et le tournage peut reprendre lorsque le directeur de production vient annoncer une terrible nouvelle : Alexandre s'est tué en voiture sur la route de l'aéroport [62]. Grâce aux efforts de toute l'équipe, le tournage est terminé en cinq jours, avec une doublure et quelques changements dans le scénario.

Comme un train dans la nuit

Grâce à ce film, Truffaut réalise un vieux rêve, celui de montrer les coulisses d'un tournage. « Je ne dirai pas toute la vérité sur les tournages, mais que des choses vraies, qui se sont produites sur mes films passés ou sur d'autres [63]. » *La Nuit américaine* sera donc une déclaration de foi dans le cinéma, qu'il aime le plus au monde et qui passe souvent avant la vie privée, avant la vie tout court. Ce qui lui est en général frustrant d'évoquer dans les entretiens avec les journalistes, ce qui serait sans intérêt de décrire dans un documentaire sur ses propres tournages, la fiction lui permet de le dévoiler. *La Nuit américaine* mêle en quelque sorte documentaire et fiction : ce sera un film vrai et sincère sur un monde factice, celui du cinéma, où « on passe son temps à s'embrasser, car il faut montrer qu'on s'aime [64] », comme dira l'un des personnages du film. Une unanimité de façade, un univers de faux-semblants, que seule la femme du régisseur, isolée dans un coin du plateau, démythifie : « Qu'est-ce que c'est que ce cinéma ? s'écrie-t-elle. Qu'est-ce que c'est que ce métier où tout le monde couche avec tout le monde ? Où tout le monde se tutoie, où tout le monde ment. Mais qu'est-ce que c'est ? Vous trouvez ça normal ? Mais votre cinéma, votre cinéma, moi je trouve ça irrespirable. Je le méprise, le cinéma [65]. » Truffaut, qui tutoie rarement ses collaborateurs, s'évertue sous les traits de Ferrand à donner du cinéaste au travail une image neutre, professionnelle, surtout pas celle d'un artiste. Mais il a très envie de montrer l'autre face du cinéma, l'excitation d'un tournage, la réussite d'une entreprise, les liens d'amitié et parfois les histoires d'amour. Déprimes, pannes d'inspiration, disputes, rien, pas même la mort, n'arrête ici le film, qui est comme « un train dans la nuit [66] ».

Ce film dans le film que tourne l'équipe de la Victorine n'a pourtant rien de très excitant. Ce n'est visiblement pas un « film d'auteur », mais « un mauvais film » selon Jean-Louis Richard. Mais la banalité du scénario de *Je vous présente Pamela* n'entrave en rien le rythme crescendo du tournage, la solidarité de l'équipe ou l'enthousiasme des acteurs. Pour Truffaut, *La Nuit américaine* est donc un film d'amour, un film consacré à l'*amour malgré tout* du cinéma. « J'ai pensé surtout à la chanson *Moi, j'aime le music-hall* dans laquelle Charles Trenet énumère avec gentillesse et drôlerie tous les chanteurs en vogue, pourtant ses concurrents. C'est dans cet esprit que j'ai tourné *La Nuit américaine*, avec la volonté de rendre heureux le spectateur face au spectacle d'un film en train de se faire, de faire entrer de la joie et de la légèreté par toutes les perforations de la pellicule : " Moi, j'aime le cinéma [67]. " » Cette gentillesse dans la description du petit monde du cinéma le plus banal, beaucoup la reprocheront à Truffaut, Jean-Luc Godard par exemple, pour qui, avec ce film, il se serait compromis.

Le scénario terminé, Marcel Berbert établit un devis et prévoit un budget raisonnable de trois millions et demi de francs. Pourtant, les Artistes Associés refusent de financer *La Nuit américaine*, jugeant le scénario trop risqué, car « trop intellectuel », se méfiant de l'aspect « film dans le film » qui pourrait dérouter un public non averti. Berbert propose alors l'affaire à Robert Solo, représentant à Londres de la Warner, assisté à Paris de Simon Benzakein. Solo, un admirateur de Truffaut, donnera très vite son accord après une première entrevue qui a lieu en novembre 1971. « Je suis extrêmement intéressé par le projet d'un film au sujet d'un film que vous m'avez décrit [68]. » Après négociations, le contrat sera signé en mai 1972.

En attendant, Truffaut commence à réfléchir au casting de *La Nuit américaine* avec Jean-Louis Richard. « On faisait des listes de comédiens susceptibles de jouer tel ou tel rôle, précise celui-ci.[...] On discutait, on éliminait tel comédien, on gardait tel autre [69]. » Ainsi Truffaut engage Jean-Pierre Aumont [70] pour tenir le rôle d'Alexandre, et Valentina Cortese [71] pour celui de Séverine. Le rôle du producteur de *Je vous présente Pamela*, un double de Marcel Berbert, est confié à Jean Champion. Truffaut lui-même n'a pas hésité à jouer le personnage de Ferrand, auquel il confère son caractère assez enfantin et son amour du métier. Jean-Pierre Léaud sera Alphonse, romantique, souvent capricieux et instable, au point d'interrompre un tournage. Il ressemble trait pour trait au Léaud du début des années soixante-dix, que Truffaut encourage à mener une « vraie carrière d'acteur [72] ». Après *Les Deux Anglaises,* Léaud a tourné sous la direction de Glauber Rocha *(Le Lion à sept têtes)*, Luc Moullet *(Une nouvelle aventure de Billy the Kid)*, Bernardo Bertolucci *(Le Dernier Tango à Paris)*, et surtout de Jean Eustache avec lequel il vient de faire *La Maman et la Putain*[73]. Malgré ces expériences, l'acteur a du mal à se délivrer du personnage d'Antoine Doinel et de son image de « fils de Truffaut ». Dépressions, euphories, volte-face, problèmes d'argent, échecs sentimentaux se succèdent dans sa vie, si bien qu'il déroute les gens du métier. Sur le plateau de *L'Éducation sentimentale*, tourné en 1972 par Marcel Cravenne pour la télévision, François-Régis Bastide, le scénariste, s'est plaint auprès de Truffaut : « Toute l'équipe l'a proprement haï pendant ces trois mois, et Cravenne n'a pas eu un mot d'impatience, tandis que Jean-Pierre traitait de " fasciste " tout un chacun[74]... » Dans *La Nuit américaine*, le personnage d'Alphonse est aussi fragile que Jean-Pierre Léaud dans la vie. Et sa relation avec Ferrand semble calquée sur celle qui le lie à Truffaut. Lorsque Ferrand, dans une scène de *La Nuit américaine*, sermonne Alphonse, pour à la fois le réconforter, le secouer et lui redonner confiance, c'est Truffaut qui s'adresse directement à Léaud : « Les films sont plus harmonieux que la vie. Il n'y a pas d'embouteillages dans les films, pas de temps mort. Les films avancent comme des trains, tu comprends, comme des trains dans la nuit. Des gens comme toi, comme moi, tu le sais bien, on est fait pour être heureux dans le travail, dans notre travail de cinéma. Je compte sur toi[75]... »

Pour Truffaut, Jacqueline Bisset correspond parfaitement au personnage de Julie Baker. D'origine écossaise par son père, française par sa mère, l'actrice, après une carrière de mannequin, a commencé sa carrière en Angleterre *(The Knack* de Richard Lester et *Cul-de-sac* de Roman Polanski), avant de s'installer à Hollywood en 1968. *Bullit* de Peter Yates (avec Steve McQueen), *The Detective* de Gordon Douglas (avec Frank Sinatra), *Airport* de George Seaton (avec Dean Martin et Burt Lancaster), et *The Judge Roy Bean* de John Huston (avec Paul Newman) ont fait d'elle une star hollywoodienne. Sa rencontre avec Truffaut, qu'elle admire depuis longtemps, se fait de manière insolite. Lors d'un séjour de quelques jours à Paris, Jacqueline Bisset reçoit à son hôtel un appel de Gérard Lebovici : « Je suis l'agent de François Truffaut et je voudrais savoir ce que vous avez pensé du scénario[76]. » L'actrice croit d'abord qu'il s'agit d'un canular. « Je pensais que cet homme au téléphone plaisantait, témoigne Jacqueline Bisset, et je lui ai demandé de répéter qui il était et ce qu'il désirait. " Je suis l'agent de François Truffaut, on vous a contactée pour savoir si vous aimiez le scénario. " Stupéfaite, je lui ai répondu que je n'avais jamais entendu parler d'un scénario. » Le quiproquo levé, Jacqueline Bisset demande à ce qu'on en fasse déposer un exemplaire à son hôtel. « J'ai pensé que le rôle n'était pas très long, mais je l'aurais fait même si je n'avais qu'une seule réplique à prononcer. » Plus tard, la conversation s'engage au téléphone avec Truffaut : « Il m'a dit qu'il n'avait pas beaucoup d'argent pour faire ce film, donc qu'il ne pourrait pas me payer énormément, que le rôle n'était pas très important, que c'était un film avec plusieurs personnages. Tout cela avec une grande politesse et une grande humilité. » À lui seul, le cachet habituel de Jacqueline Bisset équivaudrait au budget total de *La Nuit américaine*. Mais le contrat qu'elle signe en mars 1972 avec le Carrosse stipule qu'en plus de son salaire de 200 000 francs, l'actrice sera intéressée à hauteur de 20 % sur les bénéfices. C'est là une preuve manifeste de son désir de travailler avec Truffaut, l'un des cinéastes qu'elle admire le plus au monde avec Ingmar Bergman.

Pour l'attribution des seconds rôles, Truffaut rencontre deux jeunes comédiennes avec lesquelles il retravaillera par la suite : Dani, à qui il confie le rôle de Liliane, la maîtresse d'Alphonse, et Nathalie Baye qui, à peine sortie du Conservatoire, est engagée pour le rôle de Joëlle, la scripte de *Je vous présente Pamela*, personnage qui colle assez à la fonction qu'occupe, de film en film, Suzanne Schiffman. La rencontre entre Truffaut et Nathalie Baye est également insolite. Nathalie Baye raconte qu'un jour, sortant d'un restaurant de la rue Marbeuf avec Serge Rousseau, son agent chez Artmédia, tous deux ont croisé sur le trottoir d'en face Suzanne Schiffman, qui se dirigeait, semble-t-il, vers les bureaux du Carrosse. Peu après, Rousseau reçoit en effet un appel de Suzanne : « Qui est la jeune femme qui était avec vous, rue Marbeuf ? » Quelques jours plus tard, Nathalie Baye est convoquée au Carrosse. « Je me suis rendue au rendez-vous avec Truffaut assez décontractée, car je venais d'être engagée au théâtre pour jouer une pièce de Fitzgerald, avec Jean Desailly et Simone Valère, raconte-t-elle. Dès qu'il m'a vue, Truffaut a dit : " Non, ce n'est pas ça du tout ! "

La conversation s'est poursuivie, et au bout d'un moment il m'a dit : " Revenez demain, nous ferons une lecture. " Le lendemain, nous avons lu ensemble une scène d'*Une belle fille comme moi.* J'avais le trac, j'étais rouge comme une pivoine. À la fin, il m'a dit : " Ce sera vous, mais avec des lunettes [77] ! " »

Pour compléter sa distribution, Truffaut engage Bernard Menez, acteur comique découvert par Jacques Rozier dans *Du côté d'Orouët,* qui rendra savoureux le rôle de Bernard, l'accessoiriste du plateau. Nike Arrighi interprétera la maquilleuse, et David Markham, le père de l'actrice des *Deux Anglaises,* sera le docteur Nelson, le mari de Julie Baker ; Truffaut confie à son amie Alexandra Stewart le rôle de Stacey, l'actrice qui, dans *Je vous présente Pamela,* se fait engager en dissimulant le fait qu'elle est enceinte. Enfin, pour donner plus de vérité à ce film sur un film, Truffaut demande à ses collaborateurs techniques de jouer leur propre rôle à l'écran : Jean-François Stévenin en assistant, Pierre Zucca en photographe de plateau, Yann Dedet et Martine Barraqué dans la salle de montage, Georges Delerue en musicien, ou Walter Bal en cameraman.

Le 26 septembre 1972, acteurs et techniciens se retrouvent aux studios de la Victorine à Nice, pour un tournage qui ne va durer que quarante-deux jours. Les acteurs principaux habitent des villas louées aux environs, vers Antibes. C'est le cas de Jacqueline Bisset, qui partage sa maison avec Nathalie Baye. *La Nuit américaine* est loin d'être un tournage de tout repos. Jacqueline Bisset, du moins dans les premiers jours, n'est pas vraiment à son aise : « Mon français n'était pas très bon à l'époque, jusqu'à ce que François me rassure : " Ne t'inquiète pas, tu ne joues pas une Française, mais une actrice américaine qui joue en France. " Ça m'a beaucoup soulagée [78] », dit-elle. Alexandra Stewart se souvient d'un Truffaut préoccupé, assez peu disponible. « François était angoissé du fait qu'il faisait tout, qu'il était lui-même acteur, que Léaud posait des problèmes, se souvient-elle. Walter Bal, le cadreur, a eu un accident de moto, si bien qu'on le voit dans le film avec un bras en écharpe. Pour des raisons que j'ignore, François avait quelque chose contre moi, il me reprochait d'être en retard, ce qui était un prétexte car j'ai toujours été ponctuelle. Mais c'est vrai qu'il n'y avait que deux maquilleuses pour plusieurs comédiennes [79]. » Alexandra Stewart sera même très surprise de recevoir à la veille de Noël, juste après les derniers jours de tournage, une lettre très dure de Truffaut lui reprochant « d'avoir foutu son film en l'air [80] ». Après une période de froid qui durera plusieurs mois, Truffaut s'excusera... Mais Alexandra Stewart n'est pas la seule personne proche ayant reçu de Truffaut une lettre de ce genre, surtout à cette période où sa vie est encore instable, où son caractère et ses sentiments passent brusquement de l'euphorie à la mélancolie, voire à la colère.

Pendant le tournage de *La Nuit américaine,* Yann Dedet, assisté de Martine Barraqué, commence déjà à monter le film. À la mi-novembre, Truffaut peut déjà visionner une première version, qu'il trouve trop décousue. Trois mois plus tard, après que Jean Aurel a donné quelques indications utiles au cinéaste, par exemple celle de rééquilibrer l'ensemble autour du personnage de Ferrand en utilisant au maximum la voix off, le film trouve sa juste tonalité, très enlevée, rythmée par une musique superbe et entraînante. En mars 1973, Truffaut est satisfait des premières projections. « Je sais que le film touche — et touche fort — les gens de la profession [81] », confie-t-il à Helen Scott. Les acteurs du film sont enthousiastes, Jean-Pierre Aumont « très ému » et « fier d'en faire partie [82] », tandis que Nathalie Baye espère être « digne de ce que vous m'avez apporté et que vous pourrez être toujours content de votre ancienne script-girl [83] ! ». Confiant, Truffaut accepte de présenter son film hors compétition au festival de Cannes. La projection officielle a lieu le soir du 14 mai. Aux côtés de Jacqueline Bisset, Valentina Cortese, Nathalie Baye, Dani, Jean-Pierre Aumont et Jean-Pierre Léaud, il s'expose au public en tant qu'acteur, ce dont il aurait été incapable deux ans auparavant, lorsqu'il était encore en pleine dépression.

Le lendemain, *Le Parisien* parle d'une « nuit mémorable [84] », tandis que Louis Chauvet dans *Le Figaro* soutient que le film aurait certainement eu la Palme d'or s'il avait concouru [85]. Mais Truffaut a tenu à se placer « hors des tractations cannoises », car « tout est réellement imprévisible à Cannes, tout est tactique, tout est stratégique [86] ». *La Nuit américaine* sort à Paris le 24 mai dans huit salles. La critique est élogieuse, oubliant les échecs successifs des *Deux Anglaises* et d'*Une belle fille comme moi*. Jean-Louis Bory parle d'un « film parfait », du « *Carrosse d'or* de François Truffaut », d'une « petite merveille de drôlerie, de charme et d'émotion [87] ». Jean de Baroncelli voit là « l'un de ses meilleurs films [88] » et Chauvet « la mieux accomplie des œuvres de ce genre [89] ». Mais Truffaut se préoccupe avant tout du verdict du public, espérant effacer ses deux récents déboires commerciaux. Les résultats sont bons à Paris (près de 300 000 entrées), plutôt médiocres en province. Le cinéaste croit en connaître la raison : une large partie du public pense avoir affaire à un documentaire sur le cinéma, ou à un film « trop intellectuel ». Il s'agit désormais d'éviter dans la presse toute mention de « film dans le film ». C'est ce qu'il écrit à Simon Benzakein, son coproducteur : « Les expressions " film dans le film ", " histoire d'un tournage ", " film à la Pirandello ", sont dangereuses et l'on doit en tenir compte dans les services de publicité. Il faut installer le film sur d'autres rails : " film d'amour et d'aventures ". Le service de publicité ne doit pas expliquer le titre *Nuit américaine* en se référant au truquage *"Day for Night "* mais plutôt par le double sens : " nuit d'amour franco-hollywoodienne entre Jean-Pierre Léaud et Jacqueline Bisset [90] ". » Truffaut ne se soucie pas de provoquer un malentendu avec le public, s'il doit profiter à la carrière d'un film qui lui tient très à cœur.

L'affrontement

La réussite de François Truffaut comme auteur, réalisateur et producteur indépendant, lui confère un statut envié au sein du cinéma français. Elle finit même par provoquer des réactions de jalousie, voire de rejet. En mai 1973, alors qu'il s'apprête à présenter *La Nuit américaine* à Cannes, Truffaut est conscient d'occuper une position paradoxale : « Puisque, de toutes manières, nous aurons toujours un gauchiste sur notre gauche et un Verneuil sur notre droite, j'accepte tous les jugements qui me situent au beau milieu du gué. Robert Wise est le Verneuil de Verneuil, Verneuil est mon Verneuil, comme je suis le Verneuil de Godard qui est le Verneuil d'Eustache qui est le Verneuil de Garrel qui deviendra bien à son tour le Verneuil de quelqu'un — je le lui souhaite car cela voudra dire que ses films superbes sont enfin diffusés normalement [91]. »

« Le Verneuil de Godard »... Truffaut ne croit pas si bien dire. Depuis 1968, Godard et lui se sont perdus de vue. Depuis longtemps déjà, ils ne font plus le même cinéma. Si Truffaut admire ouvertement tous les premiers films de Godard (jusqu'à *La Chinoise,* qui date de 1967), Godard en revanche ne fait pas mystère d'être assez indifférent aux films de Truffaut, excepté *Tirez sur le pianiste.* Aujourd'hui encore, Godard admire chez Truffaut le critique, celui « qui savait montrer ce qu'il y avait dans un film, comparer deux films entre eux [92] ». Mais à y regarder de plus près, les choses se présentent différemment. Jusqu'à l'éclatement de la Nouvelle Vague, vers le milieu des années soixante, Truffaut et Godard se sont sentis solidaires, partageant même une réelle amitié. Ensuite, tandis que le premier poursuit sa propre voie en protégeant du mieux possible son indépendance à l'abri des majors américaines, le second prône un cinéma militant, révolutionnaire en prise directe avec la réalité, animant avec deux complices, Jean-Pierre Gorin et Jean-Henri Roger, le « groupe Dziga Vertov ». « Il fait un autre cinéma, dit de lui Truffaut. Il considère qu'après mai 68 on ne peut plus faire le même cinéma et il en veut à ceux qui continuent. Moi j'ai choisi, j'ai l'esprit très clair, je veux faire des films normaux, c'est ma vie [93]. » Certes, les deux hommes entretiennent pourtant une correspondance épisodique. Et lorsque Godard est victime d'un grave accident de moto à l'automne 1971, qui l'oblige à une longue hospitalisation, Truffaut ne manque pas de lui faire signe. Mais entre eux le courant ne passe plus, ni sur le plan du cinéma, ni sur celui des idées politiques, et par conséquent celui des sentiments.

Fin mai 1973, juste après Cannes, c'est Godard qui déclenche les hostilités. Sorti exaspéré d'une projection de *La Nuit américaine,* il ne se prive pas de le faire savoir aussitôt à Truffaut, dans une lettre désinvolte et assez méprisante. Le ton est familier, justifié par une vieille amitié, mais bien dans le langage gauchiste de l'époque. « Probablement personne ne te traitera de menteur, aussi je le fais. Ce n'est pas plus une injure que fasciste, c'est une critique, et c'est l'absence de critique où nous laissent de tels films, ceux de Chabrol, Ferreri, Verneuil, Delannoy, Renoir, etc. dont je me plains. Tu dis : les films sont de grands trains dans la nuit, mais qui prend le train, dans quelle classe, et qui le conduit avec le " mouchard " de la direction à ses côtés ? Ceux-là aussi font les films-trains. Et si tu ne parles pas du Trans-Europ, alors c'est peut-être celui de banlieue, ou alors celui de Dachau-Munich, dont bien sûr on ne verra pas la gare dans le film-train de Lelouch. Menteur, car le plan de toi et de Jacqueline Bisset l'autre soir chez Francis n'est pas dans ton film, et on se demande pourquoi le metteur en scène est le seul à ne pas baiser dans *La Nuit américaine*. » Puis Godard en vient à l'essentiel. Employant le ton d'une mise en demeure, il demande à Truffaut de financer son prochain projet, *Un simple film,* à hauteur de dix ou de cinq millions de francs : « Vu *La Nuit américaine,* tu devrais m'aider, que les spectateurs ne croient pas qu'on ne fait des films que comme toi. » « Si tu veux en parler, d'accord », écrit-il en conclusion de sa lettre [94], ce qui résonne davantage comme une provocation que comme un appel au dialogue.

Ni le ton ni l'attitude ne sont pour plaire à Truffaut. Il considère que Godard a passé les bornes et ne se prive pas de le lui dire. Sa réponse [95], une vingtaine de pages, est en effet d'une grande violence. Point par point, tout y passe. D'abord leur relation respective avec Jean-Pierre Léaud, que l'un comme l'autre ont dirigé dans les dernières années. Truffaut en veut à Godard d'avoir insulté Léaud dans une lettre où il lui reprochait d'avoir tourné dans *La Nuit américaine* et avec d'autres cinéastes « capitulards », avant de lui réclamer de l'argent. « Je te retourne ta lettre à Jean-Pierre, réplique Truffaut. Je l'ai lue et je la trouve dégueulasse. C'est à cause d'elle que je sens le moment venu de te dire, longuement, que selon moi tu te conduis comme une merde. » Truffaut dénonce les mensonges de Godard, son ton supérieur, « cet art de te faire passer pour une victime », « alors que tu te débrouilles toujours très bien pour faire ce que tu veux, quand tu veux, comme tu veux et surtout, préserver l'image pure et dure que tu veux entretenir, fût-ce au détriment des gens sans défense... » L'image de l'artiste subversif, poseur (« une merde sur son socle ») agace Truffaut qui, depuis toujours, préfère les artisans humbles : « Plus tu aimes les masses, plus j'aime Jean-Pierre Léaud, Janine Bazin [96], Helen Scott que tu rencontres dans un aéroport et à qui tu n'adresses pas la parole... » « Comportement de merde », répète Truffaut dans sa lettre, prenant Godard au piège de sa propre morale politique, dont le gauchisme apparent ne peut cacher le caractère profondément élitiste. Truffaut s'autorise également à lui rappeler sa lâcheté au moment de l'épisode de la vente de *La Cause du peuple* : « Je n'ai plus rien éprouvé pour toi que du mépris, quand j'ai vu dans *Vent d'Est* la séquence : comment fabriquer un cocktail Molotov, et qu'un an plus tard, tu t'es dégonflé quand on nous a demandé de distribuer, pour la première fois, *La Cause du peuple* dans la rue autour de Sartre. L'idée que les hommes sont égaux est théorique chez toi, elle n'est pas ressentie. » Enfin, Truffaut traite Godard d'imposteur et d'égoïste forcené : « Il te faut jouer un rôle et que ce rôle soit prestigieux. J'ai toujours eu l'impression que les vrais militants sont comme des femmes de ménage, travail ingrat, quotidien, nécessaire. Toi, c'est le côté Ursula Andress, quatre minutes d'apparition, le temps de laisser se déclencher les flashes, deux, trois phrases bien surprenantes et disparition, retour au mystère avantageux. Au contraire de toi, il y a les petits hommes, de Bazin à Edmond Maire en passant par Sartre, Buñuel, Queneau, Mendès France, Rohmer, Audiberti, qui demandent aux autres de leurs nouvelles, les aident à remplir une feuille de sécurité sociale, répondent aux lettres. Ils ont en commun de s'oublier facilement et surtout de s'intéresser davantage à ce qu'ils font qu'à ce qu'ils sont et qu'à ce qu'ils paraissent. » Pour conclure comme Godard : « Si tu veux en parler, d'accord. » Ils n'en parleront jamais. Entre eux la rupture est consommée. Le temps des « copains de la Nouvelle Vague [97] » est définitivement révolu.

S'il n'a pas hésité à vider ainsi son sac et à se libérer des nombreux malentendus qui n'ont cessé de rendre sa relation avec Godard toujours plus fausse, Truffaut se sent néanmoins fragile. Le choc est rude et la brouille douloureuse. Janine Bazin, à qui Truffaut s'est confié à propos de ce différend, lui écrit une longue lettre amicale : « Votre coup de téléphone m'a bouleversée et je ne cesse d'y penser. Vous aviez une voix tellement triste, meurtrie autant par la lettre de Jean-Luc que par celle que vous avez dû lui écrire. Et je ne sais pas si vous avez eu raison de lui répondre parce que je ne sais pas si Jean-Luc peut tout à fait le comprendre ; je veux dire que je ne sais pas s'il peut comprendre que vos injures sont à la mesure de votre peine, de l'amitié pour lui. Je ne veux pas dire que Jean-Luc manque à ce point de cœur, mais quand même je crois que ses injures sont des injures qui viennent de l'esprit et que les vôtres viennent du cœur, de votre morale du cœur [98]. »

Cette obsession de Truffaut à vouloir se situer loin des extrêmes et dans une neutralité idéologique apparaît alors à beaucoup comme une attitude frileuse et opportuniste. Certains ne se privent pas de le lui reprocher, au nom des idéaux de sa jeunesse. Attaqué sur sa gauche, Truffaut se sent déstabilisé. D'autant que ces critiques surviennent au moment où il sort tout juste d'une dépression. « Truffaut le traître », telle est donc l'antienne reprise publiquement ou dans plusieurs lettres privées. Ceux qui tiennent un tel jugement sévère à son endroit s'appuient évidemment sur une appréciation négative de *La Nuit américaine,* dont ils trouvent la morale foncièrement optimiste et conciliante, vantant le cinéma classique et sa « magie », ainsi que le compromis au sein de la grande famille de la profession. Godard a montré l'exemple. Il est bientôt relayé par Jean-Louis Bory qui, après une première réaction favorable au film, en dénonce quelques mois plus tard la philosophie « consensuelle et capitularde [99] ». Dans *Le Nouvel Observateur,* le critique publie un article qui ne passe pas inaperçu : « Faut-il brûler les Champs-Elysées ? » Une phrase choque tout particulièrement Truffaut : « Truffaut, Chabrol, Demy, Rohmer se sont fait ramasser par le système. » Pour se justifier, Truffaut écrit une longue lettre à Jean-Louis Bory. Le cinéaste y passe en revue sa carrière, film par film, pour en justifier à chaque reprise la nécessité vitale et le caractère absolument personnel : « Je ne suis pas ramassé par le système, je travaille à ma façon dans le système. » « Mon cher Jean-Louis Bory, nous avons un point commun : celui d'avoir débuté par notre plus grand succès. Vous avez eu la joie d'être tout de suite édité et reconnu, moi aussi. Ensuite, vous avez publié beaucoup de livres chez différents éditeurs, on ne vous a jamais refusé un manuscrit parce que, dès le début, vous aviez fait vos preuves. Supposons que vous lisiez un jour dans un journal : " La véritable littérature d'aujourd'hui est constituée des manuscrits refusés par les éditeurs, des livres édités à compte d'auteur et des brochures ronéotées : Genet s'est tu en 1968 ; quant à Sartre, Bory, Cayrol, Rezvani, ils se sont laissé ramasser par le système. " Ne penseriez-vous pas : " Voilà un type qui mélange tout et qui confond le contenant et le contenu ? " Vous n'êtes pas un auteur " marginal ", vous êtes un écrivain professionnel ; on publie vos livres parce qu'ils sont bons, que vous avez une audience et que le tirage espéré permet de rembourser l'investissement initial. Vrai ou faux ? S'ils ne se vendent pas dans les gares aussi bien que Simenon ou Guy des Cars, vos livres s'achètent dans les drugstores et ils n'en sont pas moins bons pour autant. Vrai ou faux ? Je peux me tromper, mais j'ai l'impression d'être un metteur en scène de cinéma qui travaille dans le même esprit que vous comme écrivain : nous choisissons librement nos sujets, nous les traitons à notre idée et nous les mettons en circulation. [...] Bons ou mauvais, mes films sont ceux que j'ai voulu faire et seulement ceux-là. Je les ai tournés avec les acteurs — connus ou inconnus — que j'ai choisis et que j'aimais. [...] Je vous envoie cette lettre, car, lorsque vous parlez des films au *Masque et la Plume,* votre façon de les décrire me rappelle un homme que j'adorais, Audiberti ; j'espère que vous avez aussi sa bonne foi [100]. »

Par sa longueur même, la réponse de Truffaut montre qu'il est touché, profondément blessé par l'argument de Bory. Il ressent le besoin de se justifier, de faire le bilan de son œuvre, n'hésitant pas à critiquer certains de ses films dans leur forme, ou les jugeant non « nécessaires ». En écrivant à un critique, alors célèbre, et qu'il respecte sur le plan intellectuel, Truffaut tente aussi d'effacer l'image que beaucoup ont de lui, celle d'un cinéaste à la carrière facile et à qui tout réussit. Refusant de jouer au martyr (il laisse ce rôle à Godard), Truffaut plaide sa cause, celle d'un cinéaste libre dont la carrière est jalonnée de succès comme d'échecs : « Je me sens responsable, complètement, des films que je tourne, de leurs qualités et de leurs défauts, et je n'accuse jamais le système [101]. » Paradoxalement, le « parler vrai » de Truffaut sonne faux à l'oreille de nombre de ses contemporains. En tout état de cause, c'est lui qui se trouve sur la défensive, car il est en décalage avec l'idéologie et la pensée de la plupart des cinéastes du moment, fermement engagés à gauche ou à l'extrême gauche. Cet échange avec Bory est emblématique des ruptures que vit alors le cinéaste avec certaines figures de son passé [102]. Il considère ces ruptures comme nécessaires, mais chacune est douloureuse.

Vies privées

Le succès de *La Nuit américaine* permet à François Truffaut de ralentir son rythme de travail. Venant de réaliser trois films coup sur coup, il décide de s'accorder deux ans pour souffler, faire autre chose, voyager. Cette intense activité l'a fatigué, tout en contribuant à le sortir du « gouffre » où il se sentait glisser au début de l'année 1971. L'essentiel de son temps, Truffaut l'a passé hors de Paris, en tournage, donc pratiquement jamais seul.

Au moment même où il décide de prendre du repos, il n'a pas moins de quatre scénarios en chantier (*L'Histoire d'Adèle H.* et *L'Autel des morts* avec Gruault, *L'Argent de poche* avec Suzanne Schiffman, *Le Cavaleur* avec Michel Fermaud), ainsi que quelques livres à écrire. Truffaut passe également une grande partie de son temps à compléter les « chronologies » qu'il a dressées de sa vie, à prendre des notes sur son enfance, et ses rencontres. Il va même jusqu'à promettre un livre autobiographique à l'éditeur Robert Laffont, mais il ne pourra être prêt « avant une dizaine d'années, essentiellement pour des raisons familiales [103] ». Car, dès qu'il s'agit d'évoquer sa jeunesse ou ses origines, il a le souci de ne pas froisser son père, Roland Truffaut.

Venant d'atteindre la quarantaine, Truffaut ressent le besoin de mettre de l'ordre dans sa vie. Cela ne l'empêche pas de se protéger. Et s'il se protège, c'est qu'il se sait fragile. Il habite quelque temps encore une suite au George-V : « Il ne voulait pas sortir de l'hôtel, se rappelle Liliane Siegel, à la rigueur pour aller au cinéma quand la salle était déjà noire. Quand je venais dîner, il faisait monter à manger dans sa suite. Voulant décider lui-même des liens qu'il aurait avec les autres, le fait d'habiter l'hôtel le protégeait. C'était une manière d'empêcher toute femme de s'installer chez lui [104]. » Puis il occupe plusieurs mois l'appartement situé au-dessus des bureaux des Films du Carrosse. Enfin, il se décide à louer un grand appartement avenue Pierre-Ier-de-Serbie, un six-pièces très clair qui offre le double avantage d'être situé non loin de ses bureaux et de donner sur la tour Eiffel. De son salon, cette vue est sa « meilleure source d'inspiration [105] ». Truffaut vit seul, avec Marie sa gouvernante, dont la mort en janvier 1973 l'affecte profondément, car cette femme d'une soixantaine d'années, énergique et discrète, lui était entièrement dévouée. Émilienne lui succède quelque temps, avant de laisser la place à Carmen Sardà-Canovas, une femme toujours rieuse et gaie, grande admiratrice de Fernandel (Truffaut enregistre pour elle les films de l'acteur lorsqu'ils sont programmés à la télévision). Carmen n'est pas spécialement une bonne cuisinière et « si elle l'avait été, ce n'était pas le genre de qualité que mon père aurait pu apprécier [106] », rappelle Laura. Ce que confirme Jean Gruault, habitué à voir son ami Truffaut manger « son sempiternel bifteck archicuit et généreusement tartiné de moutarde [107] ».

Laura et Éva ont chacune une chambre dans l'appartement de l'avenue Pierre-Iᵉʳ-de-Serbie, où elles passent en général le week-end. Au printemps 1973, la première a quatorze ans, la cadette, douze. Leur père, lorsqu'il n'est pas en tournage, partage avec elles une grande partie de son temps, entre livres et cinéma, cultivant à dessein leurs différences de caractère. Laura, l'aînée, est plutôt rêveuse et littéraire ; Éva, plus active et moins romantique. « Nous, nous choisissions toujours les films les plus rapides, les plus secs, les plus violents, se souvient Éva. Lang, Sturges, Aldrich, Kubrick. C'était le genre de films qu'il ne pouvait pas voir avec Laura. Avec elle, c'était une autre face de sa personnalité qui se découvrait, dans ses goûts et ses sentiments, plus romantique, plus colorée, comme Cukor, Fellini, Hitchcock, les comédies musicales avec Fred Astaire, les comédies de W. C. Fields, ou des films comme *Pandora* et tous les grands classiques de Chaplin qui sont ressortis au cours des années soixante-dix. On se rencontrait tous les trois sur certains films de Mankiewicz, *Chaînes conjugales*, *Ève...*, de Polanski, sur *Johnny Got His Gun* de Dalton Trumbo, et on était toutes les deux quasi obligées de le suivre pour voir les nanars français du moment. Chez Zidi, Molinaro, de Broca, il trouvait des trucs énormes, des gags ringards, un culot monstre, qui le faisaient hurler de rire, comme dans *Le Magnifique*, *Rabbi Jacob*, *La moutarde me monte au nez*. Avec Laura, et moi, il pouvait cultiver ses deux personnalités, ses deux registres. Laura, qui rêvait d'intégrer Normale Sup', elle lisait tout Proust, toute la littérature du xixᵉ. Moi, je suis beaucoup plus agitée : il n'était pas question de me faire tenir en place devant un livre, jusqu'au jour où il m'a donné à lire, plus tardivement, du Chandler, puis Chester Himes, Goodis, Tanizaki [108]. » Outre le culte des livres et le plaisir du cinéma, Truffaut partage avec ses filles l'amour de la chanson : Trenet est leur favori, et quelques chanteurs de la nouvelle génération, comme Julien Clerc et Alain Souchon. Ils aiment aussi les humoristes, Raymond Devos en tête, à qui Truffaut voue une immense admiration, allant souvent à ses spectacles à Paris ou en province. Ou encore Pierre Dac et Francis Blanche, dont les sketches les font beaucoup rire tous les trois.

Chez lui, avenue Pierre-Ier-de-Serbie, Truffaut, quand il ne se rend pas à son bureau, peut recevoir dans la journée collaborateurs et amis. Le soir, lorsqu'il renonce à regarder la télévision, son passe-temps favori, il ne partage cet appartement qu'avec des femmes. « Pas question de dîner avec un homme, écrit-il dans *Paris-Match*. J'ai ce point commun avec Hitler et Sartre : je ne supporte pas une compagnie masculine après 7 heures du soir. Pour moi, le soir, c'est la vie privée, dans un endroit privé ; c'est l'heure de la parole feutrée, des confidences, des vrais échanges. Le seul moment qui puisse rivaliser avec le bonheur d'un tournage [109]. » Dans ces moments privilégiés, qu'il protège et ne sacrifierait pour aucune réception mondaine, Truffaut voit ses amies. Les plus proches sont Madeleine Morgenstern et Helen Scott, ainsi que Liliane Dreyfus, Leslie Caron, Alexandra Stewart ou Liliane Siegel. « Très vite nous en sommes venus à parler de nous, témoigne Liliane Siegel. Nous nous sommes revus souvent, à deux, pour de longues soirées de confiance et de confidences [110]. » Avec elle, il est souvent question de Jean-Paul Sartre, que Liliane connaît intimement et qui fascine Truffaut. « On a beaucoup parlé, très librement, c'était bien, lui écrit Truffaut le 20 avril 1971, le lendemain de leur premier dîner. Voici le scénario des *Deux Anglaises,* vous êtes une Muriel qui voudrait à toute force être une Anne. Nous nous sommes fait une année de confidences en une soirée, cela m'autorise à passer de " amicalement " à " affectueusement [111] ". » Avec ses amies ou ses anciennes maîtresses, Truffaut se sent bien, à condition que chacune respecte certaines règles essentielles à ses yeux. La discrétion en est une, vitale. Quiconque rompt le pacte du secret s'expose à une rupture violente de sa part, en général par voie écrite. Truffaut cloisonne ses relations afin d'éviter les courts-circuits et les « complications qui m'ennuient [112] ». Là encore, il est capable de grandes colères dès que l'une, Helen Scott par exemple, à qui il reproche parfois son manque de discrétion, s'avère incapable de garder un secret. À partir du moment où cette règle fondamentale est respectée, les relations de Truffaut avec « ses » femmes prennent des formes diverses. Mais c'est souvent lui « qui tient les rênes, lui qui décide de ses relations [113] », dit Liliane Siegel. Il en fixe aussi la limite entre l'intime et l'amical : « J'ai peur des liens, j'ai peur de faire des promesses et de ne pas les tenir, écrit-il à Liliane Siegel, il ne faut pas me faire peur, quand je suis avec vous je suis bien, assez vite et durablement, mais il n'est pas normal que l'idée de vous téléphoner dans les jours suivants me tourmente, comme si j'étais en faute, comme si j'avais des comptes à vous rendre, comme si j'allais me faire engueuler [114]. » Avec certaines de ses amies, Truffaut s'accorde en général sur le plaisir de voir un film ou de passer une soirée au théâtre, activités valant infiniment mieux à ses yeux qu'un bon dîner.

Cette vie compartimentée et complexe repose en fait sur des principes simples. D'abord le plaisir exclusif de la relation à deux, car Truffaut n'aime guère les mondanités, synonymes pour lui de perte de temps. Lorsqu'il y est contraint, il ne cherche pas à briller, préférant écouter, rire, se montrant bon public, surtout s'il a accepté d'être présent à un dîner pour la curiosité de rencontrer quelqu'un qu'il admire, ou dont il a lu les livres. Lorsqu'il est prisonnier d'une conversation qui ne l'intéresse guère, il se tait, laissant s'installer un long silence qui finit par gêner ses voisins. « François faisait comme s'il n'avait rien entendu, un ange passait. Il fallait être très courageux pour tenter à nouveau de dire quelque chose [115] », dit Madeleine Morgenstern. Ensuite, Truffaut ne peut se faire à l'idée de mettre un terme à une relation amoureuse, ce qui le contraint à poursuivre plusieurs liaisons parallèles, qu'il cherche à cloisonner de la façon la plus étanche et la plus discrète possible. « S'il y avait eu un lien affectif prolongé, François ne pouvait imaginer qu'une femme ne fasse plus partie de son paysage [116] », confirme Madeleine. Entre elle et Truffaut, les relations n'ont jamais cessé, proches et intimes, sentimentales et amicales, avec parfois des moments de grandes divergences, lors de sa liaison avec Catherine Deneuve par exemple. « Le fait que je sois une sorte de référence familiale toujours présente n'était pas très agréable pour d'autres femmes qui étaient dans sa vie [117] », dit Madeleine avec lucidité. Quand il voulait cesser une liaison, il pouvait être dur, mais, la plupart du temps, la relation amoureuse devenait alors une amitié forte et durable. Ainsi, Catherine Deneuve fait partie du cercle des intimes, deux ans à peine après leur rupture sentimentale, mais c'est elle qui a favorisé ce rapprochement. Lors d'un passage à vide, elle a appelé François, qui l'a écoutée, rassurée, comprise. Ensuite, ils se sont revus régulièrement, dînant en tête-à-tête : « Catherine devient avec le temps une grande et vraie amie [118] », écrit-il à Jean-Loup Dabadie au début de l'année 1975.

Après son année de dépression, François Truffaut a repris le cours d'une vie sentimentale agitée. Il revoit Kika Markham, l'une des *Deux Anglaises,* au moment de la promotion du film en France, et à l'occasion de quelques séjours parisiens de l'actrice. Puis ses liaisons se multiplient, tantôt d'anciennes relations, tantôt des inconnues. Et il a toujours un goût marqué pour la fréquentation des « professionnelles ». En revanche, sa rupture avec Catherine Deneuve lui fait désormais refuser toute vie de couple. « Je ne peux plus aimer que par rencontre [119] », écrit-il à une amie. « Il avait acquis une phobie de la vie commune qu'il avait bien de la peine à concilier avec la tendre affection qu'il nourrissait pour les siens, indique Gruault. Il m'a dit un jour qu'il ressentait toujours de façon fugitive le même serrement de cœur anxieux en montant vers son palier au souvenir de plusieurs époques de sa vie où il savait qu'il serait accueilli par une épouse, une compagne dont il faudrait subir la conversation, peut-être les reproches, qui critiquerait ses habitudes alimentaires, etc. Et quel soulagement c'était maintenant pour lui d'avoir la certitude en tournant la poignée de sa porte d'entrer dans un appartement vide où il se retrouverait seul au milieu de ses bouquins, devant sa télé. L'angoisse de la solitude ne lui était cependant pas épargnée. Un matin je l'ai trouvé très inquiet : il avait mal dormi, une de ses oreilles avait coulé laissant des traces de pus sur son oreiller, il craignait un retour des otites chroniques qui avaient empoisonné son enfance. Il m'avoua qu'il avait éprouvé, cette nuit-là, un pénible sentiment d'abandon [120]. »

Au moment de *La Nuit américaine,* Jacqueline Bisset est la

seule femme qui ait réussi à vraiment partager sa solitude. Leur relation fut d'abord timide, puis de plus en plus complice à mesure qu'ils faisaient connaissance. Cette liaison, née durant le tournage à Nice, se poursuit quelque temps. Après *La Nuit américaine,* Jacqueline Bisset demeure en France où elle enchaîne avec un film de Philippe de Broca, *Le Magnifique,* aux côtés de Jean-Paul Belmondo. Tout au long du printemps 1973, à Nice, à Paris ou à Cannes pour présenter *La Nuit américaine* aux festivaliers, ils se retrouveront régulièrement. Enfin, Truffaut séjourne tout l'été suivant à Los Angeles, occasion pour lui de rendre visite à Jean Renoir, mais aussi de revoir Jacqueline Bisset dans sa belle maison blanche de Benedict Canyon. « Grâce à elle, j'ai retrouvé ma confiance [121] », avoue-t-il à Jean-Claude Brialy.

Infidèle, François Truffaut l'a toujours été, davantage par besoin de séduire et d'être aimé que par donjuanisme. Ces « autres femmes » sont des inconnues, des collaboratrices ou des journalistes étrangères. Ce sont avant tout les actrices de ses propres films. « Pour lui, les femmes étaient toujours moitié icônes, moitié femmes, c'est pour cette raison qu'il aimait ses actrices : cela lui facilitait la vie, d'aimer le cinéma par dessus tout, son activité de cinéaste, et les belles actrices qu'il engageait dans ses films. C'était surtout le moyen de perpétuer l'enfance : la femme-mère, la femme-poupée, la femme-fiancée [122]... » Alexandra Stewart décrit ainsi parfaitement chez Truffaut cette double obsession secrètement tissée : l'amour du cinéma et l'amour des femmes.

Agissant ainsi, Truffaut n'est pas sans remords, vis-à-vis de Madeleine et de ses filles, ou de l'idée qu'il s'est toujours faite d'une famille idéale, harmonieuse. D'où, chez lui, un sentiment de culpabilité qui explique en partie les moments de dépression ou les crises plus graves qui l'ont atteint dans sa vie d'adulte. Lorsqu'il n'est pas en tournage hors de Paris, François Truffaut passe tous ses week-ends rue du Conseiller-Collignon, pour être avec ses filles, mais aussi pour retrouver Madeleine, entretenant ainsi avec elle une relation qui sans doute l'apaise. « Ces étranges moments ressemblaient à une vraie vie de famille, témoigne Madeleine, cela lui procurait une sorte de paix. J'ai accepté cette situation, pour moi et pour les enfants, car on n'est pas impunément pendant plusieurs années avec quelqu'un d'aussi intéressant que François, sans avoir envie que par la suite, d'une façon ou d'une autre, il vous reste quelque chose [123]. »

Dans la vie de François Truffaut, un besoin de stabilité, voire d'une certaine routine, coexiste étrangement avec son besoin d'aventures amoureuses. Qu'il soit seul ou en compagnie d'une femme, il a besoin de repères établis, de rituels, afin de préserver une atmosphère propice au travail (d'où l'habitude de reconduire systématiquement les mêmes équipes, de film en film). Les vacances prises en famille, avec Madeleine et les filles, résument parfaitement le paradoxe de cette situation. « C'étaient les moments où l'on formait une vraie famille, pendant sept ou huit jours, dans un hôtel ; puis, à notre retour, chacun reprenait ses occupations. C'était fini. Deux jours avant le retour, je commençais à être désagréable, car je supportais mal ce genre de situation fausse [124] », commente Madeleine Morgenstern. Truffaut, quant à lui, considérait que ces moments étaient préférables, par goût des malentendus, sans doute, et parce qu'ils l'aidaient à réduire un peu les fractures de sa vie.

Vie privée, secrète, d'un côté ; de l'autre le travail et les activités aux Films du Carrosse. Truffaut partage son temps entre l'avenue Pierre-Ier-de-Serbie et la rue Robert-Estienne, avec quelques échappées dans les librairies de son quartier et les cinémas des Champs-Élysées. Dans sa vie professionnelle, il a mis au point le même principe de cloisonnement. Ainsi, ses propres amis scénaristes, Jean Gruault, Jean-Louis Richard, Claude de Givray ou Jean-Loup Dabadie ne se croisent pour ainsi dire jamais au Carrosse, ignorant tout du travail de chacun. Il revient à Suzanne Schiffman de faire le lien, d'organiser le ballet des rendez-vous, lorsque Truffaut désire, régulièrement, faire le point sur l'état d'avancement des scénarios en cours.

L'été californien

Pendant cette trêve de deux années, François Truffaut passe le plus de temps possible à l'étranger. Durant tout l'été 1973, de juin à août, il séjourne à Los Angeles. « Je mène une vie très luxueuse, bungalow avec patio, grosse voiture rouge automatique ! Pour l'instant, une grande solitude [125] », écrit-il à Liliane Siegel. Sa présence à Hollywood est vite interprétée par certains producteurs comme un désir d'y tourner un film. Simon Benzakein, par exemple, qui travaille pour la Warner, lui propose de réaliser un remake de *Casablanca,* le fameux film réalisé en 1943 par Michael Curtiz avec Ingrid Bergman et Humphrey Bogart. Évidemment, Truffaut refuse : « Ce n'est pas le film de Humphrey Bogart que je préfère, et je le place bien moins haut que *The Big Sleep* ou *To Have and Have not.* À cause de cela, l'idée d'en diriger une nouvelle version me ferait logiquement moins peur, et je n'oublie pas que le film se déroulerait dans une ambiance française. Cependant, je sais que les étudiants américains ont une passion pour ce film, principalement pour le dialogue, dont ils connaissent chaque réplique. Le même phénomène d'intimidation jouera forcément pour des comédiens et je n'imagine pas Jean-Paul Belmondo ou Catherine Deneuve succédant à Humphrey Bogart et Ingrid Bergman. Je sais que la façon de voir ces choses-là est assez différente en Amérique. L'idée de tourner un remake ne me choque pas, à condition qu'il s'agisse d'une très bonne histoire, audacieuse, qui pourrait être traitée avec davantage de franchise aujourd'hui, et dont le titre ne pèserait pas trop lourd dans l'histoire du cinéma américain. Si Warner Bros désire réellement me confier un film, je vous suggère de m'envoyer une liste de titres à l'intérieur de laquelle je pourrai choisir [126]. »

Amusé d'être ainsi sollicité par Hollywood, Truffaut refuse cependant toutes les propositions, argumentant longuement, toujours avec politesse et un grand sens professionnel. Mais il ne ferme jamais vraiment la porte. Car l'éventualité de faire un jour un film aux États-Unis lui sert aussi de ballon d'oxygène. Dès que sa situation en France lui paraît trop délicate, dès qu'il sent que pèse sur lui une pression, idéologique ou professionnelle, Truffaut est rassuré à l'idée que Hollywood est prêt à l'accueillir. C'est une manière d'affirmer un privilège ou un statut spécifique à l'intérieur du cinéma français : être un cinéaste « désiré » par l'Amérique. C'est aussi une façon discrète qu'a Truffaut de se démarquer du cinéma d'auteur qu'il aime (qu'il s'agisse de Jean Eustache, Jacques Rivette ou Philippe Garrel), mais qu'il juge difficile à exporter. Homme de spectacle et grand admirateur de Lubitsch et de Hitchcock, Truffaut se sent donc capable de faire des films à Hollywood, la Mecque du cinéma, « à condition qu'il s'agisse d'une histoire dont la localisation et l'américanisation ne soient pas trop précises [127] ».

Le décalage entre la position de Truffaut, auteur-producteur indépendant, et le reste du cinéma français, est une source permanente de malentendus. Avec les journalistes et les critiques, mais aussi avec ses meilleurs amis. Indéniablement, le Truffaut du début des années soixante-dix ressemble à Ferrand, le réalisateur de *La Nuit américaine,* figure d'artisan consciencieux, respectant ses budgets et formant avec ses comédiens comme avec ses collaborateurs une famille de cinéma « à l'ancienne ». Durant toute cette période où le cinéma français d'auteur est sans cesse confronté à sa propre marginalité, Truffaut se met en réserve. « J'ai aujourd'hui trop de chance pour attaquer ceux qui en ont moins que moi, c'est tout simple », dit-il avec la plus grande honnêteté au journaliste Guy Teisseire [128].

Avant tout, Truffaut aime la Californie pour son mode de vie et parce que c'est là que vivent les cinéastes qu'il admire, Renoir, Hitchcock, Hawks, Capra... Il s'y sent à l'aise, beaucoup plus libre de ses mouvements qu'à Paris. Lorsque Leslie Caron lui demanda un jour pourquoi il appréciait tant la Californie, Truffaut répondit avec humour : « Parce qu'on trouve toujours à se garer [129] ! » Pour profiter au mieux de l'Amérique, le cinéaste met un point d'honneur à vaincre « le grand problème de [sa] vie », ses difficultés à parler anglais. C'est ce qui motive ce long séjour en Californie, où il prend des leçons « avec un professeur qui a obtenu des résultats avec des abrutis ». Installé au Beverly Hills Hotel, Truffaut suit six heures de cours quotidiens avec le professeur Michel Thomas, un personnage qui le fascine littéralement. Ce pédagogue exceptionnel, un Français installé aux États-Unis depuis 1947 et ayant ouvert une école de langues étrangères, est aussi un ancien résistant, chef d'un réseau clandestin près de Grenoble, torturé par Klaus Barbie à Lyon, devenu agent du contre-espionnage américain à la Libération. L'élève a donc toutes les raisons d'être attentif, d'autant que le professeur compte à son palmarès Grace Kelly et Otto Preminger, à qui il a appris le français en quelques mois, mais aussi Yves Montand auquel il a enseigné correctement la langue de Shakespeare et de Marilyn. Pourtant, en dépit de ses efforts laborieux, Truffaut progresse peu, ainsi qu'il l'avoue à Helen

Scott : « Mon professeur dit qu'il a davantage de mal à me déshabituer de mes fautes qu'à m'apprendre les formes correctes. Il ne me fait jamais aucun reproche, il se comporte un peu comme un psychanalyste et il a une patience angélique, mais je sens bien qu'il est étonné par la force de mon blocage. La vérité est qu'il y a en moi un refus d'apprendre qui est aussi puissant que mon désir de savoir [130]. »

Durant l'été 1973, l'affaire du Watergate le passionne comme elle passionne toute l'Amérique. Le journalisme d'investigation à l'américaine le séduit beaucoup plus que « l'immense amateurisme du journalisme français, sa fumisterie [131] ». En suivant chaque matin en direct l'évolution du scandale politique dans lequel est impliquée une grande partie de l'administration Nixon, Truffaut mêle l'utile à l'agréable. Fasciné par la mise en scène d'un pouvoir politique confronté aux mensonges et aux truquages, il profite de ces reportages quotidiens pour améliorer son anglais. Malgré cela, l'élève Truffaut stagne dans son apprentissage de la langue. Seul le *Los Angeles Herald Examiner* s'enthousiasme, dans son édition du 2 septembre 1973, sur une pleine page en titrant : « *Three Hours of Watergate a Day Helped Truffaut Master English.* » En revanche, Truffaut peut lire désormais l'américain à peu près correctement, ce qui lui permet de se plonger dans la littérature de cinéma ou dans certains essais historiques. Le premier livre en anglais qu'il s'offre et qu'il lit attentivement est ainsi les *Memos* de Selznick [132], lu au bord de la piscine de son hôtel de luxe californien, au début du mois de juillet 1973.

À Hollywood comme à Paris, la vie de François Truffaut suit un rituel minutieux et immuable. Mais son apparence diffère. Strictement vêtu, costume sombre et cravate, lorsqu'il fréquente la rive droite de la Seine, entre Passy et les Champs-Élysées, Truffaut se transforme radicalement dès qu'il arrive en Californie. « Il rajeunissait de quinze ans », dit Claudine Bouché, la monteuse de ses débuts, installée aux États-Unis en 1967, et qui se souvient de ses « tenues vestimentaires élégantes et décontractées [133] ». Leslie Caron parle d'un homme détendu, apaisé, se déplaçant dans une belle voiture américaine décapotable. Effectivement, Truffaut aime le style et le rythme de vie californiens. De plus, parce qu'elle n'a pas son équivalent à Paris, il passe régulièrement plusieurs heures chez Larry Edmunds, la fameuse librairie spécialisée dans le cinéma située sur Hollywood Boulevard. Truffaut raffole des biographies américaines, celles d'acteurs ou de réalisateurs, sources de détails précis et passionnants sur l'histoire du cinéma vue depuis les coulisses, sur la fabrication des films ou les relations amoureuses des stars.

Il quitte rarement le Beverly Hills Hotel, écrit à ses amis et à ses filles. Ainsi cette lettre datée du 23 juillet 1973 :

« Mes chères deux filles préférées,

D'accord, je suis un père du genre blagueur et, à cause de cela, vous ne savez si ce que je dis est vrai ou non ; alors voilà la solution, je vous explique en phrases courtes ma vie ici à Hollywood et nous jouons, vous jouez toutes les deux au " vrai ou faux ". J'envoie la réponse — solution dans 2 jours avec un billet de (?) francs pour la gagnante (celle qui aura le plus de réponses justes). OK ? *Will you play with me ?* Attention, le jeu commence :

1. Quand j'ouvre la porte vitrée de mon bungalow pour prendre le soleil dans mon patio (je ne me mouche pas avec le pied), je dois faire attention de ne pas marcher sur des lézards : vrai ou faux ?

2. Ici, le journal du dimanche est tellement épais qu'il pèse 2 kilos ; d'ailleurs la semaine dernière, une femme (d'origine hongroise, je crois) a tué son mari en lui donnant un coup de journal sur la tête : vrai ou faux ?

3. Dans un restaurant italien, l'écrivain Henry Miller, octogénaire, a su que j'étais là et il est venu me serrer la cuillère et discuter le bout de gras avec moi pendant une heure : vrai ou faux ?

4. Ici tout le monde a une voiture, on ne voit jamais personne marcher. L'autre jour, je marchais sur Sunset Boulevard et à cause de cela, une voiture de police m'a demandé mes papiers : vrai ou faux ?

5. J'ai grossi de 3 kg car je ne marche jamais et je bois beaucoup de lait : vrai ou faux ?

6. Ici, c'est le pays des vedettes, quand on voit une tête inconnue, tout le monde demande : qui c'est celui-là ? Vrai ou faux ?

7. Les Américains ont peur de manquer d'essence à cause des problèmes israélo-arabes ; alors dans les stations-service on peut seulement avoir 20 litres d'essence par voiture : vrai ou faux ?

8. En France, on peut avoir des photos d'identité en 10 minutes (photomaton), ici, il faut attendre 8 jours : vrai ou faux ?

9. Hitchcock m'a écrit après avoir vu *La Nuit américaine : " I think it is by far the best film ever made about the making of motion pictures as a fiction story. "* Vrai ou faux ?

10. J'ai fait un concours de nage avec Julie Andrews dans sa piscine ; elle est arrivée avant-dernière : vrai ou faux ?

11. J'ai parlé anglais avec un agent de la circulation et il a deviné que j'étais français : vrai ou faux ?

12. J'ai dîné chez le Consul de France et je lui ai dit que la bombe atomique française était une " connerie " : vrai ou faux ?

13. Je vais tourner un film à Hollywood : vrai ou faux ?

14. Je suis tellement bronzé que, hier soir, on m'a refusé l'entrée dans un restaurant interdit aux " gens de couleur ", *colored people :* vrai ou faux ?

15. Je suis allé tout seul visiter Disneyland parce que j'ai pensé que si vous venez ici avec moi ça ne vous intéresserait peut-être pas : vrai ou faux ?

16. Vous me manquez beaucoup et je pense bien souvent à vous, mais tout de même je m'amuse bien et je suis très content d'être là : vrai ou faux ?

Voilà la fin du jeu. Rassurez-vous, je vais noter tout de suite les réponses que je posterai dans 2 jours, avec le billet de (?) francs pour la gagnante ; si vous avez besoin d'un arbitrage, tâchez de dégoter dans tout Saint-Michel une belle femme native d'Asnières (ceci, c'est l'épreuve dite subsidiaire).

Voilà, mes enfants ; attendez-vous à me voir revenir complètement américanisé, ce qui ne m'empêche pas de vous embrasser... de vous embrasser... voyons : comment dites-vous en français ? Ah oui... de vous embrasser tendrement,
your father Frank Truff [134]. »

Le critique et journaliste de *Variety* Todd McCarthy, devenu un des principaux interlocuteurs de Truffaut lors de ses séjours aux États-Unis, se souvient de son ami, « assis dans une chaise longue un peu isolé, au bord de la piscine du Beverly Hills, hôtel chic où il descendait à chaque fois qu'il venait à Los Angeles. Quand on sait que toute sa vie il avait eu peur de l'eau, sa présence parmi les Californiens bronzés, amateurs de bains de soleil et de nage sportive, paraissait d'autant plus incongrue. Encore plus étrange le fait que c'était l'endroit au monde où il préférait lire des livres américains sur le cinéma, pour lesquels il avait un appétit insatiable. [...] De belles femmes passaient et repassaient, se demandant qui était cet homme — était-ce vraiment François Truffaut ? — et de temps en temps, l'une d'entre elles rassemblait tout son courage et s'approchait de lui pour essayer d'engager la conversation. Indifférent à leur beauté, qu'il oubliait presque, François prenait en général un air poli, mais résolument fermé, dans ce silence pesant qui régnait autour de lui quand il voulait maintenir une certaine distance avec quelqu'un. [...] Finalement, un peu embarrassées et à court de paroles, les superbes créatures se retiraient et François retournait à son livre [135] ».

Truffaut est là avant tout pour prendre du repos. Seule exception à la règle, le samedi soir, il adore « jouer les Français » lors des parties organisées dans de belles villas hollywoodiennes. Parfois, il se change en chroniqueur féroce, véritable Saint-Simon du Tout-Hollywood dans sa correspondance avec ses amis. « J'ai été à deux parties récemment, écrit-il à Helen Scott. La première chez une femme peintre charmante, Barbara Poe, ex-femme de James Poe, *script-writer*. Une femme m'a demandé, tandis que la conversation roulait sur la pollution des aliments : " Et en France, est-ce que vous mettez des préservatifs autour des légumes ? " C'était une *nice party*, tout le monde était de gauche, très favorable au nouveau maire noir du patelin... Hier soir, une autre *party*, beaucoup plus typique de Hollywood, chez le jeune Peter Guber, chef de production à la Columbia, exactement l'homme du livre *Qu'est-ce qui fait courir Sammy ?* Billard dans une pièce dont le plafond est constitué d'affiches lumineuses de la Company, barbecue sur l'herbe et ensuite projection d'une comédie inédite que je n'ai pas regardée, car je flirtais avec Buck Henry, décidément adorable [136]. »

Le rituel favori de Truffaut consiste à rendre visite, chaque samedi après-midi, aux Renoir. Jean et Dido Renoir vivent tout en haut de Leona Drive, dans une maison en briques rouges. Cette maison, simple et confortable, Renoir en a dessiné lui-même les plans, en 1950, avant d'aller en Inde tourner *Le Fleuve*. Tout autour, il a planté une vingtaine d'oliviers, les mêmes que ceux qui poussent aux Colettes, la maison familiale de Cagnes-sur-Mer. En juillet 1973, Truffaut trouve un Renoir « bien vieux et bien fatigué [137] », refusant de marcher, mais recouvrant « sa vivacité tous les après-midi lorsqu'il dicte ses souvenirs à sa secrétaire ». Truffaut, lorsqu'il parle de Renoir à ses amis parisiens, insiste sur sa vitalité en dépit de son grand âge. « Chaque matin, Dido Renoir se réveille à sept heures et attend le passage du livreur qui jette devant la maison le *Los Angeles Time* ; lorsque son mari se réveille, Dido vient lui lire les nouvelles les plus intéressantes. Vers neuf heures, c'est l'arrivée de Greg, un jeune acteur qui était infirmier au Viêt-nam ; il vient masser la jambe blessée de Jean Renoir, blessure de guerre de 1916 jamais guérie, responsable de la fameuse démarche d'ours d'Octave [138]. Ensuite Jean Renoir fait son courrier, décline toutes les invitations à venir parler dans les universités, toutes les offres de présider un jury et aussi toutes les demandes d'authentification de tableaux de son père, tout cela le plus gentiment du monde. Sa politesse est légendaire [139]. » Après le déjeuner, Renoir fait sa sieste en attendant l'arrivée de sa secrétaire, Luli Barzman, jeune Américaine née en France, dont le père, Ben Barzman, est un scénariste célèbre ayant fui Hollywood à l'époque du maccarthysme. Chargée de dactylographier les pages dictées par Renoir, elle repart vers cinq heures de l'après-midi pour suivre des cours de cinéma, et Renoir reçoit ses amis dans son salon ou dans son jardin.

Installée à Hollywood au début des années soixante-dix et mariée à un producteur américain, Leslie Caron est considérée par les Renoir comme leur fille. Cette relation très forte est née en 1955, au moment où elle jouait *Orvet* au théâtre, avec Paul Meurisse et Raymond Bussières. « J'étais la " petite Leslie ", je n'ai jamais grandi à leurs yeux [140] », se rappelle l'actrice qui, fidèle parmi les fidèles, eut ainsi maintes fois l'occasion de rencontrer Truffaut dans la maison de Leona Drive. « Jean avait une confiance totale en François, qui était comme son second fils. Et François le vénérait, essayait de lui remonter le moral en lui parlant de la France. Jean reprenait vie quand François était là [141]. » Dans le salon des Renoir, un espace permet de loger un écran que l'on peut dérouler. Sur le mur d'en face, un tableau que l'on soulève laisse passer le faisceau d'un projecteur 16 mm de l'armée, fixé en permanence dans un placard du couloir. Jean et Dido, avec leurs invités, regardent de temps en temps un film, ancien ou inédit, dont la copie a été apportée par Peter Bogdanovich, Todd McCarthy, ou un autre ami fidèle. « La pensée qu'il ne tournera probablement plus de films le tourmente parfois, poursuit Truffaut, car il a l'impression qu'il aurait pu faire plus et mieux, mais nous, qui regardons ses films et les aimons tant, nous savons que c'est lui qui a fait le plus et qui a fait le mieux [142]. »

Dans ses lettres à Madeleine, petit journal de bord tendre et léger, Truffaut consigne rencontres et péripéties. Le 13 juillet, il lui écrit :

« Mon petit lapin,

« Veronika Lake est morte, Betty Grable aussi, Robert Ryan également, hier ; cet après-midi Nixon est entré à l'hôpital et moi-même je ne me sens pas très bien... On m'a toujours dit que le grand pas en avant serait de rêver en anglais, en fait je me réveille la nuit en hurlant : " *I am going to buy some for you... I want to buy any,* etc. " En fait, je commence à bien lire les journaux, mais c'est autre chose de parler et, quant à comprendre ce ne sera pas pour cette année. Il faut que je te dise, mon lapin, que si mon professeur ne quitte pas Los Angeles, je resterai ici plus longtemps, quelque chose comme jusqu'au 18 ou 20 août car je ne veux pas rentrer avec le sentiment d'un échec ; si je peux faire quarante ou cinquante heures de plus, je dois le faire. Évidemment, il y a aussi le changement de programme familial, je n'aurais pas pu passer plus d'une semaine à Cannes comme tu le sais, la famille étant au complet... J'espère que tu comprendras mes raisons. J'ai failli oublier ton anniversaire parce qu'ici je n'ai aucune raison de regarder les dates mais enfin, heureusement, un de mes cauchemars te concernait (!) et le déclic s'est fait *. Je ne continue à sortir que le vendredi et le samedi, genre *parties* Hollywood avec barbecue, billards électriques, tout le folklore. Les gens croient que j'apprends l'anglais pour travailler ici, les agents veulent me représenter, etc. Je vois le plus souvent Leslie Caron et son mari, qui vont venir s'installer à Paris tandis que Michèle Mercier vient, au contraire, tenter ici une nouvelle carrière. Le plus impressionnant, c'est de voir Renoir ; je tente de l'aider comme le ferait Jeanne, en le secouant un peu, en le faisant rire ; sauf miracle, il s'achemine vers la fin quoique son cœur soit bon ; il souffre d'anémie, il est assez maigre et ralenti ; dimanche, je vais aller chez lui, regarder

* « *Gift postponed to sept* [143]. »

L'Homme du Sud à la télévision ; je l'ai fait rire en lui racontant la coquille parue dans *Combat* il y a vingt ans en gros titre, c'était un article dicté par téléphone : " *Le Souteneur,* un film de genre noir " (*The Southerner,* un film de Jean Renoir).

« Je vous appellerai (avant que cette lettre arrive), demain, 14 juillet, pour avoir des nouvelles parlées et savoir si Laura est bien rentrée d'Angleterre et heureuse.

« J'espère qu'une lettre de toi est en route avec des détails ; [...] Bonnes nouvelles pour *La N. Am.* — on dépasse 250 mille entrées à Paris, ce qui est mon meilleur depuis *B. Volés* je crois, ou *L'Enfant S.* Sur la télé, les séances du Watergate continuent à me passionner, même sans comprendre, c'est un grand moment ici. Je vais m'occuper dans les jours qui viennent de trouver le catalogue Barbie. [...]

« Embrassades collectives à toutes les 3, je pense beaucoup à vous, pas seulement quand j'écris ou quand je vous appelle (rarement, le téléphone *is very expensive*), tendrement, François. »

Après son été californien, Truffaut séjourne à New York. Fin septembre, il vient présenter *La Nuit américaine* en avant-première au New York Film Festival. Le soir du 1er octobre 1973, *Day for Night* triomphe au Lincoln Center, trois ans après *L'Enfant sauvage*. Très applaudi, le cinéaste fait son entrée dans la grande salle aux côtés de Jacqueline Bisset, radieuse dans une robe blanche au décolleté magnifique, du maire de New York, John Lindsay, et de Lillian Gish, à laquelle Truffaut a dédié son film ainsi qu'à sa sœur Dorothy. Six jours plus tard, *Day for Night* sort au Fine Art Theatre, soutenu par les grands critiques américains. Vincent Canby dans le *New York Times,* Pauline Kael dans le *New Yorker,* Rex Reed dans le *New York Daily News,* Judith Crist dans le *New York Magazine* ou Archer Winsten du *New York Post,* ne tarissent pas d'éloges, tandis que Jacqueline Bisset est en couverture de *Newsweek* : « *A Beauty named Bisset* ». *Day for Night* remporte quelques prix prestigieux : « Meilleur film de l'année » selon l'association des critiques, tandis que Truffaut est désigné « meilleur réalisateur de l'année » par le New York Film Critics Circle. Après 23 semaines d'exploitation, les recettes dépassent le million de dollars, soit l'équivalent de tous les autres films de Truffaut distribués jusque-là aux États-Unis.

Ce succès encourage Truffaut à accompagner *Day for Night*

dans les principales grandes villes américaines tout au long du mois d'octobre. Quatre jours à Boston, un détour par Montréal, puis le festival de San Francisco où le film est présenté le 24 octobre, avant l'avant-première à Los Angeles prévue le 3 novembre. Dans la salle de la Director's Guild, Vincente Minnelli, entouré de William Wyler et de George Cukor, souhaite la bienvenue à Truffaut et achève ainsi son discours : « Et maintenant, ce film devrait figurer parmi les cinq candidats à l'Oscar du meilleur film étranger. » Des parrainages aussi prestigieux constituent indéniablement un atout pour Truffaut, qui a des chances de conquérir le fameux trophée. Par deux fois déjà, il a failli décrocher un Oscar. En 1960, *Les Quatre Cents Coups* avait été nominé au titre de meilleur scénario original, tandis que *Baisers volés* en 1969 s'était fait coiffer par *Guerre et Paix* de Sergueï Bondartchouk, comme meilleur film étranger. Cette fois, non seulement *Day for Night* fait partie des films nominés, mais Valentina Cortese est aussi dans la course pour l'Oscar du meilleur second rôle féminin.

Quelques mois plus tard, le 3 avril 1974, Truffaut est présent dans la salle du Music Center de Los Angeles, pour assister à la cérémonie retransmise par la télévision dans l'Amérique entière. *L'Arnaque* de George Roy Hill, grand vainqueur de la soirée, rafle sept récompenses. Mais le cinéma français est à l'honneur avec la remise d'un Oscar « pour l'ensemble de son œuvre » à Henri Langlois, le directeur de la Cinémathèque. Plus tard dans la nuit, un homme entièrement nu monte sur scène et perturbe la remise de l'Oscar du meilleur acteur à Jack Lemmon pour son rôle dans *Save the Tiger*. À la proclamation du meilleur film étranger, c'est l'acteur Yul Brynner qui décachette l'enveloppe où se trouve le nom du gagnant. Dans son fauteuil, Truffaut, en smoking noir, trahit une légère nervosité quand son nom est cité. Puis, sur scène, il remercie la salle en anglais : « Je suis très heureux parce que *La Nuit américaine* parle des gens du cinéma comme vous ; c'est votre trophée. Mais si vous êtes d'accord, je le garderai pour vous [144]. »

Cet Oscar ne fait qu'accroître la notoriété américaine de Truffaut, qui, au même titre que Fellini, Bergman ou Kurosawa, fait désormais partie des rares cinéastes étrangers considérés comme des valeurs sûres aux États-Unis. Du même coup, les propositions de tourner à Hollywood redoublent. Notamment un film sur la vie d'Ernest Hemingway et de Scott Fitzgerald, *One Last Glimpse* d'après un roman de James Aldridge. Mais Truffaut ne se sent toujours pas prêt pour relever le défi, préférant profiter de cette notoriété pour mieux négocier la distribution de ses propres films sur le territoire américain.

C'est à cette période qu'il en confie le soin au cinéaste Roger Corman. De six ans son aîné, Corman a réalisé près de soixante-dix films en Angleterre et à Hollywood. Il est l'adaptateur le plus fameux d'Edgar Poe, pas moins de six films entre 1960 et 1964, avec le célèbre acteur Vincent Price. Depuis le milieu des années soixante, Corman est aussi devenu producteur et distributeur, à la tête de sa société, New World Pictures. À Hollywood, il est même considéré comme le plus prolifique découvreur de talents, puisque Francis Coppola, Monte Hellman, Peter Bogdanovich, Martin Scorsese ou Joe Dante réalisent pour lui leurs premiers films, dans lesquels apparaît une future star nommée Jack Nicholson. Corman s'est également spécialisé dans la distribution de films d'auteurs européens, obtenant quelques succès, notamment avec *Cris et Chuchotements* et *Amarcord*. C'est ce qui persuade Truffaut de signer un accord avec lui, pour la distribution de ses quatre prochains films : « Je crois qu'avec lui j'ai enfin trouvé le distributeur idéal. Il est basé à Hollywood. Il est très proche des films qu'il prend en charge, les surveille de près, possède un circuit de salles bien implantées et s'est entouré d'une équipe très compétente avec Jim McBride et Todd McCarthy [145]. »

Pour Truffaut, l'essentiel reste avant tout d'avoir la reconnaissance de ses pairs : Alfred Hitchcock, Robert Aldrich, Nicholas Ray, Tay Garnett, Samuel Fuller, chez les anciens, Milos Forman, Robert Benton, Arthur Penn, Sydney Pollack, pour les plus jeunes, sont ses principaux soutiens outre-Atlantique. Parmi les metteurs en scène français, il est sans doute le seul de sa génération à être ainsi estimé et honoré à Hollywood. Il l'est peut-être plus encore que les autres grands du cinéma mondial, tels Bergman, Fellini, Buñuel ou Kurosawa, qui ne mettent pas autant d'énergie à suivre la carrière de leurs films aux États-Unis.

Truffaut devient également l'un des cinéastes les plus appréciés des campus et des universités. Au cours des années soixante-dix, les rétrospectives qui lui sont consacrées se multiplient. L'une d'elles, particulièrement importante, se tient en novembre et décembre 1975 au Bleeker Cinema, une salle du « Village » dirigée par Jackie Raynal, une Française installée à New York, ancienne monteuse de films de la Nouvelle Vague. Deux ans plus tard, en novembre 1977, c'est le Chicago Film Festival qui lui rend hommage. Deux ans plus tard encore, cette fois à l'occasion du 20ᵉ anniversaire des *Quatre Cents Coups,* l'American Film Institute organise une rétrospective à Washington et à Los Angeles, accompagnée d'une quarantaine de films sélectionnés par Truffaut.

De nombreux séminaires universitaires consacrés à son œuvre sont organisés. À Harvard avec Paul Michaud, ou à la New School for Social Research de Columbia avec James Monaco. Dudley Andrew consacre lui aussi un cours au cinéaste français, à l'université de l'Iowa, de même qu'Annette Insdorf à Yale, ou que Donald Spoto à New York. Au gré de ses déplacements, Truffaut rencontre souvent de jeunes cinéphiles américains : Leo Moldaver, par exemple, de Cleveland dans l'Ohio, qui organise un hommage et adresse des lettres passionnées à son maître, ou le jeune Alfred Dolder, qui lui écrit de Los Angeles le 12 juillet 1974 : « C'est grâce à vous que je suis dans le cinéma, vos films sont mon inspiration et votre affaire avec le cinéma mon rêve. Cette lettre-là est un hommage à vous, le plus grand metteur en scène du cinéma d'aujourd'hui [146]. »

Le secret d'un art

En 1974, François Truffaut profite de sa deuxième année sabbatique pour se consacrer à l'édition de livres sur le cinéma, activité qu'il considère comme indispensable à son équilibre de cinéaste et de cinéphile. Il commence par publier chez Seghers le scénario de *La Nuit américaine,* accompagné de son journal de tournage de *Fahrenheit 451*. Un autre projet, plus ambitieux, l'accapare plusieurs mois et une partie de l'été 1974, l'édition d'une sélection de ses critiques des années cinquante, parues dans les *Cahiers du cinéma* et dans *Arts*. Truffaut décide de laisser de côté ses anciens textes polémiques contre les films de

Delannoy, d'Autant-Lara, de Clément ou d'Allégret : « Ce serait inutilement cruel de ma part de les gêner dans leurs efforts pour travailler encore. C'est une situation que l'on comprend mieux quand on est moins jeune. Et j'étais jeune quand j'écrivais ces textes [147] », dit-il dans l'introduction des *Films de ma vie*, son recueil qui paraît chez Flammarion, avec ce titre choisi en hommage au livre de Henry Miller, *Les Livres de ma vie*.

Des nombreux articles écrits dans sa jeunesse [148], Truffaut ne retient qu'une centaine concernant les films qui ont compté dans sa vie, « ceux qui étaient vivants et m'ont parlé [149] ». « À quoi bon publier aujourd'hui des diatribes sur des films oubliés ? » écrit Truffaut dans une introduction, « À quoi rêvent les critiques ? », qui résume ses idées sur le rôle de la critique, ses bonheurs et ses malheurs : « Lorsque j'étais critique, je pensais qu'un film, pour être réussi, doit exprimer simultanément une idée du monde et une idée du cinéma. *La Règle du jeu* ou *Citizen Kane* répondaient bien à cette définition. Aujourd'hui, je demande à un film que je regarde d'exprimer soit la joie de faire du cinéma, soit l'angoisse de faire du cinéma, et je me désintéresse de tout ce qui est entre les deux, c'est-à-dire de tous les films qui ne vibrent pas. »

À sa sortie en librairie, en avril 1975, *Les Films de ma vie* reçoit un bon accueil de la presse et les ventes atteignent 9 000 exemplaires en trois mois. Il sera traduit en allemand, en américain, en japonais, en italien et en espagnol. Pour Truffaut, ce recueil représente davantage qu'un succès de librairie ou qu'une reconnaissance de son talent d'écriture ; c'est une manière de se situer par rapport au cinéma de son temps, politiquement engagé, expérimental ou délibérément commercial, trois voies qu'il récuse, car aucune ne correspond vraiment à son tempérament. Truffaut est un moderne, mais qui cherche sans cesse le « secret » de son art dans le cinéma classique de sa jeunesse, hollywoodien le plus souvent. *Les Films de ma vie* est une somme, un véritable matériau gnostique, qui donne les clés du savoir de Truffaut, un livre repère le protégeant d'un cinéma contemporain qui, bien souvent, le dérange et le met mal à l'aise. C'est un livre qui fait date : recueil d'articles du plus célèbre des anciens critiques et du plus influent des cinéastes de la Nouvelle Vague, il apparaît comme une référence pour les cinéphiles alors en pleine crise d'identité, du fait de l'agonie du mouvement des ciné-clubs, des nombreuses fermetures de salles et de la concurrence de la télévision à l'encontre du cinéma. À leurs yeux, Truffaut incarne la « culture de cinéma », irréductiblement différente, fondée sur une approche vivante, un peu nostalgique, et sur un amour exclusif des grands auteurs de films.

Chroniques politiques

Durant tout l'été 1973, François Truffaut s'est passionné pour le Watergate : « Je n'y comprends rien, mais c'est pourtant fascinant [150] », avouait-il à Liliane Siegel. Richard Nixon, le « personnage principal » de l'affaire, l'intéresse moins que sa secrétaire, obligée de mentir pour couvrir son patron. Au fond, cette histoire d'écoutes téléphoniques qui ébranle le pouvoir le plus puissant du monde fascine Truffaut au même titre qu'un bon film. Cette politique-là, qui se raconte comme un récit avec son suspense, comme un film d'action avec ses secrets et ses péripéties, n'a rien à voir avec celle fondée sur les affrontements idéologiques. À partir du moment où la politique est une forme de « mise en scène de la société », Truffaut se sent concerné, et même stimulé pour donner son point de vue. Comme un spectateur exigeant, comme un critique de « cinéma ».

Ainsi, à la mort de Georges Pompidou au début du mois d'avril 1974, il s'engage à faire paraître une chronique hebdomadaire dans *Le Monde*, ayant pour thème la campagne présidentielle au terme de laquelle les Français désigneront son successeur. Pour Truffaut, cette chronique serait à la scène politique ce qu'une critique est à l'actualité du cinéma. Il rédige cinq articles, mais renonce finalement à les publier, craignant sans doute de s'exposer sur un terrain qui n'est pas le sien. Écrits durant la campagne, ces textes sont ceux d'un observateur attentif mais sarcastique, émettant une opinion sur la pièce qui se joue devant lui. La première chronique s'intitule d'ailleurs « Au spectacle » : « Se faire écouter, se faire regarder, se rendre intéressant, tout est là. La façon de dire compte plus que ce que l'on dit, il faut le reconnaître même si cela choque. La campagne électorale est un spectacle, elle en subit les lois. L'expérience compte, mais peu : il y a les bons seconds rôles, Royer, Krivine, Le Pen, Laguiller, Dumont ; il y a ceux qui se sont trompés de vocation et n'ont rien à faire sur un écran par manque de talent ; il y a la vedette déchue qui perd ses moyens en jouant une pièce trop démodée, Chaban-Delmas ; il y a l'acteur non inspiré mais solide qui est devenu vedette à force de travail, François Mitterrand ; et il y a le grand acteur, la vedette, celui en qui la qualité de l'exécution fait oublier le travail, Giscard d'Estaing, qui ferait tripler le nombre de voix de n'importe lequel des autres candidats s'il se substituait à eux. Giscard d'Estaing avec son magistral numéro de sobriété. Le mot numéro vous heurte, vous semble excessif ? Affirmer qu'on va regarder " la France au fond des yeux " ou que les meilleures réformes sont celles qui ne coûtent rien, citer Napoléon en Corse, Marcel Pagnol à Marseille, n'est-ce pas faire un numéro ? Les Français aiment les grands hommes et ils en tiennent un, Giscard d'Estaing. Par son talent d'acteur qui est immense, il suggère aussi efficacement que de Gaulle mais plus subtilement, plus indirectement, qu'il est l'un de ces grands hommes, un homme qui est davantage qu'un président de la République, et qui à cause de cela nous ferait un cadeau en acceptant de s'occuper de nous [151]. »

Les chroniques suivantes tentent de montrer les dérapages possibles de cette politique-spectacle et de mettre en évidence le rôle de la presse comme garde-fou. Truffaut y dépeint en effet un univers politique gangrené par le mensonge, le mépris et les fausses promesses : « J'ai souhaité l'échec de Chaban-Delmas dès qu'il a déclaré : " La mort du président Pompidou m'a frappé de stupeur ", alors qu'il était parfaitement au courant de l'issue de cette maladie. Il nous donnait ainsi la preuve qu'il nous prenait tous pour des imbéciles. Pompidou a menti sur sa santé, où est l'héroïsme là-dedans ? Comme l'a dit un journaliste américain, un chef de gouvernement se conduit en homme politique en cachant une maladie grave, en disant la vérité il se conduit comme un chef d'État. Point final. » Et le cinéaste d'énumérer les mensonges récents de Pierre Messmer, Premier ministre, d'Arthur Conte, directeur de l'ORTF, de Chaban-Delmas, de Mitterrand, de Malraux, ou de Giscard d'Estaing, maître comédien : « Pendant quinze ans, il a réussi à avoir l'air dix ans plus vieux, et aujourd'hui il va gagner sur son âge révélé comme un coup de théâtre-coup de jeunesse. » Face à ce genre d'attitudes, Truffaut considère que la presse d'opposition en France ne fait pas son travail, qu'elle « ne devrait pas laisser passer mensonges et promesses non tenues ». Il est encore très marqué et séduit par le rôle des journalistes du *Washington Post* dans le déclenchement de l'« affaire du Watergate ». « Il faut traiter ces gens de menteurs chaque fois qu'ils le méritent, souligner inlassablement le côté inadmissible des mensonges et des passe-droits du monde politique. Il faut que la presse d'information et d'opposition se décide enfin à informer et à s'opposer, qu'elle regarde un peu le *Washington Post, Newsweek, Time...* » C'est au nom de cette vigilance, de cette nécessité d'un contre-pouvoir permanent, que Truffaut, pourtant si modéré sur le plan politique, fait paradoxalement l'éloge du mouvement gauchiste français, seule force organisée qui peut pallier la défection du journalisme d'opposition : « Le gauchisme est utile, il a une valeur de harcèlement et peut contraindre hier l'État U.D.R., demain l'État giscardien ou socialiste, à tenir les promesses faites. »

Dans ce spectacle, où se situe l'homme politique idéal selon Truffaut ? Celui-ci se méfie terriblement du « grand homme », du « sauveur providentiel », cherchant à démystifier la vie politique. « Il n'y a pas de grands hommes, il y a des hommes tout simplement, et en matière de politique mes préférences vont à ceux qui se comportent comme des femmes de ménage : ponctualité, modestie, vivacité, équilibre, la lutte contre la poussière, en faveur de la propreté, est quotidienne, sans prestige, indispensable, continue. Je ne veux pas forcément un petit homme, mais un homme au naturel de Mendès, un homme à l'engagement aussi quotidien et placide que Sartre. »

Dans sa dernière chronique, rédigée à la veille du premier tour de l'élection présidentielle, Truffaut s'explique enfin sur son propre choix. Pourquoi est-il « de gauche » ? Pourquoi soutient-il François Mitterrand, alors qu'il n'aime ni l'« acteur politique » ni l'« homme » ? Il a en effet rejoint le comité de soutien à Mitterrand auquel il adresse le 10 mai 1974 un chèque de 5 000 francs. Pourtant, ses convictions le rapprocheraient plutôt de Michel Rocard, dont il aurait souhaité la candidature à ces élections présidentielles. Car Rocard appartient plus directement à cette catégorie d'hommes politiques faisant preuve d'un certain scepticisme ou d'une grande lucidité sur le pouvoir même de la politique, au même titre que Pierre Mendès France, Pierre Cot ou Edmond Maire. Ainsi, tout en refusant de s'inscrire sur les listes électorales, Truffaut s'engage donc officiellement derrière Mitterrand. Il en donne la raison : « Contrairement à ce que je crois lire parfois entre les lignes du *Nouvel Observateur*, il faut être avec Mitterrand, pas pour être dans le coup, pas pour avoir l'air sympathique, pas pour faire jeune, mais simplement parce que ça me semble juste. »

Dans le paysage des idées politiques ou morales, Sartre occupe une place capitale pour Truffaut. C'est même sa principale référence. Il ne cesse de lire et relire les ouvrages du philosophe, chacun ayant une place spécifique. « J'ai relu *Les Mots* en deux jours et je l'ai trouvé cette fois formidable, écrit-il à Liliane Siegel. Évidemment, on a un plus ou moins grand besoin de tel ou tel livre selon que l'on traverse telle ou telle période de sa vie, et en ce moment, ce livre tombe dans le mille par rapport à mes angoisses. Je sens bien que d'autres livres de Sartre peuvent actuellement me donner du courage, je relirai cette année le premier volume de *Situations* et ceux que je ne connais pas [...] Oui, ma gêne à propos des *Mots* portait surtout sur deux ou trois passages analysant le zèle enfantin à fabriquer les mots d'enfants que les parents attendent, etc. Je suis d'ailleurs convaincu de la justesse de la démonstration, mais c'est le ton qui me heurtait. Tout ce qui concerne l'amour des livres, le passage de la lecture à l'écriture, la concrétisation des vieux rêves est remarquable et éclairant [152]. »

Comme toujours avec Truffaut, la relation amicale qu'il entretient avec Liliane Siegel est très ritualisée. Vers huit heures du soir, il passe la prendre chez elle, boulevard Raspail, et l'emmène dîner à Montparnasse, souvent à la Palette, un des restaurants favoris de Sartre, dont ils parlent souvent ensemble. Liliane Siegel trouve d'ailleurs certains points de ressemblance entre les deux hommes, « une même manière de vivre une vie réglée comme du papier à musique, avec des compartiments dans la tête [153]... ». Un même plaisir dans la compagnie des femmes, et une même volonté de les séduire. « Ce genre d'hommes se demandent toujours si on les aime pour ce qu'ils sont eux-mêmes ou pour ce qu'ils représentent socialement », ajoute-t-elle.

Durant l'automne 1974, l'occasion se présente d'un réel rapprochement entre Truffaut et Sartre. Valéry Giscard d'Estaing, qui vient d'être élu président de la République, a promis à la France du changement. À la télévision par exemple, il est prévu de mettre fin au monopole de l'O.R.T.F. et de lancer une deuxième chaîne, dès janvier 1975. Dans ce contexte, Marcel Jullian, à qui l'on a confié la direction d'Antenne 2, aimerait concevoir un grand projet télévisuel avec Sartre. Avec ses proches, Simone de Beauvoir, bien sûr, mais également Pierre Victor (qui n'est autre que Benny Lévy, un ancien dirigeant maoïste de la Gauche prolétarienne) et Philippe Gavi, Sartre élabore une série de dix émissions d'une heure trente, avec l'ambition de raconter l'histoire de la France du xxe siècle, « à travers la subjectivité d'un Français intellectuel, fils d'intellectuel, né en 1905 ». Ce projet [154] va occuper le philosophe près d'un an, de novembre 1974 à septembre 1975. Sartre souhaite vivement que Truffaut en soit le réalisateur. Le cinéaste est très touché, mais il décline la proposition, accaparé par ses propres films et peu confiant dans ce projet trop collectif. Mais il en soutient l'idée, qu'il juge ambitieuse, légitime : « Il est hors de doute que ces émissions feront événement [155]. » Il se dit prêt à en suivre l'évolution, et même « d'aider éventuellement à préserver la rigueur, la netteté et l'ampleur du projet ». Mais il ne voit pas d'un bon œil l'idée de travailler lui-même pour la télévision, dont il juge la concurrence avec le cinéma tout à fait « déloyale ». « Pour ce qui concerne la télé de Sartre, mon rôle exact est celui de consultant au montage, car cela a un sens et une utilité. Cela ne doit pas gêner ou blesser les metteurs en scène de l'émission [156]. » Comme à son habitude, Truffaut refuse d'être en première ligne dès lors qu'il ne s'agit pas d'un projet personnel. Il est curieux parce que l'initiative vient de Sartre, qu'il admire, mais il se protège. Il n'est pas question pour lui d'être au générique, ni bien sûr d'être rémunéré. Par crainte que sa notoriété publique et professionnelle puisse gêner l'équipe réunie autour de Sartre. Par crainte également de devenir, d'une manière ou d'une autre, l'otage ou l'alibi des dirigeants d'Antenne 2. « Je n'accepterai pas que Jullian se serve de moi commercialement [157] », explique-t-il à Liliane Siegel. « Solidaire du cinéma », Truffaut consacre néanmoins une partie de son temps au projet télévisuel de Sartre qu'il veut aider. Il en parle régulièrement avec Liliane Siegel, que ce soit lors de dîners ou dans ses lettres, celle-ci se faisant l'écho auprès de Sartre de l'opinion de Truffaut. « Donc je vous aide dans l'ombre, par admiration, amitié et complicité pour Sartre [158] », lui écrit-il. Par exemple, il prend soin d'établir une liste de réalisateurs possibles, dans laquelle il inscrit le nom de Roger Louis, journaliste et réalisateur de télévision qu'il estime, et glisse aussi celui de son ami Claude de Givray. Entre-temps, le « projet Sartre » commence à tanguer dangereusement. Contradictions internes au sein de l'équipe [159], violente hostilité du pouvoir politique et télévisuel envers un projet jugé gauchiste et subversif, méfiance de Sartre qui exige de travailler librement et, à ce titre, refuse la proposition de Jullian de concevoir une « émission pilote ». En septembre 1975, l'affaire éclate publiquement, la télévision d'État, sous le nouveau vernis du libéralisme avancé, rate son rendez-vous avec un intellectuel de la dimension de Jean-Paul Sartre et censure son projet. On dit que le Premier ministre de l'époque, Jacques Chirac, n'y était pas pour rien.

Le visage d'Isabelle

En 1973 et 1974, François Truffaut n'a fait aucun film, si bien que les finances des Films du Carrosse sont en difficulté. Marcel Berbert alerte son patron : « Vous avez bien besoin de monter une affaire, car les fonds descendent très rapidement et le fond du " Carrosse " sera bientôt atteint [160]. » Il est urgent d'aller frapper aux portes des financiers américains, avec de nouveaux projets. En 1974, le plus abouti et celui qui le passionne le plus est entre les mains de Jean Gruault. Il s'agit du *Journal d'Adèle Hugo,* paru à la fin des années soixante dans la « Bibliothèque Introuvable » des éditions Minard, sous la responsabilité d'une universitaire américaine de l'Ohio, Frances Vernor Guille. Séduit par le livre, Truffaut l'a aussitôt confié à Gruault avec l'idée, non de l'adapter, mais de reconstituer un épisode de la biographie d'Adèle, la deuxième fille de Victor Hugo. Un amour fou, non partagé, une histoire linéaire sans aucun espoir de *happy end.*

En 1863, Adèle Hugo s'est installée à Halifax, en Nouvelle-Angleterre, sous le nom d'emprunt de miss Lewly. Elle est en fait venue rejoindre un lieutenant de l'armée anglaise, Pinson, dont elle est follement amoureuse. Elle loge chez une vieille dame solitaire, tenant secrète sa véritable identité. Mais le lieutenant la repousse, et lui demande de repartir. Adèle s'obstine, multiplie les stratagèmes et les déclarations d'amour à Pinson. Elle fait croire à son père, Victor Hugo, alors en exil sur l'île anglo-normande de Guernesey, qu'elle s'est mariée, obtenant ainsi de quoi vivre. La folie s'empare peu à peu de son esprit. Toutes les nuits, fiévreuse, hallucinée, elle tient son journal, y parle de son amour, de son ambition d'écrire, y renie son père et son nom. Le régiment du lieutenant Pinson est envoyé dans les Antilles, aux îles de la Barbade. Adèle Hugo le suit. On la retrouve à Bridgetown, hagarde, en haillons, une folle que les enfants poursuivent cruellement de leurs sarcasmes. Une dernière fois, elle croise le lieutenant Pinson dans la rue sans même le reconnaître. Madame Baa, une Antillaise, finit par la recueillir et la ramène en France avec l'aide financière de Victor Hugo. Adèle est alors enfermée dans un asile, à Paris, et y meurt en 1915, croyant toujours en son amour éternel.

Pendant que Gruault travaille au scénario — cela lui prend deux longues années —, les relations se compliquent avec Frances Vernor Guille, qui exige d'importants droits d'auteur (30 000 francs), tout en prétendant au statut de coscénariste (moyennant 200 000 francs). Truffaut considère ces exigences financières comme inacceptables. Tout en lui faisant part de sa « profonde déception », il envisage de renoncer au projet, « avec d'autant plus de tristesse et d'amertume que nous n'avons jamais rencontré une telle situation en quinze ans de cinéma [161] ».

En fait, Truffaut joue serré, feignant d'être découragé, sur le point d'abandonner son projet, dans le seul but de faire renoncer la partie adverse. Car il tient beaucoup à faire ce film. Il met d'ailleurs toute son énergie à vaincre les réticences de Jean Hugo, écrivain et peintre installé à Lunel dans le Gard, qui n'est autre que le petit-neveu d'Adèle et l'arrière-petit-neveu de Victor Hugo, donc l'héritier direct et le détenteur du droit moral sur cette adaptation. Longtemps Jean Hugo hésite : « Je me demande si cette triste histoire, qui a été longtemps un secret de famille jalousement gardé, ne sera pas choquante à l'écran. L'aliénation mentale, dont on devine très tôt les signes chez Adèle Hugo, en donnant une couleur pathologique à cette histoire d'amour, ne lui enlève-t-elle pas toute valeur humaine [162] ? », écrit-il, plutôt craintif, à Truffaut. Ce n'est qu'après avoir lu le premier traitement de Gruault que le descendant de Victor Hugo donne son accord, à la seule condition que l'écrivain n'apparaisse pas à l'écran comme personnage. En attendant, Truffaut doit régler son contentieux avec Frances Vernor Guille. Il confie ce soin à maître Léo Matarasso, qui négocie aussi bien avec l'avocat de la famille Hugo, qu'avec celui de Frances Guille, les termes d'un compromis. Conclu en juin 1973, celui-ci prévoit l'attribution de 50 000 francs à Frances Guille, au titre d'une « supervision historique » du scénario, statut honorifique qui n'engage à rien.

Marcel Berbert estime le devis de *L'Histoire d'Adèle H.*, film d'époque tourné en extérieurs, à un peu plus de cinq millions de francs. Seul, le Carrosse n'est pas en mesure de produire un film aussi cher. Berbert se tourne alors presque naturellement vers Robert Solo, pensant qu'après le succès de *La Nuit américaine* et l'Oscar du meilleur film étranger, le montage financier avec la Warner ne devrait poser aucune difficulté. Mais le représentant en France de la compagnie américaine refuse le scénario d'*Adèle H.* qu'il juge trop littéraire. Quelques semaines plus tard, Truffaut et Berbert, habitués à ces rebondissements, trouvent un meilleur accueil chez Jean Nachbaur, représentant français des Artistes Associés, ancien partenaire du Carrosse pour *L'Enfant sauvage*. Nachbaur trouve le budget du film trop élevé, il faut donc revoir le scénario. Parti pour écrire un film romanesque « à la *Autant en emporte le vent* [163] », Gruault concentre les scènes et élague au maximum l'histoire. Le scénario qu'il remet à Truffaut en novembre 1973 a beaucoup diminué de volume, passant de 373 à 116 pages. Aidé de Suzanne Schiffman, Truffaut supprime la plupart des scènes historiques, spectaculaires donc trop coûteuses, et décide de centrer son film sur Adèle, sa folie, son comportement psychotique et sa manie de la persécution. Toute la force du film sera là, concentrée sur l'obsession amoureuse, thème cher à Truffaut.

Dès lors, Truffaut doit trouver l'actrice idéale. Quelques années auparavant, il avait promis le rôle à Catherine Deneuve [164]. Puis, un peu plus tard, il avait fait faire des essais à Stacey Tendeter, l'actrice qui jouait Muriel dans *Les Deux Anglaises,* dont le physique correspond assez à Adèle. Mais il compte désormais rajeunir le personnage et se met à la recherche d'une actrice débutante. Très vite, il repère Isabelle Adjani, d'abord dans *L'École des femmes* de Molière montée à la Comédie-Française puis retransmise à la télévision, ensuite dans un film de Claude Pinoteau, *La Gifle*, gros succès lors de sa sortie sur les écrans en septembre 1974. Sans même la connaître, il lui écrit une lettre enflammée pour la convaincre d'accepter le rôle d'Adèle Hugo, ce qui impliquerait une rupture de contrat avec la Comédie-Française : « Vous êtes une actrice fabuleuse et, à l'exception de Jeanne Moreau, je n'ai jamais senti un désir aussi impérieux de fixer un visage sur la pellicule, tout de suite, toutes affaires cessantes. J'accepte l'idée que le théâtre est une noble cause, mais ma chose à moi est le cinéma et, en sortant de *La Gifle*, j'ai eu la conviction que l'on devrait vous filmer tous les jours, même le dimanche [165]. »

Isabelle Adjani hésite avant de répondre aux arguments de Truffaut. Elle est attirée par le rôle (même si elle avoue se trouver trop jeune pour le personnage) et par le prestige du cinéaste, mais elle considère comme « un acte de trahison, d'infidélité au sevrage [166] » le fait de rompre avec la Comédie-Française. Truffaut redouble d'énergie pour la convaincre. Non seulement il lui prédit « une carrière magnifique », mais il avoue son coup de foudre : « Votre visage tout seul raconte un scénario, vos regards créent les situations dramatiques, vous pourriez même vous permettre de jouer un film sans histoire, ce serait un documentaire sur vous et cela vaudrait toutes les fictions [167]. » Truffaut écrit à Pierre Dux, administrateur du Français, le 23 octobre 1974, sollicitant un congé de quatorze semaines pour Isabelle Adjani, le temps qu'elle tourne *L'Histoire d'Adèle H.* à partir de janvier 1975. Dux refuse catégoriquement : « Ces quatorze semaines d'absence entraîneraient son remplacement dans les deux créations importantes qu'elle doit faire cette saison : *La Célestine* mise en scène par Marcel Maréchal et *L'Idiot* mis en scène par Michel Vitold. Il m'est impossible d'envisager son remplacement [168]. » Truffaut continue de faire pression, ne voulant pas renoncer à Isabelle Adjani. Lorsque la Comédie-Française menace l'actrice d'un procès pour rupture de contrat, Truffaut confie le dossier à son avocat, Pierre Hebey, chargé de trouver un compromis. Isabelle Adjani « se laisse faire », laissant aux adultes le soin de décider pour elle. Mais en renonçant aux deux rôles qu'elle devait interpréter, c'est le théâtre qu'elle abandonne. «Après ma dernière représentation, des gens sont venus me voir pour me dire que ce que je faisais était très mal, que je le regretterais toujours, que ça ne se passerait pas bien dans le cinéma... Ce soir-là, j'ai vraiment été stigmatisée [169]... »

Ayant presque « enlevé » la jeune actrice de dix-neuf ans à l'institution théâtrale qui voulait la protéger du cinéma, François Truffaut peut s'atteler à la préparation du film. Suzanne Schiffman s'occupe des repérages : le tournage se déroulera à Guernesey, exception faite des scènes de la Barbade tournées dans l'île de Gorée, au large de Dakar. *L'Histoire d'Adèle H.* se déroulera donc entièrement dans des îles, c'est-à-dire dans des conditions d'isolement qui seront très dures pour toute l'équipe. Pour compléter la distribution, Truffaut se rend à Londres le 9 décembre afin d'auditionner des acteurs anglais à qui il désire confier les seconds rôles. Il engage Bruce Robinson pour le rôle du lieutenant Pinson, Joseph Blatchley pour celui du libraire Whistler, et Sylvia Marriott, la mère d'Anne et Muriel Brown dans *Les Deux Anglaises,* pour interpréter Mrs. Saunders, la logeuse d'Adèle. Truffaut a enfin l'idée de confier un rôle de magicien hypnotiseur à Ivry Gitlis, le célèbre violoniste.

Le 3 janvier 1975, le cinéaste débarque à Guernesey. Il loge à l'hôtel Duke of Richmond, donnant sur le Cambridge Park au cœur de Saint-Peter Port, la principale bourgade de cette petite île à l'atmosphère très puritaine, dont le vrai titre de gloire est d'avoir abrité pendant plus de quinze ans l'exil de Victor Hugo. L'équipe doit séjourner deux mois sur l'île. Truffaut est très heureux de retrouver Nestor Almendros, quatre ans après leur dernière collaboration. Et il a convaincu son directeur de la photographie de prendre Florent Bazin, le fils de Janine et André, comme assistant-opérateur. Désormais, Florent Bazin sera de tous les films de Truffaut comme assistant-opérateur ou cadreur.

Du fait de l'isolement, craignant la morosité et l'ennui en dehors des heures de tournage, Truffaut organise un ciné-club dans une des salles de l'hôtel Duke of Richmond. À raison de deux soirs par semaine, Claude Miller, le directeur de production, est chargé de projeter des films en 16 millimètres : *La Splendeur des Amberson* de Welles, *La Ruée vers l'or* de Chaplin, *Psychose* de Hitchcock, *Les Vikings* de Richard Fleischer, *Le Dernier des*

3

1. *(Ph. page précédente)*. François Truffaut pendant le tournage de *La Peau douce* dans les rues de Lisbonne, 1963. *Je voudrais obtenir un beau trajet régulier, harmonieux, sans chaos et sans erreurs d'aiguillage...*

2. François Truffaut et Jeanne Moreau, tournage de *Jules et Jim*, 1961. *Une histoire centrée sur ce « pur amour à trois »...*

3 et 5. Françoise Dorléac et François Truffaut, tournage de *La Peau douce*, 1963. *Le film sera indécent, complètement impudique...*

4. Jeanne Moreau et François Truffaut, tournage de *La mariée était en noir*, 1967. *C'est un échange d'une intimité extraordinaire qui peut mener à une relation amoureuse...* (Jeanne Moreau).

4

5

6

7

8

6. Jean-Pierre Léaud, Claude Jade et François Truffaut, tournage de *Baisers volés*, 1968. *Les nouvelles aventures d'Antoine Doinel...*

7. François Truffaut et Jean-Pierre Léaud face aux CRS, devant les bureaux de la Cinémathèque française, rue de Courcelles, le 20 février 1968. Les amis du cinéma manifestent leur soutien à Henri Langlois.

8. Claude Lelouch, Jean-Luc Godard, François Truffaut, Louis Malle, Roman Polanski, festival de Cannes, mai 1968. *Le pays était paralysé, il était logique qu'on arrête le festival...*

9. Extrait de presse : *Paris Jour*, 20 mai 1968.

10. Extrait de presse : *Carrefour*, 22 mai 1968.

Le Festival de Cannes a fait aussi sa révolution culturelle

LE 401ᵉ COUP DE FRANÇOIS TRUFFAUT

9

CARREFOUR du cinéma 19

Le « sabordage » du festival de Cannes

LA TENUE DE SOIRÉE n'est plus de rigueur

10

11

12

11. Catherine Deneuve,
Jean-Paul Belmondo,
François Truffaut,
tournage de *La Sirène du
Mississippi*, 1969.
— *Est-ce que l'amour fait
mal ?*
— *Oui, ça fait mal. Quand
je te regarde, c'est une
souffrance.*
— *Hier tu disais que c'était
une joie.*
— *C'est une joie et une
souffrance.*

13

12. François Truffaut, Nestor Almendros, tournage des *Deux Anglaises et le Continent*, 1971.

13. François Truffaut, Jean-Paul Belmondo, Suzanne Schiffman, tournage de *La Sirène du Mississippi*, 1969.

14. Fin du tournage de *L'Enfant sauvage*, 1969. Au premier rang, de gauche à droite : Jean-François Stévenin, Suzanne Schiffman et Pierre Zucca. Au deuxième rang : François Truffaut, Catherine Deneuve, Jean-Pierre Cargol (quatrième en partant de la gauche). Au troisième rang : Nestor Almendros (septième en partant de la gauche). Au dernier rang : Marcel Berbert (premier en partant de la gauche).

15. François Truffaut, Kika Markham, Jean-Pierre Léaud et Stacey Tendeter, tournage des *Deux Anglaises et le Continent*, 1971.

14

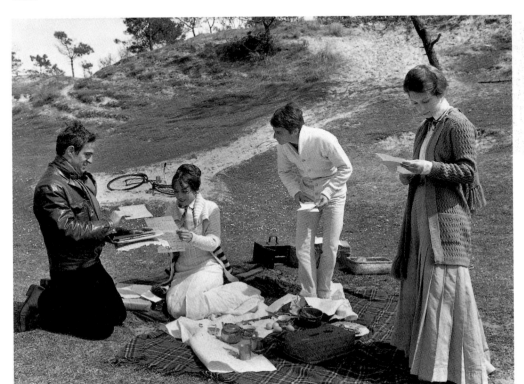

15

16

16. Marie-France Pisier,
François Truffaut, tournage de
Baisers volés, 1968.

17. Jacqueline Bisset, François
Truffaut, tournage de *La Nuit
américaine*, 1972.

18. Jean-Luc Godard, François
Truffaut, 1967. *De la solidarité...*

19. *... à la rupture.* Première
page de la lettre de rupture
adressée par François Truffaut
à Jean-Luc Godard, 1973.

17

18

Jean-Luc. Pour ne pas t'obliger à lire cette lettre désagréable, jusqu'au bout, je commence par l'essentiel : je n'entrerai pas en co-production dans ton film.

Deuxièmement, je te retourne ta lettre à Jean-Pierre Léaud : je l'ai lue et je la trouve dégueulasse. C'est à cause d'elle que je sens le moment venu de te dire, longuement, que selon moi tu te conduis comme une merde.

En ce qui concerne Jean-Pierre, si malmené depuis l'histoire de la grande Marie et plus récemment dans son travail, je trouve dégueulasse de hurler avec les loups, dégueulasse d'essayer d'extorquer, par intimidation, du fric à quelqu'un qui a quinze ans de moins que toi et que tu payais moins d'un million lorsqu'il était le centre de tes films qui t'en rapportaient trente fois plus.

Certes, Jean-Pierre a changé depuis les 400 coups mais je peux te dire que c'est

19

20

20. Yul Brynner remettant à François Truffaut l'Oscar du meilleur film étranger pour *La Nuit américaine*, 1974. *Je suis très heureux parce que* La Nuit américaine *parle des gens de cinéma comme vous : c'est votre trophée...* (Yul Brynner).

21. Steven Spielberg, François Truffaut, tournage de *Close Encounters of the Third Kind*, 1976. *J'avais besoin d'un homme qui aurait l'âme d'un enfant...* (Steven Spielberg).

22. Éva, François et Laura Truffaut.

23. François Truffaut dirigeant le petit Gregory, tournage de *L'Argent de poche*, 1975. *Mes films sont une critique de la façon française d'élever les enfants...*

21

22

23

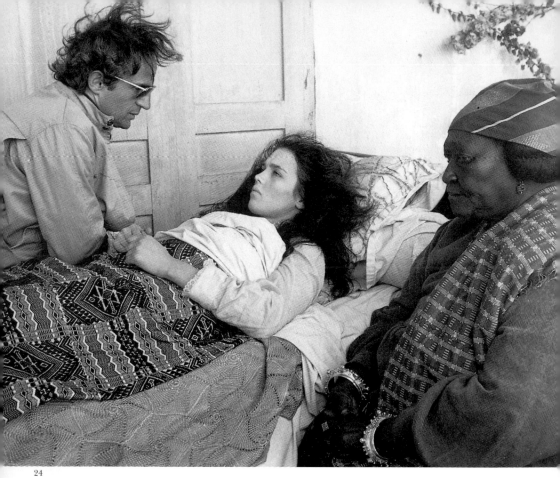

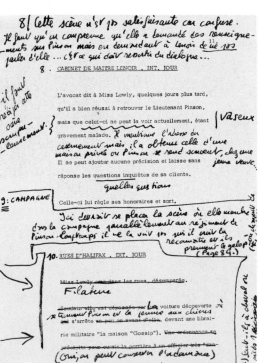

24. *Je la regarde jouer, je l'aide comme je peux, lui disant trente mots quand elle en voudrait cent...* François Truffaut, Isabelle Adjani, Madame Baa, tournage de *L'Histoire d'Adèle H.*, 1975.

25. Extrait du scénario de *L'Histoire d'Adèle H.*, annoté par François Truffaut.

26. Catherine Deneuve, François Truffaut, Suzanne Schiffman, tournage du *Dernier Métro*, 1980.

27. Fanny Ardant, François Truffaut, tournage de *La Femme d'à côté*, 1981. *Ni avec toi ni sans toi...*

26

27

28

29

28. Fanny Ardant, François Truffaut, Jean-Louis Trintignant, tournage de *Vivement dimanche!*, 1983.

29. Gérard Depardieu, François Truffaut, tournage de *La Femme d'à côté*, 1981.

30. Charles Denner, François Truffaut, tournage de *L'Homme qui aimait les femmes*, 1976. *L'histoire d'un cavaleur...*

31. Jean-Pierre Léaud, François Truffaut, à l'époque de *L'Amour en fuite*, 1979. *La fin du cycle Doinel...*

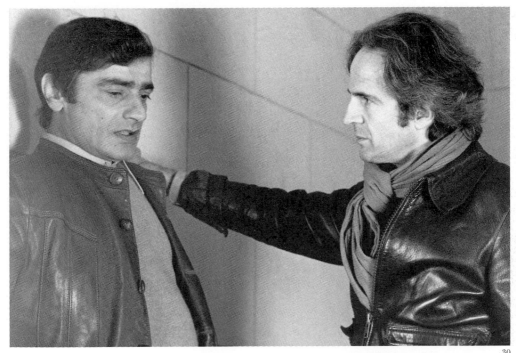

30

31

32.

32. François Truffaut dans *La Chambre verte*, 1978. *Je suis fidèle aux morts, je vis avec eux...*

hommes de Murnau, ou *La Croisière du Navigator* de Keaton... Une manière d'alléger la tension — « nous étions coincés [170] », dira Isabelle Adjani. Mais cette vie austère présente aussi quelques avantages. Ainsi, l'équipe est concentrée et l'atmosphère du tournage quasi religieuse, avec ses bons et ses mauvais côtés. « Tout est empreint de tensions et de passions, mais en dedans, sans spectaculaire, confie Truffaut à Liliane Siegel. Pour cela, c'est assez dur nerveusement, mais les rushes sont vraiment bons. Je suis sage et strictement professionnel, si vous voyez ce que je veux dire, et c'est à mes filles que je pense le plus souvent en amenant Isabelle A. dans la direction des livres d'enfance de jeunes filles [171]. »

Les raisons qui rendent le tournage d'*Adèle H.* très tendu et difficile sont évidentes. Outre l'isolement, il s'agit d'un film en double version, l'une en français, l'autre en anglais, ce qui oblige à multiplier les prises pour obtenir chaque scène dans les deux langues. Surtout, les relations entre l'actrice et son metteur en scène sont délicates, pour ne pas dire passionnelles. « Pour Truffaut, *Adèle* est avant tout l'histoire d'un isolement, confie d'ailleurs Isabelle Adjani. Il a su provoquer un climat de claustrophobie [172]. » Comme à chacun de ses tournages, François Truffaut est amoureux de son actrice principale. « J'ai passé mon temps à le repousser en tant que femme et en tant qu'actrice [173] », avouera plus tard Isabelle Adjani. Dans le contexte de ce tournage confiné, cette passion prend la forme d'un envoûtement. Il semble hypnotisé par son actrice, comme jamais il ne l'a été sur aucun de ses films. « Je la regarde jouer, je l'aide comme je peux, lui disant trente mots quand elle en voudrait cent ou lui en disant cinquante quand il en faudrait un seul, mais le bon, car tout est affaire de vocabulaire dans notre association bizarre. Je ne connais pas Isabelle Adjani, mais pourtant, le soir, mes yeux et mes oreilles sont fatigués de l'avoir trop fortement regardée et écoutée toute la journée [174]. »

Isabelle Adjani, elle, se donne entièrement à son personnage, comme possédée par Adèle Hugo, jeune femme rejetée par un homme plus âgé, le lieutenant Pinson, qui aurait lui-même l'âge de Truffaut. « Adèle n'était pas amoureuse de ce jeune homme mais de son amour pour lui, de l'idée de l'amour qu'elle se faisait [175] », dira Isabelle Adjani. *L'Histoire d'Adèle H.* est donc un film sur l'amour comme obsession, le scénario du film reproduisant en quelque sorte la relation entre le cinéaste et son actrice, mais de façon inversée. Ce qui motive avant tout Truffaut, c'est de filmer au plus près le visage et le corps d'une jeune actrice, hésitante mais en pleine métamorphose : « Il avait besoin que je sois là pour se fixer à moi, pour enregistrer cette idée fixe qu'il avait de moi, cette fixité qu'il exigeait de mon corps [176] », dira encore Isabelle Adjani.

« Il n'est pas rare de voir les petites maquilleuses-coiffeuses pleurer derrière les décors en entendant jouer notre jeune Adèle [177] », écrit Truffaut à Helen Scott. Par sa manière de jouer, refusant les répétitions pour se donner à fond durant les prises, Isabelle Adjani crée un climat qui souvent laisse le cinéaste et son équipe dans un état d'émotion et de tension inconcevable. C'est ce qu'il écrit à Liliane Siegel, depuis Guernesey, en demandant à son amie de n'en rien dire à personne, par « crainte des malentendus » : « Vous me parlez du plaisir que je dois avoir à diriger Isabelle A. C'est tout le contraire d'un plaisir, c'est une souffrance de tous les jours, pour moi, et presque une agonie, pour elle. Car son métier est une religion, et à cause de cela, notre tournage est une épreuve pour tout le monde. Ce serait trop simple de dire qu'elle est difficile, elle ne l'est pas. Elle est différente de toutes les femmes qui font ce métier et comme elle n'a pas vingt ans, s'ajoute à tout cela (à son génie, n'ayons pas peur des mots) une inconscience des autres et de leur fragilité qui crée une tension incroyable [178]. »

Dans un état d'extrême fatigue, Truffaut et son équipe quittent Guernesey le 8 mars 1975, au bout de deux mois de tournage sur l'île, un des plus longs de toute la carrière du cinéaste. Il reste encore une semaine au Sénégal, mais cela ne concerne qu'une partie de l'équipe. Celle-ci quitte Roissy le 12 mars pour Dakar, s'installant en ville à l'hôtel Teranga, ou au petit relais de l'Espadon à Gorée. Épuisé, Truffaut s'offre ensuite une semaine de repos à Dakar avant d'attaquer le montage de son film. Il lui reste à subir ce qu'il appelle « l'épreuve de la Moritone [179] » : voir et revoir le visage d'Isabelle Adjani sur une table de montage, en se demandant s'il a obtenu d'elle ce qu'il espérait. Truffaut comprend assez vite que *L'Histoire d'Adèle H.* est un film vampirisé par le visage de son actrice. Ce qui longtemps lui a semblé être une force, les autres le verront-ils comme tel ? L'accueil du film par certains de ses proches est d'emblée sévère. Gilles Jacob lui écrit « n'avoir guère éprouvé d'émotion [180] », Marcel Ophuls se dit déçu par la froideur d'un film « glacé de l'intérieur par la pâleur du visage d'Adèle [181] ». Même Gruault n'est guère convaincu par le film, la faiblesse essentielle étant qu'« Adèle ne devient pas folle parce qu'elle est amoureuse, on a au contraire l'impression qu'elle est folle dès le départ, dès qu'elle débarque sur le quai [182] ». Cette remarque vise autant le cinéaste que son actrice. Truffaut accuse le coup, il a besoin de recul. Dans deux ans, « il pourra revoir le film comme s'il avait été tourné par quelqu'un d'autre [183] ». Mais il sent bien qu'il y a « quelque chose d'étrange et de boiteux [184] » dans ce film dont le tournage lui a parfois tiré des larmes.

Le 8 octobre, *L'Histoire d'Adèle H.* sort à Paris dans neuf salles du circuit UGC. La première semaine est bonne avec 55 000 entrées, mais le bouche à oreille est médiocre et la fréquentation décroît assez vite. À l'étranger, le film marche mieux, que ce soit au Japon ou en Italie. Le 22 décembre, il sort à New York, bien accueilli par la presse. « *Everyone wants this Success Girl* », titre le magazine *Esquire*, sous une photographie d'Adjani signée Richard Avedon. Entre-temps, spectateur privilégié, Jean Hugo aime le film et le fait savoir à Truffaut. « J'ai été très ému. Vous avez traité cette histoire dramatique avec beaucoup de délicatesse. L'héroïne est exquise de beauté et joue le rôle à merveille [185]. » Dramatique coïncidence : une semaine après avoir vu le film, enthousiasmée et vibrante d'émotion, « en pleurs dès le commencement et jusqu'à la fin [186] », Frances V. Guille, la biographe d'Adèle, est terrassée par une crise cardiaque.

L'Argent de poche

Avant même la sortie d'*Adèle H.*, François Truffaut prépare un nouveau film, meilleur remède pour oublier les tensions et les passions de Guernesey. Après avoir raconté l'obstination amoureuse et la folie d'une jeune femme, il entreprend un film avec des enfants. Pendant les vacances scolaires, il a prévu de tourner *L'Argent de poche* en juillet 1975, quatre mois à peine après être rentré du Sénégal. Pour établir le scénario, il a d'abord consigné quelques petites histoires, dont certaines remontent au temps du travail sur *Les Mistons* ou sur *Les Quatre Cents Coups,* comme celle de la petite fille abandonnée chez elle par ses parents et qui crie « J'ai faim » par la fenêtre, une histoire vraie racontée à Truffaut par Madeleine. D'autres sont autobiographiques, comme celle du premier baiser en colonie de vacances, vécue par l'adolescent en août 1945. D'autres enfin sont tirées de faits divers, ou simplement inventées.

À la fin de l'année 1972, le projet n'existe qu'à l'état de synopsis, une dizaine de pages écrites en collaboration avec Suzanne Schiffman. À ce moment-là, Truffaut envisage un « film à sketches illustrant différents aspects de l'enfance », avec comme point commun à toutes ces histoires « la grande faculté de résistance et de survie des enfants [187] ». Avec ironie, il envisage même de titrer son film *La Peau dure...* Au début de l'été 1974, Truffaut décide de reprendre ce projet en le retravaillant avec Suzanne Schiffman. Son intention n'est pas d'écrire un vrai scénario, car il préfère être libre d'improviser avec les enfants qui joueront dans son film, d'écrire les dialogues au fur et à mesure, sur des situations déjà construites, en faisant passer quelques-unes de ses idées sur l'enfance [188]. C'est Truffaut lui-même qu'il faut entendre, avec ses mots, ses idées et ses intonations, dans le long monologue où Jean-François Stévenin, l'instituteur dans *L'Argent de poche,* s'adresse à ses jeunes élèves : « Je voulais vous dire que c'est parce que je garde un mauvais souvenir de ma jeunesse et que je n'aime pas la façon dont on s'occupe des enfants, que j'ai choisi le métier que je fais : être instituteur. La vie n'est pas facile, elle est dure, et il est important que vous appreniez à vous endurcir pour pouvoir l'affronter. Attention, je ne dis pas à vous durcir, mais à vous endurcir. Par une sorte de balance bizarre, ceux qui ont eu une jeunesse difficile sont souvent mieux armés pour affronter la vie adulte que ceux qui ont été protégés, ou très aimés. C'est une sorte de loi de compensation. Vous aurez plus tard des enfants et j'espère que vous les aimerez et qu'ils vous aimeront. À vrai dire, ils vous aimeront si vous les aimez. Sinon ils reporteront leur amour ou leur affection, leur tendresse, sur d'autres gens ou sur d'autres choses. Parce que la vie est ainsi faite qu'on ne peut pas se passer d'aimer et d'être aimé [189]. »

En avril 1975, après quelques repérages dans le centre de

la France, Truffaut décide de tourner son film à Thiers, dans le Puy-de-Dôme. Fin mai commencent les essais et les auditions des enfants, chaque samedi, dans les bureaux des Films du Carrosse. Trois cents enfants défilent alors rue Robert-Estienne, parmi lesquels quinze interpréteront les principaux rôles de *L'Argent de poche.* Certains enfants d'amis feront partie des élus, tel Georges Desmouceaux, le fils de Lucette et Claude de Givray, ou Philippe Goldmann, celui du philosophe Lucien Goldmann. Les filles de Truffaut font aussi leurs vrais débuts à l'écran, Laura dans le rôle d'une jeune mariée prénommée Madeleine Doinel, mère d'un bébé, Oscar, qui refuse de parler et ne s'exprime qu'en sifflant, Éva dans celui d'une adolescente prénommée Patricia, que ses petits copains emmènent au cinéma dans l'espoir de l'embrasser.

En juin, Truffaut s'installe à Thiers et engage des écoliers de la ville pour les rôles de figuration. L'épouse de l'instituteur (Jean-François Stévenin) est jouée par Virginie Thévenet. Marcel Berbert, Roland Thénot, Monique Dury (la costumière) ou encore Thi Loan N'Guyen (la maquilleuse) apparaîtront également dans le film, tout comme le maire de Thiers, René Barnérias, qui joue un petit rôle. Le tournage de *L'Argent de poche* débute le 17 juillet 1975 et va durer deux mois. Truffaut retrouve Pierre-William Glenn, le chef opérateur de *La Nuit américaine,* pour ce film qu'il veut tourner sur un rythme rapide. Parce que c'est le plein été et que les enfants sont au centre du film, il règne une ambiance de vacances. Truffaut écrit ses dialogues à la sauvette, recueillant, de-ci de-là, les expressions qu'il entend dans la bouche de ses « acteurs ».

Plutôt gai, mais épuisant physiquement, à cause de l'attention permanente portée aux enfants, le tournage de *L'Argent de poche,* que Truffaut a enchaîné sur celui d'*Adèle H.,* le laisse de nouveau dans un état de grande fatigue. Son médecin lui prescrit un mois de repos complet, qu'il décide de passer à Cannes puis à Los Angeles, au Beverly Hills Hotel. À son retour fin octobre 1975, un rude travail de montage l'attend, car il s'agit de ramener le bout-à-bout de *L'Argent de poche* de plus de trois heures à une durée acceptable, autour d'une heure quarante.

Six mois après l'échec de *L'Histoire d'Adèle H.* Truffaut renoue cependant avec le succès. La sortie de *L'Argent de poche,* le 17 mars 1976 dans dix salles parisiennes, est un triomphe.

Une fois encore, le public plébiscite un « petit » film de Truffaut après avoir boudé une œuvre plus ambitieuse. *L'Argent de poche* réalise 470 000 entrées en six mois d'exploitation, égalant le succès des *Quatre Cents Coups*. Même phénomène à l'étranger, que ce soit aux États-Unis (près d'un million et demi de dollars de recettes pour *Small Change*), en Allemagne, en Scandinavie ou au Japon. En Amérique, avec *Adèle H.* et *Small Change*, Truffaut obtient deux succès consécutifs la même année, faisant désormais partie du club des « *One million dollars' Directors* », avec des films qui n'en coûtent que la moitié.

Une semaine après la sortie parisienne, Truffaut est fier de montrer *L'Argent de poche* aux habitants de Thiers. Accompagné de Roland Thénot et de Suzanne Schiffman, il est reçu par le maire, René Barnérias, le député Michel Debatisse, le sous-préfet et les 272 enfants invités. Truffaut fait un tabac, et dans le mois qui suit, 7 744 personnes voient le film, ce qui représente un succès indéniable dans une ville qui ne compte après tout que 17 000 âmes.

Un homme qui aurait l'âme d'un enfant

François Truffaut ne prévoit pas de tourner avant l'automne 1976. D'ici là, il se donne six mois pour se reposer, écrire quelques préfaces et mettre au point le scénario de *L'Homme qui aimait les femmes*. Le 2 mars 1976, un appel téléphonique de Los Angeles vient modifier ses plans. À l'autre bout du fil, un jeune cinéaste américain de vingt-neuf ans lui propose un rôle dans son prochain film. Il s'agit de Steven Spielberg, qui s'est fait remarquer avec un premier long métrage, *Duel*, réalisé en 1973 pour la télévision, devenu un film culte du nouveau cinéma américain. Le public international connaît davantage Spielberg pour son troisième long métrage, *Les Dents de la mer*, le plus gros succès du box-office de toute l'histoire du cinéma. Spielberg vient d'achever le scénario de *Close Encounters of the Third Kind (Rencontres du troisième type)* et propose à Truffaut le rôle d'un savant français spécialiste des ovnis : « J'avais besoin d'un homme qui aurait l'âme d'un enfant, dira Spielberg, quelqu'un de bienveil-

lant, de chaleureux, qui pourrait totalement admettre l'extraordinaire, l'irrationnel [190]. » Adolescent prodige né dans l'Ohio en
1946, puis ayant fait ses études de cinéma à l'université, Steven
Spielberg a vu *L'Enfant sauvage* et *La Nuit américaine,* deux films
qui l'ont profondément marqué. Il pense pouvoir compter sur
le talent d'acteur de Truffaut pour incarner son personnage
d'« homme-enfant » auquel il a donné un nom bien français :
Claude Lacombe.

Dès le lendemain de l'appel téléphonique de Spielberg, sa
productrice, Julia Philips [191], qui travaille pour la Columbia, fait
parvenir le scénario du film à Truffaut, en ayant pris soin de
faire traduire en français tout ce qui concerne son personnage.
Une dizaine de jours plus tard, le 15 mars très exactement, Truffaut adresse un télégramme à Spielberg : « J'aime le script et
j'aime Lacombe. Stop. J'aimerais être capable de l'interpréter,
mais je dois y réfléchir car je suis supposé tourner un nouveau
film au début du mois de septembre. Stop. Sincèrement
vôtre [192]. » Truffaut n'est évidemment pas insensible à la proposition qui lui est faite. Être acteur, cette fois dans une production
hollywoodienne de onze millions de dollars dirigée par un jeune
cinéaste talentueux, constitue non seulement un vrai dépayse-
ment mais surtout un pari excitant. Pris au dépourvu, Truffaut
doit, avant de donner sa réponse, modifier son emploi du temps
d'ici l'automne. Il pose comme condition à Julia Philips d'être
libre au mois d'août à Los Angeles, afin de pouvoir y retravailler
le scénario de *L'Homme qui aimait les femmes.* Il interroge également la productrice sur les dates et lieux de tournage, ainsi que
sur son cachet d'acteur. « Je me demande si vous allez comprendre mon anglais très spécial, j'espère que oui [193] ! », lui écrit-il
pour conclure. Parallèlement, Truffaut contacte son avocat à Los
Angeles, Louis Blau, et son agent, Rupert Allen, pour leur confier
le soin de négocier son contrat. C'est dire qu'à ce moment il a
pratiquement dit oui à Spielberg. Celui-ci et la Columbia font
tout pour faciliter la participation de Truffaut à l'aventure de
Close Encounters of the Third Kind. Ils lui assurent que le tournage,
prévu pour débuter en mai 1976, n'excédera pas quatorze semaines, qu'il sera libre durant quinze jours vers la mi-août, enfin ils
lui proposent un cachet non négligeable : 85 000 dollars. Truffaut accepte le rôle de Claude Lacombe, spécialiste des ovnis.
Son arrivée à Los Angeles est prévue le 5 mai 1976, le film

étant déjà en pleine préparation puisque le tournage débute quelques jours plus tard à Gillette, dans les montagnes du Wyoming, près de la Devil's Tower, un curieux mont de forme cylindrique qui fait la réputation de l'endroit.

Dès son arrivée à Hollywood, Truffaut est séduit par Steven Spielberg, les deux hommes partageant le même amour du cinéma, notamment leur admiration pour Howard Hawks [194]. Il ne le trouve ni prétentieux, alors que Spielberg est déjà « l'auteur du film le plus *successful* de toute l'histoire du cinéma [195] », ni même angoissé par le fait d'avoir à diriger une aussi grosse production. Truffaut admire le calme et la bonne humeur avec lesquels Spielberg réalise « un rêve d'enfance ». Néanmoins, les quinze premiers jours de tournage à Gillette sont pénibles. Mal à l'aise à cause des problèmes de langue, perdu au milieu de plusieurs dizaines de techniciens, Truffaut a le mal du pays. « J'aime l'Amérique, mais Los Angeles plus que le Wyoming ou l'Alabama et vous me manquez, ainsi que nos déjeuners à la boulangerie [196] », écrit-il à son ami Serge Rousseau, qu'il retrouve souvent, quand il est à Paris, dans la boulangerie qui fait restaurant au coin de la rue Marbeuf et de la rue Robert-Estienne à cent mètres de son bureau. Truffaut, toujours aussi peu attiré par le tourisme, refuse même d'aller visiter le fameux Mount Rushmore, avec les têtes des présidents américains taillées dans la pierre, là où Hitchcock tourna les dernières séquences de *La Mort aux trousses*. Il passe l'essentiel de son temps à attendre. « C'est amusant parfois, mais très lent, très long, et je dois reconnaître que la condition d'acteur a un aspect (ou plutôt des aspects) assez misérable [197] », écrit-il à Nestor Almendros. S'il prend un plaisir certain à « jouer sans trac », réussissant souvent à faire rire l'équipe américaine, Truffaut découvre la frustration de l'acteur, contraint entre deux prises à une totale passivité, à l'inaction et à l'attente. C'est un état absolument contraire à tout ce qui le caractérise en temps normal sur un tournage, lui qui met un point d'honneur à toujours garder l'initiative, à contrôler les situations et à maîtriser son emploi du temps. Il se sent bloqué, « presque comme dans un camp (doré) de prisonniers [198] », avouant à Marcel Berbert que jamais plus il n'acceptera d'être dirigé par d'autres cinéastes. Sur le plateau de *Close Encounters,* il découvre également les effets spéciaux et les truquages techniques, dont c'est la grande vogue dans le cinéma américain (la même année, George Lucas, le meilleur ami de Spielberg, entreprend *Star Wars,* qui sera l'un des plus gros succès du box-office mondial). Tandis que la caméra filme les acteurs en train de jouer leurs scènes, un cache en haut du cadre masque une partie de l'image où seront incrustés plus tard les truquages réalisés en studio au moyen de la vidéo et des images de synthèse. C'est sur cette partie de l'image, donc de l'écran, que viendront s'inscrire les fameux objets volants que le professeur Lacombe est censé apprivoiser. Cette technique très sophistiquée, qui marque une étape impor-tante dans l'histoire des effets spéciaux au cinéma, ralentit de manière considérable le rythme du tournage, ce qui fera dire à Truffaut que Spielberg ne tourne que trois ou quatre plans par jour.

Après un intermède d'une dizaine de jours à Los Angeles, durant lesquels le tournage a lieu dans les studios de la Colum-bia (ce qui permet à Truffaut de retrouver avec plaisir Jean Renoir et de séjourner au Beverly Hills Hotel), l'équipe se déplace en juin 1976 à Mobile, dans l'Alabama, au centre des États-Unis, où elle restera deux mois. Là, dans un immense han-gar, de gigantesques décors ont été aménagés, intégrant les dis-positifs électroniques les plus performants qui laissent Truffaut assez médusé. « Ça vaut le coup d'œil », écrit-il à Marcel Berbert, inquiet toutefois que le film prenne du retard à cause des nom-breux effets spéciaux. À Madeleine le 13 juillet : « Je ne peux pas te décrire le tournage sous cet énorme hangar représentant un souterrain secret équipé en électronique, où le vaisseau spa-tial se posera, car nous ne commençons à y tourner, je crois, que demain. C'est un endroit plus grand, plus large et plus haut qu'aucun studio d'Hollywood, d'où ce choix : simplement les gens de la production ne savaient pas qu'il y avait des trous dans le toit (catastrophe pour le décor), etc. Plus tard. J'ai vu le han-gar, pas mal. On ne tourne pas aujourd'hui, pagaille monstre. En plus de l'équipe : 120 personnes, il y a de la figuration, cent personnes également réparties par petits groupes : les chimistes, les ingénieurs, les médecins, les météorologues, les standardis-tes, c'est difficile à comprendre pour moi aussi ; en principe, je dirige un groupe de pseudo-français intitulé " la société de lumière ". À la fin, des petites filles s'envoleront, le vaisseau spa-tial arrivera, on se palpera, etc. tout cela avant octobre, j'espère [...] P.S. [...] : on vient de me téléphoner que j'aurai mon bureau demain, la vie est belle, les Films du Carrosse auront une antenne à Mobile [199] ! »

Mais Truffaut finit par s'habituer à ce monde de technologie et de démesure qui n'est pas le sien : « J'apprends toutes sortes de choses qui ne me serviront jamais [200] », dit-il avec humour à Berbert, connaissant le savoir-faire de son bras droit pour gérer avec parcimonie les modestes budgets de ses propres films. À Mobile, Truffaut s'organise durant ses heures libres, parvenant à recréer son propre univers, grâce notamment au bureau particulier que lui accorde la production à l'intérieur du hangar qui fait office de studio de cinéma. Cet espace lui sert de « *dressing-room* », il peut s'y reposer, lire, ou recevoir ses amis, l'acteur-vedette du film, Richard Dreyfuss, ou Bob Balaban, qui joue également dans *Close Encounters,* ou encore le chef opérateur hongrois Vilmos Zsigmond.

Josiane Couëdel, sa secrétaire des Films du Carrosse, lui envoie régulièrement son courrier depuis Paris, ainsi que les journaux et magazines qu'il a l'habitude de lire : *L'Express, Le Point, Le Nouvel Observateur, Télérama, Le Film français,* la page cinéma du *Monde.* Entre deux prises, il écrit énormément de lettres à ses amis et travaille au scénario de *L'Homme qui aimait les femmes* : « La première version [...] est terminée, je n'en suis satisfait qu'à 50%, mais j'ai l'impression de voir, beaucoup plus clairement que d'habitude, ce qu'il faut faire pour l'améliorer considérablement et je dois dire que j'ai le temps de fignoler. [...] Pour l'instant, la question préoccupante est celle-ci : peut-on, en novembre, lancer des femmes en robes légères dans les rues de Montpellier ou serait-il plus raisonnable d'attendre le printemps 77... ? Le scénario devient assez marrant. Sachant d'avance que le puritanisme de Denner empêchera beaucoup de choses, je m'exerce à trouver des solutions indirectes pour que les choses soient, malgré cela, chargées de tension et d'érotisme. Je ne trouve guère qu'une vraie bonne idée chaque semaine, mais depuis pas mal de temps déjà... Bon, ça va, je sais qu'en définitive, je me ferai engueuler par tout le monde et quand je dis tout le monde, ça commence tout près de moi [201]... »

Il prend aussi quelques notes sur le travail de l'acteur, avec l'idée d'en faire plus tard un livre ou un essai dont il a déjà trouvé le titre : *L'Attente des acteurs,* et dans lequel il songe à réunir ses propres impressions, depuis *L'Enfant sauvage* jusqu'à son expérience avec Spielberg.

Mi-août, comme prévu, Truffaut est libre deux semaines. Il a fait en sorte que Suzanne Schiffman le rejoigne à Los Angeles. Là, dans une suite du Beverly Hills Hotel, les deux complices mettent la dernière main au scénario de *L'Homme qui aimait les femmes,* que Truffaut compte tourner en octobre de la même année. Début septembre, il est de retour à Mobile pour les quinze derniers jours de tournage. Toujours dans l'immense hangar lui servant de décor, Steven Spielberg tourne la fin de son film, l'arrivée du navire spatial et la fraternisation entre les humains et les extraterrestres, sous l'œil attendri du professeur Lacombe. Il ne restera enfin qu'une dizaine de jours de tournage, cette fois en Inde, non loin de Bombay, au début de l'année 1977, où Truffaut se rendra après la réalisation de son propre film.

Tout compte fait, après une période d'adaptation difficile, Truffaut n'est pas mécontent de cette expérience. Cela l'a obligé à se mettre dans la peau d'un autre et, doublement, celle d'un étranger. Le rôle du professeur Lacombe, imaginé par Spielberg, suppose en effet un décalage linguistique et culturel. Et, même si l'univers d'une grosse machine hollywoodienne est aux antipodes du cinéma tel que Truffaut le conçoit, modeste, artisanal, puis réunissant une petite famille d'acteurs et de techniciens, il a sans doute reconnu dans le personnage de Lacombe un double du docteur Itard, partant à la rencontre d'êtres de l'espace qui sont autant d'enfants sauvages à comprendre. Dans les thèmes qu'ils abordent, Spielberg et Truffaut semblent paradoxalement très proches. Malgré les contraintes que cela impose, Truffaut aime être acteur. Avec sa manière de jouer « neutre », son regard brillant et passionné, il détonne dans ce film typiquement américain. C'est l'effet souhaité par Spielberg, pour qui Truffaut est « l'acteur parfait [202] », celui qui ne pose pas de questions, toujours disponible pour tourner des scènes ou des dialogues non prévus. Reconnaissant, Spielberg écrit ainsi à Truffaut en décembre 1977, une fois son film achevé : « *Close Encounters* se porte merveilleusement — comme je l'ai dit maintes et maintes fois, votre interprétation est magnifique [203] ! », et lui demande même d'écrire l'introduction du livre racontant le *making of* du film.

Sorti le 6 février 1978 aux États-Unis (le jour où Truffaut fête ses quarante-six ans), le film de Spielberg reçoit un accueil enthousiaste, aussi bien de la part de la critique que du public. Un mois plus tard, les deux cinéastes se retrouvent à Londres pour une projection spéciale de *Close Encounters* en présence de la reine d'Angleterre. Entre-temps, le film est sorti à Paris, précédé d'une émission télévisée consacrée à Truffaut et animée par Michel Drucker. Dans le monde entier, le personnage de Claude Lacombe révèle François Truffaut à de nombreux spectateurs qui ne voyaient pas forcément ses films. Il est en quelque sorte devenu davantage qu'un cinéaste : « Un humaniste [204] », dit de lui Steven Spielberg.

Un chasseur solitaire

Le premier titre de ce qui allait devenir *L'Homme qui aimait les femmes* a longtemps été *Le Cavaleur*. En exergue du scénario, François Truffaut a inscrit cette phrase tirée d'un livre de Bruno Bettelheim : « Il apparut que Joey n'avait jamais eu de succès auprès de sa mère [205] », preuve manifeste que, cette fois encore, il s'agit d'une histoire autobiographique. Truffaut a l'intention de faire le portrait d'un « cavaleur », d'un homme qui met l'amour des femmes au-dessus de tout dans son existence, sans doute pour refouler et exalter dans le même temps un premier amour déçu envers sa mère. Truffaut a toujours été fasciné par ce genre d'hommes, ceux « qui aiment les femmes ». Ni les dragueurs ni les Don Juan, pour qui la séduction est un jeu, mais ceux pour qui séduire est une passion, une idée fixe, une occupation sérieuse de tous les instants. Comme si, à chaque nouvelle conquête, leur existence était en jeu. Ces hommes-là, Truffaut en a connus, qu'il s'agisse d'Henri-Pierre Roché ou de Jacques Audiberti. Lui-même, malgré sa timidité et sa grande pudeur, est un « homme à femmes ». Cette timidité fait elle-même partie de son charme, et Truffaut s'en sert comme d'un atout pour séduire, ou se laisser séduire par les femmes. « François avait une sensibilité féminine, dit par exemple Liliane Dreyfus, il savait lire dans les regards [206]. » Il peut parfois se montrer craintif à l'égard d'une femme, dans les périodes de sa vie où il n'est pas sûr de lui, ou lorsqu'il ne désire pas se livrer entièrement. Mais aussi se montrer plus audacieux, capable de harceler celles qui lui résistent ou qui s'en tiennent à le considérer comme un ami ou un agréable compagnon, plutôt qu'un amant. « Très fidèle, mais possessif [207] », tel est le leitmotiv qui revient dans plusieurs témoignages. À la longue, ces amours parallèles, souvent complexes mais qui s'emboîtent, dessinent ainsi une vie en forme de puzzle. « Il y avait toujours un commencement, rarement une fin », poursuit Liliane Dreyfus. Il me protégeait, à la fois comme un père, un mari et un frère, à tous les moments de ma vie. Ce qui n'empêchait pas qu'il pouvait être parfois cruel, même avec les gens qu'il aimait [208]. » « Profondément infidèle, davantage par appétit de séduction, ou besoin d'être aimé, que par besoin dévorant [209] », dira Madeleine Morgenstern. La relation amoureuse se transforme alors en amitié. Ou se poursuit de manière plus durable, de manière explicitement sexuelle. Jeanne Moreau évoquait les « harmonies inéluctables... ». Le charme de Truffaut, son obsession de vouloir séduire, les hommes aussi, ceux qui l'ont bien connu, sont à même d'en parler. Claude Chabrol n'hésite pas à dire que le grand thème chez Truffaut, dans sa vie comme dans son œuvre, « c'est l'harmonisation des rapports [210] », cette recherche permanente, parfois désespérée, du juste équilibre ou du bonheur. « François était un homme absolument charmant, dans le sens propre du terme : il charmait. Mais je me suis souvent posé la question de savoir s'il avait été heureux dans sa vie [211]... » Philippe Labro évoque lui aussi « cette pulsion, cette soif, cette voracité de séduire. Mais François n'est pas non plus un Don Juan creux. Car au-dessus de tout, il y a le travail, l'idée d'imposer un style et un univers, un désir de déployer tout son talent [212]. »

Mais l'idée du *Cavaleur*, c'est-à-dire d'un film ayant pour principal personnage un séducteur, un « homme à femmes », doit beaucoup à Michel Fermaud, une vieille connaissance de Truffaut rencontrée à la fin des années cinquante dans l'entourage des *Cahiers du cinéma*. À peu près du même âge, les deux hommes se tutoient, privilège que Truffaut n'accorde qu'avec parcimonie. Originaire de Bordeaux, Michel Fermaud fit d'abord la connaissance de Nicole Berger au cours de vacances à Saint-Jean-de-Luz, vers la fin des années cinquante. La future actrice de *Tirez sur le pianiste* le présente à son beau-père, Pierre Braunberger. Ayant quitté Bordeaux pour Paris, Fermaud devient dès lors assistant-réalisateur sur des courts métrages produits par les Films de la Pléiade, la société de production de Braunberger, installés aux Champs-Élysées. Michel Fermaud n'a qu'à traverser l'avenue pour rendre visite aux *Cahiers,* où il se lie d'amitié avec Jean-José Richer et Jacques Doniol-Valcroze. Lorsque Doniol réalise ses premiers courts métrages pour Braunberger, il engage Fermaud comme assistant. « J'ai souvent vu Truffaut aux *Cahiers,* seulement vu, on ne peut pas dire que nous nous sommes connus à cette époque [213] », se rappelle Fermaud. À peu près à la même époque, en 1958, Fermaud écrit une pièce de théâtre, *Les portes claquent :* « La pièce avait été refusée par quatorze théâtres, dit Fermaud, on a donc loué le théâtre Daunou pour quinze jours, pensant que cela était suffisant. » La pièce, interprétée notamment par Jean-Claude Brialy et Michael Lonsdale, est un triomphe. « François est venu la voir, on s'est rencontrés, on a eu de longues conversations, il savait que j'aimais les femmes [214] », poursuit Fermaud. C'est de leur même passion pour les femmes que naît une certaine complicité entre les deux hommes. Mais pendant une quinzaine d'années, ils se perdent de vue.

En décembre 1974, Truffaut renoue avec Fermaud en l'invitant à déjeuner dans un restaurant des Champs-Élysées. Il sollicite ce « spécialiste », afin qu'il lui vienne en aide pour bâtir son scénario. Comme il a coutume de le faire avec ses scénaristes, Truffaut demande à Fermaud de recueillir le plus grand nombre possible d'anecdotes relatives à ses conquêtes féminines. Que ce soit ses rendez-vous réguliers avec une ouvreuse dans une salle de cinéma, ou une drague dans une cabine d'essayage, une scène dans les toilettes d'un restaurant ou dans un grand magasin, toutes ces histoires sentimentales et sexuelles offrent une belle galerie de personnages féminins, de « la femme facile » devant laquelle le cavaleur échoue pourtant, à celle qui « lui semble une citadelle imprenable » mais qui « lui saute dessus [215] », sans oublier la femme mariée obligée de ruser pour retrouver son amant.

Le 18 février 1975, Michel Fermaud remet une première série de notes à Truffaut, avec un commentaire en forme d'autoportrait. « Si j'ai bien compris, le personnage principal n'est pas un obsédé sexuel ni un dragueur. Simplement, il se donne un mal fou pour conquérir le sexe opposé, pour le satisfaire, pour s'en débarrasser, comme si sa vie en dépendait. Est-il mû par une certaine peur de la solitude ? Il a dû t'arriver, comme à moi-même, de ramener le soir quelqu'un dont tu n'avais pas très envie, simplement à cause d'une certaine angoisse. Est-ce le besoin de plaire, de s'affirmer, de vaincre, qui le pousse ? Tente-t-il d'apaiser un trop plein d'appétit sexuel ? À quel milieu appartient-il [216] ? » Truffaut annote les fiches de son ami, puis les lui renvoie. « François me disait : plus comme ci, plus comme ça, je me faisais parfois violence parce que je ne ressentais pas toujours les choses de la même manière que lui [217]. » En fait, Fermaud est un séducteur sans problèmes, un hédoniste, ce qui n'est pas le cas de Truffaut : « Il me regardait comme un béni des dieux, une sorte de monstre, dit encore Fermaud. François était très discret sur ses relations amoureuses avec les actrices ; je m'en rendais compte en travaillant chez lui, avenue Pierre-Iᵉʳ-de-Serbie, j'entendais les nombreux coups de fil, il était dans des imbroglios invraisemblables avec des femmes, toujours dans le non-dit, le caché [218]. » Grâce à Fermaud, Truffaut s'appuie donc sur une série d'anecdotes, de saynettes légères mais détaillées qui vont l'aider à écrire son scénario. Le personnage principal du *Cavaleur*, Bertrand Morane, est en quelque sorte un dépressif entouré de femmes. En fait, il emprunte autant à Fermaud qu'à Truffaut. Cette similitude biographique entre le cinéaste et son personnage est tout particulièrement évidente dans les flashes-back du film, qui reconstituent des souvenirs d'enfance ou d'adolescence, toujours liés à la figure de la mère. « Ma mère avait l'habitude de se promener à demi-nue devant moi, écrit ainsi Bertrand Morane dans son journal. Non pour me provoquer évidemment mais plutôt, je suppose, pour se confirmer à elle-même que je n'existais pas. Tout, dans son comportement avec moi petit garçon, semblait dire : "J'aurais mieux fait de me casser la jambe le jour où j'ai enfanté ce petit abruti. " »

Au printemps 1976, lorsqu'il rejoint Spielberg en Californie pour quelques mois, Truffaut emporte avec lui les notes rédigées par Fermaud. De son côté, Suzanne Schiffman commence à ébaucher un fil conducteur, une construction narrative. Comme convenu, tous deux se retrouvent en août à Los Angeles et, pendant deux semaines, travaillent au scénario du film. Curieusement, celui-ci commence au cimetière : on enterre un homme et autour de la tombe, il n'y a que des femmes qui l'ont aimé. D'une quarantaine d'années, Bertrand Morane habitait Montpellier et était ingénieur à l'Institut d'études de la mécanique des fluides, expérimentant sur des maquettes d'avions, de bateaux ou d'hélicoptères, les effets des turbulences atmosphériques. Mais sa passion était exclusivement tournée vers les femmes. Aucune ne le laissait indifférent, brune ou blonde, « grande tige » ou « petite pomme », chacune, avec ses caractéristiques, entrant dans une sorte de glossaire détaillé de la féminité. Morane aimait les rousses pour leur odeur, les blondes platinées pour leur artifice, les jeunes qui croient que le monde leur appartient, les femmes mûres qui persévèrent dans la coquetterie, les veuves parce qu'elles sont disponibles, les femmes mariées parce qu'elles ne le sont pas. Pour Bertrand, les jambes des femmes sont des « compas qui arpentent en tous sens le globe terrestre, lui donnant son équilibre et son harmonie ».

Ce personnage, tel que Truffaut le définit au cours des séances de travail avec Michel Fermaud, est un chasseur solitaire et anxieux, cherchant à conquérir les femmes au prix des pires difficultés, de l'inconnue dont il aperçoit les jambes dans une blanchisserie, à la baby-sitter dont il note le numéro sur le panneau d'affichage d'un grand magasin, de la loueuse de voiture à Aurore, la standardiste invisible du réveil par téléphone, de la serveuse de café karatéka à l'ouvreuse de cinéma sourde et muette, d'une femme qui revient dans sa vie après une longue rupture à celle qui ne peut faire l'amour que dans des situations précaires. Un soir, une femme d'âge mûr qui tient une boutique de lingerie fine, se refuse à Bertrand Morane. Appréciant sa compagnie, elle lui avoue qu'elle n'aime que les jeunes hommes. Cet échec décide Morane à écrire un roman autobiographique qu'il intitule *Le Cavaleur*. En écrivant son histoire, en racontant ses aventures, le personnage fait revivre les femmes de sa vie. Il l'écrit dans la fièvre la plus totale et, au fur et à mesure que son manuscrit avance, il le fait taper par une secrétaire. Mais celle-ci abandonne au troisième chapitre, choquée par le contenu du livre qu'elle trouve trop impudique. Dès lors, Bertrand Morane doit dactylographier lui-même son roman en tapant avec un doigt. Il l'adresse à quelques éditeurs parisiens.

Le manuscrit séduit Geneviève, une éditrice. Le comité de lecture des éditions Bétany, où elle travaille, donne son accord, en proposant un nouveau titre : *Le Cavaleur* devient *L'Homme qui aimait les femmes*. Geneviève suit le projet jusqu'à l'impression du livre dans une imprimerie installée dans la région de Montpellier. À cette occasion, elle passe l'après-midi avec lui dans une chambre d'hôtel, et devient ainsi une de ses maîtresses. Après son départ, ne pouvant se résigner à passer la soirée de Noël seul, Morane se promène dans les rues de Montpellier espérant croiser une femme. Il en aperçoit une de l'autre côté de la rue, veut la rejoindre mais se fait renverser par une voiture. Gravement blessé, on le transporte à l'hôpital. Lorsque Bertrand ouvre un œil, c'est pour voir les jolies jambes d'une infirmière. C'est plus fort que lui, il essaie de se lever, tombe et meurt, comme l'avare Grandet s'efforçant de s'emparer du crucifix en or que lui tendait le prêtre. *L'Homme qui aimait les femmes* est sûrement l'un des plus beaux scénarios de François Truffaut [219].

D'emblée, il a mis un visage sur son cavaleur : celui de Charles Denner. « J'avais envie d'entendre sa voix tout au long d'un film. Sa gravité me plaisait. Je ne voulais pas que mon coureur de femmes soit avantageux, je le voyais plutôt anxieux, très éloigné du stéréotype du tombeur content de lui et agaçant [220]. » Truffaut aime l'étrange mélange d'humour et de gravité chez ce comédien passionné, imprévisible et sincère qui, après Aznavour et Léaud, devient son double à l'écran. Même apparence physique, même angoisse, même intelligence vive et inquiète. Au moment où il écrivait son scénario, Truffaut s'était discrètement renseigné auprès de Serge Rousseau, l'agent de Denner, pour savoir si ce dernier serait disponible à l'automne 1976. Avec ses manies et son goût du secret, Truffaut demande le maximum de discrétion à Rousseau. Ce n'est qu'en novembre 1975, au cours d'un déjeuner dans un restaurant de la rue François-Ier, que le cinéaste raconte son histoire à Denner et lui propose le rôle principal.

Parallèlement, Marcel Berbert négocie le financement du film avec Jean Nachbaur des Artistes Associés. De son côté, Gérard Lebovici, à qui Truffaut a demandé d'être son agent pour négocier ses propres contrats d'auteur-réalisateur, et celui des Films du Carrosse, fait monter les enchères : il demande six millions de francs aux Artistes Associés, qui refusent. Berbert se montre plus raisonnable et transige. « François cherchait la sécurité, il avait Lebovici et moi, ce qui représentait deux genres différents, sans doute complémentaires à ses yeux [221] », témoigne aujourd'hui Marcel Berbert. « Lebovici était un homme extraordinaire, poursuit-il, il allait voir les Américains et revenait en disant qu'il avait obtenu telle somme d'argent. Moi, les pieds sur terre, je savais que c'était impossible. Je devais renégocier avec les Artistes Associés pour concrétiser, aller jusqu'au contrat. Un mois plus tard, Gérard me disait : " Quand même, Marcel, c'est un bon contrat ! François va être content ! " » Si Lebovici et Berbert se complètent, les deux hommes n'ont pas tout à fait la même approche économique du cinéma. Responsable d'Artmédia, la principale agence artistique en Europe, qui réunit les plus grandes vedettes du cinéma français, mais également des scénaristes et des réalisateurs, Gérard Lebovici est très concerné par l'évolution de l'industrie du cinéma, fortement secouée par la montée en puissance de la télévision. Si celle-ci concurrence sensiblement l'exploitation des films en salles, elle n'en assure pas moins une part de plus en plus importante dans le financement de la production. Toute la stratégie de Lebovici consiste à faire en sorte que les vedettes et les cinéastes qu'il représente au sein d'Artmédia deviennent eux-mêmes producteurs à part entière. À ce titre, François Truffaut sert d'exemple, puisqu'il est, depuis ses débuts, auteur, réalisateur, et producteur. Lebovici est conscient de la valeur commerciale et symbolique qu'incarne Truffaut en France et à l'étranger. « Ce qu'a apporté Gérard Lebovici à François, c'est une vision globale du système, dit Jean-Louis Livi, longtemps le collaborateur le plus proche de Lebovici, avant de devenir lui-même producteur. Il y avait beaucoup de points communs entre eux. D'abord, l'amour des femmes, et puis une culture littéraire exceptionnelle. Le dialogue entre les deux hommes pouvait s'instaurer facilement. Mais il existait une différence fondamentale : François était assez timoré sur le plan des affaires, tandis que Lebovici était un aventurier. François était impressionné par ce côté aventurier, et Gérard appréciait l'humilité de François, et voulait l'aider à faire de grandes choses [222]. »

En septembre 1976, à son retour des États-Unis, Truffaut s'occupe de distribuer tous les rôles féminins de *L'Homme qui aimait les femmes*. Brigitte Fossey sera Geneviève, l'éditrice et la dernière maîtresse de Bertrand Morane. Leslie Caron apparaît sous les traits de Véra, une femme qui fut autrefois le grand amour de Morane et qu'il revoit par hasard un soir. De cette scène qui ressemble à une confession amoureuse, Leslie Caron pensait qu'elle s'inspirait directement de la vie de Truffaut : « Je croyais que mon personnage dans le film, c'était Madeleine dans la vie de François. J'en ai parlé à Madeleine, qui trouve que Véra ressemble plutôt à Catherine Deneuve [223]. » Geneviève Fontanel incarne Hélène, la marchande de lingerie qui attire le séducteur, mais le repousse finalement pour des hommes plus jeunes. Fidèle à Nathalie Baye avec laquelle il s'entend bien depuis *La Nuit américaine,* Truffaut lui confie un rôle secondaire mais pétillant et léger, et lui demande également de prêter sa voix à la standardiste du réveille-matin avec qui Morane entretient une relation téléphonique quotidienne et équivoque. Truffaut désire aussi retravailler avec Nelly Borgeaud, dont le rôle était ingrat dans *La Sirène du Mississippi* : il lui offre celui de Delphine, une femme mariée, aux désirs impulsifs, qui mène Bertrand Morane aux limites de la folie. Truffaut décide de trouver les autres seconds rôles à Montpellier, la ville où il compte tourner son film et dont il garde un bon souvenir depuis qu'il y est venu présenter *L'Argent de poche.* L'atmosphère y est agréable en hiver, et la ville est assez grande pour favoriser des rencontres, assez petite pour y retrouver au passage des visages de femmes connues. « On m'avait dit, et cela est vrai, que c'était la ville de France comportant le plus grand nombre de jolies femmes au mètre carré [224]... », écrit-il pour justifier son choix.

Début octobre, Truffaut loue une belle maison ancienne du centre ville, rue du Carré-du-Roi, quelques jours à peine avant le début du tournage. Il auditionne bon nombre de comédiennes du Midi de la France pour des rôles secondaires, et sollicite deux figures languedociennes, le cinéaste Roger Leenhardt, issu d'une grande famille protestante de la région, et le critique Henri Agel, qui joueront ensemble dans la scène où le comité de lecture commente le manuscrit de Bertrand Morane et accepte de l'éditer. Commencé le 19 octobre 1976, le tournage dure plus de deux mois, durant lesquels l'équipe investit les rues de la ville, et les bureaux du *Midi libre,* notamment celui de M. Bugeon, le PDG du journal, gracieusement prêtés pour figurer la maison d'édition Bétany. À la Toussaint,

Laura Truffaut oublie son hypokhâgne du lycée Louis-le-Grand et passe quelques jours à Montpellier, pour rejoindre son père qu'elle n'a pas vu depuis plusieurs mois. Ces journées passées sur le tournage de *L'Homme qui aimait les femmes,* où elle est scripte-stagiaire, sont pour elle un « moment inoubliable », mais aussi la cause d'un « véritable déchirement ». Cette expérience survient à un moment décisif dans sa vie. « Christine Pellé, la scripte, m'a appris le métier, témoigne-t-elle. J'étais capable de faire un rapport pour le laboratoire, je savais me rendre utile sur un tournage, me faire oublier s'il le fallait. C'était très diffi-cile, car il fallait que je me décide entre le cinéma et les études. Ce que j'aimais fondamentalement sur les tournages, c'était l'atmosphère. Mais on ne choisit pas un métier pour une atmo-sphère [225] ! » Non sans quelque regret, Laura choisira finalement de poursuivre ses études universitaires...

François Truffaut, qui pensait tourner une comédie, se retrouve comme souvent au montage avec des images d'une tonalité plutôt mélancolique. Au point qu'il songe à nouveau changer de titre : *L'Homme qui avait peur des femmes...* À Mont-pellier, Laura a d'ailleurs senti comme un malaise, presque une blessure, à cause de « ces vagues recoupements entre l'histoire et la vie ; j'avais dix-sept ans et j'ai compris que les divorces, même harmonieux, sont synonymes d'une vraie rupture senti-mentale [226] ». Lorsqu'elle découvre *L'Homme qui aimait les femmes,* la critique le considère moins comme une comédie que comme un film ayant « quelque chose de grave, d'amer, de désespéré peut-être [227] ». Ce qui ne l'empêche pas d'être généralement favorable, en tout cas unanime à saluer la performance de Charles Denner.

À sa sortie en avril 1977, *L'Homme qui aimait les femmes* est aussi l'occasion d'une polémique déclenchée par les féministes, qui considèrent le film comme misogyne, voire machiste. Claire Clouzot, par exemple, le compare à un « inventaire de pièces détachées exhibant des veaux (les bonnes femmes) par escalope de 14 [228] ». Truffaut, même s'il les trouve déplacées, au fond n'est pas surpris par ces attaques. Un mois avant la sortie du film, il avait pris soin de prévenir Charles Denner, lui donnant quelques conseils pour répondre à ce genre d'arguments : « Que vont penser les dames du M.L.F. ? Sur ce point, je suis partisan de répondre que nous n'avons pas cherché à fayoter avec le M.L.F.,

mais que les personnages de femmes quoique nombreux et épi-
sodiques sont assez forts pour tenir tête à Bertrand Morane [229]. »
Truffaut se démarque ici de ce qu'il nomme une « atmosphère
servilement féministe [230] ». Et il est vrai que ses personnages
répondent à une conception traditionnelle de la femme. Les
femmes de son film correspondent surtout, dans leur diversité,
à ses fantasmes et à ses goûts fétichistes : jupe large suivant les
ondulations de la marche, jambes de préférence gainées de bas
noirs, chaussures à talon, sous-vêtements de soie. Il ne s'agit pas
d'une représentation misogyne de la femme-objet, plutôt d'une
image passée, datée, de la féminité et de l'érotisme féminin, très
marquée par les années cinquante, période de sa jeunesse. Se
méfiant terriblement de la mode, y compris celle du féminisme,
Truffaut assume ouvertement sa vision passée, même si elle n'est
pas négative, de la femme. Jean-Louis Bory en fait la remarque
dans son article du *Nouvel Observateur,* qu'il termine ainsi :
« Quand le corps amoureux de Bertrand, sa chair, s'enfouit sous
terre, son amour des femmes continue de vivre grâce au livre,
mais un amour au passé dans un monde où les femmes portent
désormais des pantalons et entendent établir d'autres rapports
avec les hommes que ceux existant entre un chat et une jatte
de crème [231]. »

Malgré la polémique, *L'Homme qui aimait les femmes* est un
succès, puisqu'il attire 325 000 spectateurs à Paris au bout de
douze semaines. Aux côtés de Charles Denner et de Brigitte
Fossey, Truffaut accompagne son film en province et à l'étranger, où le succès remporté est variable selon l'image locale du
« séducteur ». Dans les pays latins, où le donjuanisme ostenta-
toire fait partie des traditions, le film est largement incompris,
alors qu'en Allemagne et dans les pays scandinaves, la gravité et
la mélancolie de ce « cavaleur » sont bien reçues. L'accueil est
plus mitigé aux États-Unis et les recettes sont médiocres. Quant
à la critique américaine, elle semble éprouver quelques difficultés à relier ce film, pourtant absolument essentiel pour son
auteur, à l'ensemble de l'œuvre de Truffaut. Six ans plus tard [232],
Blake Edwards réalisera un *remake* de *The Man who Loved Women,*
avec Burt Reynolds dans le rôle principal, dont l'assurance mus-
clée et le donjuanisme affiché n'ont que peu de rapport avec le
type de séducteur qu'incarnait Charles Denner.

Quelques mois avant la sortie de *L'Homme qui aimait les fem-*

mes, à l'occasion de son quarante-cinquième anniversaire, François Truffaut a fait la connaissance de Marie Jaoul de Poncheville, qui va bientôt devenir sa compagne. Cette belle femme brune d'une trentaine d'années lui a été présentée par Marie-France Pisier, invitée à dîner avec quelques amis avenue Pierre-Iᵉʳ-de-Serbie, à l'occasion de cet anniversaire. « C'est ma cousine de province », annonce Marie-France Pisier en arrivant en compagnie de Georges Kiejman et de Marie de Poncheville. Celle-ci, alors directrice littéraire chez Tchou, intrigue et séduit Truffaut, qui voit en elle un double du personnage fictionnel qu'incarne Brigitte Fossey dans le film qu'il est sur le point d'achever. Très vite, il rappelle la jeune femme. Marie de Poncheville habite place des Vosges, elle vit seule, en élevant une petite fille prénommée Alice. Avec Truffaut, la relation a d'abord pris une tournure « assez chahuteuse », dit aujourd'hui Marie de Poncheville, « car il n'était pas question pour moi d'avoir une relation amoureuse avec lui [233] ». Dans un premier temps, Truffaut fait en quelque sorte le siège : « Un soir, François a sonné à ma porte, je devais sortir, il m'a dit : " Ça ne fait rien, laissez-moi là, je vais lire mes journaux et garder votre fille. " À mon retour, il est parti en me disant "À vendredi prochain ! ". » Ce genre de scène se répète plusieurs fois, et elle n'est pas sans rappeler celle de *L'Homme qui aimait les femmes,* où Bertrand Morane fait venir une baby-sitter chez lui dans le but de la séduire. Jusqu'au jour où ce jeu instauré par Truffaut bascule dans une relation amoureuse et ritualisée. « On se voyait à des jours fixes, sauf le week-end : trois jours chez moi, deux jours chez lui. Notre relation était assez désordonnée, j'étais libre, indépendante, j'élevais ma fille, j'avais une certaine vision de la vie : j'étais pour l'amour libre, comme on disait à l'époque [234]. » L'arrivée de Marie de Poncheville bouscule les habitudes du cinéaste. Par son mode de vie, ses nombreuses relations amicales, son franc parler et le fait qu'elle n'appartient pas au monde du cinéma, elle diffère des femmes que Truffaut fréquente d'ordinaire. Le couple se tutoie, aime aller au cinéma ou au théâtre, effectue quelques voyages en province ou à l'étranger. Truffaut, pourtant si réfractaire à toute mondanité, ne rechigne pas à être présent dans les soirées où Marie reçoit ses amis. « La vie était gaie, il s'est laissé faire, il assumait d'être avec moi en public », commente-t-elle. Cette relation, qui va durer deux années, semble amuser Truffaut qui y trouve un certain équilibre affectif. Jusqu'à ce que des désirs contradictoires réapparaissent chez cet homme, qui ne croit guère à l'harmonie d'une vie de couple tout en affirmant rechercher la tranquillité aux côtés de la femme « idéale ». « Il planifiait son idée du bonheur, avec ses bibliothèques, ses moments de lecture, son travail, il espérait être heureux, tout en vivant dans une grande solitude », affirme Marie de Poncheville. Anxieux, incapable de dissimuler tout à fait son mal-être, il souffre régulièrement de maux de tête qui l'empêchent de trouver le sommeil. Quelque chose de plus profond travaille en lui, avec et contre sa volonté, qui mine toute relation amoureuse.

Vivre avec ses morts

François Truffaut entretient avec les morts, ceux qui ont compté dans sa vie, un rapport très intime. « Je suis fidèle aux morts, je vis avec eux. J'ai quarante-cinq ans et je commence déjà à être environné de disparus [235]. » Depuis André Bazin, mort le premier jour du tournage des *Quatre Cents Coups,* la liste de « ses » morts n'a fait que s'allonger. Des femmes aimées, comme Françoise Dorléac, des hommes admirés, comme Cocteau, dont Truffaut « écoute chaque matin la voix pendant plusieurs jours [236] ». En janvier 1977, il a été affecté par la mort d'Henri Langlois, puis par celle de Roberto Rossellini, survenue six mois plus tard. Ces deux hommes avaient été pour lui comme des « pères », l'initiant à l'amour du cinéma et lui donnant le goût et le courage d'en faire. Lorsque, un mois après avoir présidé le jury du festival de Cannes, Rossellini meurt à Rome, Truffaut rend hommage dans *Le Matin de Paris* à « l'homme qui est, avec André Bazin, le plus intelligent [237] » qu'il ait jamais connu.

La mort et le cinéma semblent faire cruellement bon ménage, constate Truffaut en revoyant à la même période son deuxième film, *Tirez sur le pianiste,* constatant avec tristesse que « la moitié des acteurs qu'on y voit est partie » : Boby Lapointe, Albert Rémy, Nicole Berger, Claude Mansart ou Catherine Lutz. Ces êtres disparus lui manquent, il refuse de les oublier. « Pourquoi ne pas avoir avec les morts la même variété de sentiments

qu'avec les vivants, les mêmes rapports agressifs ou affectueux [238] ? », dit-il dans *L'Express*. Cette idée que l'on peut, que
l'on doit vivre avec les morts, cela fait déjà plusieurs années qu'il
a décidé d'en faire le sujet d'un film, en se demandant « ce que
cela donnerait de montrer sur l'écran un homme qui refuse
d'oublier les morts [239] ».

Le projet remonte à décembre 1970, au moment de sa rupture avec Catherine Deneuve. À l'époque, Truffaut se plonge
passionnément dans la lecture de romans de Henry James, écrivain auquel il voue un culte, visitant les lieux où il a vécu lorsqu'il
se rend à Boston, ou collectionnant toutes les éditions, en anglais
comme en français, de ses ouvrages. Il sollicite son amie Aimée
Alexandre pour qu'elle lui traduise une nouvelle inédite en
français de James, *The Altar of the Dead*, écrite à Londres en 1894.
Et il accumule les éléments biographiques, notamment les
carnets des *Autobiographies* où l'écrivain se penche sur le culte
qu'il a voué toute sa vie à sa jeune fiancée morte. Spécialiste de
littérature russe, Aimée Alexandre [240] lui conseille également la
lecture de nouvelles de Tchekhov et de Tolstoï sur le même
thème. Enfin, proche de Gaston Bachelard, elle lui fait lire *La
Flamme d'une chandelle*, un magnifique petit essai paru en 1961
qui impressionne beaucoup le cinéaste.

Le temps passe et Truffaut tourne ses films selon l'ordre
dans lequel il les a planifiés : *Les Deux Anglaises et le Continent,
Une belle fille comme moi, La Nuit américaine*. Jusqu'à la parution
début 74, chez Stock, de la nouvelle *L'Autel des morts* de Henry
James, traduite par Diane de Margerie. « Les morts, dans
l'univers de Henry James, ont une signification particulière —
on pourrait presque dire : une utilité. D'une manière générale,
ils apportent aux vivants un surcroît de vie parce qu'à travers le
souvenir, ils exaltent l'imaginaire : le héros choisit la réminis-
cence contre les constructions de l'avenir, le rite contre l'action,
le passé contre le présent, les amours défuntes contre les amours
possibles [241] », écrit Diane de Margerie dans une préface largement annotée par Truffaut. C'est à ce moment-là qu'il fait appel
à Gruault (qui vient d'achever le scénario d'*Adèle H.*), pour qu'il
adapte la nouvelle de James.

En juillet 1974, Jean Gruault reçoit son contrat pour l'adaptation de *L'Autel des morts*. « Il n'est pas mirobolant, reconnaît
Truffaut, mais il s'agit encore d'un projet à l'essai et si, comme

je le souhaite, le film se tourne, et dans des conditions normales, il sera toujours temps de reconsidérer cet arrangement [242]. » Truffaut dessine déjà les grandes lignes de son projet, imagine un « suspense [243] » construit autour de l'idée du culte voué à la fiancée morte, avec un personnage principal « mystérieux et prestigieux ». Au passage, il recommande à Gruault la lecture de *La Bête dans la jungle* et *Les Amis des amis,* deux autres nouvelles de James. Enfin, il entend transposer l'atmosphère de la nouvelle dans l'Est de la France, et décaler l'histoire d'une cinquantaine d'années, depuis l'Angleterre victorienne jusqu'à une ville de province française des années vingt, pour que l'histoire soit « directement en liaison avec le souvenir de la Première Guerre mondiale [244] ».

Gruault passe une bonne partie de l'année 1974 à relire Henry James et à s'immerger dans son univers. En octobre, il dispose d'un premier plan « en cinq actes et une vingtaine de tableaux ». En mars 1975, il achève un premier scénario intitulé *La Fiancée disparue,* trois épais cahiers d'écolier bourrés de détails, de personnages, de lieux et de situations. Truffaut le juge trop long, touffu et demande à son ami de le réduire. C'est chose faite un mois plus tard, mais Truffaut est encore insatisfait. Un malaise s'installe entre les deux hommes, d'autant que c'est à ce moment-là que Gruault avoue sa déception à la vision de *L'Histoire d'Adèle H.* Le 21 novembre, Truffaut met les choses au point en écrivant à Gruault : « Je ne déteste pas absolument les malentendus, mais je crois que notre amitié ne devrait pas se laisser entamer par des silences dont je suis, à l'origine, responsable. Dans un premier temps, il y a eu ma déception à la lecture de ton *Autel des morts* ; dans un deuxième temps, ta déception devant *Adèle* sur l'écran. En ce qui concerne *L'Autel des morts,* je t'ai fixé un cadre trop rigide pour te permettre d'inventer et tu as fait de ton mieux. J'ai d'ailleurs mieux aimé ton texte en le relisant, je l'ai fait taper et je m'apprête à le remanier avec Suzanne avant de te soumettre la quatrième version [245]. »

Durant toute cette période, Jean Gruault n'est pas très disponible, car il écrit avec Alain Resnais le scénario de *Mon Oncle d'Amérique.* Si bien que le projet de *La Fiancée disparue* est sur le point d'être abandonné. Truffaut cherche ailleurs, relit tous les volumes de *La Recherche* de Proust [246], et se plonge dans la littérature japonaise, Tanizaki en premier lieu. Il écrit à Koichi

Yamada, son correspondant japonais, en lui demandant de l'aider à trouver des références dans la littérature japonaise concernant le culte des morts. Il consulte également Éric Rohmer, et lui adresse la nouvelle de James, *L'Autel des morts*. Mais l'auteur du *Genou de Claire* ne se sent guère inspiré. Truffaut sollicite également deux amis cinéphiles qu'il avait connus grâce à Bazin, Jean Mambrino, qui est jésuite, et Guy Léger, dominicain, pour les scènes « religieuses » du film. Ces recherches érudites soulignent l'extrême attachement de Truffaut à ce thème, et ses non moins extrêmes hésitations à le transformer en un film.

Le scénario écrit par Gruault reste près de deux ans dans un dossier des Films du Carrosse. Ce n'est qu'au moment où il s'apprête à tourner *L'Homme qui aimait les femmes* que Truffaut se décide à le reprendre. Délibérément, il cherche à recentrer l'histoire autour d'une relation amoureuse impossible entre Julien Davenne, cet homme obsédé par l'idée qu'il faut vivre avec les morts, et Cécilia, une jeune femme prête à entrer dans le culte des morts par amour pour lui. Truffaut introduit également d'autres personnages et d'autres lieux qui ne sont pas dans les nouvelles de James, par exemple le jeune sourd-muet, à la fois confident et enfant sauvage, ou la revue vieillotte, *Le Globe*, pour laquelle Davenne rédige des notices nécrologiques.

À la mi-octobre 1976, Truffaut soumet ses idées à Gruault, qui les accepte et se remet au travail avec ardeur. Il tourne pendant ce temps *L'Homme qui aimait les femmes*. En février 1977, une nouvelle version est prête, comportant une ribambelle de titres possibles : *La Fiancée disparue, La Figure inachevée, La Montagne de feu, Ceux qui n'ont pas oublié, Ceux que nous avons aimés, La Dernière Flamme, Les Autres, Eux, La Fête de la mémoire*. Satisfait de cette nouvelle version, Truffaut adresse un télégramme à Gruault depuis Bombay, où il tourne quelques scènes additionnelles pour *Close Encounters of the Third Kind* : « Le scénario est superbe et je suis très content[247]. » Après un dernier travail sur le script avec Suzanne Schiffman, le scénario définitif est achevé fin mai 1977, mais le titre est encore à trouver, *La Fiancée disparue* ni les autres n'ayant convaincu personne.

Truffaut s'occupe de la distribution des rôles, qui ne sont pas nombreux. Il confie à Nathalie Baye le personnage de Cécilia, l'héroïne du film. Révélée dans *La Nuit américaine* et ayant eu un petit rôle dans *L'Homme qui aimait les femmes*, Nathalie Baye vient de tourner dans *La Gueule ouverte* de Maurice Pialat, aux côtés de Philippe Léotard. *La Chambre verte* est un film qui compte beaucoup pour elle. « Si François m'a demandé de jouer avec lui, c'est qu'il savait que je n'étais pas le genre de comédienne à poser des problèmes, il pouvait compter sur moi, ce qui le rassurait beaucoup [248] », témoigne-t-elle. Dans le film, elle doit en effet donner la réplique à Truffaut, qui a décidé d'incarner lui-même Julien Davenne, après avoir songé un temps confier ce rôle à Charles Denner, qui n'est pas disponible. Mais Truffaut a peur d'apparaître trop vieux pour le rôle. Cela l'obsède au point qu'il interroge son coiffeur qui lui conseille une moumoute dont il ne fera finalement pas usage. En jouant lui-même le personnage, il pense donner au film une dimension plus intime et plus authentique. « Ce film, c'est une lettre à la main, confie-t-il. Si vous écrivez à la main, la lettre ne sera pas parfaite, l'écriture sera peut-être un peu tremblée, mais ce sera vous, ce sera votre écriture [249]. » Truffaut craint surtout que le rôle de Julien Davenne ne paraisse ridicule, voire pathétique, qu'il passe aux yeux des spectateurs pour un fou aux passions morbides. C'est aussi pour cette raison qu'il décide de le jouer lui-même. « Il n'avait pas envie qu'il y ait quelqu'un d'autre entre lui et Julien Davenne, car cette démarche était trop intime [250] », confirme Nathalie Baye. L'actrice se souvient qu'il est même arrivé à Truffaut de douter : « Il me disait " C'est une folie, ça ne marchera jamais ! ", et il avait presque envie de tout arrêter. »

Outre Truffaut et Nathalie Baye, la distribution comprend Jean Dasté (dans le rôle du directeur du *Globe*), Antoine Vitez (en ecclésiastique sévère dans une scène courte, mais intense), Jean-Pierre Moulin (un veuf réconforté au début du film par Davenne) et Patrick Maleon (un jeune acteur sourd-muet incarnant le protégé de Julien Davenne). Sans oublier quelques techniciens et collaborateurs du Carrosse : Josiane Couëdel, par exemple, sa secrétaire, qui apparaît en infirmière, Martine Barraqué, sa monteuse, également en infirmière, ou Annie Miller, qui joue une morte. Enfin, Marie de Poncheville apparaît dans une scène du film, incarnant la femme que Mazet, l'ami veuf de Davenne, épouse en secondes noces.

Le tournage, qui se prépare durant l'été 1977, doit se dérouler à Honfleur. Truffaut recommande à Nestor Almendros de tirer parti du contraste entre la lumière électrique et celle des innombrables chandelles allumées, afin de donner à l'image une atmosphère de film fantastique. Le 11 octobre 1977, Truffaut se jette à l'eau et commence le tournage de son film à Honfleur, dans la Maison Troublet, une belle demeure d'époque de quatre étages, située rue Eugène-Boudin. Le tournage ne devant durer que trente-huit jours, et le budget du film étant limité à trois millions de francs, financé par les Artistes Associés, il utilise la grande maison de Honfleur au maximum de ses capacités, s'en servant pour plusieurs décors. Comme pour *Adèle H.*, le cinéaste enregistre à l'avance, avec l'aide de François Porcile et de Patrice Mestral, une musique tirée du *Concert flamand* de Maurice Jaubert, le compositeur mort au front en 1940. Durant les prises, Truffaut fera jouer cette musique sur le plateau, ce qui aidera comédiens et techniciens à entrer dans l'atmosphère ritualisée, presque religieuse du film. « Il n'est pas curieux de retrouver, dans la tension brusquement explosive et la sombre conviction de son jeu, comme un écho direct du style de Jaubert, avec ses élans et ses brusques retenues, sa pudeur et sa violence [251] », écrit François Porcile. Quelques scènes sont tournées en extérieurs, quatre jours dans un cimetière à Caen, trois jours dans la salle des ventes de Honfleur, et cinq autres dans la chapelle de Carbec, une petite merveille d'architecture religieuse dénichée à Saint-Pierre-du-Val, près de Pont-Audemer. Dans la chapelle décorée par Jean-Pierre Kohut-Svelko, éclairée par les nombreuses chandelles disposées par Nestor Almendros, Truffaut a placé ses propres photographies, attachées à des visages disparus dont le souvenir ainsi se perpétue. Les figures de Julien Davenne sont aussi les siennes : Audiberti, Cocteau, Queneau, Jeanne Moreau et sa sœur, Louise de Vilmorin, Aimée Alexandre, Oskar Werner, Oscar Lewenstein (le producteur de *La mariée était en noir*), auxquels s'ajoutent des portraits d'écrivains ou musiciens qu'il admire, comme Proust, Oscar Wilde, Henry James, Guillaume Apollinaire, Maurice Jaubert à la tête de son orchestre, Prokofiev.

Le tournage de *La Chambre verte*, lui, n'a rien d'une veillée funèbre. Il comptera même parmi les plus gais de tous les films de Truffaut, l'ambiance y est joyeuse, festive. « On a ri énormément, on avait souvent des fous rires interminables avant les prises, se souvient Nathalie Baye, si bien que Suzanne Schiffman était parfois obligée de nous rappeler à l'ordre [252]. » Marie de Poncheville, qui rejoignait Truffaut à Honfleur durant les week-ends, confirme que « Nathalie avait un rire communicatif, comme des cloches qui sonnent [253] ! ». Cette gaieté sur le plateau de *La Chambre verte* allège l'atmosphère funèbre du film. Car Truffaut-acteur joue son personnage de manière atone, presque mécanique, neutre, ce qui n'est pas sans créer quelque problème à Nathalie Baye, contrainte de caler son propre jeu, ses propres intonations sur ceux de son partenaire. À la fois devant et derrière la caméra, Truffaut ne lui est pas d'un grand secours. Si elle garde un souvenir très heureux du tournage, elle reconnaît s'être sentie parfois seule, sans le regard d'un « vrai » metteur en scène, plus disponible à son égard.

Dès le mois de mars 1978, Truffaut est en mesure de montrer *La Chambre verte* à ses amis. Il est aussitôt comblé d'éloges, comme jamais depuis *Les Deux Anglaises*. « C'est votre film qui m'a le plus bouleversée et parlé avec *Les Deux Anglaises et le Continent*, écrit par exemple Isabelle Adjani. J'ai trouvé bon de pleurer devant vous [254]. » « *La Chambre verte* fait, en compagnie de Clément, Visconti, et quelques rares autres, partie de mon jardin secret [255] », lui écrit avec sincérité Alain Delon. « J'ai trouvé votre film bouleversant. Je vous ai trouvé bouleversant dans votre film [256] », confie Éric Rohmer. « Je ne vous ai pas encore dit l'émotion que j'ai éprouvée à voir *La Chambre verte*, lui écrit Antoine Vitez. Ce que j'y vois, tout au fond, c'est la bonté, et c'est ce qui me touche le plus. Merci de m'avoir associé à cela [257]. »

Excepté François Chalais dans *Le Figaro*, la critique est du même avis, unanime. « Cela ressemble, par sa simplicité d'épure, à un testament cinématographique. Il y aura d'autres Truffaut, mais en verrons-nous de plus intimes, de plus personnels, de plus déchirants que cette *Chambre verte*, autel des morts [258] ? », écrit par exemple Jean-Louis Bory dans *Le Nouvel Observateur*. Truffaut, qui a protégé ses morts en exposant son visage, renoue ici avec son propre passé, avec la tradition de cinéma qui l'a formé. Depuis le tournage de *La Chambre verte*, tout semble répondre à ses attentes : il vit alors une période d'accomplissement, de plénitude.

La chambre vide

La sortie de *La Chambre verte*, le 5 avril 1978, met brutalement fin à cet état de grâce. Cet échec commercial est tel qu'il
blesse et déçoit profondément François Truffaut. S'il ne se faisait
guère d'illusions sur les chances d'un succès, il espérait que le
film pourrait au moins compter sur le public cinéphile. Il a du
mal à admettre que les raisons intimes, très personnelles, pour
lesquelles il a fait *La Chambre verte*, puissent laisser indifférent.
« Je ne veux pas d'admiration, ça ne m'intéresse pas. Mais je
veux que le public fasse vraiment partie du film pendant une
heure et demie. Car je crois qu'un thème comme cela peut toucher de nombreuses personnes dans leur propre existence. Tous
les gens ont des morts [259] », écrit-il quelques semaines avant la
sortie. Truffaut s'est trompé. Alors, sentant venir les difficultés,
il met toute son énergie, plus encore que d'habitude, pour assurer la promotion de son film. Il rédige lui-même le dossier de
presse, décide de l'affiche, de la bande-annonce, planifie les
entretiens avec les journalistes et les voyages en province. Lors
des projections de presse qui précèdent la sortie, il est même
souvent présent, s'efforçant de convaincre les critiques réticents.
Il a confié son film à Simon Mizrahi, le meilleur attaché de
presse, cinéphile acharné qui a la réputation de savoir convaincre les journalistes les plus rétifs. Avec l'aide de Mizrahi et de sa
collaboratrice Martine Marignac, Truffaut tente l'impossible :
convaincre le public de venir voir un film sur le culte des morts.
Mais, pressentant l'échec, il décide de changer de stratégie
quelques jours avant la première du film, de masquer volontairement son sujet pour mettre en avant d'autres éléments : sa
propre réputation, la présence de Nathalie Baye, l'atmosphère
romanesque... Ainsi, il demande à Michel Drucker qui prépare
une émission de télévision au cours de laquelle il doit promouvoir *La Chambre verte*, de ne montrer que deux extraits du film,
« présentant l'avantage de ne pas mentionner la mort ni les
morts et de présenter quatre personnages du film [260] ». En dépit
de ces efforts, le public boude, refusant d'associer l'image de
François Truffaut à ce qu'il considère comme une œuvre mor-

bide. Avec à peine plus de 30 000 entrées, le film essuie un échec commercial comparable à celui des *Deux Anglaises*. C'est « *La Chambre vide*[261] ! », écrit le cinéaste à son conseiller musical, François Porcile.

Profondément affecté, il assume néanmoins l'entière responsabilité de cet échec, allant même jusqu'à regretter d'avoir tenu le rôle de Julien Davenne : « Charles Denner aurait été meilleur que moi[262] », dit-il à *Paris-Match,* annonçant son intention de ne plus jouer pour d'autres metteurs en scène, et de s'abstenir, pendant une dizaine d'années, de le faire dans ses propres films. Le 10 mai 1978, il confesse à Annette Insdorf, jeune universitaire américaine en train de rédiger une étude sur son œuvre[263], que son moral est au plus bas. Comme toujours, lorsque tout va mal, l'Amérique est son seul réconfort, c'est là qu'il se sent le mieux compris, le mieux aimé. En France, la presse a été bonne, dit-il à Annette Insdorf, mais « elle a tellement parlé de la MORT qu'elle a rendu le film aussi difficile que *Johnny Got His Gun*. Tout ceci entre nous évidemment, car le film a encore de bonnes chances à N. Y. (après le prochain festival), en Scandinavie et au Japon[264]. »

Truffaut attend beaucoup de la carrière japonaise de *La Chambre verte,* convaincu qu'un pays aussi attaché aux rites funéraires ne peut se montrer insensible à son film. D'ailleurs, il a l'intention d'aller lui-même le présenter à l'automne 1978, avant d'y renoncer, en apprenant que la sortie est repoussée de plusieurs mois. Il compte également sur le festival de New York en septembre, pour présenter le film au public américain. François Truffaut s'y rend, accompagné de Marie de Poncheville, Nathalie Baye et Helen Scott. Mais la première new-yorkaise se déroule dans une atmosphère morose. La soirée se prolonge de manière plus gaie, dans un appartement new-yorkais avec une fête donnée en l'honneur de Truffaut. Dans le même immeuble habite Milos Forman, le cinéaste tchèque installé aux États-Unis, que Truffaut et ses amies rejoignent pour finir la soirée. « Les pétards passaient de main en main, c'était très gai, François n'y comprenait rien[265] », se souvient Nathalie Baye.

Truffaut ne cache pas une certaine lassitude lorsqu'il confie à Annette Insdorf, son amie new-yorkaise, qu'il a « trop tourné depuis cinq ans, trop et trop vite. Les Films du Carrosse m'assurent une liberté certaine, mais me coûtent très cher et surtout m'empêchent de m'arrêter pour réfléchir. Chaque mois je refuse des offres de Hollywood, [...] mais je finirai par me laisser tenter un jour ou l'autre avant de devenir un *has been*[266] ». François Truffaut, qui n'a que quarante-six ans, est-il déjà un cinéaste dépassé ? Il confie son angoisse à un journaliste de *France-Soir :* « Il faut me dépêcher. J'ai quarante-six ans, je vis mes dernières années de bonne santé. Je veux tourner le plus possible pour ne rien regretter plus tard[267]. » Marie de Poncheville confirme que « François n'était pas content de la vie qu'il menait[268] ». « Il se rendait compte que la vie est en perpétuel mouvement, ce qui le rendait fou. Il espérait être heureux, mais il disait souvent qu'il vivait comme un chien, en s'imposant des choses qu'il détestait. » À la même époque, apprenant que Jean-Louis Bory est en pleine dépression nerveuse, Truffaut lui écrit une lettre de réconfort et de soutien : « Ces déchirements qui sont comme des morts, la sensation du trou noir, du je n'existe plus, cette irréalité des visages croisés dans la rue, tout cela je l'ai connu et aussi la certitude qu'on ne peut pas faire comprendre aux autres ce qui se passe en soi, le concret qui se dérobe, ce vide hébété. J'ai connu cela et il m'a fallu un an et demi pour m'en sortir, avant de trouver le ressort qui fait rebondir et puis trois ans avant de pouvoir revivre normalement, c'est-à-dire d'aimer sans méfiance[269]. » Et il encourage Bory à lutter pour remonter la pente, à faire preuve de « vaillance, de gaieté et de vitalité » : « Je sais que vous allez trouver, le moment venu, la force de donner le coup de pied qui vous fera remonter à la surface, parmi nous. » Quelques mois plus tard, le romancier et critique de cinéma se donnera la mort, le 12 juin 1979, à l'âge de soixante ans.

Durant cette période, Truffaut connaît quelques premières alertes physiques qui ne font rien pour améliorer son moral. Jamais auparavant il ne s'était vraiment inquiété pour sa santé, mis à part quelques ennuis avec ses oreilles, des otites répétées et une opération à la cloison nasale en 1960. Entre la fin de l'année 1977 et les premiers mois de 1978, Truffaut consulte le docteur Lévy, à l'hôpital Saint-Antoine, où il passe plusieurs radios du colon. Il souffre également d'une sciatique et se fait soigner à l'hôpital de Saint-Cloud par le docteur Bénichou. Le 20 janvier 1978, le docteur Alexanian lui prescrit dix jours de repos après le tournage de *La Chambre verte*. Quelques mois plus tard, c'est un cardiologue qu'il consulte, le docteur Pauly-Laubry de l'hôpital Saint-Joseph, qui, après un bilan complet et plutôt satisfaisant, le met au régime, avec gymnastique, marche, perte de quelques kilos et menus spéciaux pour diminuer l'aérogastrie et l'aérocolie. Tous ces tracas ajoutent à son angoisse, car Truffaut se sent subitement vieillir.

Son humeur sombre comme ses problèmes de santé sont directement liés à l'échec de *La Chambre verte*. D'ailleurs ses relations avec Jean Nachbaur se détériorent, Truffaut reprochant aux Artistes Associés de n'avoir pas cru au film et de n'avoir pas fait le maximum pour sa promotion. Les Artistes Associés, eux, pensent déjà au prochain Truffaut, préférant oublier l'échec commercial de *La Chambre verte*. Le cinéaste fait exactement le même calcul : seul *L'Amour en fuite*, un nouveau Doinel au succès quasi assuré, permettra de compenser les pertes financières de *La Chambre verte*. Mais, sur les conseils de Gérard Lebovici, Berbert et lui décident de se passer cette fois-ci des Artistes Associés pour produire *L'Amour en fuite* dont le budget est modeste. Agissant ainsi, le Carrosse en serait seul bénéficiaire. Jean Nachbaur est assez amer, trouve la « manœuvre plutôt douteuse [270] » et ne se prive pas de l'écrire à Truffaut. Cette expression employée par Nachbaur ne fera qu'envenimer la brouille entre les deux hommes.

Cette rupture avec les Artistes Associés met fin à un système de coproduction instauré depuis 1967, avec *La mariée était en noir*. Truffaut a pu ainsi tourner onze films, tous financés par les filiales françaises ou européennes de majors américaines, que ce soit les Artistes Associés, Columbia ou Warner, qui lui ont à peu près laissé une entière liberté de création. Désormais, le Carrosse doit s'y prendre autrement pour trouver les moyens de financer ses films, en s'appuyant d'abord sur les chaînes de télévision, et dans une certaine mesure sur les préventes des films de Truffaut à l'étranger. Visionnaire, Gérard Lebovici n'est pas pour rien dans l'évolution décisive de cette nouvelle stratégie, c'est lui qui a convaincu Truffaut et Berbert de se passer des majors américaines. Lebovici lui-même s'apprête à devenir producteur et distributeur en créant sa propre société, A.A.A. (les initiales d'« Auteurs Artistes Associés »), en quittant Artmédia dont il confiera la direction à Jean-Louis Livi. Autour de Lebovici et des nombreuses sociétés qu'il contrôle (qu'il s'agisse de production, de distribution, de vente des droits vidéo, ou d'exportation des films à l'étranger avec Roissy Films, que dirige Alain Vannier), un pôle industriel est en train de se mettre en place, qui couvre la totalité du champ cinématographique en France. Par ses liens d'amitié et de fidélité avec Lebovici, Truffaut est au cœur du nouveau dispositif, même s'il est hors de question pour lui de perdre son indépendance [271].

L'Amour en fuite

L'échec de *La Chambre verte* oblige François Truffaut à renoncer provisoirement à des projets qui lui tiennent à cœur. Il décide de repousser le tournage de *L'Agence Magic,* dont le scénario écrit par Claude de Givray et Bernard Revon est pourtant très avancé. Après *La Nuit américaine,* son film sur le cinéma, il aimerait en faire un sur les milieux du music-hall, second volet d'un triptyque qu'il espère compléter en réalisant plus tard un film sur le théâtre. *L'Agence Magic* raconte l'histoire d'une petite troupe d'artistes de variétés qui, pour redresser une situation financière compromise, effectue une tournée lointaine et aventureuse au Sénégal. « L'idée de François, c'était qu'il fallait mettre cette troupe en danger [272] », résume Claude de Givray. Le film devait montrer plusieurs personnages, jeunes et moins jeunes, leurs liens familiaux ou amoureux, les petites jalousies au sein de la troupe, où chacun a son secret, une histoire d'amour entre une jeune fille, Leslie, et un homme plus âgé, Charles-Henri, surnommé « le Dauphin », les difficultés pour trouver un théâtre, la vie dans un hôtel minable de Dakar... Leslie tue Charles-Henri d'un coup de revolver, parce qu'il ne l'aime plus. Pour éviter le cliché, Truffaut avait demandé à ses scénaristes de s'inspirer d'un fait divers au cours duquel un homme, alors qu'il vient de recevoir un coup de couteau, se lève normalement, va jusqu'au réfrigérateur, l'ouvre, boit du lait à la bouteille, revient et s'écroule sur son lit. À la fin de l'histoire, la mère de Leslie, Viviane, s'accuse du meurtre en se rendant à la police : « Plus âgée, on sera plus indulgent pour elle, sa peine sera moindre.

Quoi qu'il en soit, si Leslie a commis cet acte, c'est de sa faute à elle, qui n'avait qu'à l'élever autrement [273] », est-il écrit à la fin d'un scénario de soixante-dix pages. « On s'était inspiré du film de Michael Curtiz, *Le Roman de Mildred Pierce*, dans lequel une mère, jouée par Joan Crawford, s'accuse du meurtre de sa fille, qui est jouée par Ann Blyth [274] », poursuit de Givray. Finalement, Truffaut n'a guère envie d'aller en Afrique, ce qui impliquerait un tournage difficile et fatigant. Il préfère différer le projet, demandant à ses deux scénaristes de retravailler au scénario, la même histoire pouvant se dérouler durant l'Occupation en zone sud...

À cette période, Truffaut renoncera également à travailler avec Milan Kundera, un homme qu'il admire beaucoup et qu'il avait contacté quelques mois auparavant en vue d'une collaboration à l'écriture d'un scénario, *Le Petit Roi* [275]. « J'aime vos livres et, si j'ai pensé d'abord à vous pour établir ce scénario, c'est que vous êtes quelqu'un qui n'a pas peur aujourd'hui de raconter une histoire [276] », écrit-il à Milan Kundera. François Truffaut sait aussi que l'écrivain tchèque est un cinéphile, ancien élève de l'Institut cinématographique de Prague, puis professeur dans cette même école durant plusieurs années, entre 1958 et 1969. Mais à la période où Truffaut lui écrit, Milan Kundera, installé en France depuis peu, doit se familiariser avec la langue française. Occupé par ses cours à l'Université de Rennes et par ses travaux littéraires, l'écrivain décline la proposition du cinéaste [277].

En désespoir de cause, soucieux de tourner un film rapidement, Truffaut décide de retrouver Antoine Doinel, son personnage fétiche. Dans son esprit, *L'Amour en fuite* n'est qu'un film de circonstance, une occasion d'effacer l'échec de *La Chambre verte* en même temps qu'un sursaut pour sortir d'un état assez dépressif. Il est délibérément construit comme le dernier épisode des aventures d'Antoine Doinel, récapitulant toutes les étapes de la vie d'un homme (depuis sa jeunesse, son mariage, son premier adultère et son divorce), à travers de nombreux extraits empruntés aux quatre premiers films du cycle. Cette idée d'un film qui serait « une espèce de mosaïque, l'histoire d'une vie [278] », paraît d'abord légère et excitante à Truffaut, qui ignore encore qu'elle s'avérera plus complexe qu'il y paraissait, et même parfois très angoissante. Il y a également toutes les chances pour que *L'Amour en fuite* soit un film-testament, et mette fin au personnage de Doinel.

Pour justifier une construction en flashes-back, le cinéaste songe d'abord à se servir de la psychanalyse comme moteur du récit. Allongé sur un divan, Antoine Doinel raconterait sa vie à une psychanalyste, pendant que défileraient des scènes des *Quatre Cents Coups*, de *L'Amour à vingt ans*, de *Baisers volés* et de *Domicile conjugal*, fonctionnant comme des images-mémoires. Marie-France Pisier jouerait la psychanalyste et Léaud, en pleine dépression, serait son patient. Mais Truffaut n'est pas à l'aise avec la psychanalyse comme matériau de fiction, même s'il a lu, pour les besoins de *L'Enfant sauvage*, les ouvrages de Bruno Bettelheim, ou s'il a rendu quelquefois visite au docteur René Held à un moment difficile de son existence. Elle reste pour lui un domaine mystérieux, dans lequel il estime n'avoir aucune compétence. Cette idée d'introduire une psychanalyste parmi ses personnages lui paraît artificielle, une concession faite à une des modes de l'époque. Marie-France Pisier, qui collabore au scénario avec Suzanne Schiffman, lui suggère alors de faire de Colette une avocate. Le scénario prendrait une tout autre direction, puisqu'il s'agirait de célébrer les retrouvailles amoureuses de Colette et d'Antoine, quinze années après les tentatives de flirt aux Jeunesses Musicales. Au cours d'un voyage en train, Antoine raconte sa vie à Colette, devenue avocate, qu'il rencontre par hasard alors qu'elle se rend en province pour défendre un de ses clients. Ils tombent finalement dans les bras l'un de l'autre et le cycle Doinel se clôt sur un *happy end* : le premier grand amour d'Antoine trouve enfin son accomplissement, quinze années plus tard. Suzanne Schiffman propose même d'aller plus loin, en dévoilant Doinel comme un personnage de cinéma. « Cette scène est la dernière du film, écrit-elle à la fin du synopsis qu'elle compte faire lire à Truffaut. Antoine poursuit Colette dans les couloirs, descend en courant un escalier derrière elle et, bien sûr, la rattrape. D'abord, il a un peu de mal à la calmer, mais puisqu'il l'aime et qu'elle l'aime aussi, tout va finir par s'arranger jusqu'au baiser final. C'est alors que F. T. entre dans le plan : il n'est pas convaincu par cette fin, il l'a tournée parce que Jean-Pierre et Marie-France le souhaitaient, mais il préférerait se donner la nuit pour y réfléchir et essayer une autre version de la fin demain. L'assistant s'est approché de François qui lui confirme que l'on tournera encore demain. Tandis qu'il circule de groupe en groupe pour convoquer l'équipe, Jean-Pierre et François s'éloignent en discutant avec de grands gestes, découpés dans la lumière du couloir qui mène à la rue. FIN [279]. » Pour Truffaut, ce principe rappelle trop celui à l'œuvre dans *La Nuit américaine*. Marie-France Pisier et Suzanne Schiffman se remettent au travail, secourues par Jean Aurel, spécialiste « ès-construction ». En fait, Truffaut ne sait pas comment se débarrasser d'Antoine Doinel. « Plus je le connais, moins je peux lui faire faire de choses [280] », dit-il à Monique Pantel, journaliste à *France-Soir*. Il veut bien garder les retrouvailles avec Colette, mais pas son histoire d'amour avec Antoine. Il invente alors un nouveau personnage féminin, Sabine, une jeune femme de vingt ans séduite par le romantisme de Doinel. Ce sera l'enjeu sentimental du film, la seule manière aussi d'éviter que *L'Amour en fuite* ne trouve son énergie seulement dans le passé. Truffaut songe à une nouvelle figure féminine, moderne, « une jeune femme de son temps [281] », et confie ce rôle à Dorothée, l'animatrice de l'émission destinée aux enfants le mercredi après-midi, *Récré A2*. C'est d'ailleurs en regardant la télévision qu'il a repéré Dorothée. Il la contacte le 8 mai 1978, trois semaines à peine avant le début du tournage, la jeune femme accepte la proposition avec enthousiasme. C'est sur ce choix de casting plutôt surprenant que repose en partie le pari de *L'Amour en fuite*.

Devenu correcteur dans une imprimerie, Antoine Doinel a une liaison avec Sabine, vendeuse dans un magasin de disques. Il divorce de Christine « par consentement mutuel » ; leur fils, Alphonse, a grandi depuis *Domicile conjugal*. Accompagnant Alphonse à la gare, Antoine rencontre par hasard Colette, devenue avocate, qui se rend à Aix-en-Provence pour plaider. Au dernier moment et de manière imprévue, Antoine prend le train avec Colette, qui lit précisément *Les Salades de l'amour*, le roman autobiographique que Doinel écrivait à la fin de *Domicile conjugal*. Elle a acheté le livre chez un libraire, Xavier, dont elle est amoureuse. Antoine raconte sa vie à Colette et tente à nouveau de la séduire. Bien sûr, Colette refuse...

Toute cette histoire est assez peu crédible, pour Truffaut, qui juge son script « faiblard, très difficile à améliorer [282] », alors même qu'il s'apprête à tourner. « François a très vite détesté ce projet, confirme Marie-France Pisier. Ce film n'a certainement pas été pour lui une expérience très heureuse. Il savait que ce serait là le dernier de la série des Doinel, mais en même temps, il voulait à tout prix faire retravailler Jean-Pierre. Il pensait également qu'en vieillissant, Antoine Doinel ne devenait plus crédible sans situation sociale mais que lui en trouver une revenait à trahir l'esprit du personnage [283]. » Truffaut est tout à fait conscient d'offrir un cadeau empoisonné à Jean-Pierre Léaud, ce qui l'angoisse et le culpabilise. Car c'est un risque qu'il fait prendre à l'acteur d'incarner à trente-cinq ans, aux yeux du public, ce personnage d'asocial, qui ne conduit pas, ne fait pas de sport et n'a pas de vrai métier. Doinel est « toujours en train de courir, toujours en retard, un jeune homme pressé. [...] Antoine devrait s'arrêter... de fuir... profiter du moment présent... ne plus régler ses comptes avec sa mère à travers chaque fille qu'il rencontre [284]... », écrit Truffaut à Alain Souchon, au moment où il demande au chanteur de composer une chanson pour le film.

Lorsqu'en avril 1978 Truffaut reprend une dernière fois son script avec Suzanne Schiffman, cette fois pour en écrire les dialogues, son humeur est maussade. Le climat est d'ailleurs tendu avec Suzanne, qui parle même d'« engueulades noires [285] ». Le dos au mur, Truffaut aimerait abandonner ou différer son tournage, ce qui est impossible du fait des engagements pris avec les acteurs et les techniciens. Marie-France Pisier n'est libre qu'en juin, devant enchaîner avec le film d'André Téchiné, *Les Sœurs Brontë*. Outre la famille de personnages des « films Doinel », composée de Jean-Pierre Léaud, Claude Jade, Dani, Marie-France Pisier et Rosy Varte, auxquels se sont joints Dorothée et Daniel Mesguish (le libraire dont Colette est amoureuse), Truffaut donne sa chance à un personnage que l'on n'avait fait qu'entrevoir dans un plan des *Quatre Cents Coups* : il s'agit de Monsieur Lucien, l'amant de la mère d'Antoine Doinel que celui-ci surprend place Clichy. Dans le premier film de Truffaut, Jean Douchet, alors critique aux *Cahiers du cinéma*, faisait cette apparition furtive. Cette fois, le personnage aura plus de consistance grâce au comédien Julien Bertheau, qui apparaît dans une scène inoubliable, assis à une table de café en face d'Antoine, non loin du cimetière où repose Mme Doinel. Là, Monsieur Lucien avoue à Antoine que sa mère « était un petit oiseau », une amoureuse et une anarchiste. Doinel se réconcilie en quelque sorte avec sa mère, du moins avec sa mémoire, donnant du personnage indigne des *Quatre Cents Coups* une image plus poétique, en tout cas plus positive. Évidemment, cette « réconciliation » doit beaucoup à la découverte par Truffaut, dans les archives de sa mère, juste après sa mort, de nombreux documents laissés par elle qui prouvaient un réel attachement envers son fils.

Commencé le 29 mai 1978, le tournage de *L'Amour en fuite* ne dure que vingt-huit jours, essentiellement à Paris. En revanche, le montage demande du temps, étant donné la complexité du récit qui s'enchevêtre autour des extraits en flashes-back. Alain Souchon compose avec Laurent Voulzy les paroles et la musique du morceau portant le titre du film, *L'Amour en fuite*. « Je suis très heureux, très heureux de votre chanson, écrit Truffaut à Souchon. Le film est une lettre, votre chanson est l'enveloppe de la lettre ; elle l'encadre. Doinel a toujours cherché une famille, il est heureux de jouer le pique-assiette chez Souchon [286]. » Après cinq mois de montage et de mixage, la première copie est prête juste après Noël. La sortie publique est prévue le 24 janvier 1979. Le cinéaste n'est toujours pas convaincu par son film, persuadé d'« aller droit dans le mur [287] ». Heureusement, les premières critiques le soulagent. François Chalais évoque dans *Le Figaro* un « patchwork sentimental » et soupire avec douceur « Comme le temps passe [288] »... Jacques Siclier dans *Le Monde* célèbre « Antoine Doinel rassemblé », un article qui touche beaucoup le cinéaste [289]. « Si je ne vous connaissais pas, je n'écrirais pas cette lettre, lui répond Truffaut. Je me serais contenté d'être content ! Mais nous nous sommes connus, quand ? Il y a environ vingt, vingt-cinq ans et je vous associe à Teisseire, Gauteur, Claude de Givray, tous les cousins de Doinel. Et pourquoi ne pas vous dire la vérité : après avoir tant douté pendant cinq mois de montage, c'est un vrai plaisir que de se voir compris, oui, simplement compris [290]. »

La carrière commerciale du film le rassure également puisque *L'Amour en fuite* réalise près de 250 000 entrées en trois mois d'exploitation parisienne. Pour le Carrosse, c'est une excellente affaire commerciale. Mais, lucide, Truffaut continue cependant de penser que *L'Amour en fuite* fut une erreur. Le film restera l'un de ceux qu'il redoutera toujours de revoir, avec *La mariée*

était en noir et *Fahrenheit 451.* En s'émancipant de manière définitive d'Antoine Doinel, un personnage qu'il a créé et accompagné durant vingt ans, et qui a fait le tour du monde, François
Truffaut se sent un peu plus seul, presque orphelin. Pour la
première fois de sa vie, il se dit un peu lassé de tourner des
films. Le 12 février 1979, invité pour être le rédacteur en chef
du *Journal inattendu* de RTL, Truffaut déclare sans se troubler :
« Je n'ai pas de projet pour le moment. Et je n'en cherche pas.
J'ai décidé de me reposer un peu, après beaucoup de fatigue et
beaucoup de tracas [291]. »

VIII

LA FIGURE INACHEVÉE

1979-1984

Après *La Chambre verte* qui fut un échec public et *L'Amour en fuite* dont Truffaut n'est pas satisfait, il faut au Carrosse un projet suffisamment ample et ambitieux pour qu'il s'anime à nouveau, qu'il redevienne une « ruche bourdonnante [1] ». Truffaut n'est toujours pas décidé à tourner *L'Agence Magic*, dont le scénario n'est pas mûr à ses yeux, et celui de *La Petite Voleuse* est en cours d'écriture avec son ami Claude de Givray. Le projet remonte à loin, puisque Truffaut l'évoquait dès novembre 1964 dans une lettre à Helen Scott : « *La Petite Voleuse*, genre *Monika* d'Ingmar Bergman, naissance de la féminité et de la coquetterie chez une petite délinquante, *400 Blows* femelle [2] », une histoire vaguement inspirée du récit de l'une des premières maîtresses de Truffaut qu'il avait retrouvée en octobre 1965. « Elle est devenue un peu moche, tout comme moi, écrivait-il alors à Helen Scott, et elle a fait de la prison, trois enfants, [...] et un peu de tout [3]. » L'histoire de *La Petite Voleuse* se déroule dans le Paris de l'après-guerre, vers 1950. L'héroïne, Janine, jeune délinquante, est en quelque sorte la petite sœur d'Antoine Doinel. Elle commence par voler des cigarettes à des soldats américains, continue en dérobant une boîte à musique, puis passe un certain temps en maison de correction, avant de vivre une histoire d'amour [4].

Jean Gruault lui aussi est mis à contribution pour trouver un sujet. Il est d'abord question d'adapter *Julien et Marguerite*, une histoire d'inceste sous le règne d'Henri IV. Puis les deux amis envisagent de travailler à un autre projet, celui du *Petit Roi*, refusé auparavant par Jean-Loup Dabadie et Milan Kundera.

Aucune de ces pistes n'aboutit. Truffaut propose alors à Pierre Kast, dont il a aimé le dernier film, *Le Soleil en face,* d'« écrire une histoire à quatre mains [5] ». Kast suggère de partir de deux épisodes tirés respectivement de la vie de Stendhal et de celle de Joseph Conrad. Le premier est l'histoire d'amour vécue par Stendhal avec Clémentine Curial. « Il lui apprend la liberté, l'amour, la passion, écrit Kast. Elle se laisse séduire, puis retournera contre lui ou fera sans lui tout ce qu'il lui a appris et apporté. En somme, il l'aura lui-même amenée à se délivrer de lui [6]. » Le second projet est extrait d'un roman de Conrad, *La Flèche d'or,* « un sujet et un roman d'une beauté inouïe [7] », poursuit Kast. Mais Truffaut avoue qu'il a du mal à « visualiser [8] » chacune de ces deux histoires, et concède qu'il connaît mal l'univers de Conrad. À cette même époque, il envisage une collaboration avec Francis Veber, auteur de comédies à succès réalisées par Georges Lautner *(La Valise),* Yves Robert (la série du *Grand Blond*), Philippe de Broca *(Le Magnifique)* ou Édouard Molinaro *(L'Emmerdeur).* En 1976, Veber a lui-même réalisé son premier film, *Le Jouet* avec Pierre Richard. Contacté par Truffaut en mars 1979, Francis Veber propose un scénario original, *Le Garde du corps.* Mais, cette fois encore, le projet n'aboutit pas [9].

Le théâtre de l'Occupation

Le 29 avril 1979, François Truffaut fait irruption dans le bureau de Suzanne Schiffman. « Voilà, j'ai un dossier sur le théâtre, un sur l'Occupation, on fait un film avec les deux [10]. » Cela fait près d'une dizaine d'années qu'il pense à travailler sur cette période. « Pour moi, qui étais adolescent à l'époque, l'image d'une France coupée en deux entre Allemands et Résistants est fausse. Je vois une France bien plus calme. J'en ferai un film un jour [11]. » L'idée est encore vague, elle consiste à raconter la vie quotidienne des Parisiens durant l'Occupation. En écartant toute considération idéologique et toute vision héroïque, Truffaut veut montrer que les Français « ne furent jamais aussi libres que sous l'Occupation allemande », selon l'expression de Sartre. En 1969, il avait été impressionné par le film de son ami Marcel

Ophuls, *Le Chagrin et la Pitié,* et il avait contribué à sa sortie dans une salle parisienne [12]. Truffaut considérait *Le Chagrin et la Pitié* comme le premier film qui envisageait ce moment d'histoire de la France comme un « récit non légendaire ». « C'est un film qui rend très sévère envers les films qui prétendent restituer le climat de l'Occupation, dira-t-il dans un entretien inédit. Après le travail d'Ophuls, on ne peut plus prendre des guignols pour faire les gens de Vichy ou les miliciens. Enfin, peut-être que j'y reviendrai un jour [13]. »

En 1975, alors qu'il rédigeait une préface au recueil d'articles d'André Bazin, *Le Cinéma de l'Occupation et de la Résistance,* Truffaut avait éprouvé à nouveau « le désir impérieux de tourner un film sur cette période [14] ». Il envisage alors pour la première fois de mêler le théâtre avec l'Occupation, réalisant ainsi le troisième volet d'une trilogie sur le monde du spectacle : après *La Nuit américaine* sur le cinéma, s'ajouteraient l'univers du music-hall dépeint dans *L'Agence Magic* et celui du théâtre, qu'il compte bien entreprendre un jour. De nombreuses sources intéressent alors le lecteur qu'est Truffaut, qui ont en commun le théâtre sous l'Occupation. En octobre 1976, il demande à Jean-Loup Dabadie de lire un roman dans lequel un personnage l'intéresse : « Dans une ville, éventuellement Paris, pendant l'Occupation, une belle actrice continue à faire son métier malgré présence éventuelle parmi les spectateurs d'officiers allemands. Son mari, juif qui est censé être mort ou en fuite, est en réalité caché dans une cave du théâtre. Voilà le principe de l'histoire que nous pouvons voir osciller entre *Le Journal d'Anne Frank* et *To Be or not to Be* [15]. » Il se serait aussi inspiré d'une pièce de Renoir, *Carola,* filmée par Norman Lloyd pour la télévision américaine et dans laquelle jouait Leslie Caron : « François a fait paraître la pièce dans *L'Avant-Scène.* Et puis il a fait *Le Dernier Métro,* dont le sujet est très proche de la pièce de Renoir. Il y a tellement de points de ressemblance que Ginette Doynel et moi-même avons été très surprises, pensant qu'il aurait pu au moins signaler la référence à Jean Renoir. Lorsqu'il est venu me voir, la première fois après *Le Dernier Métro,* je lui ai dit franchement que je trouvais qu'il y avait des ressemblances avec *Carola.* Il a été profondément ulcéré, prenant mon propos comme un reproche. Et nous ne nous sommes plus vus pendant un an et demi [16]. »

Au cours de la période de Noël 78, Truffaut et Suzanne

Schiffman s'attellent au dossier « Théâtre sous l'Occupation ». Ils se donnent quinze jours pour étudier la presse et les documents de l'époque, les livres parus dans ces années-là, les vieilles affiches, les Mémoires d'acteurs ou de metteurs en scène ayant travaillé sous l'Occupation [17]. Truffaut a toujours aimé les recueils de souvenirs de comédiens, ou des gens du spectacle, parce qu'ils fourmillent de détails, non seulement sur le métier mais également sur les coulisses. Par exemple, ceux d'Alice Cocéa qui fut directrice d'un théâtre, ou encore de Jean Marais, *Histoires de ma vie,* où figure l'épisode au cours duquel l'acteur a corrigé Alain Laubreaux [18], le critique antisémite de *Je suis partout,* qui avait insulté Jean Cocteau en 1941, et dont Truffaut s'inspirera dans son film. Il garde aussi en mémoire des souvenirs précis de cette période. Il a lui-même connu cette vie quotidienne faite de débrouillardise et de peur, il a vu de nombreux films tournés durant l'Occupation et se souvient des conversations de ses parents sur les spectacles ou les pièces qui faisaient l'actualité. Pour nourrir son projet, il fréquente également les librairies spécialisées, *L'Envers du miroir* rue de Seine, ou *Les Arcades* rue de Castiglione. Il revoit certains films de référence, *To Be or not to Be* de Lubitsch ou *All About Eve* de Mankiewicz. Enfin, il recueille auprès de ses amies leurs propres souvenirs sur la période. C'est le cas de Nelly Benedetti, l'actrice de *La Peau douce* qui a commencé sa carrière au Conservatoire et au théâtre de l'Atelier pendant la guerre. C'est aussi celui de Simone Berriau, directrice du théâtre Antoine depuis 1943, une forte personnalité que le cinéaste admire beaucoup et dont il reçoit les confidences à la fin de sa vie.

Entre mai et août 1979, Truffaut et Schiffman travaillent d'arrache-pied au scénario du film. Fin mai, un synopsis d'une douzaine de pages est prêt, et trois semaines plus tard, un premier traitement détaillé de cent cinquante pages. En été, Truffaut quitte Paris pour Villedieu, près de Vaison-la-Romaine, et s'installe avec Marie de Poncheville dans une belle maison louée pour les vacances, non loin de celle de Suzanne Schiffman. C'est là qu'ils poursuivent leur travail, qui aboutit à un second traitement dialogué de près de trois cents pages, portant pour titre *Le Dernier Métro.*

L'histoire se déroule à Paris, en 1942 : Bernard Granger, jeune comédien du Grand Guignol, arrive au théâtre Montmartre où se monte une nouvelle pièce, *La Disparue*, mise en scène par Jean-Louis Cottins. Il est engagé par Marion Steiner, qui a repris la direction du théâtre à la place de son mari, le metteur en scène juif Lucas Steiner, que l'on dit parti pour l'Amérique du Sud. En réalité, à l'insu de tous, Marion cache Lucas dans la cave du théâtre. Les répétitions commencent, et avec elles le récit des événements qui ponctuent la vie d'un théâtre dans cette période de l'Occupation : les échecs répétés de Bernard auprès d'Arlette, la costumière qui repousse ses avances ; la secrète inclination de Marion pour Bernard, qui poursuit de ses assiduités toutes les femmes, sauf elle qu'il n'ose approcher ; la visite en pleine répétition de Daxiat, le critique de *Je suis partout*, dont dépendent l'accord de la censure et le sort de la pièce ; le jambon apporté par une trafiquante de marché noir que Raymond, le régisseur, dissimule dans un étui à violon... Après la première, qui est un succès, les événements se précipitent : Daxiat, dans *Je suis partout*, attaque violemment le spectacle, Bernard exige qu'il fasse des excuses à Marion Steiner et corrige le critique en public, ce qui provoque la colère de Marion, soucieuse de protéger le théâtre. Bernard, qui a assisté dans une église à l'arrestation d'un de ses amis, annonce à Marion sa volonté de quitter le théâtre pour rejoindre la Résistance. Le jour de son départ, ils s'étreignent dans le bureau de Marion. À la Libération, Lucas Steiner sort enfin de sa cachette. Marion rend visite à Bernard, blessé, à l'hôpital... puis le rideau tombe, révélant qu'il s'agissait de la dernière scène d'une nouvelle pièce montée par Steiner.

François Truffaut sait qu'il s'apprête à tourner un film cher, le plus cher de tous ceux qu'il a jusque-là réalisés. Marcel Berbert estime en effet le budget aux environs de onze millions de francs. Sans le concours habituel des sociétés américaines, le Carrosse a du mal à boucler le financement. Durant l'été 1979, Marcel Berbert commence par réclamer toutes les sommes dues par des créanciers sur l'exploitation des anciens films. Un premier complément est obtenu du Fonds d'aide dont disposent les Films du Carrosse au C.N.C. Parallèlement, Gérard Lebovici engage des négociations avec TF1, portant à la fois sur *Le Dernier Métro* et *Mon Oncle d'Amérique*, le prochain film de Resnais. La chaîne décide d'investir dans celui de Truffaut, une partie en production, et l'autre pour le prix d'un premier passage à l'antenne. Cela ne suffit pas à boucler le budget, il faut encore convaincre un gros distributeur. Marcel Berbert propose le film à A.M.L.F., qui refuse. Lebovici sollicite alors la Gaumont, qui prend *in extremis* le film en distribution, et convainc également la S.F.P. d'entrer dans l'affaire. Même s'il estime « avoir laissé pas mal d'énergie » dans ces négociations, Truffaut sait qu'il pourra commencer son tournage au début de l'année 1980.

Entre-temps, Marie de Poncheville et lui ont rompu, au retour des vacances d'été à Villedieu. À peine rentrée à Paris à la fin du mois d'août, sans même prévenir François Truffaut, Marie de Poncheville part pour Los Angeles rejoindre un Américain qu'elle épousera. « Ces vacances étaient la dernière tentative de rapprochement entre nous, dit-elle. Cela devenait impossible de vivre selon un plan préétabli par François, où ma place devenait de plus en plus limitée [19]. »

Un autre double

À partir de septembre 1979, Truffaut prépare le casting du *Dernier Métro*. Il a écrit le rôle de Marion Steiner en pensant à Catherine Deneuve, l'actrice idéale à ses yeux pour incarner ce personnage vital, énergique mais distant sur lequel repose tout le film. Au début de l'été, l'actrice a déjà donné son accord pour ces retrouvailles cinématographiques avec Truffaut. Entre *La Sirène du Mississippi* et *Le Dernier Métro,* dix années ont passé. Cette fois encore, le personnage que Catherine Deneuve incarne se prénomme Marion. Et, dans la dernière scène de *La Disparue,* la pièce jouée sur la scène du théâtre Montmartre, Catherine Deneuve donne la réplique à Gérard Depardieu en reprenant, pratiquement mot pour mot, à dix ans de distance, sa réplique à Jean-Paul Belmondo à la fin de *La Sirène du Mississippi :*

« — Je viens à l'amour et j'ai mal. Est-ce que l'amour fait mal ?

— Oui, l'amour fait mal. Comme les grands oiseaux rapaces, il plane au-dessus de nous, il s'immobilise et nous menace. Mais cette menace peut être aussi une promesse de bonheur. Tu es belle, Éléna, si belle que te regarder est une souffrance.

— Hier, tu disais que c'était une joie !

— C'est une joie et une souffrance. »

Début octobre 1979, Truffaut reçoit Jean-Louis Richard aux Films du Carrosse. « Vous avez été mon scénariste, j'ai été le vôtre, j'ai été votre producteur, maintenant je veux que vous soyez mon comédien [20] », lui dit-il en lui proposant le rôle de Daxiat. Par amitié pour Truffaut, mais aussi parce qu'il est un ancien acteur de la troupe de Jouvet dans les années cinquante, Jean-Louis Richard accepte, à condition de « donner le maximum de prestige au personnage [21] ». Il conférera à Daxiat une personnalité trouble, avec sa voix douce, son physique à la fois enfantin et imposant, ses regards parfois proches de la folie.

Truffaut retrouve la petite Sabine de *Jules et Jim* et de *La Peau douce*, devenue quinze ans plus tard une jeune comédienne très douée. Il propose à Sabine Haudepin le rôle de Nadine Marsac, jeune actrice ambitieuse, prête à tout pour réussir, qui joue au théâtre le soir et tourne sur un plateau de cinéma l'après-midi. Fin octobre, c'est Gérard Depardieu qui est pressenti pour jouer le principal rôle masculin aux côtés de Catherine Deneuve, celui de Bernard Granger. Il tourne alors *Buffet froid*, dans le Vercors, sous la direction de Bertrand Blier. Truffaut et lui sont entrés en relation par l'intermédiaire de leurs agents, Gérard Lebovici et Jean-Louis Livi, qui voient d'un très bon œil cette première rencontre, sachant que Truffaut a écrit son scénario en pensant à Depardieu. Pourtant, les choses ne se présentent pas de manière idéale. Car Depardieu doit en principe tourner dans le nouveau film de Claude Sautet, *Un mauvais fils*. Avant ce tournage, « Sautet a changé d'avis, témoigne Jean-Louis Livi, préférant engager Patrick Dewaere. J'ai donc annoncé à Gérard qu'il ne faisait plus le film de Sautet, mais qu'il avait une proposition venant de Truffaut [22] ». Dans un premier temps, Depardieu ne se montre guère enthousiaste. À ses yeux, Truffaut a une image un peu passée. « Quand Gérard Lebovici et Jean-Louis Livi m'ont dit que Truffaut pensait à moi, je n'étais pas tout de suite emballé. J'avais aimé *Les Quatre Cents Coups* et *L'Enfant sauvage*, et moins ses autres films, y compris les " Doinel " auxquels je trouvais qu'il manquait quelque chose, peut-être un peu de méchanceté [23]. » Lors de leur première rencontre, l'acteur ne cache pas ses réserves au cinéaste, plutôt séduit par sa franchise. Le courant passe très vite entre les deux hommes, qui se découvrent de vraies affinités. « C'était même le coup de foudre [24] », dit Jean-Louis Livi. Plus qu'une sympathie, c'est le sentiment de venir du même monde qui les rapproche. « J'avais tellement peur que ce ne soit pas un voyou [25] », dira encore Depardieu en parlant de Truffaut. Conquis par l'homme, il accepte aussitôt le rôle de Bernard Granger dans *Le Dernier Métro*.

Pour le rôle de Jean-Louis Cottins, le metteur en scène qui remplace Lucas Steiner pour diriger les répétitions de *La Disparue*, Truffaut pense d'abord à Jean-Claude Brialy, mais celui-ci tourne au même moment dans *La Banquière* de Francis Girod. Il contacte alors Jean Poiret, qu'il apprécie depuis longtemps [26]. Ce rôle d'un homosexuel discret, dandy et mondain est une vraie composition, à l'opposé des personnages comiques où l'acteur excelle d'ordinaire. Truffaut compte sur un effet de surprise, qui sera d'autant plus fort que Poiret a peu tourné au cinéma depuis une dizaine d'années, se consacrant presque exclusivement au théâtre. Le choix de l'acteur qui interprétera Lucas Steiner s'avère difficile pour Truffaut, peu à l'aise avec ce personnage passif, secret, et butant sur la question : « Qu'est-ce qu'avoir l'air juif ? » Il pense alors à Heinz Bennent, un acteur allemand qui parle très bien français, et qu'il a aimé dans deux films de Volker Schlœndorff, *L'Honneur perdu de Katharina Blum* et *Le Tambour*, ainsi que dans *L'Œuf du serpent* d'Ingmar Bergman. Mais Truffaut hésite encore, et c'est Suzanne Schiffman qui finit par le convaincre de confier le rôle d'un personnage juif à cet acteur non juif.

Le cinéaste complète la distribution en attribuant les rôles de tous ces personnages qui font la vie d'un théâtre, techniciens et administrateurs travaillant dans les coulisses. Paulette Dubost, la Lisette de *La Règle du jeu,* est Germaine, l'habilleuse. Maurice Risch sera Raymond, le régisseur. Laszlo Szabo, acteur fétiche de la Nouvelle Vague devenu cinéaste, interprétera le rôle du lieutenant Bergen, un officier allemand qui admire passionnément Marion Steiner. Andréa Ferréol, révélée par *La Grande Bouffe* de Marco Ferreri, sera Arlette Guillaume, la costumière courtisée par Bernard Granger. Marcel Berbert fera une apparition dans le film en administrateur du théâtre Montmartre, un rôle proche du sien dans la vie (« Pour les questions d'argent, vous verrez avec lui [27] », dit un personnage du *Dernier Métro*).

Enfin, Richard Bohringer, qui n'est pas encore une vedette, apparaît en agent de la Gestapo.

Le meilleur roman de l'année

Avant que ne commence le tournage, François Truffaut a le trac, plus encore qu'à l'ordinaire. *Le Dernier Métro* est un film ambitieux et cher. Après un échec grave *(La Chambre verte)* et un demi-succès *(L'Amour en fuite)*, il lui est indispensable de relancer sa carrière. Enfin, fait exceptionnel, il n'a pas d'autre scénario en cours d'écriture. Pourtant Truffaut est conscient d'avoir quelques atouts, en premier lieu, celui de diriger un couple de vedettes, Deneuve et Depardieu, ce qu'il n'avait pas fait depuis *La Sirène du Mississippi*. La préparation du film, jusqu'au début du tournage fixé au 28 janvier 1980, est néanmoins difficile. Suzanne Schiffman a du mal à trouver un théâtre disponible, où Truffaut puisse tourner les scènes de répétition de *La Disparue*. Ce n'est que quinze jours avant le premier tour de manivelle que la production se décide pour le théâtre Saint-Georges. Juste avant Noël, la mort de Maurice Dorléac, le père de Catherine Deneuve, bouleverse profondément sa fille. Enfin Truffaut n'est pas satisfait de toute la partie du scénario concernant les scènes entre Marion et Lucas Steiner dans la cave du théâtre Montmartre, trouvant le dialogue trop littéraire ou relevant du film à thèse : « les Juifs sous l'Occupation ». Il songe un temps sacrifier le personnage de Lucas Steiner, en le laissant dans l'ombre, sans visage ni parole. Deux semaines avant le début du tournage, en voyant au théâtre du Gymnase une pièce de Jean-Claude Grumberg, *L'Atelier*, montée par Jacques Rosner et Maurice Bénichou, Truffaut est séduit par la justesse des personnages, notamment celui de Léon, le petit patron juif de cet atelier de confection où se déroule en partie la pièce. Il est particulièrement sensible aux ruptures de tons d'une scène à l'autre. Quatre jours plus tard, encouragé par Serge Rousseau, il écrit à l'auteur : « Votre Léon est sublime, il a tout ce qui manque à mon Lucas. Accepteriez-vous de kollaborer ? Lucas Steiner sera joué par Heinz Bennent, très bon acteur allemand

(Le Tambour) qui parle bien français, avec accent non brutal. Le problème est que je n'ai pas su le faire parler, je n'ai pas su le faire vivre. Pour moi, cela ne fait aucun doute : la solution est au bout de votre stylo qui est sacrément meilleur que le mien [28]. » Jean-Claude Grumberg accepte et, quelques jours plus tard, propose à Truffaut un nouveau texte pour les scènes entre Catherine Deneuve et Heinz Bennent, et celles de Daxiat. Truffaut est soulagé. « Il m'arrivera de ne garder que 30 ou 50 % de vos répliques, écrit-il à Grumberg, soit que je préfère ma formulation, soit que je la trouve plus adaptée aux deux acteurs, mais il ne fait aucun doute, pour moi, que le personnage de Lucas va s'enrichir, grâce à vous [29]. »

Mais déjà d'autres soucis l'accaparent. Quelques échos parus dans la presse à propos du *Dernier Métro* — Pierre Montaigne dans *Le Figaro* parle d'un « remake de *To Be or not to Be* » — mettent Truffaut en fureur et le conduisent à fermer son plateau aux journalistes. Pour éviter toute fuite, il rédige une note interne adressée à chacun de ses collaborateurs : « Nous allons travailler dans le but de raconter une histoire intéressante et intrigante. Je propose que nous gardions cette histoire secrète et que nous évitions de la raconter aux journalistes. Évitons même de décrire les personnages. Ce qui se passe dans le théâtre Montmartre, de la cave au grenier, ne regarde que nous et... le public avec lequel nous avons rendez-vous mais seulement dans neuf mois (forcément) [30]... »

C'est donc dans le plus grand secret que le tournage du *Dernier Métro* commence, le 28 janvier 1980, sur la scène du théâtre Saint-Georges, dans le IXe arrondissement. Pendant dix jours, l'équipe de Nestor Almendros filme les répétitions et la mise en scène de *La Disparue*. Truffaut est tendu, même s'il reste disponible et précis dans ses indications aux acteurs, ne supportant ni les disputes ni les éclats sur son plateau. L'ambiance est feutrée, tout le monde se vouvoyant et parlant à voix basse. Dans une lettre à Janine Bazin, Truffaut parle d'une série de « catastrophes en tout genre [31] », qui bouleverse son plan de travail et entraîne un sérieux retard. « J'espère que les sept semaines de tournage qui nous restent seront plus calmes. » En effet, Catherine Deneuve, après une chute, souffre d'une foulure, et Suzanne Schiffman, victime d'une grave occlusion intestinale, est hospitalisée plusieurs jours.

La majeure partie du film se tourne ensuite dans une grande usine désaffectée, la chocolaterie Moreuil, rue du Landy à Clichy. Dans ce lieu transformé en un véritable studio, l'équipe se déplace dans quatre décors différents, dessinés par Jean-Pierre Kohut-Svelko : la cave de Lucas Steiner, les loges et le bureau de Marion Steiner, la cour et la rue devant le théâtre Montmartre, enfin l'extérieur et l'intérieur d'un restaurant parisien sous l'Occupation. Truffaut profite au maximum des avantages de ce lieu unique, et le tournage trouve enfin son rythme de croisière. Nestor Almendros a travaillé tout spécialement l'éclairage et les couleurs, utilisant une palette chromatique volontairement réduite aux bruns, aux ocres et aux rouges, s'inspirant des films allemands contemporains de la guerre, tels *Munchausen* de Von Baky ou *La Ville dorée* de Veit Harlan (dont on aperçoit une affiche dans le film). Ce travail précis sur la couleur confère au film une atmosphère à la fois artificielle et douce : toute la société française sous l'Occupation apparaît ainsi comme une scène de théâtre. L'évolution de Truffaut vers un cinéma de studio, commencée avec *Adèle H.* ou *La Chambre verte*, est désormais explicite.

À la mi-mars, l'équipe tourne quelques scènes en extérieurs, d'abord la fuite du collaborateur Daxiat, devant une maison en ruine de la rue Massenet à Paris, puis les scènes où le critique de théâtre se rend à son journal, *Je suis partout*, filmées dans les locaux de *Rivarol*, un journal satirique de droite installé Passage des Marais dans le Xe arrondissement. Puis viennent les séquences de la chambre d'hôtel de Marion Steiner, tournées place de la Concorde à l'hôtel Crillon. Reste la longue scène du dîner des comédiens, après le succès de la première de *La Disparue*, filmée dans un club non loin de la place Pigalle. Enfin, l'intérieur de l'église où Bernard assiste à l'arrestation d'un résistant par la Gestapo, tourné à Notre-Dame-des-Victoires. Du 27 mars à la mi-avril, l'équipe se réinstalle dans la chocolaterie Moreuil pour les scènes de la cave. Le tournage du *Dernier Métro*, qui aura duré 59 jours, s'achève le 21 avril 1980. Deux jours plus tard, Truffaut s'envole pour Beverly Hills, laissant ce mot à son complice Jean Aurel : « Je vais dormir à Los Angeles, je rentre à Paris vers le 12 mai. Tant mieux pour moi si vous êtes là, parisien, disponible pour déjeuner, bavarder et regarder *Le Dernier Métro*, si brinquebalant dans son état actuel [32]. »

À peine arrivé à Los Angeles, Truffaut apprend la mort d'Alfred Hitchcock, le 29 avril 1980. Aussitôt, « son téléphone n'arrêta pas de sonner[33] », témoigne Laura qui, installée depuis quelques mois à Berkeley où elle poursuit ses études, a rejoint son père pour passer quelques jours avec lui. Le 2 mai, Truffaut, accompagné de Laura, est présent dans la petite église de Santa Monica Boulevard, à Beverly Hills, où une messe est prononcée en hommage à Hitchcock. Cette même église où, un an auparavant, « c'est à Jean Renoir qu'on avait dit adieu[34] », écrira-t-il plus tard, en comparant les deux cérémonies. « Le cercueil de Jean Renoir était devant l'autel. Il y avait la famille, des amis, des voisins, des cinéphiles américains et même de simples passants. Pour Hitchcock, ce fut différent. Le cercueil était absent, il avait pris une destination inconnue. Les invités, convoqués par télégramme, étaient notés et vérifiés à l'entrée de l'église par le service d'ordre de la société Universal. La police faisait circuler les curieux. C'était l'enterrement d'un homme timide devenu intimidant qui, pour une fois, évitait la publicité puisqu'elle ne pouvait plus servir son travail, un homme qui s'était exercé depuis l'adolescence à contrôler la situation. » Les deux cinéastes qu'il admirait peut-être le plus au monde ayant disparu à quelques mois d'intervalle, Truffaut sait qu'il n'aura désormais plus autant de plaisir à séjourner à Hollywood, comme il le faisait régulièrement, une ou deux fois par an, depuis longtemps.

Le montage du *Dernier Métro* dure quatre mois, tout au long duquel le cinéaste, inquiet, doute de la réussite de son film. C'est Jean Aurel qui eut l'idée de changer le début : « Dans sa version antérieure, le film commençait de manière différente : Depardieu allait au théâtre, sans rencontrer le personnage joué par Andréa Ferréol. Après discussion, on a placé cette rencontre au tout début du film, ce qui change un nombre de choses inimaginable. Toujours au nom du principe d'efficacité. Le début devenait meilleur, grâce à cette scène où Depardieu drague Ferréol, sans savoir qu'elle ne s'intéresse pas aux hommes. C'est un principe de récit indirect, inspiré de Lubitsch[35]. »

La collaboration musicale avec Georges Delerue apporte à Truffaut un réel plaisir, les deux hommes intégrant plusieurs chansons d'époque, des airs que le jeune Truffaut connaissait par cœur durant l'Occupation, l'un des grands moments de la chanson de rue en France, par exemple *Mon Amant de Saint-Jean* ou *La Prière à Zumba*. Début septembre, les premières projections destinées aux amis puis à la presse sont très positives. « Je suis presque complètement rassuré sur l'accueil qui sera fait au film en France [36] », écrit-il à Richard Roud, le directeur du festival de New York. Rarement, en effet, il a reçu autant d'avis favorables, venant d'horizons très divers, aussi bien de Jean-Paul Belmondo que de Federico Fellini, de Samuel Fuller que de Jean Marais. Nicolas Seydoux, le patron de la Gaumont, lui aussi très satisfait, tient à organiser une avant-première prestigieuse dans l'une des plus belles salles des Champs-Élysées, le Paris, une grande salle appartenant à Marcel Dassault, en présence du cinéaste et de tous ses acteurs. Truffaut a tenu à réunir deux générations d'acteurs, ceux qui ont connu l'Occupation, tels Jean Poiret, Paulette Dubost, Yves Montand, Jeanne Moreau, Jean-Marc Thibault, Julien Bertheau, Simone Berriau, Nelly Benedetti, ceux qui l'ont fuie comme Marcel Dalio, et les plus jeunes, amis de Gérard Depardieu, tels Julien Clerc, Alain Souchon, Miou-Miou ou Nathalie Baye. Au centre, Catherine Deneuve rayonne dans un élégant tailleur rouge. L'atmosphère est chaleureuse, confiante. Pourtant, Truffaut demeure tendu pendant toute la projection, jusqu'au moment où la lumière se rallume. « Je me suis approchée de François, il était vert : " C'est foutu, m'a-t-il dit, ils n'ont pas aimé le film ", se souvient Suzanne Schiffman. Il n'était jamais satisfait d'un film et finissait par vous entraîner dans ses angoisses [37]. » Mais le public, debout, applaudit, c'est un triomphe. L'ironie veut que le lendemain matin, Marcel Dassault téléphone à Truffaut pour lui dire qu'après avoir vu le film, il a changé d'avis. Il juge le film intéressant, mais le sujet même des Juifs sous l'Occupation, de la Collaboration, ne lui paraît pas convenir pour *sa* salle et *son* public. Aussi il veut déprogrammer *Le Dernier Métro* du Paris, la principale salle d'exclusivité du film sur les Champs-Élysées. Il faudra à Truffaut des trésors de diplomatie pour que le film y soit maintenu.

La critique est largement favorable au film. « Truffaut sans restriction » titre *Le Point*, où Pierre Billard écrit : « Dans un équilibre subtil, Truffaut fait revivre toute une époque. Et réussit un film superbe qui fera date dans son œuvre [38]. » « Un grand mélodrame où s'allient le charme et la gravité [39] », poursuit Michel Boujut dans *Les Nouvelles littéraires*, tandis que Jacques Siclier dans *Le Monde* et Pierre Bouteiller dans *Le Quotidien de*

Paris ne tarissent pas d'éloges. Mais c'est l'article de Bernard Pivot, dans *Lire,* qui fait certainement le plus plaisir à Truffaut. Sous le titre « Le meilleur roman de l'année », l'animateur d'*Apostrophes* écrit : « On nous annonce pour bientôt un roman de Tournier, un autre de Sagan, un dernier de Rinaldi. Eh bien non, je n'attendrais pas de les avoir lus pour vous faire profiter de ma trouvaille, pour vous dire, vous claironner les prénom et nom de ce magnifique romancier dont l'œuvre m'a bouleversé, enchanté, subjugué, au point que je vais commettre ici même, dans ce magazine tout entier voué à la lecture, un crime contre sa nature et son esprit. Car ce romancier est un cinéaste : François Truffaut, et son roman un film : *Le Dernier Métro* [40]. » Le jour même de la sortie, Truffaut écrit à Laura pour lui dire que tout se passe bien, mais que « ce qui compte avant tout, c'est le public payant ». Un moment décisif, qu'il appelle avec humour « l'ouverture de la mine [41] ».

Le Dernier Métro est un triomphe. Les responsables de la Gaumont parient sur 10 000 entrées le premier jour, et sur près de 120 000 en première semaine. « Le Carrosse fait marcher les calculatrices [42] », écrit Truffaut à Laura. Le pronostic s'avère exact : *Le Dernier Métro* réunit 126 000 spectateurs après sept jours d'exploitation, chiffre record pour un film de Truffaut. Les semaines suivantes confirment cet engouement. Au point que les médias s'interrogent sur le phénomène. Un film ouvertement classique, traitant d'une période qui, jusqu'alors, n'avait pas bonne réputation, touche un très large public, à la fois populaire et jeune, qui excède largement celui des précédents films de Truffaut. En 1980, il est vrai que les Français commencent à se passionner pour la période de l'Occupation, et recherchent une vision moins légendaire, plus juste, de leur propre histoire [43].

Dix Césars

Le 31 janvier 1981, *Le Dernier Métro* triomphe lors de la sixième édition des Césars qui se tient au Palais des Congrès. Nominé douze fois, le film de François Truffaut remporte dix césars, dont les principaux : meilleur film, meilleur réalisateur, meilleure actrice (Catherine Deneuve), meilleur acteur (Gérard Depardieu). Mais également ceux du meilleur scénario (Suzanne Schiffman), de la meilleure photographie (Nestor Almendros), du meilleur son (Michel Laurent), du meilleur montage (Martine Barraqué), du meilleur décor (Jean-Pierre Kohut-Svelko). Un succès sans partage face à des concurrents pourtant de taille, Alain Resnais avec *Mon Oncle d'Amérique,* Claude Sautet avec *Un mauvais fils,* Maurice Pialat **avec** *Loulou,* ou Jean-Luc Godard dont c'est le retour au cinéma avec *Sauve qui peut (la vie).* La profession a fait son choix et celui-ci prend l'allure d'un plébiscite. Plus encore que *La Nuit américaine, Le Dernier Métro* s'attire les honneurs de la corporation, qui se reconnaît dans ce film et, en quelque sorte, se rend hommage à elle-même. En clôture de la cérémonie, Truffaut, gêné par tant de récompenses, remercie en reprenant presque mot pour mot ce qu'il avait dit en anglais, sept ans auparavant, lorsqu'il recevait son Oscar pour *La Nuit américaine* : « *Le Dernier Métro* a été inspiré par la vie des gens du spectacle, c'est à eux que j'attribue mon succès. Ce César du meilleur réalisateur, je le garde chez moi... mais pour eux. »

Quelques jours plus tard, Catherine Deneuve et Gérard Depardieu font la couverture de *Paris-Match,* image *glamour* d'un « nouveau couple de cinéma qui a su toucher le cœur du public ». Avec ces dix Césars, la carrière du *Dernier Métro* est relancée et le film fait 200 000 entrées supplémentaires à Paris durant les cinq semaines qui suivent la cérémonie. Truffaut ne s'en plaint pas, remercie même Georges Cravenne d'avoir mis au point, en 1975, ces récompenses calquées sur le modèle des Oscars américains. « D'ici la fin du mois, *Le Dernier Métro* franchira la barre du million d'entrées à Paris et c'est évidemment aux Césars qu'il le devra. À Montréal, à New York, à Los Angeles et à Boston, nous avons battu le record de chaque salle et, chaque fois, la publicité avait été faite sur les dix Césars. Bref, je ne suis sûrement pas le premier à vous le dire, vous avez été sacrément bien inspiré le jour où l'idée de créer les Césars vous est venue. Ensuite il y a eu le courage, votre courage, de réaliser l'idée. Je voulais vous exprimer non seulement mon enthousiasme, mais aussi ma reconnaissance et vous dire enfin que vous pouvez compter sur moi [44]. »

Le succès du *Dernier Métro,* plus d'un million d'entrées à Paris, est un événement décisif pour les Films du Carrosse, d'autant que personne, Truffaut moins que d'autres, ne pouvait en soupçonner l'ampleur. « Aujourd'hui, les gens croient que *Le Dernier Métro* était un film " à succès " avant même de commencer : ce n'est pas vrai, sans quoi il n'aurait pas été refusé par UGC ou AMLF ou les coproducteurs allemands [45]... », dira-t-il plus tard, rappelant ses nombreuses difficultés pour le mener à bien. Dans l'euphorie, « personne ne s'est aperçu que la croix gammée sur l'affiche était à l'envers [46] ! » se souvient avec ironie Marcel Berbert.

Soucieux de protéger au maximum son indépendance, Truffaut se montre d'une grande âpreté dans ses négociations avec TF1, pour repousser le plus loin possible la première diffusion du film sur la chaîne [47]. Il obtiendra même de la Gaumont une deuxième sortie nationale, seize mois après la première exclusivité. Le 9 mars 1983, *Le Dernier Métro,* rallongé d'une séquence de six minutes, attirera près de 100 000 spectateurs supplémentaires. Conseillé par Marcel Berbert et Gérard Lebovici, François Truffaut se révèle plus que jamais soucieux de son indépendance, ne laissant rien au hasard. L'énorme succès de son film est une chance, lui-même n'en ayant jamais mesuré à ce point l'ampleur.

Le Dernier Métro triomphe également à l'étranger. Aux États-Unis, par exemple, les recettes sont bonnes, un million et demi de dollars en 19 semaines d'exclusivité, et le film est dans la course aux prix, que ce soit pour celui du meilleur film étranger, pour les Golden Globes de la presse américaine, ainsi que pour les Oscars. L'œuvre de Truffaut est à l'honneur un peu partout dans le monde, avec des rétrospectives à Chicago, à Londres et à Lausanne, ou un peu plus tard à San Sebastien et à Tokyo. À Florence, Truffaut reçoit le prix Visconti pour l'ensemble de son œuvre, remis lors de la cérémonie des David de Donatello, l'équivalent italien des Oscars et des Césars.

Le triomphe en France du *Dernier Métro* ne va pas sans provoquer certains retours de bâtons dans la presse ou dans la profession. Le lendemain de la cérémonie des Césars, Dominique Jamet signe un éditorial cinglant en première page du *Quotidien de Paris.* « À voir Truffaut et les siens repartir croulant sous le poids des vilains petits objets qui consacrent chez nous les grandes réussites du 7ᵉ art, et sous les regards un peu amers de Jean-Luc, de Claude, d'Alain et des autres, on ne pouvait s'empêcher d'être pris d'un certain malaise. C'est reconnaître au seul Truffaut le monopole du talent, l'élever au statut de Commandeur du cinéma français, de Patron de cette industrie, voire de Parrain de cette corporation. Dans ce cas, on aurait lieu de déplorer l'extrême misère du cinéma français. Pas plus qu'une hirondelle ne fait le printemps, un homme seul ne saurait peupler un désert [48]. » Quelques semaines plus tard, Alain Rémond dans *Les Nouvelles littéraires* accuse Truffaut d'avoir rejoint les rangs du « cinéma de qualité » qu'il dénonçait autrefois. « Ça roule, ça fonctionne, pas l'ombre d'un risque. Ce virage, chez Truffaut, ne date pas d'aujourd'hui. L'auteur est loin. C'est un peu triste [49]. » Le succès à la fois public et professionnel fait de Truffaut une cible idéale pour les polémistes : « Dieu que Truffaut a l'air sérieux dans cette profession de rigolos, écrit Philippe Bouvard dans *Paris-Match*. Ponctuel, posé, pas le " genre artiste " pour deux sous, vêtu comme un cadre moyen ou comme un clerc de notaire frileux, pétri de scrupules et de remords, le cheveu grisonnant et qui tombe un peu, il m'est apparu comme un modèle d'équilibre triste, de réussite sans joie et de sérénité blasée. »

Ces attaques ne laissent pas Truffaut indifférent. L'homme bien sûr apprécie le succès, condition indispensable à son indépendance de cinéaste et de producteur. Il s'est aussi fixé comme règle de n'accepter que les récompenses liées à son métier, à sa profession de cinéaste. C'est au nom de ce principe qu'il a déjà refusé la Légion d'honneur ou d'autres récompenses. Ces dix Césars, Truffaut les a acceptés parce qu'ils lui ont été attribués par ses pairs, mais ce côté plébiscitaire l'a sans doute gêné, surtout vis-à-vis de cinéastes qu'il estime comme Resnais, Sautet ou Pialat. Et ce qui l'embarrasse surtout, c'est qu'on fasse de lui le « patron du cinéma français ». S'il refuse d'être un marginal comme Godard, il veut rester avant tout un artisan indépendant.

Davantage qu'un cinéaste, Truffaut est surtout devenu un symbole, un trait d'union entre les familles, les tendances et les clans extrêmement divers, voire contradictoires, qui traversent le cinéma français. Le nombre de scénarios qui lui sont adressés aux Films du Carrosse, après le succès du *Dernier Métro,* en témoigne. En 1980 et 1981, plus de deux cents projets sont déposés rue Robert-Estienne, dont un grand nombre provenant d'outre-Atlantique. Parmi eux, beaucoup sont écrits par de jeunes gens passionnés à la recherche d'un parrain, d'un maître. Euzhan Palcy, par exemple, une jeune amie martiniquaise de Laura Truffaut, lui adresse le scénario de son film *Rue Cases-Nègres*[50]. Leos Carax, un jeune homme de vingt ans, lui écrit une lettre fiévreuse : « J'ai besoin de vous. Je vous avais écrit il y a trois ans ; j'avais dix-sept ans et un projet de long métrage, *Déjà vu*. [...] Aujourd'hui, j'ai un nouveau projet de long métrage, *Si j'étais toi* (un film noir, d'une noirceur autobiographique ; deux anciens combattants, ils ont vingt ans, l'âge où on veut tout signer, histoires d'amour et œuvre d'art ; Axel est un espion ; un film de guerres : des sexes / d'indépendance). Je vous envoie ce projet de film qui passera d'ici quelques mois à l'Avance sur recettes — sans trop de chances : j'ai vingt ans, deux courts métrages pour toute filmographie, et (pour l'instant) aucune maison de production derrière moi. Mais enfin, j'ai fermement le désir de réaliser cette chose-là, aujourd'hui ou jamais, et ce que j'espère c'est que vous aurez le temps de lire *Si j'étais toi*, pour qu'on puisse en parler ensemble[51]. »

Sauve qui peut (l'amitié)

C'est aussi à cette époque que Jean-Luc Godard tente de renouer le dialogue avec François Truffaut. Après leur rupture de 1973, les anciens amis ne se sont plus revus, sauf une fois, lorsqu'ils se sont croisés par hasard dans le même hôtel à New York. « François a refusé de me serrer la main, se souvient Godard, on s'est retrouvés sur le même trottoir à attendre un taxi, il a fait semblant de ne pas me voir[52]. » À la fin des années soixante-dix, le « dialogue » ne s'est poursuivi qu'à travers la presse. À plusieurs reprises, Godard s'en est pris à Truffaut. « Je crois que François ne sait absolument pas faire de film. Il en a fait un qui lui correspondait vraiment, *Les Quatre Cents Coups*, et puis ça s'est arrêté là : après, il n'a plus fait que raconter des histoires, disait-il dans un entretien dans *Télérama* en juillet 1978. Truffaut est un usurpateur... S'il pouvait entrer à l'Acadé-

mie française, je suis sûr qu'il le ferait [53]... » À l'époque, Truffaut
n'avait pas réagi. Godard revient à la charge, le 19 août 1980,
dans une lettre adressée à son ancien compagnon, ainsi qu'à
Jacques Rivette et à Claude Chabrol. Godard propose aux trois
anciens de la Nouvelle Vague une rencontre en Suisse, à Rolles
où il réside. Lui-même vient de terminer *Sauve qui peut (la vie)*,
avec Isabelle Huppert, Nathalie Baye et Jacques Dutronc, qui
marque son retour au cinéma après plusieurs années de militantisme et d'expériences de la vidéo. À la même période, Chabrol achève *Le Cheval d'orgueil*, d'après le livre de Pierre-Jakez
Hélias, et Rivette *Le Pont du nord*, avec Pascale Ogier. Le seul
point commun entre ces films, c'est qu'ils sortent à peu près en
même temps que *Le Dernier Métro*. « Est-ce qu'on ne pourrait
vraiment pas faire un " entretien " ? écrit Godard à ses anciens
complices. Quelles que soient les divergences, ça m'intéresserait
de savoir de vive voix ce que devient notre cinéma. On pourrait
sûrement trouver un " modérateur " qui convient à tous. On
pourrait en faire un bouquin chez Gallimard ou ailleurs. Pour
ma part, je suis prêt à vous inviter un jour ou deux à Genève.
J'aimerais bien, si faire se peut, montrer un peu ma "localisation ". Peut-être qu'une réunion comme ça, à deux, serait sentie
comme trop violente ; à quatre il devrait y avoir moyen de diminuer les différences de potentiels et qu'un peu de courant passe.
Amitiés quand même [54]. »

Cette fois, Truffaut décide de rompre le silence : « Ton invitation en Suisse est extraordinairement flatteuse quand on sait
à quel point ton temps est précieux. Ainsi donc à présent tu as
remis les Tchèques, les Vietnamiens, les Cubains, les Palesti-
niens, les Mozambicains sur les bons rails et tu vas désormais te
pencher avec sollicitude sur la rééducation du dernier carré de
la Nouvelle Vague. J'espère que ce projet de bouquin hâtif à
fourguer chez Gallimard ne signifie pas que désormais tu te
fiches du tiers monde comme du quart. Ta lettre est épatante et
ton pastiche du style policard est très convaincant. Le finale de
ta lettre restera comme une de tes meilleures trouvailles :
"Amitiés quand même. " Ainsi tu ne nous tiens pas rigueur de
nous avoir traités de malfrats, de pestiférés et de crapules. [...]
En ce qui me concerne, je suis d'accord pour venir voir ta localisation — quelle jolie expression... quand je pense à tous les
hypocrites qui diraient tout bonnement : ma maison — mais

c'est un privilège que je voudrais partager avec d'autres, disons quatre ou cinq personnes qui pourraient recevoir ta parole et la répandre ensuite tous azimuts. Je te demande donc d'inviter en même temps que moi Jean-Paul Belmondo. Tu as dit qu'il avait peur de toi et il serait temps de le rassurer. Je tiens aussi à la présence de Vera Chytilova, dénoncée par toi comme " révisionniste " dans son propre pays en pleine occupation soviétique. Sa présence à ton colloque me semble nécessaire, car je suis sûr que tu l'aiderais à obtenir son visa de sortie. Pourquoi négliger Loleh Bellon dont tu disais dans *Télérama* qu'elle est une vraie salope. Enfin n'oublie pas Boumboum, notre vieil ami Braunberger qui m'écrivait au lendemain de ton coup de téléphone : " 'Sale Juif' est la seule insulte que je ne peux pas supporter. " J'attends ta réponse sans impatience excessive car si tu deviens un groupie de Coppola, le temps te manquera peut-être et il n'est pas question de bâcler la préparation de ton prochain film autobiographique dont je crois connaître le titre : *Une merde est une merde* [55]. »

Truffaut profite également d'un long entretien avec les *Cahiers du cinéma* pour remettre les pendules à l'heure. C'est d'abord pour lui l'occasion de sceller ses retrouvailles avec les *Cahiers*, après une longue période de froid [56]. Il y dresse un bilan de sa carrière, évoque ses rapports avec le public, avec les autres cinéastes, avec les morts, avec les acteurs, avec l'Amérique. Il dit aussi ce qu'il ne supporte plus : la solitude, l'anticonformisme et... Godard, qui « appartient au groupe des envieux convulsifs ». Cette fois, l'attaque n'est plus privée mais publique, et elle est radicale. « Même à l'époque de la Nouvelle Vague, l'amitié fonctionnait à sens unique avec lui. Comme il était très doué et déjà habile à se faire plaindre, on lui pardonnait ses mesquineries mais, tout le monde vous le dira, le côté retors qu'il ne parvient plus à dissimuler était déjà là. Il fallait tout le temps l'aider, lui rendre service et s'attendre à un coup bas en retour. »

Au delà de ce règlement de comptes avec Godard, Truffaut définit dans ces interventions sa morale de cinéaste, parlant de son amour et de son angoisse de faire des films, du respect des règles de conduite qu'il s'est données depuis ses débuts, par exemple le souci de ne pas faire perdre d'argent aux autres, le refus de poser en artiste, ou de critiquer ceux qui ont moins de chance que lui dans leur travail. Se situant au centre du cinéma français, ou plutôt « à l'extrême-centre [57] », indépendant tout en travaillant dans le système : c'est la place que Truffaut entend jalousement préserver, redoutant sans cesse d'apparaître comme chef de clan ou, pire encore, comme la clef de voûte de l'industrie du cinéma français [58]. Il refuse par exemple de présider la Société des Réalisateurs de Films, sollicité par Marcel Ophuls et Luc Moullet qui en sont alors les secrétaires généraux. Dans une lettre adressée à Claude Autant-Lara qui l'accuse d'avoir « tous les pouvoirs dans le cinéma français », le patron du Carrosse réaffirme son indépendance, son isolement volontaire, et se justifie en ces termes : « Tout le monde pourrait vous le confirmer : je n'ai pas le goût du pouvoir. Je n'ai jamais accepté de prendre la direction de l'Avance sur recettes, ni de présider la Cinémathèque française, ni la Société des Réalisateurs de Films, ni de faire partie d'aucun jury depuis 1962, justement afin de ne plus avoir à juger, ni à faire dépendre de mon goût personnel le destin d'un projet ou à devoir transiger sur ma liberté. Je n'ai jamais levé le petit doigt pour prendre du pouvoir dans quelque institution que ce soit, car, ainsi que le dirait Serge Gainsbourg : "J'en ai rien à cirer [59]." »

« Ma seule tactique d'alternance, c'est de tourner un film à très bas budget après chaque film cher, afin de ne pas me laisser entraîner dans l'escalade qui mène aux concessions graves, à la mégalomanie et au chômage [60] », affirme François Truffaut à ses interlocuteurs des *Cahiers du cinéma,* qui l'interrogent sur les projets qu'il compte entreprendre après *Le Dernier Métro.* Son prochain film sera donc aux antipodes de celui qui vient de triompher. Après un film d'époque, le cinéaste réalisera un film contemporain. Après l'un de ses plus longs et plus coûteux tournages, le prochain sera un de ses plus rapides, au budget des plus modestes. Abandonnant la fresque et le récit classique, il reviendra au journal intime, pour raconter une histoire qui navigue au bord de la folie.

Ni avec toi ni sans toi

Au cours de l'hiver 1979, comme des millions de Français, Truffaut a été captivé par la série de cinq épisodes diffusés sur Antenne 2, *Les Dames de la côte*. Mag Bodard en est la productrice et Nina Companeez l'auteur. Cette saga historique couvre une bonne partie de l'histoire du siècle, à travers les heurs et malheurs d'une famille française. La distribution est prestigieuse : Edwige Feuillère, Françoise Fabian, Martine Chevalier, Évelyne Buyle et Francis Huster. Et le principal rôle féminin est tenu par Fanny Ardant, une actrice de trente ans venue du théâtre, à peine connue au cinéma. Alors en vacances à Paris, Laura Truffaut se souvient avoir vu le premier épisode des *Dames de la côte* aux côtés de son père, avenue Pierre-Iᵉʳ-de-Serbie. « J'ai vu mon père charmé en découvrant Fanny Ardant à la télévision, il était vraiment bluffé [61]. » Avouant lui-même avoir eu un « coup de foudre télévisuel [62] », Truffaut, fin décembre, écrit à Fanny Ardant et lui propose un rendez-vous aux Films du Carrosse.

La première rencontre se déroule alors que le cinéaste s'apprête à tourner *Le Dernier Métro*. « Le film suivant sera pour vous », promet-il à Fanny Ardant. Puis ils se revoient très régulièrement, déjeunant à la boulangerie du coin de la rue Marbeuf et de la rue Robert-Estienne, un des endroits favoris du cinéaste. Ils évoquent ce prochain film, déjà en cours d'écriture, et apprennent à se connaître. Fille de colonel de cavalerie, née à Saumur, Fanny Ardant a d'abord suivi son père dans ses diverses missions à travers l'Europe, notamment en Suède, où le colonel Ardant est attaché militaire, puis, à partir des années soixante, à Monaco, où il est l'un des conseillers de la garde personnelle du prince Rainier. L'éducation de la jeune fille se fait dans la pure tradition aristocratique, « à la Don Quichotte », dira Fanny Ardant. Même si la famille n'est pas très riche, elle mène un grand train de vie : écoles privées, grands lycées français à l'étranger, bals en robe du soir et courses de chevaux... À Aix-en-Provence, Fanny Ardant, à vingt ans, suit un cursus de trois ans à la faculté de sciences politiques, où elle rédige un mémoire sur *Le Surréalisme et l'Anarchie*. Elle s'installe ensuite à Paris, après un bref séjour à Londres. Mais le théâtre l'enlève à sa carrière universitaire au milieu des années soixante-dix. Elle suit un cours d'art dramatique, l'école Perimoni, avant d'obtenir ses premiers rôles dans *Polyeucte* de Corneille monté en 1974 dans le cadre du festival du Marais à Paris, où elle joue Pauline, *Le Maître de Santiago* de Montherlant, *Esther* de Racine, *Électre* de Giraudoux, *Tête d'or* de Paul Claudel. Enfin, en 1978 on la remarque dans une dramatique de télévision, *Les Mémoires de deux jeunes mariées*, d'après Balzac. L'année suivante, Mag Bodard et Nina Companeez lui confient le rôle principal des *Dames de la côte*[63].

La soirée des Césars, le 31 janvier 1981, confirme les premières impressions de Truffaut au sujet de la comédienne. Lors du traditionnel souper au Fouquet's qui suit la cérémonie, le cinéaste est entouré des acteurs du *Dernier Métro* : « Fanny Ardant est venue nous rejoindre à notre table, Gérard Depardieu et moi. Quand je les ai vus réunis, il m'a brusquement sauté aux yeux qu'ils étaient mes amants[64]. » Ces amants sont ceux du scénario qu'il vient de commencer, « dans la clandestinité[65] ». Le désir de les réunir l'encourage à accélérer la préparation de son nouveau film, dont il écrit les dialogues au jour le jour ou en profitant de ses week-ends. Plus tard, parlant de Fanny Ardant, Truffaut avouera qu'il a été séduit « par sa grande bouche, sa voix basse aux intonations particulières, ses grands yeux noirs, son visage en triangle[66] ». Il aime cette vitalité dans le jeu, l'enthousiasme et l'humour, ce « goût du secret, un côté farouche, un soupçon de sauvagerie et, par dessus tout, quelque chose de vibrant[67] ».

Comme pour la plupart de ses films, le thème de *La Femme d'à côté* remonte assez loin dans le plan de travail de Truffaut. « Je pourrais donner des droits d'auteur à Catherine Deneuve », dira-t-il plus tard, même si ce n'est qu'une boutade, à Claude de Givray. Car le scénario de *La Femme d'à côté* s'inspire en grande partie de sa relation amoureuse avec l'actrice. Fin 1972, Truffaut a même rédigé cinq feuillets, un premier synopsis portant le titre « *Sur les rails* », l'histoire de deux anciens amants qui se revoient par hasard, après huit ans de séparation. Le synopsis raconte ces retrouvailles passionnées mais impossibles, la dépression de l'homme (dans *La Femme d'à côté* ce sera la femme), les « petites pilules multicolores » qui guérissent tant bien que mal les peines d'amour, la référence à une chanson emblématique

(« Sans amour on est rien du tout »), la fin étant moins pessimiste dans cette première version. En 1972, Truffaut pense réunir Jeanne Moreau et Charles Denner, pour former ce couple dont la passion se résume en ces quelques mots : « Ni avec toi ni sans toi. »

À l'automne 1980, Truffaut reprend son projet avec Jean Aurel. « On établissait une continuité oralement, scène par scène, au fur et à mesure, rapporte celui-ci. Il fallait la rencontre dans le supermarché, la dépression nerveuse pour la dramatisation, avec cette idée de la maladie voulue qui vient de ma lecture de Groddeck. La fin dramatique était prévue. Ça ne pouvait être que la mort. [...] Et il y a l'idée, qui est une idée de François, qu'il m'a dite timidement, qu'ils meurent en faisant l'amour [68]. » Par la suite, Truffaut décide de travailler tantôt avec Jean Aurel, tantôt avec Suzanne Schiffman. Le premier réfléchit à la construction de l'ensemble, en trouvant des idées pour nourrir les vingt séquences du synopsis ; la seconde met en forme la continuité, en approfondissant les personnages. C'est elle qui développe le personnage de Madame Jouve, la gérante du club de tennis où sont inscrits les deux couples, une femme généreuse, hantée et meurtrie par une ancienne passion, qui devient la confidente des deux amants. Fin février 1981, le dernier traitement du scénario de *La Femme d'à côté* est achevé. Entre le premier synopsis et la version définitive, il s'est écoulé à peine plus de trois mois.

« Le mal d'amour est une maladie. Le médecin ne peut pas la guérir » : sous cet exergue tiré d'une vieille chanson française, le scénario propose l'une des histoires les plus limpides et les plus tragiques de François Truffaut. Bernard Coudray et Mathilde Bauchard se sont aimés follement, puis douloureusement séparés. Ils se retrouvent huit ans plus tard lorsque Mathilde, récemment mariée à Philippe, vient s'installer dans la maison voisine de celle qu'occupent Bernard, sa femme Arlette et leur fils Thomas. Bernard a trouvé le bonheur avec Arlette, une vie calme, paisible, dans un petit village situé à une vingtaine de kilomètres de Grenoble. Quant à Mathilde, son mariage avec Philippe, plus âgé qu'elle, lui a apporté un certain équilibre. Inévitablement, des relations de voisinage se nouent entre les deux couples, et Bernard comme Mathilde taisent leur ancienne relation et tentent d'étouffer leurs sentiments. Malgré leurs efforts, cette passion reprend. Les amants se retrouvent dans une chambre d'hôtel. Mais Bernard, lors d'une réception chez Mathilde, est pris d'un accès de violence, en apprenant que sa maîtresse veut rompre. Mathilde tombe en dépression, on la soigne dans une clinique. Son mari met la maison en vente. Une nuit, Bernard y voit de la lumière. C'est Mathilde. Les deux amants s'étreignent. Pendant qu'ils font l'amour, Mathilde tue Bernard d'un coup de pistolet, puis retourne l'arme contre elle.

Truffaut veut aller vite pour tourner *La Femme d'à côté*. Tout l'impose. Le sujet, dont il tient à préserver la puissance d'émotion, comme son intention de prendre à contrepied l'image de cinéaste installé qui lui colle à la peau. Par ailleurs, Gérard Depardieu est très demandé et il n'est libre que six semaines, entre mars et avril 1981. « Gérard Depardieu était engagé pour jouer dans *La Chèvre* de Francis Veber, se souvient Jean-Louis Livi, alors agent de l'acteur et de Truffaut lui-même. François m'avait dit qu'il voulait tourner tout de suite, je lui ai demandé s'il était prêt, il m'a répondu : "Non, mais après un succès comme *Le Dernier Métro*, je ne peux pas attendre." Je me suis arrangé avec Gaumont, qui produisait *La Chèvre*, pour retarder le tournage afin de permettre à Gérard d'être libre pour *La Femme d'à côté*[69]. »

Truffaut est donc contraint de travailler dans l'urgence, ce qui ne lui déplaît pas. Il n'a aucune difficulté pour compléter sa distribution, son film n'ayant que quelques personnages. Henri Garcin est engagé pour le rôle de Philippe, le mari de Mathilde, Michèle Baumgartner[70], pour celui d'Arlette, la femme de Bernard. Véronique Silver sera Madame Jouve, et Philippe Morier-Genoud, un comédien du Centre dramatique national des Alpes, alors dirigé par Georges Lavaudant, jouera le rôle du psychiatre qui tente de soigner Mathilde.

À la fin du mois de mars 1981, Truffaut s'installe à Grenoble où il a décidé de tourner son film, du 1er avril au 15 mai. Il a trouvé dans un village, à une quinzaine de kilomètres de Grenoble, les deux maisons voisines qui servent de décor essentiel à son film. Le seul changement notable dans l'équipe technique concerne la prise de vue, confiée à William Lubtchansky, assisté de Caroline Champetier et Barcha Bauer. *La Femme d'à côté* est une coproduction entre le Carrosse, Gaumont (qui en sera également le distributeur) et TF1, selon le même montage financier que pour *Le Dernier Métro*, avec un budget trois fois moins élevé et un tournage deux fois moins long. Le film est à ranger dans la catégorie des « tournages heureux » de Truffaut, comme ceux de *Jules et Jim* ou de *La Sirène du Mississippi*, lorsque le cinéaste est amoureux de l'actrice qu'il filme. Comme à son habitude, Truffaut reste très discret sur cette nouvelle liaison. « François était extrêmement discret, témoigne Gérard Depardieu. Un soir, rentrant vers minuit à l'hôtel du Commerce, je discute avec le portier comme d'habitude ; la porte de l'ascenseur s'ouvre et je vois François, qui habitait en ville. Il referme la porte et je tourne la tête, pour faire comme si je ne l'avais pas vu, sentant son malaise. Que faisait-il là ? Je me suis d'abord dit qu'il était sans doute venu pour " coacher " Fanny. Ce n'est qu'après que j'ai compris leur relation [71]. » Cette harmonie amoureuse se lit dans cet éloge de la comédienne par son metteur en scène : « Sitôt la scène tournée, son visage s'épanouit, elle garde le silence et laisse venir un sourire qui semble dire : " Je suis pleine, je suis remplie, je suis comblée [72]. " »

Un premier montage est prêt à la mi-juin 1981, deux mois et demi seulement après le début du tournage. Mais Truffaut n'est pas pleinement satisfait de la construction. Suzanne Schiffman lui suggère alors de faire du personnage de Madame Jouve la narratrice. Dès le début du film, c'est un fait divers qu'elle annonce au spectateur : « Il faisait encore nuit lorsque la voiture de police a quitté Grenoble... Je m'appelle Odile Jouve... Cette affaire a commencé il y a six mois... » Et c'est elle qui raconterait tout au long du film l'histoire de ces deux amants, dont elle résume le drame par cette formule : « Ni avec toi ni sans toi. » Truffaut reprend l'idée et tourne une séquence additionnelle avec Véronique Silver, le 13 juin, devant le Tennis-Club de Corenc, à une dizaine de kilomètres de Grenoble.

Avant la sortie du film le 30 septembre 1981, les premières réactions sont unanimes, et plusieurs saluent la naissance d'une grande actrice. « Fanny Ardant brûle tout entière d'une flamme étrange et romantique, elle est une sorte de Parque inquiétante dont le regard sombre et l'obsession rappellent à la fois la Maria Casarès d'*Orphée* et l'Adjani d'*Adèle H.* [73] », lance ainsi Michel Pascal sur les ondes d'Europe 1, tandis que *Le Film français* joue les prophètes : « *A star is born*, incontestablement, et François Truffaut est le maître d'œuvre de cette flamboyante métamorphose [74]. » Mais c'est Serge Daney, dans *Libération*, qui en propose l'analyse la plus juste : « Si *La Femme d'à côté* est un film si réussi et, finalement, si émouvant, c'est parce que Truffaut, ennemi de l'exhibitionnisme des passions et des idées, homme du juste milieu et du compromis, essaie cette fois de filmer le compromis lui-même, d'en faire la matière, la forme même de son film. [...] Le pari de Truffaut avec *La Femme d'à côté*, c'est de sortir de *La Chambre verte*, de mêler le scénario-Hyde (la passion morbide et privée) et le scénario-Jekyll (les autres, la vie publique). De le faire sans qu'un l'emporte sur l'autre, sans que le spectateur ait à choisir entre les deux. [...] Car, par un paradoxe qui n'appartient qu'à lui, son art du compromis le précipite vers un cinéma risqué, sans filet. Dans *La Femme d'à côté*, l'art de la mise en scène est devenu assez ample et assez libre pour loger dans le même souffle Hyde et Jekyll. »

Un couple singulier

Le dernier grand amour de François Truffaut redonne passion et intensité à sa vie sentimentale. Après le montage de *La Femme d'à côté*, il loue une grande maison non loin de Paris, pensant y passer, entre fin juin et fin août 1981, ce qu'il nomme dans une note manuscrite les « vacances FT/Fanny à Fontainebleau [75] ». Mais Fanny Ardant n'est pas disponible, car elle tourne une bonne partie de l'été, dans le Bordelais, un film de télévision, *Le Chef de famille*, sous la direction de Nina Companeez. Triste et solitaire, Truffaut préfère le plus souvent à sa maison d'été son appartement parisien où il accueille Laura et son compagnon, Steve Wong, qui passent leurs vacances en France. À peine remis d'une sérieuse opération dentaire et peu en forme, il a accordé fin juin, début juillet, un long entretien filmé à Jérôme Prieur et Jean Collet, réalisé par José Maria Berzosa. Dans cette *Leçon de cinéma*, composée en deux fois une heure et entrecoupée d'extraits de ses films, il évoque chacun d'eux, souvent de manière critique, assis dans une salle de projection de l'I.N.A., à Bry-sur-Marne, et laisse transparaître un certain malaise. Lui-même, dans une lettre à Jean Collet, se décrit alors « en très mauvais état physique et moral [76] ».

Heureusement, à la mi-septembre, il retrouve Fanny Ardant et effectue avec elle plusieurs voyages, pendant deux mois, assurant la promotion de *La Femme d'à côté* en province comme à l'étranger. Début octobre, accompagnés d'Helen Scott, Fanny Ardant et François Truffaut présentent *The Woman Next Door* au New York Film Festival, et séjournent durant une semaine à l'hôtel Carlyle. À peine revenus à Paris, ils repartent aussitôt aux États-Unis, le 4 novembre 1981, pour un séjour plus long, à Chicago, où un hommage est rendu à Truffaut, puis à San Francisco et Los Angeles, où le couple se repose au Beverly Hills Hotel. Truffaut présente Fanny Ardant à ses amis californiens, notamment à Dido Renoir qui est charmée par la jeune actrice française.

François Truffaut et Fanny Ardant forment un couple singulier. D'un commun accord, ils ont décidé de ne pas vivre ensemble, de conserver chacun son indépendance, même s'ils sont presque voisins, dans le XVIe arrondissement : « J'adore les grandes familles, confie Fanny dans *Elle,* mais pour moi l'amour doit rester clandestin, sans bague au doigt. J'aime aussi les grandes maisons, mais pas les couples. La bénédiction du curé signe un contrat d'enlisement ! Il ne faut pas vivre ensemble. C'est tellement merveilleux de se donner rendez-vous ou d'être chez l'autre comme en visite[77]. » À trente ans, Fanny Ardant a construit sa vie en marge. « Les marginaux comme moi viennent souvent de familles très strictes, répressives... parce qu'elles donnent un goût forcené de la liberté[78]. » Elle vit seule avec Lumir, sa fille née en 1975, prénommée ainsi en hommage à l'héroïne du *Pain dur* de Claudel. Ils partagent ce « goût forcené de la liberté[79] », et un même penchant pour la fantaisie, une certaine légèreté, un plaisir de raconter des histoires, l'envie de travailler ensemble et une admiration réciproque. Ils ont une même passion pour la lecture. Chez Fanny, on voit des livres partout, un piano et quelques gravures sur des murs blancs. Ils aiment Balzac, Proust, Miller, James, et Fanny lit aussi Julien Gracq, Jane Austen, Elsa Morante et Scott Fitzgerald. Pour se voir, ils se donnent rendez-vous, plusieurs soirs par semaine, au restaurant, au cinéma, chez l'un ou chez l'autre. Ils tiennent plus que tout à ces amours presque clandestines.

À l'écart

En mai 1981, la France a élu un socialiste à la présidence de la République : François Mitterrand. Passionné par la politique, mais frileux dans ses engagements, François Truffaut s'est pourtant engagé publiquement dans la campagne, en ayant adhéré en mars au comité de soutien de Mitterrand. Il apparaît même en photographie sur un tract-affiche du comité, intitulé « Pour nous c'est Mitterrand », diffusé à la mi-avril 1981 à plusieurs millions d'exemplaires dans les grandes villes de France. Dix-huit personnalités y figurent, dont Jean-Claude Casadesus, Vladimir Jankélévitch, Françoise Sagan, Alexandre Minkowski, Haroun Tazieff, Anna Prucnal et Catherine Lara, Gérard Depardieu et Anny Duperey. Dix autres personnalités ont écrit un court texte justifiant leur engagement : Pierre Mendès France, Régis Debray, François-Régis Bastide, Léopold Sedar Senghor, René Fallet... Truffaut a évidemment donné son accord pour qu'on utilise son portrait, même s'il est déçu par la photo extraite de *La Chambre verte* où il apparaît le visage pâle, en sueur, le nez chaussé de lunettes de style 1900. À la demande du comité de soutien, Truffaut intervient également le 19 mars, à la tribune de l'Unesco devant une assemblée d'un millier d'intellectuels, provenant de divers pays du monde. Puis, avec une cinquantaine de professionnels du cinéma, dont René Allio, Gérard Blain, Claude Chabrol, Costa-Gavras, Gérard Depardieu, Jacques Demy, Michel Piccoli, Marie Dubois ou Brigitte Fossey, il signe un appel à voter pour Mitterrand « contre la peur, la manipulation et les mensonges utilisés par les hommes en place ». Enfin, le 26 avril, à la veille du premier tour de l'élection présidentielle, le cinéaste rejoint le dernier appel à « battre Giscard » en « votant utile dès le premier tour ».

La vraie motivation de Truffaut, c'est de voir du changement dans le personnel politique, de voir à l'œuvre d'autres « acteurs » de la vie publique. Dans sa vie d'homme mûr, Truffaut n'a connu que des gouvernements conservateurs. Mais il ne s'engage pas au point d'aller lui-même voter. D'ailleurs, Laura ne se prive pas de critiquer son père, elle qui est heureuse de bénéficier, grâce à Giscard, du droit de vote à dix-huit ans. « Je lui disais que ce n'était pas bien : si on appelle à voter, on doit voter soi-même. Lui disait le contraire, qu'il avait bien plus d'influence en appelant à voter [80]. » Mais le cinéaste n'est pas à une contradiction près lorsqu'il s'engage sur le terrain de la politique.

Truffaut soutient Mitterrand, alors qu'il ne l'apprécie que modérément, le jugeant trop politicien, plus un habile stratège qu'une autorité morale. Les deux hommes n'ont pourtant pas ménagé leurs efforts pour mieux se connaître, déjeunant ensemble chez Lipp à plusieurs reprises dans le courant des années soixante-dix [81]. Comme c'était le cas en 1974, Truffaut penchait d'abord en faveur de Michel Rocard, au moment où Mitterrand et lui étaient encore rivaux pour représenter la gauche socialiste aux élections présidentielles. Au lendemain d'un passage remarqué de Rocard à la télévision, Marcel Ophuls avait écrit à Truffaut pour le convaincre d'apporter son soutien à l'ancien leader du P.S.U. : « Si cela s'avérait nécessaire, j'aimerais pouvoir essayer de vous convaincre. Je sais qu'en tant que " tête politique " je jouis d'un certain prestige auprès de vous. J'aimerais à présent pouvoir en profiter, parce que je crois que c'est très important [82]... » À la mi-avril 1980, Truffaut et Ophuls rencontrent Rocard, prêts à s'engager derrière lui s'il se décide à faire acte de candidature. Quelques semaines plus tard, Rocard renonce, constatant qu'une large majorité du Parti socialiste se range derrière Mitterrand. Onze mois plus tard, Truffaut rejoint le comité de soutien à Mitterrand, à la demande de Jack Lang et de Roger Hanin.

Indéniablement, la victoire de Mitterrand le 10 mai 1981 réjouit François Truffaut. Le 21 mai, jour de l'investiture, il figure au troisième rang du cortège qui suit le nouveau président de la République lors de la cérémonie du Panthéon, véritable rite initiatique du régime socialiste, et quelques jours plus tard, il est présent parmi les nombreuses personnalités invitées à l'hôtel Intercontinental par Mitterrand, venu remercier ceux qui l'ont soutenu. Au cours d'un aparté, le Président a une longue conversation avec le cinéaste, qu'il remercie chaleureusement. Truffaut est ravi par deux des premières mesures prises par le nouveau pouvoir, à savoir la diffusion à la télévision, dès mai 1981, du *Chagrin et la Pitié*, et surtout l'abolition de la peine de mort, proposée par Robert Badinter, l'ancien avocat, entre autres, de Roberto Rossellini, devenu ministre de la Justice du gouvernement de Pierre Mauroy, et votée par l'Assemblée nationale le 17 septembre.

Mais l'engagement politique de Truffaut ne change rien à la ligne de conduite qu'il s'est depuis longtemps fixée. Ainsi, lorsque Jack Lang, le nouveau ministre de la Culture, lui fait savoir, début juin 1981, qu'il est pressenti pour recevoir la Légion d'honneur lors de la traditionnelle promotion de la Fête nationale du 14 juillet, le cinéaste refuse. Le 17 juin, Truffaut transmet à Christian Dupavillon, proche collaborateur de Lang, qu'il « est très satisfait du résultat des élections, mais ne veut, comme par le passé, accepter que les distinctions décernées à l'intérieur de sa profession, le cinéma [83] ». Méfiant à l'égard de tout pouvoir, qu'il soit de droite ou de gauche, Truffaut se justifie dans un entretien avec Luce Vigo, publié dans l'hebdomadaire communiste *Révolution* : « Ma première réaction a été : " Ah c'est bien, la gauche est passée. " Mais il ne faut pas avoir de relation avec eux, parce qu'il ne faut pas " fayoter ". Par définition, on doit être contre, ou pas forcément contre le pouvoir, mais séparé en tous les cas [84]. »

En octobre de la même année, Jack Lang sollicite Truffaut pour qu'il se porte candidat à la présidence de la Cinémathèque française [85]. Mais le cinéaste tient à « rester à l'écart », ce qu'il avoue sans détour à Jean Riboud, patron de Schlumberger et grand ami de Langlois, de Renoir et de Rossellini, soucieux en tant que membre du conseil d'administration de la Cinémathèque de redonner du prestige à la vieille institution. « Madame Jack Lang m'a appelé, écrit ainsi Truffaut à Riboud. Ayant refusé médailles, places, réceptions et voyages officiels depuis le mois de mai, j'ai cru ne pas pouvoir me dérober devant un déjeuner, rue de Valois, mercredi 3 novembre. Je resterai absolument évasif en ce qui concerne la Cinémathèque puisque nous avons convenu d'en parler ensemble plus tard. Dans ce domaine, ma conviction est que Jacques Rivette serait l'homme de la situation, en tout cas l'idéal directeur des programmes [86]. » Au cours de ce déjeuner au ministère de la Culture, Truffaut demeure en effet très évasif au sujet de la Cinémathèque française. C'est aussi l'occasion d'une discussion assez franche entre Jack Lang et lui, le ministre manifestant une certaine incompréhension devant l'attitude du cinéaste à l'égard du pouvoir socialiste. Il est par exemple question de l'« affaire Yorktown », péripétie au cours de laquelle Truffaut n'aurait pas joué le jeu du protocole. Une quinzaine de jours avant ce déjeuner de la rue de Valois, François Mitterrand effectuait en effet un voyage officiel à Yorktown, ville historique américaine, pour y rencontrer Ronald Reagan. Le président français désirait s'entourer de quelques personnalités culturelles et, le 12 octobre au matin, il avait été proposé à Truffaut de faire partie du voyage présidentiel. Or, à cette date, il se trouve précisément à New York en compagnie de Fanny Ardant, pour présenter *La Femme d'à côté*. Le secrétariat de Jack Lang insiste pour que le cinéaste prolonge son séjour et rejoigne la délégation présidentielle à Yorktown. On trouve une trace d'un échange assez âpre sur le carnet des appels téléphoniques, consigné par Josiane Couëdel, aux Films du Carrosse : « J'ai dit que vous rentriez demain, car vous aviez de nombreux rendez-vous et que vous deviez repartir le 18 pour l'Allemagne à cause de la sortie là-bas du *Dernier Métro*. M. Lang a répondu qu'il ne s'agissait pas de n'importe qui, mais du président, M. Mitterrand, et que par conséquent, il serait souhaitable que vous changiez votre attitude. »

Quelques mois plus tard, un autre épisode illustre la réserve que Truffaut entend observer vis-à-vis de la gauche au pouvoir. En avril 1982, il séjourne à Tokyo durant une semaine, à l'occasion d'une rétrospective consacrée à son œuvre. Au même moment, François Mitterrand, accompagné d'une délégation de plusieurs de ses ministres, dont Jack Lang, y est en visite officielle. Auparavant, en préparant ce voyage avec Koichi Yamada, Truffaut avait fait part de son souci d'éviter toute réception politico-diplomatique, préférant « voir deux bons films japonais récents que de faire le pingouin avec l'ambassadeur [87] ». Craignant un impair, Truffaut rectifie finalement son programme du 16 avril. « Le vendredi, il faut absolument modifier le programme de manière à ce que je puisse assister à la réception du président Mitterrand à l'ambassade, écrit-il à Yamada, car le contraire serait vraiment trop grossier. Pour le lendemain, samedi, la coïncidence entre la présentation de *La Femme d'à côté* et la réception Lang est moins grave, mais il faudrait peut-être diviser la séance de signature de livres en deux pour que je puisse passer un quart d'heure à la réunion de Jack Lang [88]. »

Truffaut n'est définitivement pas à l'aise avec le protocole socialiste, et tient à garder sa liberté de mouvement et d'opinion. Depuis toujours, pour lui c'est l'action concrète qui compte, sur les thèmes qui le concernent intimement. Ainsi, lorsqu'il est contacté fin 1981 par la C.F.D.T. qui a l'intention de produire un film sur l'enfance difficile, Truffaut accepte immédiatement de participer à un groupe de réflexion censé définir les lignes directrices du projet. En janvier et février 1982, il travaille sur les documents réunis par le groupe de réflexion (le scénario relate une grève de femmes dans une usine textile, avec des enfants qui accompagnent les grévistes dans leur occupation des lieux), mais finit par abandonner. Ce qu'il justifie auprès d'Edmond Maire, secrétaire général de la centrale syndicale : « L'estime que j'ai pour vous et votre action à la C.F.D.T. me donnait envie de tenter cette expérience mais, cinéaste d'avant la télévision, je suis craintif devant elle et, pour quelques années encore, je préfère continuer à travailler à l'intérieur de l'industrie du cinéma [89]. » Quoi qu'il arrive, dans ses relations avec le pouvoir politique comme avec la télévision, Truffaut, tout en étant curieux et disponible, demeure sur une position d'indépendance absolue.

Vivement dimanche !

C'est en visionnant les rushes de la dernière scène de *La Femme d'à côté*, au cours de laquelle Mathilde, vêtue d'un imperméable beige, tue Bernard, son amant et voisin, d'un coup de revolver avant de se suicider, que François Truffaut remarque combien Fanny Ardant a l'allure d'une héroïne de « film noir ». Cela lui donne aussitôt envie de trouver une « Série Noire » à adapter, pour en offrir le rôle principal à sa compagne. Peu de temps après, Suzanne Schiffman lui propose un roman de Charles Williams, *The Long Saturday Night*, dont Truffaut avait déjà souhaité acquérir les droits dans les années soixante, avec l'idée d'en faire un film pour Jeanne Moreau [90]. Ce qui séduit le plus Truffaut, c'est de pouvoir confier l'enquête policière à une femme, « pas une meurtrière, pas une femme-détective, mais une femme de tous les jours, une secrétaire, vaillante, déterminée à prouver l'innocence de son patron [91] ». C'est un rôle idéal pour Fanny Ardant, un rôle où elle pourra être « lancée au galop dans un univers qui trottine [92] ».

Pendant tout l'automne 1981, Truffaut est occupé par la sortie de *La Femme d'à côté*, voyageant sans cesse, en France comme à l'étranger. Au début de l'année suivante, il peut enfin se mettre à l'adaptation de *Vivement dimanche !*, avec l'aide de Suzanne Schiffman et de Jean Aurel. Le travail le plus délicat consiste à transformer radicalement la structure du roman, pour rendre le personnage de Fanny Ardant plus actif et plus décisif. « Dans ce roman de Charles Williams, pas le meilleur, rapporte Suzanne Schiffman, c'était quand même l'homme qui menait une partie de l'enquête et la femme qui restait à l'agence... Elle n'en faisait pas assez ! Mais si on enfermait le type dans l'agence et qu'elle prenne en main toute l'enquête ? François a été d'accord [93]. »

En fait, François Truffaut n'est pas très content de son scénario qu'il ne trouve pas crédible. Au point que très peu de temps avant le tournage, il songe même à renoncer au film. Il donne à lire son scénario à Fanny Ardant, qui le trouve amusant. « J'ai beaucoup ri en le lisant, dit-elle aujourd'hui, mais c'est l'avis de Gérard Lebovici qui sera décisif : " Vous seriez fou de ne pas le faire ! Et ce n'est pas le point de vue de l'homme d'affaires, mais celui d'un ami connaisseur [94]. " » Étrangement, Truffaut en veut à Suzanne Schiffman de l'avoir orienté vers ce roman. Cette tension entre eux assombrit leur collaboration et ne s'atténuera guère durant le tournage. Pourtant l'autre coscénariste, Jean Aurel, défend encore aujourd'hui le projet : « C'est un scénario insensé, il n'y a pas de logique des lieux ni du temps, c'est fait comme un divertissement. Le sujet du film n'est pas exactement l'action qui se déroule, elle sert de support au reste [95]. » Fin mai 1982, Truffaut et ses scénaristes s'isolent pour retravailler dans une maison louée à Villedieu, en Provence. Quinze jours plus tard, le trio revient avec un scénario dialogué qui n'est pas loin du script définitif. Truffaut l'achève après un autre séjour de travail dans un hôtel de Rochegude, près d'Avignon, cette fois en compagnie de Fanny Ardant et Suzanne Schiffman, composant une intrigue rocambolesque de près de deux cents pages.

Julien Vercel, propriétaire d'une agence immobilière dans une petite ville de province, est accusé d'un double meurtre : celui de sa femme, Marie-Christine, et de l'amant de celle-ci, Claude Massoulier, brutalement abattu d'un coup de fusil en pleine tête un matin, à la chasse. Les circonstances étant contre lui, Julien Vercel décide de mener une enquête. Mais bientôt, un troisième meurtre lui étant imputé, il est contraint de se cacher de la police et de laisser sa secrétaire, Barbara Becker, poursuivre l'enquête. Brune et ironique, diplômée du cours Pigier, détective amateur mais futée, Barbara se jette dans des situations tour à tour inquiétantes et inattendues, afin de découvrir l'identité du vrai coupable, qui n'est autre que le propre avocat de Vercel, maître Clément. À l'arrière-plan sentimental de cette comédie policière, les relations entre Julien et Barbara ont évolué de l'agacerie à la complicité, jusqu'à leur mariage final.

Fanny en noir et blanc

Pour Truffaut, tourner *Vivement dimanche !* en noir et blanc relève de l'évidence. Son pari esthétique consiste à « restituer l'ambiance nocturne, mystérieuse et brillante des comédies américaines policières qui, autrefois, nous enchantaient [96] ». En fait, parce qu'il doute de son script, Truffaut sait que la meilleure façon de sauver son film consiste à retrouver un rythme rapide, enlevé, dans le tournage. Dans cette logique du « film noir », le noir et blanc, justement, est essentiel, et cette idée séduit Nestor Almendros. Celui-ci va donc s'efforcer de recréer la lumière stylisée du film policier en jouant sur différentes émulsions noir et blanc. Lors de la préparation, Almendros redécouvre même, dans un studio de la banlieue parisienne, des vieilles lampes Fresnel datant des années cinquante, qui produisent une lumière plus dure, éclairant des zones délimitées et projetant des ombres très nettes. Truffaut et Almendros engagent Hilton McConnico, décorateur américain, qui fait construire et peindre des décors entiers en noir et blanc. De même, les costumes et les accessoires conçus par Michèle Cerf et Franckie Diago sont stylisés dans des gammes de noirs, de gris et de blancs.

Mais les partenaires financiers du Carrosse voient d'un très mauvais œil ce parti pris esthétique qu'il trouve anticommercial. C'est surtout la télévision qui se montre hostile, refusant de financer un film qui aurait ainsi difficilement sa place aux heures de grande écoute sur une grille de programmation. La filiale cinéma de TF1 refuse de coproduire *Vivement dimanche !* Et Antenne 2 se montre intéressé mais hésitant. Même Gérard Lebovici s'avoue réticent. Truffaut fait tout son possible pour le convaincre : « Le festival de Venise vient d'attribuer le Lion d'or à *L'État des choses* que Wim Wenders a réalisé en noir et blanc », lui écrit-il le 9 septembre 1982, dans une lettre assez véhémente où il énumère une liste récente de films célèbres en noir et blanc : *The Last Picture Show, Papillon, Manhattan, Raging Bull, Veronika Voss, Elephant Man*... Et sa conclusion est magnifique : « Les films ne sont pas des boîtes de conserve. Comme les hommes, ils doivent être envisagés, dévisagés, considérés un par un [97]. » Dans son plaidoyer, le cinéaste défend bien sûr son film, mais il demande aussi qu'on respecte sa liberté d'auteur et d'entrepreneur indépendant. L'attitude des télévisions le heurte. À la fois sur le principe, car le refus du noir et blanc correspond à une volonté de standardisation du cinéma qu'il rejette, et sur un plan plus personnel, car il considère qu'avec *Le Dernier Métro* et *La Femme d'à côté*, TF1 a réalisé deux bonnes affaires, aussi bien financières qu'en terme de notoriété auprès des téléspectateurs. Lebovici finit par se ranger derrière son point de vue. Et Antenne 2 donne également son accord pour coproduire *Vivement dimanche !* Fin septembre 1982, après deux mois d'inquiétude et de bataille, Truffaut boucle enfin son budget de sept millions de francs.

Il reste à trouver le partenaire idéal de Fanny Ardant, un acteur célèbre mais qui accepte de lui laisser la vedette. Le personnage de Julien Vercel est en effet contradictoire. Agaçant et séduisant, passif mais dirigeant l'enquête par délégation, un notable en même temps qu'un homme un peu louche, qui n'aime que les blondes, mais finit par épouser une brune. Sa place dans cette histoire ressemble à celle d'un metteur en scène qui ordonne tout sur le plateau, sans jamais apparaître à l'écran. Truffaut décide de confier le rôle à Jean-Louis Trintignant, un acteur qu'il n'a encore jamais dirigé. Dès 1979, Trintignant a fait lui-même les premiers pas en écrivant au cinéaste, trouvant alors les mots justes pour dire qu'il est disponible sans être en demande. « J'aurais adoré être dans vos films. Je suis certain que vous auriez été content de m'avoir comme acteur et je suis certain que j'aurais été très bien. Peut-être y a-t-il quelque chose en moi qui vous déplaît, ou dans ma façon d'être comédien. Cette lettre n'est pas du tout agressive. Bien au contraire. Les comédiens, nous sommes souvent un peu cons. Nous mettons un orgueil imbécile à attendre d'être choisis. C'est notre condition un peu féminine — féminine dans le sens de nos mères, pas de nos femmes. Voilà, je vous écris tout cela seulement maintenant parce que je ne me considère plus vraiment comme un comédien, ni comme un metteur en scène, encore moins comme un coureur automobile. Je me considère comme un homme qui a le temps de faire tout ce qu'il aime. C'est peut-être un signe de vieillissement, et je les guette en ce moment, ces signes-là [98]. » Cette franchise plaît à Truffaut, qui reconnaîtra plus tard que Trintignant aurait été le seul acteur à pouvoir jouer les rôles qu'il a lui-même tenus dans ses films, le docteur Itard de *L'Enfant sauvage*, Julien Davenne dans *La Chambre verte*, ou Ferrand dans *La Nuit américaine*. À deux ans près, Truffaut et Trintignant ont en effet le même âge et la même apparence physique. Leurs voix sont assez semblables, originales, presque blanches, jouant sur la neutralité du ton plutôt que sur l'effet dramatique. « Si vous choisissez ce rôle comme on le fait pour une paire de chaussures, vous n'aurez pas mal aux pieds, car nous adopterons une démarche souple, genre mocassins [99] », écrit Truffaut à Trintignant en lui proposant le rôle de Julien Vercel.

Les seconds rôles sont essentiels dans *Vivement dimanche !*, pour rendre crédible l'atmosphère « Série Noire » du film. Pour le rôle de l'avocat, Truffaut recherche un acteur sûr, mais qu'on ne voit pas trop au cinéma, ni à la télévision. Il ne veut surtout pas d'un « méchant », qui serait trop vite identifié par le public comme un personnage négatif ou suspect. C'est la raison pour laquelle il tente de convaincre son ami Serge Rousseau d'accepter le rôle. Pour Truffaut, Rousseau est la bonté même, et pourrait d'autant mieux incarner le personnage qu'avant d'être agent chez Artmédia, il avait commencé une carrière d'acteur. Mais Serge Rousseau refuse. Quinze jours avant le tournage,

Truffaut tente encore de le persuader : « Le temps presse car je suis en panne. Vous savez que, dans mes distributions, je ne me soucie jamais de mode, ni de box-office, mais de justesse et de plausibilité. J'ai besoin de vous pour jouer ce rôle. Ne me laissez pas choir car, ainsi que le dit Raymond Devos, celui qui choit est déchu [100]. » Rousseau ne revient pas sur sa position, mais c'est lui qui recommande Philippe Laudenbach à Truffaut. Pour interpréter le personnage de Jacques Massoulier, un curé énigmatique qui mène sa propre enquête en perturbant celle de Barbara, Truffaut pense d'abord à l'écrivain et journaliste du *Nouvel Observateur* Jean-François Josselin, puis, fortement encouragé par sa fille Éva, fait appel à Jean-Pierre Kalfon, l'acteur de Rivette *(Out One)*. Il engage également Caroline Sihol pour le rôle de Marie-Christine Vercel, et Philippe Morier-Genoud pour celui du commissaire de police. Enfin, il convainc une fois encore Jean-Louis Richard d'accepter un rôle de « méchant », celui de Louison, le patron assez louche d'une boîte de nuit de la Côte d'Azur.

Truffaut, qui avait tourné une scène de *La Femme d'à côté* à Hyères, dans le Var, justement dans la propriété de Jean-Louis Richard, a très envie de prospecter dans la région pour les décors de son nouveau film. Suzanne Schiffman, chargée de faire des repérages entre Toulon et la presqu'île de Giens, trouve une immense clinique désaffectée, *Les Kermes*, à une dizaine de kilomètres de Hyères. Investi par Hilton McConnico et ses techniciens, l'endroit sera divisé en plusieurs décors, offrant pratiquement les mêmes conditions de tournage qu'un studio. Le 4 novembre 1982, le tournage de *Vivement dimanche !* commence et va durer huit semaines. En alternance, l'équipe tourne en intérieur, dans la clinique des Kermes, et à Hyères et ses environs. « Il s'agit d'une expérience étrange, comme si chacun était devenu aveugle aux couleurs [101] », écrit un journaliste du *Matin de Paris* en visite sur le tournage, étonné de constater une atmosphère onirique sur le plateau d'un film où tout est en noir, gris et blanc, les décors comme les costumes des personnages...

Le tournage achevé, François Truffaut et Fanny Ardant se reposent une dizaine de jours dans le Midi avant de rentrer à Paris. Le cinéaste doit enchaîner rapidement le montage de son film, dont la sortie est déjà prévue « vers le 10 août dans les grandes villes, pendant que les critiques seront à la campagne [102] », écrit-il à Georges Delerue, qui vit depuis quelque temps à Los Angeles, et à qui il demande de composer une partition « retrouvant le style Warner Bros, comme dans les films de Max Steiner et de Franz Waxman, le chef-d'œuvre étant *The Big Sleep* [103] ». La copie zéro de *Vivement dimanche !* est prête le 20 mai. Il n'aura donc fallu que sept mois à Truffaut pour réaliser son film, tourné dans les conditions d'une série B à la française, avec pour vedette la femme qu'il aime.

Les dernières vacances

A.A.A., la société de distribution fondée par Gérard Lebovici, a fait preuve d'une certaine audace en décidant de sortir *Vivement dimanche !* en plein été, un mercredi 10 août, alors que Paris, désert, est laissé aux touristes. En attendant, François Truffaut songe à prendre du repos. Fin mai, il s'autorise quelques jours de vacances à Rome, où Fanny Ardant achève le tournage de *Benvenuta* sous la direction du cinéaste belge André Delvaux. Le 29 juin, devant le maire du XVIe arrondissement de Paris, François Truffaut et Madeleine Morgenstern marient leur fille aînée, Laura, avec Steve Wong, qui travaille au Pacific Film Archive à Berkeley. En juillet 1979, comme son père l'y avait toujours encouragée, Laura s'est installée aux États-Unis, à Berkeley pour poursuivre des études de littérature comparée, après trois années de préparation à l'École normale supérieure. C'est là, au Pacific Film Archive, la cinémathèque de Tom Luddy, un ami de son père, qu'elle a rencontré Steve Wong. Seuls quelques proches sont présents à la cérémonie, comme Camille de Casablanca, une grande amie d'enfance de Laura et Nestor Almendros qui s'entend bien avec elle. Le soir, le dîner de noces, au restaurant de l'Hôtel, rue des Beaux-Arts, réunit un plus grand nombre d'amis, comme Helen Scott, Claudine Bouché et sa fille Tessa, d'autant que l'on fête également l'anniversaire d'Éva. François s'étant rapproché de son père après une longue période de froid, Roland Truffaut est aussi présent à la cérémonie. Il fait ainsi la connaissance d'Éva, qu'il n'avait encore jamais rencontrée, la jeune fille ayant toujours refusé de « reconnaître » son grand-père. Quant à Laura, ce n'est que la deuxième fois qu'elle voit Roland, qu'elle a connu quatre ans auparavant, à l'occasion du décès de la grand-mère paternelle de son père [104].

Dès le lendemain, accompagné de Fanny Ardant, Truffaut prend la route des vacances, en direction de la côte normande. Quelque temps auparavant, il a demandé à Marcel Berbert, qui possède un appartement à Trouville, de lui trouver une maison calme à louer, où il puisse à la fois prendre du repos et travailler à ses prochains films, en y recevant amis et collaborateurs. Le choix de la Normandie, non loin de Paris, doit justement permettre à Truffaut de faire quelques allers-retours dans sa Golf décapotable, afin de répondre aux sollicitations des journalistes et d'assurer la promotion de *Vivement dimanche !* Grâce à un commissaire-priseur avec lequel il a gardé des liens depuis le tournage de *La Chambre verte*, Berbert a su que la maison de France Gall et Michel Berger, près de Honfleur, était à louer pour les deux mois d'été. En juin, Truffaut a pu y faire un saut et donner son accord. Le Clos Saint-Nicolas est une jolie gentilhommière, dans le hameau de Vasouy. C'est là que Truffaut et Fanny Ardant s'installent début juillet.

Il n'est alors plus un secret pour personne parmi les proches du couple que Fanny attend un enfant. La naissance est d'ailleurs prévue pour la fin du mois de septembre 1983. Venant de passer la cinquantaine, Truffaut ne semblait pas disposé à être père à nouveau, mais vis-à-vis de ses filles, Laura et Éva, qui, dans un premier temps, ont assez mal réagi à la nouvelle, il considère qu'il n'a pas à se justifier.

Grâce à cette naissance annoncée, il semble croire à un nouveau départ. Son optimisme le conduit même à apprendre la nouvelle à ses amis, lui pourtant si secret. « Je ne viendrai pas à New York cette année, écrit-il par exemple à Annette Insdorf au mois de juin 1983, principalement parce que j'attends un bébé ; Fanny Ardant ne viendra pas non plus et pour les mêmes raisons ! Je préférais vous écrire cela avant que les " on-dit " se mettent en marche [105]. » Fanny Ardant désirait un deuxième enfant, « une envie quasi viscérale », confiait-elle à *Elle* au printemps 1981. En ce début d'été 1983, elle est heureuse, comblée : « L'enfant qui va bouleverser ma vie [106] », annonce-t-elle dans *Le Figaro Madame* : « Elle sera la grande vedette de la rentrée. Avec deux films à l'affiche, *Vivement dimanche !* dès cet été, et *Benve-nuta* en septembre. Plus un amour (presque) secret et un enfant qu'elle va mettre au monde en octobre. Beau programme pour cette grande jeune femme brune de trente-deux ans à laquelle le succès n'a pas dicté une nouvelle manière d'être et de se comporter [107]. »

Parallèlement à cette nouvelle vie, François Truffaut est sur le point de s'engager dans un nouveau cycle de son œuvre ciné-matographique. Durant ses deux mois de vacances à Honfleur, il compte ainsi mettre au point de futurs scénarios. « Il n'avait plus de projets d'avance, confirme Claude de Givray, lui qui aimait bien avoir trois ou quatre scénarios en cours d'écriture, l'un avec Gruault, l'autre avec Jean-Louis Richard, un autre avec Bernard Revon et moi, enfin un avec Suzanne Schiffman. Il lui fallait refaire démarrer la machine à raconter des histoires [108]. » Claude de Givray est donc invité à séjourner à Honfleur. Les deux hommes ont bientôt plusieurs projets en cours. Deux sont assez avancés, au point que Truffaut prévoit d'en enchaîner les tournages la même année, en 1985. Tout d'abord le remake de *Nez-de-Cuir*, une nouvelle adaptation du roman de La Varende, qu'il compte tourner avec Fanny Ardant et Gérard Depardieu. Ensuite *La Petite Voleuse*. « Dans le roman de La Varende, il existe deux personnages féminins, une fille de vingt ans et une femme de quarante, commente de Givray. François voulait qu'on condense les deux en un seul, pour avoir une femme de trente ans. Il m'avait aussi dit : pas de scènes de chasse à courre ! Il trouvait qu'il n'y a rien de plus ennuyeux à filmer. Or, le roman est rempli de scènes de chasse à courre [109]... »

Avec Jean Gruault, Truffaut envisage d'adapter *Le Petit Ami*, le roman autobiographique de Paul Léautaud, un écrivain qui le fascine. Au printemps 1981, le Carrosse s'est porté acquéreur des droits auprès du Mercure de France, négociant aussi l'auto-risation d'utiliser une partie des dix-neuf volumes du *Journal littéraire* de l'écrivain. Truffaut est également vivement intéressé par la *Lettre à ma mère,* un autre texte autobiographique de Léau-taud. L'ensemble lui permettrait d'envisager un récit complet de l'enfance de l'écrivain, au début du siècle, dans le quartier des Lorettes, relatant les relations troubles avec une mère l'ayant abandonné très jeune, et qu'il retrouve périodiquement une fois adulte. Évidemment, ce canevas emprunté à Léautaud ressemble étrangement à la propre enfance de Truffaut, à son itinéraire, à ses relations ambiguës avec sa propre mère... Mais il renonce au projet, en apprenant que Pascal Thomas a l'intention de faire lui aussi un film d'après Léautaud.

Truffaut se tourne alors vers une autre idée ambitieuse, dont il confie l'écriture à Gruault. *00-14* est le nom de code d'un scénario qui raconte le Paris de la Belle Époque. Une saga, depuis l'Exposition universelle du début du siècle, jusqu'à la déclaration de guerre d'août 1914. Le scénario mêle quatre personnages aux événements du temps, leur fait rencontrer des figures historiques, politiques ou littéraires. Lucien est un industriel inspiré par Louis Renault — rôle destiné à Gérard Depardieu — qui entreprend l'éducation d'un jeune anarchiste, Alphonse — un jeune sosie de Jean-Pierre Léaud —. Alice, la maîtresse de Lucien, serait interprétée par Fanny Ardant. Laure, fiancée d'Alphonse puis épouse de Lucien, complèterait le quatuor. Dans la tête du cinéaste, *00-14* serait à mi-chemin entre *Ragtime* de Milos Forman et *Fanny et Alexandre* d'Ingmar Bergman, deux œuvres qu'il admire particulièrement. Truffaut et Gruault accumulent une importante documentation sur la Belle Époque, lisent énormément de récits biographiques, de Mémoires, de journaux, se passionnent pour le meurtre de Gaston Calmette, le directeur du *Figaro,* assassiné en mars 1914 par Henriette Caillaux, la femme du ministre des Finances Joseph Caillaux, diffamé par la presse... L'inspiration proustienne est également revendiquée par Truffaut et Gruault pour ce projet imaginé à la fois pour le cinéma et pour la télévision [110]. À la manière dont Bergman a conçu *Fanny et Alexandre,* Truffaut aimerait en effet tirer de ce scénario un film de trois heures pour le cinéma et une série télévisée en plusieurs épisodes. D'ailleurs, Antenne 2 est sur le point d'accepter cette idée et de signer un contrat. Après *Vivement dimanche !* dont il trouvait le scénario faible, Truffaut est bien décidé à reprendre en main ses histoires, à les écrire avec plaisir et rigueur grâce à la collaboration de ses différents scénaristes. Les projets sont divers, amples, ambitieux, conjuguant toujours le goût de l'Histoire avec l'authenticité de l'itinéraire autobiographique. Le cinéaste sait qu'il a trouvé en Gérard Depardieu un *alter ego* idéal, il entend concevoir certains projets en pensant à lui, ou au couple qu'il est susceptible de former à nouveau avec Fanny Ardant. Pour Depardieu, « Truffaut en avait fini avec son passé [111] », et il était prêt pour un nouveau cycle. Il compte l'inaugurer dans les mois qui viennent, en reprenant le rythme d'un film par an.

D'autres projets sont d'ailleurs à l'ébauche, comme cette histoire de tueur de femmes, un Landru, parfumeur vivant à Grasse, séducteur et criminel à la fois. Variation sur le thème de *L'Homme qui aimait les femmes,* dans laquelle il verrait très bien Guy Marchand, un acteur qu'il a eu plaisir à diriger dans *Une belle fille comme moi,* qu'il a apprécié dans *Loulou* de Pialat et dans *Coup de foudre* de Diane Kurys. Truffaut lui adresse ce petit mot : « Un de ces matins, je vous amènerai un scénario, mais alors ce sera le rôle principal ou rien. L'idée s'insinue en moi, je vais la laisser grandir et, le moment venu, hop, sur le papier, ensuite par la poste pour que vous lisiez [112]. »

À Honfleur, Truffaut s'est également promis de mettre à jour son livre d'entretiens avec Alfred Hitchcock, dont il désire établir l'édition définitive en incluant les derniers films. Entre la parution du livre en 1966 et sa mort en 1980, Hitchcock a en effet réalisé *Topaz, Frenzy* et *Family Plot.* Même s'il ne les juge pas parmi les meilleurs du cinéaste, Truffaut a l'intention de les intégrer dans un ultime chapitre, avant de rédiger une nouvelle préface. De plus, mécontent de son éditeur, Robert Laffont, qui refuse d'envisager une nouvelle édition augmentée, Truffaut a réussi à récupérer ses droits en mars 1981. Après plusieurs tentatives, toutes vouées à l'échec, pour intéresser Gallimard, Flammarion ou Daniel Filipacchi à une réédition, Truffaut suit les conseils de René Bonnell, qui travaille alors chez Gaumont, société qui vient de racheter les éditions Ramsay. C'est avec Ramsay qu'il signe un contrat le 30 juin 1983, juste avant son départ en vacances.

En Normandie, Truffaut a donc emporté sa documentation pour travailler à cette édition augmentée : « J'ai écrit un seizième chapitre pour " couvrir " les trois derniers films d'Hitchcock et décrire ensuite ses trois dernières années de vie. Cette version constitue pour moi l'édition définitive et j'ai espoir que certains éditeurs étrangers l'utiliseront au moment des rééditions [113] », écrit-il le 4 août à son fidèle ami et correspondant japonais, Koichi Yamada. Ce chapitre consacré aux derniers films tournés par Hitchcock alors que celui-ci était malade fut particulièrement douloureux a écrire pour Truffaut. La version définitive du *Hitchbook* paraît en novembre 1983 et sera un grand succès d'édition.

Comme prévu, François Truffaut passe quelques jours à Paris début août 1983, pour la sortie de *Vivement dimanche !* Il assiste à une avant-première à la Cinémathèque française, où le film est apprécié par le public cinéphile [114]. C'est un véritable soulagement pour le cinéaste, qui n'y croyait guère. Le 10 août au soir, Laura, qui achève ses vacances en France, accompagne son père rue Keppler, dans les bureaux de Gérard Lebovici. « Les résultats arrivaient salle par salle, il y avait une certaine euphorie parce que le film marchait bien et faisait une belle concurrence à *Superman II* sorti le même jour [115] », se rappelle-t-elle. L'ambiance est gaie, Truffaut ravi et soulagé, Lebovici débouche le champagne... Quelques heures plus tard, Laura et son père se quittent, elle pour regagner Berkeley et reprendre ses études universitaires, lui pour rejoindre Fanny Ardant à Honfleur et terminer sereinement ses vacances d'été.

Le lendemain, au volant de sa Golf noire décapotable, Truffaut est de retour au Clos Saint-Nicolas à Vasouy. Dans la matinée du 12 août, Gérard Depardieu est de passage en Normandie, avec sa fille Julie, du même âge que Lumir, celle de Fanny Ardant. Les deux hommes évoquent les projets communs, *Nez-de-Cuir, 00-14...* Le même jour, Truffaut travaille jusque tard dans l'après-midi avec Claude de Givray, et c'est au cours du dîner qu'il est pris d'un malaise, avec « l'impression qu'un pétard a explosé dans sa tête [116] », se souvient de Givray. Durant la nuit, il vomit un peu de sang. Le lendemain, un médecin de Honfleur diagnostique une crise aiguë de sinusite, que l'entourage explique par le fait que Truffaut a roulé tête au vent, entre Paris et Honfleur. Durant les trois jours qui suivent, Truffaut discute avec ses amis, lit, se repose. Mais le mal de tête persiste. Alain Resnais et Florence Malraux sont de passage à Honfleur, Resnais désirant voir Fanny Ardant à qui il va confier un rôle dans son prochain film, *L'Amour à mort*. Dans le train qui les mène à Trouville, Florence Malraux se souvient de Resnais lui disant : « François est un homme tellement comblé, heureux... » À la gare, Fanny Ardant est seule pour les accueillir : « François a eu des migraines très fortes, mais il vous attend. » Les quatre amis déjeunent ensemble, mais Florence Malraux se souvient que « François était mal en point [117] », et que sur cette journée placée sous le signe de l'harmonie, dans une jolie maison, avec ce bébé qui allait naître, planait un climat étrange.

Dans la matinée du 16 août, souffrant toujours de fortes migraines, Truffaut se rend au centre médical d'Honfleur. Le médecin le rassure en lui donnant un traitement énergique contre les « céphalées migraineuses de type ophtalmique [118] ». Huit jours plus tard, il consulte un ophtalmologiste à Deauville, le docteur Camille Malo. Alarmé par l'examen du fond de l'œil, celui-ci l'envoie immédiatement au professeur Rozenbaum, du Centre hospitalier régional de Caen, en précisant que « des examens complémentaires seraient indiqués afin d'avoir une certitude étiologique [119] ». Le lendemain matin, le docteur Rozenbaum détecte au scanner des « taches en grelot [120] » sur la temporale droite, le signe d'un hématome persistant. Il existe le danger d'une hémorragie cérébrale, d'une grave rupture d'anévrisme, voire d'une tumeur au cerveau.

Pendant que Fanny Ardant s'occupe de fermer la maison de vacances à Honfleur, François Truffaut est transféré sur-le-champ en ambulance vers Paris, où il est accueilli à sa demande à l'hôpital Américain de Neuilly, et examiné par le professeur Bernard Pertuisé, un neurochirurgien aux compétences internationalement reconnues. Il subit une artériographie avec anesthésie. Puis demeure une semaine à l'hôpital, recevant la visite de ses proches. Après un second scanner, il est autorisé le 3 septembre à quitter l'hôpital — « la quille », note-t-il sur le journal de bord qu'il tient alors quotidiennement [121]. Il passe le week-end chez lui, avenue Pierre-Ier-de-Serbie, entouré de sa famille. Dès le lundi, Truffaut retourne à l'hôpital Américain, dans le service de médecine nucléaire du professeur Planchon. Là, il subit une « étude dynamique par caméra-scintigraphie [122] », permettant d'observer le cerveau avec une extrême précision. Cet examen, précise le rapport du docteur Planchon, permet de « rejeter l'hypothèse d'un anévrisme sous-jacent », mais confirme la présence d'« une fixation diffuse tardive de la région temporale droite [123] », autrement dit d'une tumeur au cerveau. Le professeur Pertuisé décide d'opérer d'urgence son patient. À François Truffaut, les médecins de l'hôpital Américain ne tiennent que des propos plutôt rassurants. À en juger par les lettres du cinéaste, il s'agirait d'un « anévrisme de naissance qui a provoqué une hémorragie cérébrale », un « anévrisme que l'on va réduire en m'ouvrant la tête [124] ». À aucun moment, le mot « tumeur » n'est prononcé devant lui. Mais à Madeleine Morgenstern, le professeur Pertuisé confirme qu'il s'agit bien d'une tumeur maligne dans la partie frontale droite du cerveau, un gliome, qui a saigné au soir du 12 août, provoquant le malaise, et qui condamne le malade irrémédiablement. François Truffaut n'a plus que quelques mois à vivre, une année au maximum.

Avant d'être opéré, Truffaut désire reconnaître officiellement l'enfant qui va bientôt naître. Mais la loi française ne peut permettre de reconnaître un enfant avant sa naissance. Truffaut pense alors au mariage. Mais le temps presse... L'opération chirurgicale est prévue pour le 12 septembre, et Truffaut doit entrer en clinique le 10. La veille, depuis son appartement, il rédige quelques lettres à l'adresse d'amis étrangers, Dido Renoir, Leslie Caron, Koichi Yamada au Japon, Robert Fisher en Allemagne, Richard Roud et Annette Insdorf aux États-Unis. Ces lettres, souvent pleines d'ironie et de fantaisie, laissent paraître derrière cette distance rieuse une sourde angoisse. À son « vieux Richard » Roud, Truffaut annonce qu'il « entre à l'American Hospital pour me faire ouvrir le crâne », tenant à dire à celui qui dirige le New York Festival « sa reconnaissance pour la fête presque annuelle dont j'étais le bénéficiaire et toi le chef d'orchestre [125] ». À Annette Insdorf, il confie qu'il « doit être opéré d'un anévrisme au cerveau ». Mais, ajoute-t-il, « la critique cinématographique avait eu vingt ans d'avance sur la médecine officielle, car, dès la sortie de mon deuxième film, *Tirez sur le pianiste,* elle avait affirmé que ce film ne pouvait pas avoir été tourné par quelqu'un dont le cerveau fonctionnait normalement [126] ». À Robert Fisher, il annonce qu'il va subir « une opération consécutive à un accident vasculaire [127] ». Enfin, à son ami Yamada, il dit avoir « bon moral, mais, si les choses devaient tourner mal, je veux vous dire merci, mon amitié et mon désir que vous soyez toujours mon représentant-traducteur-ami-alter-ego-mon frère japonais pour tout dire. Si tout va bien, je pourrai à nouveau vous écrire en octobre et, à ce moment-là, je serai le père d'un petit enfant, celui qu'attend Fanny Ardant ; au revoir, cher Yamada, à bientôt, oui, à bientôt, je l'espère beaucoup et je vous embrasse [128] ». Truffaut termine chacune de ses lettres par un « à bientôt j'espère » qui n'est pas tout à fait dans son style, habituellement plus léger, moins pessimiste.

Le 12 septembre, l'opération dure trois heures mais se déroule parfaitement. Dans sa chambre, de nombreux messages de sympathie l'attendent, dont ceux du président de la République, François Mitterrand, de Dido Renoir, de Lillian Gish, de Robert Bresson, ou d'Isabelle Adjani qui lui écrit : « Je pense que vous pensez que je ne pense jamais à vous et je ne pense pas que vous pensiez jamais à moi, alors je n'ose pas vous envoyer de pensées, sauf là pour vous dire que j'ai beaucoup pensé à vous ces derniers jours. J'espère très fort que vous allez mieux [129]. » Dix jours plus tard, le 22 septembre, Truffaut est de retour chez lui. Le 24, une photographie prise par un paparazzi, publiée « en exclusivité [130] » dans le supplément hebdomadaire de *France-Soir*, le montre à sa sortie de l'hôpital, fatigué, affaibli, le crâne entièrement rasé, soutenu par Madeleine Morgenstern et Ahmed, son domestique. À peine une semaine après, Fanny Ardant donne naissance le 28 septembre à une fille prénommée Joséphine, la troisième fille de François Truffaut.

Observer le silence

Après son opération, François Truffaut se réinstalle chez lui. Très affaibli, on lui promet néanmoins une convalescence assez rapide, même si un certain flou subsiste à ce propos. En atteste la première lettre du docteur Pertuisé, ce même 22 septembre : « N'oubliez pas que la prédiction en médecine est aléatoire. Faites-nous vite un grand film [131]... » En fait, la gravité réelle de sa maladie n'a toujours pas été évoquée devant lui.

Dans la France des années quatre-vingt, on maîtrise encore mal l'évolution et les conséquences du cancer, le mot lui-même est encore tabou, les nécrologies usent le plus souvent d'une formule convenue : « Décès des suites d'une longue maladie. » Truffaut lui-même semble ne pas désirer connaître la vérité. Et dans son entourage immédiat, la plupart, même Fanny Ardant, ne mesurent pas la gravité du mal dont il est atteint. Contre ce genre de tumeur, la radiothérapie permet de gagner du temps, mais aucune rémission n'est possible. Mais Truffaut, qui s'est très bien remis de son opération, souffre moins. Le fait que cette tumeur soit frontale n'affecte ni le langage ni la mémoire. Seule la concentration le fatigue, car elle lui demande un gros effort. Mais l'homme apparaît plus détendu, plaisantant avec ses filles comme avec ses amis. Ce n'est que lorsqu'il se trouve seul que son humeur devient sombre.

Vers le mois de novembre, Madeleine décide de partager son secret. Elle se confie d'abord à Marcel Berbert, à qui elle fait part du diagnostic des médecins. Laura et Éva sont également mises dans la confidence. Quelques semaines plus tard, en janvier 1984, Madeleine est invitée à dîner chez Lucette et Claude de Givray, à Puteaux. On vient de proposer à de Givray de réaliser un film pour la télévision, avec l'actrice Nicole Courcel, et il hésite à donner suite, se sentant engagé avec Truffaut pour l'écriture de scénarios. C'est en le prenant à part que Madeleine lui dit la vérité : « Claude, il ne faut pas refuser le travail, François va mourir d'un cancer [132]... »

En entourant François Truffaut dans sa maladie, en le protégeant des indiscrétions et des rumeurs, la famille du Carrosse a pour consigne de ne rien dire à l'extérieur du cercle. Josiane Couëdel délivre le même message à tous ceux, très nombreux, qui téléphonent rue Robert-Estienne pour s'enquérir de la santé du cinéaste : « François a eu une rupture d'anévrisme, son opération s'est bien déroulée, il est maintenant en convalescence... » Plus que jamais, la famille du Carrosse se mobilise, continue à tenir son rôle protecteur autour de Truffaut. Non sans douleur : « François, mon seul remords, c'est, pendant un an, de vous avoir regardé vous enfoncer lentement dans la souffrance sans avoir le courage de mettre à exécution cette vieille menace des jours où vous m'énerviez trop : vous assommer avec votre Oscar [133] ! » témoignera Josiane Couëdel après la mort de Truffaut.

« Fanny ne savait encore rien de la vérité, ni Jean-Pierre Léaud, ni Helen Scott, puisque François lui-même ne le savait pas [134] ! », rapporte Claude de Givray. Parmi les très proches, Suzanne Schiffman, Aurel, Gruault, Jean-Louis Richard ou Janine Bazin demandent régulièrement des nouvelles. Certains savent la vérité, la plupart l'ignorent.

En attendant, Truffaut se montre prévoyant et, sur les conseils de Georges Kiejman, consulte un notaire qui le pousse à retenir toutes les hypothèses. Dès lors, chaque matin vers onze heures, Marcel Berbert, qui, depuis fin 1982, a pris sa retraite, arrive avenue Pierre-Ier-de-Serbie pour prendre en note les volontés et les intentions du malade. La rédaction de ce premier testament occupe Truffaut jusqu'à Noël 1983. « C'est un document précis dans ses instructions, il fallait que tout soit clair [135] », rappelle Madeleine. François Truffaut demande la cessation de toutes les activités de production des Films du Carrosse et confie à Madeleine Morgenstern le soin de continuer à assurer la diffusion de ses films.

En décembre, Truffaut est incapable de travailler, tellement il est faible. « À peine sorti du train de nuit, dans l'état où je me trouve, je serais capable de fondre dans la neige et de disparaître avant d'avoir eu le temps de prononcer le nom du maître : " Alfreddd [136]... " », écrit-il le 16 décembre au directeur du festival d'Avoriaz, qui l'invite à l'occasion d'un hommage à Hitchcock. Le pronostic se fait alors plus attentiste : « De tous côtés, on me parle d'une convalescence de trois ans dont seule la première année est réellement contraignante [137]. » Truffaut doit renoncer à ce qu'il avait prévu de faire, entre autres la présentation de *Vivement dimanche !* au British Film Institute à Londres, et des activités liées à la promotion de son livre d'entretiens avec Hitchcock. Sachant qu'il ne fera pas de film d'ici un certain temps, il s'emploie à reconstituer la version intégrale des *Deux Anglaises et le Continent*, une idée qui l'occupe depuis le printemps 1983. Il confie cette tâche à Martine Barraqué, sa monteuse, qui réintègre les scènes coupées en 1971 lors de la sortie du film. Prêt pour une nouvelle sortie commerciale et dans sa version d'origine de 132 minutes, *Les Deux Anglaises* (cette fois sans leur *Continent*) sera ainsi son film de 1984.

François Truffaut reprend peu à peu son travail. Madeleine l'y encourage, ainsi que tous ses proches, Claude de Givray, Gérard Depardieu, Jean-Louis Livi ou Serge Rousseau. Le scénario de *La Petite Voleuse* n'est pas terminé, mais Truffaut considère le matériau en l'état tout à fait satisfaisant, prêt à être tourné. Il demande même à Serge Rousseau de lui trouver une jeune actrice pouvant interpréter le rôle principal. Truffaut veut que tout soit prêt pour un tournage dans le courant de l'année 1985, dès qu'il sera rétabli. Entre-temps, il reprend le scénario de *Nez-de-Cuir* avec Claude de Givray, même si le travail n'est plus aussi intense qu'à Honfleur, l'été précédent. Gérard Depardieu, qui, en septembre 1983, a souvent rendu visite à Truffaut à l'hôpital Américain, fait tout pour l'encourager : « Je disais à François : " *Nez-de-Cuir,* il a un trou dans la gueule, toi t'as un trou dans la tête, ça va très bien [138] ! " » Loin de Paris, en plein désert mauritanien où il tourne *Fort Saganne* sous la direction d'Alain Corneau, un rôle que Truffaut lui a vivement conseillé d'accepter — « Tu devrais jouer un rôle de militaire, comme Gabin dans *Gueule d'amour* [139] ! » —, Depardieu continue de penser à *Nez-de-Cuir.* L'acteur a même mis au point un système très singulier pour communiquer ses sentiments à François Truffaut : il enregistre ses impressions de tournage sur une cassette, confiant à Jean-Louis Livi, venu lui rendre visite en Mauritanie, le soin de la transmettre à Truffaut. Il lui écrit, évoquant le film qu'ils ont projeté de tourner ensemble : « Merci, François, de ton soutien et d'attaquer ce gentilhomme d'amour qui me fait rêver. Vécu d'ici, j'en suis tout ému et je sens que ce sera tellement fort, simple, et drôle et digne... Pardonne-moi, Fanny, tu sais bien que je n'ai pas toujours le vocabulaire. Je préfère penser à vous deux, à vous trois maintenant, et à nous plus tard. Je vous aime, vous me faites du bien [140]. »

Dans les semaines qui suivent sa sortie d'hôpital, le plus simple pour Truffaut consiste à retourner chez lui, renonçant à emménager avec Fanny Ardant dans un grand appartement vers Passy. Fanny lui rend visite chaque jour, ce qui permet au père de voir sa petite fille. Mais cette année-là, l'actrice travaille beaucoup. Deux mois après la naissance de Joséphine, elle remplace au pied levé Isabelle Adjani dans *Mademoiselle Julie,* la pièce de Strindberg, avec Niels Arestrup pour partenaire. Malgré la fatigue due à ses séances de radiothérapie, Truffaut assiste à une représentation de la pièce, fier et heureux du triomphe de sa compagne. L'actrice enchaîne en février 1984 avec le film d'Alain Resnais, *L'Amour à mort,* qui se tourne à Uzès, dans les Cévennes. Puis ce sera le film de Nadine Trintignant, *L'Été prochain.* Chaque jour, Madeleine Morgenstern rend visite à François Truffaut avenue Pierre-Ier-de-Serbie, veillant à organiser sa vie matérielle. Le crépuscule est l'heure la plus délicate, celle où Truffaut est saisi d'une très forte angoisse. « J'étais là pour l'aider à passer la tombée du jour [141] », témoigne Madeleine, qui prend l'habitude de rester jusqu'au dîner. Vers neuf heures du soir, après avoir regardé la télévision, le cinéaste s'endort d'un sommeil qui est pour lui comme une fuite, un refuge pour échapper à la fatigue et à l'angoisse. Ses filles, Laura et Éva, sont également très présentes à ses côtés. L'aînée revient de Berkeley pour passer Noël 1983 en famille. Son premier regard posé sur son père malade demeure un souvenir terrible : « Ce n'était plus le même homme, plus petit, assez gris, un énorme changement physique. » Laura s'arrange pour rester près d'un mois à Paris, afin d'être le plus longtemps possible aux côtés de son père : « J'ai vécu ce moment de manière égoïste, car il était là, à cause de la maladie, disponible. Nous avions de longues discussions, il était presque mon otage [142]... », se souvient-elle.

La vie malgré tout

Au début de l'année 1984, Truffaut semble reprendre des forces. Fin janvier, il séjourne quelques jours à la Colombe d'Or, à Saint-Paul-de-Vence, avec Fanny Ardant. Il reprend du poids, des couleurs, il peut même conduire sa voiture, aller au cinéma ou au théâtre avec Fanny... Il aime *E la nave va* de Fellini, *Vive la sociale* de Gérard Mordillat, *Zelig* de Woody Allen. Plein d'espoir, il passe commande d'un cabriolet Mercedes, pour les beaux jours à venir. Comme s'il voulait conjurer la rumeur qui court dans Paris.

À l'occasion de la ressortie parisienne de cinq films de Hitchcock, parallèlement à la réédition de son livre d'entretiens, Truffaut est l'invité du *Journal inattendu* de RTL, longuement interviewé par Philippe Labro, le 12 février 1984. « J'ai beaucoup insisté pour qu'il vienne, confie ce dernier, et François voulait sans doute prouver qu'il pouvait être présent à l'émission [143]. » Après avoir longuement évoqué Hitchcock, Truffaut termine l'émission en donnant des nouvelles de sa santé. Là encore, la version « officielle » est très loin de la vérité médicale. Comme en témoigne ce dialogue entre Labro et Truffaut, à la toute fin de l'émission :

« — Je sais que vous avez été un peu souffrant, c'est la première fois depuis un moment que vous parlez publiquement.

— J'étais même bien souffrant puisque j'ai subi une opération au cerveau. Mais je me suis consolé en me disant que la critique de cinéma — vous savez, quand on fait ce métier, on s'en prend souvent à la critique de cinéma — je me suis dit que la critique de cinéma avait vingt ans d'avance sur la médecine officielle puisque, lorsque j'ai sorti mon deuxième film, *Tirez sur le pianiste*, il y a vingt ans, certains critiques s'étaient interrogés sur le fonctionnement de mon cerveau. Maintenant que j'ai été opéré au cerveau, je pourrais peut-être faire des films qui leur conviendront mieux.

— Les auditeurs de RTL vous aiment et sont rassurés depuis longtemps sur votre fonctionnement. Et j'espère que vous allez reprendre le chemin des studios. »

Truffaut fréquente à nouveau son bureau des Films du Carrosse. Il écrit à ses amis et reprend goût au cigare. « J'ai manqué de peu le grand passage : hémorragie au cerveau, écrit-il en février 1984 à Liliane Siegel. J'ai questionné quelques-uns de ceux qui ont connu la même expérience. Première année dure, très dure, on croit qu'on n'en sortira jamais. Deuxième année, le travail reprend, les forces reviennent. Troisième année, on est tiré d'affaire (presque). Alors je patiente et je suis prudent, au lit à neuf heures presque tous les soirs, énorme sommeil et sieste, travail pas à mi-temps, à un quart de temps. Voilà ma vie diminuée, celle que je mène actuellement [144]. » François Truffaut continue ainsi de croire à sa guérison. Son ami japonais, Koichi Yamada, ne survit-il pas depuis 1969 à une opération au cervelet consécutive à une rupture d'anévrisme ? Cette expérience accentue d'ailleurs la complicité entre les deux hommes, malgré la distance qui les sépare. Dorénavant, à la fois par amitié et superstition, Truffaut décide d'offrir chaque année un billet d'avion à son « alter ego japonais ». Trois mois après sa visite à Paris en juin 1983, ayant appris l'opération au cerveau de l'homme qu'il admire le plus au monde, Yamada écrit à Truffaut : « J'imagine que vous devez ressentir un monde d'émotions après votre opération. Que mon amitié vous rassure : nous sommes donc frères dans ce genre d'épreuve puisque, peut-être vous en souvenez-vous, j'ai subi exactement la même opération il y a quatorze ans. Et vous conviendrez qu'il ne m'en reste aucune trace ni physique ni morale [145] ! » Les deux hommes se voient une dernière fois à Paris, du 20 au 27 juin 1984, lorsque Truffaut reçoit Yamada chez lui, dans son appartement de l'avenue

Pierre-Ier-de-Serbie. « J'étais incroyablement ému de vous voir, si ce n'est en parfaite santé, du moins sur le bon chemin, écrira le correspondant japonais à son retour à Tokyo. Vous aviez l'air assez fatigué, mais, fort de mon expérience personnelle, je puis vous dire que ce ne sera qu'un état passager et que la seule chose importante est de prendre patience le mieux possible [146]. »

Cette confiance, Truffaut entend également la manifester au grand jour. Le 4 mars 1984, il décide ainsi d'assister à la cérémonie des Césars, au théâtre de l'Empire, convaincu par son ami Claude Berri dont le film *Tchao Pantin* a de fortes chances de remporter quelques trophées. Lors de la cérémonie, Truffaut est présent aux côtés de Fanny Ardant, nominée pour le César de la meilleure actrice pour son rôle dans *Vivement dimanche !* Et c'est lui qui remet à Maurice Pialat le César du meilleur film pour *À nos amours*. Les deux hommes, qui se connaissent depuis de longues années [147], s'embrassent dans un réel moment d'émotion. Au cours de cette soirée, Truffaut est apparu souriant, beaucoup pensent alors qu'il est en bonne voie de guérison. Il dîne ensuite au Fouquet's avec Fanny Ardant et Isabelle Adjani, laquelle lui écrit un mot chaleureux dès le lendemain : « J'étais si émue de vous voir, vous aviez l'air fatigué et heureux à la fois. C'est si bon la vie quand on a été vraiment malade. Vous avez eu des regards si tendres hier soir. Je vous aime et vous admire toujours et pour toujours [148]. »

Le lendemain des Césars, la presse se sent autorisée à annoncer le retour de François Truffaut : « Il se remet activement au travail », titre *France-Soir.* « Truffaut retrouve la mise en scène : un film qui raconte les aventures d'une petite fille au lendemain de la guerre », avance le magazine *Première*... En mars, accompagné cette fois de Madeleine et de leurs amis Serge Rousseau et Marie Dubois, Truffaut séjourne à nouveau durant quelques jours à la Colombe d'Or. Ce séjour intervient juste après l'assassinat de Gérard Lebovici, le 3 mars 1984 dans un parking des Champs-Élysées. Pour des raisons différentes, Truffaut et Rousseau étaient très attachés à Lebovici. Le premier avait une entière confiance en l'homme, impressionné par son intelligence, sa culture, fasciné par sa double vie d'homme public dans le cinéma et d'éditeur engagé qui publie Guy Debord et les situationnistes. Quant à Rousseau, il côtoie Lebovici au sein d'Artmedia, et ce depuis une vingtaine d'années. Le 13 mars, c'est l'anniversaire de Serge Rousseau. À la Colombe d'Or, Marie Dubois demande à Truffaut : « On fait quelque chose pour l'anniversaire de Serge ? » Et, dit-elle, « François a eu ce mot merveilleux : " Mais la vie continue ! " ».

À la mi-avril, Truffaut inaugure à Romilly, dans l'Aube, une salle portant son nom, en même temps que Marcel Carné, à qui une autre salle est dédiée. Il est entouré de Marie Dubois, Brigitte Fossey, Macha Méril, Jean-Pierre Léaud et André Dussollier. Il participe à *Apostrophes,* l'émission littéraire de Bernard Pivot consacrée ce soir-là au cinéma, pour parler de la réédition de son livre d'entretiens avec Hitchcock. À ses côtés, Roman Polanski qui vient de publier ses Mémoires, Marcello Mastroianni qui évoque son ami Fellini, et la fille de Suso Cecchi d'Amico, la scénariste de Visconti. Souvent sollicité par Pivot, Truffaut raconte diverses anecdotes concernant Hitchcock, dont l'épisode fameux de leur première rencontre dans les studios de Joinville, lorsque Chabrol et lui-même, venus interviewer le cinéaste pour les *Cahiers du cinéma*, étaient tombés dans un bassin d'eau froide. Pour tous ceux qui le revoient alors pour la première fois depuis des mois, l'effort intense de cet homme à bout de forces pour transmettre la ferveur et la clarté de ses idées est bouleversant.

La vie diminuée

Le scanner de contrôle que Truffaut subit fin avril 1984 n'est guère optimiste. On va devoir lui administrer des doses de cortisone plus fortes, ce qui l'oblige au repos durant l'été et le contraint à éviter tout déplacement. Mais il veut encore y croire. Ainsi, il ne renonce pas à envisager de tourner *Nez-de-Cuir.* La preuve, c'est qu'il organise une projection, le 25 mai 1984, à la Cinémathèque française, de la version réalisée par Yves Allégret, dans les années cinquante, avec Jean Marais. Truffaut y a convié son directeur de la photographie, Nestor Almendros, Gérard Depardieu, Claude de Givray, Marcel Berbert et Jean-Louis Livi, auquel il a confié le soin de négocier les droits originaux du livre. Ce qui lui plaît dans le roman de La Varende, c'est de retrouver le thème de *L'Homme qui aimait les femmes*, mais dans un tout autre contexte : un soldat revient d'une des guerres napoléoniennes, complètement défiguré, la gueule arrachée. Il se dit que sa vie de séducteur est passée. Mais, tout au contraire, son nez de cuir devient l'élément fétichiste qui lui permet de séduire toutes les femmes... À la fin de la projection, en remontant les marches de la Cinémathèque, Gérard Depardieu n'est pas entièrement dupe : « François était déjà très faible. Je me souviens que tout le monde était déjà parti, j'étais là, prêt à remettre le casque de ma moto. François, en bas des marches de la Cinémathèque, me regarde et enfonce son chapeau, mais de manière trop profonde, juste au-dessus des yeux, sans s'en rendre compte. C'était une image terrible ! Là j'ai vu vraiment la maladie, j'ai compris qu'il ne sentait plus vraiment les choses. Alors je lui dis : " François, ton chapeau ! " ; et il l'a remis droit. C'est la dernière image que j'ai de lui d'ailleurs, parce que je n'ai pas voulu aller le voir chez lui, j'ai préféré lui téléphoner [149]. »

En juin, François Truffaut passe ses journées au calme, dans sa chambre. Pour l'été qui s'annonce, il fait quelques projets, entre autres celui de passer des vacances en Bretagne, avec Fanny Ardant et la petite Joséphine. Fanny Ardant a demandé à Claude de Givray de l'accompagner du côté de Roscoff, pour trouver une maison à louer. Mais Truffaut n'est désormais plus en mesure de se déplacer. C'est à ce moment-là que Fanny apprend la vérité... « Moi qui ai toujours organisé ma vie autour d'un emploi du temps, c'est la première fois que je suis dans l'incertitude, que je ne maîtrise pas mon temps », confie alors Truffaut. Nombreux sont les amis frappés par cette mélancolie, ainsi que l'exprime sans détour Jean-Claude Brialy : « François m'a dit : " Je m'habitue à l'idée de la mort ", et son regard était devenu triste [150]. » Cet état d'esprit n'empêche pas la volonté de faire face à l'épreuve. Pour François Truffaut, faire face revient à garder son humour jusqu'au bout : « La dernière fois que je l'ai vu, témoigne Jean-Louis Richard, je lui ai demandé si je pouvais faire quelque chose pour lui. Il souffrait à ce moment-là, et il m'a dit : " Prêtez-moi votre revolver, je vous le rendrai demain. " Et il s'est marré. Il a ri comme on aurait ri autrefois tous les deux [151]. »

Il lui reste cependant un ultime projet : réunir ses dernières forces pour raconter sa vie, écrire son autobiographie. Quelques années auparavant, il en avait déjà confié le désir à son amie Annette Insdorf : « J'ouvrirai mes dossiers le jour où la mise en scène me sera interdite par les médecins et où je commencerai à rédiger mes souvenirs [152]. » Ce jour est désormais arrivé et s'il tient à revoir ses plus anciens amis, c'est aussi pour raviver ses souvenirs de jeunesse. Il retrouve Robert Lachenay, son plus ancien compagnon de jeu. « Nous sommes-nous connus en 43 ou en 44 ? lui écrit Truffaut. J'opte pour octobre 43, à onze ans donc... Mes pensées me ramènent souvent en arrière ces temps-ci. Notre histoire commune s'inscrit dans cette période de la vie qu'on n'oublie jamais, celle de l'adolescence et des années de formation. Tout ce qui est lié à cette période fait partie de la mémoire chimique, je crois que les biologistes l'appellent comme ça. Autrement dit, si nous devenons plus ou moins gâteux, les seuls souvenirs toujours frais et vivaces qui défileront sans cesse devant nous comme un film monté " en boucle ", eh bien ce seront ceux qui vont de Barbès à Clichy, des Abbesses à Notre-Dame-de-Lorette, du ciné-club Delta au Champollion [153]... »

Truffaut décide de mettre de l'ordre dans ses archives, dans ces nombreux dossiers réunis de façon méthodique depuis sa jeunesse. Il replonge dans son enfance, en relisant des dizaines de documents, des lettres et des journaux intimes. Pour ce projet autobiographique auquel il tient par dessus tout et qui s'attacherait surtout aux « années décisives » de sa vie, il contacte un éditeur. « Ma vie actuelle de convalescent tourne souvent mes pensées vers mon enfance et ma jeunesse, les années trente, quarante, cinquante, écrit Truffaut le 6 juillet 1984 à Charles Ronsac, chez Robert Laffont. Je ne sais ce que le cinéma — ni ma santé — me réservent désormais, mais j'envisage d'épousseter ma machine portative et de tenter une autobiographie, intitulée *Le Scénario de ma vie* (ou *The Script of my Life*). Que pensez-vous de cette idée, vous qui êtes quasiment le premier à me l'avoir suggérée il y a six ou sept ans [154] ? » Charles Ronsac confirme son intérêt pour ce manuscrit qui ne verra jamais le jour.

François Truffaut est incapable de se concentrer suffisamment pour écrire. Il envisage alors une autre solution, celle d'une série d'entretiens au magnétophone avec Claude de

Givray. Ce dernier encourage l'idée, prenant exemple sur le *Fellini par Fellini,* qui vient de sortir en librairies. Cet entretien dure deux après-midi, entrecoupé de pauses car Truffaut doit récupérer de la fatigue provoquée par cet afflux de souvenirs. À la fin de l'enregistrement, ce dernier échange avec Claude de Givray :

« — L'excuse, à l'école après ta fugue, "Ma mère est morte" qui vient d'Alphonse Daudet et que tu as mise dans *Les Quatre Cents Coups,* cette excuse tu ne l'as pas faite en vérité ?

— Si, si, je l'ai faite. C'était en 1943 », répond Truffaut. Puis la bande s'interrompt. *Le Scénario de ma vie* demeure donc inachevé.

La cérémonie des adieux

Le 10 juillet 1984, un nouveau scanner de contrôle révèle que la tumeur s'est étendue. La presse annonce même « l'hospitalisation de François Truffaut », fausse information reprise par TF1 le 16 juillet dans son journal du soir, puis par Europe n°1 le 17 au matin. Des mots d'encouragement arrivent d'un peu partout aux Films du Carrosse, d'artistes, d'acteurs, de cinéastes, souvent de simples spectateurs. D'autres lettres, de proches et d'amis, sont directement envoyées à Truffaut. « Je pense à vous tout le temps, lui dit ainsi Floriana Lebovici. Je vous écris ce que Gérard vous aurait dit : n'abandonnez pas le combat, luttez de toutes vos forces. Beaucoup de voies parallèles de traitement existent, ne les négligez pas. Il faut tout essayer, tout, jusqu'au bout. Mais surtout, surtout, ne vous laissez pas vaincre. La vie est si forte pour vous et vous avez tant à faire [155]. »

Avec l'été, la vie quotidienne doit s'organiser différemment autour de Truffaut. Ahmed, son majordome, est en effet absent de Paris durant cinq semaines, Fanny Ardant a commencé un tournage, avec Nadine Trintignant. Incapable de rester seul chez lui, Truffaut s'installe le 8 juillet chez Madeleine Morgenstern, rue du Conseiller-Collignon. Là, il reçoit souvent les visites attentionnées de son médecin, Jacques Chassigneux, dont le soutien moral et la profonde humanité lui sont une aide essentielle. En l'absence du professeur Pertuisé, un rendez-vous a été obtenu avec le professeur Aron, grâce à Catherine Deneuve : la vision de Truffaut s'est considérablement altérée. Laura, qui séjourne en France, tient compagnie à son père en passant de longues heures auprès de lui. « François dormait beaucoup, témoigne Madeleine Morgenstern, mais quand ses amis lui rendaient visite, il était très brillant, il riait, vif, drôle, les visites le stimulaient [156]. » Fanny Ardant, dès qu'elle peut s'échapper de son tournage, vient le retrouver. Pendant tout l'été, les amis se succèdent, jour après jour : Dido Renoir, Jean Aurel, Alain Vannier, Claude de Givray, Suzanne Schiffman, Serge Rousseau, ainsi que Claude Berri et Milos Forman, qui est de passage à Paris avant la sortie de *Amadeus*. Liés par une longue amitié, les trois hommes évoquent bien sûr le nouveau film de Forman. Voulant faire plaisir à Truffaut, Berri est prêt à faire l'impossible pour qu'il puisse assister à une projection privée d'*Amadeus*. « François avait tellement envie de voir le film que j'ai dit à Madeleine : " Il n'a qu'à venir en pyjama, on fera entrer la voiture dans la cour, François n'aura que quelques mètres à faire [157] ! " » Mais Truffaut est à bout de forces. Le lendemain, Jean-Pierre Léaud passe rue du Conseiller-Collignon. Liliane Siegel se souvient avoir rencontré non loin de chez elle Jean-Pierre Léaud errant désemparé boulevard Raspail : « Je lui ai dit : " Tu en fais une tête ! " et Jean-Pierre m'a répondu : " François va mourir ! Il est très malade et il va mourir [158]... " » Roland Truffaut, « malheureux et désarçonné », est passé voir François. La conversation entre le père et le fils est un peu embarrassée, même si Truffaut, au fond, n'en a jamais vraiment voulu à Roland. Début septembre, Jeanne Moreau, Catherine Deneuve, Claude Miller, Marcel Ophuls, Leslie Caron lui rendent visite. Plus tard, Jean-José Richer, puis Pierre Hebey et Anne François, qui s'occupent de la sortie des *Deux Anglaises*.

Mais les après-midi sont longues en cette fin d'été parisien. Truffaut a des difficultés pour marcher, les maux de tête le rendent parfois sombre et silencieux. Il ne se plaint pas, mais ses angoisses sont de plus en plus fortes. « Mon avachisme actuel est dégradant, écrit-il à Liliane Siegel. C'est une grande fatigue qui commence après le petit déjeuner et me ramène au lit ou dans un coin de fenêtre. Cela n'est supportable qu'en se fixant des étapes, dates charnières, l'anniversaire d'une de mes filles, la visite d'un ami lointain, la parution de tel ou tel livre. Prochaine étape l'automne. Voici chère Liliane, l'état de mon cerveau lent [159]. » L'auteur de *La Chambre verte*, fasciné par ce passage, se prépare à mourir. La plupart de ses intérêts, de ses visions et de ses lectures sont orientés en ce sens. Il évoque longuement la mort de Sartre avec Liliane Siegel. *La Cérémonie des adieux* de Simone Beauvoir, qui raconte les dernières années de Sartre, est devenu un de ses livres de chevet. « C'est en lisant Sartre et Beauvoir qu'il essayait de se préparer à mourir, de trouver un sens à la fin de sa vie [160] », rapporte Claude de Givray. Truffaut lit aussi la biographie de Proust par Painter. Dans la correspondance entre l'écrivain et Madame Straus, qui continue alors de paraître en librairie, il s'arrête sur le passage où il est question des « morts tellement plus nombreux que les vivants ». Les quelques heures de concentration passent ainsi entre ces lectures, les visites de ses amis les plus proches et la vision de films sur magnétoscope, de Chaplin, Lubitsch, Renoir, *Le Journal d'un curé de campagne*, de Bresson et *Falbalas* de Becker.

Dans le courant de l'été, François Truffaut confie à Madeleine Morgenstern son souhait d'être enterré au cimetière Montmartre. Il demande également à voir le père Mambrino, jésuite et cinéphile, ancien ami d'André Bazin. En lui rendant visite chez Madeleine, Jean Mambrino s'attend à ce que Truffaut veuille se confesser. En réalité, il le questionne sur l'au-delà. Madeleine se souvient avoir entendu rire les deux hommes. Après le départ de Mambrino, François a dit à Madeleine : « Il n'en sait pas plus que les autres [161] ! »

Le 19 septembre, Claude Berri et Robert Lachenay seront les derniers visiteurs. « Dans son lit, François ressemblait à Sacha Guitry, à cette photo, l'une des dernières, où on le voit en train de monter un film, raconte Lachenay. On a parlé littérature, comme au bon vieux temps... Même sur son lit de mort, François était le même, rieur, toujours en train de plaisanter... Au moment de partir, il s'est levé pour me raccompagner jusqu'à la porte. Sur le palier, j'ai compris que je ne le reverrai plus, que c'était la dernière fois... Et, pour la première fois en quarante années d'amitié, on s'est embrassé [162]... »

Le 28 septembre dans l'après-midi, François Truffaut est de nouveau admis à l'hôpital Américain, car son état s'est soudain aggravé. Il y reste les trois dernières semaines de sa vie, et son agonie est douloureuse. Fanny et Madeleine sont à son chevet, bientôt rejointes par Laura et Éva. Il meurt le dimanche 21 octobre 1984 à 14 h 30.

À sa demande, son corps est incinéré au crématorium du Père-Lachaise, le 24 octobre, puis ses cendres sont enterrées au cimetière Montmartre. Des milliers de personnes, aux premiers rangs desquelles sa famille, les femmes qu'il aimait, ses amis, des acteurs, des cinéphiles, assistent à son enterrement dans un magnifique soleil d'automne. Comme l'avait souhaité François Truffaut, Claude de Givray et Serge Rousseau prononcent quelques mots sur sa tombe. De Givray avait d'abord pensé reprendre la formule fameuse de Sartre : « Tout homme qui se sent indispensable est un salaud ! », qui revenait souvent dans la bouche de Truffaut, conscient de sa notoriété, mais craignant d'être trop important aux yeux de ses amis. C'est dans le corbillard que de Givray griffonne quelques mots sur un bout de papier, s'inspirant d'un film de Frank Capra que Truffaut aimait beaucoup, *It's a Wonderful Life (La vie est belle)*, où James Stewart interprète ce personnage généreux qui, poussé au suicide, est sauvé par un ange gardien nommé Clarence, qui lui permet de revenir un instant dans un monde où il n'existerait pas, en lui montrant ce que serait la vie de ses proches s'il n'était pas né. Ce sera donc une oraison cinéphile, prononcée devant la foule réunie autour de la tombe d'un cinéaste par l'un de ses amis : « Si François n'était pas né, s'il n'avait pas été cinéaste... »

Un mois plus tard, le 21 novembre 1984, une messe est célébrée à l'église Saint-Roch par le curé de la paroisse des Artistes et par le père Mambrino. Souhaitée par Truffaut, cette cérémonie avait sans doute été évoquée lors de sa dernière entrevue avec le père jésuite, rue du Conseiller-Collignon. Tout en n'étant pas croyant, Truffaut n'était pas hostile au rituel d'une bénédiction à l'église. Et Saint-Roch lui évoquait chaque année la messe-anniversaire qui, au mois d'octobre, honorait la mémoire de Jean Cocteau. Comme dans *La Chambre verte* où, sous les traits de Julien Davenne, François Truffaut célébrait le culte des morts, des centaines de cierges illuminent ce jour-là la nef de l'église Saint-Roch, formant une véritable forêt de lumière.

NOTES

25. L'auteur : Truffaut de Givray, archives des Films du Carrosse, pp. 87-88.

27. Archives des Films du Carrosse, dossier « Archives très privées ».

Chapitre I. Une enfance clandestine, 1932-1946

1. Extrait des minutes des actes de naissance de la mairie du XVIIᵉ arrondissement, nº BL/178.

2. Livret de famille du couple Truffaut, archives des Films du Carrosse, dossier « Archives très privées 1 ».

3. Entretien accordé aux auteurs, 1995.

4. Lettre de Suzanne de Saint-Martin à François Truffaut, 11 juillet 1968, archives des Films du Carrosse, dossier « Archives très privées 1 ».

5. Entretien accordé par François Truffaut à Claude de Givray, juin 1984, archives des Films du Carrosse, pp. 22-23. Il s'agit d'un entretien au magnétophone enregistré en juin 1984 au moment où François Truffaut était déjà malade. Le cinéaste n'a jamais eu le temps ni la force de relire ces propos, contrairement à tous les entretiens qu'il accordait et qu'il retravaillait toujours minutieusement. Ceci explique sans doute l'aspect très « parlé » de ces interventions.

6. Archives des Films du Carrosse, dossier « Ma Vie 2 ».

7. Bulletins de paie des époux Truffaut, archives des Films du Carrosse, dossier « Archives très privées 1 ».

8. Lettre de Denise Dehousse à François Truffaut, 13 mai 1959, archives des Films du Carrosse, dossier « Ma Vie 1 ».

9. Lettre de Henry Moins à François Truffaut, s.d., *ibid.*

10. Archives des Films du Carrosse, dossier « Archives très privées 1 ».

11. Un peu plus tard, en manquant de se noyer en kayak, François Truffaut prendra définitivement l'eau en horreur.

12. Archives des Films du Carrosse, dossier « Ma Vie 1 ».

13. Archives des Films du Carrosse, dossier « Archives très privées 1 ».

14. *Ibid.*

15. Entretien Truffaut/de Givray, archives des Films du Carrosse, p. 23.

16. *Ibid.*, p. 24.

17. *Ibid.*, p. 16.

18. Note pour le projet « Le scénario de ma vie », archives des Films du Carrosse, dossier « Ma Vie 1 ».

19. Entretien Truffaut/de Givray, archives des Films du Carrosse, pp. 18-19.

20. Témoignage de Robert Lachenay dans *Le Roman de François Truffaut*, numéro spécial des *Cahiers du cinéma*, décembre 1984, p. 19.

21. Entretien Truffaut/de Givray, archives des Films du Carrosse, p. 17.

22. *Ibid.*, p. 16.

23. *Ibid.*, *loc. cit.*

24. *Ibid.*, p. 13.

25. *Du Kenya au Kilimandjaro. Expédition française au Kenya, 1952*, Julliard, Paris, 1953, p. 243.

26. Entretien Truffaut/de Givray, archives des Films du Carrosse, pp. 37-38.

27. Lettre de Janine Truffaut à son frère Bernard, s.d., archives des Films du Carrosse, dossier « Ma Vie 1 ».

28. Archives des Films du Carrosse, dossier « Archives très privées 1 ».

29. *Ibid.*

30. L'explication de ce « ratage » est donnée dans une lettre de Truffaut reproduite dans la partie 4. Il est évident que le jeune Truffaut en voudra énormément à ses parents pour ce quiproquo qu'il juge quant à lui décisif dans ses échecs scolaires.

31. Archives des Films du Carrosse, dossier « Archives très privées 1 ».

32. Entretien Truffaut/de Givray, Archives des Films du Carrosse, pp. 8-9.

33. *Ibid.*, p. 9.

34. *Ibid.*, pp. 30-31.

35. *Ibid.*, pp. 39 et 65.

36. *Ibid.*, pp. 9-10.

37. Témoignage de Robert Lachenay, *Le Roman de François Truffaut*, *op. cit.*, p. 15.

38. M. Lachenay paiera cher cette place et ces avantages matériels. À la Libération, considéré comme collaborateur et trafiquant au marché noir, il sera jugé et incarcéré. Il meurt dans une prison militaire dans l'immédiat après-guerre.

39. Lettre reproduite dans *François Truffaut. Correspondance*, Hatier, Paris, 1988, p. 20.

40. Témoignage de Claude Véga, *Le Roman de François Truffaut*, *op. cit.*, p. 21.

41. Entretien Truffaut/de Givray, archives des Films du Carrosse, pp. 10-11.

42. *Ibid.*, p. 11.

43. *Ibid.*, p. 56.

44. *Ibid.*, p. 15.

45. Témoignage de Robert Lachenay, *Le Roman de François Truffaut*, *op. cit.*, p. 15.

46. *François Truffaut. Correspondance* , *op. cit.*, pp. 20-22.

47. Jean Gruault, *Ce que dit l'autre*, Julliard, Paris, 1992, pp. 276-277.

48. François Truffaut, *Les Films de ma vie*, Flammarion, Paris, 1975, p. 15. Cette expression est également utilisée par Éric Rohmer pour désigner la « période cinéphile » de sa vie, dans *Le Roman de François Truffaut*, *op. cit.*, p. 17.

49. Entretien Truffaut/de Givray, archives des Films du Carrosse, p. 19.

50. *Ibid.*, p. 20.

51. *Ibid.*, p. 32.

52. Truffaut citait volontiers en exemple le livre de Jacques Siclier, *La France de Pétain et son cinéma*, Veyrier, Paris, 1981 : « Pour moi, c'est très facile de savoir tout ce que j'ai vu pendant la guerre grâce au gros livre de Siclier

qui est remarquable. C'est le seul type qui ait vu les 200 films de l'époque. Moi, je n'en ai pas vu 200, mais j'ai dû en voir un tiers ou la moitié et je les retrouve tous dans ce livre » (Entretien Truffaut/de Givray, archives des Films du Carrosse, p. 20).

53. *Les Films de ma vie* , *op. cit.*, p. 14.
54. Entretien Truffaut/de Givray, archives des Films du Carrosse, p. 21.
55. *Ibid.*, p. 43.
56. *Ibid.*, p. 44.
57. *Ibid.*, p. 45.
58. *Ibid.*, p. 43.
59. *Ibid.*, p. 53.
60. *Ibid.*, pp. 53-54.
61. *Ibid.*, pp. 54-55.
62. *Ibid.*, p. 55.
63. *Ibid.*, p. 7.
64. Dans *Le Dernier métro*, il s'agit de la scène où Bernard Granger a rendez-vous avec un résistant qui se fait arrêter sous ses yeux.
65. Entretien Truffaut/de Givray, archives des Films du Carrosse, p. 23.
66. *Ibid.*, p. 27.
67. Archives des Films du Carrosse, dossier « Archives très privées 1 ».
68. Archives des Films du Carrosse, dossier « Ma Vie 1 ».

Chapitre II. Quatre cents coups, 1946-1952

1. Témoignage de Robert Lachenay, *Le Roman de François Truffaut*, numéro spécial des *Cahiers du cinéma*, décembre 1984, p.16.
2. « Sacha Guitry cinéaste », dans Sacha Guitry, *Le Cinéma et moi*, Ramsay, Paris, 1977, pp. 19-20.
3. *Journal* tenu par François Truffaut du 21 août 1951 au 31 mai 1952, archives des Films du Carrosse, dossier « Ma Vie 2 », p. 56.
4. Entretien Truffaut/de Givray, archives des Films du Carrosse, p. 30.
5. Archives des Films du Carrosse, dossier « Ma Vie 1 ».
6. *Le Roman de François Truffaut* , *op. cit.*, p. 16.
7. Archives des Films du Carrosse, dossier « Ma Vie 1 ».
8. *François Truffaut. Correspondance*, Hatier, Paris, 1988, p. 25.
9. Archives des Films du Carrosse, dossier « Ma Vie 1 ».
10. *Ibid.*
11. « André Bazin, l'Occupation et moi », dans André Bazin, *Le Cinéma de l'Occupation et de la Résistance*, Paris, U.G.E., 1975, pp. 20-21.
12. Archives des Films du Carrosse, dossier « Ma Vie 1 ».
13. *Ibid.*
14. Entretien Truffaut/de Givray, archives des Films du Carrosse, p. 40.
15. *Le Roman de François Truffaut, op. cit.*, pp. 22-23.
16. *Libération*, 30 décembre 1948.
17. Entretien Truffaut/de Givray, archives des Films du Carrosse, p. 41.
18. On trouvera un choix de textes et une présentation de la *Revue du cinéma* dans un volume de la collection « Tel », Gallimard, 1992 : *La Revue du cinéma. Anthologie* (Avant-propos d'Antoine de Baecque). En 1979, *La Revue du cinéma* a été rééditée en fac-similé aux éditions Pierre Lherminier sous la direction d'Odette et Alain Virmaux.
19. Entretien Truffaut/de Givray, archives des Films du Carrosse, p. 41.

20. *Ibid., loc. cit.*

21. *Ibid.*, p. 42.

22. La découverte enchantée du cinéma américain par la cinéphilie parisienne de l'après-guerre a été bien rendue par deux témoins, Jean-Charles Tacchella ct Roger Thérond, dans *Les Années éblouissantes. Le cinéma qu'on aime : 1945-1952*, Filipacchi, Paris, 1988.

23. *Bulletin du Ciné-club du Quartier Latin*, avril 1950.

24. Entretien Truffaut/de Givray, archives des Films du Carrosse, p. 42.

25. « Citizen Kane, le géant fragile », texte écrit en 1967, publié dans *Les Films de ma vie, op. cit.*, pp. 292-300.

26. *Cahiers du cinéma*, n° 1, avril 1951.

27. Archives des Films du Carrosse, dossier « Archives très privées 1 ».

28. Jacques Enfer fonde en 1950, à Rouen, une petite revue intitulée... *Les Cahiers du cinéma.* Ayant eu la même idée de titre pour la revue qu'il désirait créer avec André Bazin et Lo Duca, Jacques Doniol-Valcroze dut négocier avec Jacques Enfer le rachat du titre, avant de faire paraître en avril 1951 le premier numéro des *Cahiers du cinéma.*

29. Dudley Andrew, *André Bazin*, Éd. de l'Étoile, Paris, 1983 (avec une préface de François Truffaut).

30. Archives des Films du Carrosse, dossier « Archives très privées 1 ».

31. *Le Roman de François Truffaut, op. cit.*, p. 16.

32. Archives des Films du Carrosse, dossier « Archives très privées 1 ».

33. *Ibid.*

34. *Ibid.*

35. *Ibid.*

36. *Ibid.*

37. Archives des Films du Carrosse, dossier « Ma Vie 1 ».

38. Archives des Films du Carrosse, dossier « Archives très privées 1 ».

39. *Ibid.*

40. *Ibid.*

41. *Ibid.*

42. *Ibid.*

43. *Ibid.*

44. Extrait des minutes du greffe de la justice de paix du IXe arrondissement de la ville de Paris, dossier « Paul Martin, juge de Paix ».

45. Archives des Films du Carrosse, dossier « Ma Vie 1 ».

46. Archives des Films du Carrosse, dossier « Archives très privées 1 ».

47. *Ibid.*

48. Louis Daquin, « Remarques déplacées », *L'Écran français,* 8 mars 1949.

49. Archives des Films du Carrosse, dossier « Ma Vie 1 », publiée dans la *Correspondance, op. cit.*, p. 32.

50. *Ibid.*

51. Jean Gruault, *Ce que dit l'autre, op. cit.*, p. 145.

52. Antoine de Baecque, *Les Cahiers du cinéma. Histoire d'une revue*, Éd. de l'Étoile, Paris, 1991, vol. 1, pp. 221-222.

53. *Le Roman de François Truffaut, op. cit.*, p. 48.

54. Claude Chabrol, *Et pourtant je tourne*, Paris, Robert Laffont, 1976, p. 109.

55. Jean Douchet, *Jean-Luc Godard*, numéro spécial d'*Artpress*, janvier-février 1985, p. 70.

56. Sur la cinéphilie parisienne de l'après-guerre, on se reportera aux actes du colloque *L'Invention d'une culture. Une histoire de la cinéphilie*

(1895-1995), à paraître chez Actes Sud/Institut Lumière, 1997 (Antoine de Baecque et Thierry Frémaux, dir. éd.).

57. *Le Roman de François Truffaut, op. cit.,* p. 38.

58. *Ce que dit l'autre, op. cit.,* pp. 143-144.

59. Truffaut mentionne avoir écrit ses premiers textes critiques dans la revue dirigée par Jacques Enfer, *Cités,* en 1948. Mais ceux-ci restent introuvables. Dans le dossier « Ma Vie 1 » des archives des Films du Carrosse, figure en revanche, en date de 1948, un projet de fiction intitulé *Références* dont on peut croire qu'il s'agit du premier texte écrit par François Truffaut.

60. Archives des Films du Carrosse, dossier « Ma Vie 1 ».

61. *Ce que dit l'autre, op. cit.,* pp. 147-151.

62. *Journal, op. cit.,* p. 14.

63. *Ibid.,* p. 15.

64. Archives des Films du Carrosse, dossier « Archives très privées 1 »

65. Archives des Films du Carrosse, dossier « Ma Vie 2 ».

66. *Ibid.*

67. Archives des Films du Carrosse, dossier « Ma Vie 1 ».

68. *Ibid.*

69. *Ibid.*

70. *Ibid.*

71. *Ibid.*

72. *Correspondance, op. cit.,* p. 41.

73. Archives des Films du Carrosse, dossier « Ma Vie 1 ».

74. *Ibid.,* dossier « Ma Vie 1 », publiée dans la *Correspondance,* pp. 42-43.

75. *Ibid.*

76. *Ibid.*

77. *Ibid.*

78. *Ibid.*

79. *Ibid.*

80. Archives des Films du Carrosse, dossier « Ma Vie 2 ».

81. *Ibid.*

82. Archives des Films du Carrosse, dossier « Ma Vie 1 ».

83. *Ibid.*

84. *Ibid.*

85. *Ibid.*

86. *Ibid.*

87. *Ibid.*

88. Extrait du *Journal du voleur* recopié à la main par Truffaut, archives des Films du Carrosse, dossier « Archives très privées 1 ».

89. Sur cette période de la vie de Jean Genet, on se reportera à la biographie d'Edmund White, *Jean Genet,* Gallimard, Paris, 1993, pp. 371-396.

90. Archives des Films du Carrosse, dossier « Ma Vie 1 ».

91. Archives des Films du Carrosse, dossier « Archives très privées 1 ».

92. Archives des Films du Carrosse, dossier « Ma Vie 1 ».

93. Archives des Films du Carrosse, dossier « Archives très privées 1 », correspondance également photocopiée et conservée dans un autre dossier, intitulé « Écrivains ».

94. Archives des Films du Carrosse, dossier « Ma Vie 1 ».

95. François Truffaut s'empresse d'envoyer à Genet une lettre d'explications et d'excuses : « Je suis rentré de Stockholm hier soir ; aujourd'hui, j'ai travaillé toute la journée sans prendre aucune communication car je repars demain matin dans le Midi. Dès que j'ai su que vous me cherchiez, j'ai appelé

le Lutetia. Je vous ai dit : je viens à 7 heures, nous parlerons jusqu'à 8. Après votre coup de fil ma femme m'a téléphoné car ma plus jeune fille était malade et il y avait des médicaments à prendre à la pharmacie. Prévoyant un retard, j'ai appelé mon bureau pour qu'on vous dise : 8 heures au lieu de 7. J'ai dû aller chercher les médicaments et les ramener chez moi puis repartir au Lutetia, vous savez la suite. Ça ne me fâche pas trop d'être traité de petit emmerdeur car, étant gosse, on me traitait de petit merdeux ; cela montre un progrès. Si votre copain, qui n'a rien à voir dans nos emmerdements respectifs, me téléphone dans la matinée du mardi, je le verrai le jour même ou au plus tard le lendemain. D'une certaine façon, j'ose dire que cela m'a fait plaisir de vous avoir raté, et j'ai pensé au temps où je faisais le boulevard de Clichy en espérant vous rencontrer et en redoutant de vous rencontrer ; quand j'y pense maintenant, je me dis que vous étiez bien patient avec moi ; à mon tour, salut. »

96. Archives des Films du Carrosse, dossier « Ma Vie 1 ».
97. *Ibid.*
98. Archives des Films du Carrosse, dossier « Archives très privées 1 ».
99. *Ibid.*
100. *Journal, op. cit.*, p. 1.
101. *Ibid.*, p. 7
102. *Ibid.*, pp. 18-19.
103. *Ibid.*, pp. 22-23.
104. Lettre du 27 juillet 1951 du lieutenant Le Masne de Chermont, archives des Films du Carrosse, dossier « Archives très privées 1 ».
105. Archives des Films du Carrosse, dossier « Archives très privées 1 ».
106. *Ibid.*
107. *Ibid.*
108. *Ibid.*
109. *Ibid.*
110. *Journal, op. cit.*, pp. 174-175.
111. *Ibid.*, pp. 177-178.

Chapitre III. La vie, c'était l'écran, 1952-1958

1. Archives des Films du Carrosse, dossier « Archives très privées 1 ».
2. *Ibid.*
3. *Journal* tenu par François Truffaut, archives des Films du Carrosse, dossier « Ma Vie 2 », p. 226.
4. *Journal, op. cit.*, pp. 233-234.
5. Archives des Films du Carrosse, dossier « Bazin ».
6. *Ibid.*
7. *Le Roman de François Truffaut,* numéro spécial des *Cahiers du cinéma,* décembre 1984, pp. 24-25.
8. Archives des Films du Carrosse, dossier « Archives très privées 1 » (lettre du 17 avril 1952).
9. *Ibid.*
10. *Cinémonde,* 14 mai 1953.
11. Olivier Barrot, *L'Écran français, 1943-1953,* Éditeurs français réunis, Paris, 1979.
12. L'exemplaire manuscrit de cette première version d'« Une certaine tendance du cinéma français » est conservé aux archives des Films du Carrosse, dossier « Archives très privées 2 ».

13. *Journal, op. cit.*, p. 62.
14. *Ibid.*, p. 172.
15. *Cahiers du cinéma*, n° 3, juin 1951.
16. *Journal, op. cit.*, pp. 100-101.
17. Sur ce texte, sa genèse, sa publication et ses effets, *cf.* Antoine de Baecque, « Contre la Qualité française : autour d'un article de François Truffaut », *Cinémathèque*, n° 4, automne 1993, pp. 44-66.
18. Wheeler Winston Dixon, *The Early Film Criticism of François Truffaut*, Indiana University Press, Bloomington, 1993.
19. À cette lettre, voici la réponse de Pierre Bost, qui se montre beau perdant et grand seigneur : « Cher Monsieur, il y a dans votre article des *Cahiers du cinéma* des choses intelligentes, d'autres qui sont injustes, et d'autres qui sont inexactes. Mais il y a encore ceci — et je ne vous parlerai pas d'autre chose aujourd'hui. C'est que, de mon temps, on ne venait pas à domicile emprunter des textes pour en faire ensuite un usage public, et pour y prendre les éléments d'une critique assez vive. Surtout pas des textes en somme confidentiels puisqu'il s'agit d'un scénario qui n'a pas été tourné. J'avoue que vous m'avez étonné, et que vous m'obligerez, maintenant, à une méfiance qui n'est pas dans ma nature — la preuve. Je ne vous fais grief d'aucun de vos reproches. Je souhaite seulement que, dans les nombreux détails que vous donnez, aucun ne vous soit venu de moi (après tout, je vous ai peut-être parlé, aussi, et votre texte prend parfois des airs de rapport de police). En tout cas, vous avez manqué d'élégance, ça m'ennuie de vous le dire, mais c'est bien le moins que je vous le dise. » Archives des Films du Carrosse, dossier « Archives très privées 2 ».
20. *Cahiers du cinéma*, n° 33, mars 1954.
21. Archives des Films du Carrosse, dossier « Archives très privées 2 ».
22. *Cahiers du cinéma*, n° 33, mars 1954.
23. *Ibid.*, n° 36, juin 1954.
24. Sur cet épisode de l'histoire des *Cahiers du cinéma, cf.* Antoine de Baecque, *Les Cahiers du cinéma. Histoire d'une revue, op. cit.*, vol 1, pp. 89-125.
25. Archives des Films du Carrosse, dossier « Archives très privées 1 ». Ce synopsis a été publié dans les *Cahiers du cinéma* en mai 1994.
26. Éric Rohmer, « Le temps de la critique », introduction au *Goût de la beauté*, Éd. de l'Étoile, Paris, 1984, pp. 9-23.
27. François Truffaut, *Correspondance*, Hatier, Paris, 1988, pp. 107-108.
28. Texte de François Truffaut, « Un colossal enfant », écrit en 1973, publié dans la revue *Approches*, février 1974.
29. Archives des Films du Carrosse, dossier « Écrivains ». Les textes d'Audiberti sur le cinéma ont été réunis par Michel Giroud et publiés par les éditions des *Cahiers du cinéma* en 1996 (*Le Mur du fond. Écrits sur le cinéma*, introduction de Jérôme Prieur).
30. « Un colossal enfant », *op. cit.*
31. *Ibid.* Truffaut aura également le projet de mettre en scène au théâtre une pièce d'Audiberti. Le 19 août 1960, il lui fait ainsi part dans une lettre de son désir de monter *Pomme, Pomme, Pomme*. Audiberti lui répond : « De toute façon, cela *m'enchanterait* que nous opérions de concert sur un plateau de théâtre, vous metteur et moi mis ! » Lors de leur rencontre, Audiberti propose à Truffaut une autre pièce — sur le mythe de Jeanne d'Arc, intitulée *La Pucelle* — écrite et montée initialement en 1950, mais qu'il est en train de retravailler. Quelques mois plus tard, Audiberti et Truffaut trouvent des producteurs pour cette entreprise théâtrale : Robert Yag et Madeleine Declercq, deux amis du

dramaturge. En juillet 1961, la presse peut annoncer la nouvelle : « *Truffaut passe au théâtre* », titre *Paris-Presse*. En attendant la première prévue pour novembre 1961, l'essentiel du travail de Truffaut au cours de l'été consiste à composer la distribution de la pièce : Marie Dubois, Albert Rémy, Pierre Mondy, Marie-José Nat, Françoise Vatel, Serge Gainsbourg et Yvette Étiévant, ainsi que Henri Virlojeux, Jean-Pierre Léaud, Claude Mansard, François Darbon, Rosy Varte, autant d'acteurs essayés par Truffaut dans ses films. Le projet se met en place, de même que les grandes orientations de mise en scène. Mais Robert Yag, le producteur, trouve la distribution pléthorique, risquée et trop lourde sur le plan financier. En août 1961, Truffaut abandonne donc le projet de mettre en scène *La Pucelle* au théâtre.

32. Antoine de Baecque, « Contre la Qualité française : autour d'un texte de François Truffaut », *op. cit.*

33. Lettre à Charles Bitsch, septembre 1956, archives des Films du Carrosse, dossier « CCH 1 (1953-1957) ».

34. *Correspondance, op. cit.*, p. 103.

35. *Cahiers du cinéma*, n° 77, décembre 1957.

36. *Le Roman de François Truffaut, op. cit.*, p. 51.

37. *Cahiers du cinéma*, n° 83, mai 1958.

38. *Ibid.*, novembre 1953.

39. *Arts*, 15 mai 1957.

40. *Ibid.*, 14 février 1955.

41. Archives des Films du Carrosse, dossier « CCH 1 (1953-1957) ».

42. *Ibid.*

43. *Les Temps modernes,* décembre 1952.

44. *L'Express,* 14 novembre 1954.

45. *Positif,* n° 21.

46. *Ibid.*

47. *Arts,* 9 juillet 1958.

48. *Cahiers du cinéma*, n° 32, février 1954.

49. *Ibid.*, n° 34, avril 1954.

50. Robert Belot, *Lucien Rebatet. Un itinéraire fasciste*, Éd. du Seuil, Paris, 1994. Rebatet, de son côté, a raconté ses rencontres avec Truffaut dans le journal *Dimanche-Matin,* 3 février 1957. On lira aussi : Éric Neuhoff, *Lettre ouverte à François Truffaut*, Albin Michel, Paris, 1987, pp. 70-73.

51. Lettre de Lotte Eisner à François Truffaut, s.d. (1978), archives des Films du Carrosse, dossier « CCH 1978 (2) ».

52. Archives des Films du Carrosse, dossier « CCH 1 (1953-1957) ».

53. *Ibid.*

54. *Ibid.*

55. *Le Roman de François Truffaut, op. cit.*, p. 42.

56. *Cahiers du cinéma*, n° 36, juin 1954.

57. *Le Roman de François Truffaut, op. cit.*, p. 28.

58. Lettre à Robert Lachenay, s.d., archives des Films du Carrosse, dossier « Archives très privées 1 ».

59. *Ibid.*

60. *Ibid.*

61. *Le Roman de François Truffaut, op. cit.*, p. 47.

62. Plus tard, François Truffaut s'inspirera également des entretiens radiophoniques de Robert Mallet avec Paul Léautaud pour concevoir son livre sur Alfred Hitchcock.

63. *Cahiers du cinéma*, n° 43, janvier 1955.

64. *France-Observateur*, 24 mars 1960.

65. Archives des Films du Carrosse, dossier « CCH 1 (1953-1957) ».

66. *Ibid.*

67. *Ibid.*

68. *Le Roman de François Truffaut, op. cit.*, p. 49.

69. *Ibid.*, p. 50.

70. Lettre du 13 août 1956, archives des Films du Carrosse, dossier « CCH 1 (1953-1957) ».

71. Entretien avec Marcel Ophuls, réalisé par Michel Pascal et Serge Toubiana lors du tournage de *Portraits volés*, 1992.

72. *Cahiers du cinéma*, n° 55, janvier 1956.

73. Lettre du 21 janvier 1955, archives des Films du Carrosse, dossier « CCH 1 (1953-1957) ».

74. Archives des Films du Carrosse, dossier « CCH 1 (1953-1957) ».

75. *Arts,* 19 décembre 1955.

76. Lettre du 7 janvier 1956, Archives des Films du Carrosse, dossier « CCH 1 (1953-1957) ».

77. Les textes et les entretiens de Roberto Rossellini dans les *Cahiers du cinéma* ont été réunis sous le titre, *Le Cinéma révélé*, Éd. de l'Étoile, Paris, 1984.

78. Sur *Voyage en Italie*, on lira le texte de Jacques Rivette, « Lettre sur Rossellini », *Cahiers du cinéma*, n° 46, avril 1955.

79. Entretien accordé aux auteurs, 1996.

80. « Il préfère la vie », texte de François Truffaut paru dans *L'Express*, 10 septembre 1959.

81. *Ibid.*

82. *Ibid.*

83. *La Peur de Paris,* synopsis de 37 pages, archives des films du Carrosse, dossier « Archives très privées 2 ».

84. Archives des Films du Carrosse, dossier « Archives très privées 2 ».

85. *Les Cahiers du cinéma. Histoire d'une revue, op. cit.*, vol 1, pp. 147-152.

86. *Cahiers du cinéma*, n° 34, avril 1954.

87. *Arts*, 15 janvier 1958.

88. *Cahiers du cinéma*, n° 47, mai 1955.

89. *Ibid.*

90. André Bazin, « De la politique des auteurs », *Cahiers du cinéma*, n° 70, avril 1957.

91. *Cahiers du cinéma*, n° 86, août 1958.

92. *Ibid.*, n° 44, février 1955.

93. *Arts*, 4 décembre 1957.

94. *Cahiers du cinéma*, n° 46, avril 1955.

95. *Arts*, 9 mai 1956.

96. Archives des films du Carrosse, dossier « CCH 1 (1953-1957) ».

97. *Arts*, 16 mai 1956.

98. *Le Roman de François Truffaut, op. cit.*, pp. 42-43.

99. *Correspondance, op. cit.*, p. 120.

100. *Ibid.*

101. Entretien accordé aux auteurs, 1995.

102. *Id.*

103. « Henri-Pierre Roché revisité », texte écrit par François Truffaut en 1980, partiellement publié en préface à l'édition allemande de *Jules et Jim*, repris dans *Le Plaisir des yeux*, Éd. de l'Étoile, Paris, 1987, puis en avant-propos

à l'édition des *Carnets. Les années Jules et Jim 1920-1921,* André Dimanche Éditeur, Marseille, 1990.

104. *Arts,* 14 mars 1956.

105. Lettre du 11 avril 1956, archives des Films du Carrosse, dossier « CCH
1 (1953-1957) ».

106. Lettre du 3 avril 1959, *ibid.*

107. Archives des Films du Carrosse, dossier « Archives très privées 1 ».

108. *Ibid.*

109. *Ibid.*

110. *Ibid.*

111. *Correspondance, op. cit.,* p. 125.

112. Maurice Pons, *Souvenirs littéraires,* Paris, Quai Voltaire, 1993.

113. « Les Mistons », *dans Virginales,* Julliard, Paris, 1955, pp. 97-110.

114. Entretien accordé aux auteurs, 1995.

115. Lettre du 8 juillet 1957, archives des Films du Carrosse, dossier
« CCH 1 (1953-1957) ».

116. Entretien accordé aux auteurs, 1995.

117. *Le Roman de François Truffaut, op. cit.,* p. 68.

118. Le jury du Xe Festival comptait en son sein plusieurs académiciens :
outre Jean Cocteau, président d'honneur, Maurice Genevoix, Jules Romains,
Marcel Pagnol, André Maurois et Georges Huisman. Dans les années 1950, et
ce jusqu'en 1968, la tradition voulait que le jury du festival intégrât chaque
année quelques académiciens français.

119. *Arts,* 15 mai 1957.

120. *Ibid.*

121. *Ibid.,*19 juin 1957.

122. *Ibid.,* 10 septembre 1958.

123. *Ibid.,* 3 juillet 1957.

124. *Ibid.,* 12 juin 1957.

125. *Ibid.,* 6 novembre 1957.

126. *Ibid.*

127. *Cahiers du cinéma,* n° 77, décembre 1957.

128. *Ibid.,* n° 84, juin 1958.

129. *Arts,* 31 juillet 1957.

130. *Ibid.,* 12 décembre 1956.

131. *Ibid.*

132. Lettre du 13 décembre 1956, archives des Films du Carrosse, dossier
« CCH 1 (1953-1957) ».

133. *Midi-Libre,* 4 août 1957.

134. Entretien accordé aux auteurs, 1995.

135. *Correspondance, op. cit.,* p. 130.

136. Entretien accordé aux auteurs, 1995.

137. *Correspondance, op. cit.,* p. 130.

138. Entretien accordé aux auteurs, 1995.

139. Truffaut a conservé un examen radioscopique du 7 octobre 1957,
archives des Films du Carrosse, dossier « Santé ».

140. *Correspondance, op. cit.,* p. 141.

141. *Le Parisien libéré,* 25 novembre 1957.

142. *France-Soir,* 19 novembre 1958.

143. *Ibid.,* 14 février 1959.

144. Entretien accordé aux auteurs par Madeleine Morgenstern, 1995.

145. Entretien accordé aux auteurs, 1995.

146. *Id.*
147. *Id.*
148. Archives des Films du Carrosse, dossier « Archives très privées 1 ».
149. Entretien accordé aux auteurs, 1995.
150. *Id.*
151. *Id.*
152. Archives des Films du Carrosse, dossier « Archives très privées 1 ».
153. *L'Express,* 14 janvier 1964.
154. Archives des Films du Carrosse, dossier « CCH 1 (1953-1957) ».
155. Lettre du 17 septembre 1957, *ibid.*
156. Lettre du 19 septembre 1957, *ibid.*
157. Lettre du 21 septembre 1957, *ibid.*
158. Archives des Films du Carrosse, dossier « Archives très privées 1 ».
159. Entretien accordé aux auteurs, 1996.
160. Archives des Films du Carrosse, dossier « CCH 1 (1953-1957) ».

Chapitre IV. Nouvelle Vague, 1958-1962

1. François Truffaut, *Correspondance, op. cit.,* p. 139 (lettre à Charles Bitsch du 31 décembre 1957).
2. *Correspondance, op. cit.,* pp. 138-139.
3. Lettre du 15 février 1958, archives des Films du Carrosse, dossier « CCH 1958 ».
4. Notamment à Nantes, à la fin du mois de mars 1958, à Reims à la mi-avril, puis au Festival mondial du court métrage de Bruxelles où il obtient le prix de la mise en scène.
5. *Arts,* 14 mai 1958.
6. *Ibid.,* 21 mai 1958.
7. Entretien accordé par Marcel Berbert aux auteurs, 1995.
8. Entretien accordé aux auteurs, 1995.
9. Agenda de l'année 1958, archives des Films du Carrosse, dossier « Archives très privées 1 ».
10. Lettre à Lachenay, 30 avril 1958, archives des Films du Carrosse, dossier « Archives très privées 1 ». D'autres titres étaient envisagés pour ce film, notamment *Les Petits Copains :* « À cause de ma mère : " Tes petits copains — ah, toujours tes petits copains " », écrit Truffaut à Lachenay le 28 avril 1958.
11. Entretien accordé aux auteurs, 1991.
12. *Correspondance, op. cit.,* p. 144.
13. Lettre du 21 juin 1958, *Correspondance,* p. 144.
14. *Ibid.,* p. 145.
15. Lettre de Deligny, 4 février 1959, archives des Films du Carrosse, dossier « Fernand Deligny ».
16. Lettre du 20 août 1958, *ibid.*
17. Archives des Films du Carrosse, dossier « Fernand Deligny ».
18. *Paris-Journal,* 21 mai 1959.
19. Lettre du 27 janvier 1958, archives des Films du Carrosse, dossier « Jean-Pierre Léaud ».
20. Entretien avec Maurice Terrail, décembre 1979, inédit, archives des Films du Carrosse, dossier « CCH 1979 (2) ».
21. *Cahiers du cinéma,* n° 90, décembre 1958.
22. *Ibid.*

23. François Truffaut a conservé l'ensemble des feuilles de services de ses tournages, classées film par film. L'on peut suivre ainsi, grâce aux archives des Films du Carrosse, la vie quotidienne de ses plateaux.

24. Entretien accordé aux auteurs, 1995.

25. *Id.*

26. *Id.*

27. *Elle,* 8 mai 1959.

28. *Arts,* 13 mai 1959.

29. *Cahiers du cinéma,* n° 96, juin 1959.

30. *Arts,* 29 avril et 20 mai 1959.

31. *Cinéma 58,* février 1958.

32. Jacques Siclier, *Nouvelle Vague ?,* Éd. du Cerf, Paris, 1960 ; André S. Labarthe, *Essai sur le jeune cinéma français,* Éd. Éric Losfeld, Paris, 1960 ; Raymond Borde, Freddy Buache, Jean Curtelin, *Nouvelle Vague,* Éd. Serdoc, Lyon, 1962.

33. *Cahiers du cinéma,* n° 101, novembre 1959.

34. On consultera particulièrement le numéro 46 (juin 1962) de la revue *Positif* et son dossier intitulé « Feux sur le cinéma français ».

35. *L'Express,* 9 mai 1959.

36. *Les Nouvelles littéraires,* 7 juin 1959.

37. *Lui,* septembre 1964.

38. *Santé publique,* 15 mai 1959.

39. *France-Soir,* 6 juin 1959.

40. *Elle,* 8 mai 1959.

41. *Cahiers des saisons,* automne 1959.

42. Entretien accordé aux auteurs, 1996.

43. *Id.,* 1995.

44. Lettre du 17 avril 1959, archives des Films du Carrosse, dossier « Archives très privées 2 ».

45. Lettre du 17 avril 1959, archives des Films du Carrosse, dossier « Archives très privées 2 ».

46. Archives des Films du Carrosse, dossier « Archives très privées 2 ».

47. Lettre du 30 avril 1959, *ibid.*

48. Lettre du 3 mai 1959, *ibid.*

49. Lettre du 13 mai 1959, *ibid.*

50. Lettre du 20 mai 1959, *ibid.*

51. Archives des Films du Carrosse, dossier « Archives très privées 2 ».

52. *Ibid.*

53. Lettre du 7 janvier 1962, *ibid.*

54. Lettre du 11 janvier 1962, *ibid.*

55. Entretien accordé aux auteurs, 1995.

56. Lettre du 28 mai 1962, archives des Films du Carrosse, dossier « Archives très privées 2 ».

57. François Truffaut a toujours été passionné par la psychanalyse, lisant de nombreux ouvrages sur la psychologie enfantine par exemple. À plusieurs reprises, il a envisagé d'entreprendre une analyse. Mais il y a toujours renoncé, voyant sans doute dans l'analyse un frein possible à son travail de cinéaste. C'est ce que confie son amie Liliane Siegel (entretien accordé aux auteurs, 1995) : « Quand François m'a parlé d'une psychanalyse, je lui ai dit : " Si vous commencez une thérapie, vous ne serez plus le même et vous ne ferez plus les mêmes films. " Il m'a répondu : " Je crois que vous avez raison, car on me

l'a déjà dit. " Il me semble qu'il a dû aller voir un psychanalyste deux ou trois fois, puis a décidé de ne pas suivre d'analyse. Mais il a dû hésiter. »

58. Lettre du 19 octobre 1963, archives des Films du Carrosse, dossier « Archives très privées 2 ».

59. Jean Gruault, *Ce que dit l'autre, op. cit.*, p. 191.

60. Entretien accordé aux auteurs, 1995.

61. Lettre du 12 juin 1961, archives des Films du Carrosse, dossier « CCH 61 ».

62. Entretien accordé aux auteurs, 1995.

63. Lettre à Helen Scott, 27 décembre 1960, archives des Films du Carrosse, dossier « Helen Scott ».

64. *Id.*, 29 mars 1960, *ibid.*

65. Entretien accordé aux auteurs, 1996.

66. Lettre à Helen Scott, 29 mars 1960, archives des Films du Carrosse, dossier « Helen Scott ».

67. Entretien accordé aux auteurs, 1995.

68. Lettre à Helen Scott, 26 septembre 1960, archives des Films du Carrosse, dossier « Helen Scott ».

69. Autant d'expressions employées par François Truffaut dans ses lettres à Helen Scott entre 1960 et 1962.

70. Lettre à Helen Scott, 14 mars 1963, archives des Films du Carrosse, dossier « Helen Scott ».

71. Entretien accordé aux auteurs, 1995.

72. Lettre du 14 avril 1960, archives des Films du Carrosse, dossier « Jean-Pierre Léaud ».

73. Entretien accordé aux auteurs, 1995.

74. *Id.*

75. *Id.*

76. *Id.*

77. *Le Roman de François Truffaut, op. cit.*, p. 44.

78. Article paru dans *Arts* le 15 décembre 1961, repris dans *Les Films de ma vie*, Flammarion, Paris, 1975, pp. 334-336.

79. Lettre non datée, archives des Films du Carrosse, dossier « Jean-Luc Godard ».

80. *Ibid.*

81. Lettre du 20 juillet 1959, archives des Films du Carrosse, dossier « Jean-Luc Godard ».

82. Lettre non datée, *ibid.*

83. Lettre du 20 mai 1959, archives des Films du Carrosse, dossier « Écrivains ».

84. Lettre non datée [juin 1959], *ibid.*

85. Lettre du 5 juillet 1962, archives des Films du Carrosse, dossier « Roberto Rossellini ». Truffaut renoncera quelques mois plus tard à coproduire ce projet de Rossellini. Sur ce projet, on se reportera au livre de Gianni Rondolino, *Roberto Rossellini*, Turin, Utet, 1989.

86. Archives des Films du Carrosse, dossier « CCH 60 ».

87. D'autres courts métrages ont été produits à cette époque par Truffaut et les Films du Carrosse : de Claude Jutra (*Anna la bonne*), Jean Aurel (*Les Voyages extraordinaires*), Michel Varesano (*La Fin du voyage*), Fernand Deligny, Max Zelenka, Alain Jeannel, Jean-Claude Roché (*Vie d'insecte*)...

88. Lettre datée du « 2ᵉ jour de tournage », archives des Films du Carrosse, dossier « Marcel Ophuls ».

89. Entretien accordé aux auteurs, 1995.

90. Dossier de presse de *Tirez sur le pianiste*, 1960.

91. Entretien accordé aux auteurs, 1996.

92. *Id.*

93. *Id.,* 1991.

94. Lettre à Maurice Le Roux, 11 mai 1960, archives des Films du Carrosse, dossier « CCH 60 ».

95. *Journal musical français*, septembre-octobre 1966.

96. Texte de François Truffaut, « Le chanteur sous-titré », publié dans *Bobby Lapointe*, Éd. Encres, 1980, puis repris dans *Le Plaisir des yeux*, Éd. de l'Étoile, Paris, 1987, pp. 184-185.

97. *Le Plaisir des yeux, op. cit.*, pp. 184-185.

98. *Le Film français*, 23 mai 1964.

99. *Lui*, février 1964.

100. *Le Roman de François Truffaut, op. cit.*, p. 52.

101. Dossier de presse de *Tirez sur le pianiste*, 1960.

102. *New York Times*, 17 novembre 1959.

103. *New York Herald Tribune*, 14 décembre 1959.

104. *New York Post*, 17 novembre 1959.

105. Archives des Films du Carrosse, dossier « CCH 60 ».

106. *Le Roman de François Truffaut, op. cit.*, p. 113.

107. Henry Miller, alors âgé de plus de soixante-cinq ans, est un monstre sacré pour le jeune cinéaste, un des auteurs qu'il admire le plus au monde. Truffaut a toujours placé *Sexus* dans la liste des quelques livres qui ont véritablement « changé sa vie ». De son côté, Miller a beaucoup d'admiration pour l'auteur de *Jules et Jim*. En avril 1962, les deux hommes se rencontrent de nouveau à New York, et Miller confie à Truffaut sa première pièce, *Just Wild about Harry*, écrite en 1942, inédite en France, pas même traduite, à un moment où le jeune cinéaste ne serait pas hostile à une expérience de mise en scène théâtrale. Truffaut, incapable de déchiffrer l'anglais, la fait lire à sa femme Madeleine et à Marcel Moussy. Madeleine est plutôt séduite, la trouvant « amusante, sentimentale et insolite », tandis que Moussy reste sceptique : « Une pièce démodée et casse-gueule », lui écrit-il à la fin de mai 1962. Entre-temps, se rangeant à l'avis positif de Madeleine, François Truffaut, par télégramme, a relancé Henry Miller, lors de ses vacances à l'hôtel Formentor dans l'île de Majorque : « Cher monsieur Miller. Stop. Ayant possibilité de monter pièce cet hiver je serais très désireux de faire affaire avec vous. Stop. Admirativement vôtre. Stop ». Henry Miller est enchanté et répond aussitôt à Truffaut dans une lettre en français : « Il faut que je vous dise immédiatement que c'est ma première pièce et il se peut qu'elle est mauvaise. Je la nomme un " mélo-mélo ", ce qui veut dire un mélange de farce, burlesque, *slap-stick* et sentimentalité. Je crois qu'elle est amusante et que personne ne va dormir. Il y a une vingtaine de personnages dont quatre sont des caractères principaux. Il me semble qu'il y a beaucoup de " business ", comme on dit — peut-être trop. Mais les Allemands et les Norvégiens l'ont accepté et jusqu'ici ne me l'ont pas reproché. Mais vous verrez par vous-même. Je suis flatté que quelqu'un comme vous montre un intérêt, croyez-moi que votre geste m'a bien touché. Alors, à la prochaine, car je suis à Paris la semaine prochaine — pour quelques jours seulement. » Les deux hommes se rencontrent effectivement à Paris, à la fin du mois de mai 1962, puis travaillent ensemble un week-end près de Nîmes, dans la maison de Lawrence Durrell, un grand ami de Henry Miller. Pourtant, le projet échoue à cause du manque d'enthousiasme de Jean-Louis Barrault,

le directeur du Théâtre de France, qui n'aime guère la pièce et refuse de mobiliser une vingtaine de comédiens à l'Odéon pour un texte qu'il juge « un peu boulevardier » et « très risqué ». Miller regrettera toujours cet échec.

108. Lettre du 3 mars 1960, archives des Films du Carrosse, dossier « Helen Scott ».

109. Lettre du 29 mars 1960, *ibid.*

110. Lettre du 14 avril 1962, *ibid.*

111. Archives des Films du Carrosse, dossier « CCH 60 ».

112. Lettre à Helen Scott, 27 février 1960, archives des Films du Carrosse, dossier « Helen Scott ».

113. Lettre du 10 décembre 1960, archives des Films du Carrosse, dossier « CCH 60 ».

114. Lettre à Helen Scott, 16 novembre 1960, archives des Films du Carrosse, dossier « Helen Scott ».

115. Lettre du 15 juin 1962, archives des Films du Carrosse, dossier « CCH 62 ».

116. Voici la liste des souscripteurs : Raoul Lévy, Pierre Kast, Philippe de Broca, Chris Marker, Jacques Doniol-Valcroze, Claude Chabrol, Pierre Braunberger, Marcel Ophuls, Alain Resnais, François Reichenbach, Jean-Luc Godard, Daniel Boulanger, Jacques Demy, Françoise Giroud, Agnès Varda, Georges Franju, Simone Signoret, Jean-Pierre Melville, Alexandre Astruc, Marguerite Duras, Louis Malle, Jean Rouch, Roger Vadim, Édouard Molinaro, Georges de Beauregard.

117. Guy Teisseire sera plus tard journaliste et critique de cinéma, collaborant à *L'Aurore*, au *Parisien libéré*, au *Matin de Paris*... Disparu en 1993, il fut également scénariste de films : *Il faut tuer Birgit Haas*, et romancier : *Un peu plus loin que l'Occident*, *La Main d'Abraham*, parus aux éditions Jean-Claude Lattès.

118. *Clarté*, nº 42, mars 1962.

119. Lettre à Helen Scott, 24 octobre 1961, archives des Films du Carrosse, dossier « Helen Scott ».

120. Lettre du 28 août 1960, archives des Films du Carrosse, dossier « CCH 60 ».

121. Lettre du 13 septembre 1960, *ibid.*

122. À ce propos, on pourra lire deux ouvrages : *La Guerre d'Algérie et les Intellectuels français* (Jean-Pierre Rioux et Jean-François Sirinelli, dir., éd.), Institut d'histoire du temps présent, Paris, 1988 ; et Jean-François Sirinelli, *Intellectuels et Passions françaises : manifestes et pétitions au xxᵉ siècle*, Fayard, Paris, 1990.

123. Lettre non datée [octobre 1960], archives des Films du Carrosse, dossier « CCH 60 ».

124. *France nouvelle*, 4 novembre 1960.

125. Lettre du 1ᵉʳ octobre 1960, archives des Films du Carrosse, dossier « Helen Scott ».

126. Lettre du 18 octobre 1962, *ibid.*

127. Lettre à François Leterrier, 4 juillet 1963, archives des Films du Carrosse, dossier « CCH 63 ».

128. Entretien accordé aux auteurs, 1995.

129. Lettre du 20 août 1960, archives des Films du Carrosse, dossier « CCH 60 ».

130. Lettre du 30 août 1960, *ibid.*

131. Lettre du 9 septembre 1960, archives des Films du Carrosse, dossier « Écrivains ».

132. *Cahiers du cinéma*, n° 69, mars 1957.

133. *Le Roman de François Truffaut, op. cit.*, p. 94.

134. *Arts,* 10 septembre 1958.

135. Entretien accordé aux auteurs, 1995.

136. *Id.*, 1995.

137. René-Jean Clot, dans une note adressée à Truffaut en février 1960, présente sa propre adaptation en quelques phrases : « Le sujet pose le problème de la réintégration d'une institutrice après sa dépression mentale dans une école primaire, de son arrivée dans un nouveau poste, des réactions suscitées parmi ses élèves, puis parmi ses collègues, enfin de son rejet de la communauté. Il met en opposition deux personnages, madame Langlois, l'institutrice nouvellement arrivée, d'abord tolérée puis haïe, et monsieur Fraipoint, instituteur qui se révélera le " meneur " du groupe scolaire. Ce dernier est un être rigide, méticuleux, insatisfait, jaloux de la réussite des autres. Il considère comme " suspecte " cette nouvelle institutrice à la culture et au niveau intellectuel supérieurs, et comme il a peur, il devient agressif envers elle, mesquin, et sa peur devient alors peu à peu de la haine. Il entraîne dans cette peur ses collègues, et, très vite, madame Langlois devient une sorte de " sorcière laïque ", nuisible aux élèves et qu'il faut renvoyer d'où elle vient. Malgré la bienveillance et la générosité de l'inspecteur d'académie, la bêtise triomphera et madame Langlois sera mutée, non sans une nouvelle et profonde blessure à dissimuler. »

138. Lettre du 26 septembre 1960, archives des Films du Carrosse, dossier « Helen Scott ».

139. Lettre du 27 décembre 1960, *ibid.*

140. *Arts,* 14 novembre 1959.

141. *L'Express,* 25 février 1960.

142. Lettre non datée [1960], archives des Films du Carrosse, dossier « Jean-Luc Godard ».

143. Lettre à Jean Domarchi, s.d., archives des Films du Carrosse, dossier « CCH 60 ».

144. *Signes du temps,* décembre 1959.

145. Lettre du 27 décembre 1960, archives des Films du Carrosse, dossier « Helen Scott ».

146. *France-Observateur,* 19 octobre 1961.

147. Texte écrit par François Truffaut en 1963 (dossier de presse du film), repris dans *Les Films de ma vie, op. cit.*, pp. 338-340.

148. Lettre du 24 octobre 1961, archives des Films du Carrosse, dossier « Helen Scott ».

149. Notamment avec le numéro spécial *Nouvelle Vague* de décembre 1962. Antoine de Baecque, *Les Cahiers du cinéma. Histoire d'une revue, op. cit.*, vol. 2, pp. 18-26, puis pp. 70-86.

150. Lettre du 11 mars 1961, archives des Films du Carrosse, dossier « Helen Scott ». La prudence de François Truffaut s'explique également par le fait que *Jules et Jim* sera coproduit par le Carrosse et la Sedif, dont sa belle-mère est désormais responsable.

151. Lettre du 26 septembre 1960, *ibid.*

152. Jean Gruault raconte l'écriture du scénario de *Jules et Jim* dans *Ce que dit l'autre, op. cit.*, pp. 193-195, 199-200, 207-208.

153. *L'Alsace,* 17 mars 1961.

154. Entretien accordé aux auteurs, 1995.

155. *Id.*

156. *Id.*

157. *Id.*, 1992.

158. *Id.*, 1995.

159. *Id.*

160. « Henri-Pierre Roché revisité », repris dans *Le Plaisir des yeux, op. cit.*, pp. 146-155.

161. « Jeanne Moreau, rieuse et tendre », *ibid.*, p. 187.

162. Entretien accordé aux auteurs, 1995.

163. *Ibid.*

164. *Ibid.*

165. *Ibid.*

166. Lettre du 9 novembre 1961, archives des Films du Carrosse, dossier « Helen Scott ».

167. Entretien **accordé** aux auteurs, 1995.

168. *Id.*

169. *Id.*

170. *Journal de Fahrenheit 451*, publié avec le scénario de *La Nuit américaine*, Seghers, Paris, 1974, p. 228.

171. Entretien accordé aux auteurs, 1995.

172. « Henri-Pierre Roché revisité », repris dans *Le Plaisir des yeux, op. cit.*, pp. 146-155.

173. François Truffaut, *Correspondance, op. cit.*, p. 188.

174. Lettre du 20 décembre 1961, archives des Films du Carrosse, dossier « Helen Scott ».

175. Lettre du 8 février 1962, archives des Films du Carrosse, dossier « Jean Renoir ».

176. Lettre du 7 février 1962, archives des Films du Carrosse, dossier « Écrivains ».

177. Lettre du 4 février 1962, archives des Films du Carrosse, dossier « CCH 62 ».

178. Lettre du 30 janvier 1962, *ibid.* Quelques jours plus tard, Truffaut lui répond : « J'ai été très heureux de recevoir votre lettre que j'ai lue avec beaucoup d'émotion. J'ai tourné *Jules et Jim* avec un profond respect, car je n'ai jamais aimé un livre autant que celui-là, et je suis très anxieux de la manière dont réagiront ceux des spectateurs qui ont connu Henri-Pierre Roché, et c'est pourquoi votre lettre accroît mon inquiétude en même temps qu'elle me cause une grande joie. Mademoiselle Jeanne Moreau a pris connaissance de votre lettre avec la même émotion que moi, et tous deux nous vous adressons nos hommages respectueux. »

179. *France-Observateur*, 1er février 1962.

180. *La Voix du Nord*, 21 février 1962.

181. Entretien accordé aux auteurs, 1996.

182. Lettre du 20 décembre 1961, archives des Films du Carrosse, dossier « Helen Scott ».

183. *Ibid.*

184. *Le Roman de François Truffaut, op. cit.*, p. 96.

185. *Ibid., op. cit.*

186. Entretien accordé aux auteurs, 1995.

187. Lettre du 24 décembre 1961, archives des Films du Carrosse, dossier « Helen Scott ».

188. Lettre du 4 janvier 1962, *ibid.*

189. Lettre du 18 janvier 1962, *ibid.*

190. Lettre du 18 octobre 1962, *ibid.*

191. *Ibid.*

192. Entretien accordé aux auteurs, 1995.

193. Lettre du 14 janvier 1963, archives des Films du Carrosse, dossier « Helen Scott ».

194. Lettre du 30 novembre 1962, archives des Films du Carrosse, dossier « Roberto Rossellini ».

195. Lettre du 13 novembre 1961, archives des Films du Carrosse, dossier « CCH 61 ».

196. Lettre non datée [1962], archives des Films du Carrosse, dossier « Archives très privées 1 ».

197. Lettre non datée [1961], archives des Films du Carrosse, dossier « Jean-Luc Godard ».

Chapitre V. Les années lentes, 1962-1968

1. *La Libre Belgique,* 14 mai 1963.

2. Entretien accordé aux auteurs, 1995.

3. Jean-Dominique Bauby, *Raoul Lévy : un aventurier du cinéma,* Jean-Claude Lattès, Paris, 1995.

4. Entretien accordé aux auteurs, 1995.

5. Note adressée à Helen Scott, le 24 avril 1962, archives des Films du Carrosse, dossier « Écrivains ».

6. Lettre du 27 avril 1962, archives des Films du Carrosse, dossier « Écrivains ».

7. Lettre du 3 mai 1962, *ibid.*

8. Ses expériences successives avec Maurice Pons, René-Jean Clot, Jacques Audiberti, Henry Miller, ont montré à François Truffaut qu'il était très délicat pour un cinéaste de travailler directement avec un écrivain. Il préfère dès lors collaborer avec ses scénaristes, qui sont rarement des écrivains professionnels.

9. Lettre du 20 juillet 1962, archives des Films du Carrosse, dossier « Helen Scott ».

10. Entretien accordé aux auteurs, 1995.

11. *La Cinématographie française,* 7 mai 1964.

12. Lettre du 24 septembre 1962, archives des Films du Carrosse, dossier « Écrivains ».

13. Lettre du 18 janvier 1963, archives des Films du Carrosse, dossier « CCH 63 ».

14. Lettre à Helen Scott, le 20 mars 1963, archives des Films du Carrosse, dossier « Helen Scott ».

15. Lettre de Maurice Pialat, s.d. [mai 1963], archives des Films du Carrosse, dossier « CCH 63 ».

16. *Le Roman de François Truffaut, op. cit.,* p. 46.

17. Lettre du 16 juillet 1963, archives des Films du Carrosse, dossier « CCH 63 ».

18. Lettre à Don Congdon du 16 novembre 1962, archives des Films du Carrosse, dossier « Congdon ».

19. Ce que Truffaut souligne à la fin du texte écrit dans *Arts* en 1955 sur *Rear Window* : « Non, ce diable d'homme n'a pas encore livré tous ses secrets, mais chaque nouveau film de lui nous aide à mieux comprendre une œuvre qui est fort riche et l'une des plus subtiles du cinéma contemporain. »

20. *Le Cinéma selon Alfred Hitchcock,* « Préface », Robert Laffont, Paris, 1966.

21. Lettre du 2 juin 1962, archives des Films du Carrosse, dossier « Alfred Hitchcock ».

22. *Ibid.*

23. Archives des Films du Carrosse, dossier « Alfred Hitchcock ».

24. Lettre du 20 juin 1962, archives des Films du Carrosse, dossier « Helen Scott ».

25. Lettre à Don Congdon du 16 novembre 1962, archives des Films du Carrosse, dossier « Congdon ».

26. Lettre du 24 août 1962, archives des Films du Carrosse, dossier « Helen Scott ».

27. Lettre du 14 avril 1963, archives des Films du Carrosse, dossier « Simon and Schuster ».

28. Lettre du 5 juillet 1962, archives des Films du Carrosse, dossier « Helen Scott ».

29. Archives des Films du Carrosse, dossier « Alfred Hitchcock ».

30. *Le Roman de François Truffaut, op. cit.,* p. 114.

31. Lettre du 24 août 1962, archives des Films du Carrosse, dossier « Helen Scott ».

32. *Ibid.*

33. Entretien accordé aux auteurs, 1995.

34. Lettre du 18 juillet 1963, archives des Films du Carrosse, dossier « Helen Scott ».

35. Lettre du 9 septembre 1963, *ibid.*

36. Lettre du 14 janvier 1964, *ibid.*

37. Dossier de presse des *Deux Anglaises et le Continent,* 1971.

38. Entretien accordé par Marcel Berbert aux auteurs, 1995.

39. Lettre à Helen Scott, le 27 septembre 1963, archives des Films du Carrosse, dossier « Helen Scott ».

40. Lucas Steiner sera le nom d'un personnage de film de François Truffaut : il s'agit, dans *Le Dernier Métro,* du metteur en scène juif, caché dans la cave de son théâtre, rôle interprété par Heinz Bennent.

41. Entretien accordé aux auteurs, 1995.

42. *Id.*

43. Archives des Films du Carrosse, dossier « CCH 63 ».

44. Lettre du 22 avril 1963, archives des Films du Carrosse, dossier « CCH 63 ».

45. Lettre du 20 août 1963, archives des Films du Carrosse, dossier « Helen Scott ».

46. Entretien réalisé par Michel Pascal et Serge Toubiana pour le film *François Truffaut, portraits volés,* 1992.

47. Lettre à Helen Scott, le 1er janvier 1964, archives des Films du Carrosse, dossier « Helen Scott ».

48. Lettre du 9 septembre 1963, *ibid.*

49. Entretien accordé aux auteurs, 1995.

50. *Val d'or. Quotidien québecquois,* 17 novembre 1965.

51. *Ibid.*

52. *Ibid.*

53. Dossier de presse de *La Peau douce,* 1964.

54. Séquences tellement nombreuses que Truffaut, avec les chutes, isolera au montage un court métrage de dix minutes, *Les Voix d'Orly,* qu'il définit

lui-même comme un « poème cinématographique construit sur des rapports visuels et sonores, poème destiné à mettre en valeur le contraste entre le fracas des jets qui s'arrachent des pistes d'envols et l'idyllique tintement de cloche sur trois notes qui invite les passagers à gagner telle ou telle salle d'attente ».

55. Lettre du 14 novembre 1963, archives des Films du Carrosse, dossier « Helen Scott ».

56. Lettre du 18 décembre 1963, *ibid.*

57. *Ibid.*

58. *Ibid.*

59. Dans une scène du film, Jean-Louis Richard aborde Franca dans la rue et propose de lui montrer des « photos cochonnes ». Elle l'insulte publiquement.

60. Entretien accordé aux auteurs, 1995.

61. *Id.*

62. Lettre du 1er janvier 1964, archives des Films du Carrosse, dossier « Helen Scott ».

63. Entretien accordé aux auteurs, 1995.

64. Lettre du 10-12 mai 1964, archives des Films du Carrosse, dossier « Helen Scott ».

65. Entretien accordé aux auteurs, 1995.

66. *Id.*

67. Archives des Films du Carrosse, dossier « Helen Scott ».

68. Lettre non datée, archives des Films du Carrosse, dossier « Jean-Luc Godard ».

69. Lettre à Helen Scott du 28 mai 1964, archives des Films du Carrosse, dossier « Helen Scott ».

70. Lettre du 1er août 1964, archives des Films du Carrosse, dossier « CCH 64 ».

71. Lettre du 22 février 1964, archives des Films du Carrosse, dossier « Helen Scott ».

72. Entretien accordé aux auteurs, 1995.

73. Lettre du 22 février 1964, archives des Films du Carrosse, dossier « Helen Scott ».

74. Entretien accordé aux auteurs, 1995.

75. Extrait de l'annonce parue dans *Le Figaro*, le 19 mai 1965.

76. Entretien accordé aux auteurs, 1994.

77. Lettre à Helen Scott, 27 novembre 1964, archives des Films du Carrosse, dossier « Helen Scott ».

78. Entretien accordé aux auteurs, 1995.

79. *Id.*

80. La défense du dossier est délicate car Truffaut et Richard ont effectivement eu entre les mains et lu le scénario des Sainte-Colombe.

81. Lettre du 27 novembre 1964, archives des Films du Carrosse, dossier « Helen Scott ».

82. *Ibid.*

83. Lettre du 28 mai 1964, archives des Films du Carrosse, dossier « Helen Scott ».

84. Lettre du 17 juillet 1964, archives des Films du Carrosse, dossier « CCH 64 ».

85. Lettre à Marcel Berbert, 2 avril 1964, *ibid.*

86. *Ibid.*

87. *Ibid.*

88. Entretien accordé aux auteurs, 1995.

89. *Id.*

90. Lettre du 7 septembre 1964, archives des Films du Carrosse, dossier « CCH 64 ».

91. Archives des Films du Carrosse, dossier « Jean-Luc Godard ».

92. Lettre du 18 juin 1965, archives des Films du Carrosse, dossier « CCH 65 ».

93. Entretien accordé aux auteurs, 1995.

94. Lettre du 1ᵉʳ juillet 1965, archives des Films du Carrosse, dossier « CCH 65 ».

95. Lettre du 2 juillet 1965, *ibid.*

96. Lettre du 3 septembre 1962, archives des Films du Carrosse. dossier « CCH 62 ».

97. Lettre du 20 août 1963, archives des Films du Carrosse, dossier « Helen Scott ».

98. Lettre du 3 juillet 1963, archives des Films du Carrosse, dossier « CCH 63 ».

99. Lettre du 5 juin 1963, *ibid.*

100. Lettre du 3 juillet 1963, *ibid.*

101. Lettre du 7 novembre 1963, *ibid.*

102. Lettre du 13 septembre 1963, *ibid.*

103. Lettre du 19 septembre 1963, *ibid.*

104. Lettre du 18 octobre 1963, *ibid.*

105. Lettre du 16 décembre 1964, archives des Films du Carrosse, dossier « Helen Scott ».

106. Télégramme du 29 octobre 1964, archives des Films du Carrosse, dossier « CCH 64 ».

107. *Elle*, 28 septembre 1966.

108. Lettre du 21 décembre 1965, archives des Films du Carrosse, dossier « CCH 65 ».

109. *Journal de Fahrenheit 451, op. cit.*, p. 168.

110. Lettre à Doniol-Valcroze, 17 janvier 1966, archives des Films du Carrosse, dossier « CCH 66 ».

111. *Le Roman de François Truffaut, op. cit.*, p. 52.

112. Sur ce tournage, on lira le *Journal de Fahrenheit 451, op. cit.* À propos de ce journal de bord d'un tournage, Peter Bogdanovich écrivait à Truffaut au cours de l'automne 1966 : « Je ne sais pas ce que je préfère, votre film *Fahrenheit* ou votre journal sur le tournage. Le second servira d'inspiration à *tous* les metteurs en scène, et sera une sorte de guide ».

113. *Journal de Fahrenheit 451, op. cit.*, p. 168.

114. *Ibid.*, p. 169.

115. Lettre du 22 janvier 1966, archives des Films du Carrosse, dossier « CCH 66 ».

116. *Ibid.*

117. Entretien accordé aux auteurs, 1996.

118. Il s'agit du numéro 177 des *Cahiers du cinéma*, comportant un important dossier sur la censure de *La Religieuse* de Jacques Rivette. Sur le contexte de cette affaire, on se reportera à : Antoine de Baecque, *Les Cahiers du cinéma. Histoire d'une revue, op. cit.*, vol 2, pp. 173-176.

119. *Journal de Fahrenheit 451, op. cit.*, p. 219.

120. *Ibid.*, p. 177.

121. *Ibid.*, p. 175.

122. *Ibid.*, p. 186.

123. *Ibid.*, p. 219.

124. Lettre du 10 octobre 1966, archives des Films du Carrosse, dossier « CCH 66 ».

125. Télégramme du 31 août 1966, archives des Films du Carrosse, dossier « Écrivains ». Texte original : « *How rare it is for a writer to walk into a motion picture theater and see his own novel faithfully and excitingly told on the screen. Stop. Truffaut has given me back a gift of my own book done in a new medium by preserving the soul of the original. Stop. I am deeply grateful.* »

126. *Le Nouvel Observateur*, 21 septembre 1966.

127. *Ibid.*

128. Lettre du 1er janvier 1967, archives des Films du Carrosse, dossier « Écrivains ».

129. Lettre du 3 mai 1965, archives des Films du Carrosse, dossier « Helen Scott ».

130. *Ibid.*

131. Lettre du 22 octobre 1965, archives des Films du Carrosse, dossier « Alfred Hitchcock ».

132. Lettre à Odette Ferry, 17 juin 1966, archives des Films du Carrosse, dossier « CCH 66 ».

133. Lettre du 13 janvier 1966, *ibid.*

134. Lettre du 8 mars 1966, *ibid.*

135. Lettre à Helen Scott, 27 novembre 1964, archives des Films du Carrosse, dossier « Helen Scott ».

136. *Paris-Presse*, 14 novembre 1966.

137. *Les Nouvelles littéraires*, 22 novembre 1966.

138. *L'Aurore*, 9 novembre 1966.

139. *Candide*, 2 décembre 1966.

140. Lettre du 9 décembre 1966, archives des Films du Carrosse, dossier « Alfred Hitchcock ». Texte original : « *I think the book has turned out wonderfully well, and I must congratulate you. I think the illustrations make a big difference to it.* Bravo et des milliers de mercis. »

141. Lettre à Helen Scott, 13 août 1964, archives des Films du Carrosse, dossier « Helen Scott ».

142. Lettre du 19 août 1964, *ibid.*

143. Dossier de presse de *La mariée était en noir*, 1968.

144. Entretien accordé aux auteurs, 1995.

145. Lettre du 19 août 1964, archives des Films du Carrosse, dossier « Congdon ».

146. *Fantasia chez les ploucs* sera réalisé par Gérard Pirès en 1970.

147. Lettre du 25 janvier 1967, archives des Films du Carrosse, dossier « Écrivains ».

148. Lettre du 14 mai 1969, *ibid.*

149. Lettre du 31 août 1964, archives des Films du Carrosse, dossier « CCH 64 ». Nicole Stéphane finira par produire *Un amour de Swann* en 1983, film réalisé par Volker Schlöndorff.

150. Entretien accordé aux auteurs, 1995.

151. *Id.*

152. *Le Nouvel Observateur*, 8 mars 1967.

153. Entretien réalisé par Michel Pascal pour le film *François Truffaut, portraits volés*, 1992.

154. Note aux collaborateurs, artistes et techniciens de *La mariée était en*

noir, s.d., archives des Films du Carrosse, dossier « *La mariée*. Feuilles de service ».

155. Entretien accordé aux auteurs, 1995.

156. *Le Roman de François Truffaut, op. cit.*, p. 94.

157. *Ibid., loc. cit.*

158. Lettre du 31 août 1967, archives des Films du Carrosse, dossier « Alfred Hitchcock ».

159. *Le Nouvel Observateur*, 17 avril 1968.

160. Lettre du 17 juin 1968, archives des Films du Carrosse, dossier « Alfred Hitchcock ». « *I especially liked the scene of Moreau watching the man who had taken poison Arak dying slowly. I think my particular sense of humour might have taken them a little further so that Moreau could have picked up a cushion and put it under his head so that he could die with more comfort.* »

161. Note manuscrite, s.d., archives des Films du Carrosse, dossier « CCH 67 ».

162. Lettre du 11 mai 1967, *ibid.*

163. *Cahiers du cinéma*, n° 190, mai 1967.

164. *L'Express*, 28 octobre 1966.

Chapitre VI. Les vies parallèles, 1968-1970

1. Entretien accordé par Claude de Givray aux auteurs, 1995.

2. Entretien accordé aux auteurs, 1995.

3. Il s'agit d'un vers du refrain de la chanson *Que reste-t-il de nos amours ?* :
« Bonheur fané/Cheveux au vent/Baisers volés/Rêves mouvants/Que reste-t-il de tout cela ?... »

4. Dossier de presse de *Baisers volés*, 1968.

5. Texte de François Truffaut, dans *Le Plaisir des yeux, op cit.*, p. 174.

6. Lettre de Delphine Seyrig, s.d. [janvier 1968], archives des Films du Carrosse, dossier « CCH 68 ».

7. Dossier de presse de *Baisers volés*, 1968.

8. Entretien accordé aux auteurs, 1991.

9. *Id.*

10. Le travail d'écriture et de réécriture du scénario de *Baisers volés* est tout à fait révélateur de la « méthode Truffaut ». Grâce aux différents états du projet, il est possible de le comprendre et de le révéler. On se reportera à ce propos au livre de Carole Le Berre, *François Truffaut*, Éd. de l'Étoile, Paris, 1993. En décembre 1967, Truffaut retravaille le scénario de *Baisers volés*. C'est la première fois qu'une histoire, avec ses enquêtes et sa documentation préalable, lui est livrée quasi « clés en main ». Si Truffaut conserve pour son film tout le travail d'enquête réalisé par ses scénaristes, il se montre très sévère quant aux personnages esquissés, aux situations, aux dialogues. Les annotations portées sur le scénario original sont ainsi extrêmement révélatrices. Truffaut refuse aussi bien le prénom de « Martine » — « Les gens qui appellent leur fille Martine ou Caroline sont des cons qui ont subi l'intox Martine Carol entre 1950 et 1955. Comme Brigitte ensuite et maintenant Sylvie, etc. Donc, pas de Martine » — que l'héroïne elle-même du scénario de Revon et de Givray. Dans la version filmée de *Baisers volés*, en effet, « Christine Darbon » n'est plus une fille un peu garce et très snob de grands bourgeois du XVIᵉ arrondissement, mais la « jeune fille sage » d'un couple de petits-bourgeois habitant un pavillon de la banlieue parisienne. De même, Truffaut rejette le prénom de

Cyprienne pour la « femme de quarante ans » : « Ça fait théâtre de boulevard. » Il invente alors le nom de « Fabienne Tabard ». Cette élégante n'est
plus l'épouse d'un militaire lointain mais celle du patron d'un magasin de
chaussures. Les propositions de lieux de spectacle de ses scénaristes sont également modifiées : on ne trouvera dans le film ni Opéra-Comique, ni restaurant à la mode, ni soirée mondaine dans de beaux appartements, et face à la
partie de tennis au stade Pierre-de-Coubertin, le cinéaste a noté : « Je déteste
les stades. » Enfin, Truffaut est particulièrement sévère avec les dialogues de
ce scénario originel : « Très mauvais, dialogue 1937 pour Renée Saint-Cyr »,
« Terrible manque d'invention. Tout cela est banal », « Faux, faux. Pas sérieux,
pas réaliste. Triché et trop rapide », « Tout ça n'est pas sérieux, vraiment. Je
vous ai dit : faites comme pour vous, pas comme pour Chabrol », « Dans quel
film sommes-nous ? C'est du Georges Conchon c'est-à-dire de la satire parisienne mondaine et boulevardière qui est à *Édouard et Caroline* ce que *L'Eau à
la bouche* est à *La Règle du jeu* ».

11. Lettre de Delphine Seyrig, s.d. [avril 1968], archives des Films du
Carrosse, dossier « CCH 68 ».

12. *Ibid.*

13. Dossier de presse de *Baisers volés*, 1968.

14. G.-p. Langlois et G. Myrent, *Henri Langlois, premier citoyen du cinéma*,
Paris, Denoël, 1986, repris chez Ramsay (sur l'affaire de février 1968, on lira
les pages 319-357). Richard Roud, *Henri Langlois : l'homme de la Cinémathèque*,
Belfond, Paris, 1985. Également, sur l'« affaire Langlois » : Antoine de Baecque, *Les Cahiers du cinéma. Histoire d'une revue, op. cit.,* vol. 2, pp. 177-183.

15. Dès janvier 1969, François Truffaut voudra renoncer à s'occuper du
Comité de défense de la Cinémathèque. Il supporte mal, en effet, les « situations cafouilleuses, les improvisations constantes, les options douteuses concernant les choix fondamentaux » de Langlois, « surtout lorsqu'elles sont institu-
tionalisées » (lettre du 5 septembre 1969). Truffaut adresse ainsi, en janvier
1969, une lettre « plutôt triste » à Langlois pour lui signifier son retrait : « Si
le Comité de défense a servi à quelque chose au cours de l'année 1968, c'est
parce qu'il a fonctionné non pas *avec* vous mais *à côté* de vous et en définitive
pour vous. Si, comme on le dit, le Prix Delluc de *Baisers volés* est concrétisé par
un chèque, je l'offrirai au Comité de défense et ce sera le dernier chèque
signé et endossé par François Truffaut, Trésorier. Naturellement je me reti-
rerais sans faire d'histoires ni rien qui pourrait vous nuire ; simplement je
repasserais les dossiers à Doniol-Valcroze puisqu'il est trésorier adjoint, et puis
voilà... » (lettre du 13 janvier 1969), archives des Films du Carrosse, dossier
« Henri Langlois ».

16. Archives des Films du Carrosse, dossier « Henri Langlois ».

17. *Ibid.* Texte original : *« I am mystified by your cable. What is Langlois doing ?
What State pressure ? Of course, I support Langlois. »*

18. *Combat,* 12 février 1968.

19. *France-Soir,* 13 février 1968.

20. Archives des Films du Carrosse, dossier « Henri Langlois ».

21. Lettre du 8 mars 1968, *ibid.*

22. Lettre du 26 mars 1969, *ibid.*

23. Archives des Films du Carrosse, dossier « Henri Langlois ».

24. Lettre du 12 mai 1968, *ibid.*

25. *Le Roman de François Truffaut,* numéro spécial des *Cahiers du cinéma,*
décembre 1984, p. 133.

26. Entretien accordé aux auteurs, 1995.

27. *L'Intransigeant,* 20 mai 1968 ; *Paris-Jour,* 20 mai 1968.
28. *L'Express,* 15 juillet 1968.
29. *Le cinéma s'insurge,* n° 1, brochure des États généraux du cinéma, Éric Losfeld éditeur, mai 1968.
30. *Ibid.*
31. *L'Express,* 15 juillet 1968.
32. *Ibid.*
33. *Les Nouvelles littéraires,* 25 juillet 1968.
34. *L'Express,* 15 juillet 1968.
35. *Ibid.*
36. *Ibid.*
37. Entretien accordé par Claude de Givray aux auteurs, 1995.
38. Lettre à Helen Scott, 14 octobre 1967, archives des Films du Carrosse, dossier « Helen Scott ».
39. Archives des Films du Carrosse, dossier « Ma Vie 1 ». Ce rapport établi par Albert Duchenne doit être lu avec une certaine distance. Les éléments de l'enquête ne sont pas rapportés et ses conclusions restent sujettes à caution.
40. Entretien Truffaut/de Givray, juin 1984, archives des Films du Carrosse, p. 34.
41. Dans un texte sur *La Femme d'à côté,* paru dans *Libération,* le 30 septembre 1981, Serge Daney parlait d'un « Truffaut Jekyll » et d'un « Truffaut Hyde ».
42. Entretien accordé aux auteurs, 1995.
43. *Ibid.*
44. Dans une lettre à Tanya Lopert, qui vient de perdre son père, Truffaut s'exprime à propos de « ses » morts. On peut y voir une ébauche de ce que sera huit ans plus tard *La Chambre verte :* « Il y a beaucoup, beaucoup trop de morts autour de moi, que j'ai aimés, et j'ai pris la décision, après la disparition de Françoise Dorléac, de ne plus assister à aucun enterrement, ce qui, vous le pensez bien, n'empêche pas la tristesse d'être là, de tout obscurcir pendant un temps et de ne jamais s'estomper complètement, même avec les années, car on ne vit pas seulement avec les vivants, mais aussi avec tous ceux qui ont compté dans notre vie », s.d. [février 1970], archives des Films du Carrosse, dossier « CCH 70 (1) ».
45. C'est à cet instant qu'il constitue les principaux dossiers de vie intime : « Ma Vie 1 », « Ma Vie 2 », « Archives très privées 1 », « Archives très privées 2 », aujourd'hui conservés aux Films du Carrosse.
46. Lettre du 24 août 1969, archives des Films du Carrosse, dossier « Ma Vie 1 ».
47. Il s'agit là d'une « intime conviction » propre à François Truffaut. La famille Monferrand conteste cette interprétation des faits. Pour Monique de Monferrand, par exemple, la rupture entre Roland Lévy et Janine de Monferrand est le fait du premier nommé, celui-ci quittant son amie de l'époque sans même savoir qu'elle se trouvait enceinte de lui.
48. Archives des Films du Carrosse, dossier « Ma Vie 1 ».
49. Dossier de presse de *Baisers volés,* 1968.
50. *Les Nouvelles littéraires,* 22 août 1968.
51. *France-Soir,* 17 août 1968.
52. *Paris-Soir,* 14 septembre 1968.
53. *New York Times,* 5 mars 1969. Texte original : « *Everything Truffaut touches seems to be spontaneously invested with the lyricism that marks his greatest films. It is one of Truffaut's best.* »

54. Entretien accordé par Marcel Berbert aux auteurs, 1995.

55. Archives des Films du Carrosse, dossier « Gérard Lebovici ».

56. Lettre à Don Congdon, 14 octobre 1967, archives des Films du Carrosse, dossier « Don Congdon ».

57. Lettre à Ilya Lopert, 13 novembre 1968, archives des Films du Carrosse, dossier « CCH 68 ».

58. *Playboy,* janvier 1975.

59. Entretien accordé par Suzanne Schiffman aux auteurs, 1995.

60. *Unifrance Film Magazine,* 1969. Repris dans *Le Plaisir des yeux, op. cit.,* pp. 175-177.

61. Lettre du 2 septembre 1968, archives des Films du Carrosse, dossier « CCH 68 ».

62. *Ibid.*

63. Laurence Benaïm, *Yves Saint Laurent,* Grasset, Paris, 1993.

64. Entretien accordé aux auteurs, 1995.

65. *Ibid.*

66. Lettre du 14 janvier 1969, archives des Films du Carrosse, dossier « CCH 69 ».

67. Lettre à Helen Scott, 29 novembre 1968, archives des Films du Carrosse, dossier « Helen Scott ».

68 « En travaillant avec Catherine Deneuve », *Unifrance Film Magazine,* 1969.

69. Télégramme du 10 décembre 1968, archives des Films du Carrosse, dossier « CCH 68 ».

70. Entretien accordé aux auteurs, 1995.

71. *Ibid.*

72. Lettre à Jean Narboni, 14 janvier 1969, archives des Films du Carrosse, dossier « CCH 69 ».

73. « Je suis très ému parce que j'ai revu ma première maîtresse, écrit-il à Helen Scott en mai 1965, la première femme avec laquelle j'ai habité et j'ai vécu. »

74. Ce personnage a également inspiré le scénario de *La Petite Voleuse,* écrit par François Truffaut et Claude de Givray, qui fut réalisé, après la mort du cinéaste, par Claude Miller en 1988.

75. Cette séquence avait été écrite précédemment pour Françoise Dorléac dans le scénario de *La Peau douce,* puis coupée au montage par Truffaut, qui la reprend à l'identique, cinq ans plus tard, avec Catherine Deneuve.

76. *Dans La Sirène du Mississippi,* les costumes ont été réalisés par Yves Saint Laurent, et Truffaut en était très content.

77. *Le Roman de François Truffaut, op. cit.,* p. 98.

78. Feuilles de service du tournage de *La Sirène du Mississippi,* archives des Films du Carrosse, dossier « F.S. Sirène ».

79. L'île de la Réunion a ainsi été baptisée à la suite du 10 août 1792, jour de la prise du palais des Tuileries, de l'abolition de la royauté et de l'instauration de la République en France, autant d'événements illustrés par Renoir dans *La Marseillaise.*

80. Lettre du 27 août 1969, archives des Films du Carrosse, dossier « Jean Renoir ».

81. Lettre du 14 mai 1969, archives des Films du Carrosse, dossier « Helen Scott ».

82. *Le Nouvel Observateur,* 30 juin 1969.

83. Lettre du 17 juillet 1969, archives des Films du Carrosse, dossier « CCH 69 ».

84. Lettre non datée [octobre 1969], *ibid.*

85. Lettre du 6 juin 1969, archives des Films du Carrosse, dossier « Helen Scott ».

86. Lettre du 14 juin 1969, archives des Films du Carrosse, dossier « Aimée Alexandre ».

87. *Paris-Match*, 8 mars 1969.

88. « En travaillant avec Catherine Deneuve », *op. cit.*

89. Entretien accordé aux auteurs, 1991.

90. Lettre du 6 juin 1969, archives des Films du Carrosse, dossier « Helen Scott ».

91. Lettre du 14 juin 1969, archives des Films du Carrosse, dossier « Aimée Alexandre ».

92. *Le Roman de François Truffaut, op. cit.*, p. 58.

93. Lucien Malson, *Les Enfants sauvages, mythe et réalité*, Union générale d'édition, Paris, 1964.

94. Lettre du 19 mai 1965, archives des Films du Carrosse, dossier « Helen Scott ».

95. Jean Gruault, *Ce que dit l'autre, op. cit.*, p. 238.

96. « L'Enfant sauvage/Rapport Rivette », archives des Films du Carrosse, dossier « Jacques Rivette ».

97. Lettre à Jean Gruault, 29 novembre 1965, archives des Films du Carrosse, dossier « CCH 65 ».

98. François Truffaut a aidé Fernand Deligny et Jean-Pierre Daniel à mettre sur pied leur film sur les enfants autistes, *Le Moindre Geste* (1965). Puis, entre 1972 et 1974, il financera *Ce gamin-là*, un film tourné par Renaud Victor à Monoblet aux côtés de Deligny.

99. Lettre du 15 novembre 1968, archives des Films du Carrosse, dossier « Fernand Deligny ».

100. *Heures claires*, décembre 1965.

101. Archives des Films du Carrosse, dossier « SOS enfant ».

102. *Ibid.*

103. Entretien accordé aux auteurs, 1995.

104. *Id.*, 1996.

105. Nestor Almendros, *Un homme à la caméra*, Hatier, Paris, 1980, p. 53.

106. Lettre du 6 juin 1969, archives des Films du Carrosse, dossier « Helen Scott ».

107. *Ibid.*

108. Entretien accordé aux auteurs, 1995.

109. *Télérama*, 28 février 1970.

110. Lettre du 2 août 1969, archives des Films du Carrosse, dossier « CCH 69 ».

111. Lettre à Gilles Jacob, 13 juillet 1969, *ibid.*

112. *Télérama*, 28 février 1970.

113. *Ibid.*

114. Lettre de Jean-Pierre Cargol, 22 mai 1970, archives des Films du Carrosse, dossier « CCH 70 (1) ».

115. Entretien accordé aux auteurs, 1995.

116. Lettre à Patrice Hovald, 14 mars 1969, archives des Films du Carrosse, dossier « CCH 69 ».

117. Lettre à Jacques-Louis Roustant, 20 septembre 1971, archives des Films du Carrosse, dossier « CCH 71 ».

118. Lettre à Patrice Hovald, 14 mars 1969, archives des Films du Carrosse, dossier « CCH 69 ».

119. *Image et Son*, décembre 1970.

120. Dossier de presse de *Domicile conjugal*, 1970.

121. *Le Progrès*, 20 octobre 1970.

122. *Le Journal du dimanche*, 6 septembre 1970.

123. *Ibid.*

124. *Dernière Heure lyonnaise*, 22 octobre 1970.

125. *Le Journal du dimanche*, 6 septembre 1970.

126. *Les Aventures d'Antoine Doinel*, Mercure de France, Paris, 1970.

127. *Le Roman de François Truffaut*, *op. cit.*, p. 70.

128. *Ibid., loc. cit.*

129. Nestor Almendros, *op. cit.*, p. 65.

130. Lettre du 19 juin 1970, archives des Films du Carrosse, dossier « CCH 70 (1) ».

131. Lettre à Nestor Almendros, 19 juin 1970, *ibid.*

132. Lettre du 28 janvier 1971, archives des Films du Carrosse, dossier « CCH 71 (1) ».

133. Lettre du 2 novembre 1969, archives des Films du Carrosse, dossier « CCH 69 ».

134. *Le Nouvel Observateur*, 2 mars 1970.

135. *Ibid.*

136. « Lettre ouverte de François Truffaut à Annie Girardot », le 23 juin 1970, archives des Films du Carrosse, dossier « RTL 70 ».

137. Lettre du 26 juin 1970, archives des Films du Carrosse, dossier « CCH 70 (1) ».

138. Lettre du 14 septembre 1970, archives des Films du Carrosse, dossier « CCH 70 (2) ».

139. Entretien accordé aux auteurs, 1996.

140. *Id.*

141. *Id.*

142. *New York Times*, 18 janvier 1971.

143. *New York Daily News*, 21 janvier 1971. Texte original : « *The special magic of this movie is simply that it makes us smile, for the world through Truffaut's eyes is indeed a much happier place than we were expected. Films like* Bed and Board *are so rich in human understanding and good humor one simply enjoys basking in their warmth.* »

144. Lettre du 13 septembre 1968, archives des Films du Carrosse, dossier « CCH 68 ».

145. *The New Haven Register*, 20 septembre 1970. Texte original : « *The ovation given French director François Truffaut's opening-night film* The Wild Child *was fulsome and his slight form standing within the VIP box in Philharmonic Hall — with stars Catherine Deneuve and Jean-Pierre Léaud, the latter to whom the film is dedicated — was one of those transitory moments in the limelight that fills the theater with magic until the spotlight snaps off.* »

146. Lettre du 27 juin 1970, archives des Films du Carrosse, dossier « Écrivains ».

147. Archives des Films du Carrosse, dossier « Alfred Hitchcock ».

148. Lettre du 14 juin 1967, archives des Films du Carrosse, dossier « CCH 67 ».

149. *Le Nouvel Observateur,* 2 mars 1970.

150. Entretien accordé aux auteurs, 1995.

151. *Image et Son,* décembre 1970.

152. *Cahiers du cinéma,* nº 172, novembre 1965.

153. Lettre du 23 juin 1971, archives des Films du Carrosse, dossier « CCH 71 (1) ».

154. *Le Roman de François Truffaut, op. cit.,* pp. 114-115.

155. Archives des Films du Carrosse, dossier « CCH 70 (1) ».

156. Lettre du 7 mai 1968, archives des Films du Carrosse, dossier « CCH 68 ».

157. Lettre du 22 janvier 1970, archives des Films du Carrosse, dossier « CCH 70 (1) ».

158. *Ibid.*

159. *L'Express,* 14 février 1970.

160. *Le Nouvel Observateur,* 2 mars 1970.

161. Lettre du 31 janvier 1970, archives des Films du Carrosse, dossier « CCH 70 (1) ».

162. *Les Lettres françaises,* 16 septembre 1970.

163. Entretien accordé aux auteurs, 1995.

164. Entretien réalisé par Michel Pascal pour le film *François Truffaut, portraits volés,* 1992.

165. Lettre du 8 septembre 1970, archives des Films du Carrosse, dossier « CCH 70 (2) ».

166. Manifeste du 7 juillet 1971, archives des Films du Carrosse, dossier « CCH 71 (2) ».

167. Lettre du 21 octobre 1969, archives des Films du Carrosse, dossier *« Cahiers du cinéma ».*

168. Lettre du 20 novembre 1970, *ibid.*

169. Lettre du 23 avril 1970, archives des Films du Carrosse, dossier « Helen Scott ».

170. *Life Magazine,* 24 janvier 1969.

171. *Ibid.*

172. Entretien accordé par Madeleine Morgenstern aux auteurs, 1995.

173. Lettre du 23 décembre 1970, archives des Films du Carrosse, dossier « Aimée Alexandre ».

174. Lettre du 31 décembre 1970, *ibid.*

175. Lettre à Liliane Siegel, 6 décembre 1971, archives confiées aux auteurs.

176. Lettre du 10 mars 1971, archives des Films du Carrosse, dossier « Aimée Alexandre ».

177. *Ibid.*

Chapitre VII. L'homme cinéma, 1971-1979

1. Lettre du 14 février 1971, archives des Films du Carrosse, dossier « CCH 71 (1) ».

2. Lettre à Liliane Siegel, 15 août 1971, archives confiées aux auteurs.

3. Lettre à Marcel Berbert, s.d [juillet 1971], archives des Films du Carrosse, dossier « CCH 71 (2) ».

4. *Ibid.*

5. Entretien accordé aux auteurs, 1995.

6. *Id.*

7. *Les Deux Anglaises et le Continent,* Gallimard, Paris, 1955.

8. Lettre de Jean-Claude Brialy, s.d. [mai 1971], archives des Films du Carrosse, dossier « CCH 71 (2) ».

9. Les *Carnets* de Henri-Pierre Roché sont parus en 1990 (Première partie 1920-1921), chez André Dimanche, préfacés par François Truffaut.

10. Lettre du 14 octobre 1968, archives des Films du Carrosse, dossier « CCH 68 ».

11. Dossier de presse de *Les Deux Anglaises et le Continent,* 1971.

12. *Le Nouveau Cinémonde,* juillet-août 1971.

13. *AFP,* 24 novembre 1971.

14. Précision donnée par Truffaut lui-même dans *Télérama,* 14 août 1971.

15. Lettre du 12 février 1971, archives des Films du Carrosse, dossier « CCH 71 (1) ».

16. *Le Roman de François Truffaut, op. cit.,* p. 72.

17. Dossier de presse de *Les Deux Anglaises et le Continent,* 1971.

18. Lettre à Liliane Siegel, 20 mai 1971, archives confiées aux auteurs.

19. Lettre à Liliane David, 16 mai 1971, archives confiées aux auteurs (en 1963, quand elle se marie, Liliane David prend le nom de Dreyfus).

20. Lettre à Liliane Siegel, 15 août 1971, archives confiées aux auteurs.

21. Entretien accordé aux auteurs, 1995.

22. Lettre du 9 septembre 1971, archives des Films du Carrosse, dossier « CCH 71 (2) ».

23. Lettre du 11 septembre 1971, *ibid.*

24. Lettre du 22 novembre 1971, *ibid.*

25. Lettre du 5 décembre 1971, *ibid.*

26. Lettre du 12 décembre 1971, *ibid.*

27. Lettre du 28 novembre 1971, archives des Films du Carrosse, dossier « Écrivains ».

28. *France-Soir,* 30 novembre 1971.

29. *Le Figaro,* 29 novembre 1971.

30. *L'Humanité,* 4 décembre 1971.

31. *Les Nouvelles littéraires,* 3 décembre 1971.

32. *Le Masque et la Plume,* émission du 7 décembre 1971.

33. *France-Soir,* 4 décembre 1971.

34. Lettre du 17 décembre 1971, archives des Films du Carrosse, dossier « CCH 71 (2) ».

35. *L'Avant-Scène,* numéro sur *Les Deux Anglaises et le Continent,* 14 décembre 1971.

36. Cet entretien a été publié dès 1972 par Radio Canada, puis repris chez Ramsay en 1987, sous le titre : *Aline Desjardins s'entretient avec François Truffaut.*

37. Lettre du 30 décembre 1971, archives confiées aux auteurs.

38. *Pour la Presse,* 4 février 1972. Texte repris dans le dossier de presse d'*Une belle fille comme moi,* 1972.

39. *L'Express,* 4 octobre 1972.

40. *L'Humanité,* 18 mai 1967.

41. *Pour la presse,* 4 février 1972.

42. *Le Soir* (de Marseille), 29 mars 1972.

43. *Le Monde,* 14 septembre 1972.

44. Lettre du 7 mai 1971, archives des Films du Carrosse, dossier « CCH 71 (1) ».

45. *Ibid.*

46. Lettre à Liliane Siegel, 21 août 1971, archives confiées aux auteurs.

47. Mémorandum de Truffaut adressé à Jean-Loup Dabadie à propos du premier scénario d'*Une belle fille comme moi*, s.d. [décembre 1971], archives des Films du Carrosse, dossier « Scénario/Une belle fille... »

48. *Ibid.*

49. Lettre à Jean-Loup Dabadie, s.d. [septembre 1971], archives des Films du Carrosse, dossier « CCH 71 (1) ».

50. Entretien accordé aux auteurs, 1995.

51. Lettre à Liliane Siegel, 3 mars 1971, archives confiées aux auteurs.

52. Entretien accordé aux auteurs, 1995.

53. *Id.*

54. *Id.*

55. *Id.*

56. *Le Monde*, 19 septembre 1972.

57. *Le Figaro*, 15 septembre 1972.

58. *France Soir*, 14 septembre 1972.

59. *Télérama*, 16 septembre 1972.

60. « Le cinéma en action », texte de François Truffaut écrit en introduction du scénario de *La Nuit américaine*, Seghers, Paris, 1974.

61. *Le Roman de François Truffaut*, *op. cit.*, p. 63.

62. Pour Truffaut, la mort d'un acteur est le seul drame qui peut empêcher un tournage d'aller à son terme. Cet élément de *La Nuit américaine* n'est pas sans évoquer la tragique disparition de Françoise Dorléac, dans un accident de voiture survenu à peu près au même endroit que celui qui vient jeter la consternation au sein de l'équipe en plein tournage d'un film dans les studios de la Victorine.

63. « Le cinéma en action », *op. cit.*

64. *La Nuit américaine*, *op. cit.*, p. 46.

65. *Ibid.*, p. 76.

66. Cette expression employée pour désigner un tournage de film, « Un train dans la nuit », avait déjà été utilisée par Truffaut dans le dossier de presse de *La Peau douce*. Il la reprend ici pour la mettre dans la bouche du metteur en scène Ferrand.

67. Dossier de presse de *La Nuit américaine*, 1973.

68. Lettre du 25 novembre 1971, archives des Films du Carrosse, dossier « CCH 71 (2) ».

69. *Le Roman de François Truffaut*, *op. cit.*, p. 63.

70. François Truffaut avait d'abord songé pour le rôle d'Alexandre à Louis Jourdan, qui n'était pas disponible.

71. Le cinéaste espérait convaincre Simone Simon, qui avait arrêté sa carrière en 1956, de faire son retour au cinéma pour jouer le rôle de Séverine. Puis il avait pensé à Madeleine Renaud, qui dut refuser à cause d'une tournée théâtrale.

72. *Le Monde*, 18 mai 1973.

73. On lira deux portraits de Jean-Pierre Léaud parus à ce moment : *Le Monde*, 14 février 1972 ; *Elle*, 21 mai 1973.

74. Archives des Films du Carrosse, dossier « CCH 72 (1) »

75. *La Nuit américaine*, *op. cit.*, p. 83.

76. Entretien accordé aux auteurs par Jacqueline Bisset, 1995.

77. Entretien accordé aux auteurs, 1996

78. *Id.*, 1995.

79. *Id.*

80. Lettre du 23 décembre 1972, archives confiées aux auteurs.

81. Lettre du 14 mars 1973, archives des Films du Carrosse, dossier « Helen Scott ».

82. Lettre du 6 mai 1973, archives des Films du Carrosse, dossier « CCH 73 (1) ».

83. Lettre du 11 juin 1973, *Ibid.*

84. *Le Parisien,* 16 mai 1973.

85. *Le Figaro,* 17 mai 1973. Mais la présence au sein du jury cannois de Jean Delannoy, ennemi irréductible de Truffaut, n'aurait sans doute pas été favorable au film s'il avait été présenté en compétition.

86. Lettre à Gilles Jacob, 27 mai 1973, archives des Films du Carrosse, dossier « CCH 73 (1) ».

87. *Le Nouvel Observateur,* 28 mai 1973.

88. *Le Monde,* 16 mai 1973.

89. *Le Figaro,* 15 mai 1973.

90. Lettre du 13 juin 1973, archives des Films du Carrosse, dossier « CCH 73 (1) ».

91. Dossier de presse de *La Nuit américaine* au Festival de Cannes, 1973.

92. Entretien accordé aux auteurs, 1996. À y regarder de plus près, les choses sont plus nuancées, puisque Godard a inclu *Les Quatre Cents Coups, Tirez sur le pianiste, Jules et Jim* puis *La Peau douce* dans ses listes des « 10 meilleurs films de l'année » publiées dans les *Cahiers du cinéma* au début des années 1960.

93. *Le Nouvel Observateur,* 2 mars 1970.

94. Cette lettre a été publiée dans la *Correspondance* de François Truffaut, *op. cit.,* pp. 423-424.

95. *Ibid.,* pp. 425-431.

96. Janine Bazin, dont l'une des émissions de télévision, *Vive le cinéma,* vient d'être censurée par le pouvoir (en juillet 1972), sans que Godard ait manifesté le moindre soutien. Truffaut, en signe de solidarité avec Janine Bazin et André Labarthe, a refusé de participer aux *Dossiers de l'écran* du 5 juillet 1972, dont le thème était précisément la « liberté de penser », suivant la projection de *Fahrenheit 451.* « Je suis prêt à parier », écrivait-il alors à Armand Jammot, le producteur de l'émission, « que le mot censure ne sera même pas prononcé pendant le débat et que les véritables questions seront escamotées. Ici s'arrête donc ma contribution aux Dossiers noirs de l'écran ».

97. Il s'agit d'une référence à une expression de Truffaut désignant son amitié et sa solidarité avec les jeunes réalisateurs de la Nouvelle Vague, expression reprise comme titre d'une partie des *Films de ma vie, op. cit.*

98. Lettre non datée de Janine Bazin [juin 1973], archives des Films du Carrosse, dossier « Bazin ».

99. *Le Nouvel Observateur,* 2 décembre 1974.

100. Lettre du 11 décembre 1974, archives des Films du Carrosse, dossier « CCH 74 (2) ».

101. *Ibid.*

102. Truffaut, par exemple, se brouille une fois encore avec l'acteur Oskar Werner. Après l'expérience ratée de *Fahrenheit 451,* les deux hommes se sont ignorés. Mais, au début du mois de janvier 1971, Truffaut, alors en pleine dépression — « au milieu du quai des brumes que je traverse, hanté par les fantômes, les ombres et les cauchemars » —, renoue le contact, espérant trouver un soutien chez le comédien. Il lui fait parvenir en cadeau une copie de

Jules et Jim. Werner est très touché par ce retour d'amitié et jure à Truffaut une « affection éternelle ». Les relations se gâtent lorsque le comédien demande au cinéaste de cofinancer son premier film en tant que metteur en scène, *So Love Returns,* avec une compagnie new-yorkaise nouvellement créée par Steve McQueen, Paul Newman, Sidney Poitier et Barbara Streisand, la First Artists Production Company. Le 8 mai 1973, Truffaut refuse, avouant à Oskar Werner qu'il doute de ses capacités à diriger un film. « J'ai été choqué par ta lettre, lui répond l'acteur le 30 décembre 1973. Elle a été écrite par un journaliste, un homme de ragots, et non par un artiste. Tu te permets un jugement sur moi à partir de preuves que tu ne peux pas avoir. Tu as tort, François, car tu ne me connais pas du tout. Contrairement à ce que tu crois, je n'ai aucun mépris pour le monde. Je déteste seulement les mégalomaniaques. Je ne crois pas avoir montré, ni dans les cent dix rôles joués sur scène, ni dans les vingt-cinq au cinéma, " une sorte d'arrogance et de mépris pour les autres " comme tu l'écris. Par contre, je pense que cette arrogance dont tu m'accuses est très répandue chez les metteurs en scène de cinéma, eux qui représentent aujourd'hui l'emblème du narcissisme. Ce qui nous sépare c'est une dizaine d'années, et c'est énorme. Tu avais 5 ans quand j'ai gagné ma première paye sur un film à 15 ans. Tu avais 6 ans quand j'ai vu les Juifs persécutés dans les rues de Vienne, quand j'ai vu les SA brûler avec leurs torches les livres de Freud, Werfel, Zweig, Heine, Friedell, Mann, Hesse, Adler (et, crois-moi, c'était assez différent de la manière dont tu l'as montré dans *Fahrenheit 451*, et Cussak peut passer pour un enfant de chœur en comparaison des SA et des SS qui brûlaient les synagogues). J'ai aussi entendu les cris des foules, les vociférations des masses, et combien elles étaient mises en transe par ce joyeux spectacle. Tu avais 8 ans quand j'étais dans un camp de travail nazi et quand j'ai tenté de me suicider lorsque ma mère a été arrêtée par la Gestapo. Tu avais 12 ans quand je me cachais comme déserteur, pour échapper à l'armée d'Hitler, avec ma fille de 7 mois et ma femme juive dans les forêts qui entourent Vienne. Et cette " danse de mort " qui dura quatre mois et demi n'avait rien à voir avec une valse viennoise de Johann Strauss. Je ne te raconte pas ces histoires pour faire naître ta pitié. Mais lorsqu'on survit à de tels événements, à l'enfer, c'est ensuite un purgatoire : on écoute et on voit mieux le monde. On peut distinguer plus sûrement la vérité de l'hypocrisie, le génie du faux, le noble du vulgaire, le sublime du médiocre. Tu comprends pourquoi je pense que si tu as été par moment, avec *Jules et Jim* ou *L'Enfant sauvage,* inspiré par la vérité, le génie, le noble et le sublime, ton attitude et tes films récents me semblent hypocrites, faux, vulgaires et médiocres ».

103. Lettre du 8 mars 1974, archives des Films du Carrosse, dossier « CCH 74 (1) ».
104. Entretien accordé aux auteurs, 1995.
105. *Pomme d'api,* 15 juillet 1972.
106. Entretien accordé aux auteurs, 1995.
107. Jean Gruault, *Ce que dit l'autre, op cit.,* p. 282.
108. *Cahiers du cinéma,* mai 1994.
109. *Paris-Match,* 14 mai 1974.
110. Entretien accordé aux auteurs, 1995.
111. Lettre du 20 avril 1971, archives confiées aux auteurs.
112. Lettre à Liliane Siegel, 15 septembre 1972, archives confiées aux auteurs.
113. Entretien accordé aux auteurs, 1995.
114. Lettre du 6 décembre 1971, archives confiées aux auteurs.

115. Entretien accordé aux auteurs, 1995.

116. *Id.*

117. *Id.*

118. Lettre du 14 février 1975, archives des Films du Carrosse, dossier « CCH 75 (1) »

119. Lettre à Isabelle Adjani, 14 avril 1976, archives des Films du Carrosse, dossier « CCH 76 (1) ».

120. Jean Gruault, *op. cit.*, p. 283.

121. Lettre du 24 janvier 1978, archives des Films du Carrosse, dossier « CCH 78 (1) ».

122. Entretien accordé aux auteurs, 1996.

123. *Id.*, 1995.

124. *Id.*

125. Lettre du 14 août 1973, archives confiées aux auteurs.

126. Lettre du 10 mars 1974, archives des Films du Carrosse, dossier « CCH 74 (1) ».

127. Lettre à David Susskind, agent indépendant new-yorkais, le 16 mai 1975, archives des Films du Carrosse, dossier « CCH 75 (1) ».

128. Lettre à Guy Teisseire à propos d'un entretien pour *Ciné Revue*, juillet 1973, archives des Films du Carrosse, dossier « CCH 73 (2) ».

129. Entretien accordé aux auteurs, 1995.

130. Lettre du 9 juillet 1973, archives des Films du Carrosse, dossier « Helen Scott ».

131. Lettre à Helen Scott, 9 juillet 1973, *ibid.*

132. Le livre paraîtra en traduction française en 1984, chez Ramsay.

133. Entretien accordé aux auteurs, 1996.

134. Lettre datée du 23 juillet 1973, archives confiées aux auteurs par Madeleine Morgenstern.

135. *Le Roman de François Truffaut, op. cit.*, pp. 157-158.

136. Buck Henry, acteur (dans *Taking off* de Milos Forman) et scénariste (*Le Lauréat, Le Jour du dauphin* de Mike Nichols), a été présenté à Truffaut par Helen Scott.

137. Lettre à Helen Scott, 9 juillet 1973, archives des Films du Carrosse, dossier « Helen Scott ».

138. Octave est le personnage de *La Règle du jeu* interprété par Renoir lui-même.

139. « Jean Renoir, 1273 Leona Drive », texte écrit par Truffaut en décembre 1975, publié sous le titre « Jean Renoir : quatre-vingts ans d'étonnements » dans *Le Nouvel Observateur*, 4 mars 1978, repris dans *Le Plaisir des yeux*, Paris, 1988, pp. 140-146.

140. Entretien accordé aux auteurs, 1995.

141. *Id.*

142. « Jean Renoir, 1273 Leona Drive », *op. cit.*

143. Lettre du 13 juillet 1973, archives confiées aux auteurs par Madeleine Morgenstern.

144. Compte rendu dans *Le Figaro*, 4 avril 1974.

145. Lettre à Marcel Berbert, 21 juillet 1975, archives des Films du Carrosse, dossier « CCH 75 (2) ».

146. Archives des Films du Carrosse, dossier « CCH 74 (2) ».

147. *Les Films de ma vie, op. cit.*, p. 10.

148. Au total, Truffaut a écrit 781 textes avant 1960, puis près de 70 entre

1960 et 1975. *Les Films de ma vie* n'en retient qu'une centaine, soit un peu moins d'un sur huit.

149. Henry Miller, *The Books in My Life*, New York, 1969, traduit sous le titre *Les Livres de ma vie*, Gallimard, Paris, 1994.

150. Lettre du 14 août 1973, archives confiées aux auteurs.

151. Cette série d'articles inédits est conservée dans les archives des Films du Carrosse, dossier « Politique ».

152. Lettre du 15 août 1971, archives confiées aux auteurs.

153. Entretien accordé aux auteurs, 1995.

154. Sur ce projet télévisuel de Sartre, on lira : Annie Cohen-Solal, *Jean-Paul Sartre*, Gallimard, Paris, 1985, chapitre « À l'ombre de la tour », pp. 639-642.

155. Lettre à Liliane Siegel, 4 janvier 1975, archives confiées aux auteurs.

156. *Ibid.*

157. *Ibid.*

158. *Ibid.*

159. Près de quatre-vingts personnes — militants, historiens, chercheurs et universitaires — étaient concernés par ce projet.

160. Extrait d'une note rédigée le 22 juillet 1974, archives des Films du Carrosse, dossier « CCH 74 (2) ».

161. Lettre à Frances Vernor Guille, 13 avril 1973, archives des Films du Carrosse, dossier « CCH 73 (1) ».

162. Lettre du 31 janvier 1971, archives des Films du Carrosse, dossier « CCH 71 (1) ».

163. Lettre du 6 juillet 1974, archives des Films du Carrosse, dossier « CCH 74 (2) ». Voir aussi le livre de Jean Gruault, *Ce que dit l'autre, op. cit.*, pp. 298-299.

164. Entretien accordé par Catherine Deneuve aux auteurs, 1995.

165. Lettre à Isabelle Adjani, s.d. [octobre 1974], archives des Films du Carrosse, dossier « CCH 74 (2) ».

166. *Cinématographe*, décembre 1984.

167. Lettre à Isabelle Adjani, s.d. [octobre 1974], archives des Films du Carrosse, dossier « CCH 74 (2) ».

168. Lettre du 24 octobre 1974, archives des Films du Carrosse, dossier « CCH 74 (2) ».

169. *Cinématographe*, décembre 1984.

170. *France-Soir*, 30 septembre 1975.

171. Lettre du 27 janvier 1975, archives confiées aux auteurs.

172. *France-Soir*, 30 septembre 1975.

173. Entretien accordé aux auteurs, 1995.

174. *L'Express*, 3 mars 1975.

175. Entretien accordé aux auteurs, 1995.

176. *Id.*

177. Lettre du 9 février 1975, archives des Films du Carrosse, dossier « Helen Scott ».

178. Lettre du 14 février 1975, archives confiées aux auteurs.

179. Lettre à Jean-Loup Dabadie, 30 avril 1975, archives des Films du Carrosse, dossier « CCH 75 (1) ».

180. Lettre du 15 novembre 1975, archives des Films du Carrosse, dossier « CCH 75 (2) ».

181. Lettre du 6 novembre 1975, *Ibid.*

182. Lettre du 26 novembre 1975, *Ibid.*

183. Lettre à Gilles Jacob, 21 novembre 1975 ; *ibid.*

184. *Ibid.*

185. Lettre du 30 octobre 1975, archives des Films du Carrosse, dossier « CCH 75 (2) ».

186. *Ibid.*

187. *Projet pour un film sur les enfants,* 1972, note à l'intention de Suzanne Schiffman, archives des Films du Carrosse, dossier « Scénario/Argent de poche ». Une des anecdotes est tirée d'un recueil de Sacha Guitry, *Si j'ai bonne mémoire :* c'est l'histoire du garçon qui s'offre un bouquet de fleurs à la mère d'un copain dont il est amoureux, et s'entend répondre par cette femme dont il rêve : « Tu remercieras bien ton papa de ma part. » Parmi les autres histoires, non retenues celles-là, on notera surtout ce récit autobiographique : « Un petit garçon de treize ans, seul à la maison, découvre, en fouillant, les vieux agendas de son père. Sa curiosité l'amène à chercher, sur l'agenda correspondant à l'année de sa naissance, ce que son père a bien pu écrire ce jour-là. Il s'aperçoit que sa venue au monde n'est mentionnée ni ce jour, ni les suivants, et découvre ainsi qu'il n'est pas le fils de son père. Il en trouve la confirmation définitive en consultant le livret de famille. »

188. Tout au long des années 1970, Truffaut poursuit son action militante en faveur de l'enfance, soutenant diverses associations, comme Perce Neige, créée par Lino Ventura, ou l'Association pour la promotion de l'enfant sourd, ou encore des écoles et centres expérimentaux accueillant des enfants « inadaptés » ou handicapés mentaux. Il est très généreux envers ces diverses associations et ne se prive pas d'intervenir publiquement dans la presse dès qu'il le peut afin de soutenir cette cause.

189. Ce « discours de l'instituteur » a été publié dans *Télérama,* le 8 mars 1976.

190. *Le Roman de François Truffaut, op. cit.,* p. 121.

191. Lorsqu'il assiste à la cérémonie des oscars en avril 1974, Truffaut se souvient avoir vu monter sur scène Julia Philips, qui recevait un des oscars du film *L'Arnaque.* Il s'était alors dit que s'il faisait un jour un film à Hollywood, ce serait avec elle. C'est ce qu'il lui écrit dans sa lettre du 19 mars 1976. Leurs relations se sont considérablement dégradées tout au long du tournage, ainsi qu'en témoigne cet extrait d'une lettre de François Truffaut à Madeleine Morgenstern le 13 juillet 1976 : « Au lieu de la caravane réfrigérée et bruyante j'ai demandé à avoir un bureau dans ce hangar, là encore toute une histoire. Je suis obligé de faire semblant d'être en colère et sur le point de faire la grève pour obtenir satisfaction ; par exemple, ce soir je n'irai pas boire le champagne avec la productrice pour qu'elle comprenne que c'est à elle que j'en veux. Elle a eu la chance de produire *The Sting* et *Taxi Driver* mais en fait c'est une fumiste ; l'année prochaine elle va diriger elle-même un film féministe-érotique : *Fear of Flying* et elle croit qu'en se collant à la caméra toute la journée et en fixant les acteurs, elle va apprendre quelque chose ! [...] ». Et le 29 juillet 1976, toujours à Madeleine Morgenstern : « Le truc marrant, c'est que je suis fâché à présent avec la productrice, nous ne nous saluons plus, nous feignons de ne pas nous voir et, ce que je gagne à tout ça, c'est qu'elle n'ose plus s'asseoir à côté de la caméra, elle se tient un peu à l'écart. » Julia Philips a publié *You'll Never Eat Lunch in this Town Again* (Signet, 1991), où elle relate son expérience de productrice à Hollywood.

192. Télégramme du 15 mars 1976, archives des Films du Carrosse, dossier « *Close Encounters* ».

193. Lettre du 19 mars 1976, *ibid.*

194. Spielberg ne fait pas mystère que *Close Encounters* est un hommage à *The Thing*, le film réalisé en 1951 par Howard Hawks. Le premier titre de son film devait d'ailleurs être *Watch the Sky*, qui est la dernière phrase du dialogue de *The Thing*.

195. Lettre à Jean-Loup Dabadie, 18 août 1976, archives des Films du Carrosse, dossier « CCH 76 (2) ».

196. Lettre du 29 juillet 1976, archives des Films du Carrosse, dossier « CCH 76 (2) ».

197. *Ibid.*

198. Lettre du 19 juillet 1976, archives des Films du Carrosse, dossier « *Close Encounters* ».

199. Lettre du 13 juillet 1976, archives confiées aux auteurs par Madeleine Morgenstern.

200. Lettre du 19 juillet 1976, archives des Films du Carrosse, dossier « *Close Encounters* ».

201. Lettre du 13 juillet 1976, archives confiées aux auteurs par Madeleine Morgenstern.

202. *Le Roman de François Truffaut, op. cit.*, p. 121.

203. Lettre du 22 décembre 1977, archives des Films du Carrosse, dossier « *Close Encounters* ». Texte original : « Close Encounters *is doing beautifully — as I've indicated time and time again, your performance was superb.* »

204. *Le Roman de François Truffaut, op. cit.*, p. 121.

205. Bruno Bettelheim, *La Forteresse vide. L'autisme infantile et la naissance de soi*, Gallimard, Paris, 1969.

206. Entretien accordé aux auteurs, 1996.

207. *Id.*

208. *Id.*

209. *Id.*, 1995.

210. *Id.*, 1996.

211. *Id.*

212. *Id.*

213. *Id.*, 1995.

214. *Id.*, 1996.

215. *France Soir*, 22 avril 1977.

216. Lettre du 18 février 1975, archives des Films du Carrosse, dossier « CCH 75 (1) ».

217. Entretien accordé aux auteurs, 1995.

218. *Id.*

219. Comparaison empruntée à un texte du *Midi libre*, 9 janvier 1977.

220. *Elle*, 2 mai 1977.

221. Entretien accordé aux auteurs, 1995.

222. *Id.*, 1996.

223. *Id.*, 1995.

224. Dossier de presse de *L'Homme qui aimait les femmes*, 1977.

225. Entretien accordé aux auteurs, 1995.

226. *Id..*

227. Texte de Henry Chapier dans *Le Quotidien de Paris*, 5 mai 1977.

228. *Pariscope*, 22 juin 1977.

229. Lettre du 29 mars 1977, archives des Films du Carrosse, dossier « CCH 77 (1) ».

230. *Lumière du cinéma*, mai 1977.

231. *Le Nouvel Observateur*, 9 mai 1977.

232. Ce *remake* est aussi l'occasion d'un beau contrat pour les Films du Carrosse puisque les droits du film sont négociés à hauteur de 300 000 dollars.

233. Entretien accordé aux auteurs, 1996.

234. *Id.*

235. *L'Express,* 13 mars 1978.

236. *Ibid.*

237. *Le Matin de Paris,* 5 juin 1977.

238. *L'Express,* 13 mars 1978.

239. *L'Humanité-Dimanche,* 7 avril 1978.

240. Aimée Alexandre est morte en 1981, à l'âge de quatre-vingt-sept ans. Devenue aveugle, elle n'a jamais pu voir La *Chambre verte,* ce film qui lui doit beaucoup.

241. Henry James, *L'Autel des morts,* Stock, Paris, 1974 (préface de Diane de Margerie).

242. Lettre du 21 juillet 1974, archives des Films du Carrosse, dossier « CCH 74 (2) ».

243. *Ibid.*

244. *Ibid.*

245. Lettre du 21 novembre 1975, archives des Films du Carrosse, dossier « CCH 75 (2) ».

246. Le nom de Paul Massigny, le pire ennemi de Julien Davenne, jusque dans la mort, provient de cette relecture de Proust, de même que nombre de références émaillant le scénario. Notons qu'il est possible de reconnaître Serge Rousseau, l'un des meilleurs amis de Truffaut, sur le portrait désignant Massigny.

247. Télégramme du 23 février 1977, archives des Films du Carrosse, dossier « CCH 77 (1) ».

248. Entretien accordé aux auteurs, 1996.

249. *L'Aurore,* 3 avril 1978.

250. *Ibid.*

251. Dossier de presse de *La Chambre verte,* 1978.

252. Entretien accordé aux auteurs, 1996.

253. *Id.*

254. Lettre du 9 avril 1978, archives des Films du Carrosse, dossier « CCH 78 (1) ».

255. Lettre du 2 octobre 1979, archives des Films du Carrosse, dossier « CCH 79 (2) ».

256. Lettre du 26 avril 1978, archives des Films du Carrosse, dossier « CCH 78 (1) ».

257. Lettre datée de la Pentecôte 1978, *ibid.*

258. *Le Nouvel Observateur,* 3 avril 1978.

259. *L'Express,* 13 mars 1978.

260. Lettre du 3 avril 1978, archives des Films du Carrosse, dossier « CCH 78 (1) ».

261. Lettre du 8 mai 1978, *ibid.*

262. *Paris-Match,* 4 mai 1978.

263. Lettre du 10 mai 1978, archives des Films du Carrosse, dossier « CCH 78 (1) ».

264. *Ibid.*

265. Entretien accordé aux auteurs, 1996.

266. Lettre du 10 mai 1978, archives des Films du Carrosse, dossier « CCH 78 (1) ».

267. *France-Soir*, 3 novembre 1977.

268. Entretien accordé aux auteurs, 1996.

269. Lettre du 1er septembre 1978, archives des Films du Carrosse, dossier « CCH 78 (2) ».

270. Lettre du 26 janvier 1978, archives des Films du Carrosse, dossier « CCH 78 (1) ».

271. Sur cette évolution économique du cinéma français, on lira l'ouvrage de Jean-Michel Frodon, *L'Âge moderne du cinéma français. De la Nouvelle Vague à nos jours*, Flammarion, Paris, 1995, pp 533-537, chapitre « Artmédia en position dominante ».

272. Entretien accordé aux auteurs, 1996.

273. Archives des Films du Carrosse, dossier « Agence Magic ».

274. Entretien accordé aux auteurs, 1996.

275. Il s'agit de l'adaptation d'un roman polonais de Janusz Korczak, *Le Roi Matthias Ier*. Truffaut avait d'abord proposé l'adaptation de cet ouvrage à Jean-Loup Dabadie.

276. Lettre du 9 février 1977, archives des Films du Carrosse, dossier « CCH 77 (1) ».

277. Lettre de Milan Kundera, non datée, *ibid.*

278. Lettre à Henning et Else Carlsen, 13 octobre 1978, archives des Films du Carrosse, dossier « CCH 78 (2) ». Truffaut poursuit : « *L'Amour en fuite* est né, d'une certaine façon, grâce à vous, car c'est à la suite de l'initiative du Dagmar Theatre [cinéma que dirigent les Carlsen à Copenhague] de projeter tous les Doinel chronologiquement dans une journée, que l'idée m'est venue de tourner le dernier Doinel et d'y inclure de vrais flash-back extraits des quatre films précédents. »

279. Archives des Films du Carrosse, dossier « Scénario/L'Amour en fuite ».

280. *France-Soir*, 27 janvier 1979.

281. *Ibid.*

282. Lettre à Annette Insdorf, 10 mai 1978, archives des Films du Carrosse, dossier « CCH 78 (1) ».

283. Entretien accordé aux auteurs, 1992.

284. Lettre du 10 juillet 1978, archives des Films du Carrosse, dossier « CCH 78 (2) ».

285. *Le Roman de François Truffaut, op. cit.*, p. 54.

286. Lettre à Alain Souchon, non datée [début janvier 1979], archives des Films du Carrosse, dossier « CCH 79 (1) ».

287. Jean-Louis Richard, dans *Le Roman de François Truffaut, op. cit.*, p. 65.

288. *Le Figaro Magazine*, 20 janvier 1979.

289. *Le Monde*, 25 janvier 1979.

290. Lettre non datée [fin janvier 1979], archives des Films du Carrosse, dossier « CCH 79 (1) ».

291. *Le journal inattendu*, RTL 14 février 1979.

Chapitre VIII. La figure inachevée, 1979-1984

1. Lettre à Antoine Bourseiller, 6 octobre 1978, archives des Films du Carrosse, dossier « CCH 78 (2) ».

2. Lettre du 27 novembre 1964, archives des Films du Carrosse, dossier « Helen Scott ».

3. Lettre du 14 octobre 1965, *ibid.*

4. Truffaut et de Givray retravailleront le scénario de *La Petite Voleuse* durant l'été 1983, à Honfleur. C'était alors un des projets que le cinéaste comptait tourner après *Vivement dimanche !* Après sa mort, les droits du scénario, ainsi que ceux de *L'Agence Magic*, furent acquis par Claude Berri, qui désirait le mettre en scène. En fin de compte, c'est Claude Miller qui réalisera le film durant l'été de 1988, avec Charlotte Gainsbourg dans le rôle principal. Et Claude Berri fut le producteur du film.

5. Lettre du 14 mai 1979, archives des Films du Carrosse, dossier « CCH 79 (1) ».

6. Lettre de Pierre Kast, s.d. [mai 79], *ibid.*

7. Lettre du 9 juillet 1979, archives des Films du Carrosse, dossier « CCH 79 (2) ».

8. Lettre du 30 mai 1979, archives des Films du Carrosse, dossier « CCH 79 (1) ». Dans sa lettre, Truffaut écrit : « L'histoire de Stendhal est épatante, mais je ne parviens pas à la visualiser, ou plus exactement je ne puis me résoudre à filmer sur l'écran, pendant une heure et demie, un acteur qui devrait être choisi à la fois pour son talent et pour sa ressemblance avec le modèle. Mais si vous croyez que Philippe Noiret ferait un Stendhal possible, pourquoi ne pas lui donner à lire *Henri et Clémentine* ? »

9. Truffaut pense alors que l'acteur idéal pour jouer *Le Garde du corps* serait Patrick Dewaere. « Mais je crois savoir qu'il ne désire pas tourner avec moi », écrit-il à Jacques Veber le 28 mai 1979. « Il en irait différemment de Jacques Dutronc que j'admire énormément mais j'ai l'impression que vous avez écrit, consciemment ou non, avec Dewaere en tête. »

10. *Le Roman de François Truffaut, op. cit.,* p. 54.

11. *France-Soir,* 4 mars 1970.

12. Truffaut s'est également mobilisé pour que *Le Chagrin et la Pitié,* censuré par l'ORTF, soit diffusé à la télévision. Le film ne le sera qu'en 1981.

13. Entretien inédit avec Mireille Le Dantec, décembre 1977, archives des Films du Carrosse, dossier « Robert Bresson ».

14. Lettre à Michael Korda, 25 mai 1982, archives des Films du Carrosse, dossier « CCH 82 (1) ».

15. Lettre du 8 octobre 1976, archives des Films du Carrosse, dossier « CCH 76 (2) ».

16. Entretien accordé aux auteurs, 1995. Dans une lettre à Truffaut du 22 février 1982, Dido Renoir conteste cet emprunt à *Carola.*

17. Le cinéaste met notamment à profit le livre d'Hervé Le Boterf, *La Vie parisienne sous l'Occupation.* Il s'agit d'un journaliste rencontré au début des années 1950 à *Cinémonde.*

18. Le personnage de Daxiat, dans *Le Dernier Métro,* est d'autant plus crédible qu'il s'inspire du critique collaborationniste Alain Laubreaux, qui avait d'ailleurs signé une pièce de théâtre, *Les Pirates de Paris,* sous le pseudonyme de Daxiat. Doué d'une brillante plume polémique, ses insultes sont alors célèbres, Jean Marais : « L'homme au Cocteau entre les dents », Raymond Rouleau : « Charroyeur de pornographie ». À la Libération, Laubreaux a fui en Espagne, où il est mort en 1960.

19. Entretien accordé aux auteurs, 1995.

20. Truffaut a coécrit le scénario de *Mata Hari,* un film réalisé par Jean-Louis Richard avec Jeanne Moreau, et produit par les Films du Carrosse.

21. Entretien accordé aux auteurs, 1992.

22. *Id.,* 1996.

23. *Id.,* 1992.

24. *Id.*, 1996.

25. *Le Roman de François Truffaut, op. cit.*, p. 100.

26. Truffaut avait écrit un texte très élogieux dans *Arts* sur Jean Poiret dans *Assassins et Voleurs* de Sacha Guitry.

27. *Le Roman de François Truffaut, op. cit.*, p. 47.

28. Lettre du 15 janvier 1980, archives des Films du Carrosse, dossier « CCH 80 (1) ».

29. Lettre à Jean-Claude Grumberg, s.d. [février 1980], archives des Films du Carrosse, dossier « CCH 80 (1) ».

30. Cette lettre (du 21 janvier 1980) lui a été inspirée par Spielberg, qui a agi ainsi pendant le tournage de *Close Encounters...*

31. Lettre du 28 février 1980, archives des Films du Carrosse, dossier « Bazin ».

32. Lettre du 23 avril 1980, archives des Films du Carrosse, dossier « CCH 80 (1) ».

33. Entretien accordé aux auteurs, 1995.

34. Préface à l'édition définitive de *Hitchcock/Truffaut*, Ramsay, Paris, 1983.

35. Entretien accordé aux auteurs, 1991.

36. Lettre du 3 septembre 1980, archives des Films du Carrosse, dossier « CCH 80 (2) ».

37. *Le Roman de François Truffaut, op. cit.*, p. 54.

38. *Le Point*, 15 septembre 1980.

39. *Les Nouvelles littéraires*, 17 septembre 1980.

40. *Lire, n° 62*, octobre 1980.

41. Lettre à Richard Roud, 3 septembre 1980, archives des Films du Carrosse, dossier « CCH 80 (2) ».

42. Entretien accordé aux auteurs, 1995.

43. C'est par exemple à cette époque que paraissent toutes les semaines les chroniques de Henri Amouroux promises à un très large succès populaire, *Les Années 40, La Grande Histoire des Français sous l'Occupation, ou Les Beaux Jours des collabos.*

44. Lettre du 3 mars 1981, archives des Films du Carrosse, dossier « CCH 81 (1) ».

45. *Première*, août 1983.

46. Entretien accordé aux auteurs, 1995.

47. TF 1 souhaitait, et la réglementation l'y autorisait, diffuser *Le Dernier Métro* pour les fêtes de Noël 1982. Truffaut a fait alors son possible pour repousser d'un an le délai légal, obtenant finalement gain de cause et prolongeant ainsi l'exploitation en salle de son film.

48. *Le Quotidien de Paris*, 2 février 1981.

49. *Les Nouvelles littéraires*, 1er octobre 1981.

50. Euzhan Palcy réalisera son film en 1982.

51. Lettre du 15 avril 1981, archives des Films du Carrosse, dossier « CCH 81 (1) ».

52. Entretien accordé aux auteurs, 1996.

53. *Télérama*, 14 juillet 1978.

54. Lettre du 19 août 1980, archives des Films du Carrosse, dossier « Jean-Luc Godard ».

55. Lettre de François Truffaut, s.d. [août 1980], archives des Films du Carrosse, dossier « Jean-Luc Godard ».

56. *Cahiers du cinéma*, n°ˢ 315 et 316, septembre et octobre 1980.

57. Truffaut emploie cette expression dans un entretien accordé aux *Nouvelles littéraires* du 17 septembre 1980.

58. À cette époque, la seule responsabilité que Truffaut accepte, par fidélité de cinéphile, c'est de présider la Fédération internationale des ciné-clubs. Sollicité par Jean Roy, alors délégué de la FFCC, il est élu lors d'une assemblée générale à Marly-le-Roi au mois de juin 1979. Truffaut sera reconduit, un peu contre sa volonté, à la présidence de la FICC en octobre 1981, et ce jusqu'en 1983.

59. Lettre du 12 avril 1983, archives des Films du Carrosse, dossier « CCH 83 (1) ».

60. *Cahiers du cinéma*, n° 316, octobre 1980.

61. Entretien accordé aux auteurs, 1995.

62. « *Introducing Fanny Ardant* », texte de François Truffaut (octobre 1981), repris dans *Le Plaisir des yeux, op. cit.*, p. 166-167.

63. Avant Truffaut, Alain Jessua dans *Les Chiens*, et Claude Lelouch dans *Les Uns et les Autres*, ont donné à Fanny Ardant l'occasion de faire ses premières apparitions au cinéma.

64. *Le Matin de Paris*, 2 octobre 1981.

65. Lettre à Jean Collet, 9 janvier 1981, archives des Films du Carrosse, dossier « CCH 81 (1) ».

66. « *Introducing Fanny Ardant* », *op. cit.*

67. *Ibid.*

68. *Le Roman de François Truffaut, op. cit.*, p. 67.

69. Entretien accordé aux auteurs, 1996. En 1981, Gérard Lebovici, devenu producteur, a laissé la direction d'Artmédia à Jean-Louis Livi, qui est devenu dès lors l'agent de Truffaut.

70. Michèle Baumgartner, jeune comédienne de théâtre, meurt brutalement quelques mois après le tournage de *La Femme d'à côté*.

71. Entretien accordé aux auteurs, 1992.

72. « *Introducing Fanny Ardant* », *op. cit.*

73. Europe 1, 29 septembre 1981.

74. *Le Film français*, 2 octobre 1981.

75. Archives des Films du Carrosse, dossier « CCH 81 (2) ».

76. Lettre à Jean Collet, 5 août 1981, *ibid.*

77. *Le Figaro Madame*, 26 septembre 1981.

78. *Le Figaro*, 3 septembre 1981.

79. *Le Figaro Madame*, 26 septembre 1981.

80. Entretien accordé aux auteurs, 1995.

81. Mitterrand et Truffaut auraient déjeuné ensemble à quatre reprises d'après l'agenda de ce dernier, entre 1975 et 1980.

82. Lettre du 26 février 1980, archives des Films du Carrosse, dossier « CCH 80 (1) ».

83. Note du 17 juin 1981, archives des Films du Carrosse, dossier « CCH 81 (1) ».

84. *Révolution*, 2 octobre 1981.

85. C'est également à ce moment qu'un membre du Collège de France, le professeur Blin, sollicite Truffaut pour qu'il pose sa candidature à la prestigieuse institution. Truffaut refuse, même s'il a, d'après le professeur Blin, « toutes les chances d'être élu ».

86. Lettre du 2 novembre 1981, archives des Films du Carrosse, dossier « CCH 81 (2) ».

87. Lettre à Koichi Yamada, 27 mars 1982, archives des Films du Carrosse, dossier « Yamada ».

88. Lettre à Koichi Yamada, 3 avril 1982, *ibid.*

89. Lettre du 3 février 1982, archives des Films du Carrosse, dossier « CCH 82 (1) ».

90. *The Long Saturday Night* est paru chez Gallimard, dans la collection « Série noire », en 1962, sous le titre *Vivement dimanche !*

91. Dossier de presse de *Vivement dimanche !*, 1983.

92. *Le Matin de Paris*, 10 août 1983.

93. *Le Roman de François Truffaut, op. cit.*, p. 55.

94. Entretien accordé aux auteurs, 1996.

95. *Le Roman de François Truffaut, op. cit.*, p. 57.

96. Lettre à Gérard Lebovici, 9 septembre 1982, archives des Films du Carrosse, dossier « CCH 82 (2) ».

97. Lettre du 9 septembre 1982, *ibid.*

98. Lettre de Jean-Louis Trintignant, s.d. [octobre 1979], archives des Films du Carrosse, dossier « CCH 79 (2) ».

99. Lettre du 9 juillet 1982, archives des Films du Carrosse, dossier « CCH 82 (2) ».

100. Lettre du 20 octobre 1982, *ibid.*

101. *Le Matin de Paris*, 14 janvier 1983.

102. Lettre du 30 septembre 1982, archives des Films du Carrosse, dossier « CCH 82 (2) ».

103. *Ibid.*

104. La grand-mère de François Truffaut est morte en juin 1979 à l'âge de quatre-vingt-dix-huit ans. Le cinéaste s'était beaucoup occupé d'elle lors de ses dernières années.

105. Lettre du 3 août 1983, archives des Films du Carrosse, dossier « CCH 83 (2) ».

106. *Elle*, 14 mars 1981.

107. *Le Figaro Madame*, 24 août 1983.

108. Entretien accordé aux auteurs, 1996.

109. *Id.*

110. *Belle Époque* a été réalisé en 1995 par Gavin Millar pour la télévision. Jean Gruault parle de ce scénario dans *Le Roman de François Truffaut, op. cit.*, pp. 61-62, et dans les *Cahiers du cinéma*, n° 447, septembre 1991. En 1996, Gruault a publié chez Gallimard ce scénario sous la forme d'un roman.

111. Entretien accordé aux auteurs, 1992.

112. Lettre du 28 avril 1983, archives des Films du Carrosse, dossier « CCH 83 (1) ».

113. Lettre du 4 août 1983, archives des Films du Carrosse, dossier « Yamada ».

114. *Vivement dimanche !* inaugure un cycle programmé par Truffaut, « Série noire en noir et blanc », composé de douze films adaptés de romans policiers parus dans la « Série noire » de Gallimard, parmi lesquels : *Le Doulos* de Melville, *Du rififi chez les hommes* de Dassin, *Classe tout risque* de Sautet, *Bande à part* de Godard, *Mark Dixon détective* de Preminger...

115. Entretien accordé aux auteurs, 1995.

116. *Id.*, 1996.

117. *Id.*, 1995.

118. Archives des Films du Carrosse, dossier « Santé ».

119. *Ibid.*

120. *Ibid.*

121. *Ibid.*

122. *Ibid.*

123. *Ibid.*

124. Lettre à Koichi Yamada, 9 septembre 1983, archives des Films du Carrosse, dossier « Yamada ».

125. Lettre à Richard Roud, 9 septembre 1983, archives des Films du Carrosse, dossier « CCH 83 (2) ».

126. Lettre à Annette Insdorf, 9 septembre 1983, *ibid*

127. Lettre à Robert Fischer, 9 septembre 1983, *ibid.*

128. Lettre à Koichi Yamada, 9 septembre 1983, archives des Films du Carrosse, dossier « Yamada ».

129. Lettre du 4 octobre 1983, archives des Films du Carrosse, dossier « CCH 83 (2) ».

130. *France Soir,* 24 septembre 1983. On peut lire sur cette page de *France Soir :* « Il y a quinze jours, étonnement à l'Hôpital américain de Neuilly : François Truffaut arrive en urgence. De violents et persistants maux de tête ont conduit son médecin à le faire hospitaliser. Auscultation, radio. Il a un hématome au cerveau et risque une hémorragie cérébrale mortelle. Le docteur Pertuisé décide d'opérer. On est lundi 12 septembre. Trois heures plus tard, l'opération est réussie, l'hématome a été réduit et le patient est à nouveau dans sa chambre. Dès le lendemain, en pleine forme ou presque, il déclare : " Je ne souffre plus, c'est formidable. " La cicatrisation s'effectuant normalement, il a pu quitter lundi dernier l'hôpital pour un mois de vie au ralenti. »

131. Lettre du 20 septembre 1983.

132. Entretien accordé aux auteurs, 1995.

133. *Le Roman de François Truffaut, op. cit.,* p. 49.

134. Entretien accordé aux auteurs, 1996.

135. *Id.*

136. Lettre à Lionel Chouchan, 16 décembre 1983, archives des Films du Carrosse, dossier « CCH 83 (2) ».

137. Lettre à Robert Cortes, directeur du festival de Prades, 17 février 1984, archives des Films du Carrosse, dossier « CCH 84 (1) ».

138. *Le Roman de François Truffaut, op. cit.,* p. 101.

139. *Ibid.*

140. Lettre du 10 octobre 1983, archives des Films du Carrosse, dossier « CCH 83 (2) ».

141. Entretien accordé aux auteurs, 1995.

142. *Id.*

143. *Id.,* 1996.

144. Lettre du 17 février 1984, archives confiées aux auteurs.

145. Lettre du 18 septembre 1983, archives des Films du Carrosse, dossier « Yamada ».

146. Lettre du 1er juillet 1984, *ibid.*

147. En 1968, Truffaut a en effet coproduit le premier long métrage de Maurice Pialat, *L'Enfance nue,* avec Mag Bodard, Claude Berri et Véra Belmont.

148. Lettre du 5 mars 1984, archives des Films du Carrosse, dossier « CCH 84 {1) ».

149. Entretien accordé aux auteurs, 1992.

150. *Le Roman de François Truffaut, op. cit.,* p. 34.

151. *Ibid.,* p. 65.

152. Lettre du 24 juillet 1980, archives des Films du Carrosse, dossier « CCH 80 (2) ».

153. Lettre du 22 décembre 1983, archives des Films du Carrosse, dossier « CCH 83 (2) ».

154. Lettre du 6 juillet 1984, archives des Films du Carrosse, dossier « CCH 84 (2) ».

155. Lettre du 13 juillet 1984, *ibid.*

156. Entretien accordé aux auteurs, 1995.

157. *Id.*

158. *Id.*

159. Lettre à Liliane Siegel, s.d. [juin 1984], archives confiées aux auteurs.

160. *Le Roman de François Truffaut, op. cit.*, p. 58.

161. Entretien accordé aux auteurs, 1995.

162. Entretien réalisé par Michel Pascal et Serge Toubiana, en 1992, pour le film *François Truffaut. Portraits volés*. Truffaut aimait beaucoup cette photo de Sacha Guitry réalisée par Willy Rizzo. Elle incarnait pour lui le courage et la vaillance d'un homme qui, jusqu'à son dernier souffle, aura travaillé à l'un de ses films.

BIBLIOGRAPHIE

I. PRINCIPAUX ÉCRITS DE FRANÇOIS TRUFFAUT

Articles (sélection, par ordre chronologique de parution) :

« René Clair au Ciné-Club », *Bulletin du Ciné-Club du Quartier Latin*, n° 4, février 1950.

« *La Règle du jeu* (Jean Renoir) », *Bulletin du Ciné-Club du Quartier Latin*, n° 5, mai 1950.

« Avenue de l'Opéra : trois ladies de Paname », *Elle*, 12 juin 1950.

« *Sudden Fear* (David Miller) », *Cahiers du cinéma*, n° 21, mars 1953.

« *Les Neiges du Kilimandjaro* (Henry King) », *Cahiers du cinéma*, n° 23, mai 1953.

« *Le Bistro du péché* (Bruce Humberstone) », *Cahiers du cinéma*, n° 24, juin 1953.

« Le Cinémascope : en avoir plein la vue », *Cahiers du cinéma*, n° 25, juillet 1953.

« *Niagara* (Henry Hathaway) », *Cahiers du cinéma*, n° 28, novembre 1953.

« F comme Femme », *Cahiers du cinéma*, n° 30, Noël 1953.

« Une certaine tendance du cinéma français », *Cahiers du cinéma*, n° 31, janvier 1954.

« *Règlement de comptes* (Fritz Lang) », *Cahiers du cinéma*, n° 31, janvier 1954.

« *La Red* (Emilio Fernandez) », *Cahiers du cinéma*, n° 32, février 1954.

« *Touchez pas au grisbi* (Jacques Becker) », *Cahiers du cinéma*, n° 34, avril 1954.

« *Si Versailles m'était conté* (Sacha Guitry) », *Cahiers du cinéma*, n° 34, avril 1954.

« *Une femme qui s'affiche* (George Cukor) », *Cahiers du cinéma*, n° 35, mai 1954.

« Un homme seul, Roberto Rossellini », *Radio Cinéma Télévision*, 4 juillet 1954.

« *Rivière sans retour* (Otto Preminger) », *Cahiers du cinéma*, n° 38, août 1954.

« Howard Hawks, intellectuel », *Arts*, 18 août 1954.

« Sir Abel Gance », *Arts*, 1er septembre 1954.

« *Un jour de terreur* (Tay Garnett) », *Arts*, 29 septembre 1954.

« Un trousseau de fausses clés (sur Alfred Hitchcock) », *Cahiers du cinéma*, n° 39, octobre 1954.

« Georges Sadoul et la vérité historique », *La Parisienne*, octobre 1954.

« Silence ! Jean Renoir tourne *French Cancan* », *Arts*, 27 octobre 1954.

« *Le Démon des eaux troubles* (Samuel Fuller) », *Arts*, 15 décembre 1954.

« Rossellini 55 », *Arts*, 19 janvier 1955.

« *Ali Baba* (Jacques Becker) et la politique des auteurs », *Cahiers du cinéma*, n° 44, février 1955.

« Crise d'ambition du cinéma français », *Arts*, 30 mars 1955.

« *Johnny Guitare* (Nicholas Ray) », *Cahiers du cinéma*, n° 46, avril 1955.

« Ingrid Bergman : " J'ai échappé à Hollywood et à Sacha Guitry " », *Arts*, 6 avril 1955.

« *Fenêtre sur cour* (Alfred Hitchcock) », *Arts*, 6 avril 1955.

« *Voyage en Italie* (Roberto Rossellini) », *Arts*, 20 avril 1955.

« Cannes : palmarès anticipé selon les règles du jeu », *Arts*, 27 avril 1955.

« *La Tour de Nesle* (Abel Gance) », *Cahiers du cinéma*, n° 47, mai 1955.

« Antoine et l'orpheline », *La Parisienne*, mai 1955.

« Hulot parmi nous », *Arts*, 11 mai 1955.

« *Battle Cry* (Raoul Walsh) », *Arts*, 15 juin 1955.

« *Futures Vedettes* (Marc Allégret) », *Arts*, 22 juin 1955.

« *La Comtesse aux pieds nus* (Joseph Mankiewicz) », *Cahiers du cinéma*, n° 49, juillet 1955.

« Les sept péchés capitaux de la critique », *Arts*, 6 juillet 1955.

« *En quatrième vitesse* (Robert Aldrich) », *Arts*, 21 septembre 1955.

« *Il Bidone* (Federico Fellini) », *Cahiers du cinéma*, n° 51, octobre 1955.

« *Les Mauvaises Rencontres* (Alexandre Astruc) », *Arts*, 19 octobre 1955.

« Portrait d'Humphrey Bogart », *Cahiers du cinéma*, n° 52, novembre 1955.

« *Chiens perdus sans collier* (Jean Delannoy) », *Arts*, 9 novembre 1955.

« *L'Homme de la plaine* (Anthony Mann) », *Arts*, 7 décembre 1955.

« Hitchcock aime l'invraisemblance », *Arts*, 28 décembre 1955.

« *Lola Montès* (Max Ophuls) », *Cahiers du cinéma*, n° 55, janvier 1956.

« *La Pointe courte* (Agnès Varda) », *Arts*, 11 janvier 1956.

« *Nuit et Brouillard* (Alain Resnais) », *Cahiers du cinéma*, n° 56, février 1956.

« *Entrée des artistes :* Joëlle Robin », *Arts*, 22 février 1956.

« *Les salauds vont en enfer* (Robert Hossein) », *Arts*, 29 février 1956.

« *Sept Ans de réflexion* (Billy Wilder) », *Cahiers du cinéma*, n° 57, mars 1956.

« Comment peut-on être jeune turc ? », *Cahiers du cinéma*, n° 57, mars 1956.

« *Le Bandit* (Edgar Ulmer) », *Arts*, 14 mars 1956.

« *La Fureur de vivre* (Nicholas Ray) », *Arts*, 4 avril 1956.

« James Dean est mort », *Arts*, 11 avril 1956.

« *Le Temps des assassins* (Julien Duvivier) », *Arts*, 18 avril 1956.

« Cannes : un palmarès ridicule », *Arts*, 16 mai 1956.

« *La Nuit du chasseur* (Charles Laughton) », *Arts*, 23 mai 1956.

« *Monsieur Arkadin* (Orson Welles) », *Arts*, 13 juin 1956.

« Les assassins du dimanche », *Arts*, 27 juin 1956.

« Il y a dix ans, *Citizen Kane* », *Cahiers du cinéma*, n° 61, juillet 1956.

« *La Prisonnière du désert* (John Ford) », *Arts*, 15 août 1956.

« Présence de Marilyn Monroe », *Arts*, 19 août 1956.

« Venise, festival courageux, exemple d'austérité », *Arts*, 12 septembre 1956.

« *La Traversée de Paris* (Claude Autant-Lara) », *Arts*, 31 octobre 1956.

« *Le Pays d'où je viens* (Marcel Carné), une consternante pochade », *Arts*, 31 octobre 1956.

« *Un condamné à mort s'est échappé* (Robert Bresson) », *Arts*, 14 novembre 1956.

« Boxeur, officier, acteur, peintre, écrivain, cinéaste, John Huston ne sera-t-il toujours qu'un amateur ? », *Arts*, 14 novembre 1956.

« Renaissance du court métrage français », *Arts*, 21 novembre 1956.

« *Et Dieu créa la femme* (Roger Vadim) », *Arts*, 5 décembre 1956.

« Les critiques de cinéma sont misogynes : B.B. est victime d'une cabale », *Arts*, 12 décembre 1956.

« En 1956, cinq grands films, sept bons films. Un événement : il est démontré que le cinéma peut se passer des scénaristes », *Arts,* 19 décembre 1956.

« *Bob le flambeur* (Jean-Pierre Melville) », *Arts,* 19 décembre 1956.

« Qui est Élia Kazan », *Arts,* 2 janvier 1957.

« Derrière le miroir (Nicholas Ray) », *Arts,* 20 février 1957.

« *Écrit sur du vent* (Douglas Sirk) », *Arts,* 20 février 1957.

« *Courte tête* (Norbert Carbonnaux) », *Arts,* 6 mars 1957.

« Assassins et voleurs (Sacha Guitry) », *Cahiers du cinéma,* n° 70, avril 1957.

« Avec Max Ophuls, nous perdons un de nos meilleurs cinéastes », *Arts,* 3 avril 1957.

« *Un vrai cinglé de cinéma* (Frank Tashlin) », *Arts,* 24 avril 1957.

« Vous êtes tous témoins dans ce procès. Le cinéma français crève sous les fausses légendes », *Arts,* 15 mai 1957.

« Cannes : un échec dominé par les compromis, les combines et les faux pas », *Arts,* 22 mai 1957.

« Asphyxie de la critique : nous sommes tous des condamnés », *Arts,* 29 mai 1957.

« Claude Autant-Lara, faux martyr, n'est qu'un cinéaste bourgeois », *Arts,* 19 juin 1957.

« *Méfiez-vous fillettes* (Yves Allégret) : gangsters, filles, cinéastes, censeurs dans le même panier », *Arts,* 10 juillet 1957.

« Sacha Guitry fut un grand cinéaste réaliste », *Arts,* 31 juillet 1957.

« Avec *Œil pour œil,* Cayatte et Curd Jurgens font reculer les bornes du grotesque à l'écran », *Arts,* 18 septembre 1957.

« *Un roi à New York* (Charlie Chaplin) est un film génial », *Arts,* 30 octobre 1957.

« Clouzot au travail ou le règne de la terreur », *Cahiers du cinéma,* n° 77, décembre 1957.

« Hitchcock est le plus grand inventeur de formes », *Arts,* 4 décembre 1957.

« *Positif,* copie 0 », *Cahiers du cinéma,* n° 79, janvier 1958.

« Seule la crise sauvera le cinéma français », *Arts,* 8 janvier 1958.

« Voici les trente nouveaux noms du cinéma français », *Arts,* 8 janvier 1958.

« Les dix plus grands cinéastes du monde ont plus de 50 ans », *Arts,* 15 janvier 1958.

« *Bonjour Tristesse* (Otto Preminger) », *Arts,* 12 mars 1958.

« Redécouvrons Max Ophuls », *Arts,* 26 mars 1958.

« *Charlotte et Véronique* (Jean-Luc Godard) », *Cahiers du cinéma,* n° 83, mai 1958.

« Si jeunes et des Japonais (*Passion juvénile* de Yasushi Nakahira) », *Cahiers du cinéma,* n° 83, mai 1958.

« *Le Beau Serge* (Claude Chabrol) », *Arts,* 21 mai 1958.

« Si des modifications radicales n'interviennent pas, le prochain festival est condamné », *Arts,* 21 mai 1958.

« *Le Barrage contre le Pacifique* (René Clément) », *Cahiers du cinéma,* n° 84, juin 1958.

« *La Soif du mal* (Orson Welles) », *Arts,* 4 juin 1958.

« Le nouveau grand du cinéma mondial, Ingmar Bergman, a dédié son œuvre aux femmes », *Arts,* 11 juin 1958.

« *Jet Pilot* (Joseph von Sternberg) », *Arts,* 9 juillet 1958.

« *En cas de malheur* (Claude Autant-Lara) », *Arts,* 10 septembre 1958.

« Louis Malle a filmé la première nuit d'amour du cinéma », *Arts,* 10 septembre 1958.

« Il faisait bon vivre », *Cahiers du cinéma,* n° 91, janvier 1959.

« Je n'ai pas écrit ma biographie en 400 coups », *Arts,* 3 juin 1959.
« Aznavour donne le *la* », *Cinémonde,* 5 mai 1960.
« L'affaire Vadim », *France-Observateur,* 22 décembre 1960.
« L'agonie de la Nouvelle Vague n'est pas pour demain (*Paris nous appartient,* de Jacques Rivette) », *Arts,* 20 décembre 1961.
« *Adieu Philippine* (Jacques Rozier) », *Lui,* novembre 1963.
« *Muriel* (Alain Resnais) », *Lui,* janvier 1964.
« *Le Vieil homme et l'Enfant* (Claude Berri) », *Le Nouvel Observateur,* 8 mars 1967.
« La savate et la finance, ou deux ou trois choses que je sais de lui (sur Jean-Luc Godard) », *Les Lettres françaises,* 16 mars 1967.
« *La Marseillaise* (Jean Renoir) », *L'Express,* 30 octobre 1967.
« Jean Renoir le Patron », *Le Monde,* 18 janvier 1968.
« Lubitsch était un prince », *Cahiers du cinéma,* n° 198, février 1968.
« L'antimémoire courte », *Combat,* 12 février 1968.
« À propos d'Audiberti », *Théâtre du Cothurne,* Lyon, décembre 1973.
« Les 80 ans de Jean Renoir », *Le Film français,* 3 juillet 1974.

Les principaux entretiens réalisés par François Truffaut pour les *Cahiers du cinéma* ont été réunis dans *La Politique des auteurs,* Champ Libre, Paris, 1971 (réédité aux Éditions de l'Étoile, 1983, puis chez Ramsay, 1988).

Livres :

Le Cinéma selon Hitchcock (avec la collaboration d'Helen Scott), Robert Laffont, Paris, 1966. Nouvelle édition revue et augmentée sous le titre *Hitchcock-Truffaut,* Ramsay, Paris, 1984 ; Gallimard, Paris, 1993.
Les Aventures d'Antoine Doinel, Mercure de France, Paris, 1970.
L'Enfant sauvage, Éditions G.P., Paris, 1970.
La Nuit américaine, suivie du *Journal de Fahrenheit 451,* Seghers, Paris, 1974.
Les Films de ma vie, Flammarion, Paris, 1975.
L'Homme qui aimait les femmes. Cinéroman, Flammarion, Paris, 1977.
L'Argent de poche. Cinéroman, Flammarion, Paris, 1976.
Le Plaisir des yeux, Éditions de l'Étoile, Paris, 1987.
Les Mistons, Éditions Ciné Sud, Avignon, 1987.
La Petite Voleuse, Éditions Christian Bourgois, Paris, 1988.
Correspondance, Hatier Cinq Continents, Paris, 1988.
Jules et Jim, Éditions du Seuil, Paris, 1995.
Les découpages des *Mistons,* d'*Histoire d'eau,* de *Tirez sur le pianiste,* de *Jules et Jim,* de *La Peau douce,* de *L'Enfant sauvage,* des *Deux Anglaises et le Continent,* d'*Histoire d'Adèle H.,* de *La Chambre verte,* de *L'Amour en fuite,* du *Dernier métro,* de *La Femme d'à côté,* et de *Vivement dimanche !* ont été publiés par *L'Avant-Scène Cinéma.*

Préfaces :

« *Le Trou* (découpage du film de Jacques Becker) », *L'Avant-Scène cinéma,* n° 13, Paris, 1962.
« *Vivre sa vie* (découpage du film de Jean-Luc Godard) », *L'Avant-Scène cinéma,* n° 19, Paris, 1962.

« *Casque d'or* (découpage du film de Jacques Becker) », *L'Avant-Scène cinéma*, n° 43, Paris, 1964.

Le Testament d'un cancre, roman de Bernard Gheur, Albin Michel, Paris, 1971.

Jean Renoir, par André Bazin, Champ Libre, Paris, 1971.

What is Cinema, par André Bazin, University of California Press, Berkeley, 1971.

Charlie Chaplin, par André Bazin et Éric Rohmer, Cerf, Paris, 1973.

Roberto Rossellini, par José-Luis Guarner, Editorial Fundamentos, Madrid, 1973.

La Grande Illusion, découpage et album du film de Jean Renoir, Balland, Paris, 1974.

Le Cinéma de la cruauté, par André Bazin, Flammarion, Paris, 1975.

Le Cinéma de l'Occupation et de la Résistance, par André Bazin, UGE, Paris, 1975.

Hollywood Directors (1914-1940), par Richard Kostariski, Oxford University Press, 1976.

Le Soleil et les Ombres, par Jean-Pierre Aumont, J'ai lu, Paris, 1977.

Le Cinéma et moi, par Sacha Guitry, Ramsay, Paris, 1977.

André Bazin, par Dudley Andrew, Oxford University Press, 1977 (traduction française aux Éditions de l'Étoile, 1983).

Orson Welles, par André Bazin, Harper and Row, New York, 1978.

La Toile d'araignée, nouvelles de William Irish, Pierre Belfond, Paris, 1980.

Un homme à la caméra, par Nestor Almendros, Hatier, Paris, 1980.

L'Aventure Spielberg, par Tony Crawley, Pygmalion, Paris, 1984.

Henri Langlois, par Richard Roud, Belfond, Paris, 1985.

Œuvres de cinéma, édition intégrale des scénarios et des écrits de Jean Vigo, Lherminier/Cinémathèque française, Paris, 1985.

Carnets, par Henri-Pierre Roché, éd. André Dimanche, 1990.

II. PRINCIPAUX ENTRETIENS ACCORDÉS PAR FRANÇOIS TRUFFAUT (PAR ORDRE CHRONOLOGIQUE) :

Le Monde, 21 avril 1959.

L'Express, 23 avril 1959.

Arts, 29 avril 1959.

Les Lettres françaises, 28 mai 1959.

Cinéma 59, juin 1959.

Télé-Ciné, juin 1959.

Signes du temps, décembre 1959.

France-Observateur, 3 décembre 1959.

Le Monde, 24 novembre 1960.

Cinéma 61, janvier 1961.

France-Film, février 1961.

Télé-Ciné, mars 1961.

France-Observateur, 19 octobre 1961.

Cinémonde, 31 octobre 1961.

Cinéma 62, janvier 1962.

Le Monde, 24 janvier 1962.

Les Lettres françaises, 25 janvier 1962.

Clarté, mars 1962.

Script, avril 1962.

New York Film Bulletin, été 1962.
Les Nouvelles littéraires, 15 novembre 1962.
Cahiers du cinéma, n° 138, décembre 1962.
L'Express, 24 janvier 1963.
Télérama, 14 février 1963.
Télérama, 2 février 1964.
Réalités, mai 1964.
Cinéma 64, mai 1964.
L'Express, 14 mai 1964.
Les Nouvelles littéraires, 21 mai 1964.
Le Monde, 22 mai 1964.
Cinéma 64, juin 1964.
Lui, septembre 1964.
Art et Essai, mars 1966.
Télé-Ciné, mai 1966.
Télérama, 14 août 1966.
Arts-Loisirs, 14 septembre 1966.
Les Lettres françaises, 15 septembre 1966.
Le Monde, 18 septembre 1966.
Télé-Cinéma, octobre 1966.
Paris-Match, 1ᵉʳ octobre 1966.
Télérama, 2 octobre 1966.
Lectures pour tous, décembre 1966.
Midi-Minuit fantastique, décembre 1966.
Cinéma 67, janvier 1967.
Les Lettres françaises, 14 avril 1967.
Cahiers du cinéma, n° 190, mai 1967.
Cinéma 67, décembre 1967.
Le Nouvel Adam, février 1968.
Les Lettres françaises, 10 avril 1968.
Le Monde, 18 avril 1968.
Télérama, 28 avril 1968.
Mai 68 : ce n'est qu'un début, n° 2, mai 1968.
Jeune Cinéma, mai 1968.
L'Express, 20 mai 1968.
Télé-Cinéma, octobre 1968.
Cahiers du cinéma, n° 200, avril 1969.
Le Monde, 21 mai 1969.
Télérama, 14 juin 1969.
New York Times, 15 juin 1969.
Journal du show-business, 27 juin 1969.
Télé-Ciné, mars 1970.
Le Nouvel Observateur, 2 mars 1970.
Cinémonde, septembre 1970.
Les Lettres françaises, 9 septembre 1970.
Les Nouvelles littéraires, 10 septembre 1970.
The National Observer, 12 octobre 1970.
Cinéma 70, novembre 1970.
Image et Son, décembre 1970.
Télérama, 14 août 1971.
Le Monde, 25 novembre 1971
Les Nouvelles littéraires, 3 décembre 1971.

Écran 72, janvier 1972.
Le Technicien du film, 15 mars 1972.
Le Soir (Marseille), 29 mars 1972.
Télérama, 15 avril 1972.
Vingt ans, 3 janvier 1973.
Le Monde, 18 mai 1973.
Écran 73, juillet 1973.
Cinématographe, été 1973.
Time Out, 30 novembre 1973.
Cinéma/Québec, décembre 1973.
Real Paper, 2 janvier 1974.
Village Voice, 24 janvier 1974.
Jeune Cinéma, mars 1974.
Playboy France, janvier 1975.
Télérama, 27 avril 1975.
Cinématographe, octobre 1975.
Écran 76, 15 mars 1976.
Les Nouvelles littéraires, 18 mars 1976.
Le Quotidien de Paris, 26 avril 1977.
Jeune Cinéma, mai-juin 1976.
Lumière du cinéma, mai 1977.
Cinématographe, mai 1977.
L'Express, 13 mars 1978.
Le Matin de Paris, 29 mars 1978.
L'Humanité-Dimanche, 7 avril 1978.
Télérama, 8 avril 1978.
Christian Science Monitor, 27 novembre 1978.
Sight and Sound, n° 4, 1979.
Le Matin de Paris, 24 janvier 1979.
Washington Post, 22 février 1979.
Les Nouvelles littéraires, 22 février 1979.
The Chronicle Review, 19 mars 1979.
Le Quotidien de Paris, 11 juin 1980.
Cahiers du cinéma, n° 315 et 316, septembre et octobre 1980.
Les Nouvelles littéraires, 18 septembre 1980.
Film-Bruxelles, octobre 1980.
New York Times, 14 octobre 1980.
Wide Angle 4, n° 4, 1981.
Le Journal de Montréal, 17 février 1981.
Le Devoir (Montréal), 21 février 1981.
La Presse (Montréal), 21 février 1981.
Télérama, 30 septembre 1981.
Première, octobre 1981.
Les Nouvelles littéraires, 1ᵉʳ octobre 1981.
Révolution, 2 octobre 1981.
L'Hebdo-Belge, novembre 1981.
Lire, avril 1982.
Première, février 1983.
Pilote, août 1983.
Le Nouvel Observateur, 5 août 1983.
Télé 7 jours, 6 août 1983.
Le Matin de Paris, 8 août 1983.

Révolution, 12 août 1983.
Les Lettres françaises, 24 octobre 1983.
Cinématographe, décembre 1984.

III. PRINCIPALES ÉTUDES
ET PRINCIPAUX TÉMOIGNAGES
SUR FRANÇOIS TRUFFAUT
(PAR ORDRE ALPHABÉTIQUE D'AUTEUR) :

Dominique Auzel, *Truffaut, les Mille et Une Nuits américaines,* Henri Veyrier, Paris, 1990 (album consacré aux affiches de films).
Antoine de Baecque, « François Truffaut, spectateur cinéphile », *Vertigo,* n° 10, 1991.
Id., « Contre la " Qualité française ". François Truffaut écrit " Une certaine tendance du cinéma français " », *Cinémathèque,* n° 4, automne 1993.
Bernard Bastide, *François Truffaut, Les Mistons,* Ciné-Sud, Nîmes, 1987.
Elizabeth Bonnafons, *François Truffaut,* L'Âge d'homme, Lausanne, 1981.
Cahiers du cinéma, numéro spécial, décembre 1984, *Le Roman de François Truffaut.*
Gilles Cahoreau, *François Truffaut,* Julliard, Paris, 1989.
Cinématographe, n° 105, décembre 1984, « François Truffaut ».
Jean Collet, « L'œuvre de François Truffaut, une tragédie de la connaissance », *Études, décembre 1966.*
Id., Le Cinéma de François Truffaut, Paris, Lherminier, 1977.
Id., François Truffaut, Paris, Lherminier, 1985.
Jean-Louis Comolli, « Au cœur des paradoxes », *Cahiers du cinéma,* n° 190, mai 1967.
Hervé Dalmais, *Truffaut,* Rivages/Cinéma, Paris, 1987.
Aline Desjardins s'entretient avec François Truffaut, Ottawa, Éd. Léméac/Radio Canada, 1973 (réédition dans la collection « Poche cinéma », Ramsay, Paris, 1988).
Wheeler Winston Dixon, *The Early Film Criticism of François Truffaut,* Indiana University Press, Bloomington, 1993.
Dominique Fanne, *L'Univers de François Truffaut,* Le Cerf, Paris, 1972.
Anne Gillain, *Le Cinéma selon François Truffaut,* Flammarion, Paris, 1988.
Id., François Truffaut, le secret perdu, Hatier, Paris, 1991.
Annette Insdorf, *François Truffaut,* Boston, Twayne Publishers, Boston, 1978 (traduction en langue française sous le titre : *François Truffaut, le cinéma est-il magique ?,* Ramsay, Paris, 1989).
Id., François Truffaut, collection « Découvertes », Paris, Gallimard, 1996.
Carole Le Berre, *François Truffaut,* Éditions de l'Étoile, Paris, 1993.
Luc Moullet, « La Balance et le lien », *Cahiers du cinéma,* n° 410, juillet-août 1990.
Graham Petrie, *The Cinema of François Truffaut,* International Film Guide Series, A.S. Barnes, New York, 1970.
Dominique Rabourdin, *Truffaut par Truffaut,* Éd. du Chêne, Paris, 1985.
Mario Simondi (éd.), *François Truffaut,* La Casa Usher, Florence, 1982.
Serge Toubiana, « François Truffaut, domaine public », *Trafic,* n° 5, 1992.
Eugene P. Waltz, *François Truffaut, A Guide to References and Ressources,* G.K. Hall and Co, Boston, 1982.

INDEX DES NOMS DE PERSONNES

REMERCIEMENTS

Ce livre n'aurait pu être écrit sans les nombreux amis, les proches ou les collaborateurs de François Truffaut, qui nous ont confié leurs témoignages, éclairés de leurs avis, ou apporté leur concours en ouvrant leurs archives personnelles. Que tous soient remerciés, et particulièrement : Fanny Ardant, Jean Aurel (†), Nathalie Baye, Janine Bazin, Marcel Berbert, Claude Berri, Jacqueline Bisset, Charles Bitsch, René Bonnell, Claudine Bouché, Jean-Claude Brialy, Leslie Caron, Jacqueline Caspar, Claude Chabrol, Don Congdon, Josiane Couëdel, Claude Davy, Gérard Depardieu, Jean Douchet, Liliane Dreyfus, Marie Dubois, Michel Fermaud, Odette Ferry (†), Claude de Givray, Jean-Luc Godard, Jean Gruault, Pierre Hebey, Annette Insdorf, Claude Jade, Georges Kiejman, André S. Labarthe, Bertrand de Labbey, Philippe Labro, Robert Lachenay, Bernadette Lafont, Jean-Louis Livi, Monique Lucas (de Monferrand), Florence Malraux, Lydie Mahias, Claude Miller, François-Xavier Mollin, Jeanne Moreau, Luc Moullet, Jean Narboni, Marcel Ophuls, Marie-France Pisier, Marie de Poncheville, Jérôme Prieur, Jean-Louis Richard, Jean-José Richer, Éric Rohmer, Serge Rousseau, François-Marie Samuelson, Suzanne Schiffman, Liliane Siegel, Jacques Siclier, Alexandra Stewart, Bertrand Tavernier, Nadine Trintignant, Claude Vega, Alain Vannier. L'interprétation des différents témoignages recueillis ici relève évidemment de la seule responsabilité des auteurs.

Merci également à Colline Faure-Poirée, Pierre Guislain, Patricia Guédot et Hélène Quinquin, qui nous ont suivis tout au long de ce projet, en nous faisant généreusement profiter de leur lecture attentive et de leurs remarques, ainsi qu'à Isabelle Gallimard, Emmanuèle Bernheim, Carole Le Berre, Sylvie de Baecque, Marc Grinsztajn, Manuel Carcassonne et Laurence Giavarini.

Merci à Michel Pascal, avec qui la réalisation du film *François Truffaut, Portraits volés*, en 1992, a ouvert de très nombreuses pistes concernant la vie et l'œuvre de François Truffaut.

Enfin, Madeleine Morgenstern, Laura Truffaut et Éva Truffaut nous ont autorisés à consulter librement les archives des Films du Carrosse. Elles nous ont aussi aidés à de nombreuses reprises, de leurs avis, de leurs conseils, de leurs souvenirs et de leur amitié. Nous avons été très touchés par cette confiance et nous leur en sommes extrêmement reconnaissants. Sans elles, ce livre n'existerait pas. Aux Films du Carrosse, Monique Holvëck nous a également apporté son précieux concours, faisant preuve d'une patience toujours très amicale.

CRÉDITS PHOTOGRAPHIQUES

III. LA VIE, C'ÉTAIT L'ÉCRAN

IV. NOUVELLE VAGUE

V. LES ANNÉES LENTES

VI. LES VIES PARALLÈLES

VII. L'HOMME CINÉMA

VIII. LA FIGURE INACHEVÉE

FILMOGRAPHIE DE FRANÇOIS TRUFFAUT

1954. *Une visite* (court métrage).
1957. *Les Mistons* (court métrage).
1958. *Histoire d'eau* (court métrage).
1959. *Les Quatre Cents Coups.*
1960. *Tirez sur le pianiste.*
1962. *Jules et Jim.*
1962. *Antoine et Colette* (premier sketch de *L'Amour à vingt ans*).
1964. *La Peau douce.*
1966. *Fahrenheit 451.*
1967. *La mariée était en noir.*
1968. *Baisers volés.*
1969. *La Sirène du Mississippi.*
1969. *L'Enfant sauvage.*
1970. *Domicile conjugal.*
1971. *Les Deux Anglaises et le Continent.*
1972. *Une belle fille comme moi.*
1973. *La Nuit américaine.*
1975. *L'Histoire d'Adèle H.*
1976. *L'Argent de poche.*
1977. *L'Homme qui aimait les femmes.*
1978. *La Chambre verte.*
1979. *L'Amour en fuite.*
1980. *Le Dernier Métro.*
1981. *La Femme d'à côté.*
1983. *Vivement dimanche !*

ANTOINE DE BAECQUE

LA CARICATURE RÉVOLUTIONNAIRE, *Presses du CNRS*, 1988.

L'AN I DES DROITS DE L'HOMME, *Presses du CNRS*, 1989.

ANDREÏ TARKOVSKI, *Cahiers du cinéma*, 1989.

LES CAHIERS DU CINÉMA. HISTOIRE D'UNE REVUE, *Éditions de l'Étoile*, 1991.

LE CORPS DE L'HISTOIRE. MÉTAPHORES ET POLITIQUE, *Calman-Lévy*, 1993.

LE CINÉMA DES ÉCRIVAINS (ouvrage collectif), *Cahiers du cinéma*, 1995.

LE RETOUR DU CINÉMA, *Hachette*, 1996.

AVIGNON. LE ROYAUME DU THÉÂTRE, *Gallimard*, 1996.

CONVERSATIONS AVEC MANOEL DE OLIVEIRA, *Cahiers du cinéma*, 1996.

SERGE TOUBIANA

PERSÉVÉRANCE, (entretien avec Serge Daney), *P.O.L.*, 1994.

L'ARRIÈRE-MÉMOIRE (conversation avec Micheline Presle), *Flammarion*, 1994.

LE CINÉMA VERS SON DEUXIÈME SIÈCLE (ouvrage collectif), *Le Monde Éditions*, 1995.

Composition Bussière
et impression Bussière Camedan Imprimeries
à Saint-Amand (Cher), le 3 décembre 1996.
Dépôt légal : 3 décembre 1996.
Premier dépôt légal : octobre 1996.
Numéro d'imprimeur : 4/1082.
ISBN 2-07-073629-6./Imprimé en France.